Vorwort zur zweiten Auflage

Anregungen, kritische Äußerungen und Verbesserungsvorschläge in persönlichen Mitteilungen und Zeitschriftenrezensionen zur 1. Auflage habe ich dankbar zur Kenntnis genommen. Viele Hinweise konnte ich bei der jetzt notwendig werdenden Bearbeitung der 2. Auflage verwerten. Bestimmte Probleme wurden praxisbezogener und moderner gestaltet. Einige Abbildungen wurden neu gezeichnet oder korrigiert.

Meinen Mitarbeitern danke ich für die Hilfe während der Gestaltung der 2. Auflage.

Siegen, im August 1972 GÜNTHER KERN

Vorwort zur ersten Auflage

Das vorliegende Buch wendet sich an Studenten und Ärzte. Die Gynäkologie wurde nach dem heutigen Stand des Wissens kurz aber umfassend dargestellt. Die Bearbeitung durch *einen* Autor hat Vor- und Nachteile. Als Vorteil sieht der Autor die Möglichkeit einer sachlich und stilistisch einheitlichen Gestaltung. Der Nachteil liegt in der Gefahr, daß ein Autor die ihn interessierenden Gebiete stärker betont. Das Buch ist in drei große Kapitel gegliedert: Allgemeine Gynäkologie, Untersuchungsmethoden und spezielle Gynäkologie. Besonders im allgemeinen Teil werden einige Grundbegriffe der Embryologie und Physiologie kurz rekapituliert, wenn sie zum Verständnis der pathologischen Störungen notwendig erschienen.

Die Untersuchungsmethoden wurden zusammengefaßt, um Wiederholungen in den einzelnen Kapiteln zu vermeiden. In den Abschnitten „Diagnose" finden sich jeweils Hinweise auf diagnostische Verfahren.

Vorwiegend in der speziellen Gynäkologie sind die Krankheitsbilder in Ätiologie, Symptomatik, Diagnose und Therapie unterteilt, soweit sie nicht nur kurz Erwähnung finden. Innerhalb der Symptomatik werden außer den klinischen Krankheitszeichen auch die pathologische Anatomie und der Krankheitsverlauf geschildert.

Im Text finden sich wenig Literaturhinweise. Das kurze Literaturverzeichnis enthält zusammenfassende, aktuelle Darstellungen mit weiterführenden Quellenangaben.

Die Technik der Drucklegung im Taschenbuch bringt Federzeichnungen am besten zur Geltung. Die Zeichnung hat darüberhinaus den Vorteil, daß schematisierte, einprägsame Darstellungen gewählt werden können. Auf die Reproduktion von Makro- und Mikrophotographien wurde deshalb verzichtet. Bei der Bildgestaltung war die Zusammenarbeit mit dem wissenschaftlichen Zeichner, Herrn K. H. SEEBER vorbildlich.

Herrn Prof. Dr. med. C. KAUFMANN, Köln, danke ich für den Rat, dieses Buch zu schreiben.

Unermüdliche Helfer bei der Bildgestaltung und stilistischen Bearbeitung waren meine Frau, Dr. med. ERIKA KERN-BONTKE und HUBERTA GRÄFIN ZU EULENBURG, die ebenfalls neben Dr. med. W.-D. HOFMANN, und Fräulein ROSEMARIE HAUPT und Fräulein ROSWITHA FROMME die Korrekturen übernahmen, denen ich allen meinen Dank schulde. Anregungen und Verbesserungsvorschläge für Text und Illustrationen habe ich von den Kollegen des Hauses dankbar entgegengenommen.

Besonders hervorheben möchte ich die angenehme Zusammenarbeit mit dem Georg Thieme-Verlag, wofür ich Herrn Dr. med. h. c. GÜNTHER HAUFF und seinen Mitarbeitern herzlich danke.

Köln, im Januar 1970 GÜNTHER KERN

Günther Kern

Gynäkologie

Ein kurzgefaßtes Lehrbuch

3., unveränderte Auflage

196 meist zweifarbige Abbildungen

Zeichnungen von K. H. Seeber

G T V

Georg Thieme Verlag Stuttgart 1977

Prof. Dr. med. Günther Kern

Gynäkologisch-geburtshilfliche Abteilung,
Ev. Jung-Stilling Krankenhaus, Siegen/Westfalen

Karl Heinz Seeber

Tübingen

CIP-Kurztitelaufnahme der Deutschen Bibliothek

Kern, Günther
Gynäkologie : e. kurzgef. Lehrbuch. – 3.,
unveränd. Aufl. – Stuttgart : Thieme, 1977.
ISBN 3-13-460603-8

1. Auflage 1970
2. Auflage 1973
1. französische Auflage 1975
1. englische Auflage 1976
1. spanische Auflage 1976
2. Auflage, 1. unveränderter Nachdruck 1977

Satz und Umbruch: Druckhaus Dörr, Inhaber Adam Götz, Ludwigsburg

Druck: Ernst Kaufmann, Lahr (Schwarzwald)

ISBN 3 13 460603 8 5 4 3 2 1

Inhaltsverzeichnis

ALLGEMEINE GYNÄKOLOGIE

Entwicklung des weiblichen Organismus

Fetalzeit

Chromosomale Determinierung

Bei der geschlechtlichen Fortpflanzung vereinigen sich zwei Keimzellen zu einer Zygote, welche die doppelte Chromosomenzahl der Keimzellen besitzt. Jede Körperzelle des sich entwickelnden Individuums hat einen diploiden Chromosomensatz. Die eine Hälfte stammt vom Vater, die andere Hälfte von der Mutter. Der Verdoppelung des Chromosomensatzes bei der Befruchtung muß eine Reduktion der Chromosomenzahl in den Keimzellen (Gameten) vorausgehen, wenn die Konstanz der Chromosomenzahl über Geschlechter aufrechterhalten werden soll. Der Reduktionsvorgang wird als Reifeteilung oder **Meiose** bezeichnet und vollzieht sich während der Oogenese und Spermiogenese.

Der regelrechte Ablauf der Meiose ist eine der Vorbedingungen für die Entwicklung gesunder Individuen. Schwere Störungen bei der Reifeteilung führen zu Gameten, die nicht zur Fortpflanzung geeignet sind oder bei denen der Keim bald abstirbt. Leichtere Störungen während der Meiose sind Ursache einiger kongenitaler Fehlbildungen.

Meiose

Der Chromosomensatz der menschlichen Körperzelle ist diploid (2n). Er besteht aus 46 Chromosomen oder 23 Chromosomenpaaren. Mit Ausnahme der 2 Geschlechtschromosomen (Gonosomen) sind alle anderen Chromosomenpaare (Autosomen) homolog, d. h. morphologisch gleichartig. Genetisch sind sie verschieden, denn der eine Partner

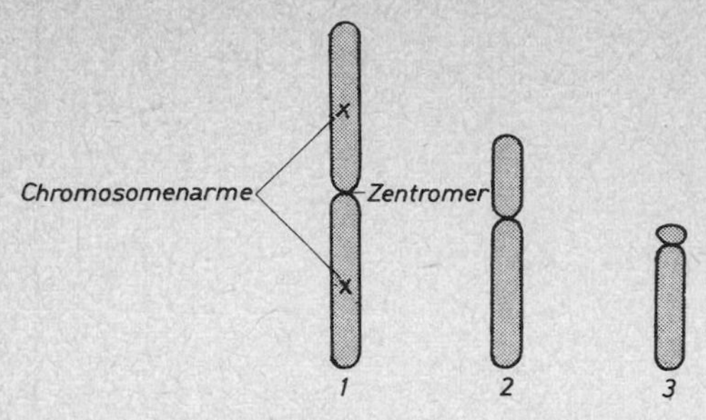

Abb. 1 Chromosomenmorphologie. 1. metazentrische, 2. submetazentrische, 3. achrozentrische Lage des Zentromers

des homologen Chromosomenpaares stammt vom Vater, der andere von der Mutter des betreffenden Individuums. Die Chromosomen sind langgestreckte, unterschiedlich große Gebilde. Durch eine zentrale Einschnürung (Zentromer) entstehen zwei Chromosomenarme (Chromatiden). Das Zentromer hat je nach der Chromosomenart eine unterschiedliche Lage (Abb. 1). Während der normalen Zellteilung (Mitose) teilt sich jedes Einzelchromosom in der Längsrichtung, wobei sich das Chromosomenmaterial verdoppelt, so daß in der sich teilenden Zelle ein tetraploider Chromosomensatz (4n) vorhanden ist. Ist die Teilung abgeschlossen, so sind zwei völlig identische Tochterzellen mit dem gleichen Chromosomenmaterial (2n) entstanden.

Zu Beginn einer **Meiose** nähern sich die Partner der homologen Chromosomenpaare und legen sich so dicht aneinander, als sei eine Verschmelzung vorgesehen. Mit dieser Konjugation wird die Zahl der Chromosomen scheinbar auf die Hälfte reduziert. In der Folgezeit lockern sich die Chromosomenpaarlinge etwas aus ihrer Verbindung. Sie können sich auch spiralig umwinden, sie bleiben aber als Paarlinge bestehen. Noch immer in innigem Kontakt, teilt sich jeder Paarling in Längsrichtung, so daß ein Gebilde aus 4 Strängen resultiert (Tetradenstadium). In diesem Zustand ist die Zelle tetraploid (4n). Währenddessen kommt es zu einem Austausch von mütterlichem und väterlichem genetischen Material des betreffenden Individuums. Das Tetradenstadium ist ein Charakteristikum der Meiose. In der nun ablaufenden 1. Reifeteilung wird die Hälfte jeder Tetrade auf zwei Tochterzellen verteilt, wobei es dem Zufall überlassen ist, welche Hälfte der einen oder anderen Zelle zufällt. Damit werden die homologen Chromosomenpaare der ursprünglichen Zelle getrennt und auf zwei Zellen verteilt (2n). Hier schließt sich die zweite Reifeteilung an. Ohne erneute Vermehrung des Chromosomenmaterials teilen sich die Chromatiden, so daß 4 Tochterzellen mit einem haploiden Chromosomensatz (n) entstehen. Beim Menschen hat also jede Keimzelle 23 unpaarige Chromosomen, wobei jede Keimzelle einen anders zusammengesetzten Genbestand hat. Abb. 2 zeigt in vereinfachter, schematischer Form den Ablauf der Meiose bei einem Individuum mit einem diploiden Chromosomensatz von 4 Chromosomen, dessen Keimzellen zwei Chromosomen enthalten.

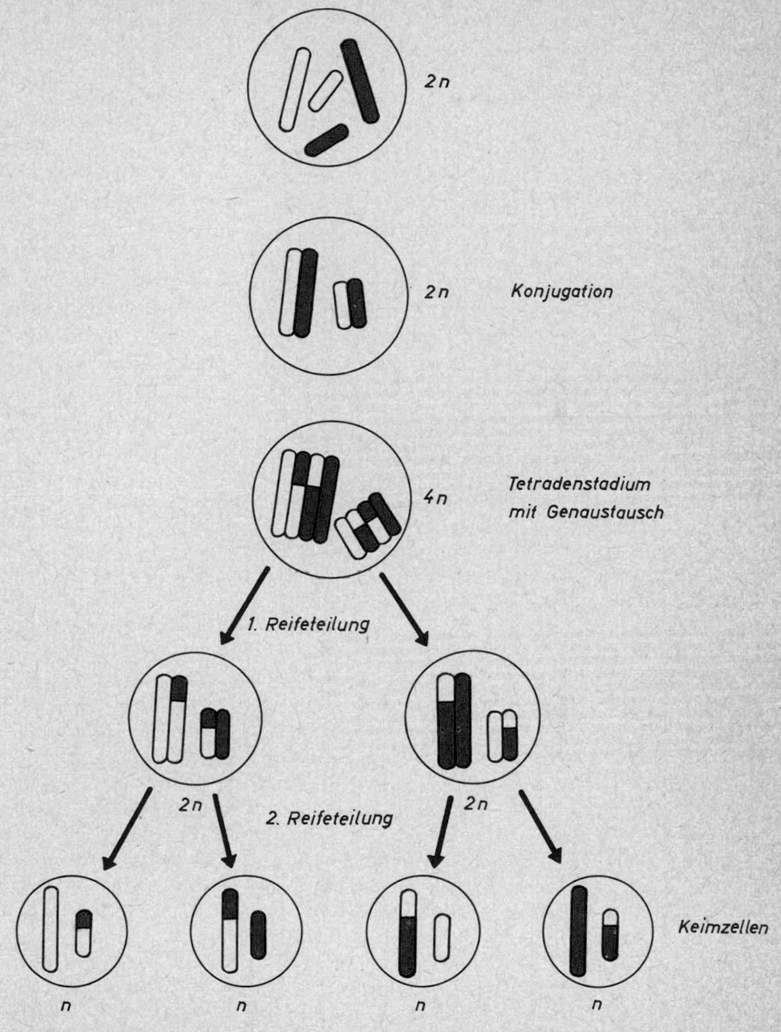

Abb. 2 Vereinfachte Darstellung der Meiose. Während der Konjugation und im Tetradenstadium werden die Chromosomen in Wirklichkeit sehr lang und dünn

Die Meiose unterscheidet sich im Ablauf und Ergebnis bei den verschiedenen Geschlechtern.

Beim **Mann** beginnt die Spermiogenese mit der Pubertät und hält bis ins hohe Alter an. Die Reifeteilungen erfolgen während der Entwicklung der Spermatoziden zu Spermatiden in relativ rascher Folge. Bei der Reifeteilung entstehen 4 Zellen, die sich zu fortpflanzungsfähigen Spermien heranbilden. Bei der Trennung der Chromosomenpaare wird auch das beim Mann heterologe Gonosomenpaar (XY) getrennt, so daß sich in einem Teil der Spermien ein X-, im anderen ein Y-Chromosom befindet, das für die Geschlechtsdeterminierung der geschlechtlich indifferenten Eizelle von ausschlaggebender Bedeutung ist. Nach neueren Erkenntnissen sollen sich die Y-tragenden Spermien im weiblichen Genitaltrakt schneller fortbewegen als diejenigen mit einem X-Chromosom. Tatsächlich entstehen bei der Befruchtung häufiger männliche Keime, die aber eine größere Absterberate aufweisen als die weiblichen, so daß unter den Lebendgeborenen nur ein geringer Knabenüberschuß zu finden ist.

Bei der **Frau** beginnt die Vorbereitung zur Meiose der Oozyten bereits im Fetalleben. Wahrscheinlich reicht die Vorbereitung bis zum Tetradenstadium. Eine postpartale Neubildung von Oozyten kommt nicht vor. Die meiotische Prophase wird jedoch noch im Fetalleben in ein Ruhestadium überführt, in dem die Keimzellen bis zur Geschlechtsreife verharren. Die Eizelle bleibt in diesem Ruhestadium (Diktyotän), bis sich ihr Schicksal entscheidet. Falls sie zur Ovulation bestimmt ist, dauert der Ruhezustand mindestens 10—14, maximal 45—50 Jahre. Eine Eizelle, die zur Ovulation bereit ist, vollzieht ihre erste Reifeteilung kurz vor der Ovulation. Es entstehen aber keine gleichwertigen Zellen, sondern eine bleibt rudimentär und wird als sog. Polkörperchen ausgestoßen. Unmittelbar darauf wird die zweite Reifeteilung eingeleitet, ohne daß es zu einer Rekonstruktion des Kernes kommt. Der Abschluß der zweiten Reifeteilung erfolgt erst nach der Ovulation, wiederum mit Ausstoßung eines Polkörperchens. Auch das erste Polkörperchen kann sich nochmals teilen, so daß bei der Meiose der weiblichen Keimzelle eine zytoplasmareiche (dotterreiche) Eizelle und drei rudimentäre Polkörperchen entstehen. Aus der Eizelle wird dadurch das Chromosomenmaterial bis auf einen haploiden Chromosomensatz eliminiert, während das Zytoplasma voll erhalten bleibt. Die für **eine** Zelle riesige Zytoplasmamenge wird nach einer eventuellen Befruchtung als Energiequelle benötigt.

Die Geschlechtschromosomen der Frau sind in allen Körperzellen paarig, in Form von zwei gleichgroßen X-Chromosomen vorhanden (XX-Konfiguration). Nach Abschluß der Meiose ist die Eizelle mit 22 unpaarigen Autosomen und **einem** X-Chromosom ausgestattet. Auf Grund des Austausches von genetischem Material während der Meiose besitzt jede Eizelle ein anderes Chromosomenmuster. Hinsichtlich der

Geschlechtschromosomen ist jede Eizelle gleich (ein X-Chromosom). Die Eizelle ist geschlechtlich indifferent.

Chromosomales Geschlecht

Mit der Befruchtung vereinigt sich der haploide Chromosomensatz der Spermatozoe mit dem der Eizelle. Enthielt die Spermatozoe ein Y-Chromosom, so entsteht bei der Befruchtung eine XY-Konfiguration. Das chromosomale Geschlecht des Individuums ist männlich. – Kommt eine Spermatozoe mit einem X-Chromosom zur Befruchtung, so entsteht ein Lebewesen mit einer XX-Konfiguration. Das chromosomale Geschlecht ist weiblich.

In jeder Körperzelle eines Mannes sind die Gonosomen XY und in jeder Körperzelle einer Frau die Gonosomen XX nachweisbar. Die chromosomale Zusammensetzung von Körperzellen, insbesondere die Art der Gonosomen, kann man direkt oder indirekt nachweisen. Beide Methoden sind von klinischem Interesse.

Chromosomenanalyse (s. S. 252)

Mit Hilfe dieser Methode läßt sich der Chromosomensatz von somatischen Zellen **direkt** analysieren. Die Chromosomen werden morphologisch sichtbar, wenn sich die Zellen in der Metaphase der Mitose befinden. Mit der Chromosomenanalyse werden sowohl die Autosomen als auch die Gonosomen dargestellt. Eine Indikation zur Durchführung dieser Methode besteht bei Verdacht auf Chromosomenstörungen im Bereich beider Chromosomenarten. Abb. 88 zeigt das Karyogramm eines gesunden Mannes und einer gesunden Frau.

Kerngeschlecht (Barr-Test, s. S. 249)

In den Ruhekernen von Körperzellen findet sich morphologisch ein **indirekter** Hinweis auf die Art der Gonosomen in dem betreffenden Zellkern. In der Ruhephase des Kernes sind alle Chromosomen entspiralisiert, mit einer Ausnahme: Enthält der Kern zwei X-Chromosomen, so lagert sich das zweite X-Chromosom als heterochromatisches Chromatinklümpchen an der Kernmembran an. Diese von BARR beschriebene Chromatinverdichtung ist sehr charakteristisch und läßt mit Sicherheit auf die Anwesenheit von mehr als einem X-Chromosom im Zellkern schließen (Abb. 86).

Findet sich keine Chromatinverdichtung an der Kernmembran des Ruhekernes, so besagt dies, daß im Kern **nicht** zwei X-Chromosomen vorhanden sind.

Beim Mann ist das Kerngeschlecht negativ, d. h. es findet sich keine Chromatinverdichtung an der Kernmembran des Ruhekernes. – Bei der Frau ist das Kerngeschlecht positiv, da die Chromatinverdichtung an der Kernmembran nachweisbar ist.

Zusammenfassung: Das chromosomale Geschlecht eines menschlichen Wesens wird durch die Keimzelle des Mannes bestimmt. Der Mann hat ein heterologes Gonosomenpaar XY, das Kerngeschlecht ist negativ. Die Frau hat ein homologes Gonosomenpaar XX, das Kerngeschlecht ist positiv.

Anatomische Differenzierung

Indifferentes Stadium

Trotz der chromosomalen Unterschiede beider Geschlechter geht die Organogenese des Urogenitalsystems zunächst gleichartig vor sich.

Beim Menschen finden sich die ersten Urkeimzellen im Dottersackepithel nahe der Allantoisanlage (Abb. 3). Die amöboid beweglichen Urkeimzellen wandern in der hinteren Rumpfwand in die Gonadenanlage ein. Während der Wanderung vermehren sie sich mitotisch.

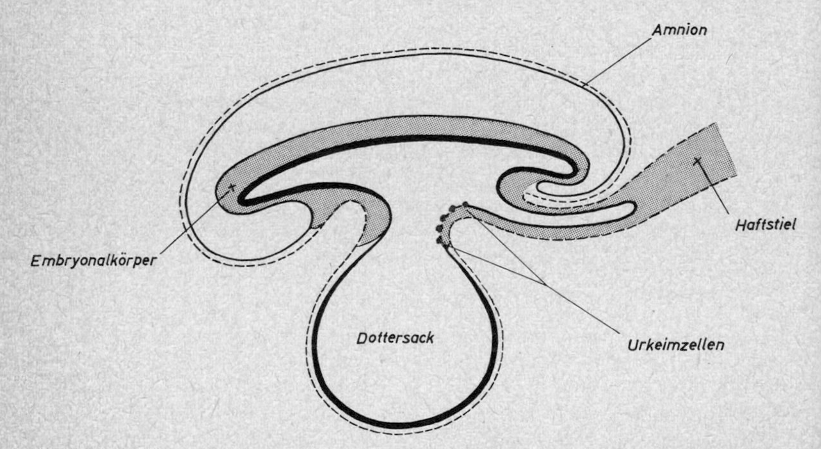

Abb. 3 Lage der Urkeimzellen bei einem etwa 3 Wochen alten menschlichen Embryo (nach STARCK)

Sie siedeln sich im Keimepithel der Gonadenanlage an. Diese Beobachtung konnte an 8 mm (Scheitel-Steiß-Länge) großen Embryonen gemacht werden. Erst in der Gonadenanlage werden Faktoren wirksam, die eine Differenzierung der Urkeimzellen in die Ureizellen beim weiblichen Geschlecht und in die Ursamenzellen beim männlichen Geschlecht veranlassen.

Die Gonadenanlage wird bei menschlichen Embryonen von 4 mm Scheitel-Steiß-Länge an der medialen Seite des Mesonephros sichtbar. Die Gonade besteht aus einem Mesenchymkern, der von Epithel umgeben ist. In der langgestreckten Gonade bilden sich die kranialen und kaudalen Anteile zu den Keimdrüsenligamenten um, nur der mediale Teil entwickelt sich weiter nach Einwanderung der Urkeimzellen. Strukturunterschiede in der Gonade zwischen männlichem und weib-

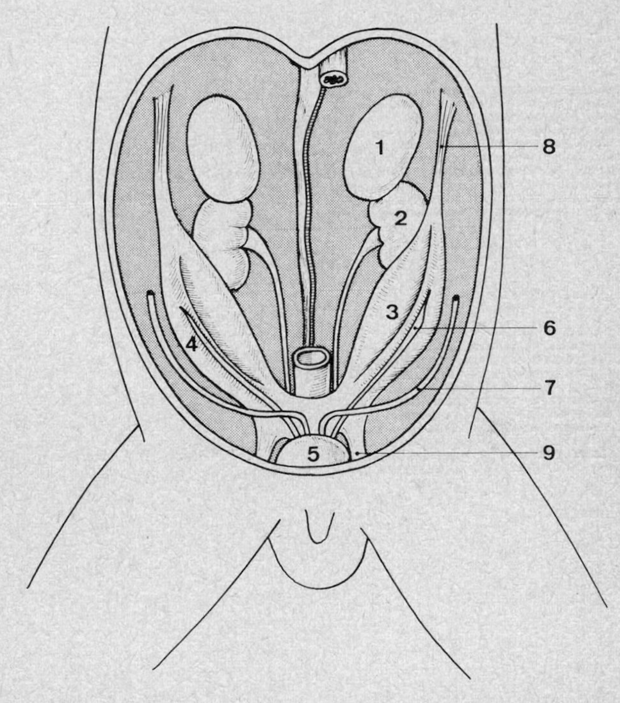

Abb. 4 Topographie des Urogenitalsystems bei einem menschlichen Embryo Ende des 2. Monats. Der Darm wurde herauspräpariert. 1. Nebennieren, 2. Nachnieren, 3. Gonaden, 4. Urnieren, 5. Harnblase, 6. Urnierengänge (Wolffsche Gänge), 7. Müllersche Gänge, 8. Zwerchfellband, 9. Inguinalband (nach Starck)

lichem Geschlecht sind bei Embryonen von 15—17 mm Länge erkennbar. Die der Gonadenanlage benachbarte Urniere bildet sich bei beiden Geschlechtern weitgehend zurück. Zwischen Gonade und Urniere entwickelt sich ein Kanälchennetz (Rete testis bzw. Rete ovarii), welches beim Mann zur Bildung des Nebenhodens führt, während bei der Frau die Kanälchen rudimentär bleiben und keine Bedeutung für die Abgabe der Keimzellen besitzen.

Bei beiden Geschlechtern existieren verschiedene Gangsysteme zur Ableitung der Gonaden, welche gleichzeitig angelegt sind. Im männlichen Individuum wird der Urnierengang (WOLFFscher Gang) zum Ductus deferens, im weiblichen ein eigenes Gangsystem (MÜLLERsche Gänge) zum Ovidukt, aus dem sich die Tuben, der Uterus und ein Teil der Vagina entwickeln. Abb. 4 zeigt die Topographie des Urogenitalsystems bei einem menschlichen Embryo am Ende des 2. Monats. In dieser Zeit ist makroskopisch noch kein Unterschied zwischen beiden Geschlechtern erkennbar. Die Abbildung zeigt auch, daß die MÜLLERschen Gänge zunächst lateral von den WOLFFschen Gängen liegen, diese aber im Becken überkreuzen und sich in der Medianlinie einander nähern. Wenig später werden der rechte und linke MÜLLERsche Gang von einer Mesenchymhülle umgeben. Die Gänge verkleben in der Medianlinie, so daß ein durch ein Septum unterteiltes Doppelrohr entsteht. Bei Embryonen von 50—60 mm Länge verschwindet das Septum. Aus dem kaudalen verschmolzenen Teil der MÜLLERschen Gänge entsteht der Uterovaginalkanal und aus den kranialen nicht verschmolzenen Anteilen beide Tuben.

Differenzierung des weiblichen Genitalsystems

Abb. 5 zeigt schematisch die Differenzierung der Genitalorgane aus dem indifferenten Stadium in das männliche und weibliche Genitale. Im folgenden soll nur die Entwicklung der weiblichen Geschlechtsorgane beschrieben werden, soweit dies zum Verständnis des normalen Genitalbefundes und klinisch wichtiger Abweichungen von der Norm notwendig ist.

Ovarien

Die Ovarien entstehen aus den paarig angelegten Gonaden, nachdem die Urkeimzellen in den medialen Teil der Gonaden eingewandert sind. Hier veranlaßt der chromosomale Faktor die Weiterbildung in die Ureizellen und damit die Entwicklung zum Ovar. — Die späteren Eizellen ordnen sich zunächst in sog. Eiballen an. Am Ende der Fetalzeit sind 4—500 000 vorhanden. Morphologisch haben sich Primordialfollikel gebildet. — Der kraniale Teil der Gonade wird zum Lig. suspensorium ovarii. Das kaudale Ligament inseriert am Tubenwinkel des Uterus. Das untere Ende erreicht die vordere Bauchwand, durchsetzt den Leistenkanal und gewinnt Anschluß an die Geschlechtshöcker, die späteren großen Labien (Lig. rotundum: in der Pariser Nomenklatur als Lig. teres uteri bezeichnet). Das Ovar macht im Gegensatz zu den Testes keine wesentlichen Lageveränderungen

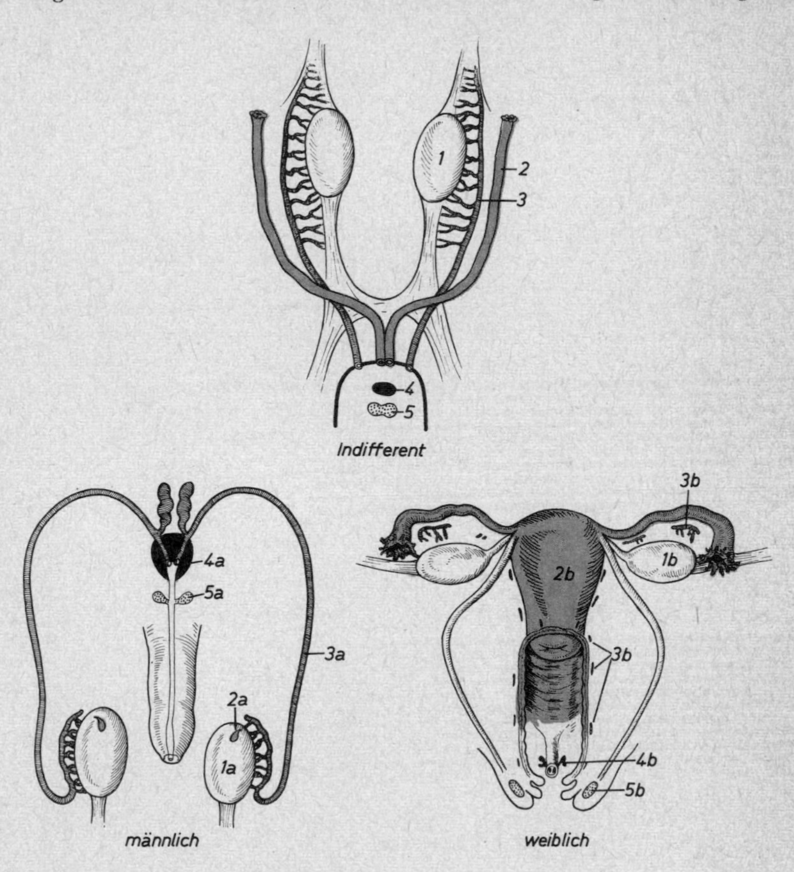

Abb. 5 Differenzierung des männlichen und weiblichen Genitale aus dem indifferenten Stadium.

1. Gonaden, 1a. Testis, 1b. Ovarien — 2. MÜLLERsche Gänge, 2a. Appendix testis (Rest des MÜLLERschen Ganges), 2b. Tuben, Uterus und ein Teil der Vagina — 3. WOLFFsche Gänge, 3a. Nebenhoden, Ductus deferens und Samenblasen, 3b. Reste des WOLFFschen Ganges, wird auch GARTNERscher Gang genannt. — 4. Anlage der Prostata und der SKENEschen Drüsen, 4a. Prostata, 4b. SKENEsche Drüsen periurethral — 5. Anlage der COWPERschen und BARTHOLINschen Drüsen, 5a. COWPERsche Drüsen, 5b. BARTHOLINsche Drüsen (nach NETTER)

durch. Für die Testes dient der zum Ligament umgewandelte untere Abschnitt der Gonade als Leitband für die deszendierende Wanderung (Gubernaculum testis).

Tuben

Die Eileiter entwickeln sich aus den getrennt bleibenden Anteilen der MÜLLERschen Gänge. Die mesenchymalen Wandschichten verändern sich im Gegensatz zum uterinen Abschnitt nur unwesentlich.

Uterus

Die unteren Abschnitte der MÜLLERschen Gänge verschmelzen miteinander. Abb. 6 zeigt, daß auch der horizontal verlaufende Anteil der MÜLLERschen Gänge in die Bildung des Uterus einbezogen wird. Dadurch erklärt sich die Form des Cavum uteri, welches nach beiden Tubenecken hin zipflig ausgezogen ist. — Die mesenchymalen Wandschichten werden beträchtlich verstärkt. Es kommt zur Ausbildung des Myometriums. Der Grad der Verschmelzung der MÜLLERschen Gänge ist in der Säugetierreihe verschieden. Beim Menschen können unvollkommene Verschmelzungen als Mißbildungen bestehen bleiben.

Die MÜLLERschen Gänge haben keine Verbindung zum Sinus urogenitalis, wenn sie auch dicht an diesen heranreichen. Nach Ausbildung des Uterus bleibt die Zervix durch eine Epithelplatte verschlossen, welche bis zur Geburt persistieren kann. Hier ist entwicklungsgeschichtlich über die Art der Organogenese noch keine restlose Klärung erfolgt. Erst bei Embryonen von 160 mm Scheitel-Steißbein-

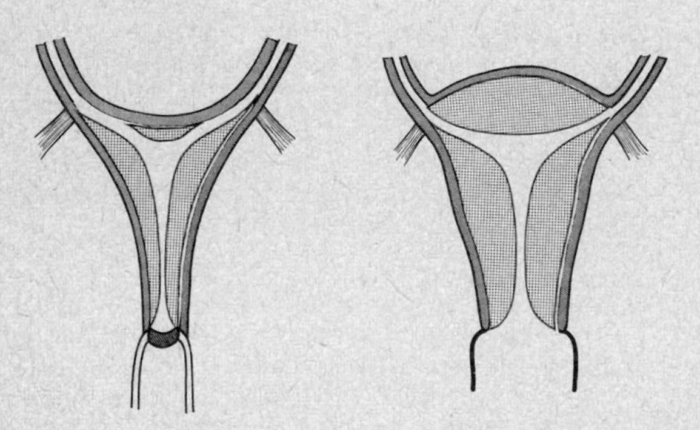

Abb. 6 Entwicklung des Uterus aus den MÜLLERschen Gängen (rot = Myometrium). Da auch der horizontal verlaufende Teil der MÜLLERschen Gänge in den Uterus miteinbezogen wird, erklärt sich die spätere dreizipfelige Form des Cavum uteri (nach STARCK)

Länge bildet das Vaginalepithel Taschen, die den späteren Scheidengewölben entsprechen und die Zervix umfassen. Dann kommt es in der erwähnten Epithelplatte zu einer Deshiszenz und der äußere Muttermund formiert sich.

Vagina

Die Herkunft des Vaginalepithels ist nicht restlos geklärt. Früher nahm man an, daß sich die Vagina im oberen Anteil aus den MÜLLERschen Gängen bildet. Neuere Untersuchungen deuten auch auf eine Beteiligung der WOLFFschen Gänge hin. Zwischen Vagina und Sinus urogenitalis besteht zunächst keine Verbindung. Eine bindegewebige Platte trennt sie. Nach deren Perforation wird diese zum Hymen.

Äußeres Genitale

Beim ganz jungen Embryo münden Rektum und Allantois in eine Kloake. Sehr bald wird das Rektum durch das Septum urorectale abgetrennt. – Unter Sinus urogenitalis versteht man den gemeinsamen Mündungsbereich von Harnblase und WOLFFschen Gängen. Aus dem oberen Anteil (Pars pelvina) bilden sich bei der Frau die Urethra und die akzessorischen SKENEschen Drüsen (beim Mann die Prostata). Aus dem unteren Anteil des Sinus urogenitalis formiert sich das Vestibulum vaginae. Auch die Entwicklung des äußeren Genitale zeigt ein indifferentes Anfangsstadium. Eine exakte Unterscheidung zwischen männlich und weiblich ist erst bei Feten von 50 mm Länge möglich. Das weibliche Genitale gleicht mehr der undifferenzierten Form als das männliche. Der Geschlechtshöcker vergrößert sich anfangs beim weiblichen Fetus, bleibt dann aber im Wachstum zurück und wird zur Klitoris. Da die Geschlechtsfalten nicht miteinander verwachsen, bleibt der Sinus urogenitalis, in den Urethra und Vagina münden, frei, er bildet sich zum Vestibulum vaginae um. Die Geschlechtsfalten werden zu den Labia minora. Aus den Geschlechtswülsten gehen die Labia majora hervor. Die Ausbildung des äußeren Genitale wird nicht nur von chromosomalen, sondern besonders von hormonellen Faktoren gesteuert. Abb. 7 zeigt die verschiedene Differenzierung des äußeren Genitale bei beiden Geschlechtern.

Zusammenfassung: Die normale embryonale Entwicklung der Geschlechtsorgane beim jungen Embryo durchläuft zunächst eine indifferente Phase, obwohl die chromosomale Determinierung verschieden ist. Erst zwischen dem 2. und 3. Embryonalmonat erfolgt eine sichtbare Differenzierung in männlich und weiblich. Welche Faktoren im einzelnen die komplizierte Organogenese steuern, ist weitgehend unbekannt. Gesichert erscheint, daß die Anwesenheit eines Y-Chromosoms die Ausbildung der männlichen Sexualorgane veranlaßt. – Bei der Formierung des Uterus, der deszendierenden Wanderung des Hodens oder der Ausbildung des äußeren Genitale sind hormonale und andere zum Teil unbekannte Faktoren mitbestimmend.

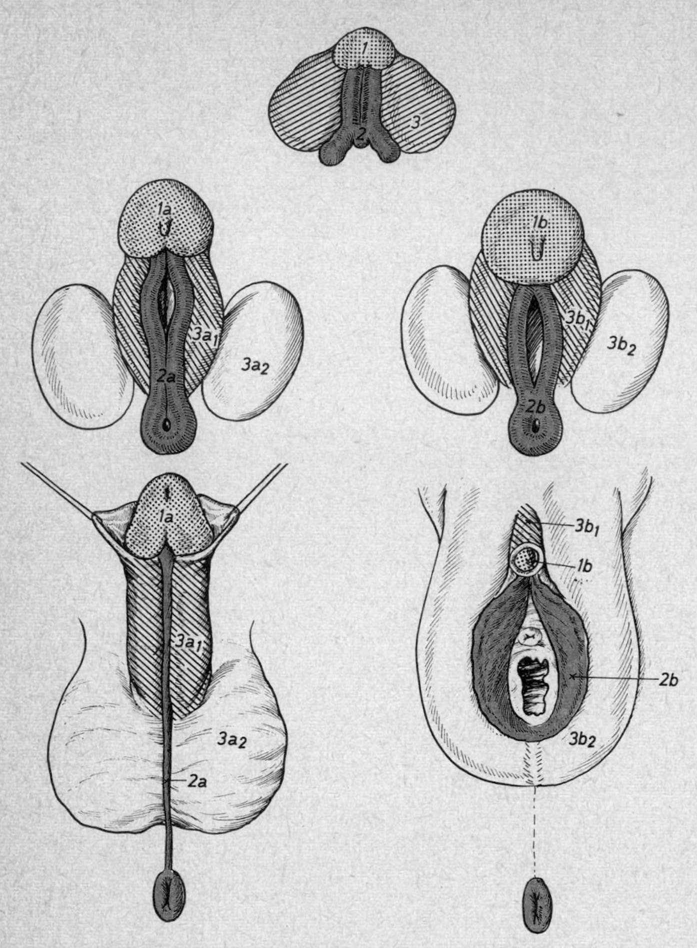

Abb. 7 Entwicklung des äußeren Genitale aus dem indifferenten Stadium in die männliche und weibliche Form.

1. Gebiet, aus dem sich später die Glans penis und Glans clitoridis entwickeln, 1a. Glans penis, 1b. Glans clitoridis, 2. Geschlechtsfalten, 2a. beim männlichen Geschlecht vorübergehende Bildung einer Urogenitalspalte, die sich bei regelrechter Entwicklung vollkommen schließt und zur Skrotal-Perianal-Raphe wird, sowie Bildung des Anus, 2b. Ausbildung der Urogenitalspalte und Bildung des Anus. Dieser Zustand bleibt in etwa erhalten, aus den Geschlechtsfalten bilden sich die kleinen Labien. 3. Geschlechtswülste, 3a 1. Entwicklung des Penisschaftes, 3a 2. Entwicklung des Skrotum. 3b 1. Entwicklung des Klitorisschaftes, 3b 2. Entwicklung der großen Labien (nach NETTER)

Abweichungen von der Norm

Die technischen Leistungen des 20. Jahrhunderts sind bescheiden gegenüber den noch weitgehend unbekannten Steuer- und Regelsystemen, die bei der Entwicklung eines Lebewesens reibungslos ineinandergreifen. Noch ist es nicht gelungen, auch nur einen Einzeller „nachzubauen". Nur bei den kleinsten Lebewesen, den Viren, scheint der Bauplan bekannt zu werden. – Aber auch in der belebten Natur können bei der Entwicklung eines Lebewesens Fehler vorkommen, die je nach dem Schweregrad zum Absterben des sich entwikkelnden Keimes oder zu Mißbildungen führen. Viele angeborene Krankheiten oder Mißbildungen sind in ihrer Ätiologie noch unklar. Neuere Forschungen haben bei der Fehlentwicklung der Genitalorgane einige Erkenntnisse gebracht, die im folgenden dargestellt werden sollen.

Genetische Entwicklungsstörungen

Störungen während der Meiose sind deshalb besonders folgenschwer, weil bei einer Befruchtung einer derartigen Keimzelle diese Störung für das sich entwickelnde Individuum kennzeichend ist, da in jeder weiteren Zelle die gleiche Chromosomenanomalie auftritt. Die Methodik der Chromosomenanalysen (Karyogramm, s. S. 252) beim Menschen ist noch jung, so daß ein vollständiger Überblick über mögliche Chromosomenschäden noch nicht vorliegt. Es besteht aber der Eindruck, daß besonders die Gonosomen in der Meiose störungsanfällig sind. Ob das väterliche oder mütterliche Chromosomenmaterial betroffen ist, läßt sich nicht feststellen. Wird eine Frau am Ende des 4. oder 5. Lebensjahrzehnt schwanger, so steigt die Zahl solcher Fehlbildungen an. Man glaubt, daß bei einem zu langen Ruhezustand der Eizelle, die sich in der Meiose befindet, Chromosomenstörungen eher vorkommen. Andererseits findet sich im Spermiogramm gesunder Männer stets ein Prozentsatz von 10–20 morphologisch abnormer Spermien, so daß auch hier die Fehlerquelle liegen kann. – Störungen während der 2. Reifeteilung der Eizelle oder in Mitosen unmittelbar nach der Befruchtung können **milieubedingt** sein, weil sich dann das Ei bereits aus der Follikelhöhle entfernt und seine Wanderung durch die Tube aufgenommen hat. Sauerstoffmangel kann z. B. dazu führen. Nicht umsonst findet sich in den Früchten von Extrauteringraviditäten eine hohe Zahl von schwersten Mißbildungen. – Folgende Chromosomenanomalien wurden beschrieben.

Polyploidie

Statt des normalen diploiden findet sich ein tri- oder tetraploider Chromosomensatz. Diese Form entsteht, wenn eine Gamete zur Befruchtung kommt, bei der die Reifeteilung ganz oder zur Hälfte ausgeblieben ist. Bisher wurden ganz wenige Fälle schwachsinniger Kinder mit einer Triploidie beschrieben. Tri- und Tetraploidien fanden sich bei vorzeitig abgestorbenen Früchten in Abortresten.

Monosomie

Die Bezeichnung wird gewählt, wenn **ein** Chromosom im diploiden Chromosomensatz, also der Partner eines Chromosomenpaares, fehlt. Wie bereits beschrieben, legen sich die homologen Chromosomenpaare zu Beginn der Meiose dicht aneinander, trennen sich aber nach Austausch des genetischen Materials bei der 1. Reifeteilung wieder. Diese Trennung kann ausbleiben, so daß in der einen Gamete ein Chromosom fehlt, in der anderen eines zu viel ist (Trisomie s. u., S. 17). MANN nennt die Nichttrennung der homologen Chromosomenpaare „Non-disjunction" (Tab. 1).

Tabelle 1

Mütterliche Non-disjunction

XY XX XY

Gameten X Y XX OO X Y

Zygote XXX XXY XO YO

Väterliche Non-disjunction

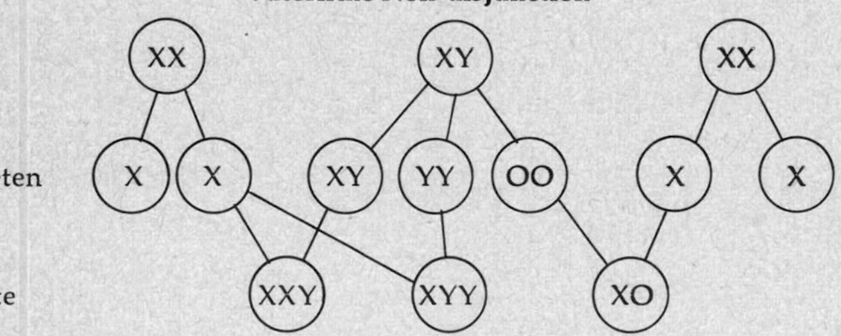

XXX = Triplo-X
XXY = KLINEFELTER-Syndrom
XO = XO-Gonadendysgenesie
YO = offenbar nicht lebensfähig
XYY = Hochwuchs, krimineller Trieb

Diese Form wird nicht selten bei den Geschlechtschromosomen angetroffen. Bei der Monosomie der Geschlechtschromosomen finden sich 44 Autosomen und **ein** X-Chromosom. Tab. 1 zeigt, daß die Ursache in einer Meiosestörung sowohl der weiblichen als auch der männlichen Keimzelle liegen kann. — Eine Monosomie der Gonosomen mit einem Y-Chromosom ist offenbar nicht mit dem Leben vereinbar, zumindest bisher nicht bekannt geworden.

XO-Gonadendysgenesie. *ÄTIOLOGIE.* Sind die Gonosomen nur durch **ein** X vertreten (die Null steht an Stelle des fehlenden Chromosomenpartners), so kommt es zu einer schweren Störung bei der Genitalentwicklung. Nach neuesten Untersuchungen wandern wahrscheinlich die Keimzellen zunächst in die Gonadenleisten ein, verfallen aber dort der Degeneration. Die Gonaden bilden sich nicht aus, es finden sich an Stelle der Ovarien dünne, derbe Gewebestränge, in denen sich etwas Ovarialstroma, Reste des Rete ovarii, Hiluszellen, aber keine Keimzellen nachweisen lassen. Die MÜLLERschen Gänge verschmelzen zwar medial, doch eine regelrechte Ausbildung des Uterus unterbleibt. Die Vagina bleibt eng und infantil. Das äußere Genitale ist weiblich geformt und bleibt infantil. Auf 3—5000 Lebendgeborene kommt eine XO-Gonadendysgenesie.

SYMPTOMATIK. Der Verdacht auf eine derartige Anomalie besteht beim Neugeborenen, wenn die Halshaut des Kindes wie bei einem Dackel viel zu weit erscheint (Pterygium colli), der Hals kurz und der Haaransatz auffallend tief ist. Häufig bestehen Ödeme des Hand- und Fußrückens. Die Säuglings- und Kleinkinderperiode verläuft ungestört. Im Schulalter fallen die Kinder oft durch einen persistierenden Kleinwuchs, meist auch durch eine verminderte Intelligenz auf. Die Ellenbogengelenke sind überstreckbar (Cubitus valgus). Meist suchen die Eltern erst zum Zeitpunkt der erwarteten Menarche ärztlichen Rat. — Diese Patientinnen machen keine Pubertät durch, sie bleiben **primär amenorrhoisch.** Die Schambehaarung entwickelt sich nur sehr spärlich. Das Brustwachstum unterbleibt. Die Patientinnen sind nicht fortpflanzungsfähig (Abb. 8). Wenige Fälle mit einer somatisch nachgewiesenen XO-Konfiguration waren dennoch fortpflanzungsfähig. Diese Diskrepanz ist mit einer lokalen Mosaikbildung (s. S. 21) der Keimzellen erklärbar (s. auch die XX-Ovardysgenesie S. 22).

DIAGNOSTIK. Der Pädiater stellt die Diagnose, wenn ein Pterygium colli, kurzer Hals, tiefer Haaransatz, Fuß- und Handrückenödeme vorliegen und das Kerngeschlecht negativ ist. — Der Gynäkologe stellt die Diagnose aus folgender Symptomatik: Kleinwuchs (aber nicht in allen Fällen), primäre Amenorrhoe bei extrem hypoplastischem äußeren und inneren Genitale (Abb. 14/2), Fehlen der sekundären Geschlechtsmerkmale, negatives Kerngeschlecht. Die früher übliche Probelaparotomie kann man den Patientinnen ersparen. Ist das klinische Bild nicht eindeutig (z. B. normales Längenwachstum), sollte ein

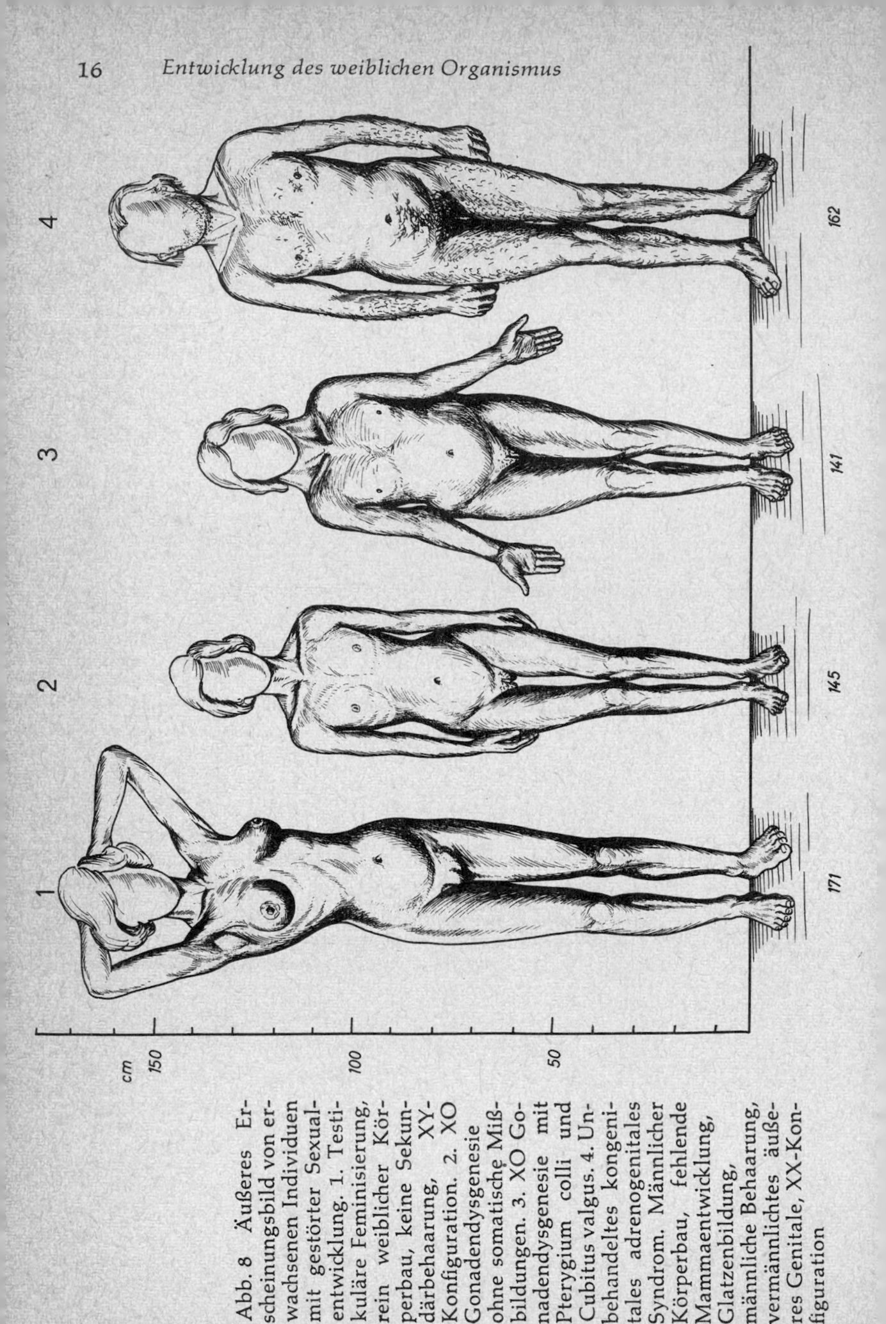

Abb. 8 Äußeres Erscheinungsbild von erwachsenen Individuen mit gestörter Sexualentwicklung. 1. Testikuläre Feminisierung, rein weiblicher Körperbau, keine Sekundärbehaarung, XY-Konfiguration. 2. XO Gonadendysgenesie ohne somatische Mißbildungen. 3. XO Gonadendysgenesie mit Pterygium colli und Cubitus valgus. 4. Unbehandeltes kongenitales adrenogenitales Syndrom. Männlicher Körperbau, fehlende Mammaentwicklung, Glatzenbildung, männliche Behaarung, vermännlichtes äußeres Genitale, XX-Konfiguration

Karyogramm zur Sicherung herangezogen werden. – Zur Zeit der normalerweise einsetzenden Pubertät versucht die Hypophyse vergeblich, die nicht entwickelten Gonaden zur Hormonbildung anzuregen, so daß oft, aber nicht in allen Fällen eine erhöhte hypophysäre Gonadotropinausscheidung nachweisbar ist. Die bindegewebigen Rudimente der Gonaden haben nicht die Fähigkeit, Hormone zu bilden. Der dadurch bedingte Östrogenmangel erklärt den Infantilismus. Die Ausscheidung der 17-Ketosteroide ist oft leicht vermindert. – Das Geschlecht der XO-Gonadendysgenesie ist de jure weiblich, auch die Erziehung als Mädchen bereitet keine Schwierigkeiten. De facto handelt es sich eher um geschlechtslose, kindhaft bleibende Wesen, die von sich aus nie eine sexuelle Aktivität entfalten. ULLRICH und TURNER haben die klinischen Zeichen dieses Syndroms beschrieben (ULLRICH-TURNER-Syndrom). Die Autoren kannten aber die Art der Chromosomenanomalie noch nicht, so daß sich unter dem Syndrom auch Gonadendysgenesien ohne Chromosomenverlust befinden.

THERAPIE. Die Behandlung besteht in der Zufuhr von Östrogenen, mit der nicht zu früh (nicht vor dem 12. Lebensjahr), aber auch nicht zu spät begonnen werden soll. Mit der Behandlung erzielt man folgendes: Uterus und Vagina vergrößern sich. Die Vagina kann kohabitationsfähig werden. Eventuell auftretende Hormonentzugsblutungen wirken psychisch meist günstig. Die Brust entwickelt sich. Die Fettverteilung wird weiblich. Es kommt zu einer geistigen Nachreifung und einem Wachstumsschub. Die Therapie besteht in der Verabreichung von Östrogen-Depotpräparaten, z. B. alle 1–2 Monate 10 mg Ovocyclin-Kristall (Ciba) oder Progynon-Depot (Schering) i.m. Die Patientinnen müssen über die unbeeinflußbare Sterilität unterrichtet werden. Eine volle Aufklärung über die fehlende Geschlechtlichkeit sollte man vermeiden.

Sog. männliches Turner-Syndrom. Dem eben besprochenen Krankheitsbild ganz ähnlich sind phänotypisch männliche Individuen mit einem rudimentären männlichen Genitale. Man nimmt an, daß das Y-Chromosom vorhanden, aber inert ist.

Echter Agonadismus. Gonaden fehlen völlig, das Genitale ist nicht angelegt. Nur wenige Fälle sind bekannt geworden. Das Kerngeschlecht ist chromatinnegativ. Der einzige Fall, bei welchem eine Chromosomenanalyse durchgeführt wurde, hatte eine XY-Konfiguration, wobei das Y offenbar biologisch inert war. Patienten sind phänotypisch kindlich weiblich.

Trisomie

Bei dieser Chromosomenanomalie findet sich in einem sonst normal diploiden Chromosomensatz ein Chromosom zuviel. Auf Grund einer „Non-disjunction" bei der Reifeteilung sind beide Chromosomen eines Paares in der Gamete vorhanden. Kommt der haploide Chromosomensatz der befruchteten Keimzelle hinzu, so ist die Chromosomenart dreimal vertreten. Dies kann bei Autosomen und Gonosomen vorkommen. Die Zahl der Chromosomen beträgt bei den Individuen nicht 46, sondern 47 Chromosomen.

Morbus Down. Das bekannteste Beispiel im Bereich der **Autosomen** ist die Trisomie im 21. Chromosomenpaar (DENVER-Klassifizierung, s. S. 252). Die Kinder sind imbezill infolge einer Oligophrenie mit steil abfallendem Hinterhaupt. Sie zeigen eine Schrägstellung der Lidfalten mit einer sichelförmigen Hautfalte im inneren Lidwinkel (Epikanthus) und eine mangelhafte Handfurchenbildung (Affenfurche). Die Mundspalte klafft, die verdickte Zunge ist sichtbar. Häufig sind Mißbildungen der Ohrmuscheln. Auffallend ist eine Überbeweglichkeit der Gelenke. Das Krankheitsbild wird als Morbus DOWN oder früher deskriptiv als mongoloide Idiotie bezeichnet. Es sollte dem Geburtshelfer geläufig sein, da die Symptomatik beim Neugeborenen so ausgeprägt ist, daß die Eltern darauf aufmerksam gemacht werden müssen.

Trisomien im Bereich der mittelgroßen Chromosomen sowie der Chromosomen 17 und 18 führen zu multiplen Mißbildungen, so daß die Kinder oft nur wenige Tage oder Wochen alt werden.

An Stelle von zwei **Geschlechtschromosomen** kommen nicht selten drei oder mehr vor.

XXY-Gonadendysgenesie (Klinefelter-Syndrom). Diese Patienten kommen nicht zum Gynäkologen. — Es handelt sich um Knaben, da die Anwesenheit eines Y-Chromosoms immer zu einer männlichen Entwicklung führt. Auf Grund des überzähligen X-Chromosoms bleibt aber die Hodenentwicklung weitgehend aus. Bei den Patienten finden sich folgende Befunde: vermehrte Gonadotropinausscheidung, gering vermehrte 17-Ketosteroidausscheidung, Östrogenwerte im Bereich der Normalstreuung des Mannes, keine Spermiogenese, daher auch keine Fortpflanzungsfähigkeit, unterentwickeltes männliches Genitale, mäßige Schambehaarung, weibliche Fettverteilung, Brustentwicklung, normales Längenwachstum, häufig Debilität verschiedener Ausprägung. Das **Kerngeschlecht** ist positiv, da das zweite X-Chromosom im Ruhekern sich im kondensierten Zustand eines BARR-Körperchens befindet. Die Häufigkeit des KLINEFELTER-Syndroms wird mit 2,06 auf 1000 Knabengeburten angegeben, ist also keineswegs selten (Abb. 9).

Seltenere Formen der überzähligen Geschlechtschromosomen. Das X-Chromosom kann drei- oder mehrfach vorkommen. Diese Anomalie ist im Tierreich bekannt und führt dort zu einer Steigerung der weiblichen Ausprägung. Triplo-X-Frauen sind meist imbezill und haben eine eher unterentwickelte Genitalfunktion. Frauen mit überzähligen X-Chromosomen können jedoch Nachkommen haben.

Auch die Kombination drei- und mehrfacher X-Chromosomen mit einem Y-Chromosom wurde beschrieben. Diese Individuen zeigen

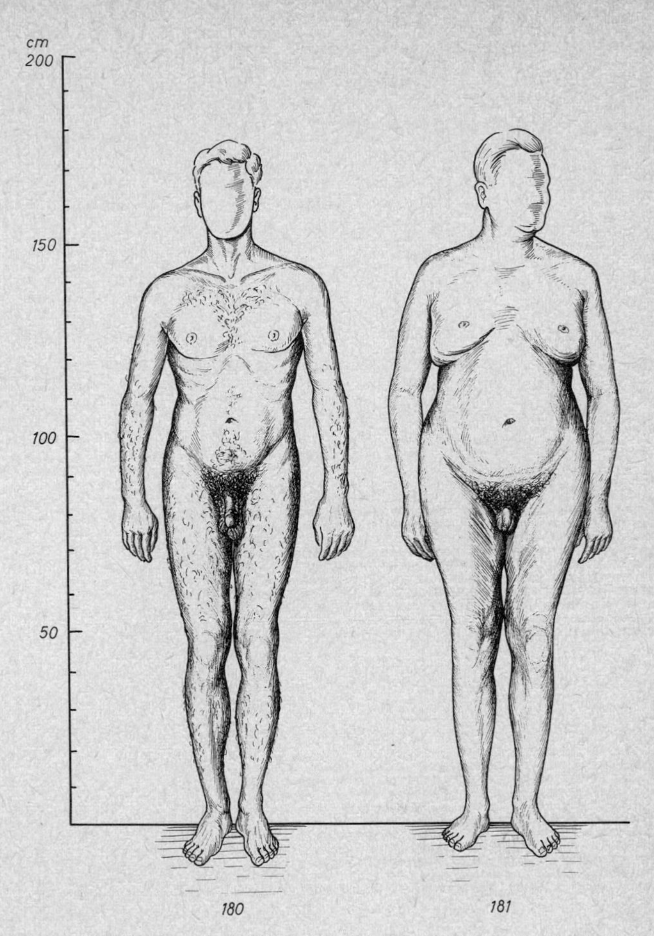

Abb. 9 Äußeres Erscheinungsbild eines gesunden Mannes neben einem KLINEFELTER-Syndrom

immer Hinweise auf eine männliche Geschlechtsentwicklung ähnlich dem KLINEFELTER-Syndrom mit mehr oder minder schweren anderen Mißbildungen. – Bei der Bestimmung des **Kerngeschlechts** dieser Personen finden sich mehrere BARRsche Chromatinkörperchen an der Kernmembran. Die Anzahl beträgt eins weniger, als das Karyogramm X-Chromosomen aufweist (Abb. 86).

Treten neben einem X-Chromosom zwei Y-Chromosomen auf (XYY-Konfiguration), so scheint es beim Menschen vermehrt zu kriminellen Delikten zu kommen. Man hat diese Chromosomenanomalie bei Gewalt- und Sexualverbrechern gefunden.

Die Analyse der Chromosomenstörungen ist nur durch das Karyogramm möglich.

Struktur-Anomalien an einem Chromosom

Die Chromosomenforschung kennt schon lange Anomalien an Einzelchromosomen, die auch experimentell erzeugt werden konnten (z. B. durch Bestrahlungen). Durch die Möglichkeit der karyologischen Analyse werden zunehmend Chromosomenanomalien an Einzelchromosomen des Menschen bekannt, die sowohl die Autosomen,

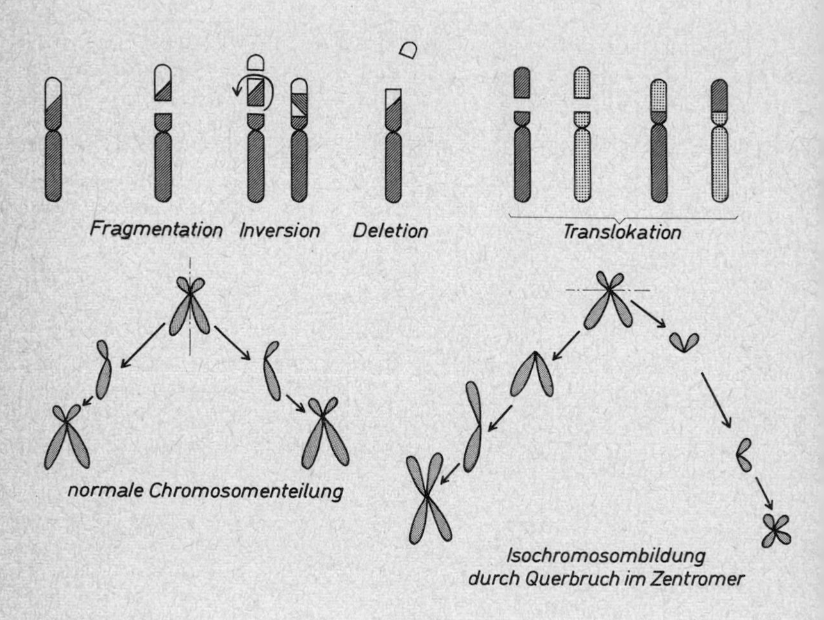

Abb. 10 Mögliche Chromosomenanomalien innerhalb eines regelrechten Chromosomensatzes.

Fragmentation (Bruch eines Chromosoms), Inversion (nach dem Bruch Drehung eines Bruchstückes und Zusammenwachsen der beiden Bruchstücke), Deletion (Abbruch eines meist kleinen Stückes und Verlust desselben), Translokation (Bruch zweier Chromosomen und Austausch der Bruchhälften), Isochromosombildung (nicht Längsteilung, sondern Querbruch im Zentromer)

aber nicht selten auch die Gonosomen betreffen. Man unterscheidet verschiedene Formen (Abb. 10):

Fragmentation, Inversion und Deletion. Ein Chromosom kann während der Chromosomenbewegung zerbrechen (Fragmentation). Die Chromosomenbruchstücke vereinigen sich leicht mit anderen Bruchstellen. Dreht sich ein Bruchstück um 180 Grad und verwächst wieder mit dem anderen Bruchende, so ist eine Inversion erfolgt. — Geht ein Chromosomenbruchteil verloren, so nennt man diesen Vorgang Deletion.

Translokation. Zerbrechen zwei Chromosomen, so können die Bruchstücke zwischen den beiden Chromosomen ausgetauscht werden.

Isochromosom. Jedes normale Chromosom zeigt an einer Stelle eine Einschnürung (Zentromer). An dieser Stelle setzen die Zugkräfte der Spindel bei der Teilung der Chromosomen an. In der Metaphase der Mitose ist das Chromosom bereits so weit geteilt, daß es nur noch am Zentromer zusammengehalten wird, so daß die aus dem Karyogramm bekannte X-Form resultiert. Normalerweise teilt sich auch das Zentromer in der Längsrichtung, so daß sich zwei gleichartige Chromosomen bilden. Teilt sich das Zentromer in der queren Richtung, so entstehen zwei verschiedene Chromosomen mit gleichlangen Armen, die auch die gleiche Gensubstanz aufweisen. Abb. 10 veranschaulicht diesen Vorgang. Die Ausbildung dieser Chromosomen nennt man Isochromosomen.

Deletion und Isochromosombildung der weiblichen Geschlechtschromosomen. Bei normaler Chromosomenzahl hat man in den letzten Jahren bei primär amenorrhoischen Mädchen relativ oft Anomalien an einem der beiden X-Chromosome aufgedeckt. Das klinische Bild ist nicht einheitlich, es handelt sich aber immer um Mädchen mit gestörter Sexualentwicklung. Neben der primären Amenorrhoe liefert auch die Bestimmung des Kerngeschlechts gewisse Hinweise für das Bestehen einer solchen Chromosomenanomalie. Hat das X-Chromosom eine Deletion erlitten, so erscheint das BARRsche Chromatinkörperchen besonders klein. — Beim Isochromosom X kommen immer die langen Arme vor, so daß ein besonders großes Chromosom entsteht, welches auch durch die besondere Größe des BARRschen Chromatinkörperchens morphologisch im Ruhekern auffällt (Abb. 86).

Mosaikbildung von Chromosomenstörungen

Wurde die Chromosomenstörung während der Meiose angelegt, so haben alle Körperzellen des betreffenden Individuums die gleiche Chromosomenanomalie. Kommen nach der Befruchtung Mitosestörungen während der ersten Furchungsteilungen vor, so bilden sich verschiedene Stammlinien heraus, so daß in dem betreffenden Individuum z. B. einige Körperregionen eine XO-Konfiguration und andere eine XX-Konfiguration aufweisen. In dieser Hinsicht sind diverse Kombinationen bereits beschrieben worden. Die Art der Sexual-Entwicklungshemmung wird vielgestaltiger.

Zusammenfassung: Störungen an den Gonosomen während der Meiose oder während der ersten Zellteilungen nach der Befruchtung führen zu einer Fehlentwicklung der Genitalorgane. Die meisten dieser Individuen sind nicht fortpflanzungsfähig.

Hemmungsmißbildungen bei genetisch weiblichen Individuen

Im Gegensatz zu den bisher beschriebenen genetisch bedingten Entwicklungsstörungen gibt es Fehlentwicklungen der weiblichen Genitalorgane, bei denen **keine** Störung an den weiblichen Geschlechtschromosomen nachweisbar ist. Es handelt sich meist um Hemmungsmißbildungen während der Organogenese. Hat man die normale Entwicklung der weiblichen Sexualorgane vor Augen, so lassen sich die meisten bekannten Mißbildungen daraus ableiten. – Die Ursachen für derartige Hemmungsmißbildungen sind weitgehend unbekannt. Es besteht aber durchaus die Möglichkeit, daß auch hier genetische Störungen vorliegen, die im Karyogramm nicht erfaßbar sind. Mit der heute entwickelten Technik der Chromosomenanalyse werden nur die Anzahl und die Morphologie der Chromosomen aufgezeigt, aber nichts über deren Feinbau ausgesagt.

Ovardysgenesie

ÄTIOLOGIE. Trotz normaler XX-Konfiguration kann es zu einer schweren Störung bei der Ausdifferenzierung der Gonaden kommen. Dabei entsteht ein ähnliches, aber selteneres Bild wie bei der XO-Gonadendysgenesie. Die Störungsursache ist unbekannt. Auch scheint in diesen Fällen nicht sicher, ob die Gonade primär nicht oder unvollkommen angelegt wurde oder später wieder degenerierte. Besteht eine Gonadendysgenesie, dann werden niemals Ovarialhormone gebildet, so daß die Entwicklung der inneren und äußeren Geschlechtsorgane vollkommen infantil bleibt.

SYMPTOMATIK. Die Patientinnen fallen oft, aber nicht immer, durch Kleinwuchs auf. In manchen Fällen kann es zur Ausprägung eines Pterygium colli mit tiefem Haaransatz kommen. Die Pubertät bleibt aus. Das äußere Genitale bleibt weiblich infantil. Die Sekundärbehaarung und jede Brustentwicklung fehlen. Auf Grund der primären Amenorrhoe kommen die Patientinnen zum Gynäkologen.

DIAGNOSE. Die Patientinnen sind meist auffallend klein. Sie geben eine primäre Amenorrhoe an. Das innere Genitale ist palpatorisch kaum tastbar. Die Uterusanlage ist wie bei einem Kind bleistiftdünn und fingerendgliedlang. Früher hat man ursächlich an eine Hypophyseninsuffizienz gedacht. Die meisten Patientinnen zeigen aber eine vermehrte hypophysäre Gonadotropinausscheidung, so daß die Hypophyse auf die fehlenden Sexualhormone ganz normal reagiert und nicht insuffizient sein kann (hypergonadotrope Gonadendysgenesie). Nur bei erniedrigter Gonadotropinausscheidung ist mit einer Hypophyseninsuffizienz zu rechnen (hypogonadotrope Gonadendysgenesie). Eine nennenswerte Östrogenausscheidung fehlt. Ist das Kerngeschlecht positiv und zeigt das Karyogramm eine normale XX-Konfiguration, so sollte bei einer Probelaparotomie eine Gewebsscheibe aus den rudimentären Ovarien exzidiert werden. Nur durch die histologische Untersuchung des „Ovarialgewebes" ist zu klären, ob es sich um eine Dysgenesie (ohne Keimzellen) oder um eine **Hypoplasie** (mit Primordialfollikeln) handelt. Die chromosomal weibliche Gonadendysgenesie ist nicht fortpflanzungsfähig.

THERAPIE. Die Behandlung besteht in der Zufuhr von Östrogenen, um eine geistige und körperliche Nachreifung zu erreichen (Dosierung s. S. 17).

Störungen im Bereich des Ovidukts bei normalen Ovarien

Bei der Entwicklung des inneren Genitale aus den MÜLLERschen Gängen kommen typische Hemmungsmißbildungen vor, die erst mit Einsetzen der Geschlechtsreife erkannt werden. — Da die Ovarien regelrecht angelegt sind und in der Kindheit und Pubertät Hormone bilden, entwickeln sich die Mädchen in normaler Weise. Bei Mißbildungen des inneren Genitale liegen oft auch Fehlbildungen im uropoetischen System vor, z. B. Aplasie oder Hypoplasie einer Niere, gedoppeltes Nierenbecken oder gedoppelter Ureter. Operative gynäkologische Eingriffe bei Genitialmißbildungen sollten daher nur nach Darstellung der ableitenden Harnwege ausgeführt werden.

Eileiter. Die Tuben entwickeln sich aus den kranialen Abschnitten der MÜLLERschen Gänge. Die MÜLLERschen Gänge verkürzen und schlängeln sich bei gleichzeitiger Ausbildung der Tubenwandschichten. In seltenen Fällen sind die uterusnahen Tubenabschnitte nur als bindegewebige Stränge vorhanden (partielle Tubenatresie). Gedoppelte Fimbrienenden an einer Tube kommen vor. — Relativ häufig bleiben die Tuben lang und dünn (hypoplastisch). Klinisch hat die Hypoplasie eine Bedeutung, da die Patientinnen erschwert gravide werden und Eileiterschwangerschaften vorkommen. Die Diagnose wird im Salpingogramm (s. S. 275) gestellt. Eine therapeutische Beeinflussung der Tubenhypoplasie ist kaum möglich.

Uterus. Mißbildungen des Uterus sind meist bedingt durch eine unvollkommene Verschmelzung der MÜLLERschen Gänge, insbesondere durch eine Persistenz des medialen Septums. Man unterscheidet folgende Formen:

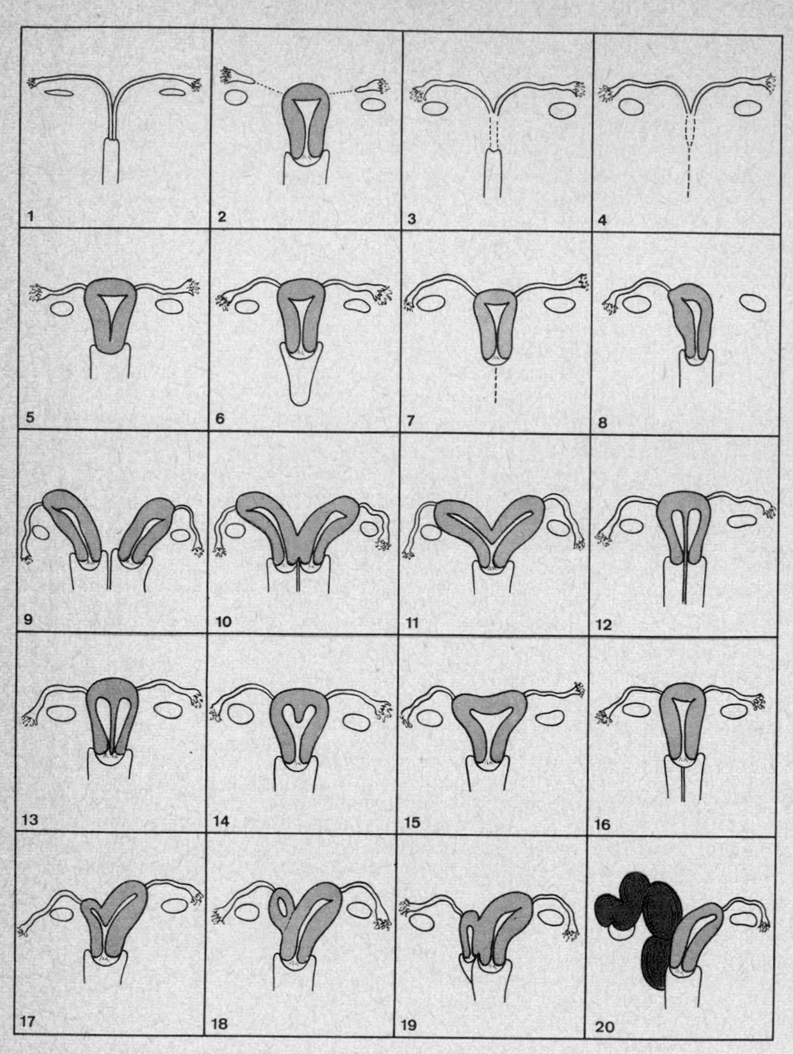

Abb. 11 Hemmungsmißbildungen bei genetisch weiblichen Individuen: 1. Ovardysgenesie, 2. partielle Tubenaplasie, 3. Uterusaplasie, 4. Uterovaginalaplasie, 5. Zervixatresie, 6. Hymenalatresie, 7. isolierte totale oder partielle Vaginalaplasie oder -atresie, 8. Aplasie eines MÜLLERschen Ganges, Uterus unicornis, 9. Uterus didelphys mit doppelter Vagina, 10. Uterus duplex bicornis mit doppelter Vagina, 11. Uterus bicornis unicollis, 12. Uterus septus mit Doppelung der Vagina, 13. Uterus septus, 14. Uterus subseptus, 15. Uterus arcuatus, 16. isoliertes Scheidenseptum, kann auch

Aplasie. Der relativ kurze Anteil der MÜLLERschen Gänge, aus denen sich der Uterus bildet, kann in seltenen Fällen rudimentär bleiben, so daß an Stelle des Uterus ein bindegewebiger Strang vorhanden ist.— Diese Mädchen entwickeln sich normal weiblich, haben aber eine primäre Amenorrhoe und sind nicht fortpflanzungsfähig. (Abb. 11/3,4) — Gelegentlich kann es auch zu einer einseitigen Aplasie eines MÜLLERschen Ganges kommen. Die andere Seite bildet sich zu einem normalen Uterus mit einer Tube aus. Dem Cavum uteri fehlt die dreizipflige Form. Diese Fälle bieten gynäkologisch keine Symptomatik (Abb. 11/8).

Symmetrische Doppelmißbildungen. *Uterus didelphys* (Uterus duplex separatus (Abb. 11/9). Die MÜLLERschen Gänge sind nicht miteinander verschmolzen. Es entwickeln sich zwei gleichgroße Uteri mit vollkommenen Zervizes und meist auch zwei Scheiden. Aus der lateralen Fundusecke eines jeden Uterus geht eine Tube ab. — Jeder der beiden Uteri kann voll funktionstüchtig sein und eine Schwangerschaft austragen. Die Feststellung dieser Anomalie ist oft nur ein Zufallsbefund, da die Patientinnen keine Beschwerden haben.

Uterus duplex bicornis (Abb. 11/10). Entwicklung von zwei gleichgroßen Uteri mit Verschmelzung der medialen Wandbereiche. Zwei Zervizes sind angelegt. Ob die Scheide zweigeteilt ist, ist von Fall zu Fall verschieden. Die Funktion braucht nicht wesentlich eingeschränkt zu sein.

Uterus bicornis unicollis (Abb. 11/11). Die fehlende Vereinigung betrifft nur das obere Gebiet der Uterusanlage. Daraus resultiert ein Gebilde mit zwei Uteruskörpern aber nur einer Zervix. Die Scheide ist normal angelegt.

Uterus septus und subseptus (Abb. 11/13). Bei dieser Form persistiert nach der Vereinigung der MÜLLERschen Gänge das mediale Septum. Je nachdem, ob das Septum die Uterushöhle ganz oder nur partiell teilt, bezeichnet man die Anomalie als Uterus septus oder Uterus subseptus (Abb. 11/14).

Fortsetzung Abb. 11

nur partiell vorhanden sein, 17. unsymmetrische Doppelung des Uteruskörpers, 18. Atresie eines Uterushornes, 19. unsymmetrische Doppelung des Uteruskörpers und der Vagina ohne Abflußmöglichkeit, 20. Ausbildung einer Hämatokolpos, Hämatometra und Hämatosalpinx nach Eintritt der Menarche

Eine primäre Amenorrhoe besteht bei 1, 3, 4, 5, 6 und 7. Nach Eintritt der Menarche kann das Menstruationsblut nicht austreten bei 5, 6, 7, 18 und 19. Die Fälle 5, 6, 7 sind nur scheinbar primär amenorrhoisch. Die Fälle 18 und 19 menstruieren normal, haben aber periodische Schmerzen auf Grund der zunehmenden Blutansammlung in den atretischen Doppelbildungen

Uterus arcuatus: Die Vereinigung der MÜLLERschen Gänge ist erfolgt. Der Uterusfundus bleibt aber auffallend breit und kann nach unten eingedellt sein (Abb. 11/15).

SYMPTOMATIK. Die bisher beschriebenen Formen der Uterusmißbildungen sind symptomarm. Die betroffenen Mädchen entwickeln sich normal. Die Menarche setzt regelrecht ein, die Perioden verlaufen ungestört. Die Patientinnen suchen erst dann den Arzt auf, wenn sie verheiratet sind, längere Zeit steril bleiben oder wiederholte Fehlgeburten eintreten. Aborte sind bei inkompletten Doppelmißbildungen häufig, weil die Form des Cavum uteri für die wachsende Frucht ungünstig ist.

DIAGNOSTIK. Bei der Spekulumuntersuchung werden Scheidensepten und doppelte Zervizes nur allzuleicht übersehen, besonders wenn der Untersucher keinen Verdacht auf eine Doppelmißbildung hegt. Auch bei der Palpationsuntersuchung ist die Diagnose nicht sicher zu stellen, wenn es sich nicht um komplett getrennte Uteri handelt. Meist besteht nur der Eindruck, daß der Uterusfundus breit angelegt ist. – Eine sichere Diagnose ermöglicht das Hysterosalpingogramm (siehe S. 275). Stellt sich bei der Röntgendarstellung nur ein Cavum uteri mit einer Tube dar, so muß zunächst nach einer bis dahin übersehenen zweiten Scheide und Zervix gefahndet werden. In seltenen Fällen kann aber auch die Fehlbildung auf der Aplasie **eines** MÜLLERschen Ganges beruhen.

THERAPIE. Eine Behandlung wird notwendig, wenn es zu mehr als einer Fehlgeburt gekommen ist. Ist die Anomalie bereits vorher bekannt, sollte jede Schwangerschaft mit Hormongaben unterstützt werden. Es eignen sich Kombinations-Depotpräparate (parenteral wirksam), die eine Mischung von Progesteron und Östrogenen im Verhältnis 50:1, bzw. 20:1 enthalten, z. B. 1 Amp. Gravibinon oder Sistocyclin i.m. alle 5 Tage.

Bei den unvollkommenen Doppelmißbildungen hat die operative Korrektur des Uterus Aussicht auf Erfolg. Dabei werden das mediale

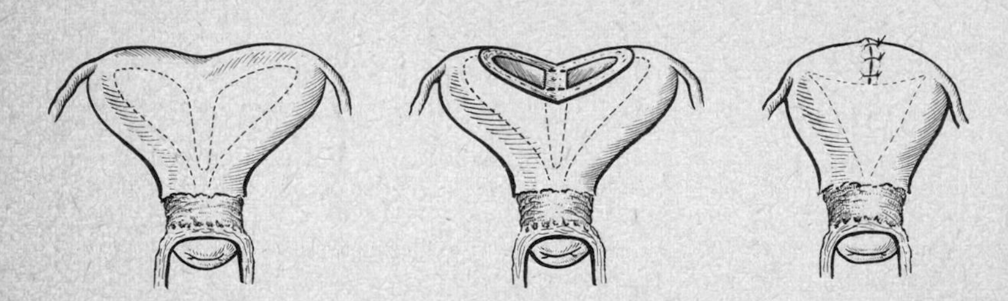

Abb. 12 STRASSMANNsche Operation bei Uterus subseptus. Resektion des Uterusseptums und Vereinigung der getrennten Uterushöhlen

Septum reseziert und die lateralen Wundränder durch schichtweise Naht vereinigt (STRASSMANNsche Operation) (Abb. 12). Jede Schwangerschaft und Geburt nach einer solchen Operation müssen sorgfältig überwacht werden, da die Gefahr der Uterusruptur droht.

Unsymmetrische Doppelmißbildungen. Häufig sind Mißbildungen nicht symmetrisch, sondern eine Anlage bleibt in verschiedenem Ausmaß hinter dem Wachstum der anderen zurück. Dies hat wenig Bedeutung, wenn der Abfluß des Menstrualblutes gewährleistet ist. — Bestehen Atresien im Bereich eines MÜLLERschen Ganges, so kann aus diesem Abschnitt Sekret und Blut nicht abfließen. Die Abb. 11/17 bis 11/20 zeigen die verschiedenen Möglichkeiten der unsymmetrischen Doppelmißbildungen.

SYMPTOMATIK. Bei der partiellen Atresie einer Seite kommt es zu einer typischen Symptomatik, die oft lange verkannt wird. Die Mädchen klagen mit Eintritt der Menarche über starke Periodenschmerzen. Den Klagen wird zunächst wenig Bedeutung beigemessen, da das Blut aus dem normal gestalteten Anteil gut abläuft. Nach einer gewissen Zeit entwickeln sich neben dem normal geformten Uterus teigige, oft recht große Tumoren auf Grund der zunehmenden Blutansammlung. Dabei füllt sich zunächst der untere Abschnitt des verschlossenen Genitaltraktes, später aber auch die Tube, deren Ampulle verklebt, so daß das Blut nicht in die freie Bauchhöhle austritt (Abb. 11/20).

DIAGNOSE und *THERAPIE.* Gelegentlich wird die Art der Anomalie erst bei der Laparotomie erkannt, die wegen des entstandenen Tumors durchgeführt wird. Der partiell verschlossene Ovidukt wird entfernt, aber das Ovar belassen.

Vagina. Die Vagina wird gleichzeitig oder isoliert von ähnlichen Hemmungsmißbildungen betroffen wie der Uterus.

Aplasie Die komplette Scheidenaplasie kommt mit oder ohne funktionstüchtigem Uterus vor. An Stelle des Introitus vaginae (in der Pariser Nomenklatur als Ostium vaginae bezeichnet) findet sich ein seichtes Grübchen, das eine Fingerkuppe aufnimmt. Blase und Rektum sind durch eine Bindegewebsschicht voneinander getrennt.

SYMPTOMATIK. Die Entwicklung der sekundären Geschlechtsmerkmale verläuft ungestört, wenn die Ovarien funktionstüchtig sind. Ist auch der Uterus vorhanden, so entstehen mit Einsetzen der Menstruationen zyklische Beschwerden, da sich der Uterus und häufig auch die Tuben mit Blut füllen. Fehlt der Uterus, so fällt die primäre Amenorrhoe auf. Kohabitationsversuche mißlingen.

THERAPIE. Bei den Patientinnen besteht in vielen Fällen der Wunsch nach Geschlechtsverkehr, da sich sonst schwerwiegende Lebenskonflikte entwickeln. Zur operativen Bildung einer künstlichen Scheide werden verschiedene Methoden angegeben. Nach scharfer Spaltung des Introitus lassen sich digital, zwei lateral von der Medianlinie liegende, ca. 13 cm lange Kanäle bilden. Die medial stehenbleibenden Bindegewebsbrücken werden vorsichtig durchtrennt. – Die Überhäutung der Wundhöhle kann vom Introitus aus erfolgen (dauert bis zu 2–3 Jahren), wobei die Höhle durch eine leichte Kunststoffprothese offengehalten wird. Wesentlich schneller heilt die neu formierte Höhle, wenn ein Epidermisspaltlappen (vom Gesäß, von der Innenseite des Oberschenkels oder Oberarms) die Prothese überziehend, eingelegt wird. (McIndoe-Scheide). Die postoperative Schrumpfung der implantierten Haut wird durch die langdauernde Einlage von Prothesen verhindert. – Die Auskleidung der Wundhöhle mit einem ca. 15 cm langen Darmstück aus dem Sigmabereich wirkt funktionell ausgezeichnet, da keine Schrumpfungstendenz besteht. Allerdings ist der Eingriff mit einem größeren Operationsrisiko verbunden.

Komplette und inkomplette Doppelmißbildungen. Die Scheide kann vollkommen gedoppelt sein. Nicht immer ist der Uterus ebenfalls zweifach vorhanden. Scheidensepten ohne Doppelung des Uterus sollten reseziert werden, da sie die Kohabitation stören und Spontangeburten behindern können.

Atresien im Vaginalbereich. Außer der vollständigen Aplasie kommen partielle Atresien im Scheidenbereich vor. Partielle Scheidenatresien führt man darauf zurück, daß die Epithelauskleidung mit dem Längenwachstum der Scheide beim Fetus nicht Schritt hält und dadurch bindegewebige Verwachsungen entstehen.

Das Uterovaginalrohr ist auch entwicklungsgeschichtlich an zwei Stellen zunächst verschlossen: Die Zervix durch eine Epithelplatte und der untere Anteil der Vagina durch eine bindegewebige Platte (späteres Hymen).

Ein persistierender **Zervixverschluß** ist sehr selten, die Symptomatik entspricht der Hymenalatresie.

Hymenalatresie. Bei sonst normal angelegtem Genitale ist das Hymen vollkommen verschlossen (Abb. 11/6).

SYMPTOMATIK. Nach Eintritt der Menarche treten Beschwerden auf. Das Menstrualblut sammelt sich zunächst in der Vagina, kann aber dann, ähnlich wie bei den unsymmetrischen Doppelmißbildungen ohne Abfluß, Zervix, Uterusfundus und beide Tuben stark ausweiten. Ein Rückfluß des Menstrualblutes in die Bauchhöhle kommt praktisch nicht vor, da sich der ampulläre Anteil der Tuben verschließt. Die Mädchen klagen mit Beginn der Menarche über starke zyklische Beschwerden ohne Blutungen.

DIAGNOSTIK. Bei der Inspektion des äußeren Genitale findet sich ein verschlossenes Hymen, durch welches bläulich das Blut durchschimmert. — Palpatorisch können in unterschiedlicher Ausprägung der Uterus und die Tuben stark vergrößert sein durch die Ausbildung eines Hämatokolpos, einer Hämatometra und beidseitiger Hämatosalpingen.

THERAPIE. Die Behandlung besteht in der Inzision des Hymen. Das gestaute Blut fließt ab. Uterus und Tuben nehmen wieder eine normale Beschaffenheit an. Die Funktion ist später meist nicht gestört.

Reste des Wolffschen Ganges. Auch bei völlig normaler Entwicklung des weiblichen Genitale bleiben Reste des Rete ovarii und des Urnierenganges (WOLFFscher Gang) am Ovarialhilus, lateral von Uterus und Zervix und entlang der Vagina nachweisbar. — Die Gangreste neben Zervix und Vagina wurden von GARTNER beschrieben und werden daher auch GARTNERscher Gang genannt. Im Zervixbereich finden sie sich unterhalb des Isthmus uteri ziemlich tief im Zervixstroma.

Gewöhnlich haben die rudimentären Gänge keine Bedeutung. Von Epithel ausgekleidete Gewebsspalten neigen jedoch zur Zystenbildung, die Verdrängungserscheinungen machen und daher operativ entfernt werden. Parovarial- und intraligamentäre Zysten können sich aus dem Rete ovarii entwickeln. Aus dem WOLFFschen Gang bilden sich intraligamentäre sowie paravaginale Zysten. Der intrazervikale Abschnitt des WOLFFschen Ganges kann karzinomatös entarten. Es handelt sich meist um ein drüsiges Karzinom, welches intrazervikal am Übergang zum Isthmus uteri lokalisiert ist. Klinisch verhält sich der Tumor wie ein hoch intrazervikal lokalisiertes Kollumkarzinom (GARTNER-Gang-Karzinom s. S. 411).

Zusammenfassung: Trotz regelrechter weiblicher Chromosomenkonfiguration kann es aus unbekannten Gründen zu Störungen bei der Entwicklung der weiblichen Genitalorgane kommen. Fehlen die Ovarien, so bleiben die Organogenese der Müllerschen Gänge und die postpartale Entwicklung zur Frau aus. Die Mädchen gleichen der XO-Gonadendysgenesie. Fehlentwicklungen der Müllerschen Gänge bei vorhandenen funktionstüchtigen Ovarien sind relativ häufig. Es finden sich Aplasien, Atresien und Doppelbildungen im Uterovaginalbereich. Die Symptomatik beginnt erst zur Zeit der Pubertät oder später. Der weibliche Phänotyp entwickelt sich ungestört. – Reste des Wolffschen Ganges können zystisch oder karzinomatös entarten.

Intersexualitätserscheinungen

Störungen der Geschlechtsdifferenzierung sind mit 2—3 % beim Menschen recht häufig. Die Ursachen der gestörten Entwicklungsprozesse sind verschieden und können zu verschiedenen Zeitpunkten den Keim treffen. Die Gonade stimuliert die Differenzierung des Gangsystems durch eine Initialinduktion und wirkt darüber hinaus dauernd auf seine Entwicklung ein (Dauerinduktion). Fehlt die Initialstimulierung, so bleiben beide Gangsysteme in einem undifferenzierten Zustand nebeneinander bestehen. Sistiert die Gonadeneinwirkung nach einer bestimmten Zeit, so kommt es bei genetisch männlichen und weiblichen Individuen zu einer besseren Ausbildung des weiblichen Gangsystems. Klinisch unterscheidet man folgende Intersexformen:

Echter Hermaphroditismus (H. verus)

Ein Hermaphroditismus verus besteht dann, wenn in einem Individuum Hoden- und Eierstockgewebe vorhanden sind. Als beweisend kann nur der histologische Nachweis angesehen werden. Chromosomal haben die echten Zwitter entweder eine XX- oder XY-Konfiguration. Auch Mosaike wurden beschrieben. Demnach kann das Kerngeschlecht positiv oder negativ sein. Zahlenmäßig überwiegt die XX-Konfiguration mit positivem Kerngeschlecht. Bei der Gonadendifferenzierung wird sowohl testikuläres als auch ovarielles Gewebe gebildet. Über die Hormonausscheidung bei echten Zwittern liegen wenig Untersuchungen vor. Ganz allgemein muß man annehmen, daß Androgene und Östrogene von den entsprechenden Gonaden gebildet werden. In den meisten untersuchten Fällen überwiegt die Östrogenausscheidung. Endokrinologische Untersuchungen klären die Diagnose Hermaphroditismus verus nicht. Die Zwitter sind steril. Eine Selbstbefruchtung ist nicht möglich. Nach der Seitenanordnung der Gonaden unterscheidet man folgende Formen:

Laterale Form. Auf einer Körperseite findet sich ein Hoden, auf der anderen Seite ein Ovar (Abb. 14/3).

Bilaterale Form. Es hat sich beidseitig ein Ovotestis ausgebildet. Dabei findet man Gonaden, die sowohl ovarielles als auch testikuläres Gewebe enthalten (beim Maulwurf ist die Bildung des Ovotestis physiologisch).

Unilaterale Form. Ovotestis auf der einen Seite, Hoden oder Ovar auf der anderen Seite.

Seit der Jahrhundertwende wurden im Schrifttum etwa 160 Fälle von echten Zwittern ausführlich dargestellt. Oft bestanden bereits bei der Geburt gewisse Zweifel am Geschlecht des Kindes. Die meisten Kinder wurden als Knaben bezeichnet, wozu offenbar der große Penis Veranlassung gab. Das psychische Verhalten der heranwachsenden Kinder und Jugendlichen glich weitgehend der standesamtlichen Eintragung und der damit verbundenen Erziehung. Diese Fälle sind ein Beweis dafür, wie stark die Umwelt einen Menschen in seiner Geschlechtlichkeit prägen kann, obwohl die körperliche Entwicklung davon unberührt bleibt. – Nur wenige Personen wünschten später eine Geschlechtsänderung.

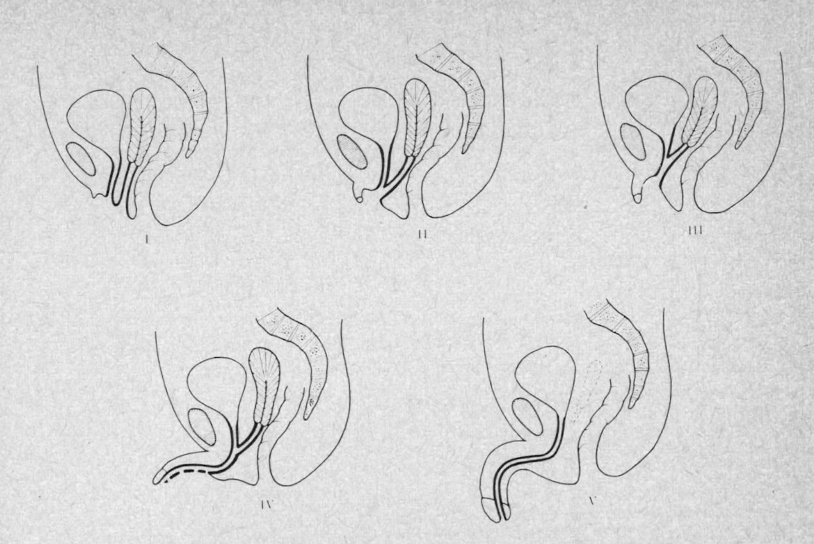

Abb. 13 Grundtypen des intersexuellen Urogenitalsystems von der „rein weiblichen" zur „rein männlichen" Form (aus OVERZIER, C., Die Intersexualität. Thieme, Stuttgart, 1961)
Diese Grundtypen findet man in weitester Streuung bei echtem Hermaphroditismus, aber auch bei Pseudohermaphroditismus, induziertem Pseudohermaphroditismus und adrenogenitalem Syndrom. Die Erscheinungsform ist von der Stärke und von dem Zeitpunkt des Beginns der Induktionswirkung auf das Gangsystem abhängig. Mit 11 bis 13 Wochen haben weibliche Feten noch einen deutlichen Sinus urogenitalis, mit 14 Wochen noch ein einheitliches Ostium urethrae externum, mit 16 Wochen jedoch bereits ein getrenntes. Sind diese Entwicklungsstufen überschritten, dann ist der Grundtyp festgelegt. Gewisse Sonderformen entsprechen festen Grundtypen, z. B. das Syndrom der testikulären Feminisierung dem Typ I des männlichen Pseudohermaphroditismus, mit Hernia uteri inguinalis dem Typ V (mit Uterus). Im ganzen sind aber die Übergänge gleitend. I. „Rein-weibliche" Form, II. Gemeinsames Ostium urethrae externum, III. Sinus urogenitalis, IV. Innerer Sinus urogenitalis (Phallus mit peniler Urethra oder Hypospadie), V. „Rein-männliche" Form, (evtl. mit mehr oder weniger ausgebildetem Uterus)

SYMPTOMATIK. Bei meist normalem Wachstum findet sich oft ein indifferenter Knochenbau mit männlich kräftiger Muskulatur. Diese Eigenschaft befähigt Zwitter, die als Frauen registriert wurden, oft zu sportlichen Hochleistungen. – Die Brustentwicklung ist bei vielen Patienten vorhanden. Bei 50 % finden sich Leistenhernien. Das äußere Genitale und das Urogenitale weisen verschiedene Grade der Zweigeschlechtlichkeit auf. Abb. 13 zeigt fünf Grundmöglichkeiten. Diese sind nicht nur für echte Zwitter, sondern für alle Formen des Pseudohermaphroditismus kennzeichnend, da die Gestalt des äußeren Genitale vorwiegend durch Hormone sowohl embryonal als auch bei der späteren Entwicklung beeinflußt wird. – Ein Uterus ist fast immer angelegt. Die Vagina kann kohabitationsfähig oder nur für eine Sonde durchgängig sein. Eine Prostata ist nicht immer vorhanden. – Die Lage der Gonaden kann der Topographie der normalen Ovarien oder Hoden entsprechen. Häufiger finden sie sich auf dem deszendierenden Weg des Hodens (intrainguinal). Das Gonadengewebe zeigt morphologisch alle Zeichen der Funktion (Tertiärfollikel, Spermienbildung). Etwa 1/3 aller Zwitter hat Menstruationsblutungen.

DIAGNOSTIK. Die Diagnose Hermaphroditismus verus kann nur dann gestellt werden, wenn durch Exzision aus den Gonaden histologisch die Zweigeschlechtlichkeit sichergestellt ist.

THERAPIE. Die Behandlung muß sich nach den Wünschen des Patienten richten. Möglichst frühzeitig sollte eine Kastration eines Gonadenanteils durchgeführt werden, um die körperliche und geistige Entwicklung nach einer Richtung ablaufen zu lassen. – Ob man mit der vollständigen Kastration den Patienten einen guten Dienst erweist, ist sehr umstritten. Dieser Rat beruht auf der Annahme, daß die Gonaden von Zwittern eher zur malignen Entartung neigen als die von normalen Personen. Eine hormonelle Substitutionstherapie in der geschlechtlichen Richtung, die der betreffende Mensch gewählt hat, sollte die Funktion der oft hypoplastischen Gonaden unterstützen.

Pseudohermaphroditismus

Unter diesem Begriff verbirgt sich eine Reihe unterschiedlicher Abweichungen, die in den letzten Jahren zum Teil als selbständige Krankheitsbilder erkannt wurden. Trotzdem umfaßt der Begriff noch eine Reihe ursächlich recht unterschiedlicher Zwitterformen.

Pseudohermaphroditismus masculinus. Die Patienten haben als Keimdrüsen Hoden und sind im Kerngeschlecht negativ, der Karyotyp zeigt eine normale XY-Konfiguration. Trotzdem zeigen diese Personen unterschiedlich ausgeprägte Zwitterformen, wie sie den 5 Grundtypen in Abb. 13 entsprechen. Man unterscheidet daher zweckmäßig die männlichen Pseudohermaphroditen nach dem Erscheinungsbild des äußeren Genitale:

Vorwiegend weibliches äußeres Genitale (Abb. 14/4). Die Skrotalgegend ähnelt den großen Labien. Der Penis ist nur daumenendgliedlang. Die Urethra mündet meist an dessen Basis. Oft sind eine enge Vagina und ein hypoplastischer Uterus mit Tuben angelegt. Die Hoden liegen mehr oder weniger deszendiert, oft beidseitig im Inguinalkanal. Die Behaarung dieser Menschen ist spärlich und wirkt weiblich. Keine Brustentwicklung.

Vorwiegend männliches äußeres Genitale. Der äußere Aspekt der Gesamtperson ist männlich. Die Behaarung wirkt viril. Das Genitale zeigt etwa einen normal großen Penis. Dieser wird selten von der Urethra durchbohrt. Meist liegt eine Hypospadie vor, oder die Urethra mündet an der Basis des Penis. Dagegen sind die MÜLLERschen Gänge gut entwickelt. Es findet sich ein fast normal großer Uterus mit langen Tuben. Die Vagina ist meist gut ausgebildet. Die Hoden liegen oft an den für die Ovarien typischen Stellen. Bei einer Probelaparotomie wird, ohne Biopsie aus den Gonaden, das innere Genitale oft als normal weiblich angesehen. Die Hoden sind histomorphologisch meist weitgehend fehlgebildet. — Hernien sind häufig. Es wurden über 40 Fälle beschrieben, bei denen sich im Bruchsack der Leistenhernie der Uterus befand. Männliche Pseudohermaphroditen menstruieren nicht. Die Analyse der Hormonausscheidungen bringt keine wesentlichen Abweichungen von der eines Mannes. Eine gewisse familiäre Häufung scheint bei dieser Form der Intersexualität gegeben zu sein.

Pseudohermaphroditismus femininus. Diese Menschen haben als Gonaden Ovarien. Ihr Kerngeschlecht ist positiv. Der Karyotyp zeigt eine normale XX-Konfiguration. Die 17-Ketosteroidausscheidung ist normal. Der Pseudohermaphroditismus femininus ist sehr selten, in der Weltliteratur wurden nur 23 Fälle beschrieben. Gemeinsam ist die Entwicklung eines Penis an Stelle der Klitoris, der der kleinen Variante des normalen Penis entspricht. Spontanerektionen sind häufig und werden als besonders störend empfunden. Die Urethra mündet meist an der Basis des Gliedes, kann in ausgeprägten Fällen aber auch den Penis durchbohren. Hinter der basal mündenden Urethra finden sich die großen Labien oft wie bei der Skrotalraphe verwachsen, so daß nur eine kleine Öffnung für die Urethra und den Eingang zur Vagina oder zum Sinus urogenitalis frei bleibt. Der Uterus ist mehr oder weniger normal entwickelt. Doppelmißbildungen wurden beobachtet. Die Eileiter sind zart. Die Ovarien liegen an regelrechter Stelle. Für eine abnorme Hormonbildung besteht kein Anhaltspunkt. Mit der Pubertät treten Brustwachstum und weibliche Behaarung auf. Menstruationen sind oft vorhanden. Extragenitale Mißbildungen sind häufig (Nierenaplasie, Atresia ani, Rektum-Scheiden-Fisteln).

Bei den Pseudohermaphroditen wird offenbar häufiger eine Geschlechtsumbenennung gewünscht als bei den echten Hermaphroditen. Auch in diesen Fällen sollte man der bisherigen Erziehung, den Neigungen und Wünschen der Patienten weitgehend Rechnung tragen. Für die Diagnostik sind zwar die histologische Diagnose der Gonaden und die Bestimmung des Kerngeschlechts ausschlaggebend, in der Behandlung sollten diese Fakten jedoch nur dann eine Rolle spielen, wenn sie nicht im Widerspruch zu der bereits entfalteten Persönlichkeit stehen. Therapeutisch kommen eine Entfernung der nicht zum erwünschten Geschlecht passenden Organe sowie eine hormonelle Substitutionstherapie in Frage.

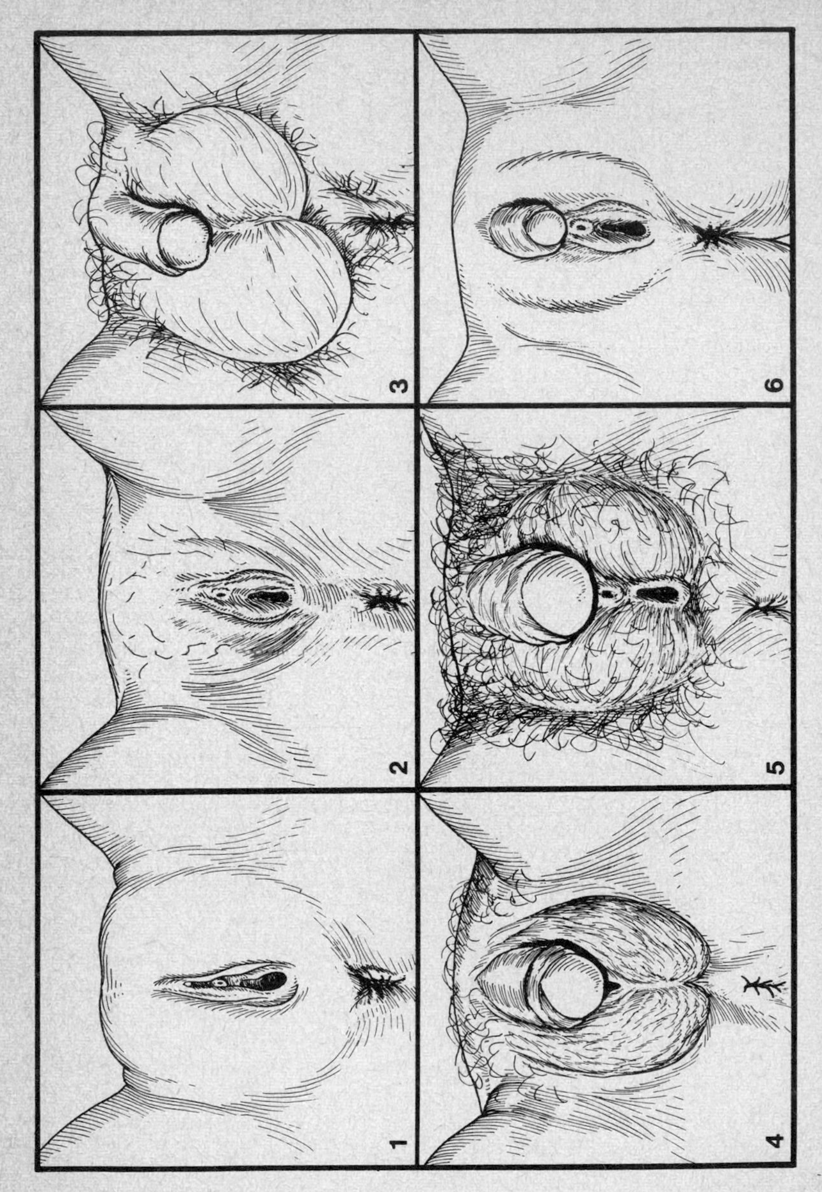

Abb. 14 Äußeres Genitale bei verschiedenen Formen der gestörten Sexualentwicklung. 1. Testikuläre Feminisierung, äußeres Genitale wirkt

Testikuläre Feminisierung

ÄTIOLOGIE. Diese Intersexform wurde früher als Extremform des Pseudohermaphroditismus masculinus betrachtet. Die Einheitlichkeit der kongenitalen Anomalie sowie die Unauffälligkeit der betroffenen Menschen berechtigen jedoch zur Abgrenzung gegenüber den Pseudohermaphroditen.

Die Entwicklungsstörung der Genitalorgane trifft den Embryo zu Beginn des 3. Embryonalmonats. Als Ursache gibt es Hypothesen, die hier nicht aufgeführt werden sollen. Auf Grund einer frühembryonalen Testisinsuffizienz bleibt die Entwicklung der WOLFFschen Gänge aus. Die Anwesenheit von Testes verhindert aber die Differenzierung des oberen Anteils der MÜLLERschen Gänge (Tuben, Uterus). Man rechnet mit einer Häufung von 1 auf 2000 Lebendgeborene.

SYMPTOMATIK. In der Familienanamnese finden sich gleichartige Verwandte (Geschwister, Tanten und andere Verwandte mütterlicherseits). Das Neugeborene wirkt weiblich, Kindheit und Schulzeit verlaufen unauffällig. In einigen Fällen werden die Kinder wegen Leistenbrüchen behandelt. – Das Längenwachstum ist normal bis groß. Die Gestalt ist knabenhaft schlank (schmales Becken). In der Pubertät kommt es zum Brustwachstum, aber die Menstruationsblutungen bleiben aus, die Sekundärbehaarung fehlt fast vollkommen. Die Patientinnen haben weder eine Axillar- noch eine Pubesbehaarung („Hairless women"). Die Stimme ist weiblich und ungebrochen. Die ausbleibende Menstruation führt die Patientinnen zum Gynäkologen. Nicht selten sind sie bereits verheiratet. Die Sexualität ist normal, die Frigidität soll seltener vorkommen als bei einer vergleichbaren Anzahl normaler Frauen. Im Gegensatz zu anderen Intersexformen ist die Intelligenz überdurchschnittlich gut. Charakterlich sind sie ausgeglichen. Das Neurovegetativum ist bemerkenswert stabil. Die äußere Gestalt ist ausgesprochen hübsch und anziehend (Abb. 8).

DIAGNOSTIK. Das Kerngeschlecht ist negativ, der Karyotyp zeigt eine XY-Konfiguration. Die Gonaden sind Hoden, welche unter-

---

Fortsetzung Abb. 14

weiblich infantil, Klitoris ist ausgebildet, Behaarung fehlt (24jähr.); 2. Gonadendysgenesie, äußeres Genitale wirkt weiblich infantil, Klitoris oft kaum angedeutet, nur spärliche Schambehaarung (19jähr.); 3. Lateraler echter Hermaphrodit. Im rechten Skrotum befindet sich ein Hoden. Der Penis ist klein, es findet sich eine Hypospadie (18jähr.); 4. Männlicher Pseudohermaphrodit. Das Skrotum ist leer, ähnelt eher den großen Labien. Penis wirkt wie eine vergrößerte Klitoris, Urethra mündet basal (25jähr.); 5. Unbehandeltes adrenogenitales Syndrom mit stark vermännlichtem äußeren Genitale (26jähr.); 6. Klitorishypertrophie, die seit der Geburt besteht und durch eine in der Schwangerschaft gegebene synthetische Gestagenzufuhr ausgelöst wurde (6jähr.)

schiedlich lokalisiert sind. In 60 % finden sich die Gonaden im Leistenkanal, in 19 % in den großen Labien und in 21 % im Abdomen, meist an der Beckenwand oder in Ovarstellung. Das Auftreten von Inguinalhernien ist nicht obligat und seltener als die Lokalisation der Gonaden im Leistenkanal. – Die Hoden zeigen funktionsuntüchtige Hodenkanälchen, aber reichlich LEYDIGsche Zwischenzellen, die adenomartig gewuchert sein können.

Der Uterus fehlt fast immer. Eine Vagina ist fast stets angelegt, meist kohabitationsfähig. Die Scheide endet blind. Das äußere Genitale wirkt bis auf eine gewisse Infantilität und die fehlende Behaarung weiblich (Abb. 14/1). Die Östrogenausscheidung ist bei den Patientinnen etwas niedriger als bei der Frau aber wesentlich höher als beim Mann. Die Östrogene werden im Hodengewebe gebildet. Die Androgenbildung ist gegenüber einem Mann erheblich verringert.

THERAPIE. Die testikuläre Feminisierung stellt die äußerlich unauffälligste Intersexform dar. Die sich gesund fühlenden Patientinnen suchen den Arzt wegen der primären Amenorrhoe und Sterilität auf. Es wäre verfehlt, sie über die Art ihrer Anomalie aufzuklären, weil man dann aus dem gesunden Menschen einen kranken, von Zweifeln gequälten machen würde. Die Patientin ist lediglich über die unwiderrufliche primäre Amenorrhoe und Sterilität zu unterrichten, welche man am besten mit dem Fehlen des Uterus begründen kann. Damit finden sich die Patientinnen meist leicht ab. – Eine Kastration sollte vermieden werden, da die Patientinnen dann alle unangenehmen Sensationen und Folgen eines Kastrationsklimakteriums erleiden. Finden sich bei kleinen Mädchen bei der Operation von Leistenhernien mandel- bis walnußgroße Gebilde, so besteht der dringende Verdacht der testikulären Feminisierung. Die Kinder sollten nicht kastriert werden. Früher nahm man an, daß das Hodengewebe häufig karzinomatös entarte. Die Gefahr ist aber gering. Das Leben dieser Menschen wird durch eine Kastration wesentlich empfindlicher gestört. Beim Verschluß der Leistenhernien sollten die Gonaden in die Bauchhöhle verlagert werden.

Hormonal induzierter Pseudohermaphroditismus

Schließlich muß bei den Entwicklungsstörungen des Genitale noch eine Form berücksichtigt werden, bei der die Chromosomen und das Kerngeschlecht den Gonaden entsprechen, aber embryonal eine pathologische Hormonbildung oder Hormonzufuhr zu einer gegengeschlechtlichen Entwicklung beim **weiblichen** Feten führt.

Adrenogenitales Syndrom, AGS (kongenitale, unkomplizierte Form). *ÄTIOLOGIE.* Bei dieser Erkrankung handelt es sich wahrscheinlich um eine genetisch bedingte Enzymschädigung bei der Synthese der Nebennierenrindenhormone. Von der Nebennierenrinde werden ver-

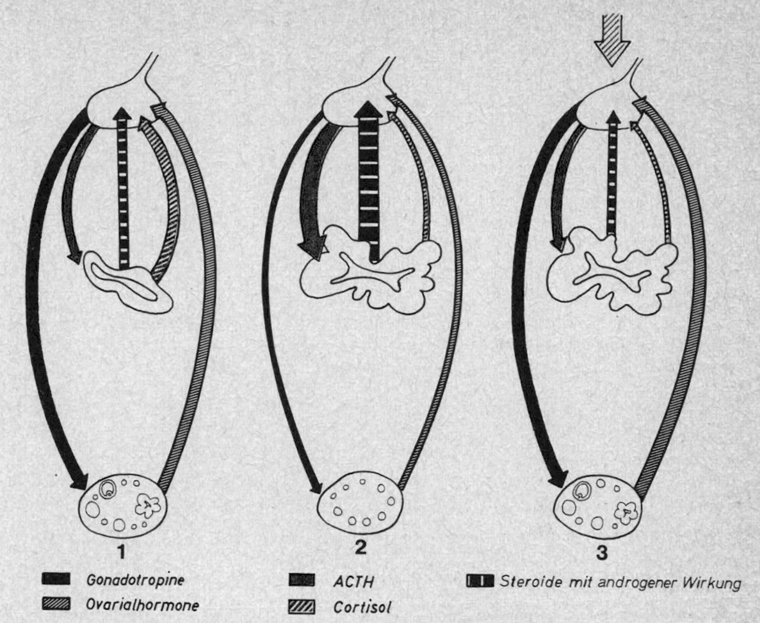

Abb. 15 Vereinfachte Darstellung der Wechselwirkung Hypophyse, Nebenniere und Ovar. 1. Normale Verhältnisse, 2. adrenogenitales Syndrom, 3. adrenogenitales Syndrom nach Substitution mit Cortisol

mehrt Androgene gebildet, die bei beiden Geschlechtern Einfluß auf die Genitalentwicklung nehmen. Die Nebennierenrinde ist hyperplastisch, aber funktionell insuffizient.

Durch den Defekt in der Enzymkette bei der Produktion der Nebennierenrindenhormone wird nur mangelhaft Cortisol gebildet. – Auf Grund des niedrigen Cortisolspiegels im Plasma bildet die Hypophyse vermehrt ACTH (**A**drenoc**o**rtico**t**ropes **H**ormon). – Angeregt durch die vermehrte ACTH-Stimulierung hypertrophiert die Nebennierenrinde und produziert große Steroidmengen, die normalerweise zu Cortisol umgebaut werden. Dies gelingt aber nur in geringem Umfang, um den physiologischen Bedarf des Organismus eben zu decken. Der überwiegende Teil der Cortisolvorläufer wird in C_{19}- oder C_{21}-Steroide umgebildet. Ein Teil der C_{19}-Steroide hat androgene Eigenschaften und bewirkt eine Vermännlichung des weiblichen Feten. Abb. 15 zeigt schematisch die Entgleisung der Cortisolsynthese beim adrenogenitalen Syndrom.

Beim Feten besteht die Störung von Beginn an. Aber erst bei Überschreitung bestimmter Schwellenwerte wird der androgene Effekt deutlich. Dieser Zeitpunkt wird erreicht, wenn die normale Organogenese der Genitalorgane weitgehend abgeschlossen ist. Bei einem Mädchen kommt es zur Vermännlichung des äußeren Genitale, bei einem Knaben zu einer vermehrten Reifung des Genitale. Auf 5000 Neugeborene kommt ein AGS.

SYMPTOMATIK. Beim neugeborenen Mädchen treten Zweifel an dem Geschlecht des Kindes auf, weil die Klitoris penisartig umgebildet ist. Je nachdem, wie intensiv die Androgenstimulierung war, können die großen Labien ähnlich der Skrotalraphe miteinander verwachsen. Das Bild gleicht einem Pseudohermaphroditismus femininus. Die Urethra mündet fast immer an der Basis des penisartigen Gebildes (Abb. 14/5). Das innere Genitale ist normal weiblich ausgebildet. – Hat das Neugeborene ein positives Kerngeschlecht, so liegt mit überwiegender Wahrscheinlichkeit ein AGS vor. Das Kind muß als Mädchen registriert werden. Der Karyotyp zeigt eine XX-Konfiguration. – Postpartal hält die Fehlsynthese in der Nebennierenrinde an. Ohne Behandlung werden der Knochenbau und die Muskulatur männlich geprägt. Während der Pubertät treten eine verstärkte Behaarung mit Bartwuchs, tiefe Stimme und später oft Glatzenbildung auf (Abb. 8). Diese Mädchen zeigen einen normalen Intelligenzgrad, sind aber scheu und zurückgezogen, da ihre Fremdheit sehr auffällig ist. Die im Blut kreisenden großen Steroidmengen blockieren die Hypophyse derart, daß kaum eine Gonadotropinausschüttung zustande kommt. Daher bleibt das innere Genitale infantil, die Mädchen sind primär amenorrhoisch. Die Brustentwicklung bleibt aus. — Bei Knaben kommt es zu einer scheinbaren vorzeitigen Reife. Aus den eben beschriebenen Gründen bleiben die Hoden infantil.

DIAGNOSTIK. Zeigt das äußere Geschlecht eines weiblichen Neugeborenen eine stark vergrößerte Klitoris im beschriebenen Sinne, so handelt es sich bei positivem Kerngeschlecht meist um ein adrenogenitales Syndrom (AGS). Differentialdiagnostisch kommt der seltene Pseudohermaphroditismus femininus oder der extraembryonal in der Schwangerschaft induzierte Pseudohermaphroditismus in Frage. Die vermehrte Ausscheidung der 17-Ketosteroide bestätigt die Diagnose.

THERAPIE. Die Therapie besteht in der Substitution des ungenügend gebildeten Cortisols, welches per os oder intramuskulär zugeführt wird. Die Behandlung beginnt mit relativ hohen Dosen, um die Androgenproduktion rasch auf ein normales Maß zu reduzieren. Tab. 2 zeigt die Erhaltungsdosis in Abhängigkeit vom Alter.

Wegen der längeren Wirkungsdauer verwendet man heute vorwiegend synthetische Kortikosteroide (z. B. Prednison u. a.). Die Dosierung soll so bemessen sein, daß die Ausscheidung der 17-Ketosteroide täglich 8 mg nicht überschreitet.

Tabelle 2 **Kortikosteroiddosierung bei der Therapie des AGS**
(aus Overzier, C., Die Intersexualität. Thieme, Stuttgart, 1961)

Alter	Cortison mg/die i.m.	Cortison mg/die per os	z. B. Prednison mg/die, per os
unter 2 J.	7,5—12,5	12,5—20,0	2,5— 7,5
2— 5 J.	15,0—20,0	20,0—40,0	5,0—10,0
5—10 J.	20,0—25,0	35,0—50,0	7,5—15,0
über 10 J.	25,0—33,0	40,0—70,0	10,0—20,0

Unter dieser Therapie, die über das ganze Leben hin fortgesetzt werden muß, entwickeln sich die Mädchen normal. Die Pubertät tritt ein, selbst die Fortpflanzungsfähigkeit ist nicht wesentlich beeinträchtigt.

Wurde das Krankheitsbild erst spät erkannt, so bewirkt die Cortisolsubstitution eine rasche Nachreifung des inneren Genitale. Es kommt bald zu Menstruationen, die Brustentwicklung wird nachgeholt. Leider ist aber an dem virilen Körperbau, der maskulinen Behaarung und dem vermännlichten äußeren Genitale nichts mehr zu ändern. Die Patientinnen lassen dann neben der Klitorisamputation oft langwierige kosmetische Manipulationen (Haarepilation) über sich ergehen, um den lästigen Haarwuchs zu beseitigen. Die Kenntnis von der Natur des adrenogenitalen Syndroms sollte eine derartige Fehlentwicklung durch eine rechtzeitig einsetzende Therapie verhindern.

Neben dem unkomplizierten AGS gibt es Fälle mit weiteren Entgleisungen der Nebenniere (Salzverlustsyndrom, Hypertension).

Treten die Vermännlichungserscheinungen erst zum Zeitpunkt der Pubertät auf, so kann es sich um ein spät manifest werdendes, aber dennoch angeborenes AGS handeln.

In der Geschlechtsreife entstehende Virilisierungen mit erhöhter 17-Ketosteroidausscheidung sind vorwiegend durch hormonaktive Tumoren der Nebennierenrinde oder des Ovars bedingt.

Extraembryonal induzierter Pseudohermaphroditismus. Beim Menschen wurde bisher nur die Vermännlichung weiblicher Feten durch die Wirkung androgener Hormone beschrieben. Dagegen kam es niemals, auch bei der Zufuhr extrem hoher Dosen weiblicher Sexualhormone, zur Verweiblichung eines männlichen Feten.

Androgenbildender Tumor der Schwangeren. Seltene Konstellation. Es wird ein Mädchen mit vermännlichtem äußeren Genitale geboren, welches sich nicht von einem AGS unterscheidet. Die normale Hormonausscheidung und das Ausbleiben der fortschreitenden Virilisierung schließen das adrenogenitale Syndrom aus.

Pseudohermaphroditismus durch Hormonbehandlung der Schwangeren. Mit der Entwicklung der modernen Endokrinologie wurden zahlreiche Verbindungen synthetisiert, die die Wirksamkeit der natürlich vorkommenden oft um ein Vielfaches übersteigen. So gibt es zahlreiche Verbindungen, deren gestagene Eigenschaften stärker wirksam sind als die des natürlichen Progesterons. Eine weitere vorteilhafte Eigenschaft ist die Möglichkeit der peroralen Einnahme, während Progesteron nur parenteral zugeführt werden kann.

Drohende Fehlgeburten werden von vielen Ärzten mit der Zufuhr von Gestagen behandelt. Der objektive Wert der Behandlung wird von den Endokrinologen ernsthaft in Frage gestellt, da vergleichbare Patientinnengruppen mit und ohne Gestagenbehandlung gleich hohe Abortuszahlen aufweisen. Unbestritten ist die psychologisch günstige Wirkung der Hormonzufuhr auf die Schwangere. Wegen der bequemen Behandlungsart wurden eine Zeitlang synthetische Steroide mit gestagenen Eigenschaften Schwangeren verabreicht, von denen erwiesen war, daß sie bei der erwachsenen Frau ohne virilisierende Wirkung waren. Der fetale Organismus reagierte jedoch empfindlicher. Es wurden wiederholt Mädchen mit einem mehr oder minder schwer vermännlichten, äußeren Genitale geboren (Abb. 14/6). Nach der Geburt schritt im Gegensatz zum AGS die Virilisierung nicht fort, aber die eingetretene Vermännlichung bildete sich nicht zurück. Die Kinder mußten korrigierende Operationen (Klitorisamputation) über sich ergehen lassen, die ihre Sexualität und damit ihr weiteres Leben stark beeinflußten. Die Ester des Hydroxyprogesterons (S. 59) scheinen diese unangenehme Wirkung am Feten nicht auszulösen.

Die fehlende, objektiv günstige Beeinflussung einer drohenden Fehlgeburt und die Gefahr einer Virilisierung des weiblichen Feten durch synthetische Gestagene sollten bei der Anwendung dieser Mittel in der Schwangerschaft zu größter Zurückhaltung Anlaß geben. Bei Schwangeren ist die Zufuhr synthetischer Gestagene kontraindiziert, wenn nicht eindeutig darauf hingewiesen wird, daß die virilisierende Wirkung auf den weiblichen Embryo fehlt.

Zusammenfassung: Menschliche Wesen, deren Geschlecht sich nicht eindeutig differenzierte (Hermes und Aphrodite in einem Lebewesen), sind Außenseiter der Gesellschaft. Ihr Schicksal kann erleichtert werden, wenn die Art der Zwitterform exakt erkannt wird. Der Gynäkologe muß relativ oft zu dieser Frage Stellung nehmen. Bei echten Hermaphroditen finden sich Hoden und Ovarien in dem betreffenden Menschen. – Pseudohermaphroditen haben nur eine Gonadenart, aber gegengeschlechtlich entwikkelte Erfolgsorgane (Hoden, aber Tuben, Uterus und Vagina; Ovarien, aber Penis mit skrotumähnlichen großen Labien). – Die testikuläre Feminisierung nimmt eine Sonderstellung ein, da es sich phänotypisch und psychisch um wohlgestaltete, ausgeglichene „Frauen“ handelt, die sich nicht als Zwitter fühlen, deren Gonaden aber aus funktionell insuffizienten Hoden bestehen. – Gegengeschlechtliche Hormoneinflüsse verursachen nur bei weiblichen Feten schwerwiegende Vermännlichungen. Dazu gehören das adrenogenitale Syndrom, virilisierende Tumoren der Graviden und die Zufuhr bestimmter synthetischer Gestagene in der Schwangerschaft.

Nichts bestimmt das Leben eines Menschen mehr als sein Geschlecht. Die Differenz zwischen beiden Geschlechtern beginnt bei der Befruchtung der Keimzelle. Der Entwicklungsprozeß schreitet, gesteuert von zum Teil unbekannten Faktoren, stufenweise im Embryonalleben fort. Nach der Geburt nehmen die Umwelt und Erziehung Einfluß auf die geschlechtliche Prägung. Mit Eintritt der Pubertät wird unter der

Tabelle 3 (aus Gynäkologie und Geburtshilfe, Bd. I, hsg. von Käser, O. u. a., Thieme, Stuttgart 1969)

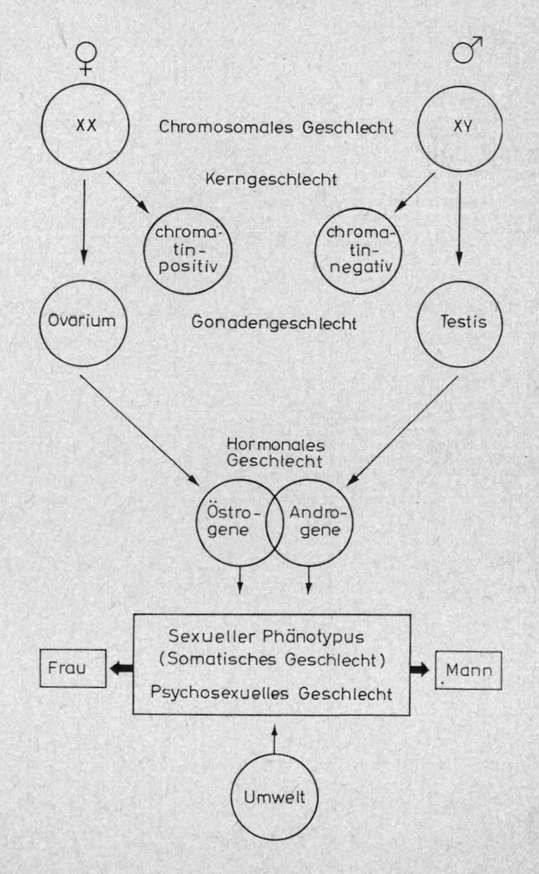

Tabelle 4 **Geschlechtsbestimmende Faktoren**
(Übersicht über normale und pathologische Formen)

	Chromosomales Geschlecht	Kerngeschlecht	Gonadengeschlecht	Hormonales Geschlecht	Sexueller Phänotyp
Mann	XY	neg.	Hoden	Androgene	männlich
Frau	XX	pos.	Ovar	Östrogene	weiblich
Gonadendysgenesie	XO	neg.	fehlt	fehlen	kindhaft weiblich (neutral)
KLINEFELTER-Syndrom	XXY	pos.	Hoden hypoplastisch	Androgene	infantil männlich m. weiblichen Zügen
Hemmungsmißbildungen	XX	pos.	fehlt . . . . . Ovar	fehlen . . . . Östrogene	kindhaft weiblich . . . . weiblich
Hermaphroditismus verus	XX oder XY oder Mosaik	pos. oder neg.	Hoden u. Ovar	Androgene und Östrogene	Zwitter
Pseudohermaphroditismus masculinus	XY	neg.	Hoden	Androgene	Zwitter
Pseudohermaphroditismus femininus	XX	pos.	Ovar	wahrscheinlich Östrogene (nicht untersucht)	Zwitter
Testikuläre Feminisierung	XY	neg.	Hoden	mehr Östrogene als Androgene	weiblich
Unkompliziertes kongenitales adrenogenitales Syndrom	XX	pos.	Ovar	von der NNR produzierte Androgene	Zwitter
Zufuhr synthetischer Gestagene i. d. Gravidität	XX	pos.	Ovar	exogen zugeführte Androgene	Zwitter

Wirkung der Sexualhormone aus dem Kind ein Mann oder eine Frau. – ZANDER entwickelte ein Schema über die Fakten, welche in der Summierung das Geschlecht des betreffenden Menschen ausmachen (Tab. 3).

Eine Beeinflussung des Geschlechtes ist auf verschiedenen Ebenen möglich. Tabelle 4 soll einen Überblick über die normalen und wichtigsten pathologischen Formen bei der Geschlechtsdifferenzierung geben.

Kindheit und Pubertät

Das weibliche Neugeborene

Beim reifen neugeborenen Mädchen ist die Schamspalte geschlossen, d. h. die großen Labien verdecken die Klitoris, die kleinen Labien und den Introitus vaginae. Bei unreifen weiblichen Frühgeborenen ist dieser Zustand nicht erreicht, sie haben eine klaffende Schamspalte.

In der Neugeborenenperiode (erste 10 Lebenstage) kann es bei beiden Geschlechtern zu einer Brustschwellung mit Absonderung von milchigem Sekret kommen. Bei Mädchen kann außerdem eine kurzdauernde vaginale Blutung eintreten. Beide Symptome sind eine Folge der im Blut der Schwangeren kreisenden großen Hormonmengen, die auch diaplazentar das Kind erreichen. Die vaginale Blutung ist eine sog. Entzugs- oder Abbruchblutung (s. S. 78), die zustande kommt, wenn eine Hormonzufuhr plötzlich unterbrochen wird (Geburt).

Bestehen bei der Geburt Zweifel am Geschlecht des Kindes, so sollte zunächst das Kerngeschlecht bestimmt werden, ehe die standesamtliche Eintragung erfolgt. Handelt es sich um eine vergrößerte, penisartige Klitoris ohne penetrierende Urethra mit skrotumähnlichen großen Labien, so ist in erster Linie an ein kongenitales adrenogenitales Syndrom zu denken. Bei positivem Kerngeschlecht ist das Neugeborene weiblich. – Ist der Penis klein, aber von der Urethra durchbohrt und das Skrotum leer, so kann es sich um einen noch nicht abgeschlossenen Deszensus männlicher Gonaden handeln. Bei negativem Kerngeschlecht handelt es sich um einen Knaben. – Ist in solchen Fällen das Kerngeschlecht positiv, so muß ein KLINEFELTER-Syndrom angenommen werden, aber auch dann ist das Neugeborene als Knabe zu registrieren. In Zweifelsfällen sollte das Ergebnis des Karyogramms abgewartet werden.

Bis zur Geburt ist die Entwicklung des inneren Genitale abgeschlossen. In den Ovarien liegt die vollständige Anzahl von 4–500 000 Primordialfollikeln vor. Tuben, Uterus und Vagina sind ausgebildet. – Auf Grund der mütterlichen Hormonwirkung ist der Uterus des Neugeborenen relativ groß. Abb. 16 vermittelt einen Größenvergleich der Uteri eines Neugeborenen, eines Kindes, eines jungen Mädchens

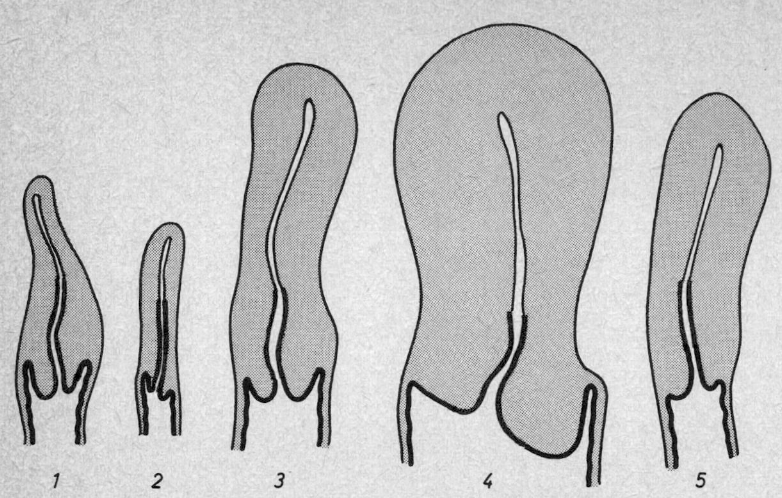

Abb. 16 Form des Uterus in verschiedenen Lebensaltern.

1. Neugeborenes, 2. 4jähr. Kind, 3. 14jähr. Mädchen, 4. 32jähr. Frau nach 3 Geburten, 5. postmenopausaler Uterus. Das Zervixdrüsenfeld wurde in roter Farbe gekennzeichnet.

während der Pubertät, einer geschlechtsreifen Frau und einer Frau nach der Menopause. Der Uterus eines Neugeborenen ist etwa 1 cm länger und insgesamt voluminöser als bei einem Kind. Der Uterus des Neugeborenen ist keine kleine Ausgabe des Erwachsenenuterus. Einer langen, voluminösen Zervix sitzt ein kleines Korpus kappenartig auf. Das Längenverhältnis Zervix zu Korpus beträgt etwa 2,5 zu 1. Das Endometrium besteht aus wenig Stroma und basalen Drüsenstrukturen. Das Zervixdrüsenfeld ist vergleichsweise besser ausgebildet. Untersuchungen an Uteri verstorbener Neugeborener und Kinder zeigten, daß in etwa einem Drittel der Fälle das Zervixdrüsenfeld zum Zeitpunkt der Geburt auf der Portiooberfläche lokalisiert ist, d. h. es besteht beim Neugeborenen ein Ektropium. Nach eineinhalb Jahren findet sich dieses Phänomen nicht mehr. In der Kindheit ist die Portio meist glatt von Plattenepithel bedeckt. Die „angeborene Pseudoerosion" (früher gebrauchte Bezeichnung für Ektropium), die während der gesamten Kindheit bis zur Geschlechtsreife persistiert, ist umstritten.

Kindheit

Während der Kindheit verändern sich die Genitalorgane des kleinen Mädchens nicht. Der Uterus verkleinert sich, nachdem die mütterliche

Hormonwirkung abgeklungen ist. Bis zum Beginn der Pubertät besteht für das innere Genitale ein Wachstumsstillstand. Die Ovarien produzieren keine Hormone, der Uterus bleibt klein, die Schleimhaut der Vagina besteht nur aus wenigen Zellagen. Das Abstrichbild der Vagina zeigt basale und parabasale Zellen (Grad 1 der SCHMITTschen Einteilung S. 234).

In der Kindheit sind die Unterschiede zwischen Knaben und Mädchen zwar durch ihre Verhaltensweise erkennbar, sie werden in dieser Phase aber auch durch die Umwelt und Erziehung geprägt.

Über gynäkologische Erkrankungen des Kindesalters s. Pubertas praecox (s. S. 49) und speziellen Teil.

Pubertät

Die Entwicklungsphase des Menschen vom Auftreten der ersten sekundären Geschlechtsmerkmale bis zur Fortpflanzungsfähigkeit bezeichnet man als Pubertät. Sie dauert durchschnittlich 4 Jahre und tritt beim Mädchen etwa 2 Jahre früher ein als beim Knaben. Der Eintritt der Pubertät wird auch von extragenitalen Faktoren bestimmt (Rasse, Klima, Ernährung, Zivilisationsstand). In den letzten Jahrzehnten wird allgemein eine Vorverschiebung (Akzeleration) der Pubertät bei beiden Geschlechtern bemerkt. Für unsere Breiten liegt der Pubertätsbeginn beim Mädchen zwischen dem 8. und 14. Lebensjahr, beim Knaben zwischen dem 10. und 16. Lebensjahr.

Die Pubertät wird eingeleitet durch eine z. T. kontinuierlich, z. T. rasch zunehmende hypophysäre Gonadotropinproduktion, die vom Zwischenhirn gesteuert wird (s. Tab. 5). Die Gonadotropine stimulieren die Ovarien, so daß es zu einer Umwandlung der Primordialfollikel in Sekundär- und Tertiärfollikel kommt. Damit beginnt das Ovar mit der Östrogenproduktion. Die Follikelreifung ist jedoch unvollkommen, es kommt nicht zu Ovulationen, da die Follikel wieder atretisch werden. Die Östrogenproduktion ist auch noch endometriumunterschwellig, d. h. sie reicht nicht aus, um Blutungen hervorzurufen. – Fast gleichzeitig beginnt auch die Nebennierenrinde, 17-Ketosteroide und Androgene zu bilden.

Das erste hormonell ausgelöste Symptom der Pubertät ist bei beiden Geschlechtern ein Wachstumsschub, der sich insbesondere an den Extremitäten bemerkbar macht, während der Rumpf nicht in gleicher Schnelligkeit wächst. Parallel zum Skeletwachstum kommt es zur geschlechtsspezifischen Formung des Knochenbaus (Ausbildung des weiblichen Beckens) und der Skeletmuskulatur. Beim Mädchen wird der Wachstumsschub vorwiegend durch die Östrogene bestimmt. Gleichzeitig beginnen, ebenfalls unter dem Östrogeneinfluß, das innere

Tabelle 5 **Zeittafel der Pubertätsentwicklung beim Mädchen**
(nach Prader)

Alter (Jahre)	Somatische Merkmale	Hormonbefunde	
vor 8	Infantile Verhältnisse	Östrogene und 17-Ketosteroide im Urin sehr gering	Gonadotropine: Anstieg des Basisspiegels des FSH vom 6. Lbsj. an kontinuierlich bis zur dreifachen Höhe nach Eintritt der Pubertät. LH ist bis zur Pubertät sehr niedrig und steigt danach auf das 10fache an.
8— 9	In Ovarien beginnendes Follikelwachstum, Uterus vergrößert sich	Östrogene und 17-Ketosteroide im Urin beginnen anzusteigen	
10—11	Brustknospen (Thelarche), Schambehaarung (Pubarche), Zunahme des Längenwachstums, erstes Daumensesambein, Reifung der Vaginalschleimhaut	Östrogene und 17-Ketosteroide im Urin steigen stark an	
11—12	Beckenverbreiterung, Brustentwicklung, starkes Wachstum des äußeren und inneren Genitale	Östrogenausscheidung bekommt zyklischen Charakter	
13	Axillarbehaarung, erste Blutung (Menarche), unregelmäßige, oft anovulatorische Blutungen		
14—15	meist regelmäßige ovulatorische Blutungen, Beginn der Fertilität	Pregnandiol im Urin während der Lutealphase nachweisbar	
15—16	evtl. Auftreten von Akne		
16—17	Epiphysenschluß, Wachstumsstillstand		

und äußere Genitale zu wachsen. Die sekundären Geschlechtsmerkmale bilden sich in folgender Reihenfolge aus:

Thelarche

Die Brustdrüse entwickelt sich. Zunächst ist unter der Brustwarze nur ein derber scheibenförmiger Drüsenkörper zu tasten. Während der Pubertätsjahre werden dann alle Stadien der Brustdrüsenentwicklung durchlaufen. Die Thelarche wird durch Östrogene bewirkt.

Pubarche

Kurz nach Beginn der Brustdrüsenentwicklung zeigt sich die erste Schambehaarung. Ein Jahr später folgt die Axillarbehaarung und noch später die sehr variable Ausprägung der Terminalbehaarung. Für die Pubarche sind im wesentlichen die von der Nebennierenrinde produzierten Androgene verantwortlich. Die Ausprägung der typisch weiblichen Behaarung entsteht in Kombination mit dem ansteigenden Östrogenspiegel.

Menarche

Die erste Blutung ist im Leben eines Mädchens ein eindrucksvolles Erlebnis. Die Kinder beobachten das Auftreten der sekundären Geschlechtsmerkmale genau. Auf die Brustentwicklung sind sie meist stolz, während die Haarentwicklung das Schamgefühl vermehrt. Nicht selten versuchen Kinder, die ersten dunklen Haare wieder zu entfernen.

Die erste Blutung erschreckt die meisten Kinder sehr. Sie bedürfen dann einer verständnisvollen Aufklärung und Führung, um mit dem neuen Geschehen fertig zu werden. Das Verhalten der Eltern prägt die Einstellung des Mädchens zu den Merkmalen seiner Geschlechtlichkeit ganz wesentlich. Durch ein Fehlverhalten der Eltern (Bemitleiden) wird oft psychisch ein dysmenorrhoischer Komplex ausgelöst.

Auf die erste Blutung folgen in den nächsten 1–2 Jahren Blutungen in relativ unregelmäßigen Abständen. In den meisten Fällen handelt es sich nicht um Zyklen mit einem Eisprung, sondern um sog. anovulatorische Zyklen. Dabei reift ein Follikel im Ovar weitgehend heran, persistiert für eine verschieden lange Zeit, um dann ohne Eisprung atretisch zu werden. In solchen Follikeln werden nur Östrogene gebildet. Die Progesteronsynthese fehlt, da es nicht zur Ausbildung eines Corpus luteum kommt. – Unter dem Einfluß der Östrogene proliferiert das Endometrium. Mit der Atresie des Follikels entsteht eine Abbruchblutung. Normalerweise unterscheiden sich diese Blutungen im Ausmaß und in der Dauer kaum von normalen Menstruationsblutungen. Gelegentlich kommt es aber unter einem lang anhaltenden Östrogeneinfluß zur überschießenden Endometriumproliferation (glandulär-zystische Hyperplasie) mit starken Abbruchblutungen. Man nennt diese Blutungsanomalie juvenile dysfunktionelle Blutung (s. S. 94).

Die Fertilität eines Mädchens wird erst erreicht, wenn ovulatorische Zyklen einsetzen. Der Übergang von anovulatorischen zu ovulatorischen Zyklen ist nicht abrupt, sondern es kommen nach einer Reihe von Eisprüngen immer wieder anovulatorische Zyklen vor. – Das Auftreten von anovulatorischen Zyklen mit einer gewissen zeitlichen Irregularität des Zyklus hat bei dem heranwachsenden Mädchen keinen Krankheitswert, wenn es nicht zu behandlungsbedürftigen juvenilen Blutungen kommt. Die Irregularität der Ovarialfunktion in der Adoleszenz ist individuell sehr verschieden ausgeprägt und bis zum 18.–20. Lebensjahr häufig. Tabelle 5 zeigt die zeitliche Aufeinanderfolge der somatischen Merkmale und der Hormonbefunde beim heranwachsenden Mädchen.

Anomalien der geschlechtlichen Reifung

Varianten der normalen Geschlechtsentwicklung

Wie bereits erwähnt, ist der zeitliche Eintritt der geschlechtlichen Reife individuell sehr unterschiedlich. Jenseits der angegebenen physiologischen Altersbreiten kann es zu einer vorzeitigen (Pubertas praecox) oder einer verzögerten (Pubertas tarda) Reife kommen, ohne daß ein krankhafter Prozeß im Spiele ist.

Gelegentlich kommt es zur vorzeitigen isolierten Ausprägung eines der sekundären Geschlechtsmerkmale.

Prämature Thelarche

Bei Mädchen persistiert nicht selten die Brustdrüse der Neugeborenenperiode und ist im Säuglings- und Kleinkindesalter in Haselnuß- bis Pflaumengröße tastbar. Manchmal bildet sich der Drüsenkörper spontan zurück oder geht bei der normal einsetzenden Pubertät in das normale Brustwachstum über. Dieses Phänomen hat keinen Krankheitswert.

Prämature Pubarche

Das Auftreten einer geringen Schambehaarung lange vor der zu erwartenden Pubertät kommt bei Mädchen häufiger vor als bei Knaben. Die Behaarung tritt im Säuglings- und Kleinkindesalter auf und beschränkt sich lange auf die Labia majora. Die Ursache dieses Phänomens ist nicht geklärt. Andere Zeichen der Pubertas praecox fehlen. Die gesunden Kinder entwickeln sich normal.

Gewichtsschwankungen

Während der Pubertät kann es bei Knaben und Mädchen zu erheblichen Gewichtsschwankungen im Sinne einer Adipositas, aber auch im Sinne einer extremen Magersucht kommen.

Bei einer Pubertätsadipositas wird von den Angehörigen oft eine „Drüsenstörung“ vermutet. Die Mädchen haben eine starke Fettentwicklung im Bereich des Bauches und der Oberschenkel. Die Brüste werden voluminös. Nicht selten finden sich Striae. Stoffwechseluntersuchungen zeigen normale Werte, die 17-Ketosteroidausscheidung liegt im Bereich der Norm. Ätiologisch liegt dem Erscheinungsbild neben einer gewissen familiären Belastung mit Adipositas eine ungehemmte Nahrungsaufnahme, aber **keine** endokrinologische Störung zu Grunde. Mit Abschluß der Pubertät und Eintritt in einen neuen Lebensabschnitt (Beruf, Ehe) verlieren die meisten Mädchen das übermäßige Gewicht. — Differentialdiagnostisch kommt das seltene CUSHING-Syndrom oder eine Hypothyreose in Betracht.

Im Gegensatz zur Pubertätsfettsucht kann es bei Mädchen auch zu einer starken Abmagerung in allen Varianten bis zur Anorexia nervosa (s. S. 98) kommen.

Pubertas praecox

Die vorzeitig einsetzende Sexualfunktion kommt bei beiden Geschlechtern vor.

Echte Pubertas praecox

Eine vorzeitige Geschlechtsreife liegt vor, wenn beim Mädchen vor dem 8. Lebensjahr Gonadotropine gebildet werden, die die Sexualorgane zur Funktion anregen. Dabei wird die Fortpflanzungsfähigkeit auch in so jungen Jahren erreicht. Man unterscheidet folgende Formen:

Idiopathische Form (konstitutionell, genuin). Unbekannt ist die Ursache, warum die hypophysäre Gonadotropinproduktion und damit die geschlechtliche Reife im Kleinkindesalter einsetzt. Mädchen sind 3—4mal häufiger betroffen als Knaben. Die Pubertätsentwicklung beginnt meist im 2. Lebensjahr mit der Brustentwicklung und Schambehaarung, später setzen Menstruationen ein. Die Kinder sind sonst völlig gesund und entwickeln sich psychisch und intellektmäßig ihrem Alter entsprechend. Wegen der vorzeitig einsetzenden Sexualhormonwirkung sind sie zunächst größer, später aber wegen des früher abgeschlossenen Wachstums kleiner als Kinder gleichen Alters. Eine regelmäßige ärztliche Kontrolle ist notwendig, da sich hinter der idiopathischen Form der Pubertas praecox eine klinisch stumme Organveränderung (Hirntumor, hormonbildender Ovarialtumor) verbergen kann. — Die Kinder bedürfen einer besonders sorgsamen Führung, da die Diskrepanz zwischen körperlicher und psychischer Entwicklung die Neugier der Umwelt erregt. Schwangerschaften wurden wiederholt beschrieben. Das jüngste Kind war 5½ Jahre alt und wurde per Sectio caesarea entbunden.

Zerebrale Pubertas praecox. Diese Form ist selten. Sie kommt vor bei Mißbildungen des Tuber cinereum, bei Hydrozephalus, postenzephalitisch, bei Hirntumoren und bei der Neurofibromatose nach RECKLINGHAUSEN. Im Vordergrund steht die hirnorganische Schädigung.

Fibröse Knochendysplasie. Das seltene Krankheitsbild kommt nur beim weiblichen Geschlecht vor und wird auch ALBRIGHT-Syndrom genannt. Typisch sind 3 Symptome: echte Pubertas praecox, polyosteotische fibröse Knochendysplasie und landkartenförmige, milchkaffeefarbene Hautpigmentierungen. Die Ätiologie dieses Krankheitsbildes ist unbekannt. Die Prognose ist gut, da die Knochenveränderungen oft klinisch stumm bleiben und im frühen Erwachsenenalter zum Stillstand kommen.

Gonadotropinproduzierende Tumoren. Diese seltenen Tumoren sind immer maligne. Beim Mädchen handelt es sich um ein vom Ovar ausgehendes, rasch metastasierendes Chorionkarzinom. Die Schwangerschaftsreaktionen sind meist positiv. Die Gonadotropinproduktion ist bei diesen Fällen unphysiologisch hoch.

Pseudopubertas praecox

Treten die Symptome einer vorzeitigen Pubertät auf **ohne** Gonadotropineinwirkung, liegt eine Pseudopubertas praecox vor. Die geschlechtliche Reife wird durch hormonbildende Tumoren, endokrine Dysregulationen oder eine exogene Hormonzufuhr induziert.

Nebennierenrindenstörung. In den meisten Fällen besteht ein adrenogenitales Syndrom. Beim Mädchen wird eine heterosexuelle Entwicklung eingeleitet, beim Knaben kommt es zur Pubertas praecox (siehe S. 36).

Ovarialtumoren. Häufig handelt es sich um Granulosazelltumoren, die Östrogene bilden. Ihre Größe variiert zwischen erbs- und kindskopfgroß. Bei klinisch gesund erscheinenden Mädchen (oft Kleinkind) treten rasch hintereinander alle Pubertätszeichen auf. Die Blutungen täuschen einen Zyklus vor, so daß die Abgrenzung gegen die idiopathische echte Pubertas praecox schwer fällt. Die meisten Tumoren sind benigne, so daß die Prognose gut ist. Beim geringsten Verdacht ist die Probelaparotomie angezeigt. Nach der Tumorexstirpation folgt zwei Tage später die Entzugsblutung. Die sekundären Geschlechtsmerkmale bilden sich bis zu einem gewissen Grad, aber nicht vollkommen zurück.

Exogene Ursachen. Bei der häufigen Hormonbehandlung Erwachsener muß immer daran gedacht werden, daß Kinder hormonhaltige Medikamente in einem unbewachten Augenblick genommen haben oder von den Eltern Medikamente verwechselt wurden. Die hormonhaltigen Präparate führen beim Kind zur Abbruchblutung. Die Verwendung hormonhaltiger Hautsalben kann beim Säugling zum Auftreten sekundärer Geschlechtsmerkmale führen.

DIAGNOSE. Die Beurteilung der vorzeitigen Reife beim kleinen Kind ist meist schwierig und sollte gemeinsam mit dem Kinderarzt erfolgen. Der Allgemeinuntersuchung folgt die gynäkologische (möglichst in Kurznarkose). Die Bestimmungen der Hormonausscheidungen im Urin (Gonadotropine, Schwangerschaftsteste, Östrogene, Pregnandiol) geben weitere Hinweise. Sehr wichtig für den Grad einer Östrogenproduktion ist das vaginale Abstrichbild, das im Kindesalter nur basale und parabasale Zellen enthalten sollte. – Isolierte Blutungen aus der Vagina ohne Zeichen der Pubertas praecox sind selten und meist nicht endokrinen Ursprungs. In diesen Fällen sind Verletzungen am Introitus, Fremdkörper, Tumoren im Bereich der Vagina und des Uterus, sowie Blutungsquellen aus dem Rektum oder der Blase auszuschließen.

THERAPIE. Bei der idiopathischen Form sowie der fibrösen Knochendysplasie kann der Versuch gemacht werden, mit oralen Gestagenen (z. B. Niagestin) die überstürzte Reife zu bremsen. – Hormonbildende Tumoren müssen exstirpiert werden.

Pubertas tarda

Eine verzögerte Reife besteht dann, wenn die Pubertätszeichen erst zwischen dem 14. und 16. Lebensjahr eintreten. In dieser Zeit beobachten die Eltern ihre Töchter. Bei fehlenden Zeichen der Pubertät suchen sie beim Gynäkologen Rat.

Idiopathische verzögerte Reife

In den meisten Fällen liegt keine endokrine Entwicklungsstörung vor, sondern eine zeitlich verschobene, sonst aber normal verlaufende Pubertät. Sprechen alle Untersuchungsergebnisse für diese Form, so läßt sich der Zeitpunkt der eintretenden Pubertät am ehesten aus dem sog. Knochenalter bestimmen. Charakteristisch ist dafür das Daumensesambein. Ist dieser Knochenkern soeben röntgenologisch nachweisbar, so ist die Menarche im Ablauf der nächsten 2 Jahre zu erwarten. Wie aus Tab. 5 ersichtlich, ist das erste Daumensesambein im Durchschnitt beim Mädchen mit $10^1/_2$ Jahren zu erwarten.

Primäre Amenorrhoe

Die primäre Amenorrhoe ist das hervorstechendste Symptom einer Reihe von Störungen der Geschlechtsentwicklung ganz verschiedener Ursachen. Bei diesen Mädchen können alle Zeichen der Geschlechtsreife vorhanden sein, aber auch fehlen. Das gravierende Ereignis der Geschlechtsreife, die Menarche, tritt nicht ein. Allgemein spricht man erst nach Ablauf des 18. Lebensjahres von einer primären Amenorrhoe.

Tabelle 6 **Ursachen der primären Amenorrhoe**

Ursache	Thelarche	Pubarche	Bemerkungen
Chromosomale Entwicklungsstörungen			
XO-Gonadendysgenesie	⊖	⊖	oft Kleinwuchs
Isochromosom oder Deletion der Gonosomen	⊖ – (+)	⊖ – (+)	meist normale Größe
Mosaikbildung im Bereich der Gonosomen	⊖ – (+)	⊖ – (+)	meist normale Größe
Hemmungsmißbildungen			
Ovardysgenesie	⊖	⊖	oft Kleinwuchs
Uterusaplasie	+	+	Normalwuchs
Atresien im Zervix-, Vaginal- und Hymenalbereich	+	+	Normalwuchs, periodische Schmerzen ab dem Zeitpunkt der Menarche
Intersexualitätsformen			
Pseudohermaphroditismus masculinus	⊖ – +	+	männliche Gonaden
Testikuläre Feminisierung	+	⊖	männliche Gonaden
Unbehandeltes kongenitales adrenogenitales Syndrom	⊖	+ (viril)	Hypophyse durch Kortikosteroide gebremst
Endometrium			
Zerstörung durch Tuberkulose im Kindesalter	+	+	–
Menstruatio sine mense	+	+	nur scheinbare Amenorrhoe
Hypothalam-hypophysäre Insuffizienz des Kindesalters, nach dem 2. Lebensj.	⊖	⊖	Zwergwuchs

Tabelle 6 Fortsetzung

Ursache	Thelarche Pubarche	Bemerkungen
Idiopathischer, isolierter Ausfall der Gonadotropinproduktion	je nach dem Zeitpunkt des Ausfalls verschieden ausgeprägt	
In der Pubertät, vor der Menarche, einsetzende Erkrankungen	je nach dem Zeitpunkt der einsetzenden Krankheit verschieden ausgeprägt	
Morbus CUSHING		
Morbus ADDISON		
Geschwülste der Nebennierenrinde		
Geschwülste des 3. Ventrikels		
Geschwülste des Hypophysenvorderlappens		
Andere mit schwerem Kräfteverfall einhergehende Allgemeinerkrankungen, einschließlich chronischer Unterernährung		

Allerdings sollte man schon früher versuchen, die Ursachen einer verzögerten Reife zu klären, da bei manchen Patientinnen durch die rechtzeitige Zufuhr von Östrogenen eine normale körperliche und geistige Reifung erreicht werden kann (s. S. 17 und 23), mit der man nach Ablauf des 18. Lebensjahres schon sehr spät käme. Eine unkritische Behandlung der primären Amenorrhoe mit Sexualhormonen ist jedoch nicht indiziert, ehe nicht die Ursache exakt erfaßt wurde (Tab. 6).

Fetale Entwicklungsstörungen. Bei den meisten Patientinnen mit primärer Amenorrhoe handelt es sich um Fehlentwicklungen, die fetal entstanden sind (s. S. 13 ff). Diese Krankheitsbilder wurden bereits abgehandelt. Noch nicht erwähnt wurden die folgenden Erkrankungen, die zu einer primären Amenorrhoe führen können:

Tuberkulose des Endometriums. Die komplette Zerstörung des Endometriums durch einen tuberkulösen Prozeß im Kindesalter spielt heute kaum mehr eine Rolle, seitdem die Behandlungsmöglichkeiten der Tuberkulose wesentlich verbessert worden sind. In Ländern mit zahlreichen Tuberkuloseerkrankungen muß daran gedacht werden.

Menstruatio sine mense. Hier handelt es sich nur scheinbar um eine primäre Amenorrhoe. Die Sexualfunktion ist, einschließlich des Erfolgsorgans Endometrium, intakt. Es kommt jedoch beim Zusammenbruch des Corpus luteum nicht zu einer sichtbaren Blutung, sondern offenbar zu einer weitgehenden Resorption des zerfallenden Endometriums. Sehr selten. Die Diagnose wird histologisch aus Strichbiopsien in Verbindung mit der Aufwachtemperaturkurve gesichert.

Hypothalam-hypophysäre Insuffizienz im Kindesalter. Nach dem 2. Lebensjahr kann es zu einer schweren Hypophyseninsuffizienz kommen, die alle von der Hypophyse gesteuerten Funktionen betrifft. Es entsteht ein hypophysärer Zwergwuchs mit pluriglandulärer Insuffizienz, bei dem die primäre Amenorrhoe nur eines von vielen Symptomen darstellt.

Idiopathischer Ausfall der Gonadotropinproduktion. Es handelt sich um einen ungeklärten Ausfall der Gonadotropinproduktion ohne erkennbare Erkrankung bei normalem inneren Genitale. Kommt auch ursächlich für sekundäre Amenorrhoen in Frage.

In der Pubertät, vor der Menarche, einsetzende Erkrankungen. Schließlich können zahlreiche, zeitlich aber zufällig in die Pubertät fallende Erkrankungen zu einer primären Amenorrhoe führen. Die Thelarche und Pubarche haben oft schon in unterschiedlichem Umfang eingesetzt. Diese Erkrankungen sind häufiger Ursachen von sekundären Amenorrhoen (s. S. 97).

Zusammenfassung: Nachdem beim weiblichen Neugeborenen die Wirkung der mütterlichen Schwangerschaftshormone abgeklungen ist, tritt während der Kindheit ein Wachstumsstillstand der Genitalorgane ein. Zwischen dem 8. und 14. Lebensjahr beginnt die Pubertät, die eingeleitet wird durch die hypophysäre Gonadotropinsynthese. Unter dem Einfluß der Ovarial- und Nebennierenrindenhormone kommt es zur Thelarche, Pubarche und Menarche. Die Blutungen der ersten Monate sind meist anovulatorisch. Mit dem Einsetzen von Ovulationen wird die Fertilität erreicht.

Abweichend von der Norm können einzelne sekundäre Geschlechtsmerkmale verfrüht auftreten. Erhebliche Gewichtsschwankungen sind im Pubertätsalter nicht selten.

Bei der Pubertas praecox beginnt die Sexualfunktion vor dem 8. Lebensjahr. Meist bleibt die Ursache bei den gesunden Kindern unbekannt. Hormonbildende Tumoren u. a. seltene Erkrankungen müssen ausgeschlossen werden. – Die verspätet einsetzende Reife (Pubertas tarda) ist oft eine Variante der Norm ohne Krankheitswert. Die Ursache der primären Amenorrhoe wird häufig schon fetal angelegt.

Geschlechtsreife

Vom Zeitpunkt der Menarche an wird das Leben einer Frau über 30 bis 40 Jahre lang von zyklischen Ereignissen ihres Körpers beeinflußt, die der Fortpflanzung dienen. In dieser Zeit kommt es zu etwa 450 bis 500 Ovulationen. Bleibt eine Schwangerschaft aus, so folgen die Menstruationsblutungen, die im Mittel etwa 4 Tage dauern. Eine Frau blutet während der Geschlechtsreife insgesamt etwa 1800 Tage oder rund 5 Jahre lang. Wenn auch die periodisch ablaufenden, körperlichen Veränderungen der Frau in ihren komplizierten Zusammenhängen in den letzten 50 Jahren weitgehend aufgeklärt werden konnten, so ist die Ursache der vierwöchentlichen Periodizität **nicht** bekannt. Sie kommt in dieser Form nur bei Menschen und Menschenaffen vor.

Zyklus

Die periodische Wiederkehr von Ovulation und Menstruation wird von übergeordneten Systemen gesteuert. Im gleichen Rhythmus kommt es zu Veränderungen an den Erfolgsorganen und mehr oder minder faßbar im Gesamtorganismus. Die periodisch wiederkehrenden Vorgänge spielen sich innerhalb eines **Zyklus** ab.

Zentralnervöse Regulierung der Adenohypophyse (Hypophysenvorderlappen)

Ob der Hypothalamus oder noch unbekannte Gebiete der Hirnrinde für die Steuerung des rhythmischen Geschehens (biologische Uhr) verantwortlich sind, ist noch unklar. Man nimmt an, daß sich im sog. Tuber cinereum des Hypothalamus das „Sexualzentrum" befindet. Es handelt sich um ein markarmes, an kleinen Ganglienzellen reiches Gebiet. Das Zentrum liegt in der Nähe des Hypophysenstieles. Aus diesem Gebiet konnten Aktionssubstanzen isoliert werden, die Peptidcharakter haben und aus 8—11 Aminosäuren bestehen. Die chemische Zusammensetzung ist relativ gut bekannt (z. B. LH-Releasing-Faktor aus 11 Aminosäuren mit bekannter Sequenz). Die Substanzen regen die Adenohypophyse zur Freigabe von Gonadotropinen an. Man nennt sie daher **Hypophysiotropine** oder „Releasing factors" = Freigabefaktoren. Diese Stoffe werden durch „Neurosekretion" in den Nervenzellen gebildet und auf dem Blutwege dem Hypophysenvorderlappen zugeführt. Quantitative Angaben über die Neurosekretion im Ablauf eines Zyklus sind bisher nicht bekannt.

Hypophysäre Steuerung der Ovarialfunktion durch Gonadotropine

Der Hypophysenvorderlappen bildet die für die Sexualfunktion wichtigen Gonadotropine. Die Gonadotropine sind hochmolekulare Eiweißkörper. Ihre Struktur ist weitgehend geklärt. Es handelt sich um Proteohormone, die aus α- und β-Ketten zusammengesetzt sind, wobei die Glykoproteine (FSH, LH und HCG) gleiche α-Ketten aufweisen. Hochgereinigte kristalline Präparate liegen vor, allerdings ist die vollständige Sequenz der Aminosäuren noch nicht bekannt. Allgemein wird angenommen, daß zwei bis drei verschiedene Gonadotropine in der menschlichen Adenohypophyse gebildet werden, die auf dem Blutweg stimulierend auf die Ovarien einwirken.

Follikelreifungshormon (**F**ollicle **S**timulating **H**ormone = **FSH**)

Synonyme sind Prolan A, Gonadotropin I u. a. veraltete Bezeichnungen. Das FSH bewirkt zu Beginn der Pubertät das Reifen von Follikeln im Ovar und bringt damit die Östrogensynthese in Gang. In der Geschlechtsreife werden auf Grund des FSH Primordialfollikel in Sekundär- und Tertiärfollikel umgebildet. Bei der Vorbereitung zum Eisprung wirkt bereits ein weiteres Gonadotropin mit.

Luteinisierungshormon (**L**uteinizing **H**ormone = **LH** oder **I**nterstitial **C**ell **S**timulating **H**ormone = **ICSH**)

Synonyme sind Prolan B, Gonadotropin II, Gelbkörperreifungshormon und andere veraltete Bezeichnungen. Um den Zeitpunkt der Ovulation ist das LH vermehrt nachweisbar. Erst durch die Stimulierung des LH kommt es zur Ausbildung des sprungreifen Follikels, wobei die Östrogenproduktion in den Ovarien steil ansteigt.

Luteotropes Hormon (**L**uteo**t**rophic **H**ormone = **LTH** oder **L**uteo**m**ammo**t**rophic **H**ormone = **LMTH**)

Synonyme sind Prolaktin, Gonadotropin III, Luteotropin, Laktationshormon, Galaktin u. a. veraltete Bezeichnungen.

Das LTH wurde bei verschiedenen Säugetieren nachgewiesen. Das LTH scheint an der Umwandlung des gesprungenen Follikels in den Gelbkörper beteiligt zu sein. Andererseits schreibt man ihm eine Wirkung auf die Mammasekretion zu, durch welche nach Eintritt einer Gravidität die Milchsekretion angeregt wird. Prolaktin ist beim Menschen immunologisch nachweisbar. Ob es jedoch eine luteotrope Funktion ausübt, ist unbekannt.

Menopausengonadotropin (**H**uman **M**enopausal **G**onadotrophin = **HMG**)

Es wird auch Kastratengonadotropin genannt. Bei Kastratinnen und Frauen nach der Menopause sind die Ovarien, welche von den Gonadotropinen stimuliert werden sollen, nicht mehr vorhanden oder sprechen nicht mehr auf diese an. Die Hypophyse bildet dann vermehrt Gonadotropine, die aus einer Mischung von FSH und LH bestehen, wobei das FSH überwiegt.

Choriongonadotropin (**H**uman **C**horionic **G**onadotrophin = **HCG**)

Von der LANGHANSschen Zellschicht der Plazentazotten werden in der Schwangerschaft, besonders im 3. Graviditätsmonat, große Mengen von Gonadotropinen gebildet und im Urin ausgeschieden. – Auch aus dem Serum tragender Stuten läßt sich Choriongonadotropin gewinnen (**P**regnant **M**are's **S**erum Gonadotrophin = **PMS**).

Die Gonadotropine sind nicht geschlechts- aber artspezifisch, obwohl ihre biologische Wirkung nicht artspezifisch ist. Je näher die Tierspezies jedoch verwandt sind, um so größer ist die biologische Wirkung der jeweils anderen Spezies. Sie sind im Blutserum und im Urin nach-

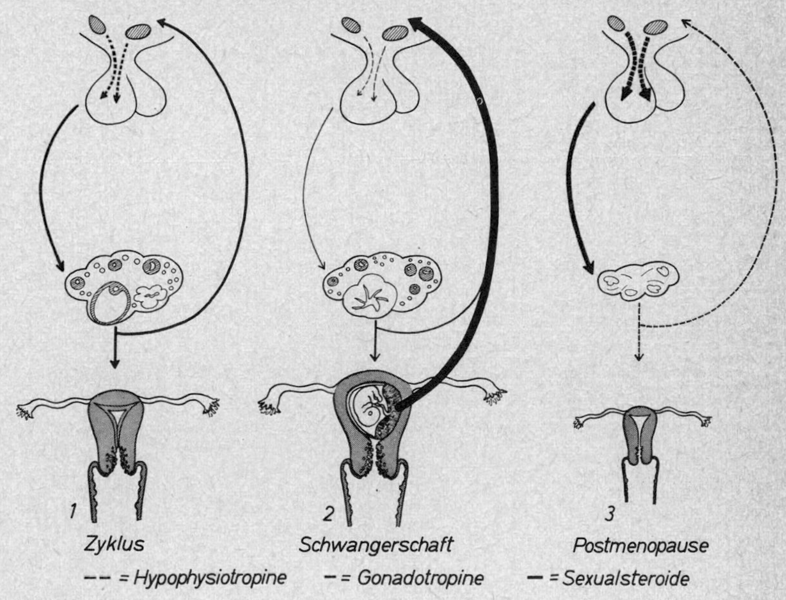

Abb. 17 Schematische Darstellung des hormonellen Reglerprinzips an drei physiologischen Beispielen. 1. Ausgeglichene Balance zwischen Gonadotropinen und Sexualsteroiden während des mensuellen Zyklus; 2. In der Schwangerschaft produziert die Plazenta große Mengen von Sexualsteroiden und blockiert dadurch die Bildung von Hypophysiotropinen und Gonadotropinen; 3. Nach Ausfall der Ovarialsteroide in der Postmenopause bildet die Hypophyse vermehrt Gonadotropine, ohne jedoch ein reaktionsfähiges Organ vorzufinden

weisbar. Aus der Hypophyse des Mannes lassen sich identische Gonadotropinfraktionen extrahieren. Das FSH stimuliert die Samenkanälchen, dagegen das LH die LEYDIGschen Zwischenzellen. Bei vielen Tierarten bewirkt die Injektion von Gonadotropinen eine Stimulierung der Gonaden (z. B. Eireifung in infantilen Nagetieren, Samenausschüttung bei männlichen Kröten). Der Nachweis wird mit biologischen Methoden (s. S. 244) geführt. Innerhalb eines Zyklus findet man einen Anstieg der Gesamtwirkung von FSH und LH um den Zeitpunkt der Ovulation (Abb. 18).

In den letzten Jahren gelang es, gereinigte Präparate der hypophysären Gonadotropine aus menschlichen Leichenhypophysen zu extrahieren und zu therapeutischen Zwecken zu verwenden. Größere Gonadotropinmengen gewinnt man aus dem Urin menopausaler Frauen, schwangerer Frauen und dem Serum tragender Stuten. Über deren Anwendung s. S. 80.

Die Gonadotropine lösen in den Gonaden bei Mann und Frau die Bildung von Steroidhormonen aus. Diese Hormone entfalten ihre Wirkung an den Erfolgsorganen und beeinflussen das zentrale Steuerungssystem Zwischenhirn-Hypophyse. Ein Anstieg der peripheren Sexualhormone hemmt die Neurosekretion der Hypophysiotropine und die Gonadotropinproduktion, ein Abfall oder Ausfall der Sexualsteroide regt das Zentrum zu vermehrter Aktivität an. Man nennt diese Wechselwirkung Rückkopplungs- oder Feed-back-Mechanismus (Abb. 17).

Gonadale Sexualhormone

Im Gegensatz zu den im Zentrum gebildeten Sexualhormonen (Hypophysiotropine, Gonadotropine) ist die Struktur der in den Gonaden gebildeten Sexualhormone bekannt. Es handelt sich um **Steroidhormone**, die sich alle vom **Steran** ableiten. Die folgenden Steroidhormone werden mit ihrem klinisch gebräuchlichen Trivialnamen gekennzeichnet, die exakte chemische Bezeichnung muß in ausführlichen Darstellungen nachgelesen werden.

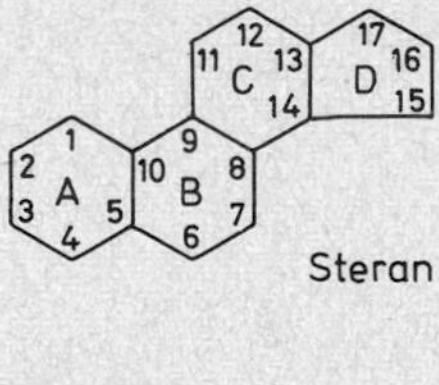

Steran

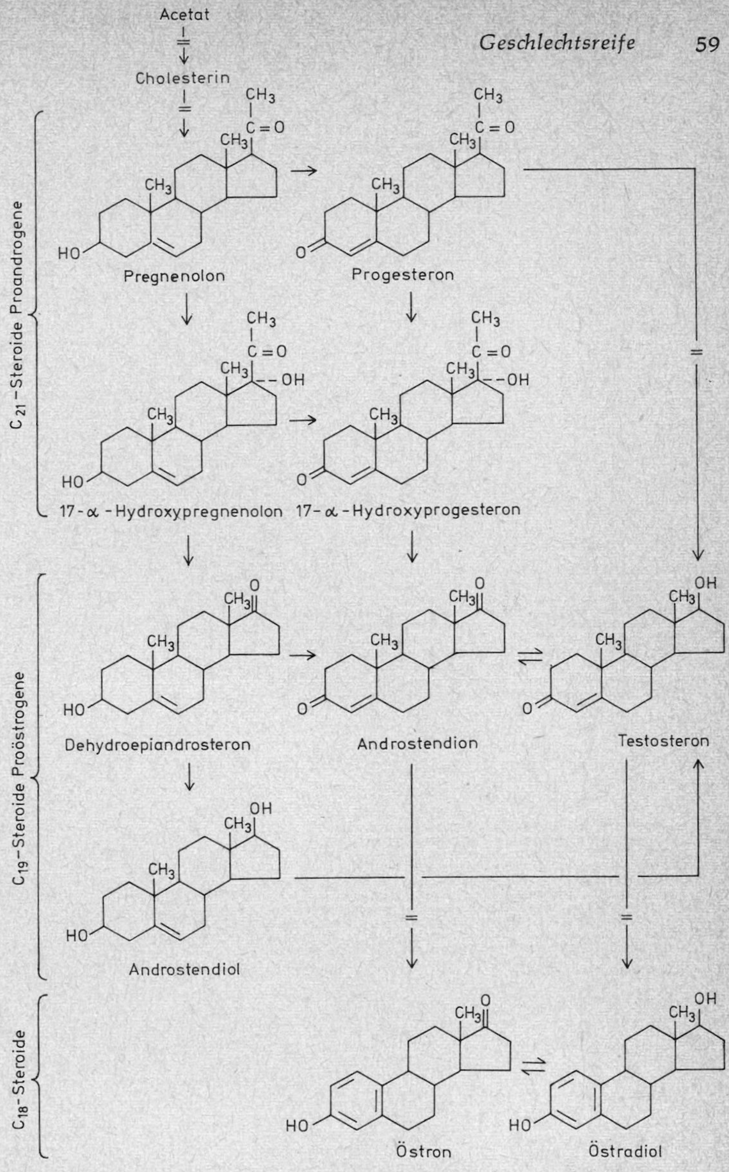

Acetat
Cholesterin
C 21 – Steroide Proandrogene
Pregnenolon
Progesteron
17-α-Hydroxypregnenolon
17-α-Hydroxyprogesteron
C 19 – Steroide Proöstrogene
Dehydroepiandrosteron
Androstendion
Testosteron
Androstendiol
C 18 – Steroide
Östron
Östradiol

Schema der Biosynthese von Progesteron, Androgenen und Östrogenen. = bedeutet Biosynthese über mehrere, nicht genannte Zwischenstufen. (Aus: H. H. SIMMER in: Gynäkologie und Geburtshilfe. Bd. I. Hrsg. v. O. KÄSER, V. FRIEDBERG, K. G. OBER, K. THOMSEN, J. ZANDER. Thieme, Stuttgart 1969

Die Schlüsselsubstanz für alle Steroide ist das Pregnenolon. Die biosynthetischen Schritte sind durch Enzyme gesteuert. Aus dem Schema wird deutlich, daß das Progesteron ein Proandrogen ist und wiederum die Androgene Vorstufen der Östrogene sind. Die biosynthetische Verkettung und der gemeinsame entwicklungsgeschichtliche Ursprung zeigt, daß Eierstöcke, Hoden und Nebennieren die gleiche biosynthetische Kapazität für weibliche und männliche Sexualsteroide haben. Der Unterschied zwischen beiden Geschlechtern ist kein qualitativer, sondern ein quantitativer.

Die Steroidhormone sind synthetisierbar. Ihre Herstellung nimmt einen breiten Raum in der pharmazeutischen Industrie ein. Geringe Modifikationen am Molekül bewirken oft erhebliche Wirkungsänderungen.

Östrogene

Als Östrogene werden diejenigen Stoffe bezeichnet, die beim kastrierten Nagetier die Brunst (Östrus) hervorrufen. Butenandt und Doisy gelang 1929 die erste Reindarstellung eines Östrogens (Östron). Natürliche Östrogene sind gekennzeichnet durch 19 C-Atome, eine zusätzliche CH_3-Gruppe am C_{13}, sowie eine OH-Gruppe am C_3. Es wurden in menschlichen Geweben zahlreiche Östrogene isoliert. Die wichtigsten sind folgende:

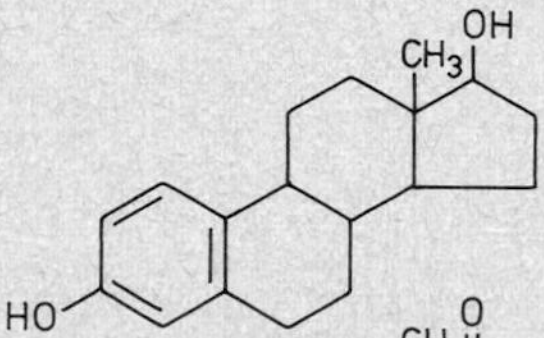

Östradiol

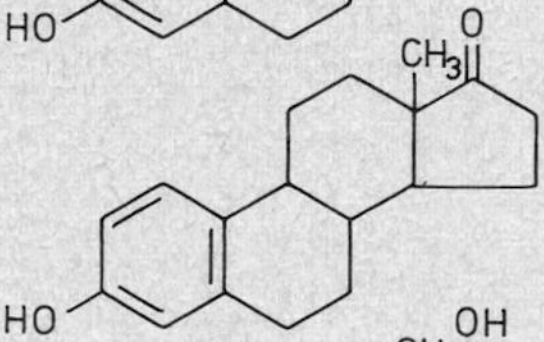

Östron

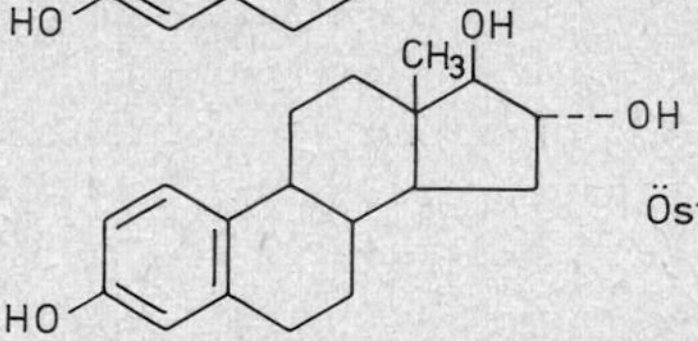

Östriol

Östrogene werden in den Ovarien, zu einem geringen Anteil in den Nebennierenrinden und von den Leydigschen Zwischenzellen des Hodens gebildet (über den Ort der Östrogensynthese in den Ovarien

s. S. 66 ff.). – In der Schwangerschaft übernimmt die Plazenta die Biosynthese großer Östrogenmengen.

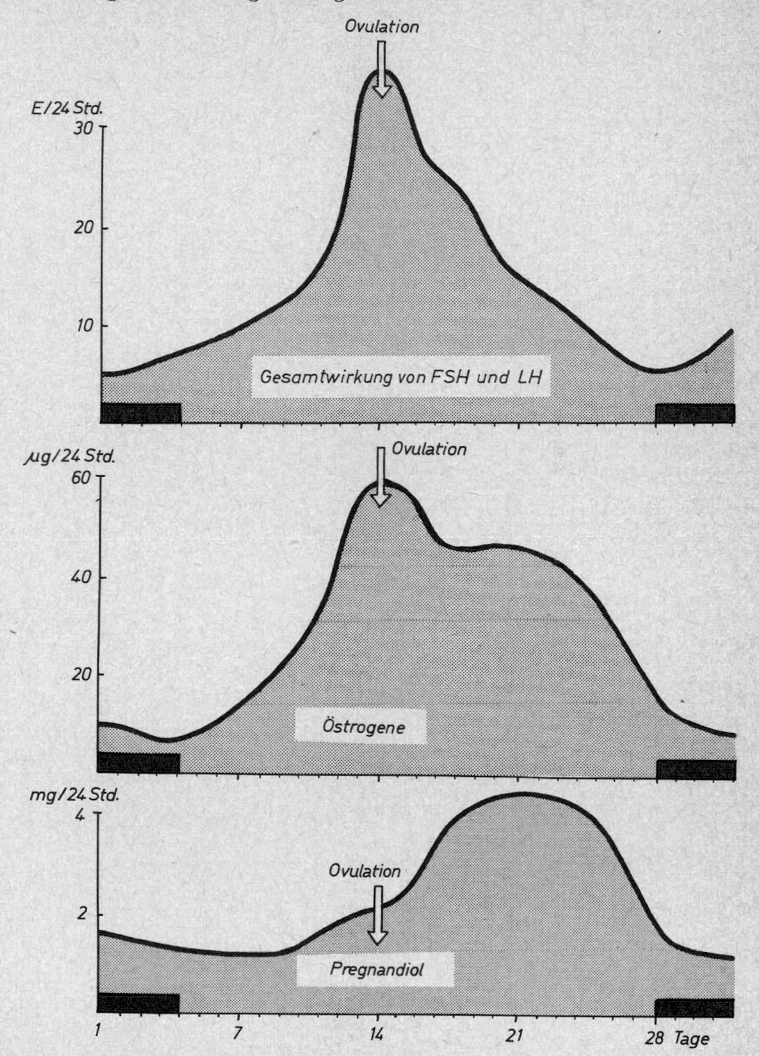

Abb. 18 Ausscheidung der Sexualhormone bzw. ihrer Metaboliten im Urin während eines Zyklus. Man beachte die quantitativen Unterschiede zwischen Östrogenen und Pregnandiol (Die ausgeschiedene Menge von Pregnandiol ist etwa 100mal größer als die der Östrogene)

Insgesamt werden in einem Zyklus 5 mg Östrogene gebildet. Abb. 18 zeigt die charakteristische Kurve der Östrogenausscheidung im Verlauf eines Zyklus.

Ein Drittel der Östrogene zirkuliert frei im Blut, zwei Drittel sind an Eiweiß gebunden. Ein großer Teil der Östrogene wird in der Leber konjugiert (mit Eiweiß, Glucuronsäure, Schwefelsäure) aber nicht völlig inaktiviert. Die konjugierten Östrogene werden im Urin und in der Galle ausgeschieden.

„Künstliche Östrogene". Außer den natürlich vorkommenden Östrogenen gibt es eine Reihe von Stoffen, die östrogene Eigenschaften besitzen. Sie werden in der Leber nicht inaktiviert und können daher peroral angewandt werden. Aus diesem Grunde haben sie eine große therapeutische Bedeutung. Ausgangssubstanzen der künstlichen Östrogene sind Stilben, Phenantren und Dibenzanthrazen.

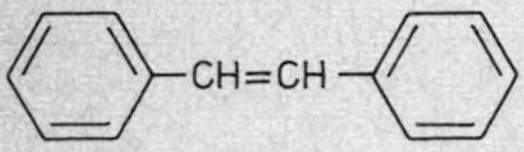

CH=CH

Stilben

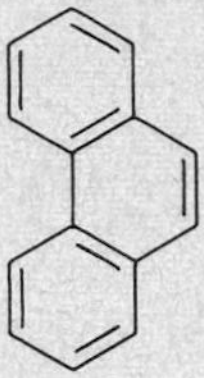

Phenanthren

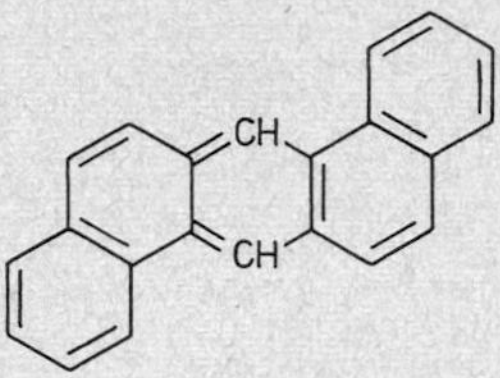

CH
CH

Dibenzanthrazen

Gestagene

Gestagene sind Stoffe, die der Vorbereitung der Schwangerschaft und der Erhaltung des wachsenden Eies dienen. Butenandt und Westphal stellten 1934 das natürliche Progesteron chemisch rein dar und ermittelten seine Strukturformel.

Progesteron ist das wichtigste natürliche Gestagen. Es besitzt 21 C-Atome. An das C_{10} und C_{13} sind je eine CH_3-Gruppe und an das C_{17} eine CO-CH_3-Seitenkette gebunden.

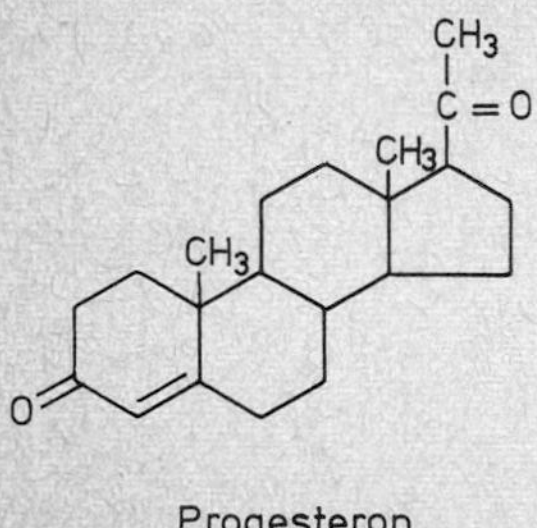

CH_3
C=O
CH_3
CH_3
O

Progesteron

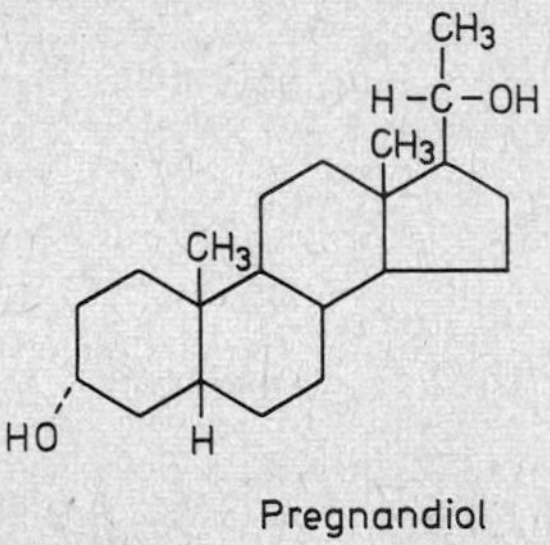

CH_3
H-C-OH
CH_3
CH_3
HO
H

Pregnandiol

Progesteron wird im Corpus luteum des Ovars und in der Plazenta gebildet. Außerdem kommt es als wichtiges Zwischenprodukt in der Nebennierenrinde vor.

Im Zyklus werden etwa 200 bis 300 mg Progesteron synthetisiert, also ein Vielfaches der Östrogenproduktion. Abb. 18 zeigt den charakteristischen Verlauf der Pregnandiolausscheidung in einem Zyklus. Progesteron ist im Blut locker gebunden, wird im Körperfett gespeichert, in der Leber inaktiviert und als Pregnandiol im Harn ausgeschieden. Wegen der raschen Inaktivierung in der Leber ist Progesteron bei oraler Zufuhr kaum wirksam.

„Künstliche Gestagene". Gestagene Eigenschaften besitzen zahlreiche künstlich hergestellte Stoffe, die oral wirksam sind. Es sind entweder Ester des Hydroxyprogesterons oder Abkömmlinge des Testosterons. Besondere Bedeutung haben Nortestosteronverbindungen. Sie unterscheiden sich vom Testosteron dadurch, daß am C_{10} eine Methylgruppe fehlt.

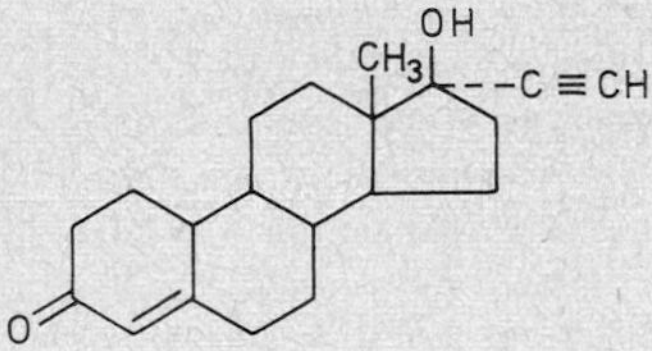

17α-Äthinyl-19-nor-testosteron

Androgene

Diese Hormone steuern die Entwicklung männlicher Sexualmerkmale. Testosteron ist das wichtigste natürlich vorkommende Hormon mit den stärksten androgenen Eigenschaften. Testosteron hat 19 C-Atome, da an das C_{10} und C_{13} je eine CH_3-Gruppe gebunden ist.

Testosteron wird vorwiegend in den Leydigschen Zwischenzellen des Hodens gebildet, in geringen Mengen aber auch in der Nebennierenrinde und im Ovar (wahrscheinlich im Zwischengewebe und in den Hiluszellen des Ovars). Die Androgene haben im weiblichen Organismus als Vorstufe zur Östrogensynthese eine besondere Bedeutung. Testosteron wird in der Leber abgebaut und in Form von 17-Ketosteroiden im Harn ausgeschieden. Nur 1/3 der Harnketosteroide leitet sich vom Testosteron ab, 2/3 sind Abbauprodukte der Nebennierenrindenhormone (Kortikosteroide).

Über die Rolle der Androgene im Zyklus ist kaum etwas bekannt. Quantitative Aussagen liegen nicht vor. Die Gegenwart von Andro-

17-KETOSTEROIDE

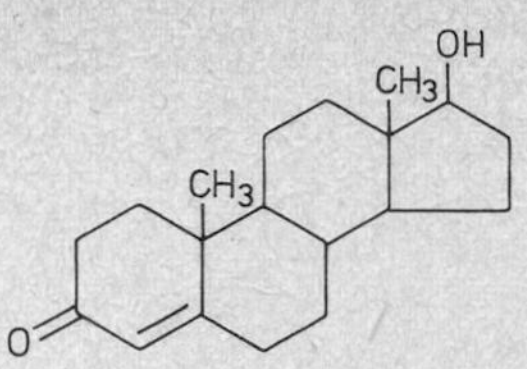

Testosteron

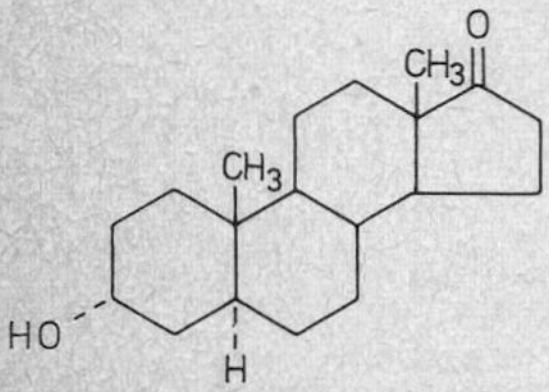

Androsteron

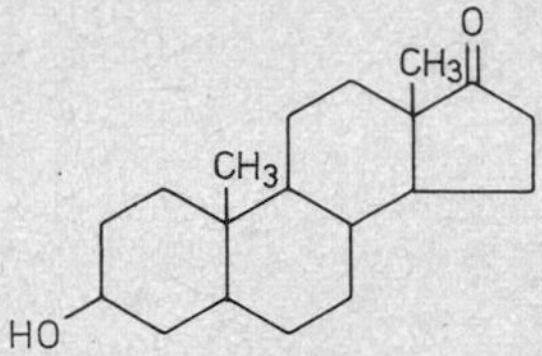

Dehydroepiandrosteron

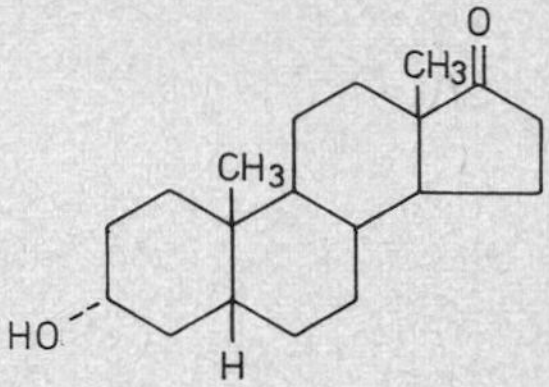

Ätiocholanolon

genen im weiblichen Organismus ist verantwortlich für die Sekundärbehaarung mit allen Varianten der Norm bis zum virilen Behaarungstyp. In Balance mit dem Östrogenspiegel kommt es zur typisch weiblichen Behaarung (waagerechte Begrenzung der Schamhaare am Mons pubis, zartflaumige Behaarung der Extremitäten, fehlender Bartwuchs). Ein Übermaß an Androgenen führt beim weiblichen Geschlecht zu ausgeprägten Maskulinisierungserscheinungen.

Der Zyklus des Ovars

Im Ovar spielen sich während der Geschlechtsreife periodisch anatomische und funktionelle Veränderungen ab, die für die Fortpflanzungsfähigkeit von entscheidender Bedeutung sind. Das wichtigste Ereignis ist die Ovulation, die eingerahmt ist von wesentlichen anatomischen Veränderungen. In bestimmten morphologischen Formationen geht die Biosynthese der Ovarialhormone vor sich.

Das etwa pflaumengroße Ovar hat bei der geschlechtsreifen Frau ein Gewicht von 7—14 g. Es ist an einer Bauchfellduplikatur des hinteren Lig. latum aufgehängt und wird von einer einschichtigen kubischen Zellschicht, dem sog. Keimepithel, umgeben. Unter dem Keimepithel folgt eine besonders derbe, faserreiche, zellarme Schicht, die Tunica albuginea. Unter ihr liegt die Rindenschicht mit den Primärfollikeln, die bei der Geburt vollzählig vorhanden sind. Zentral findet sich das lockere, gefäß- und nervenführende Ovarialmark. Am Hilus ovarii sind große polygonale Zellen in Inseln angeordnet, die sog. Hiluszellen, denen eine Bedeutung bei der Androgenbildung im weiblichen Organismus beigemessen wird und die den LEYDIGschen Zwischenzellen im Hoden entsprechen sollen (Abb. 19).

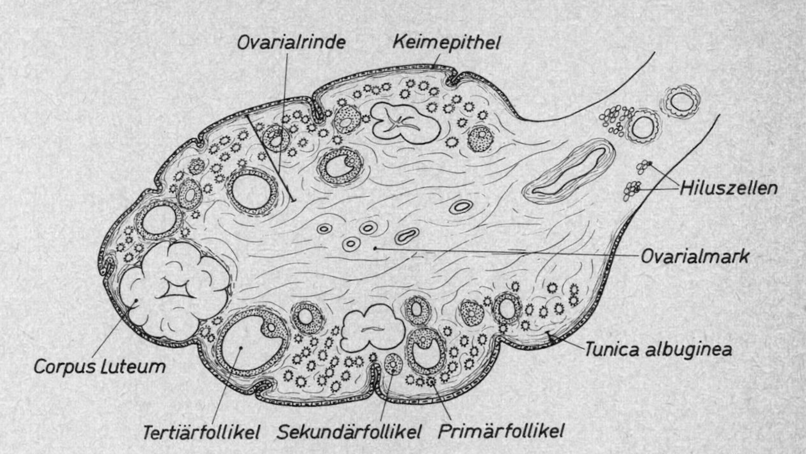

Abb. 19 Schematischer Schnitt durch das Ovarium einer geschlechtsreifen Frau

Primärfollikel

Der Primärfollikel besteht aus der großen zytoplasmareichen Eizelle, die von einer Lage kubischer Zellen umgeben ist. Nach außen folgt eine Hülle flacher Bindegewebszellen, die Theca folliculi (Abb. 20). Von den rund 400 000 Primärfollikeln kommen etwa 450 zur Ovulation. Viele Primärfollikel proliferieren aber doch bis zu einem gewissen Grade (bis zum Sekundär- oder Tertiärfollikel) und werden dann atrophisch. — Nicht jeden Monat durchläuft ein Primärfollikel alle Reifestadien bis zur Ovulation. Es steht immer eine reichliche Anzahl von Sekundär- und Tertiärfollikeln bereit, um sich relativ rasch zum sprungreifen Follikel zu entwickeln.

Die Auswahl zum sprungreifen Follikel und die alternierende Ovulation zwischen rechtem und linkem Ovar steuert offenbar ein im Ovar lokalisiertes Reglersystem.

Sekundär- und Tertiärfollikel

Sobald das Follikelepithel nicht mehr ein-, sondern zwei- und mehrschichtig wird, spricht man von einem Sekundärfollikel. — Bald entsteht ein mit Flüssigkeit gefüllter Gewebsspalt, der sich rasch ausweitet und zur Follikelhöhle wird (Tertiärfollikel). Das Follikelepithel hat sich zur Membrana granulosa umgebildet. Es besteht aus einer geordneten basalen Zellreihe, über der weitere 6 bis 8 Granulosazellreihen liegen. Die Eizelle hat im Tertiärfollikel ihre endgültige Größe erreicht und liegt, von Granulosazellen umgeben, im sog. Cumulus oophorus (Abb. 20). Bis zur Ovulation sind in der Granulosazellschicht niemals Gefäße nachweisbar. Nach morphologischen Untersuchungen sind einsprossende Kapillaren **vor** dem Eisprung ein Zeichen dafür, daß der Follikel der Atrophie anheimfallen wird. In der umgebenden Theka werden, locker angeordnet, Zellinseln mit plasmareichen Zellen sichtbar (Theca interna), nach außen schließen konzentrische faserreiche Bindegewebszellen den Follikel ab (Theca externa). In den Sekundär- und Tertiärfollikeln werden Östrogene

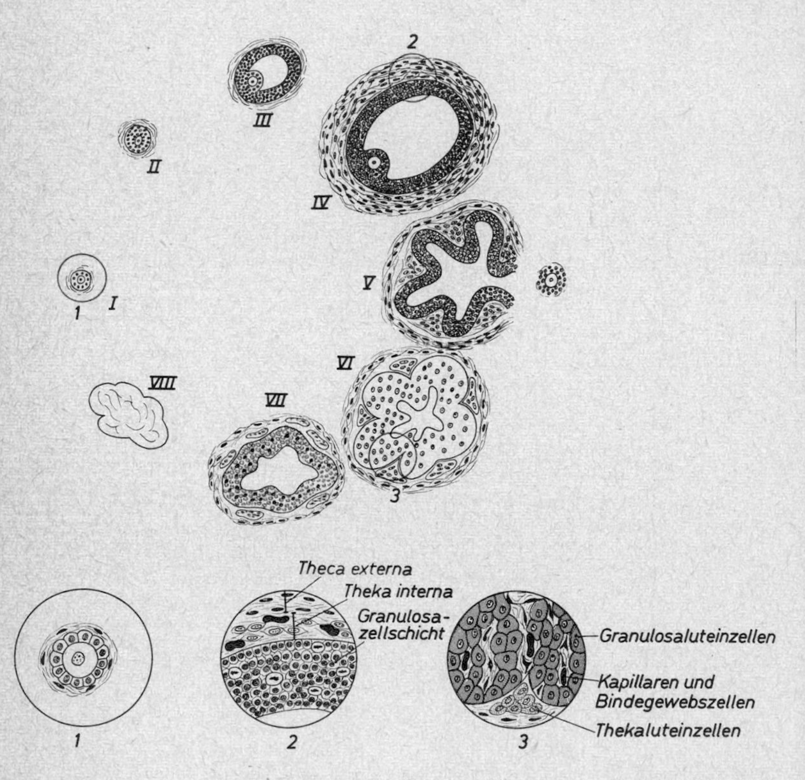

Abb. 20 Zyklisch ablaufende Veränderungen im Ovarparenchym während eines Zyklus: I. Primordialfollikel; II. Sekundärfollikel; III. Tertiärfollikel; IV. Fast sprungreifer Follikel; V. Follikel kurz nach dem Eisprung; VI. blühendes Corpus luteum; VII. In Rückbildung befindliches Corpus luteum mit zunehmender fettiger Degeneration der luteinisierten Theka-Granulosa-Zellen; VIII. Corpus albicans

gebildet, die, zyklusunabhängig, einen basalen Östrogenspiegel im Organismus aufrechterhalten. Wahrscheinlich erfolgt die Östrogensynthese sowohl in den Granulosazellen als auch in den Thekazellen.

Sprungreifer Follikel (Graafscher Follikel)

Regnier de Graaf beobachtete 1672 als erster sprungreife Follikel in der Ovarialrinde. – In 4wöchentlichem Rhythmus reift in einem der beiden Ovarien ein Follikel zum sprungreifen Follikel heran. Dabei vergrößert sich der Follikel auf Erbs- bis Kirschgröße. Die dem Eihügel abgewandte Seite rückt näher an das Keimepithel heran und kann die Ovaroberfläche etwas vorbuckeln. Bei Laparotomien zum Zeitpunkt des Eisprungs kann man die Wandverdünnung mit dem darunterliegenden Eibläschen erkennen. Die Ausbildung eines sprungreifen Follikels dauert wahrscheinlich nur wenige Tage. Während dieser Zeit werden in ansteigenden Mengen Östrogene produziert (präovulatorischer Anstieg), wahrscheinlich vorwiegend von den Zellen der Theca interna und den Granulosazellen. Bereits kurz vor der Ovulation beginnt wahrscheinlich in den Granulosazellen die Progesteronsynthese.

Sowohl in den Theka- als auch in den Granulosazellen sind während der Entwicklung zum sprungreifen Follikel zahlreiche Mitosen nachweisbar. – Bei der Ovulation reißt die bedeckende Oberfläche des Ovars ein. Dabei kann es zu einer kleinen Blutung kommen. In Ausnahmefällen kann die Blutung stärkere Formen annehmen. Mit der Follikelflüssigkeit wird das Ei, umgeben von einem Kranz von Granulosazellen, aus der Follikelhöhle herausgeschwemmt und von dem Fimbrienende der Tube aufgefangen. – Zum Zeitpunkt der Ovulation geben einige Frauen den sog. **Mittelschmerz** an. Die Ursache dieses Schmerzes ist nicht sicher bekannt. Die zunehmende Kapselspannung am Ovar, der Einriß bei der Ovulation oder eine geringe peritoneale Reizung auf Grund der austretenden Follikelflüssigkeit sowie eine Blutung beim Eisprung könnten die Ursache sein. Andere vermuten die Ursache in der kräftigen Bewegung der Tuben während des Eiauffangmechanismus.

Corpus luteum

Vom Zeitpunkt des Follikelsprunges an setzt im Follikel eine rasche morphologische und funktionelle Umwandlung ein. Sobald die Follikelhöhle entleert ist, fällt der Follikel zusammen; die Wand faltet sich. In der Resthöhle kommt es zu einer Fibrinausschwitzung, gelegentlich kann es in den Fibrinkern bluten. Die Granulosazellen und die Zellen der Theca interna werden luteinisiert. Das Zytoplasma nimmt stark zu. Feindispers verteilt, werden Lipoide eingelagert. Durch die Lipoideinlagerung erscheint die Granulosazellschicht gelblich gefärbt. Daher leitet sich die Bezeichnung Corpus luteum ab. Sofort nach dem

Eisprung sprossen Kapillaren in die Granulosazellschicht ein, die, begleitet von Bindegewebszellen, die ganze Parenchymschicht des Corpus luteum durchsetzen. Am Fibrinkern angelangt, bilden sie eine bindegewebige Abdeckung. Funktionell synthetisieren die Granulosaluteinzellen große Mengen Progesteron. Die morphologische Zuordnung gilt als gesichert, da aus frisch präparierten Corpora lutea Progesteron biochemisch gewonnen werden konnte. In den luteinisierten Thekazellen werden offenbar weiter Östrogene gebildet.

Kommt es nicht zur Gravidität, so wird die Progesteronsynthese nach ca. 12 Tagen post ovulationem rasch eingestellt. Morphologisch kommt es zu einer grobtropfigen Verfettung der Granulosalutein- und Thekaluteinzellen. Das Corpus luteum färbt sich strohgelb. Die eingesproßten Bindegewebszellen breiten sich aus und resorbieren die ehemaligen Granulosaluteinzellen. Die Theca interna bleibt noch lange erkennbar. Ein Teil des Fettes wird phagozytiert und in ein fetthaltiges Pigment umgewandelt, das sog. Lipofuszin, welches sich am Ort früherer Corpora lutea nachweisen läßt. Die endgültige Resorption des Corpus luteum dauert mehrere Wochen, so daß man in einem Ovar neben einem blühenden Gelbkörper zwei oder drei zugrunde gehende finden kann. Schließlich erinnern noch eine zirkuläre Anordnung von Bindegewebszellen oder hyaline Narben an die Ovulation.

Zu Beginn einer Gravidität kommt es zu einer Volumenzunahme des Corpus luteum. Nicht selten sammelt sich Flüssigkeit im Fibrinkern an, so daß es zu einem zystischen Corpus luteum kommen kann, das u. U. Faustgröße erreicht. Die feindisperse Lipoidverteilung bleibt erhalten. Erst nach Beendigung des dritten Graviditätsmonats treten Regressionserscheinungen im Corpus luteum graviditate auf.

Zusammenfassung: In der Geschlechtsreife wird die Ovarialfunktion von übergeordneten Zentren gesteuert. Vom Zwischenhirn gebildete Hypophysiotropine stimulieren die Hypophyse zur Gonadotropinproduktion. 2–3 verschiedene Gonadotropine (FSH, LH und LTH) wirken in einem noch nicht völlig geklärten Rhythmus auf die Ovarialfunktion ein. Die Bildung sprungreifer Follikel, Ovulation und Corpus-luteum-Entwicklung vollziehen sich in vierwöchentlichem Rhythmus. Synchron werden vom Follikel und Corpus luteum Östrogene und Progesteron synthetisiert. Der Kreislauf Zentrum – Gonadotropine – Ovar – Sexualsteroide reguliert sich im Sinne einer Rückkoppelung.

Wirkung der Sexualsteroide auf die Erfolgsorgane

Die im Ovar gebildeten Sexualhormone, Östrogene und Progesteron, wirken in zweierlei Hinsicht auf die Erfolgsorgane und den Gesamtorganismus ein. Erstens kommt es zu allgemeinen, zyklusunabhängigen Erscheinungen der Geschlechtsreife. Zweitens spielen sich typische zyklische Veränderungen ab, die synchron mit dem Zyklus im Ovar und der damit verbundenen Hormonproduktion ablaufen. Die im Blut zirkulierenden Ovarialhormone lösen vorwiegend an den Genitalorganen spezifische Reaktionen aus. Forschungen der letzten Jahre haben ergeben, daß die Steroidhormone (zumindest die Östrogene) in die Zellkerne der Erfolgsorgane eingebaut werden. Der Einbau erfolgt am genetischen Material. Von der chromosomalen Desoxyribonukleinsäure wird die hormonale „Information" über die „messenger"-Ribonukleinsäure als „Botschaft" an das endoplasmatische Retikulum des Zytoplasmas weitergegeben. Von dort wird die hormonspezifische Reaktion durch die Bildung spezifischer Proteine ausgelöst (z. B. die östrogenspezifische Proliferation der Endometriumdrüsen).

Eileiter

Die zunehmende Östrogenproduktion bewirkt zu Beginn der Geschlechtsreife das Wachstum der Tuben. Während des Zyklus wird durch den präovulatorischen Östrogenanstieg offenbar die Motilität der Tube erhöht (bis zu 12 Kontraktionen/Min.). Die Tubenlichtung erweitert sich. — In der Progesteronphase finden sich vermehrt stark sezernierende Zellen zwischen dem Flimmerepithel der Tube. Die Eileiter bewegen sich weniger. Dies hat für die ungestörte Wanderung des Eies durch die Tube eine gewisse Bedeutung.

Uterus

In der Geschlechtsreife erreicht der Uterus unter dem Einfluß der Östrogene seine normale Größe (Sondenlänge 7—8 cm).

Myometrium. Die Masse des Myometriums nimmt stark zu. Durch ein vermehrtes Gefäßwachstum wird die Durchblutung verbessert. Innerhalb des Zyklus kommt es während der Menstruation und in der Östrogenphase zu Kontraktionen. Über den Progesteroneinfluß auf die Aktivität der glatten Muskulatur bestehen unterschiedliche Auffassungen. Gesichert erscheint, daß das Myometrium zwischen dem 10.—20. Zyklustag auf Oxytocin nicht anspricht, erst wieder gegen Ende des Zyklus.

Endometrium. Die eindrucksvollsten Umwandlungen vollziehen sich während eines Zyklus im Endometrium. Postmenstruell bewirken die Östrogene die Heilung der Schleimhautwunde und die Proliferation der Zona functionalis. Ohne wesentliche Veränderungen an den basalen Drüsen kommt es zu einer raschen Volumenzunahme. Die Endometriumdrüsen wachsen in langen dünnen Schläuchen. Das Epithel ist einreihig, wirkt aber durch die dichtstehenden Kerne mehrreihig. Die Epithelzellen sind schmal und hoch und enthalten einen länglichen Kern. Zahlreiche Mitosen sind nachweisbar. Eine wesentliche Sekretion in die Drüsenlichtung findet nicht statt. Das Stroma ist locker und saftreich, auch hier lassen sich Mitosen nachweisen. Bereits präovulatorisch werden die Drüsenlichtungen weiter, der Drüsenverlauf nimmt eine leichte Schlängelung ein. Mit Einsetzen der Progesteronwirkung nehmen die Endometriumdrüsen ihre sekretorische Tätigkeit auf. Das Epithel wird flacher. Durch Versuche an Kastratinnen weiß man, daß 36 Stunden nach Beginn der Progesteronwirkung subnukleär im Zytoplasma der Endometriumzelle eine Sekretvakuole auftritt, die Glykogen enthält. Nach 4 Tagen ist die Glykogenansammlung am ausgeprägtesten, sie wird nach 6 Tagen undeutlich. Das Glykogen fließt dann am Kern vorbei zur Spitze der Epithelzelle und wird ins Lumen ausgeschieden. Gleichzeitig wandert der Kern an die Basis der Zelle. Das Lumen der Drüsen erweitert sich beträchtlich, die Schlängelung wird so, daß im histologischen Schnitt die typische Sägeblattform auftritt. In der späten Sekretionsphase wird Schleim an Stelle von Glykogen sezerniert, der in großen Mengen im Lumen nachweisbar ist.

Während der Sekretionsphase nimmt der Wassergehalt des Stromas zu. Die Stromazellen werden größer und zytoplasmareicher. Typisch ist die Ausbildung von geschlängelten kleinen Arterien, den sog. Spiralarterien, die dicht unter der Schleimhautoberfläche liegen. Der Gefäßreichtum ist nur im Hinblick auf eine eventuelle Plazentation zu verstehen, da die normale Mukosa eine solche Durchblutungsgröße nicht braucht.

Ohne die vorbereitende und anhaltende Östrogenwirkung ist eine sekretorische Umwandlung des Endometriums nicht möglich. Man könnte an der Kastratin mit Progesteron allein niemals eine voll sekretorisch umgewandelte Schleimhaut erzeugen. Wenige Tage vor der Menstruation kommt es zu einer starken Schrumpfung des Endometriums durch Wasserentzug. Blutungen in das Stroma kündigen die beginnende Menstruation an. Mit Erlöschen der Corpus luteum-Wirkung zerfällt die Schleimhaut rasch. Mit dem austretenden Menstrualblut wird die zerfallende Schleimhaut in kleinsten Partikeln bis zur Zona basalis abgestoßen. Die Desquamation dauert im Mittel drei bis vier Tage. Das Menstrualblut gerinnt nicht. Der Blutverlust beträgt 50—150 ml. Abb. 21 zeigt die Veränderungen des Endometriums im Verlauf eines Zyklus.

Zervix. Mit Eintritt der Geschlechtsreife wird die Zervix voluminöser, das Scheidengewölbe tiefer. Das Zervixdrüsenfeld, in der Kindheit überwiegend intrazervikal gelegen, ändert seine Lokalisation. Es kommt zu einer mehr oder minder ausgedehnten Verschiebung des Zervixdrüsenfeldes auf die Portiooberfläche. Dabei bleibt die Ausdehnung des Zervixdrüsenfeldes konstant. Damit tritt die Grenze zwischen Zervix und Isthmusschleimhaut deutlich tiefer. Der vorher

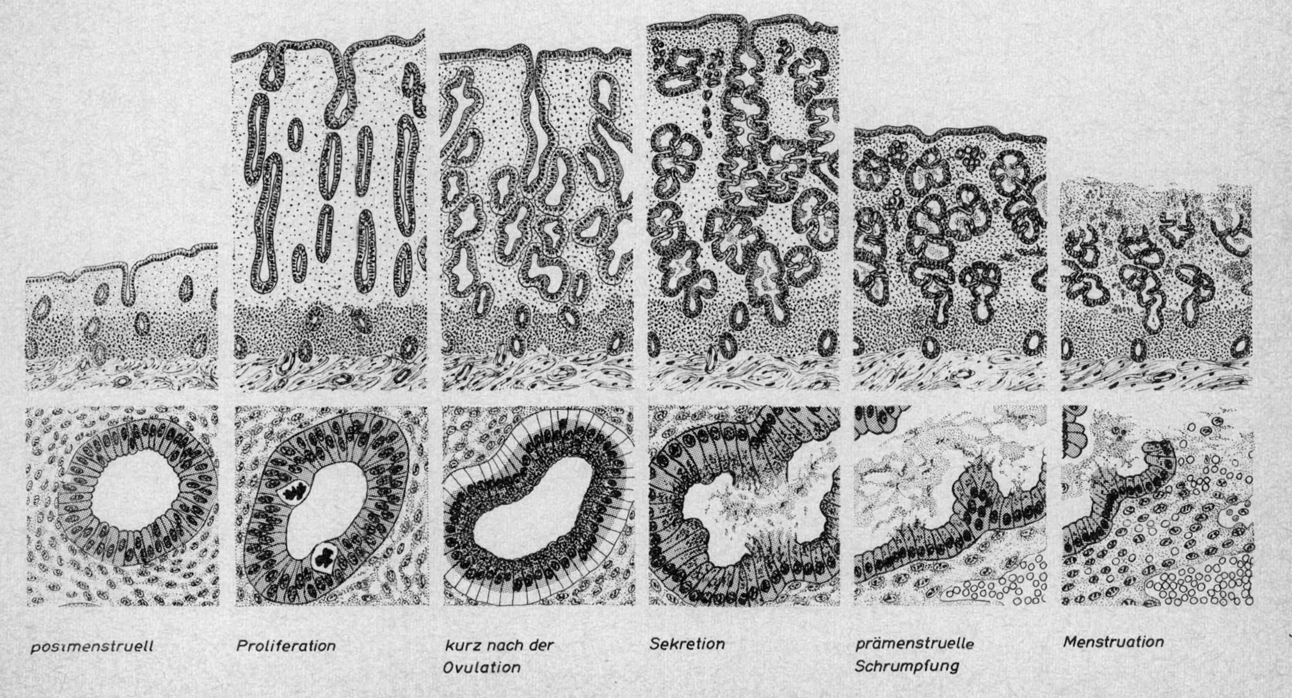

Abb. 21 Endometriumveränderungen während eines Zyklus (nach NETTER)

grübchenförmige Muttermund nimmt eine fischmaulförmige Gestalt an. Makroskopisch wirkt die Portiooberfläche zirkulär gerötet, da das einschichtige Zylinderepithel im Gegensatz zum vielschichtigen Plattenepithel durchsichtiger ist. Kolposkopisch läßt sich der Befund leicht als zirkuläre Ektropionierung des Zervixdrüsenfeldes erkennen (siehe S. 220, Abb. 69). Der Sinn dieses physiologischen Vorganges liegt offensichtlich darin, den Spermien für ihren Eintritt in den Uterus eine große, chemotaktisch anziehende Oberfläche anzubieten. Die Fertilität von Frauen mit Ektropium ist signifikant höher als von Frauen mit einer vollkommen von Plattenepithel bedeckten Portio. – Während der jahrzehntelangen Geschlechtsreife wird das auf der Portiooberfläche liegende Zervixdrüsenfeld von Plattenepithel überhäutet. Diese Überhäutung erfolgt von peripher her oder durch metaplastische Vorgänge innerhalb des Drüsenfeldes. Das Plattenepithel überwächst das Zervixdrüsenfeld, so daß die Drüsenausführungsgänge zunächst noch offen bleiben (kolposkopisch „offene Umwandlungszone"). Nach deren Verschluß hat das Sekret der Drüsen keinen Abfluß. Es bilden sich Ovula NABOTHI (kolposkopisch „geschlossene Umwandlungszone").

Mit Beginn der Postmenopause sind die Überhäutungsvorgänge meist abgeschlossen. Durch die altersmäßig einsetzende Involution des Uterus retrahiert sich das überhäutete Areal in den Zervikalkanal, so daß bei der alten Frau wieder eine von Plattenepithel überzogene Portio vorliegt. Abb. 22 zeigt die Auseinandersetzung zwischen Zylinder- und Plattenepithel an der Cervix uteri. Der Formwandel der Zervix und die Epithelverschiebungen werden vorwiegend durch die Östrogenstimulierung bewirkt.

Während eines Zyklus ändert sich die Schleimsekretion in typischer Weise. Unter dem Einfluß der Östrogene wird der Zervixschleim klar, fadenziehend, die Viskosität nimmt ab. Läßt man auf der Höhe der Östrogenwirkung den Schleim auf einem Objektträger trocknen, so bilden sich typische farnkrautähnliche Kristalle (s. S. 237 Farnkrauttest, Spinnbarkeitstest Abb. 80, 81). Zum Zeitpunkt der Ovulation wird der Muttermund weitgestellt. In der Sekretionsphase nimmt die Menge des Schleimes ab, seine Viskosität zu, das Kristallisationsbild wird uncharakteristisch. Der Muttermund verengt sich.

Vagina

Auch die Scheide wächst unter Östrogeneinfluß in den ersten Jahren der Geschlechtsreife. – Ein sehr empfindlicher Indikator für Sexualhormone ist das Scheidenepithel, welches in unterschiedlicher Weise während des Zyklus proliferiert. Unter Östrogeneinfluß reift das Scheidenepithel in allen Schichten voll aus (s. S. 231). Bei Kastratinnen läßt sich der Effekt durch Östrogenzufuhr in wenigen Tagen erreichen. Mit der um den Ovulationstermin einsetzenden Progesteronwirkung wird in der mittleren Zellschicht Glykogen eingelagert; parallel

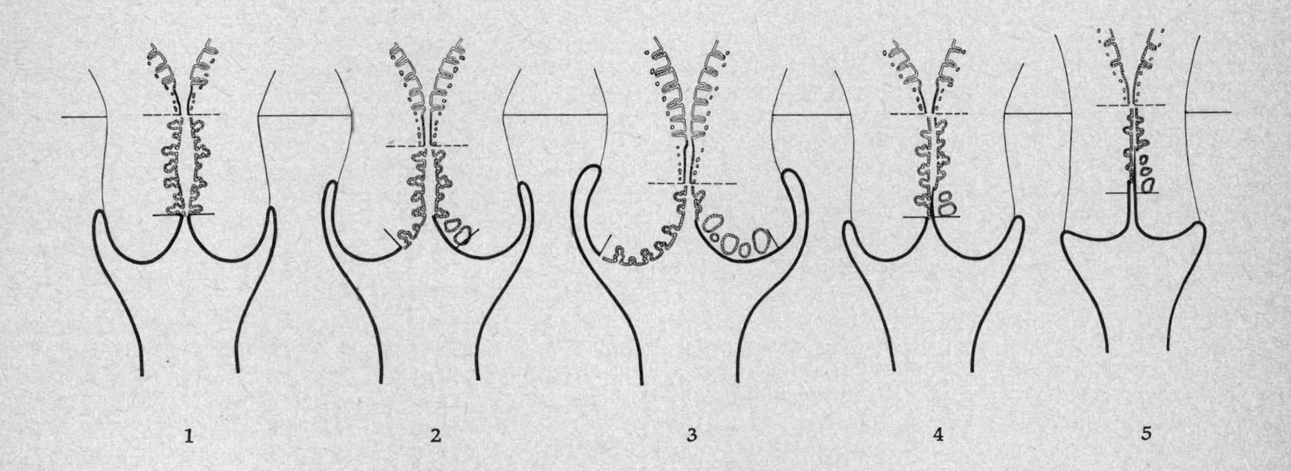

Abb. 22 Schematische Darstellung von Portiotypen. Skizze 1 zeigt die Portio eines jungen Mädchens, Skizze 2 und 3 die wichtigsten Formen bei der geschlechtsreifen Frau, Skizze 4 die Portio im Klimakterium und Skizze 5 im Senium. Man beachte die Veränderung der Zervixform und der Scheidengewölbe. Die linke Bildhälfte jeder Skizze zeigt die Wanderung des konstant langen Zervixdrüsenfeldes und die rechte Bildhälfte dessen Auseinandersetzung mit dem „aufsteigenden" Plattenepithel. Der anatomische innere Muttermund ist durch die durchgehende, der histologische innere Muttermund durch die punktierte Linie markiert (aus OBER, K. G., P. SCHNEPPENHEIM, H. HAMPERL, C. KAUFMANN, Archiv für Gynäkologie, 190 [1958] 346)

läuft eine starke Abschilferung der oberflächlichen Zellschichten. Der unterschiedliche Proliferationsgrad des Scheidenepithels läßt sich am Abstrichbild der Vagina deutlich ablesen. Man unterscheidet folgende Phasen: **Follikelphase:** frühe — mittlere — späte — (präovulatorische), **Ovulationsphase:** 14. und 15. Tag, **Lutealphase:** frühe — (postovulatorische), mittlere — späte.

Das Ausstrichbild wandelt sich dabei folgendermaßen (s. S. 120, Abb. 36): In der **frühen Follikelphase** finden sich auf Grund der Menstruationsblutung reichlich Erythrozyten, Leukozyten und Bakterien. Dazwischen liegen vorwiegend Intermediärzellen, vereinzelt Parabasalzellen und sehr wenige Oberflächenzellen. Die **mittlere Follikelphase** zeigt Intermediär- und Oberflächenzellen etwa zu gleichen Teilen. Das Bild klärt sich, die Erythrozyten sind verschwunden, es finden sich nur noch wenige Leukozyten und Bakterien. In der **späten Follikelphase** kommt die steil ansteigende Östrogenwirkung zum Ausdruck. Der Ausstrich enthält nur Oberflächenzellen, die flach ausgebreitet, faltenlos auf dem Objektträger liegen. Der Ausstrich ist fast frei von Leukozyten und Bakterien. Um den Zeitpunkt des Follikelsprunges, **Ovulationsphase**, werden die eosinophilen, karyopyknotischen Oberflächenzellen zahlreicher (s. Eosinophilen- und karyopyknotischer Index S. 234, Abb. 78). Die **frühe postovulatorische Lutealphase** zeigt mit Einsetzen der Progesteronwirkung eine Massenabschilferung der Oberflächenzellen, die in Haufen liegen und deren Zytoplasma gefältelt oder aufgerollt ist. Nach der Abschilferung der Oberflächenzellen finden sich in der **mittleren Lutealphase** in Haufen liegende Intermediärzellen und nur wenige Oberflächenzellen. Gleichzeitig kommt es zu einer Zunahme der Leukozytenbeimengung, meist vermehren sich jetzt vorhandene DÖDERLEIN-Bazillen, da die glykogenhaltigen Intermediärzellen einen ausgezeichneten Nährboden bieten. Es findet sich in dieser Phase häufig eine ausgeprägte DÖDERLEINsche Zytolyse im Abstrichbild. In der **späten Lutealphase** treten die Oberflächenzellen fast vollkommen zurück, die Zytolyse schreitet fort. Schließlich finden sich mit Beginn der Menstruation massenhaft Erythrozyten.

Verfolgt man den karyopyknotischen- und Eosinophilen-Index im Verlaufe eines Zyklus, so lassen sich charakteristische Kurven gewinnen (s. S. 234, Abb. 78). Ähnliches gilt für die graphische Darstellung der SCHMITTschen Einteilung während eines Zyklus. Der Gipfel der Kurven liegt um den Zeitpunkt des Follikelsprunges. Man kann aus dem Abstrichbild oder der Bestimmung von Indizes gute Anhaltspunkte für die aktuelle Zyklusphase gewinnen, insbesondere auch erkennen, ob biphasische Zyklen vorliegen. Die hormonale Zytodiagnostik läßt eine Bestimmung des Eisprunges nur retrospektiv zu. Die Vermehrung der eosinophilen Oberflächenzellen mit kleinem pyknotischem Kern zum Zeitpunkt der Zellentnahme besagt nur, daß ein hoher Östrogenspiegel erreicht ist.

Mamma

Drüsen- und Fettgewebe der weiblichen Brüste entwickeln sich in den ersten Jahren der Geschlechtsreife. Den Östrogenen schreibt man dabei einen Einfluß auf die Proliferation der Milchgänge zu, während Progesteron die Alveolenbildung des Drüsenparenchyms anregen soll. Während des Zyklus kommt es unter Progesteron in der zweiten Zyklushälfte zu einem Anschwellen der Drüsenkörper, die durch eine zunehmende Hyperämie und Bindegewebsverdickung sowie Aussprossen kleinster Drüsengänge bedingt ist. Viele Frauen bemerken ein Spannungsgefühl der Brust, häufig auch das Austreten einiger Sekrettropfen wenige Tage vor Beginn der Blutung. Unmittelbar vor Eintritt der Menstruation läßt das Spannungsgefühl nach.

Wirkung der Sexualsteroide auf den Gesamtorganismus

Über die zyklischen Veränderungen an den Erfolgsorganen hinaus haben die Ovarialhormone Einfluß auf den Gesamtorganismus.

Körpergewicht

Prämenstruell ist bei vielen Frauen das Gewicht um 1—2 Pfund infolge Wasserretention vermehrt. Angedeutete Lidödeme können auftreten. Eine Neigung zu hypostatischen Ödemen verstärkt sich.

Atmung

Die alveoläre CO_2-Spannung ist prämenstruell am niedrigsten, das Optimum liegt um den Ovulationstermin. Zur Zeit der Menstruation sinkt die Vitalkapazität leicht ab. Die Atemfrequenz steigt an.

Gefäßsystem

Prämenstruell ist ein Blutdruckanstieg um 10—20 mm Hg feststellbar. In der gleichen Phase steigt die Pulsfrequenz an. In der Corpus-luteum-Phase kommt es zu einer zunehmenden Kapillarbrüchigkeit, der Blutstrom in den Venolen ist verlangsamt.

Blut

Die Zahl der Leukozyten steigt in der 2. Zyklushälfte, ihr Volumen soll um den Ovulationstermin am größten sein. Die Lymphozytenzahl liegt in der ersten Zyklushälfte am niedrigsten. Um den Zeitpunkt der Ovulation ist ein Abfall der eosinophilen Leukozyten nachweisbar. Erythrozytenzahl und Hämoglobingehalt sinken mit Einsetzen der Menstruationsblutung gering ab. — Die Gerinnungsfähigkeit des Blutes ist prämenstruell herabgesetzt. Die Thrombozytenzahl ist vermindert. Diese Eigenschaft ist praktisch wichtig, da Operationen bei geschlechtsreifen Frauen wegen der erhöhten Blutungsbereitschaft prämenstruell gern vermieden werden. — Die im Serum nachweisbaren Eiweißfraktionen, der Rest-N, verschiedene Aminosäuren, Cholesterinester, Phospholipide, Blutzucker, Milchsäure, Serumdiastase, Elektrolyte u. a. Substanzen verändern sich zyklusabhängig.

Endokrine Drüsen

Die Schilddrüse nimmt prämenstruell an Volumen zu, gekoppelt mit einer Grundumsatzsteigerung. Auch die Hormonproduktion der Nebennierenrinde ist zyklusabhängig.

Ausscheidung

Die Urinmenge sowie die meisten Ausscheidungsprodukte unterliegen zyklischen Schwankungen. Die Urinproduktion ist in der Zyklusmitte und während der Menstruation vermehrt.

Nervöse Regulationen

Die Proliferationsphase steht unter einer parasympathischen, die Progesteronphase unter einer sympathischen Reaktionslage. Die Motorik des Magen-Darm-Traktes ist um den Ovulationstermin am kräftigsten, während in der Corpus-luteum-Phase eine oft unangenehme Darmträgheit entsteht. Die bei Frauen vorhandene Neigung zur Obstipation wird in dieser Zeit verstärkt.

Klinisch wichtig ist der Einfluß der Sexualsteroide auf das Temperaturzentrum des Zwischenhirns. Die fortlaufende Messung der Aufwachtemperatur (s. S. 241, Abb. 84) ergibt einen typischen biphasischen Verlauf. In der Proliferationsphase liegt die Temperatur unter 37 °C (meist 36,6—36,8 °C). Mit Beginn der Progesteronbildung kommt es zu einer plötzlichen Temperaturerhöhung von mehreren Zehntel Grad. Während der Corpus-luteum-Phase bleibt die Hyperthermie bestehen. Die Hyperthermie ist, ohne Eintritt einer Gravidität, zeitlich konstant auf 13 bis 14 Tage beschränkt. Mit Menstruationsbeginn sinkt die Körpertemperatur unter 37 °C ab. Sorgfältige Messungen der Aufwachtemperatur lassen recht genaue Rückschlüsse auf die Zyklusphasen der Frau zu. Die Methode spielt bei der Beurteilung von Funktionsstörungen des Zyklus eine entscheidende Rolle.

Körperliche Leistungsfähigkeit und psychisches Verhalten

Eine Frau ist innerhalb des 4wöchentlichen Rhythmus in unterschiedlicher Weise belastbar. Ihre körperliche und geistige Leistungsfähigkeit ist oft kurz vor und während der Periode herabgesetzt. – Auch das psychische Verhalten der Frau wird von den Ovarialhormonen beeinflußt. 1–2 Tage vor Eintritt der Menstruation ist eine deutliche Labilität zu bemerken, die sich in Nervosität, leichter Reizbarkeit, mangelhafter Konzentration usw. äußert. Kritische Frauen beobachten dieses Phänomen an sich selbst. Die prämenstruelle Stimmungslabilität ist beim jungen Mädchen und der jungen Frau nicht so ausgeprägt wie im 4. und 5. Lebensjahrzehnt.

Überschreiten die prämenstruellen Beschwerden das Normalmaß, so bezeichnet man den Symptomenkomplex als **prämenstruelles Spannungssyndrom.** Eine exakte Beurteilung ist nur schwer möglich, da die subjektiven Klagen der Patientin im Vordergrund stehen. Pathogenetisch spielt wohl die extrazelluläre Wassereinlagerung eine Rolle. Therapeutisch werden daher die Einschränkung der Wasser- und Salzzufuhr, evtl. die Einnahme von Diuretika prämenstruell empfohlen, unterstützt durch Tranquilizer. Eine hormonelle Beeinflussung ist unsicher in der Wirksamkeit, Ovulationshemmer beseitigen das Syndrom nur unvollkommen.

Zusammenfassung: Während der Geschlechtsreife wird das junge Mädchen zur Frau. Dies äußert sich in der Entwicklung ihres Körpers und in der endgültigen Formierung der Genitalorgane. Neben dem allgemeinen Wachstum kommt es zu typischen Umbildungen, besonders im Bereich der Cervix uteri. – Während des Zyklus üben die Ovarialhormone eine spezifische Wirkung auf die Erfolgsorgane und den Gesamtorganismus aus. Die augenfälligsten Veränderungen betreffen das Endometrium, welches im raschen Wechsel proliferiert, sich sekretorisch umwandelt und während der Menstruation zerfällt. Die Zusammensetzung des Zervixsekretes und der Proliferationsgrad des Scheidenepithels ändern sich in Abhängigkeit von der Hormonsituation. – Fast alle Organe im Gesamtorganismus werden mehr oder weniger deutlich vom Zyklus der Ovarialhormone beeinflußt. Klinisch wichtig ist die Reaktion des Temperaturzentrums mit dem daraus resultierenden biphasischen Verlauf der Aufwachtemperaturkurve. Die Leistungsfähigkeit und das psychische Verhalten der Frau werden u. a. durch die Schwankungen der Ovarialhormone beeinflußt.

Klinik des normalen Zyklus, Zyklusstörungen und Hormonbehandlungen

Die Menstruationsblutung ist für eine Frau das eindeutigste Zeichen ihres Zyklus. Störungen im Rhythmus und Ausmaß der Blutungen werden als krankhaft empfunden und führen die Patientin zum Arzt. Hinter den Klagen über unregelmäßige Perioden verbergen sich zahlreiche Möglichkeiten, die von der Variante der Norm bis zur echten Erkrankung reichen. – Bei der Beurteilung der von der Patientin geäußerten Angaben sollte man sich nie auf die aus dem Gedächtnis reproduzierten Daten verlassen, sondern schriftliche Aufzeichnungen über das Datum und die Dauer der Menstruationsblutungen verlangen (s. Anamnese S. 202). Wenn nicht Erkrankungen der Genitalorgane oder des Endokriniums vorliegen, genügt oft eine vierteljährliche Kontrolle der Menstruationsdaten oder, wesentlich besser, der Aufwachtemperaturkurve, um die Harmlosigkeit der „Unregelmäßigkeit" aufzuklären.

Die Fülle der angebotenen Hormonpräparate im Bereich der gynäkologischen Endokrinologie führt oft zu einer kritiklosen Anwendung. Die Hormonzufuhr bringt dann das körpereigene Zusammenspiel Zentrum-Ovar-Erfolgsorgan aus dem Gleichgewicht. – Zum besseren Verständnis soll daher dieses Kapitel mit einigen Grundbegriffen der hormonellen Therapie eingeleitet werden.

Hormonelle Beeinflussung des Endometriums

Die Wirkung einer exogenen Hormonzufuhr wird am eindeutigsten sichtbar bei Kastratinnen, weil sich bei ihnen die endogene Hormonproduktion nicht mit der exogenen kombiniert.

Abbruch- oder Entzugsblutung

Gibt man einer Frau ohne Ovarialfunktion Östrogene oder eine Kombination von Östrogenen und Gestagenen, so kommt es zu einer Proliferation des Endometriums. Wird die Hormonmedikation beendet, folgt innerhalb der nächsten 2 bis 3 Tage die Schrumpfung des Endometriums, gefolgt von einem nekrobiotischen Zerfall. Eine Blutung aus dem Uterus tritt am 2. oder 3. Tag nach Beendigung der Hormonmedikation auf. Bei dieser Blutung handelt es sich um eine Abbruch- oder Entzugsblutung (Abb. 23).

Durchbruchsblutung

Wird die Hormonzufuhr über längere Zeit fortgesetzt, ohne die Dosis zu erhöhen, so bleibt das Endometrium nicht unbegrenzt intakt. Es kommt zu kleinen Nekrobiosen und leichten Schmier- und Kleckerblutungen. Diesen Blutungstyp nennt man Durchbruchsblutung. Eine sinnvolle Erhöhung der Dosis kann den Schleimhautzerfall zwar oft lange, aber doch nicht endgültig, verhindern. Von einem bestimmten Wert an wird es auch bei konsequenter Dosiserhöhung zu Durchbruchsblutungen kommen (Abb. 23).

Die beiden Blutungstypen, Entzugs- und Durchbruchsblutung, sind auch bei Frauen mit Ovarialfunktion nachweisbar. Die Menstruationsblutung ist eine Entzugsblutung. Eine langanhaltende körpereigene Östrogenwirkung, z. B. bei Follikelpersistenz (s. S. 94), führt

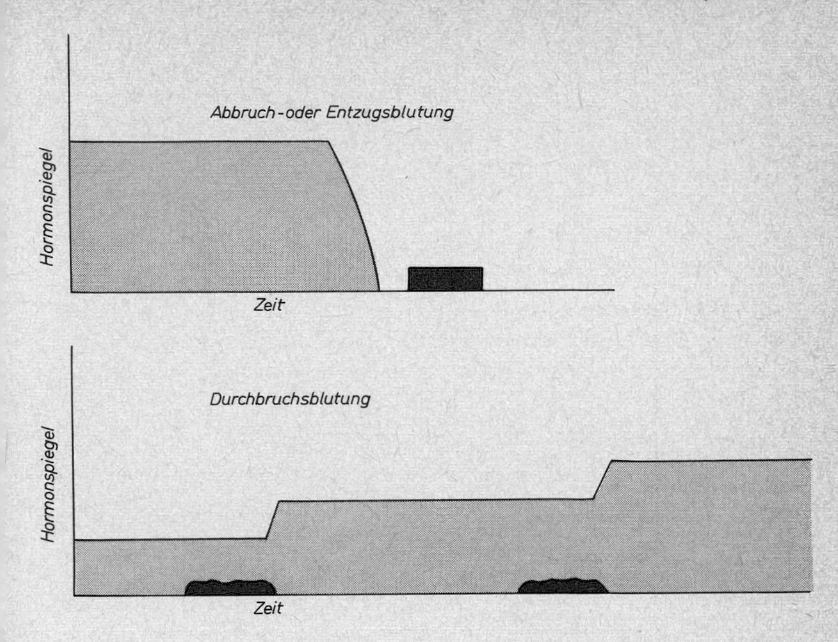

Abb. 23 Charakteristikum einer Abbruch- oder Entzugsblutung im Vergleich zur Durchbruchsblutung

nicht selten zu Durchbruchsblutungen. Bei Anwendung von ovulationshemmenden Substanzen (s. S. 191) ist bei einigen Patientinnen die Dosierung individuell zu niedrig, und es kommt zu Schmierblutungen (Durchbruchsblutungen) während der Einnahme. – Ist man sich über das Prinzip der Hormonwirkung im Hinblick auf den Erhaltungszustand des Endometriums im klaren, so werden Blutungsstörungen und die Wirkung therapeutischer Hormongaben in ihrem Wesen leichter verständlich.

Hormonelle Beeinflussung des Ovars

Die Beeinflussung der Peripherie (Endometrium, Vaginalepithel usw.) durch Ovarialhormone ist eindeutig und hat einen regelhaften Ablauf. Die Rückwirkung der Ovarialhormone auf das Ovar ist nicht zu leugnen, ist aber nicht so geklärt wie an den Erfolgsorganen. Eine Einflußnahme übergeordneter Sexualhormone (Gonadotropine), die exogen zugeführt werden, auf das normal angelegte Ovar ist im Sinne einer Ovulationsauslösung möglich.

Ovulationsauslösung

Ovulationen sind nur in Keimdrüsen möglich, in denen Primordialfollikel angelegt sind. Jede Einflußnahme auf Gonadenanlagen ohne Keimzellen ist unmöglich. – Normalerweise wird die Ovulation monatlich einmal durch ein besonderes Zusammenspiel von 2–3 Gonadotropinen ausgelöst. – Bei einer Reihe von meist hypophysär-thalam bedingten Funktionsstörungen des Ovars kommt es primär oder sekundär nicht zu Eisprüngen. In diesen Fällen gibt es verschiedene Möglichkeiten, Eisprünge hervorzurufen.

Stimulationstherapie. Der Eisprung kann am zuverlässigsten durch Gonadotropine ausgelöst werden. Das dafür endokrinologisch eindeutigste Beispiel ist die hypophysektomierte Frau. Allerdings nimmt offenbar mit der Länge der Amenorrhoe auch die Reaktionsbereitschaft der Ovarien für die Ansprechbarkeit der Gonadotropine ab. – Bei der gesunden Frau besteht ein Wechselspiel zwischen Ovarien und Hypophyse. Mit exogen zugeführten Gonadotropinen wird das Ovar jedoch ungebremst angegriffen. Dadurch besteht die Gefahr der Überstimulierung, die sich im Auftreten von schnell entstehenden doppelseitigen Ovarialzysten funktioneller Art (Rupturgefahr!) klinisch äußert. Eine Gonadotropinkur sollte nur von Fachkliniken durchgeführt werden. Unter der Kontrolle der Aufwachtemperatur wird der Temperaturanstieg abgewartet und danach die Gonadotropinzufuhr abgesetzt. Die zweite Zyklusphase läuft nach vollzogener Ovulation meist ungestört ab. Zur Ovulationsauslösung eignen sich Kombinationspräparate von PMS-HCG und HMG-HCG. – Hypophysäre Humangonadotropine aus menschlichen Leichenhypophysen stehen nur in begrenzter Menge zur Verfügung. Eine Gonadotropinkur dauert etwa 12 Tage. Ist die Stimulierung der Ovarien erfolgreich, so kommt es nicht selten zu Polyovulationen, die bei einer Konzeption zu Mehrlingsschwangerschaften führen können. Bis zu 7 Feten hat man beobachtet, die aber nicht ausgetragen wurden, da die Kapazität des menschlichen Uterus dafür nicht ausreicht. Indiziert ist die Therapie bei bestimmten Formen der primären und sekundären Amenorrhoe.

In den letzten 5 Jahren hat eine den Stilbenen nahestehende Substanz ohne wesentliche Östrogenwirkung, das **Clomiphen,** eine zunehmende Bedeutung für die Auslösung von Ovulationen erlangt. Die Wirkung des Clomiphens ist nicht klar. Neben der direkten Beeinflussung der ovariellen Steroidsynthese wird eine Verdrängung der Östrogene an den Erfolgsorganen durch Clomiphen diskutiert. Bei der letzten Möglichkeit reagiert das Zwischenhirn unter dem Eindruck eines peripheren Östrogenmangels mit einer Stimulierung der hypophysären Gonadotropinbildung.

Clomiphen (z. B. Dyneric) wird vom 5.–9. Zyklustag in einer Dosierung von 50–150 mg/die per os gegeben. Bei ca. 70 % der behandelten Frauen kommt es 8—32 Tage nach Beginn der Behandlung zu einer Ovulation (nachgewiesen am Anstieg der Aufwachtemperaturkurve). In ca. 30 % der behandelten Frauen kommt es innerhalb von 1 bis zu 7 Behandlungszyklen zu den erwünschten Graviditäten. Die Überstimulierung der Ovarien ist bei Clomiphen nur in 6 % der Fälle zu erwarten und nicht in der Ausprägung wie bei Gonadotropinbehandlungen. Es wurden jedoch auch kleinfaustgroße Ovarialzysten beobachtet. Unter Clomiphen wurden häufiger Zwillingsschwangerschaften beobachtet, aber nicht derartige Mehrlingsschwangerschaften wie nach Gonadotropinanwendung.

Für eine Clomiphenbehandlung erscheinen Frauen besonders geeignet, die keine Ovulationen spontan haben, aber eugonadotrop sind und im Vaginalausstrich eine deutliche Östrogenwirkung zeigen. Wegen der evtl. auftretenden Nebenwirkungen sind Ovulationsauslösungen mit Gonadotropinen und Clomiphen vorwiegend für Frauen mit Kinderwunsch vorbehalten.

Von untergeordneter Bedeutung ist seit der breiten Anwendung der Gonadotropine und des Clomiphens die im folgenden kurz beschriebene hormonelle Reiz- bzw. Hemmtherapie. Wegen der fraglichen Wirkung besitzen diese Versuche zur Ovulationsauslösung praktisch keine Bedeutung mehr.

Hormonelle Reiztherapie. Durch kleine Gaben von Östrogenen oder Gestagenen lassen sich manchmal Ovulationen auslösen. Ein Versuch ist nur sinnvoll in Fällen, bei denen eine Oligomenorrhoe mit unregelmäßigen Spontanovulationen vorkommt. — Man gibt unter Kontrolle der Aufwachtemperaturkurve in der zweiten Zykluswoche z. B. 20 mg Östronsulfat i.v. oder mehrfach kleine Gestagendosen (Progesteron i.m. oder ein Nor-Gestagen oral). Eine andere Form besteht darin, daß über 3 Monate ein Zyklus exogen imitiert wird, indem man zunächst Östrogene und dann ein Östrogen-Gestagen-Gemisch zuführt. Nicht selten kommt es danach zu einem ovulatorischen Zyklus.

Hormonelle Hemmtherapie (Rebound-Effekt). Werden Ovarialhormone exogen zugeführt, so wird die hypophysäre Gonadotropinproduktion entsprechend dem Reglersystem gebremst. Nach Absetzen der Medikation soll es zu einer Freisetzung von Gonadotropinen und damit zur Aktivierung der Ovarialfunktion kommen.

Eine hypophysäre Blockierung erreicht man mit der Zufuhr von steigenden Dosen eines Östrogen-Gestagen-Gemisches (z. B. Ovulationshemmer 10 Tage 1 Tablette, 10 Tage 2 Tabletten, 10 Tage 3 Tabletten). Nach Absetzen der Therapie kann 10—14 Tage später eine Ovulation eintreten, die unter Kontrolle der Aufwachtemperatur erfaßbar ist. — Ein ähnlicher Effekt wird nach Absetzen der zyklisch verabfolgten Ovulationshemmer oder nach Erzeugung einer Scheinschwangerschaft beschrieben. Andererseits ist der erste spontane Zyklus nach einer lang dauernden Ovulationshemmung oft anovulatorisch. Für diesen Behandlungsversuch eignen sich monophasische Oligo- oder Polymenorrhoen.

Ovulationsverschiebung

Werden in der Follikelreifungsphase exogen Östrogene zugeführt, so verschiebt sich der Eisprung um die Tage der Hormonzufuhr. Dieser hormonelle Eingriff ist therapeutisch erwünscht, wenn eine ovulatorische Polymenorrhoe vorliegt, d. h. eine Verkürzung des Zyklus auf Kosten der Follikelreifungsphase. Der Eisprung liegt in diesen Fällen während der ausklingenden Periodenblutung, so daß das Konzeptionsoptimum nicht wahrgenommen werden kann. Außerdem leiden die Frauen unter zu rasch aufeinanderfolgenden Monatsblutungen. Man gibt zu diesem Zweck vom 2. bis 8. Zyklustag täglich 2 Tabletten Äthinylöstradiol (z. B. Progynon C).

Ovulationshemmung

Wie oben bereits ausgeführt, kommt es zur Unterdrückung der Ovulation bei Zufuhr von Sexualsteroiden vorwiegend auf Grund der hypophysären Bremsung der Gonadotropinausschüttung. Einerseits versucht man, nach kurzfristiger Anwendung, über einen Rebound-Effekt Ovulationen hervorzurufen, andererseits wird im großen Umfang die Methode zur langfristigen Ovulationsunterdrückung benutzt. Durch Zufuhr eines relativ niedrig dosierten Gestagen-Östrogen-Gemisches (Ovulationshemmer) wird die Gonadotropinausschüttung der Hypophyse nicht vollkommen gehemmt, aber deren Anstieg um den Zeitpunkt der Ovulation verhindert. Auf diese Weise wird mit großer Sicherheit die Ovulation unterdrückt. Nach Absetzen der Medikation kommt der spontane Zyklus rasch wieder in Gang. Auf Einzelheiten der Ovulationshemmung wird im Kapitel Konzeptionsverhütung (s. S. 191) eingegangen.

Hormonelle Beeinflussung des hypothalam-hypophysären Zentrums

Das hypothalam-hypophysäre System wird durch die ovariellen Steroide zweifach beeinflußt: Das tonische Sexualzentrum wird gehemmt („negative feedback-Wirkung"), dagegen aber das zyklische Sexualzentrum stimuliert („positive feedback-Wirkung"). Östrogene und Progesteron haben eine sehr differenzierte Wirkung auf das hypothalam-hypophysäre Zentrum.

Ein Übermaß von im Blut kreisenden Sexualsteroiden ruft eine Blokkierung der Gonadotropinsynthese hervor. Ein physiologisches Beispiel ist die Schwangerschaft, bei der die ansteigenden Östrogen- und Gestagenmengen im Blut die hypophysäre Gonadotropinbildung bremsen, so daß während der Gravidität weitere Ovulationen ausbleiben. — Ein medikamentöses Beispiel ist die Hemmung der Hypophyse durch die exogene Zufuhr von Sexualhormonen, besonders von Ovulationshemmern. Indirekt kann nach dem Absetzen der Hormonzufuhr eine Aktivierung des Zentrums im Sinne des Rebound-Effektes eintreten. Ein direkter Weg zur Stimulierung der Gonadotropinsynthese existiert nicht. Eine hormonelle exogene Beeinflussung, die isoliert auf den Hypothalamus wirkt, ist bisher nicht bekannt.

Zusammenfassung: Jede Stufe des Organsystems, welches der Fortpflanzung dient (Endometrium, Ovar, hypothalam-hypophysäres Zentrum), ist durch eine exogene Hormonzufuhr direkt oder indirekt beeinflußbar. Am Endometrium führt ein plötzlicher Hormonentzug zur Abbruchblutung, eine gleichbleibende Hormonzufuhr zur Durchbruchsblutung. Im Ovar lösen Gonadotropine Ovulationen aus, mit Östrogenen und Gestagenen läßt sich die Ovulation verschieben oder hemmen. Das hypothalam-hypophysäre System wird durch Sexualsteroide im Blut gehemmt. Nach Wegfall der Hemmung tritt wahrscheinlich eine Aktivierung im Sinne einer vermehrten Gonadotropinausschüttung auf.

Menstruation

Für die Frau ist das monatlich austretende Blut das markanteste Zeichen ihrer Fortpflanzungsfähigkeit. Sie orientiert sich an den Daten der Menstruationen. Verschiebungen der Menstruationsintervalle werden als abnorm empfunden. Viele um den Zeitpunkt der Menstruation auftretende Symptome bringt die Patientin in einen Kausalzusammenhang.

Ursache

Wie bereits erwähnt, handelt es sich bei der Menstruation um eine Abbruchblutung auf Grund des rasch absinkenden Östrogen-Progesteron-Spiegels im Blut. Während des Schleimhautzerfalls wird die ganze Zona functionalis abgestoßen und in kleinsten Partikeln mit dem Blut nach außen geschwemmt. Währenddessen geht bereits die Wundheilung von den basalen Drüsen im Sinne einer Reepithelialisierung vor sich.

Intervall

Die Zyklusdauer variiert mit dem Alter. Bei 13–17j. Mädchen fand sich eine durchschnittliche Zyklusdauer von 34,7 ± 9,4 Tagen, dagegen bei 40–52j. Frauen ein Intervall von 28,4 ± 4 Tagen. Individuelle Unterschiede bestehen, aber auch bei der gleichen Frau folgen unterschiedlich lange Zyklen aufeinander. Der erste Blutungstag wird als erster Tag des neuen Zyklus gewertet, obwohl die Menstruation den funktionellen Aufbau des Endometriums beendet.

Viele Frauen geben irrtümlich einen sehr kurzen Zyklus an. Sie glauben, daß nur die blutungsfreie Zeit zum Zyklus gehört. Wenn bei einem 28tägigen Intervall die Menstruation 5–8 Tage dauert, so antworten Patientinnen auf die Frage „Wie lang ist ihr Zyklus?" „Alle drei Wochen".

Eine echte Menstruation liegt vor, wenn der Blutung eine Ovulation vorausgegangen ist. Dies kann auch bei unregelmäßigen Intervallen der Fall sein. Handelt es sich um ovulatorische Zyklen, so ist die Eireifungszeit (Östrogen- oder Proliferationsphase) unterschiedlich lang, die Progesteron- oder Corpus-luteum-Phase bemerkenswert konstant. Durchschnittlich wurden aus Aufwachtemperaturkurven (s. S. 241) für die hypotherme Phase 17,6 ± 4,1 und für die hypertherme Phase 12,7 ± 1,7 Tage errechnet.

Dauer und Stärke

Im Mittel dauert eine Menstruation etwa 4 Tage. Es blutet an diesen Tagen nicht gleich stark. Meist beginnt am ersten Tag eine leichte Blutung, die sich am 2. und 3. Tag verstärkt. Am 4. Tag klingt die Blutung ab. Die Dauer der Blutung ist individuell sehr unterschiedlich. Dauert die Blutung länger als 1 Woche, liegt meist ein pathologisches Geschehen vor. Auch die Stärke des Blutabganges ist verschieden. Zwischen 50 und 150 ml pro Periodenblutung gelten als normal. Nach mehreren Geburten bluten Frauen meist stärker als solche ohne Kinder. Jenseits des 40. Lebensjahres werden die Blutabgänge oft schwächer. Die Stärke der Blutung ist schwer zu objektivieren, da die Patientinnen nur ihre eigenen Periodenblutungen kennen und keinen vergleichbaren Maßstab haben. Man fragt am besten nach der Zahl der Vorlagen pro Tag. Dabei muß berücksichtigt werden, daß eine saubere, empfindliche Frau die Vorlagen häufiger wechselt als eine weniger differenzierte. 3–4 Vorlagen pro Tag sind normal. Werden intravaginale Tampons getragen, so kann die Periodenblutung nicht sehr stark sein, da diese von den im Handel befindlichen Tampons nicht zurückgehalten wird.

Diagnostik

Menstruationsblut gerinnt nicht, da sich im Endometrium und im Zervixschleim proteolytische, bzw. fibrinolytische Enzyme befinden. Menstrualblut ist von dunkler Farbe. Gelegentlich können Gewebstrümmer makroskopisch beobachtet werden. Ob es sich um eine echte Menstruationsblutung handelt, kann nur durch den biphasischen Verlauf der Aufwachtemperaturkurve nachgewiesen werden.

Verschiebung der Menstruation

Der körpereigene Zyklus kann mit Hormonen verkürzt oder verlängert werden. Einige Patientinnen wünschen zu einem bestimmten Zeitpunkt (Operation, Sportveranstaltung, Fest, Reise usw.) keine Blutung. Da die Periodenverschiebung harmlos ist, sollte der Wunsch der Patientin erfüllt werden, allerdings nur dann, wenn die Verträglichkeit des Präparates bei der Patientin bekannt ist.

Verkürzung. Soll die Periodenblutung eher eintreten, als erwartet, so kann in der Östrogenphase ein Östrogen-Gestagen-Gemisch gegeben werden. Man unterdrückt dann den Eisprung, imitiert aber die Gestagenphase und ruft nach Absetzen des Medikamentes eine Abbruchblutung hervor. Die gleiche Medikation nach dem Eisprung kurzfristig gegeben, ruft wegen der anhaltenden Progesteronproduktion im Corpus luteum keine Blutung hervor. Diese folgt erst nach Zusammenbruch des körpereigenen Corpus luteum (Abb. 24).

Verlängerung. Häufiger wendet man eine Verschiebung des Zyklus über den erwarteten Zeitpunkt hinaus an. Dabei gibt man ein Östro-

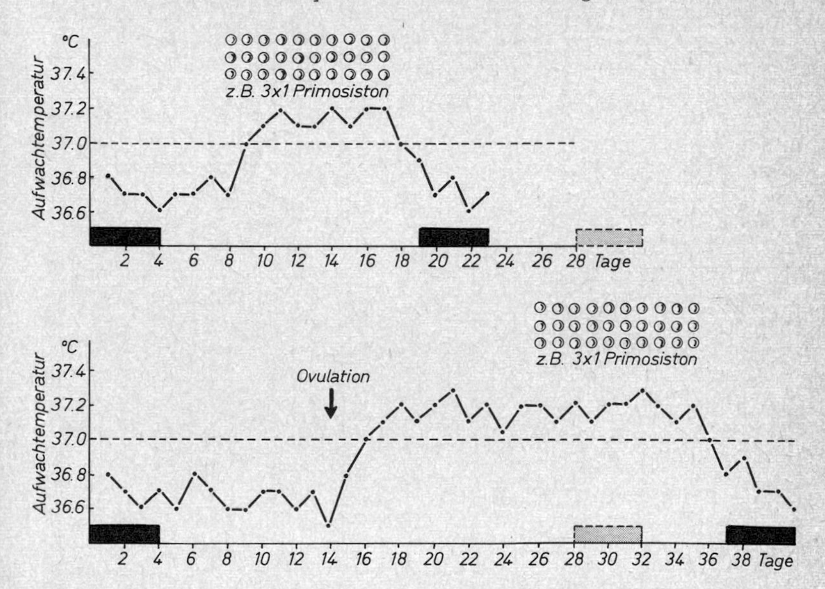

Abb. 24 Medikamentöse Verkürzung (oben) und Verlängerung (unten) des mensuellen Zyklus. Die Verkürzung des Zyklus gelingt nur, wenn die exogene Hormonzufuhr vor dem Eisprung einsetzt. In diesem Falle wird der Eisprung unterdrückt. Die Hyperthermie entsteht durch die Gestagenzufuhr

gen-Gestagen-Gemisch (z. B. 3mal 1 Tablette Primosiston pro die über 10 Tage lang) etwa vom 26. Zyklustag an und verschiebt damit die Menstruationsblutung um gut eine Woche. Die Schleimhaut wandelt sich dann prädezidual um und zerfällt erst mit Absetzen des Medikamentes (Abb. 24).

Starke Menstruationsblutung (Abb. 25)

Die Periodenblutung kann in normalem Abstand auftreten, aber mit einem verstärkten Blutabgang verbunden sein **(Hypermenorrhoe)**. Ist die Blutung nicht nur verstärkt, sondern auch verlängert, so bezeichnet man dieses Symptom als **Menorrhagie**. Meist liegt die Ursache in einer krankhaften Veränderung des Uterus, wie Myombildung, Endometriose oder Korpuspolypen. Bei normalem Genitalbefund sollte auch eine Gerinnungsstörung des Blutes erwogen werden. Diagnostisch ist bei der Erhebung der Anamnese wichtig, ob die Verstärkung der Periodenblutung erworben wurde. Primär hypoplastische Uteri bluten oft stärker und länger, als der Norm entspricht. Die postmenstruelle Nachblutung ist schwer von einer verlängerten Periodenblutung abgrenzbar. Sie wird durch eine unvollkommene Abstoßung der Zona funktionalis bewirkt. In den letzten Jahren werden mit der Anwendung von Ovulationshemmern gute Erfolge erzielt, wenn die Ursache des Leidens nicht beseitigt werden kann. Bei Patientinnen mit Erkrankungen des Gerinnungssystems kann damit über viele Jahre das Ausmaß der Periodenblutung normalisiert werden. Das gleiche gilt für Patientinnen mit kleinem Uterus myomatosus, die sich wenige Jahre vor der Menopause befinden. Auch hier werden das Blutungsausmaß und die Blutungsdauer durch Ovulationshemmer auf ein vertretbares Maß reduziert.

Schwache Menstruationsblutung (Abb. 25)

Über eine **Hypomenorrhoe** klagen oft adipöse Frauen. Andere Organursachen finden sich nicht. Handelt es sich, unter Kontrolle der Aufwachtemperaturkurve, um biphasische, also ovulatorische Zyklen, so sollte man psychisch auf die Patientin einwirken und ihr die Harmlosigkeit des Phänomens erklären. Laien haben gelegentlich die Vorstellung, daß bei ungenügendem Blutabgang „unreine, schlechte Stoffe" im Körper zurückbleiben. — Das Extrem der Hypomenorrhoe ist die scheinbare Amenorrhoe, bei der nach einem biphasischen Zyklus keine Blutung zustande kommt. Offenbar wird die zugrunde gehende Schleimhaut resorbiert (Menstruatio sine mense). Dieses Phänomen ist äußerst selten. — Frauen über 40 berichten öfter, daß ihre Periodenblutungen lange nicht mehr so stark seien wie früher. Am

Zyklus ist keine Abwegigkeit feststellbar. Ob sich im 5. Lebensjahrzehnt eine gewisse Erschöpfung des Endometriums anbahnt, kann nur vermutet, aber nicht bewiesen werden.

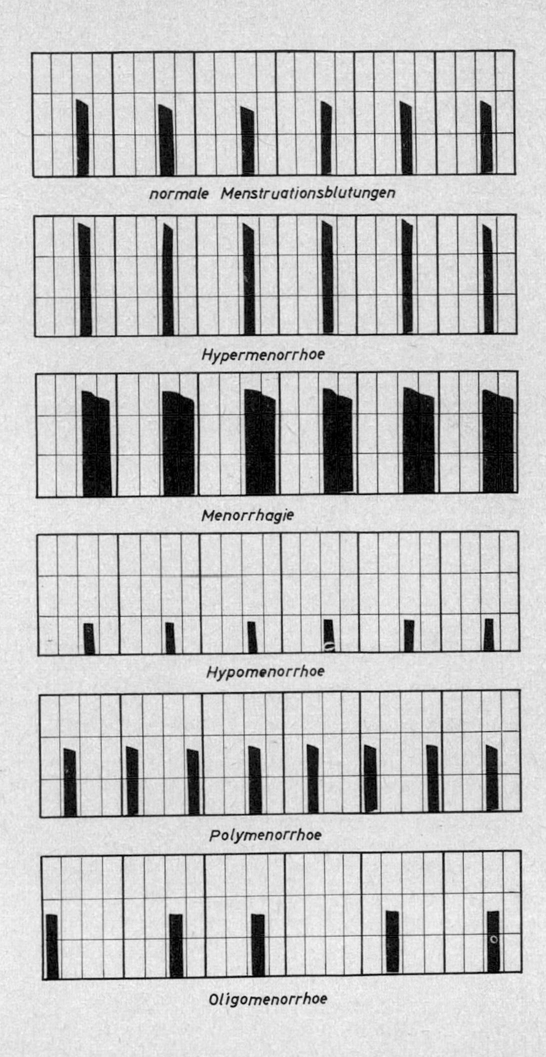

Abb. 25 Schematische Darstellung von Blutungstypen im KALTENBACH-Schema

Verkürzung des Zyklus (Polymenorrhoe) (Abb. 26)

Eine unphysiologische Verkürzung des Zyklus liegt vor, wenn 25 Tage unterschritten werden. Beim verkürzten Zyklus kann die Proliferations- oder Sekretionsphase allein verkürzt sein, oder beide Phasen sind kürzer als normal. Auch anovulatorische Zyklen können kürzer als 25 Tage sein.

Ist die Proliferationsphase verkürzt, dann folgt die Ovulation bereits am 8. bis 10. Tag des Zyklus oder früher. Die Ovulation kann, wenn erforderlich, medikamentös um einige Tage durch kleine Gaben von

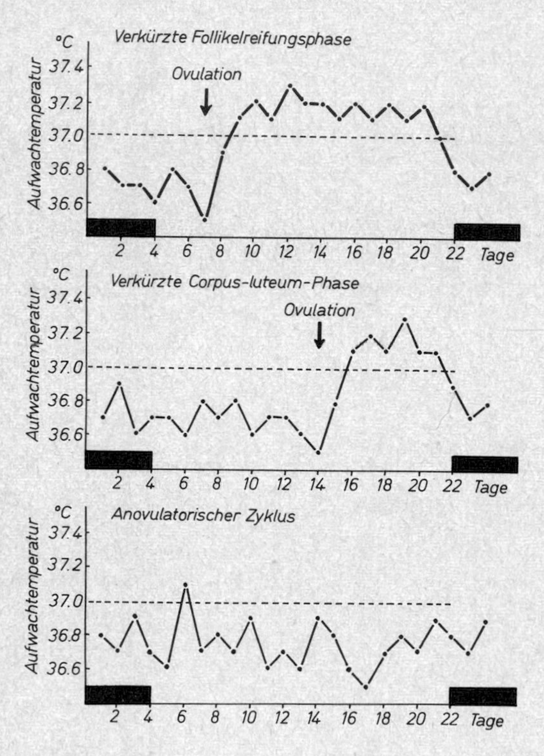

Abb. 26 Die Verkürzung des mensuellen Zyklus kann 3 Ursachen haben: 1. Verkürzte Follikelreifungsphase mit regelrechter Corpus-luteum-Phase. Eine Störung der Fertilität ist nicht gegeben bzw. nur dann, wenn die Ovulation unter Umständen noch während der Menstruation stattfindet. 2. Nach regelrechter Follikelreifungsphase folgt eine verkürzte Corpus-luteum-Phase. Diese Aufeinanderfolge bedingt eine Sterilität, da das befruchtete Ei ein ungenügend sekretorisch umgewandeltes Endometrium vorfindet. 3. Verkürzung des Zyklus bei ausgebliebenem Eisprung

Östrogenen verschoben werden. Die Fertilität erleidet meist keine Einbuße.

Ist die Corpus-luteum-Phase verkürzt, so besteht eine funktionelle Sterilität, da das Ei ein Endometrium vorfindet, welches nicht zur Einbettung geeignet ist. Therapeutisch kann man in diesen Fällen gut helfen, indem man die Corpus-luteum-Phase mit einem Gestagen-Östrogen-Gemisch, z. B. 2mal 1 Tablette Primosiston, auf mindestens 13 bis 15 Tage ausdehnt. Die Hormonzufuhr darf aber erst nach sicher stattgefundenem Eisprung (Aufwachtemperaturkurve) gegeben werden, da man anderenfalls den Eisprung unterdrückt.

Verlängerung des Zyklus (Oligomenorrhoe) (Abb. 27)

Ein verlängerter Zyklus oder eine Oligomenorrhoe liegt vor, wenn 35 Tage überschritten werden. Meist handelt es sich um biphasische Oligomenorrhoen. Diese Anomalie findet sich gehäuft bei asthenischen zarten Frauen mit relativ später Menarche (nach dem 15. Lebensjahr). Die Oligomenorrhoe ist in den ersten Jahren der Geschlechtsreife besonders ausgeprägt. Häufig mischen sich unter ovulatorische Zyklen auch anovulatorische, wobei es zu dysfunktionellen Blutungen kommen kann (s. S. 94). — In der präklimakterischen Lebensphase werden Oligomenorrhoen wieder häufiger. Hat man an Hand der Basaltemperaturkurve festgestellt, daß es sich um ovulatorische Zyklen handelt, so ist eine Behandlung nicht erforderlich. Bei der Sterilitätsberatung ist es für Arzt und Patientin schwierig, die Ovulation vorauszusehen, da sie an Hand der Temperaturkurve mit Sicherheit nur dann abgelesen werden kann, wenn sie bereits stattgefunden hat. Bleiben die Perioden über Monate aus, kann man versuchen, durch eine der oben geschilderten Methoden die Ovulation gezielt auszulösen. — Eine einmalige Verlängerung des Intervalls wird nicht selten hervorgerufen durch eine Frühgravidität, bei der das Schwangerschaftsprodukt nach kurzer Zeit zugrunde geht. Vielfach wird die Ursache der verspätet einsetzenden Blutung von der Patientin nicht erkannt. Bei derartigen Frühaborten ist meist keine Behandlung erforderlich. — Anovulatorische Zyklen sind bei Oligomenorrhoen häufig.

Funktionelle Zwischenblutungen (Abb. 28)

Ungeregelte Blutabgänge ohne erkennbaren Zusammenhang mit dem Zyklus nennt man **Metrorrhagien**. Jede außerhalb der Menstruation auftretende Blutung ängstigt die Patientin. Es muß sorgfältig geprüft werden, ob der Blutabgang durch eine entzündliche oder neoplastische Veränderung im Uterovaginalbereich bedingt ist.

Häufig besteht aber zwischen Blutabgang und Ovarialfunktion ein zeitlicher Zusammenhang. In seltenen Fällen ist dieser bei ungere-

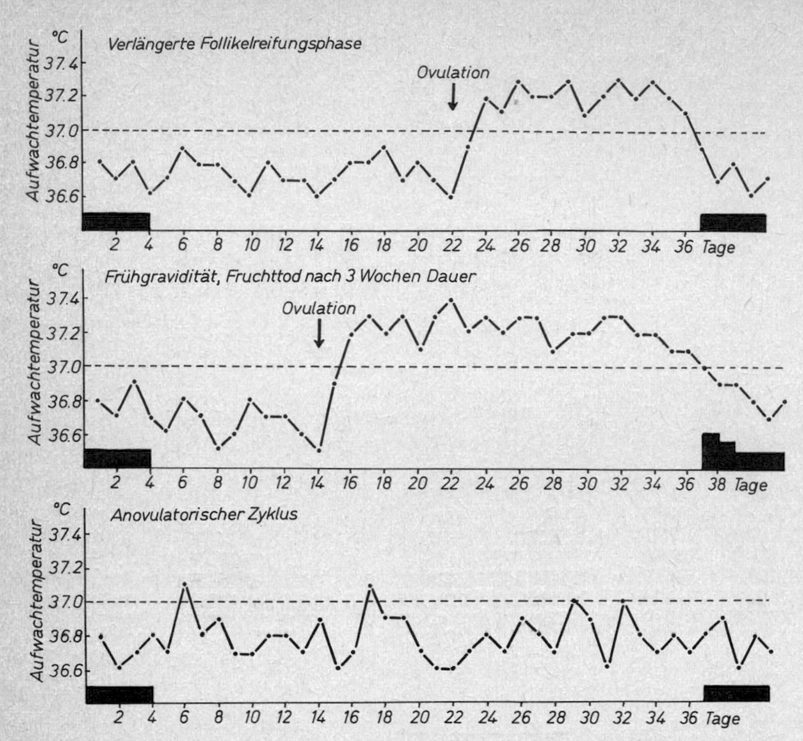

Abb. 27 Die Verlängerung des mensuellen Zyklus kann 3 Ursachen haben: 1. Die Follikelreifungsphase ist verlängert. Die Corpus-luteum-Phase ist regelrecht. 2. Bei zeitgerechter Ovulation kommt es zu einer Befruchtung, die über 15 Tage anhaltende Hyperthermie beweist diesen Vorgang. Nach 21 Tagen ist es zum Absterben des Keimes gekommen. Die Patientin bemerkt dieses Ereignis unter Umständen nur durch eine verspätet einsetzende verstärkte Blutung. 3. Verlängerter, anovulatorischer Zyklus

gelten monophasischen Zyklen nicht erkennbar (lang anhaltende Durchbruchsblutung, bei der hin und wieder eine Abbruchblutung auftritt s. u.).

Ovulationsblutung

Manche Frauen bemerken zum Zeitpunkt des Eisprunges eine leichte Blutung (Mittelblutung), die 1–2 Tage anhält. Kann man mit Hilfe der Aufwachtemperaturkurve den Zusammenhang mit der Ovulation sichern, so liegt eine kurze Entzugsblutung auf Grund des absinken-

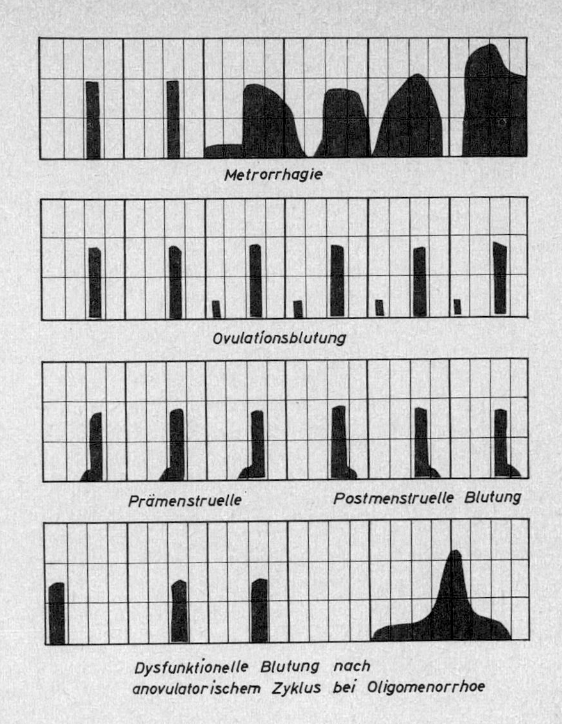

Abb. 28 Blutungsstörungen im Kaltenbach-Schema

den Östrogenspiegels um den Ovulationstermin vor. Eine Behandlung ist nicht notwendig. Die Blutung kann verhindert werden durch eine kurzfristige Gabe von Östrogenen. Unter Kontrolle der Aufwachtemperaturkurve gibt man 2 Tage vor dem zu erwartenden Temperaturtief z. B. 1–2 Tabletten Progynon C oder 1 Tablette Primosiston, etwa 3–4 Tage lang. Man muß aber damit rechnen, daß mit der Hormonzufuhr u. U. der Eisprung um die entsprechenden Tage verschoben wird.

Prämenstruelle Blutung

3–4 Tage vor der erwarteten Periodenblutung kommt es zu leichten Schmierblutungen. Ursächlich nimmt man ein vorzeitiges Absinken des Östrogenspiegels an. Therapeutisch gibt man z. B. 2–3 Tabletten Progynon C oder 2 Tabletten Primosiston täglich. Die Tabletten werden bis zum Tag der erwarteten Periodenblutung gegeben, aber nicht länger, da man sonst die Periode hinausschiebt.

Postmenstruelle Blutung

Postmenstruelle Schmierblutungen sind nicht selten. Sie können bis zu einer Woche anhalten. Dieses Symptom ist für eine Frau besonders unangenehm, da sie dann fast 14 Tage durch mehr oder minder starke Blutabgänge belästigt wird. Die Ursache liegt meist in einer unvollkommenen Abstoßung des Endometriums vom vorhergehenden Zyklus, wodurch die Reepithelisierung erschwert wird. Die Spiralarterienfelder werden nicht vollkommen abgestoßen und unterhalten leichte Blutungen. Es kommt oft zusätzlich zu lymphozytären und leukozytären Infiltraten im Sinne einer lokal begrenzten Endometritis. Therapeutisch unterstützt man für 2—3 Zyklen den Schleimhautaufbau durch eine exogene Hormonzufuhr (z. B. in den ersten 14 Tagen 2mal 1 Tablette Progynon C täglich, ab 15. Tag 10 Tage lang 3mal 1 Tablette Primosiston täglich). Damit wird zunächst der Schleimhautaufbau durch die Östrogenzufuhr verbessert (die Reepithelisierung gelingt schneller). Außerdem kommt es nach Absetzen des Östrogen-Gestagen-Gemisches zu einer Abbruchblutung, wobei im Sinne einer „hormonellen Abrasio" die Schleimhaut bis zur Zona basalis abblutet.

Dysmenorrhoe

Unter Dysmenorrhoe versteht man Periodenblutungen, welche mit Schmerzen verbunden sind. Ist schon das Ausmaß der Periodenblutung schwer objektivierbar, so gilt das in vermehrtem Maße für Angaben über Schmerzen während oder um den Zeitpunkt der Periode. Jeder Mensch reagiert verschieden auf das Symptom Schmerz. Bei der Menstruationsblutung handelt es sich um ein regelmäßig wiederkehrendes Ereignis, das von den Frauen zwar als naturbedingt akzeptiert wird, aber, da es mit gewissen Unbequemlichkeiten verbunden ist, doch oft mit einem negativen Vorzeichen versehen wird. Es wird kaum eine Frau geben, die nicht in den ersten Tagen der Periode über ein leichtes Ziehen im Unterbauch, mäßige Rückenschmerzen usw. zu berichten wüßte. Der Spielraum der Schmerzempfindung und Schmerzäußerung ist sehr groß, so daß es für den Arzt schwer zu entscheiden ist, ob es sich bei den Klagen um ein normales Geschehen handelt. Wesentlich für die Beurteilung ist die Frage: „Waren die Periodenschmerzen schon immer so oder haben sie sich in letzter Zeit erst eingestellt?" Danach unterscheidet man eine primäre und sekundäre Dysmenorrhoe.

Primäre Dysmenorrhoe

Die primäre Dysmenorrhoe entsteht oft durch eine falsche Erziehung und Leitung des jungen Mädchens in den Pubertätsjahren. Es kommt darauf an, dem Kind klar zu machen, daß es sich bei den Menstruationsblutungen um einen natürlichen Vorgang handelt, der mit dem Lebensweg einer Frau verbunden und ohne den eine Familiengründung nicht denkbar ist. Das junge Mädchen wird sich vorwiegend am Beispiel ihrer Mutter orientieren. Verläuft deren Menstruation unbemerkt von der Umgebung und bagatellisiert sie vorübergehende Beschwerden, so richtet sich die Tochter danach. Wird das Kind aber bereits beim Eintreten der ersten Blutung bedauert und darauf hingewiesen, wie sehr man doch selber seit vielen Jahren darunter leide, so wird das Kind angstvoll die nächste Blutung abwarten und die Beschwerden betonen. Stehen die jungen Mädchen wegen ihrer Schmerzen im Mittelpunkt der Familiensorgen, geraten sie in einen Kreislauf, der sie monatlich für 2—3 Tage wirklich krank macht. Es ist schwer, den einmal in Gang gesetzten Kreislauf zu durchbrechen. Die Mädchen haben oft reichlich schmerzstillende Medikamente erhalten, die sie sehr gut kennen und die angeblich alle nichts mehr nützen. — Die Behandlung besteht in einer guten Psychotherapie, die aber die Mutter miterfassen sollte. Spasmolytika dürfen für 1—2 Tage (bis zu 2 Suppositorien pro Tag) erlaubt werden, mit dem Hinweis, möglichst ohne Medikamente auszukommen. Die Dysmenorrhoe verliert sich meist, wenn die Mädchen heiraten und Kinder bekommen. Am Wesen der Menstruation ändert sich kaum etwas, aber im neuen Lebenskreis fehlen die Zeit und die Gelegenheit, den Periodenschmerz auszuleben. — Es soll nicht unerwähnt bleiben, daß man anderenorts auch andere Wege geht, um die Dysmenorrhoe des jungen Mädchens zu beeinflussen. So hat man in Finnland mit der beidseitigen Entfernung des Grenzstranges die Periodenschmerzen beseitigen können. Die Gefahren dieser Methode (Operationsrisiko, postoperative Blasen- und Darmentleerungsstörungen) rechtfertigen aber nicht den Erfolg. — Ob man beim jungen Mädchen die Dysmenorrhoe mit Ovulationshemmern behandeln soll, ist problematisch. Tatsächlich bleiben die Periodenschmerzen nach einem Zyklus ohne Eisprung meist aus. Die Behandlung als solche macht aber die Mädchen auf das angeblich Krankhafte ihrer Regelblutung erst recht aufmerksam. Die Behandlung mit Ovulationshemmern, die bei der sekundären Dysmenorrhoe durchaus indiziert ist, sollte bei der primären Dysmenorrhoe nur kurzfristig für ca. 3—5 Monate vorgenommen werden.

Die Zahl der psychisch induzierten Dysmenorrhoen ist groß. Seltener sind **primäre echte Regelschmerzen bei hypoplastischem Uterus**, oft kombiniert mit einer Retroflexio uteri (s. S. 444). In diesen Fällen werden die Gebärmutterkontraktionen zur Entleerung des Menstruationsblutes besonders schmerzhaft empfunden. Eine ähnliche Symptomatik zeigen Mädchen mit unsymmetrischen Doppelmißbildungen des Uterus, bei denen eine Gebärmutteranlage keinen Abfluß nach außen hat (s. S. 27).

Sekundäre Dysmenorrhoe

Treten nach ungestörten Perioden plötzlich Schmerzen während der Regel auf, so ist die Ursache meist organisch bedingt. Ursachen der Schmerzen sind Uteruskontraktionen, die durch eine Endometriose, myomatöse Veränderungen des Uterus (besonders submuköse Myome), Korpuspolypen, erworbene Lageanomalien (gestauter und retroflektierter Uterus) oder auch entzündliche Veränderungen im Bereich des Genitale bedingt sein können. Die erworbene Dysmenorrhoe ist bereits glaubhaft, wenn die organischen Veränderungen noch nicht ausgeprägt sind (kleiner Uterus myomatosus, normaler Tastbefund bei Verdacht auf Endometriose). Therapeutisch ist ein Versuch mit Ovulationshemmern angezeigt, wenn die Ursache nicht beseitigt wird. Die dysmenorrhoischen Beschwerden werden gemildert oder verschwinden, wenn die Ovulation unterdrückt wird (näheres s. S. 199).

Anovulatorischer Zyklus und dysfunktionelle Blutung

Nach Eintritt der Menarche und im Klimakterium ist das Wechselspiel Zentrum—Ovar labiler als in den Jahren der Geschlechtsreife. Ovulationen bleiben in dieser Zeit nicht selten aus. Der sprungreife Follikel persistiert und produziert weiterhin Östrogene. Infolgedessen bildet sich eine überschießende Endometriumproliferation, die zunächst zu einer glandulären Hyperplasie, schließlich zu einer **glandulär-zystischen Hyperplasie** führt (Abb. 29). Die Ausprägung des histologischen Schleimhautbildes hängt von der Dauer der zunehmenden Östrogenproduktion ab. — Auch das Vaginalepithel proliferiert stärker, als es dem normalen Zyklus entspricht. Nach etwa 5 Wochen Dauer reicht die endogen gebildete Östrogenmenge nicht mehr aus, um die Schleimhaut intakt zu halten. Es kommt zur Durchbruchsblutung, die bei zunehmender Follikelatrophie in eine sich verstärkende Abbruchblutung übergeht (dysfunktionelle Blutung).

Anamnestisch schildern die Patientinnen meist ein etwas verlängertes Zyklusintervall. Sie kommen wegen der länger anhaltenden Dauerblutung oder auf Grund der bedrohlichen Blutungsstärke, die zunächst an einen Abort denken läßt. Nach Ausschluß eines organischen Prozesses (Abort, Neoplasma) sollte therapeutisch eine Blutstillung mit einem Östrogen-Gestagen-Gemisch versucht werden. Auch eine starke Blutung wird dadurch innerhalb von Stunden wesentlich vermindert. Nach 48 Stunden muß die Blutung aufhören, anderenfalls ist eine hormonunabhängige Blutungsquelle im Corpus uteri anzunehmen, deren Natur durch eine Kürettage geklärt werden muß. Dies betrifft besonders die Blutung im Klimakterium, bei der ein Korpuskarzinom vorhanden sein kann. — Beim jungen Mädchen entfällt diese Möglichkeit.

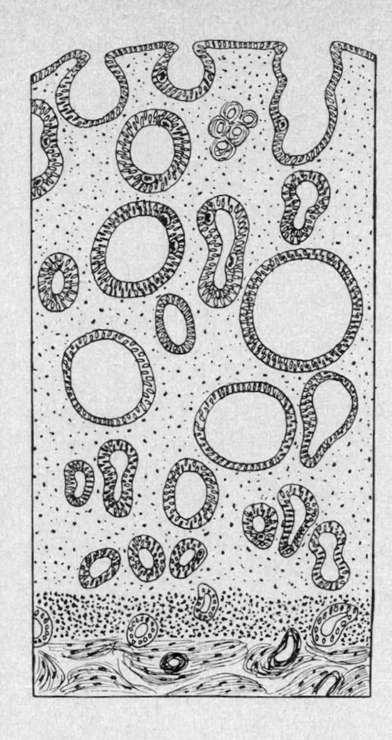

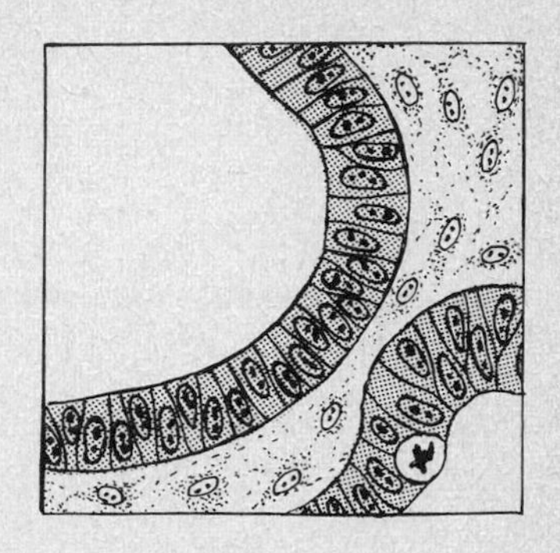

Abb. 29 Histologischer Schnitt durch das Endometrium bei glandulär-zystischer Hyperplasie. Das Endometrium ist drüsenreich, die Drüsen sind zystisch erweitert. Das Drüsenepithel zeigt proliferativen Charakter mit zahlreichen Mitosen

Die Behandlung beginnt z. B. mit 5mal 1 Tablette Primosiston am 1. Tag, 4mal 1 Tablette am 2. Tag, 3mal 1 Tablette vom 3. bis zum 10. Tag. Bei der Rezeptur muß berücksichtigt werden, daß in einer Packung 30 Tabletten enthalten sind, in diesem Falle aber mehr Tabletten benötigt werden.

Mit der Östrogen-Gestagen-Zufuhr erreicht man eine sekretorische Umwandlung des zu stark proliferierten Endometriums und damit die Blutstillung. Mit dem Absetzen des Medikamentes kommt es zu einer menstruationsähnlichen Abbruchblutung, bei der die proliferierte Schleimhaut vollkommen bis zur Zona basalis abgestoßen wird (hormonelle Abrasio). Damit erspart man den Patientinnen eine Kürettage, die besonders bei jungen Mädchen nicht indiziert ist. – Über die zu erwartende Abbruchblutung müssen die Patientinnen aufgeklärt werden, da sie sonst die Blutung für ein Versagen der Hormontherapie halten (Abb. 30).

Anovulatorische Zyklen kommen nicht nur zu Beginn und am Ende der Geschlechtsreife vor. Die ersten Zyklen nach Gestationsvorgängen sind oft anovulatorisch. Auch nach Absetzen von Ovulationshemmern ist der erste Zyklus häufig anovulatorisch. Wenn eine gesunde Frau über mehrere Jahre ihre Aufwachtemperatur registriert, so ist im Kurvenverlauf alle 1 bis 2 Jahre ein anovulatorischer Zyklus feststellbar.

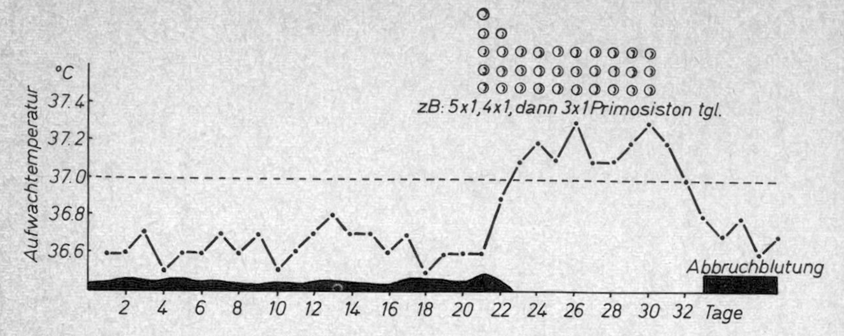

Abb. 30 Behandlung einer dysfunktionellen Blutungsstörung: Die Blutstillung der Durchbruchsblutung gelingt nach exogener Zufuhr eines Gestagen-Östrogen-Gemisches innerhalb von 48 Stunden. Auf Grund der Hormonzufuhr steigt die Aufwachtemperatur über 37° C an. Nach Beendigung der Hormonzufuhr kommt es zur Abbruchblutung

Keineswegs alle anovulatorischen Zyklen führen zu behandlungsbedürftigen dysfunktionellen Blutungen. Häufig folgt am Ende eines anovulatorischen Zyklus eine annähernd normal starke Blutung.

Zusammenfassung: Bei der Menstruation handelt es sich um eine Abbruchblutung. Die Zyklusdauer ist altersabhängig unterschiedlich lang. Die Menstruationsblutung hält etwa 4 Tage an mit einem Blutverlust von 50–150 ml. Eine echte Menstruationsblutung erfolgt nur nach einem ovulatorischen Zyklus. Der Zeitpunkt der Menstruationsblutung kann durch exogen zugeführte Sexualsteroide verschoben werden.

Eine Hypermenorrhoe hat meist organische Ursachen (Myom, Endometriose, Gerinnungsstörungen usw.). Eine Hypomenorrhoe ist bei ovulatorischen Zyklen als Variante der Norm anzusehen. Die Polymenorrhoe entsteht meist durch eine Verkürzung der verschiedenen Phasen des Ovarialzyklus. Ist die Corpus-luteum-Phase betroffen, resultiert eine Sterilität. Die Oligomenorrhoe beruht meist auf einer Verlängerung der Eireifungszeit. Sie kann auch durch anovulatorische Zyklen bedingt sein. Metrorrhagien sind ungeregelte Blutabgänge und beruhen überwiegend auf Organveränderungen. Mit der Ovarialfunktion stehen Ovulations- und prämenstruelle Blutungen im Zusammenhang. Die postmenstruelle Blutung entsteht bei einer unvollkommenen Abstoßung des Endometriums. Die Dysmenorrhoe ist eine schmerzhafte Periode. Primäre Dysmenorrhoen haben vorwiegend psychische, sekundäre Dysmenorrhoen organische Ursachen. Dysfunktionelle Blutungen entstehen nach anovulatorischen Zyklen. Es handelt sich oft um lang anhaltende Durchbruchsblutungen. Zu Beginn und Ende der Geschlechtsreife, nach Geburten und Aborten sind anovulatorische Zyklen häufig.

Schwere Zyklusstörungen und sekundäre Amenorrhoe

Unter dem Begriff **Ovarialinsuffizienz** verbirgt sich eine Fülle von Störungen, die in der Praxis schwer zu differenzieren sind. Primär ist meist nicht die Ovarialfunktion, sondern sind übergeordnete Zentren gestört. Gelegentlich kann die hormonabhängige Peripherie (Endometrium) den hormonalen Reiz nicht beantworten.

Hypothalamische Ovarialinsuffizienz

Hypothalamus und Hypophyse bilden eine funktionelle Einheit. Der Hypothalamus ist störungsanfälliger als die Adenohypophyse.

Idiopathische Fehlfunktion des Hypothalamus. Die Ursache ist ungeklärt. Die Patientinnen haben eine Spätmenarche, ganz ungeregelte Primärzyklen (häufig juvenile Blutungsstörungen) und kommen nach langjähriger sekundärer Amenorrhoe zur Behandlung. Äußerlich sind die Mädchen nicht auffällig. Es handelt sich meist um zierliche, asthenische Mädchen mit psychischer Labilität und vegetativer Stigmatisierung. — Endokrinologisch finden sich eine gering vermehrte Östrogen-, eine normale Gonadotropin- und 17-Ketosteroid-Ausscheidung. — Therapeutisch kommen exogene hormonelle Imitationen des Zyklus für 3—4 Mon. in Betracht. Bei Kinderwunsch sind Gonadotropinkuren recht erfolgreich, auch mit Clomiphen hat man Eisprünge erzeugen können. Oft reguliert sich bei diesen Patientinnen der Zyklus später von selbst (ca. 50 %).

Psychogene Fehlfunktion des Hypothalamus. Die Ovarialfunktion ist im besonderen Maße durch die Psyche beeinflußbar. Man unterscheidet zwei Formen:

Reaktiv-psychogene Fehlfunktion. Es handelt sich um gesunde Frauen, bei denen wegen eines psychischen Traumas die Ovarialfunktion ausfällt (Flucht, Haft, Trauer, einschneidende Milieuveränderungen). Äußerlich sind die Patientinnen nicht auffällig, der Genitalbefund ist normal, endokrinologisch finden sich keine abweichenden Befunde. Von dem Zeitpunkt des Insultes an sind die Patientinnen amenorrhoisch. — Die Prognose ist bei dieser Form günstig, auch wenn die Amenorrhoe mehrere Jahre besteht. Als Behandlung kommt vorwiegend eine Psychotherapie, aus den gleichen Gründen auch die Provozierung von Abbruchblutungen durch Hormonzufuhr in Frage. Die Spontanheilung erfolgt meist, wenn das psychische Trauma überwunden ist.

Eine besondere Form der reaktiv psychogenen Fehlfunktion ist die Scheinschwangerschaft (grossesse nerveuse). Die Patientinnen nehmen an Gewicht und Leibesumfang entsprechend der Dauer der Amenorrhoe zu. Vielfach entwickeln sich Schwangerschaftsstriae. Die Patientinnen glauben, Kindsbewegungen zu spüren. Von dieser Täuschung sind auch Mehrgebärende nicht frei. Der Zustand normalisiert sich, wenn vorsichtig erklärt wird, daß keine Schwangerschaft besteht.

Anorexia nervosa. Das schwere Krankheitsbild befällt fast ausschließlich psychopathische junge Patientinnen. Bereits die Adoleszenz verlief dysharmonisch, gewisse neurotische Reaktionen sind zu beobachten. Auffallend ist die mangelhafte Entwicklung der sekundären Geschlechtsmerkmale, insbesondere der Mammae. Im Vordergrund steht ein starker Gewichtsverlust, der bis zur Skeletierung gehen kann. Die Patientinnen verweigern jede Nahrungsaufnahme in der Gemeinschaft und werden bettlägerig. Durch heimliches Naschen halten sie ein Existenzminimum aufrecht. Mit der starken Gewichtsreduktion kommt es zur sekundären Amenorrhoe. Weitere Symptome sind Obstipation, Akrozyanose und Untertemperatur. Endokrinologisch findet sich eine starke Verminderung der Gonadotropin- und Östrogenausscheidung. Aber auch die Schilddrüsen- und Nebennierentätigkeit ist gedrosselt. Eine intensive Psychotherapie steht im Vordergrund, die eine Resozialisierung anstrebt.

Die Durchführung von Hormonbehandlungen ist nicht indiziert, da die Patientinnen nicht nur die Nahrung ablehnen, sondern auch die ganze Genitalsphäre. — Prognostisch ist das Krankheitsbild schwer beurteilbar. In 30—40 % der Fälle setzt eine Spontanheilung ein. Die Erkrankung hat eine Letalität von 5—10 %.

Fehlfunktion des Hypothalamus mit Gewichtszunahme. Ursächlich ist das Leiden nicht geklärt. Die Patientinnen sind übergewichtig, wobei eine familiäre Veranlagung zur Fettsucht besteht. Häufig wird über Heißhunger geklagt. Die Menarche tritt meist etwas verspätet ein, der Zyklus ist unregelmäßig, es kann zur sekundären Amenorrhoe kommen. Endokrinologisch ist die Ausscheidung der 17-Ketosteroide im oberen Normbereich oder etwas erhöht. Östrogene werden vermehrt ausgeschieden. Trotz länger anhaltender Amenorrhoe ist bei einer Strichabrasio im Endometrium eine Proliferation zu erkennen. Auch das Vaginalepithel ist relativ hoch aufgebaut. — Es handelt sich bei diesen Patientinnen meist um eine hypothalamische Dysfunktion mit einer unphysiologischen Gonadotropinabgabe. Die ovarielle Östrogenbildung ist erhalten, es kommt jedoch nicht zum Eisprung. Differentialdiagnostisch muß eine CUSHINGsche Erkrankung ausgeschlossen werden. Die Therapie besteht in einer energischen Gewichtsreduktion, wonach sich die Ovarialfunktion oft ohne weitere Maßnahmen wieder einstellt. Psychisch günstig wirken provozierte Abbruchblutungen. Die Prognose ist gut. Bei zwei Dritteln der Patientinnen reguliert sich die Ovarialfunktion. Schwangerschaften sind danach häufig.

Fehlfunktion des Hypothalamus auf Grund organischer Prozesse. Ist der Hypothalamus durch Tumoren, Hirntraumen, entzündliche oder degenerative Prozesse verändert, so kommt es zum Erliegen der Ovarialfunktion. Je nach Ausmaß der Veränderung und Länge der Erkrankung ist die Symptomatik ganz unterschiedlich. Die dabei auftretende Amenorrhoe bedarf keiner Behandlung, sie ist durch das Grundleiden bedingt. Gelingt es, den hypothalamischen Prozeß zu behandeln (z. B. Tumorentfernung), so spielt sich die Ovarialfunktion oft wieder ein.

Hypophysäre Ovarialinsuffizienz

Die Hypophyse kann in ihrer Funktion beeinträchtigt werden durch Tumoren, Blutungen oder Nekrosen. Ehe es zu einem Panhypopituitarismus kommt, muß bis zu 90 % des Hypophysenparenchyms zerstört sein. Auf Grund der experimentell bewiesenen Reservekapazität und Regenerationsfähigkeit der Adenohypophyse ist die Zahl der isolierten, hypophysär bedingten Ovarialinsuffizienzen nicht groß.

Tumoren. Am häufigsten sind hormonal inaktive Adenome und Kraniopharyngeome. Es folgen in weitem Abstand Tumoren adenomatöser Art, die mit einer erhöhten Synthese von HVL-Hormonen einhergehen.

Ein Frühsymptom bei der tumorösen Veränderung der Adenohypophyse ist die Amenorrhoe. Daher müssen alle sekundären Amenorrhoen unter dem Verdacht eines Hypophysentumors untersucht werden. Später treten Kopfschmerzen und neurologische Ausfälle hinzu, schließlich kommt es zu einem Panhypopituitarismus mit typischen Symptomen (Depression, Antriebsarmut, Versagen von Schilddrüse und Nebennierenrinde). – Die Diagnose wird durch den röntgenologischen Nachweis einer erweiterten und destruierten Sella turcica gestellt. Die Therapie besteht in der operativen Entfernung des Tumors mit eventuellen Nachbestrahlungen.

Tumoren mit endokriner Aktivität (eosinophiles Adenom mit Riesenwuchs und Akromegalie, basophiles Adenom mit Morbus CUSHING u. a.) werden im gynäkologischen Krankengut nur selten beobachtet. Eine Ausnahme bildet eine Adenomart, die offenbar vermehrt LTH ausscheidet, dagegen die normale FSH-Produktion weitgehend drosselt. Dabei kommt es zu einer doppelseitigen Milchsekretion (Galaktorrhoe). Auch bei endokrin inaktiven Adenomen hat man Galaktorrhoen beobachtet, wahrscheinlich ist in diesen Fällen die funktionelle Einheit Hypothalamus-Hypophyse durch den Tumor so gestört, daß es zu einer einseitigen Entgleisung der LTH-Synthese kommt.

Degenerative und entzündliche Prozesse (Hypopituitarismus). Die Hypophyse kann von unterschiedlichen Entzündungen ergriffen werden (Tuberkulose, Lues, Aktinomykose, Riesenzellgranulom). Diese Ereignisse sind aber selten im Vergleich mit der **postpartalen ischämischen Nekrose.**

Sheehansche Erkrankung (postpartale HVL-Insuffizienz). Bei Entbindungen mit hohem Blutverlust, Kreislaufkollaps oder besonders langer Geburtsdauer kann es infolge von Gefäßspasmen im Hypophysenstiel zu ausgedehnten ischämischen Nekrosen des Hypophysenvorderlappens kommen (Häufigkeit 1:10 000 Entbindungen). Ein Frühsymptom dieser Ereignisse ist eine mangelhafte oder völlig fehlende Stilleistung. Die bei der Entbindung rasierten Schamhaare wachsen nicht nach. Später fallen Haupthaar und Axillarbehaarung aus. Die Patientinnen bekommen eine alabasterhafte, wächserne Blässe infolge fehlender Pigmentbildung und schlechter Hautdurchblutung. Sie werden antriebsarm, kraftlos, frieren ständig, neigen zu Hypoglykämien, Ohnmachten und Obstipation. Eine Kachexie wird nicht beobachtet. Die Ovarialfunktion kommt postpartal nicht in Gang, die Patientinnen bleiben amenorrhoisch, die Genitalorgane atrophieren. 17-Ketosteroid-, Östrogen- und Gonadotropinausscheidung liegen weit unter dem Normalwert. Bis zur völligen Ausprägung des Krankheitsbildes vergehen 5–10 Jahre.

Therapeutisch steht die Substitution der Nebennierenrinde und der Schilddrüse im Vordergrund. Die Atrophie der Genitalorgane kann mit exogenen Hormongaben verzögert werden. Eine Heilung tritt nicht ein. Unbehandelt sterben die Patientinnen 10 bis 15 Jahre nach Beginn der Erkrankung. Mit der Substitutionstherapie verbessert sich die Lebenserwartung.

Partielle postpartale hypophysäre Ovarialinsuffizienz. Auch nach normaler Schwangerschaft und Geburt findet sich nicht selten im Anschluß eine Ovarialinsuffizienz, deren Natur nicht eindeutig geklärt ist und der wahrscheinlich eine zentrale Fehlregulation zu Grunde liegt. Man nimmt an, daß sich die in der Schwangerschaft physiologische Vermehrung der chromophoben Zellen nicht zurückbildet und Mikroadenome entstehen. Häufig handelt es sich um Patientinnen, die in der Gravidität stark zugenommen haben (zwischen 20 und 135 % ihres Normalgewichts). Sie klagen über eine Oligomenorrhoe oder sekundäre Amenorrhoe und manchmal über starke Kopfschmerzen. Die Abgrenzung gegenüber der ischämischen Hypophysennekrose gelingt leicht, da sich andere Symptome nicht entwickeln. Endokrinologisch ist eine basale Östrogenbildung nachweisbar, die Ausscheidung der 17-Ketosteroide liegt im oberen Normbereich. – Therapeutisch muß eine drastische Gewichtsreduktion erfolgen. In über der Hälfte der Fälle normalisiert sich der Zyklus spontan, weitere Schwangerschaften sind möglich. Mit zyklischen Hormongaben sollte man zurückhaltend sein. Man kann über 1–3 Monate zyklische Abbruchblutungen hervorrufen, aber nicht über viele Monate oder Jahre.

Bei einer anderen Patientinnengruppe bestand schon vor der Gestation eine Labilität des Zyklus, die sich noch weiter verstärkt. Diese Patientinnen sind nicht adipös, sie zeigen eine vegetative Stigmatisierung. Hier ist eher eine Funktionsstörung des Hypothalamus anzunehmen.

Ovarialinsuffizienz bei anatomisch nachweisbaren Ovarialveränderungen

Bisher wurden Insuffizienzerscheinungen im Zyklus behandelt, bei denen im anatomischen Substrat der Ovarien keine krankhaften Befunde vorhanden sind. Es gibt tatsächlich nur ganz wenige Krankheitsbilder, bei denen die Störung der Ovarialfunktion mit einer faßbaren anatomischen Veränderung einhergeht.

Ähnlich wie in der Hypophyse wird der Verlust von Ovarialgewebe weitgehend funktionell ausgeglichen. Die Wegnahme eines Ovars wirkt sich nicht auf den Zyklus aus. Auch die Zerstörung der Ovarien durch Tubovarialabszesse kann sehr weit gehen, ohne daß es zu einer hormonellen Funktionsminderung kommt. Im Restparenchym sind meist genügend Primordialfollikel enthalten, die in den Zyklus des Ovars einbezogen werden. Jedes operative Vorgehen bei geschlechtsreifen Frauen sollte kleinste Reste des Ovarialgewebes schonen, um das Ovarialendokrinium zu erhalten.

Polyzystische Ovarien. Stein und Leventhal beschrieben Patientinnen mit Zyklusanomalien, bei denen die Ovarien vergrößert und von zahlreichen Zysten durchsetzt waren. Die Patientinnen sind adipös mit einem virilen Behaarungstyp. Ob sich unter dem sog. Stein-Leventhal-Syndrom ein einheitliches Krankheitsbild verbirgt, erscheint nicht ganz sicher. – Ätiologisch werden mehrere Theorien vertreten: angeborene Fehlbildung der Ovarien, genetische Defekte, vermehrte Androgenbildung in den Nebennierenrinden oder eine zentrale Fehlsteuerung mit gestörter Gonadotropinsynthese (meist signifikant erhöhter LH-Spiegel bei normalem FSH-Spiegel). Die Patientinnen sind nicht alle adipös. Der Hirsutismus ist nicht immer ausgeprägt, er zeigt unterschiedliche Grade. Die Patientinnen haben eine Oligomenorrhoe, viele eine sekundäre Amenorrhoe. Fast immer besteht eine Sterilität. Endokrinologisch finden sich keine typischen Veränderungen. Die Ausscheidung der Gonadotropine und 17-Ketosteroide ist variabel. Patientinnen mit ausgeprägtem Hirsutismus haben eine vermehrte 17-Ketosteroidausscheidung. Man nimmt an, daß die polyzystischen Ovarien zu einer vermehrten Androgenbildung befähigt sind. Die Ovarien sind palpatorisch beiderseits auffallend groß und derb (bis Hühnereigröße). Vor Einleitung einer operativen Therapie ist der Versuch einer hormonellen Beeinflussung des Krankheitsbildes sinnvoll. Ist die Ausscheidung der 17-Ketosteroide erhöht und erreicht man ein Absinken in den Normbereich mit Dexamethason (s. S. 255), so sollte zunächst eine Kortikosteroidbehandlung versucht werden. Auch kann eine zeitweise Imitation des normalen Zyklus mit Östrogenen und Gestagenen in leichten Fällen zu einer Regulierung führen. Erfolgversprechend sind Versuche zur Ovulationsauslösung mit Clomiphen oder Gonadotropinen. Hier ist aber besondere Vorsicht am Platze, da die bereits polyzystisch veränderten Ovarien diese Behandlung mit exzessiven zystischen Reaktionen beantworten können (daher nur unter klinischem Schutz).

Bei der Laparotomie finden sich große, weiße Ovarien (Abb. 31). Die weiße Oberfläche entsteht durch eine Verdickung der Tunica albuginea. Unter dieser erkennt man auf der Schnittfläche, perlschnurartig angeordnet, vergrößerte Tertiärfollikel (mindestens erbsgroß). Das Ovarialstroma wirkt dicht, die Thekazellen erscheinen hyperplastisch. — Die operative Therapie ist einfach, aber in ihrer Wirkungsweise ungeklärt. Aus beiden Ovarien werden keilförmige Gewebsstücke entfernt. Etwa 4 Wochen nach der Operation tritt eine Menstruation ein. Danach normalisiert sich der Zyklus bei 70—80 % der Patientinnen. Etwa 1/4 erscheint behandlungsresistent.

Hypoplastische Ovarien. Über die Ursache von hypoplastischen Ovarien ist kaum etwas bekannt. Die Patientinnen haben ein unterschiedliches Aussehen, die Größe variiert, infantile Züge sind häufig, die Mammae sind nur spärlich entwickelt. Es kann eine primäre oder sekundäre Amenorrhoe vorliegen. Das innere Genitale ist infantil und hypoplastisch. Bei der Laparotomie erkennt man langgestreckte, aber auffallend dünne Ovarien. Anatomisch gibt es zwei Formen: 1. Das Ovar enthält nur sehr wenige Primordialfollikel. Wann der Verlust eingetreten ist (fetal, präpubertal), läßt sich nicht klären. Es kommt zu einer baldigen Erschöpfung, so daß eine sog. präpubertale oder vorzeitige postpubertale Menopause resultiert. Die Patientinnen leiden unter klimakterischen Ausfallsbeschwerden. Die Gonadotropinausscheidung ist stark erhöht. 2. In kleinen Ovarien finden sich zahlreiche Primordialfollikel ohne oder mit geringen Anzeichen für eine Follikelreifung.

Besteht bei den Patientinnen eine primäre **hypergonadotrope Amenorrhoe** (1), so sprechen sie auf Gonadotropine nicht an. — Nach sekundärer Amenorrhoe und stark verminderter Gonadotropinausscheidung **(hypogonadotrope sekundäre Amenorrhoe)** (2) ist der therapeutische Erfolg mit Gonadotropinen gut.

Intakte Ovarialfunktion bei unansprechbarer Peripherie

Schließlich muß beim Vorliegen einer sekundären Amenorrhoe auch daran gedacht werden, daß der Ovarialzyklus funktioniert, aber das Erfolgsorgan nicht anspricht.

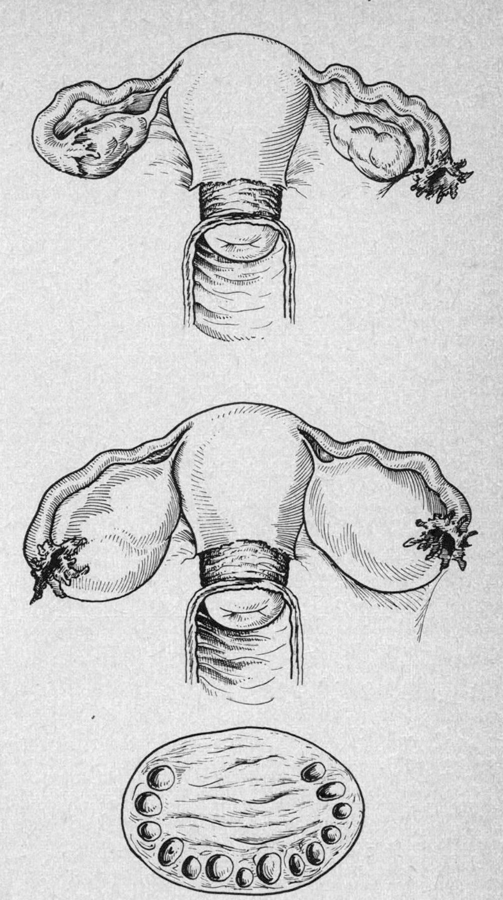

Abb. 31 Ovarien bei STEIN-LEVENTHAL-Syndrom im Vergleich zur normalen Eierstocksgröße. Die Ovarien können die Größe eines Hühnereies erreichen. Sie erscheinen glatt und weiß. Auf dem Durchschnitt (unten) finden sich, perlschnurartig angeordnet, die vergrößerten Follikel

Endometriumverlust nach Kürettage. Instrumentelle Kürettagen nach Geburten oder Aborten können, wenn sie zu energisch ausgeführt und scharf geschliffene Küretten verwendet werden, zu einer unbeabsichtigten Entfernung der basalen Schichten des Endometriums führen. Das Cavum uteri verklebt und verödet partiell oder vollkommen (sogen. Asherman-Syndrom). — Therapeutisch versucht man, nach einer Dilatation des Kavums mit ansteigenden hohen Östrogendosen eventuell vorhandene Reste der Basalis zur Proliferation anzuregen, um von dort aus eine neue Epithelialisierung des Kavums zu erreichen. Gelingt dies nicht, so können Heterotransplantationen kleiner Endometriumstückchen von blutgruppengleichen Frauen versucht werden.

Zerstörung des Endometriums durch Tuberkulose. Selten geworden ist die komplette Zerstörung des Endometriums durch tuberkulöse Prozesse seit der verbesserten Prophylaxe und Therapie der Tuberkulose. Ist eine Genitaltuberkulose bekannt, so ist beim Auftreten einer sekundären Amenorrhoe diese Möglichkeit zu diskutieren.

Beeinflussung der Ovarialfunktion durch andere Erkrankungen

Zu sekundären Amenorrhoen kommt es bei schweren auszehrenden Erkrankungen, bei chronischer Unterernährung, Leberzirrhosen sowie bei Über- oder Unterfunktion der Nebennierenrinden und der Schilddrüse u. a. Erkrankungen.

Sekundäre Amenorrhoe

Von einer sekundären Amenorrhoe spricht man, wenn die Menstruationsblutung länger als drei Monate ausbleibt. Eine sekundäre Amenorrhoe kann, wie im vorhergehenden Kapitel aufgezeigt wurde, bei zahlreichen Störungen im Reproduktionssystem, aber auch durch extragenitale Faktoren hervorgerufen werden.

Physiologisch ist die sekundäre Amenorrhoe während der Schwangerschaft und Stillperiode. Die in der Gravidität von der Plazenta in großen Mengen gebildeten Östrogene und Gestagene hemmen die Hypophyse, so daß keine Gonadotropine gebildet werden. Die Laktationsamenorrhoe ist dagegen in ihrem Wirkungsmechanismus nicht ausreichend bekannt.

Eine sekundäre Amenorrhoe außerhalb der Gravidität wird von den Frauen sofort als pathologisch erkannt. Sie suchen bald den Arzt auf. Beim jungen Mädchen ist die Unterscheidung, ob es sich um eine primäre oder sekundäre Amenorrhoe handelt, für differentialdiagnostische Überlegungen wichtig. Aus der Anamnese ist oft nicht klar erkennbar, welche Form vorliegt, wenn bereits Hormonbehandlungsversuche stattgefunden haben. Die Mädchen können sich oft nicht exakt erinnern, ob die Blutungen spontan kamen oder nach Tabletten und Spritzen.

In Tab. 7 wurden die wichtigsten Symptomenkomplexe, mit dem gemeinsamen Kennzeichen „sekundäre Amenorrhoe“, zusammengestellt.

Hirsutismus

Unter diesem Begriff versteht man einen Behaarungstyp der Frau, der in Stärke und Verteilung dem eines Mannes ähnelt. Treten weitere Symptome hinzu (männlicher Körperbau, Klitorishypertrophie, tiefe Stimme), so spricht man von **Virilismus.**

Tabelle 7 **Sekundäre Amenorrhoe**

Ursache	Hormonausscheidung Gonado-tropine	17-Keto-steroide	Östrogene	Therapie
Fehlfunktion des Hypothalamus				
idiopathisch	no.	no.	etwas erhöht	Gonadotropine, Clomiphen, Spontanheilung
psychogen reaktiv	no.	no.	no.	Psychotherapie, Spontanheilung
Anorexia nervosa	vermindert	vermindert	vermindert	Psychotherapie, pluriglanduläre Substitution
mit Gewichtszunahme	no.	im oberen Normbereich	etwas erhöht	Gewichtsreduktion, Spontanheilung
Organische Prozesse (Tumoren usw.)	individuell verschieden			kausal
Fehlfunktion der Hypophyse Tumoren degenerativ entzündlich	individuell verschieden			kausal
Sheehan	stark vermindert	stark vermindert	stark vermindert	pluriglanduläre Substitution
partielle, postpartale Ovarialinsuffizienz	schwankend	im oberen Normbereich	basal vorhanden	Gewichtsreduktion Gonadotropine, Spontanheilung
Anatomisch nachweisbare Ovarialveränderungen				
Polyzystische Ovarien	schwankend	manchmal vermehrt	nor.	Gonadotropine, Clomiphen Keilresektion beider Ovarien
Hypoplastische Ovarien	schwankend	nor.	vermindert	Gonadotropine (Versuch)
Nicht ansprechbare Peripherie				
Endomentriumverlust nach Kürettage	no.	no.	no.	Östrogene, Endometriumtransplantationen
Tuberkulose	no.	no.	no.	tuberkulostatisch
Andere Erkrankungen (chron. Unterernährung, Leberzirrhose, Nebennierenrinden- und Schilddrüsenerkrankungen)	individuell verschieden			kausal

Eine vermehrte Behaarung ist bei Frauen relativ oft zu beobachten (3 % der hiesigen Bevölkerung). Genetische, rassische und konstitutionelle Faktoren beeinflussen die Ausprägung des Haarwachstums. Handelt es sich um gesunde Frauen mit ungestörter Fortpflanzungsfähigkeit, so ist die Ursache des vermehrten Haarwachstums oft nicht zu klären (idiopathischer Hirsutismus). Nicht selten findet sich die Störung aber bei Frauen mit Regelanomalien, primärer oder sekundärer Sterilität.

Die Sekundärbehaarung wird durch die bei allen Frauen gebildeten Androgene in Verbindung mit den Östrogenen ausgelöst. Ein Hirsutismus kann durch eine vermehrte Androgenbildung der Nebennierenrinden oder der Ovarien verursacht werden. Daher muß das Symptom Hirsutismus bei der Beurteilung endokriner Störungen herangezogen werden.

Abnorm ist bei Frauen die Behaarung des Gesichtes (Koteletten, Wangen, Oberlippe, Kinn), wobei der dunkle Flaum auf der Oberlippe dunkelhaariger Frauen nicht dazu gehört. Die Behaarung des Gesichtes wird besonders störend empfunden. Dem Auszupfen der Haare folgt oft eine Follikulitis. – Am Thorax tritt eine geringe Behaarung über dem Sternum und um beide Mamillen auf. Die Schambehaarung erreicht keilförmig den Nabel. Die unteren Extremitäten sind stärker behaart als die oberen.

Adrenaler Hirsutismus. Die stärkste Ausprägung findet sich bei der angeborenen kongenitalen Nebennierenrindenhyperplasie (s. S. 36) oder bei Nebennierenrindentumoren. – Man nimmt vielfach an, daß es Grenzfälle der Nebennierenrindenhyperplasie gibt, die klinisch außer dem Hirsutismus keine Symptome machen. – Kombiniert sich der Hirsutismus mit starker Adipositas, so besteht Verdacht auf Morbus CUSHING. – Ebenfalls adrenal bedingt ist der Hirsutismus in der Postmenopause (Damenbart der Matrone). Meist ist die Veränderung harmlos, über die Genese ist nichts bekannt.

Ovarieller Hirsutismus. Eine vermehrte Androgenbildung der Ovarien besteht meist beim STEIN-LEVENTHAL-Syndrom (polyzystische Ovarien), immer bei androgenbildenden Ovarialtumoren (s. S. 369).

Die Ansprechbarkeit der Haarfollikel auf Androgene ist individuell und altersbedingt verschieden. Offenbar gibt es Frauen, die auf die physiologische Androgenbildung bereits mit einer lästigen Behaarung reagieren. Es sind aber auch endokrinologisch nachgewiesene Fälle mit erhöhter Androgenbildung bekannt, deren Behaarungstyp weiblich blieb. Frauen leiden unter dem vermehrten Haarwuchs. Das veränderte und von der Umgebung bemerkbare Aussehen kann tiefe Depressionen verursachen. Leider ist der Erfolg einer kausalen Hormontherapie (Cortison beim AGS, Keilresektion der Ovarien beim STEIN-LEVENTHAL-Syndrom) hinsichtlich der störenden Behaarung nicht befriedigend. Die Haare werden zwar weicher und heller, verschwinden aber nicht mehr. Man muß bereits vor der Therapie die Patientinnen darauf aufmerksam machen, da die Enttäuschung sonst groß ist. – Auf die Dauer wirksam ist nur die elektrische Epilation jedes einzelnen Haares. Wenn eine Frau einen ähnlich starken Bartwuchs wie ein Mann hat, so dauert die elektrische Entfernung 1 bis 2 Jahre. Daher finden sich die Patientinnen an anderen Körperpartien mit passageren Maßnahmen (Rasur, Enthaarungscreme) ab. Eine Röntgenepilation wird, wegen der nicht zu übersehenden Spätfolgen, allgemein abgelehnt.

Galaktorrhoe

Die ein- oder beidseitig auftretende milchige Absonderung der Brustdrüsen außerhalb des Puerperiums wird als Galaktorrhoe bezeichnet.

Die Milchabsonderung kommt vor bei Erkrankungen des Zentralnervensystems unter Einschluß der Hypophyse, bei endokrinen Dysfunktionen, bei Tumoren des Ovars und der Nebennierenrinde, während der Einnahme bestimmter Medikamente (z. B. Serpasil), nicht selten aber auch bei völlig gesunden Frauen (über pathologische Sekretion der Mamille s. S. 256, 495 und 500).

In etwa zwei Dritteln der Fälle liegt eine Störung des mensuellen Zyklus vor, häufig eine sekundäre Amenorrhoe.

Etwa bei jeder 20. Patientin ist die Milchabsonderung das erste Symptom eines Hypophysentumors. Daraus ergibt sich die Konsequenz, bei jeder Patientin mit Galaktorrhoe den Neurologen zu konsultieren.

Mit Beseitigung der Grunderkrankung verschwindet häufig die Milchabsonderung.

Die Galaktorrhoe bei gesunden Frauen bedarf meist keiner Behandlung.

Zusammenfassung: Jede Ebene der Fortpflanzungsorgane kann funktionelle Störungen erleiden. Am häufigsten ist der Hypothalamus funktionell am Zustandekommen einer Ovarialinsuffizienz beteiligt. Diese äußert sich als Oligomenorrhoe und sekundäre Amenorrhoe sowie primärer und sekundärer Sterilität. Die Fehlfunktion des Hypothalamus kann idiopathisch, psychogen oder organisch bedingt sein. – Die Funktion der Hypophyse ist wesentlich anpassungsfähiger. Isolierte Störungen der Hypophyse entstehen vorwiegend postpartal (ischämische Nekrose, Mikroadenome) oder durch Tumoren. – Die Funktion des Ovars wird durch ausgedehnte Substanzverluste kaum gestört. Eine anatomische Veränderung des Ovars findet sich beim Stein-Leventhal-Syndrom und bei der Ovarialhypoplasie. – Ist das Erfolgsorgan Endometrium mechanisch oder durch eine spezifische Entzündung zerstört, so besteht trotz regelrechter Ovarialfunktion eine sekundäre Amenorrhoe. – Die Symptome „sekundäre Amenorrhoe" und „Hirsutismus" spielen bei der Beurteilung endokriner Störungen eine große Rolle. Beide Symptome bedürfen einer subtilen Diagnostik, um das zugehörige Krankheitsbild zu erkennen. Die Galaktorrhoe ist häufig Ausdruck einer Störung des Ovarialendokriniums, aber auch Leitsymptom bei der Entstehung von Hypophysentumoren.

Klimakterium, Menopause, Postmenopause und Senium

Physiologische Vorgänge

Unter dem Klimakterium der Frau versteht man jene Jahre, in denen die Fortpflanzungsfähigkeit erlischt, die Hormonbildung im Ovar nachläßt und schließlich ganz versiegt. Mit steigender Lebenserwartung tritt dieser Vorgang nach 30–40jähriger Geschlechtsreife in einem Alter ein, in dem sich die Frauen nicht alt fühlen. Beginn und Ende des Klimakteriums sind nicht exakt zu erfassen. – Die erste Blutung (Menarche) hat im Leben des jungen Mädchens eine große Bedeutung. Die letzte Blutung empfindet die reife Frau als wichtigen Wendepunkt im Ablauf ihres Lebens. Die letzte Blutung **(Menopause)** beendet die Geschlechtsreife. Die Phasen vor und nach der Menopause bezeichnet man als **Prä-** und **Postmenopause**. Vor der modernen Frau unserer Tage liegen dann 10–15 Jahre eines Lebensabschnittes, in denen sie frei ist von monatlichen Blutungen, frei von Schwangerschaften und zunehmend frei von familiären Belastungen. Der Haushalt verkleinert sich, da die Kinder erwachsen werden. Inwieweit der neue Lebensabschnitt positiv oder negativ erlebt und bewertet wird, hängt vom Einzelindividuum ab. – Das **Senium** beginnt mit dem Nachlassen der körperlichen Leistungsfähigkeit und dem Auftreten echter Alterungsprozesse im 65.–70. Lebensjahr.

Der Eintritt in die Geschlechtsreife bringt für beide Geschlechter Anpassungsschwierigkeiten mit sich. Für das Klimakterium der Frau gibt es beim Mann kein entsprechendes Äquivalent. Obwohl auch beim Mann ab dem 5. Lebensjahrzehnt die Potenz und sexuelle Aktivität gegenüber dem 3. Lebensjahrzehnt nachlassen, erlischt die Zeugungsfähigkeit nicht. Der Beweis für die Zeugungsfähigkeit von Greisen wurde oft erbracht. Die Synthese der Sexualhormone wird beim Mann nicht innerhalb von ca. 5–10 Jahren gedrosselt, sondern wesentlich länger erhalten. Dieser Unterschied führt nicht selten zu Spannungen zwischen beiden Geschlechtern.

Im Mittel liegt der Eintritt der Menopause bei 48 Jahren. Sistiert die Ovarialfunktion vor dem 40. Lebensjahr, spricht man von einer vorzeitigen Menopause. Die obere Grenze liegt etwa bei 55 Jahren.

Der Beginn der Geschlechtsreife wurde durch die Gonadotropinsynthese der Hypophyse ausgelöst. Das Ende der Geschlechtsreife ist bedingt durch eine **„Erschöpfung der Ovarien"** (nachlassende Reaktionsfähigkeit, ausbleibende Ovulationen bei noch vorhandenen Follikeln). Später verschwinden die Follikel aller Reifungsstadien nach und nach, bis kein reaktionsfähiges Gewebe übrig bleibt. Zunächst kommt es oft nicht zum Eisprung, so daß als erstes die Gestagene im Hormonhaushalt wegfallen. Später wird auch die Östrogensynthese geringer, um schließlich ganz zu versiegen. Die Ovarien werden klein und atrophisch. Das Ovar einer geschlechtsreifen Frau wiegt zwischen 10 und 12 g, das Gewicht nimmt nach dem 40. Lebensjahr stark ab und bleibt vom 60. Lebensjahr an mit ca. 4 g konstant. An Stelle der restlosen Resorption der Corpora lutea in den Jahren der Geschlechtsreife bilden sich in den letzten Jahren die Corpora lutea zu hyalinen Narben um, die Corpora albicantia genannt werden (Abb. 32).

Funktionell zeigt die **Hypophyse** zunächst keine Alterungserscheinungen. Sie beantwortet im Gegenteil die Verminderung der Sexualsteroide im Blut mit einer bis zum Senium dauernden vermehrten Ausschüttung von Gonadotropinen, die im Urin nachweisbar sind (human menopausal gonadotrophin). Die Postmenopause ist eine hypergonadotrope Phase und erreicht ihr Maximum etwa 15 Jahre nach Eintritt der Menopause. Im Senium geht die Gonadotropinsynthese langsam zurück, bleibt aber über den Werten der Geschlechtsreife.

Die nachlassende Bildung von Ovarialsteroiden wirkt sich auf die **Erfolgsorgane** aus. Es kommt zu einer Involution des gesamten Genitale. Nach der Menopause wird der **Uterus** kleiner (Abb. 16). Das **Endometrium** wird atrophisch, es besteht nurmehr aus basalen Drüsenschläuchen ohne Proliferationszeichen. Manchmal treten zystische Erweiterungen in den Endometriumdrüsen auf, deren Epithel aber atrophisch ist (Abb. 32). Im Gegensatz zum Ovar bleibt das Endometrium bis zum Lebensende als Erfolgsorgan ansprechbar auf die Wirkung endogen gebildeter oder exogen zugeführter Ovarialhor-

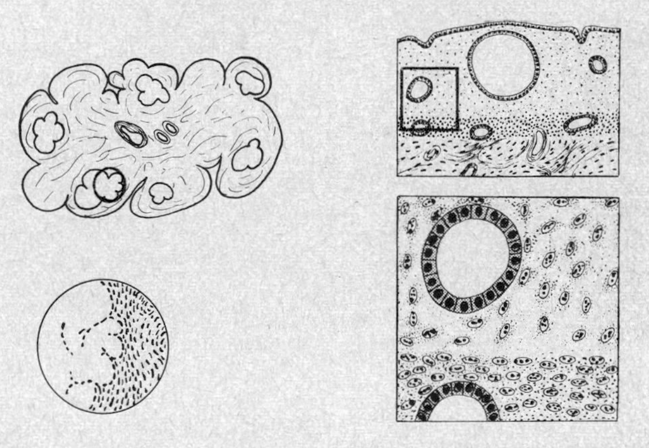

Abb. 32 Ovar in der Postmenopause, mit zahlreichen Corpora albicantia. Funktionsfähiges Ovarialparenchym liegt nicht mehr vor. Zum Vergleich das atrophische Endometrium in der Postmenopause. Die in der Zeichnung angedeutete Zystenbildung einer Endometriumdrüse ist degenerativer Natur, das Drüsenepithel ist atrophisch

mone. Bei einer alten Frau gelingt es immer, nach Zufuhr eines Östrogen-Gestagen-Gemisches Abbruchblutungen hervorzurufen. — Im Zuge der Uterusinvolution retrahiert sich ein Teil der auf der Portiooberfläche liegenden Schleimhautareale in den Zervikalkanal, so daß bei alten Frauen eine vollkommen von Plattenepithel überhäutete **Portio** vorliegt. Die Scheidengewölbe werden ganz flach, so daß die Portiooberfläche im gleichen Niveau wie das Scheidengewölbe liegt.

Die Proliferation des **Vaginalepithels** läßt entsprechend dem Abfall der Sexualsteroide nach. Eine vollkommene Atrophie der Vaginalschleimhaut findet sich erst bei älteren Frauen, weil zunächst nach der Menopause lange Jahre die Ovarien noch Östrogene bilden, die zwar nicht zum Schleimhautaufbau des Endometriums ausreichen, aber doch einen gewissen Aufbau des Vaginalepithels bewirken. Außerdem übernimmt die Nebennierenrinde einen Teil der Östrogensynthese. Um den Zeitpunkt der Menopause ist das Abstrichbild oft gemischt, d. h. es zeigt Zelltypen aller Schichten (Mischtyp). Später finden sich vorwiegend Intermediärzellen. Manche Autoren nennen den Abstrichtyp „androgen“, da dieser Proliferationsgrad bei der Kastratin durch Zufuhr von Androgenen erzielt werden kann. — Tatsächlich scheint auch die Androgenbildung bei der postmenopausalen Frau endogen zuzunehmen. Ist die Atrophie der Scheidenschleimhaut vollkommen, so kann eine Schrumpfung des Vaginalrohrs einschließlich des Introitus zu Kohabitationsschwierigkeiten führen. — Bei der Greisin wird die Schambehaarung spärlicher und verfärbt sich grau-weiß. In diesem Alter schrumpft auch das **äußere Genitale**. Klitoris und kleine Labien verkleinern sich. In der Postmenopause beginnt eine Involution des **Mammagewebes**. Eine Verkleinerung der Brüste ist nur bei sehr mageren Frauen zu beobachten. Der Brustdrüsenschwund wird durch Fett ersetzt.

Mit der nachlassenden Ovarialfunktion geht eine Neigung zur Adipositas einher (Matronenspeck). Im späteren Alter wird oft die Stimme tiefer.

Das Klimakterium und die ersten postmenopausalen Jahre werden vielfach von **vegetativen Störungen** begleitet, die echtes körperliches Unbehagen, aber auch eine starke Labilität in **psychischer** Hinsicht hervorrufen. Die Beschwerden des Klimakteriums und der Postmenopause betreffen wohl alle Frauen, sie antworten aber individuell verschieden darauf. Für die Behandlung klimakterischer Beschwerden gilt ähnliches wie für die Beschwerden der Pubertät (insbesondere der primären Dysmenorrhoe). Die Patientin tritt in einen neuen Lebensabschnitt ein, der zum Ablauf des Lebens gehört. Man sollte ihr begreiflich machen, daß die Begleitsymptome nicht krankhafter Natur sind. Eine geschickte Psychotherapie sollte sie von der positiven Seite dieses Lebensabschnittes überzeugen. Die Psychotherapie kann sehr gut durch eine hormonelle Substitution unterstützt werden (s. u.).

Erkrankungen des Klimakteriums, der Postmenopause und des Seniums

Durch die nachlassende bzw. erlöschende Ovarialfunktion werden einige Krankheitsbilder ausgelöst, die behandlungsbedürftig sind.

Blutungsstörungen

Es kommt nicht oft vor, daß eine Frau vollkommen regelmäßige Menstruationsblutungen hat und dann abrupt die Blutungen aufhören. In den meisten Fällen werden die Abstände zwischen den Perioden im Sinne einer Oligomenorrhoe seltener (8—12 Wochen), um schließlich ganz zu versiegen. Sucht eine Frau im Klimakterium wegen dieses Phänomens Rat, ohne daß Blutungsdauer und -intensität verlängert bzw. verstärkt sind, so soll sie lediglich einen Menstruationskalender anlegen, noch besser eine Aufwachtemperaturkurve führen. Eine medikamentöse Beeinflussung zur Regulierung der Abstände ist nicht notwendig.

Klimakterische dysfunktionelle Blutungsstörung

Vor Eintritt der Menopause führen anovulatorische Zyklen gehäuft zu einer langanhaltenden und verstärkten Östrogenproduktion und damit zu einer überschießenden Endometriumproliferation mit Ausbildung einer glandulär-zystischen Hyperplasie. Die Patientinnen bekommen dann eine Dauerblutung von unterschiedlicher Stärke. In dieser Altersklasse muß jede ungeregelte Blutung aus dem Genitalkanal so lange als **krebsverdächtig** angesehen werden, bis das Gegenteil bewiesen ist. Karzinome im unteren Genitalbereich sind mit Hilfe von Inspektion, Zytologie und Kolposkopie relativ leicht zu erkennen, nicht aber das Korpuskarzinom. Bis vor kurzem hat man bei jeder klimakterischen Blutungsstörung eine sofortige Abrasio befürwortet, um histologisch ein Korpuskarzinom ausschließen zu können. Wir empfehlen folgendes Vorgehen: Ist der Genitalbefund vollkommen normal (der ein Korpuskarzinom keineswegs ausschließt), so versuche man zunächst eine Blutstillung mit einem Östrogen-Gestagen-Gemisch, analog der Therapie, die auf S. 95 beschrieben wurde. Der Blutstillungsversuch muß unter sorgfältiger Kontrolle der Aufwachtemperatur erfolgen. Die Patientin wird angewiesen, am 3. Tag nach Beginn der peroralen Hormonbehandlung wiederzukommen. An diesem Tag überzeugt sich der Arzt selbst durch eine erneute Untersuchung, ob die Blutung steht. Ist das nicht der Fall, muß eine hormonunabhängige Blutungsquelle angenommen werden, und die Patientin wird für eine diagnostische Kürettage stationär aufgenommen. Der Verdacht auf ein Korpuskarzinom ist zwingend geworden, aber die 3 Tage des Behandlungsversuches sind für den Ablauf einer Krebserkrankung nicht von zeitlicher Bedeutung. Steht die Blutung vollkommen, so handelte es sich mit großer Wahrscheinlichkeit um einen anovulatorischen Zyklus (Abb. 33). Die Patientin sollte in diesem Falle im Verlauf der nächsten Monate die Aufwachtemperaturkurve führen, da die Natur der künftigen Blutungsstörungen leicht daraus ablesbar ist.

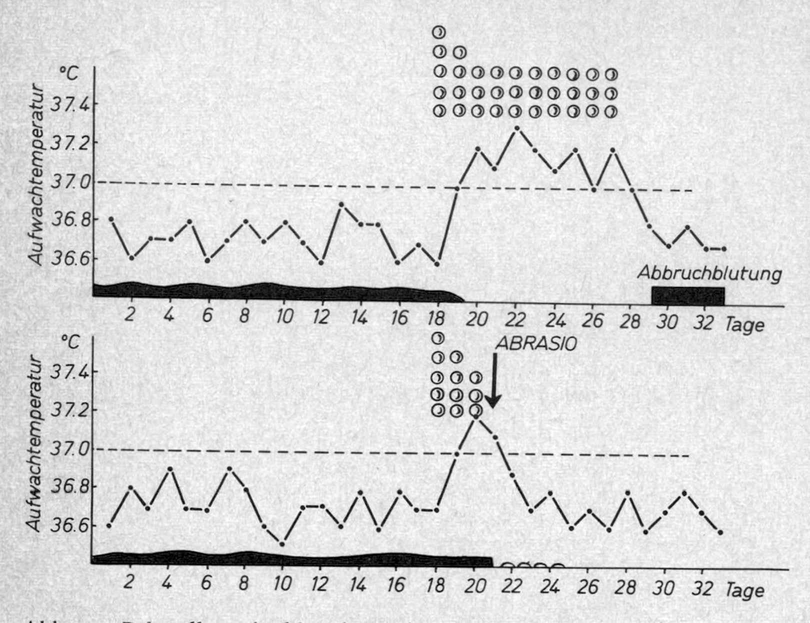

Abb. 33 Behandlung der klimakterischen Blutungsstörung:
Ist klinisch kein Karzinomverdacht gegeben, so ist ein Versuch mit einer hormonellen Blutstillung (oben) möglich. Die Behandlung ist identisch mit der der dysfunktionellen Blutungsstörung. Führt die exogene Hormonzufuhr nach 36 Stunden nicht eindeutig zur Blutstillung (unten), so muß eine getrennte Zervix-Korpus-Kürettage die Blutungsursache klären

Blutung in der Postmenopause

Vaginale Blutungen in der Postmenopause sind immer als pathologisch anzusehen und ernst zu bewerten. Trotzdem können sie harmloser Natur sein.

Verspätete Follikelreifung. Die endgültig letzte Blutung ist oft schwer zu erfassen, wenn die Abstände zwischen den Perioden länger als 3 Monate dauern. Es ist nicht selten, daß Frauen nach 6–8 Monaten, ja selbst nach 1–2 Jahren nach der letzten Blutung eine erneute periodenähnliche Blutung bekommen. In diesen Fällen sollte man aus

Sicherheitsgründen eine Abrasio vornehmen. Lautet der histologische Befund „Endometrium mit Proliferationszeichen, kein Anhalt für Malignität", so war es im Ovar, auch nach so langer Zeit, nochmals zur Reifung eines Follikels gekommen.

Exogene Hormonzufuhr. Die Hormonbehandlung des Klimakteriums und der Postmenopause erfreut sich zunehmender Beliebtheit. Damit steigt allerdings auch die Gefahr, daß das Endometrium zur Proliferation angeregt wird und Abbruch- oder Durchbruchsblutungen entstehen. Die erste Frage an die Patientin sollte daher lauten: „Haben Sie in der letzten Zeit Hormone bekommen?" Wird die Frage bejaht, lasse man sich das Präparat zeigen. Ist der Zusammenhang ganz offensichtlich, so kann man zunächst **ohne** Hormontherapie 4–6 Wochen zuwarten. Tritt die Blutung nicht wieder auf, so ist keine weitere Therapie erforderlich. Verneint die Patientin die Frage nach einer Hormontherapie oder sind keine exakten Angaben zu erhalten, so muß in jedem Falle eine Kürettage erfolgen.

Hormonbildende Tumoren. Auch eine endogene Hormonproduktion führt bei der postmenopausalen Frau zu Blutungen aus dem Endometrium. Gleichzeitig ist das Vaginalepithel dem Alter entsprechend unphysiologisch hoch aufgebaut. Es handelt sich um Granulosa- oder Thekazellgeschwülste (s. S. 367, 369). Die Tumoren können klein sein und sich der Palpation entziehen. In diesem Falle ist es schwer, eine exogene Hormonzufuhr wirklich auszuschließen. Bei der Kürettage wird ein in Proliferation befindliches Endometrium gefördert. Die Blutung rezidiviert, wenn es sich um einen hormonbildenden Tumor handelt. Bleibt der Verdacht bestehen, sollten die Ovarien inspiziert werden.

Korpuskarzinom. In erster Linie muß bei einer Blutung in der Postmenopause eine maligne Neubildung ausgeschlossen werden. Die Diagnose kann nur durch die histologische Untersuchung des Abrasionsmaterials gesichert werden. In einem geringen Prozentsatz kann auch ein Korpuspolyp gutartiger Natur eine postmenopausale Blutung hervorrufen.

Involutionserscheinungen

Im Verlauf der allgemeinen Rückbildung der Geschlechtsorgane können Veränderungen auftreten, die das physiologische Maß überschreiten.

Labhardtsche Stenose

Aus ungeklärten Gründen findet sich im oberen Drittel der Scheide eine meist ringförmige Stenosierung. Der Zugang zur Portio wird dadurch erschwert oder unmöglich (Abb. 34). Der Patientin macht die LABHARDTsche Stenose keine Beschwerden. Der untersuchende Arzt sollte sich vor Augen halten, daß die der Sicht entzogene Portio erkrankt sein kann. Sind diagnostische Maßnahmen (Abrasio usw.) unumgänglich, so sollte eine scharfe Durchtrennung der Stenose erwogen werden.

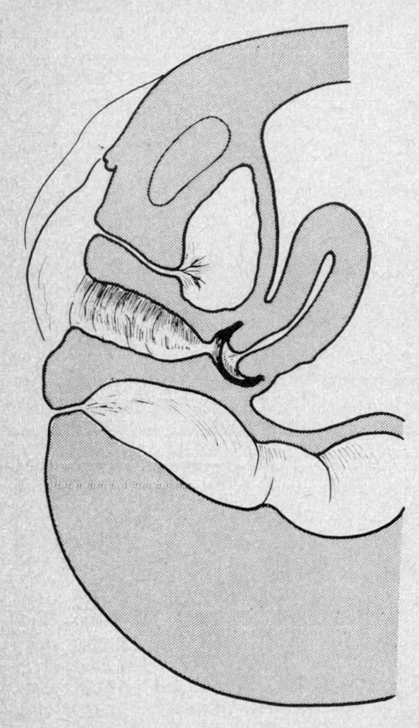

Abb. 34 LABHARDTsche Stenose. Bei postmenopausalen Patientinnen kommt es im hinteren Scheidendrittel zu einer meist ringförmigen Stenosierung, die den unmittelbaren Zugang zur Portiooberfläche erschwert

Schrumpfung der Scheide und des Introitus, senile Kolpitis

Vorwiegend bei Frauen, die nicht geboren haben, können die Scheide und der Introitus sich postmenopausal so verengen, daß Kohabitationen schmerzhaft oder unmöglich werden. Zu der Atrophie kommt eine mangelhafte Benetzung der Scheidenwand, sie wird trocken. Nicht selten findet sich eine fleckförmige Rötung der Scheidenhaut infolge kleinster Entzündungsherde. Es entsteht dann ein leukozytärer, manchmal leicht sanguinolenter Fluor. Die Veränderung wird als **Colpitis senilis** bezeichnet (s. S. 301). In diesen Fällen kann therapeutisch mit Hormonen eine Auflockerung der Scheidenwand und eine Proliferation des Scheidenepithels hervorgerufen werden. Das Vaginalepithel spricht bereits auf Östrogendosen bzw. Östrogenkomponenten an, die am Endometrium keine Wirkung haben, so daß Blutungen aus dem Uterus vermieden werden. Das Östrogen wird lokal z. B. in Form von Oestro-Gynaedron-Salbe (täglich abends einführen), peroral als Östriol (z. B. täglich 3 x 1 Tablette Ovestin à 0,25 mg) oder intramuskulär (z. B. Progynon B ol. 5 mg) verabreicht. Zusätzlich soll die Patientin die Oestro-Gynaedron-Salbe vor der Kohabitation als Gleitcreme benutzen (Introitus reichlich mit Salbe bedecken). Da in diesen Fällen bei den Patientinnen auch eine allgemeine, klimakterisch depressive Phase vorherrscht, ist eine Therapie mit konjugierten Östrogenen angezeigt (s. u.).

Pruritus, Leukoplakie, Kraurosis vulvae

(Lichen sclerosus et atrophicus)

Ätiologisch ungeklärt, zeitlich aber mit dem Erlöschen der Ovarialfunktion im Zusammenhang stehend, kommt es bei einigen Frauen in der Postmenopause zu einem quälenden Juckreiz **(Pruritus vulvae).** Besteht das Symptom allein, sollte zunächst ein Diabetes ausgeschlossen werden. Die Patientinnen kratzen die juckenden Stellen ungehemmt, auch im Schlaf, so daß bald Kratzeffekte mit Sekundärinfektionen hinzukommen. Später tritt eine weißliche Verdickung der Schleimhaut an der Vulva auf. Diese kann fleckförmig sein, aber auch die ganze Vulvahaut bis zum Damm und perianal erfassen. Die weißliche Verdickung nennt man **Leukoplakia vulvae** (in seltenen Fällen auch bei Frauen in der Geschlechtsreife zu beobachten). Bei alten Frauen entwickelt sich mit oder ohne Leukoplakie eine ausgeprägte Atrophie der Vulva, die durch Schwund des Fettgewebes und der elastischen Fasern gekennzeichnet ist. Bei der **Kraurosis vulvae** (auch Lichen sclerosus et atrophicus genannt, Abb. 35) wird die bedeckende Haut papierdünn, vollkommen trocken und leicht verletzlich. Da wegen des Juckreizes weiter gekratzt wird, sind Sekundäreffloreszenzen unvermeidlich. Mit zunehmender Kraurosis vulvae kommt es zu einem vollkommenen Schwund der kleinen Labien sowie der Klitoris. Der Scheideneingang verengt sich zu einem starr fixierten, ovalen Loch. Kohabitationen sind in diesem Zustand unmöglich. Das Leiden ist verhältnismäßig selten und sehr quälend (Selbstmordgefahr!).

Die Kraurosis vulvae wird oft als Präkanzerose zum Vulvakarzinom angesehen. Kleinste Ulzerationen oder Hautverdickungen sollten bald der histologischen Klärung zugeführt werden. 5—9 % der Patientinnen mit Kraurosis vulvae erkranken später an einem Vulvakarzinom.

THERAPIE. Therapeutisch wird eine Fülle von Maßnahmen angegeben, deren Erfolg oft zweifelhaft ist. Die Rezidivgefahr ist groß. Wir empfehlen folgendes Vorgehen: Ausschluß eines Diabetes oder einer vaginalen Sekundärinfektion (Trichomonaden, Mykose). Lokalbehandlung: Täglich abends ein Sitzbad von 15 Min. Dauer bei 37 °C

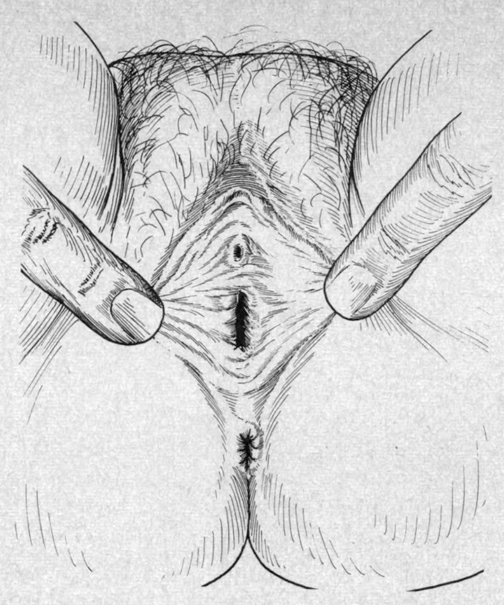

Abb. 35 Kraurosis vulvae. Zunehmender Schwund der kleinen und großen Labien. Die Schleimhaut des Introitus wird pergamentartig dünn. Der Introitus verengt sich zu einem starren Loch

(Badezusatz z. B. Kamillosan, Ichthobad-Teilbad usw.). Nach dem Bad abtrocknen, ohne zu kratzen, und dann Volon-A-Salbe einmassieren. Im Bett keine Hosen tragen. Über Tag dreimal cortisonhaltige Salben auftragen (z. B. Jellin-Salbe). Die Therapie muß über Wochen und Monate durchgeführt werden. Allgemeinbehandlung: Am erfolgreichsten ist eine hochdosierte Östrogentherapie, bei der Abbruchblutungen in Kauf genommen werden müssen (z. B. 3mal 1 Tablette Progynon C täglich über 20 Tage lang, nach einer Woche Pause erneute Kur bis zu 3 Monaten oder tgl. 2–3mal Presomen à 1,25 mg jeweils 20 Tage lang, dann 1 Woche Pause). Eingreifendere Maßnahmen: Zur Beseitigung des Juckreizes hat man subkutane Injektionen von Novokain, Alkohol, Kortikosteroiden und partielle Elektrokoagulationen der Vulva sowie die operative Unterminierung der Vulvahaut versucht. Von einer Vulvektomie ist wenig zu erwarten, da die kraurotischen Veränderungen an den Wundrändern erneut auftreten können.

Postmenopausales Syndrom

Die nachlassende bzw. erlöschende Ovarialfunktion kann physische und psychische Störungen hervorrufen, die behandlungsbedürftig sind. Das gemeinsame Merkmal des Symptomenkomplexes ist der zeitliche Zusammenhang der Beschwerden ohne objektive, krankhafte Befunde.

Physische Sensationen

Die Patientinnen klagen über Hitzewallungen, welche von den Beinen zum Kopf ansteigen. Die fliegende Hitze wiederholt sich täglich mehrfach, oft gefolgt von unangenehmen Kältesensationen. Nachts wachen die Patientinnen schweißgebadet auf. Anfälle von Herzklopfen, Schwindelgefühl, Schlaflosigkeit können auftreten.

Psychische Merkmale

Die Patientinnen sind psychisch labil. Die Veränderung des Lebensbereiches wird negativ empfunden. Die Kinder sind erwachsen, die Pflichten verschieben sich. Der Ehemann steht den körperlichen Unpäßlichkeiten seiner Frau oft verständnislos gegenüber. Die Frauen überbewerten negative Aspekte, sind nervös und reizbar.

THERAPIE. In jüngster Zeit hat die Östrogentherapie breite Anwendung gefunden. Es sollte jedoch erwähnt werden, daß auch schon in früheren Jahren Ausfallsbeschwerden mit Östrogenen behandelt wurden. Man war aber wegen der Gefahr der Endometriumblutungen sehr zurückhaltend. Der Vorteil der jetzt üblichen Behandlungsweise liegt darin, daß Östrogenaufbereitungen (sog. konjugierte Östrogene) peroral verabfolgt werden, die keinen proliferierenden Effekt auf das Endometrium haben, so daß (bis auf einen kleinen Prozentsatz) keine Abbruchblutungen provoziert werden. Mit der Östrogenzufuhr verschwinden die körperlichen und psychischen Beschwerden meist vollkommen. Die Behandlung ist einfach: Man gibt pro Tag 1 Tablette, z. B. Presomen à 1,25 mg für 20 Tage, schaltet dann eine Pause von 1 Woche ein und setzt die Therapie fort. Später kann die Dosis reduziert werden (Presomen special oder Presomen mite). Für die Beschwerden der „Wechseljahre" gibt es inzwischen zahlreiche östrogenhaltige Präparate. Gut bewähren sich Kombinationspräparate mit einem Sedativum (z. B. Östrogynal u. a.). Bisher bestehen keine Bedenken, die Behandlung auch über Jahre auszudehnen. Die Östrogentherapie hat außerdem einen guten Einfluß auf die im Alter einsetzende Osteoporose, die damit verhindert oder verzögert wird. Eine Begünstigung zur Karzinomentstehung ist durch die Östrogentherapie nicht bewiesen. Während der Östrogentherapie fühlen sich die meisten Patientinnen beschwerdefrei, sie wirken entspannt. Das auffallend frische Aussehen der Patientinnen beruht darauf, daß infolge der Östrogenzufuhr etwas vermehrt Gewebswasser abgelagert wird und sich dadurch der Hautturgor verbessert.

Zusammenfassung: Am Ende der Geschlechtsreife ist die generative Funktion der Ovarien erschöpft. Im Klimakterium entstehen durch die nachlassende Ovarialfunktion physische und psychische Veränderungen. Den Zeitpunkt der letzten Blutung definiert man als Menopause. Die mangelnde Ansprechbarkeit der Ovarien beantwortet die Hypophyse durch eine vermehrte Ausschüttung von Gonadotropinen. Auf Grund der fehlenden Ovarialhormone kommt es zur Involution der Erfolgsorgane, die aber jederzeit auf eine erneute Hormonzufuhr ansprechbar bleiben. Mit der nachlassenden Ovarialfunktion im Zusammenhang stehen die dysfunktionellen anovulatorischen Blutungen des Klimakteriums, die differentialdiagnostisch gegen Krebs abgegrenzt werden müssen. Blutungen in der Postmenopause sind immer karzinomverdächtig, können aber auch durch eine verspätete Follikelreifung, eine exogene oder endogene Hormonwirkung oder Korpuspolypen bedingt sein. – Die Involution des Genitale kann zu isolierten oder allgemeinen Stenosierungen der Scheide, zu Pruritus und zu Kraurosis vulvae führen. Die Beschwerden des Klimakteriums und der Postmenopause lassen sich durch Östrogene beeinflussen.

Fortpflanzung

Ovulation

Die Ovulation ist Voraussetzung für die Fortpflanzungsfähigkeit der Frau. Das Schicksal der Eizellen im Fetalleben, ihr Ruhezustand in den Jahren der Kindheit und die Ereignisse im Ovar während eines Zyklus in der Geschlechtsreife, wurden ausführlich besprochen (siehe S. 65). Die periodische Wiederkehr des Eisprunges wird beim Menschen durch übergeordnete und ovarielle Reglersysteme gesteuert. Gelegentlich können 2 oder sehr selten 3 Follikel „springen". Kommt es zur Befruchtung, entstehen zwei- und dreieiige Mehrlinge.

Ob Eisprünge parazyklisch beim Menschen möglich sind, ist unbewiesen und unwahrscheinlich.

In diesem Kapitel soll kurz zusammengefaßt werden, welche körperlichen Veränderungen um den Ovulationstermin eintreten und welche geeignet sind, zur Diagnostik der Ovulation beizutragen.

Sexualhormone

Hypophysäre Gonadotropine

Präovulatorisch steigt die Ausscheidung von FSH und LH steil an und erreicht um den Zeitpunkt der Ovulation ihren Gipfel (30 E/die). Der Nachweis der Gonadotropinausscheidung ist für die Bestimmung des Ovulationstermins zu aufwendig.

Sexualsteroide

Die **Östrogene** steigen bis zur Ovulation stark an, danach ist ein leichter Abfall zu bemerken. Die Synthese des **Progesterons** steigt mit dem Ovulationstermin stark an. Der komplizierte Nachweis der Harnmetaboliten ist für die Bestimmung der Ovulation nicht geeignet.

Ovar

Ein relativ sicheres Zeichen für die stattfindende Ovulation ist der **Mittelschmerz**, den aber nur wenige Frauen empfinden. Als Ursachen des Mittelschmerzes werden angenommen: zunehmende Kapselspannung am Ovar, Kapselriß, peritoneale Reizung durch austretende Flüssigkeit oder Blut, verstärkte Tubenmotorik während der Ovulation.

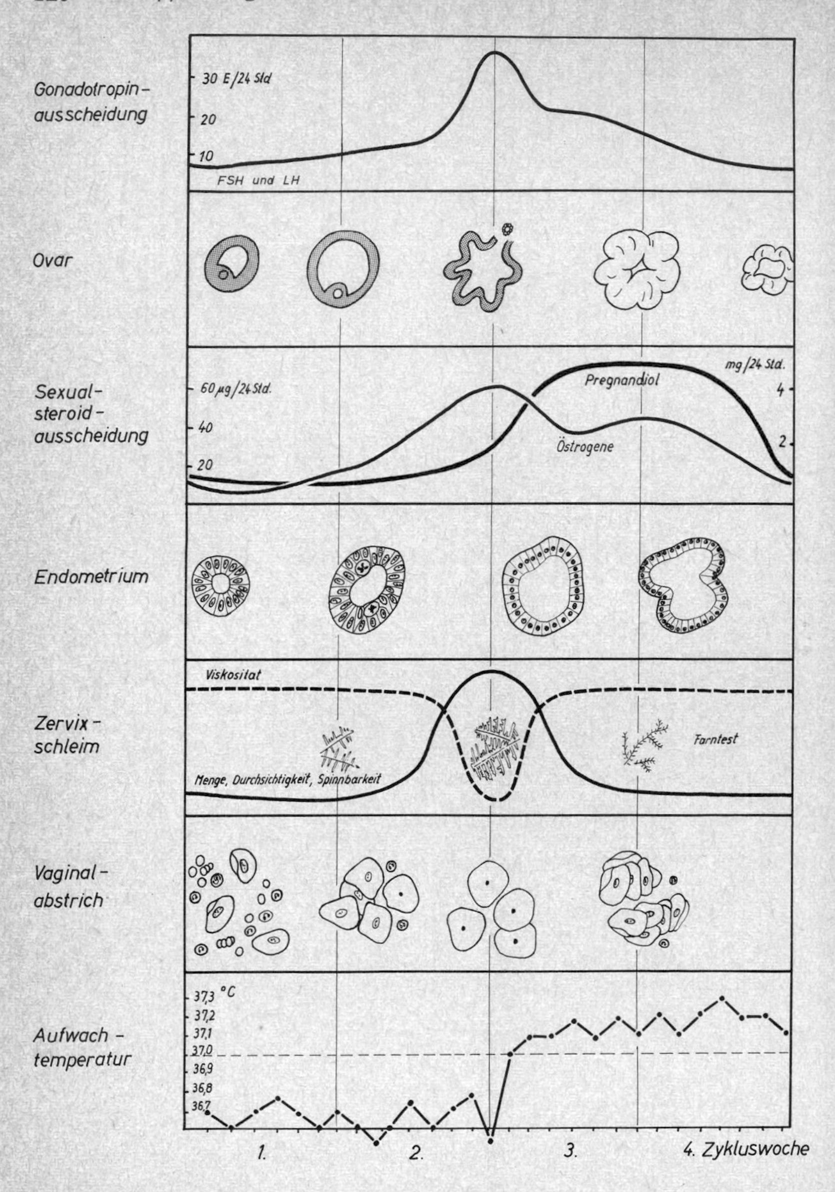

Abb. 36 Schematische Übersicht über Vorgänge zum Zeitpunkt der Ovulation

Uterus

Endometrium

Subnukleäre Glykogenvakuolen in den Drüsenepithelien des Endometriums entstehen wenige Stunden nach dem Eisprung (histologischer Nachweis am Schleimhautstreifen einer Strichbiopsie).

Zervix

Der Muttermund erweitert sich um den Ovulationstermin. Dieses Phänomen ist nur bei grübchenförmigem Muttermund bemerkbar. Bei quergespaltenem äußeren Muttermund ist der Größenunterschied nicht wahrnehmbar. Mit ansteigender Östrogenwirkung nimmt die Menge des Zervixschleimes zu, die Viskosität ab, die Spinnbarkeit zu. Die Kristallisationsfähigkeit zu Farnblattkristallen entwickelt sich (siehe S. 237). Bei täglicher Prüfung des Zervixschleimes kann man, bei der plötzlichen Änderung der aufgeführten Eigenschaften, annehmen, daß der Eisprung stattgefunden hat. Das anflutende Progesteron benötigt etwa 24 Stunden zur Veränderung des Zervixschleimes. Der Ovulationstag liegt daher einen Tag früher.

Vagina

Durch tägliche Abstriche des Vaginalepithels ist aus der charakteristischen Änderung des Abstrichbildes festzustellen, wann zu der Östrogenwirkung (eosinophile, karyopyknotische Oberflächenzellen) die Progesteronwirkung (Massenabschilferung, Fältelung) hinzutritt. Aber auch hier läßt sich nur nachträglich der Eisprung erkennen (s. S. 74, 231).

Aufwachtemperaturkurve

Am verläßlichsten zeigt der Temperaturanstieg, daß die Ovulation stattgefunden hat. Der Tag der Ovulation liegt wahrscheinlich am Temperaturtief, welches dem Anstieg unmittelbar vorausgeht (siehe S. 240). Immerhin beträgt die Fehlerbreite etwa 4 Tage.

In Abb. 36 sind die kennzeichnenden Ereignisse während der Ovulation zusammengestellt. **Keine** Methode erlaubt eine klinisch **sichere Voraussage**, ob und wann eine Ovulation eintreten wird. Erst **nach** der Ovulation ist deren Ablauf feststellbar. Die ungefähre Voraussage des Ovulationstermins ist auf Grund der Periodizität des individuellen Zyklus in gewissen Grenzen möglich. Die klinisch erkennbare, zunehmende Östrogenwirkung (Spinnbarkeit des Zervixschleims, Farntest, Zunahme der eosinophilen pyknotischen Zellen im Vaginalausstrich) bietet gute Anhaltspunkte, daß die Ovulation kurz bevor steht. Die Kenntnis dieser Untersuchungsmethoden ist im Rahmen der Sterilitätsberatung sehr nützlich.

Konzeption

Libido

Libido bedeutet Geschlechtstrieb oder Geschlechtslust. Neben Hunger und Durst gehört der Geschlechtstrieb zu den stärksten, triebhaften Handlungen. Beide Geschlechter werden durch die Libido zusammengeführt. Seit Jahrtausenden wurden Geschlechtstrieb und geschlechtliche Vereinigung in allen Kulturkreisen mit bestimmten Riten, mythologischen oder religiösen Vorstellungen und Tabus umgeben.

Die Geschlechtslust ist an kein bestimmtes Alter, bei der Frau nicht an die Zeitspanne der Geschlechtsreife geknüpft. Knaben und Mädchen entdecken gelegentlich bereits im Kleinkindesalter die Folgen der Berührung der Glans penis und der Klitoris. Von der Pubertät an steigt die Zahl der Knaben und Mädchen mit libidinösen Vorstellungen bis zum 21. Lebensjahr steil an. In der ersten Zeit wird die Annäherung an das andere Geschlecht auf Grund von Erziehung und Umwelt oft nicht gesucht. Die Libido wird selbst befriedigt (Onanie). Bis heute ist die **Onanie** mit dem Makel des Unzulässigen umgeben, obwohl es sich um ein natürliches Durchgangsstadium zur sexuellen Reife handelt. In keinem Fall sollte die Onanie als sexuell pathologisch angesehen werden. KINSEY konnte statistisch nachweisen, daß Frauen, die das Erlebnis des Orgasmus weder durch Onanie noch durch voreheliche Kohabitationen gehabt hatten, in der Ehe wesentlich öfter unter Frigidität litten als solche, die diese Erfahrung kannten. Die Onanie wird auch in den Jahren der Geschlechtsreife bis ins hohe Alter beibehalten, wenn die Gelegenheit für die Befriedigung mit einem Partner fehlt oder nicht erreicht werden kann.

Die sexuelle Potenz der Frau erlischt nicht mit dem Erliegen der Ovarialfunktion. Beim Mann bleibt zwar die Fortpflanzungsfähigkeit bis ins hohe Alter erhalten, aber die sexuelle Potenz nimmt durchschnittlich jenseits des 60. Lebensjahres mehr ab als bei der Frau.

Die **Libido** ist individuell sehr verschieden ausgeprägt. Ein vollkommenes Fehlen der Libido ist primär ausgesprochen selten. Menschen mit Gonadendysgenesien verhalten sich geschlechtlich meist vollkommen indifferent. Ein sekundäres Fehlen der Libido kommt vor bei Erschöpfungszuständen, schweren Erkrankungen sowie nach bestimmten gynäkologischen Operationen, wobei die kastrierenden Operationen an erster Stelle stehen. Der plötzliche Verlust der Eierstocksfunktion mit den bald einsetzenden Ausfallserscheinungen bringt infolge eines auftretenden Insuffizienzgefühls die Libido vorübergehend vollkommen zum Erliegen. Die Frauen leiden sehr unter diesem Zustand. Eine substituierende Hormontherapie und eine gute psychotherapeutische Führung können den Zustand bessern. Eine mangelnde oder fehlende Libido wird als Klage beim Gynäkologen vorgebracht, wenn der Geschlechtsverkehr der Frau Schmerzen bereitet oder die Zuneigung zum Partner einer wachsenden Abneigung Platz macht. Im ersten Falle müssen die Ursachen (s. u.) sehr sorgfältig gesucht werden, oft ist Abhilfe möglich. Im zweiten Falle ist eine Hilfe meist nur durch eine intensive psychotherapeutische Beratung beider Partner möglich, auf die im Rahmen dieses Buches nicht näher eingegangen werden kann.

Kohabitation, Orgasmus

Eine Reihe von Kulturkreisen oder Religionen sieht vor der Ausübung des Geschlechtsverkehrs Waschungen der Genitalien bei Mann und Frau vor, die sehr sinnvoll sind. Nicht selten rührt ein rezidivierender, unspezifischer, bakterieller Fluor der Frau daher, daß das Präputium des Mannes nicht sauber gehalten wird. Der Sexualhygiene wird eine besondere Bedeutung bei der Entstehung des Zervixkarzinoms zugemessen.

Der geschlechtlichen Vereinigung geht ein zeitlich verschieden langes Vorspiel **(Erregungsphase)** voraus, währenddessen beide Partner sexuell stimuliert werden. Bei der Frau wird dabei von den BARTHOLINschen Drüsen ein wasserklares, schleimiges Sekret abgesondert, welches den Introitus gleitfähig macht. Mit zunehmender sexueller Erregung **(Plateauphase)** kommt es zu einer Blutfülle mit Schwellung der großen und kleinen Labien und der Corpora cavernosa der Klitoris. In der Vagina setzt eine Flüssigkeitstranssudation ein, verbunden mit einer Dilatation der oberen zwei Drittel und einer ödematösen Schwellung der Schleimhautfalten im unteren Drittel der Vagina. Während der Plateauphase nimmt der Brustumfang leicht zu, die Mamillen richten sich auf. Es kommt zu einer allgemeinen oder fleckförmigen Hautrötung. Der Muskeltonus wird erhöht. Die Atemfrequenz, Herzschlagfrequenz und das Herzschlagvolumen nehmen bis zum Orgasmus beträchtlich zu.

Bei normalen anatomischen Verhältnissen entspricht die Länge des erigierten Penis etwa der der Vagina. Die Zervix kann beim tiefen Eindringen berührt werden. Die Frau verspürt dies als unbestimmten dumpfen Druck, offenbar durch Verschiebung des ganzen Uterus. Unter rhythmischen Bewegungen kommt der Mann sehr sicher zum Höhepunkt seiner sexuellen Befriedigung (Orgasmus), während der es zur Ausschüttung des Samens (Ejakulation) in das hintere Drittel der Vagina kommt. Der Orgasmus des Mannes wird ausgelöst durch die Berührung der Glans penis mit der Vaginalwand, wobei die ödematösen Schleimhautfalten im unteren Bereich der Vagina einen besonderen Reiz ausüben. — Bei der Frau entspricht der Glans penis die Klitoris. Diese wird beim Koitus indirekt durch Zug während der Bewegungen des Penis stimuliert, so daß es dadurch in Verbindung mit dem ebenfalls mit Nervenendkörperchen versorgten Introitus zum Orgasmus der Frau kommt. Häufig ist die Stimulierung nicht ausreichend, so daß der Orgasmus nicht oder erst nach einer längeren Zeitspanne erreicht wird. Auf diesen anatomischen Unterschieden beruht ein Großteil der angeblich weit verbreiteten Frigidität (s. u.) der Frau. Eine zusätzliche, meist digitale Stimulierung der Klitoris führt bei den meisten Frauen einen Orgasmus herbei. KINSEY konnte zeigen, daß die Reaktionsgeschwindigkeit zum Orgasmus durch Onanie bei Frauen und Männern etwa gleich ist. — Häufig wird der Orgasmus durch Stimulierung der Klitoris von dem vaginalen Orgasmus abgegrenzt. Die fehlende Umstellung von der einen auf die andere Art bei der sexuell reifenden Frau wird als eine Form der sexuellen Unreife bezeichnet. Weder die Abgrenzung verschiedener Orgasmusarten bei der Frau noch die erwähnte Bewertung ist heute noch aufrechtzuerhalten.

Während der nur wenige Sekunden andauernden **Orgasmusphase** kommt es zu 3—10 rhythmischen Kontraktionen im Bereich der Beckenbodenmuskulatur, wobei sich das untere Vaginaldrittel verengt. Aber auch in anderen Muskelgruppen kann es zu Konvulsionen kommen. Die Sinnesempfindungen (Schmerz) sind reduziert. Der Uterus kontrahiert sich mehrfach. Der systolische Blutdruck steigt um 20 bis 40 mmHg.

In der **Auflösungsphase** klingen alle Reaktionen relativ rasch ab.

Schmerzen bei der Kohabitation

Nicht selten sucht eine Frau den Gynäkologen auf, weil sie Schmerzen beim Verkehr hat. Sie versucht dann, ihrem Manne auszuweichen. Aus Angst unterdrückt sie die Libido. Wegen der Schmerzen gelingt es ihr nicht, während der geschlechtlichen Vereinigung zum Orgasmus zu gelangen. — Vielfach hofft die Patientin, der Gynäkologe werde die Ursache erkennen, ohne daß sie ihr Anliegen vorbringen müsse. Bringt die Untersuchung keinen pathologischen Befund, so ist aus halben Andeutungen am Ende des Gespräches zu entnehmen, was die Patientin bewegt. Häufig schildern die Frauen Gynäkologinnen diese Form der Beschwerden eher als einem Mann. Welche faßbaren Gründe können Kohabitationsbeschwerden hervorrufen?

Enger Introitus, mangelnde Gleitfähigkeit

Ist der Introitus vaginae bei jungen Mädchen noch sehr eng oder stellen sich in der Postmenopause Schrumpfungserscheinungen ein, so kann die Kohabitation Schmerzen bereiten. Ängstlich geworden, geraten die Patientinnen vor dem Koitus nicht in eine sexuelle Erregung, so daß die Sekretion der BARTHOLINschen Drüsen und die Transsudation durch das Vaginalepithel und damit die Gleitfähigkeit des Introitus fehlen. — Auch in einer langjährigen Gemeinschaft bleibt oft die präkoitale Befeuchtung aus. – Therapeutisch empfiehlt man eine Gleitcreme, die vor dem Koitus zwischen beide Labia minora appliziert wird. Die Substanz darf keine Reizwirkungen an den Schleimhäuten beider Partner ausüben (z. B. Katheterpurin).

Vulvitis, Vaginitis

Entzündungen jeglicher Art machen sehr bald Kohabitationsbeschwerden. Der Fluor wird reichlich, trüb und übelriechend. Meist beginnt die Schleimhautentzündung in der Vagina und greift von dort auf die Vulva über. In diesen Fällen müssen eine sorgfältige Fluordiagnostik und die entsprechende Kausaltherapie (s. S. 298) vorgenommen werden. Während der Entzündung empfiehlt man eine kurzfristige sexuelle Abstinenz. Nach Abklingen der Entzündung sind die Beschwerden meist verschwunden.

Organische Veränderungen im kleinen Becken

Organische Veränderungen im kleinen Becken, die die elastische Beweglichkeit des hinteren Scheidendrittels und des Uterus herabsetzen, führen zu Kohabitationsbeschwerden, sobald der Partner tief in die Vagina eindringt. Zu diesen Veränderungen gehören: Narben im hinteren Scheidengewölbe und an der Zervix (Zustand nach hinterer Kolpozöliotomie, gelegentlich nach Zervixplastiken, antefixierenden Operationen des Uterus), retrozervikal oder in den DOUGLASschen Raum sich entwickelnde Tumoren (Endometriose, Abszesse, fixierte Retroflexio uteri, Tubovarialtumoren entzündlicher Natur usw.). — Nur selten hört man Klagen über Kohabitationsbeschwerden nach Uterusexstirpation. Das blind verschlossene Scheidenende gibt elastisch nach. Oft glauben die Patientinnen, nach gynäkologischen Operationen sei eine monatelange sexuelle Abstinenz erforderlich, die sie mit der Bemerkung umschreiben: „Mein Mann schont mich sehr". Man sollte sie dann nachdrücklich darauf aufmerksam machen, daß keine Indikation für diese Zurückhaltung besteht, und ihr bei der Untersuchung mit der inneren Hand demonstrieren, daß der Verkehr nicht weh tun kann.

Psychisch überlagerte Beschwerden

Kohabitationsbeschwerden werden oft angegeben, ohne daß ein krankhafter gynäkologischer Befund erhoben werden kann. In diesen Fällen handelt es sich meist um eine unbewußte oder bewußte Ablehnung der sexuellen Betätigung oder des Partners an sich. Die durchgemachte Erziehung, Elternhaus, der Grad der Zuneigung zum Partner bilden einen Komplex. Die Behandlung ist psychotherapeutisch und sollte beide Partner erfassen. Gynäkologen finden oft nicht die Zeit und haben auch nicht entsprechende Kenntnisse der Psychosomatik. Die Zusammenarbeit mit einem Psychotherapeuten kann fruchtbar sein. – Vorwiegend auf Grund sexueller Erlebnisse, die die Patientin innerlich ablehnt, bilden sich zwei psychisch überlagerte Krankheitsbilder heraus:

Parametropathia spastica. Der Aufhängeapparat des Uterus im kleinen Becken besteht aus Bindegewebe, elastischen Fasern und glatter Muskulatur. Dieser spannt sich fächerförmig im kleinen Becken aus. Die glatte Muskulatur kann sich bei chronischen Angstzuständen (aber auch bei chronischen Entzündungen) spastisch kontrahieren. Dabei wird die Beweglichkeit des Uterus herabgesetzt. Man kann bei den Patientinnen während der Untersuchung den sog. Portioschiebeschmerz (s. S. 166) auslösen. Die Betastung der Sakrouterinligamente ist schmerzhaft (Abb. 37), sie wirken straff oder verdickt. Die Therapie liegt vorwiegend in der Beseitigung der Abwehrhaltung der Patientin. Allgemein roborierende Maßnahmen, die die Durchblutung des kleinen Beckens fördern (Sitzbäder oder Moorbadekuren) sind nützlich. Bei der Moorbadekur wirkt therapeutisch die vorübergehende Trennung beider Partner besonders günstig (s. S. 316).

Vaginismus. Psychopathische Individuen reagieren auf eine sexuelle Annäherung, aber auch bei dem Versuch einer gynäkologischen Untersuchung, mit einem Vaginismus. Dabei pressen sie die Oberschenkel angstvoll zusammen. Die gesamte Beckenbodenmuskulatur kontrahiert sich reflektorisch, so daß der Introitus vaginae spastisch verengt wird. – Einem robusten Manne gelingt es meist, auf Grund seiner stärkeren körperlichen Kräfte, diesen Widerstand zu überwinden. Die betreffende Frau wird dabei erhebliche Schmerzen erleiden, ein Circulus vitiosus beginnt. Dieser Kreislauf kann nur durch eine geduldige Psychotherapie durchbrochen werden. Die Weitung des Introitus in Narkose mit Einlage eines Phantoms, welches die Patientin später selbst herausziehen kann, ergänzen die Behandlung.

Kohabitationsverletzungen

Gelegentlich kommt es beim Koitus zu blutenden Verletzungen, die beide Partner heftig erschrecken.

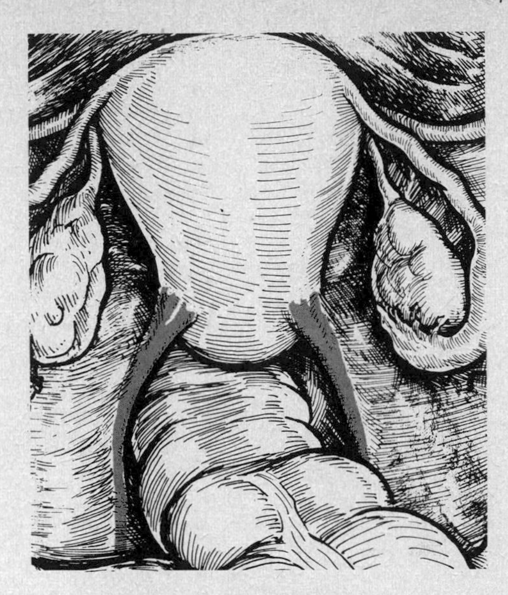

Abb. 37 Topographie der Ligg. sacrouterina. Blick von oben auf die Hinterwand des Uterus

Deflorationsverletzung. Bei der ersten Perforation des Hymen intactus kommt es meist zu kleinen Einrissen, die einen leichten Schmerz verursachen. Fast immer entsteht eine kurze, nicht behandlungsbedürftige Blutung. In vielen Völkern wird die Blutspur nach der Defloration als Beweis für die Jungfräulichkeit der Braut angesehen. — In seltenen Fällen können sich die Deflorationswunden etwas entzünden, wodurch sich die Beschwerden bei wiederholten Kohabitationen verstärken, so daß die junge Frau vermehrt Schmerzen verspürt. Die Ausbildung eines Vaginismus ist dann nicht ausgeschlossen.

Nur in seltenen Fällen entsteht bei der Defloration eine starke Blutung, die die Partner veranlaßt, eine Klinik aufzusuchen. Es findet sich dann ein etwas tieferer Einriß, häufig in Klitorisnähe, mit einem kleinen spritzenden Gefäß. Im Vordergrund sollte die Beruhigung beider Partner stehen, daß dieses Ereignis nicht schwerwiegend ist und sich nicht wiederholen wird. In einer kurzen intravenösen Narkose wird die Blutung durch eine Umstechung gestillt. Die Situation sollte auf keinen Fall dramatisiert werden, um nicht die sich entwickelnde sexuelle Gemeinschaft zu stören. Man ersucht den Mann, einige Tage auf Kohabitationen zu verzichten, bis eine Heilung eingetreten ist und empfiehlt für den nächsten Versuch eine Gleitcreme.

Verletzungen bei der deflorierten Frau. Auch bei der deflorierten Frau können durch den Koitus in seltenen Fällen Verletzungen entstehen. Es handelt sich meist um seitliche Scheidenrisse bis in die Scheidengewölbe, die selten einmal den DOUGLASschen Raum perforieren können. In diesen Fällen muß es sich nicht um Gewaltakte handeln. Bei dem Orgasmus der Frau tritt eine kurzfristige, weitgehend schmerzunempfindliche Phase ein, so daß durch unglückliche Bewegungen beider Partner, manchmal auch durch Fremdkörper, derartige Verletzungen entstehen. Die Patientinnen werden durch das austretende Blut post coitum auf die Verletzung aufmerksam. Derartige Scheidenverletzungen werden meist bei postmenopausalen Frauen beobachtet.

Frigidität

Der Begriff Frigidität wird nicht einheitlich interpretiert. Vielfach werden Frauen mit einem fehlenden Orgasmus als frigide bezeichnet, die aber durchaus ihre Erfüllung in der Ehe, der Kindererziehung und der Pflege ihrer Häuslichkeit finden. Bei diesen Frauen geht die Plateauphase ohne Orgasmus über in die Auflösungsphase. — Andere Autoren bezeichnen richtiger mit Frigidität das Fehlen der Libido (Mangel an erotischer Zuwendung und Reaktionslosigkeit auf sexuelle Reize). Je nach Deutung des Begriffs sind die Zahlen über die Häufigkeit der Frigidität außerordentlich verschieden. Fehlen organische Ursachen, so handelt es sich durchweg um psychosexuelle Abwehrreaktionen unterschiedlichster Art. Die Therapie gehört in die Hand eines erfahrenen Psychotherapeuten. Frigidität und Anorgasmie sind für die Konzeption von untergeordneter, für das Schicksal einer sexuellen Partnerschaft von ausschlaggebender Bedeutung.

Weg der Spermatozoen

Das Ejakulat (Sperma) wird im hinteren Scheidendrittel deponiert. Das Sperma stellt eine Suspension der Spermatozoen in Spermaflüssigkeit dar. Die Spermaflüssigkeit bildet das Vehikel und ein Nährreservoir für die Spermatozoen. Sie wird vorwiegend von den Samenblasen und der Prostata sezerniert, ein kleiner Anteil stammt von den COWPERschen und den LITTREschen Drüsen. Kurz nach der Ejakulation gerinnt sie zu einer gallertigen Masse und wird bei Luftzutritt in 10—30 Min. wieder verflüssigt. Die Spermaflüssigkeit ist alkalisch, wodurch die Eigenbeweglichkeit der Spermatozoen gefördert wird.

Vom hinteren Scheidengewölbe müssen die Spermatozoen ihren Weg in die Tuben finden, um sich dort mit der Eizelle zu vereinigen. Der Weg wird von den Spermatozoen vorwiegend aus eigener Kraft zurückgelegt. Sie sind befähigt, pro Minute etwa eine Entfernung von 0,5—1,5 cm zu durchmessen. Den Wegweiser bilden chemotaktisch wirksame Sekrete des weiblichen Genitaltraktes.

Das Scheidenmilieu hat ein pH von 4,0 und wirkt auf die Spermatozoen motilitätshemmend, dagegen weist das alkalische Zervixsekret eine große chemotaktische Anziehungskraft auf. In der Geschlechtsreife tritt eine physiologische Ektropionierung des Zervixdrüsenfeldes auf die Portiooberfläche auf. Dadurch wird die chemotaktisch wirksame Oberfläche, die sich den Spermatozoen anbietet, wesentlich vergrößert. Die Ektropionierung des Zervixdrüsenfeldes spielt eine wesentliche Rolle bei der Fertilität. Wir konnten statistisch beweisen, daß Frauen mit einer von Plattenepithel bedeckten Portiooberfläche signifikant weniger Kinder hatten, als solche mit ektropioniertem Zervixdrüsenfeld. Es ist daher richtiger, das Zervixdrüsenfeld als Receptaculum seminis anzusehen. Bisher wurde das hintere Scheidengewölbe als solches bezeichnet (Abb. 38).

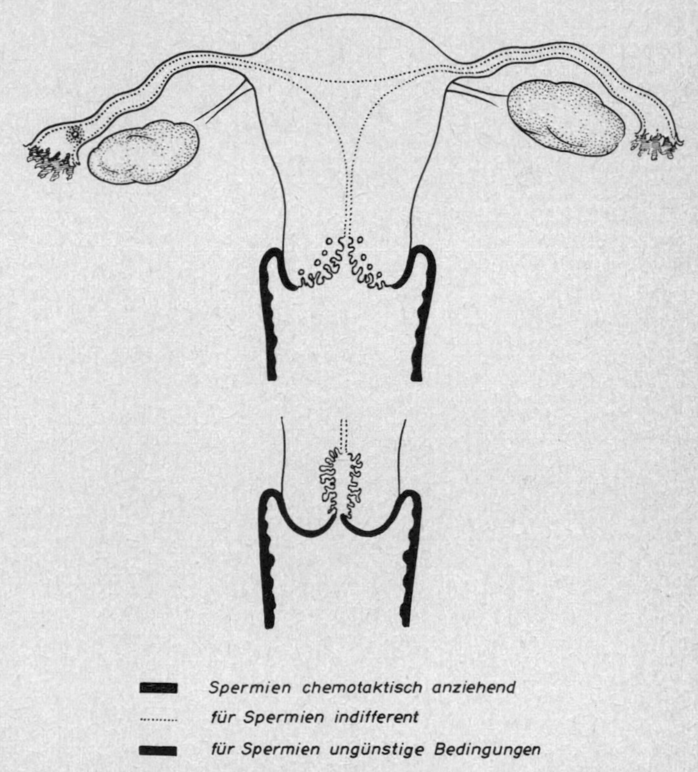

Abb. 38 Rolle der ektropionierten Zervixdrüsen bei der Wanderung der Spermatozoen im weiblichen Genitalkanal. Das ektropionierte Zervixdrüsenfeld bietet den Samenfäden eine große chemotaktisch anziehende Oberfläche, die bei der vollkommen mit Plattenepithel überzogenen Portio fehlt

Nach experimentellen Untersuchungen erscheint das Sekret des Endometriums und der Tube chemotaktisch indifferent gegenüber den Spermien, dagegen wirken Ovarialextrakte stark chemotaktisch anziehend. Man nimmt daher an, daß die Eizelle, umgeben von einem Kranz Granulosazellen, postovulatorisch in der Tube, die Spermien chemotaktisch anlockt.

Mit einer Ejakulation entleeren sich durchschnittlich 2,5 bis 3,5 ml Sperma. Man rechnet mit einer Spermienkonzentration von 60—120 Millionen pro ml, das sind bei 3 ml 180—360 Millionen Spermatozoen. Von dieser enormen Zahl gelangt nur **ein** Samenfaden zur Befruchtung. Die lange Wegstrecke führt wahrscheinlich zu einer Selektion, da nur kräftige Spermatozoen den Weg ganz zurücklegen. Die Lebens- und Befruchtungsfähigkeit der Spermatozoen im weiblichen Genitaltrakt wird mit 24—48 Stunden angegeben, so daß eine Kohabitation zwei Tage vor dem Eisprung eine Konzeption herbeiführen kann. Die menschliche Eizelle hat eine kürzere Lebensdauer. Man rechnet mit 12—24 Stunden nach der Ovulation.

Einmal im Monat ist die Frau für etwa 1 Tag empfängnisfähig. Der Geschlechtstrieb führt Mann und Frau öfter zusammen. Kinsey ermittelte bei Ehepaaren folgende Angaben (Tab. 8):

Tabelle 8

Alter	Zahl der Kohabitationen pro Woche	
	Angabe der Ehefrau	Angabe des Ehemannes
mit 20 Jahren	2,8	2,6
mit 40 Jahren	1,5	1,6
mit 60 Jahren	0,6	0,6

Die Kohabitationen führen bei einem gesunden jüngeren Ehepaar in 90 % der Fälle in den ersten beiden Ehejahren, ohne Konzeptionsverhütung, zur Gravidität. Ist trotz des Kinderwunsches keine Schwangerschaft eingetreten, so liegt eine primäre Sterilität vor.

Konzeption, Wanderung des befruchteten Eies und Nidation

Nach der Ovulation gelangt das Ei in den ampullären Teil der Tube. Wahrscheinlich findet dort in den meisten Fällen die Befruchtung statt. — Viele Spermien wandern über das Ostium abdominale der Tube hinaus in die freie Bauchhöhle, wo sie nach kurzer Zeit absterben und resorbiert werden. Eine Befruchtung ist aber auch in der freien Bauchhöhle möglich, wie intraabdominale oder Ovarial-Graviditäten beweisen.

Häufig treffen mehrere Spermatozoen gleichzeitig auf die Eizelle. Aber nur **ein** Samenfaden ist für die Befruchtung bestimmt. Die 3 bis 4000 locker um die Eizelle angeordneten Granulosazellen sind kein Hindernis. Der Kopf der Spermatozoe durchdringt senkrecht die Zona pellucida und nimmt Kontakt mit der Eioberfläche auf. Man nimmt an, daß von diesem Moment an bestimmte Substanzen in den Spaltraum zwischen Zona pellucida und Eizelle freigesetzt werden, die die Zona pellucida härten und damit ein weiteres Eindringen von Spermatozoen verhindern. – Der an der Oberfläche der Eizelle (Oolemm) liegende Spermienkopf wird nun vom Zytoplasma der Eizelle umflossen. Dieser Vorgang ähnelt einer Pinozytose. Erst jetzt vollzieht sich im Kern der Eizelle die zweite Reifeteilung mit Ausstoßung eines Polkörperchens. Inzwischen lockert sich der kondensierte Spermienkopf zum sog. Vorkern auf. Aus dem Mittelstück entstehen die beiden Zentriolen der ersten Teilungsspindel, während das Schwanzstück für die Befruchtung keine Rolle spielt. Mit der Verschmelzung der beiden haploiden Chromosomensätze aus der mütterlichen Eizelle und dem väterlichen Spermienkopf ist die Befruchtung abgeschlossen. **Ein neues Lebewesen mit einem diploiden Chromosomensatz entsteht.** Mit jeder neuen Zellteilung werden väterliche und mütterliche Chromosomen geordnet an jede Tochterzelle weitergegeben. Unmittelbar nach der Befruchtung macht das Ei in rascher Folge Zellteilungen durch. Dabei wachsen die Tochterzellen nicht zur gleichen Größe wie die Eizelle heran. Die Kern-Plasma-Relation verschiebt sich zugunsten des Kernes. Die Eizelle wird, in eine sich zunehmend vergrößernde Zahl, von sog. Furchungszellen (Blastomeren) zerlegt, ohne daß nähere Differenzierungen zu erkennen sind (Furchungsstadium). Wird während der Furchungsteilungen der Keim vollkommen voneinander getrennt, entstehen zwei gleichartige Individuen (eineiige Zwillingsschwangerschaft).

Im Rahmen dieses Buches kann nicht auf die faszinierenden Probleme und Vorgänge der Embryologie eingegangen werden. Für die klinische Beurteilung bestimmter Probleme ist wichtig festzuhalten, daß das Ei sich in den ersten drei bis vier Tagen nach der Befruchtung stetig fortentwickelt, **ohne** Kontakt mit dem mütterlichen Blutstrom aufzunehmen. Während dieser Zeit wird der sich vergrößernde Keim passiv durch die Tuben (Flimmerstrom der Tubenepithelien, Tubenmotorik) in den Uterus bewegt. Der implantationsreife Keim besteht aus einer hohlen Zellkugel (Blastozyste), welche von einer einfachen Zellage umgeben ist. Sobald der Keim mit dem Endometrium in Berührung kommt, differenziert sich die äußere Zellschicht zum **Trophoblasten.** An einem Pol der Zellkugel befindet sich im Inneren, im engen Kontakt mit dem Trophoblasten, der Embryoblast. Der Durchmesser des Keimes beträgt zu dieser Zeit etwa 0,5 Millimeter. Etwa 6 Tage nach der Befruchtung nimmt das Ei Kontakt mit dem Endometrium auf. Etwa 10 Tage nach der Befruchtung oder am 24. Tag eines 28tägigen

Zyklus ist der Keim vollkommen von Endometrium umflossen. Offenbar vollzieht sich die **Nidation** oder **Implantation** des Keimes in das Endometrium unter Einfluß proteolytischer Fermente, die von der Trophoblastzellschicht abgegeben werden.

Nach der Nidation differenziert sich die Trophoblasthülle des Eies in den Zytotrophoblasten und Synzytiotrophoblasten. Der Synzytiotrophoblast nimmt rasch an Masse zu und dringt mit synzytialen Zellsträngen in das Endometrium unter Eröffnung von mütterlichen Bluträumen ein. Etwa 11—13 Tage nach der Konzeption sproßt der Zytotrophoblast in den Synzytiotrophoblasten vor, wodurch die Primordialzotten entstehen. Die Primordialzotten werden von mütterlichem Blut umspült, wobei es zu einer aktiven Durchblutungssteigerung kommt. Dies kann zu einer kurzdauernden Blutung aus dem Cavum uteri führen, die dann von der betreffenden Frau als „zu schwache Periodenblutung" empfunden wird. 14 Tage nach der Befruchtung dringt das extraembryonale Mesoderm in die Primordialzotten ein. Aus den soliden Zellsträngen der Primordialzotten wird das charakteristische Bild der Zotten einer Frühgravidität. Der menschliche Keim ist allseits davon umgeben (Zottenei). Im Zottenstroma bilden sich Kapillaren, die Anschluß an den sich entwickelnden embryonalen Kreislauf finden. — Während der Weiterentwicklung verkümmern die, dem Cavum uteri zugewandten, Zotten (Chorion laeve) bis zum 3. Schwangerschaftsmonat vollkommen. Die mit der Uteruswand verhafteten Zotten entwickeln sich zur Plazenta.

Frühschwangerschaft und ihre Zeichen

Hypophyse

Während der Gravidität vergrößert sich der Hypophysenvorderlappen um das Doppelte. Es kommt zu einer Vermehrung der sog. chromophoben Zellen. — Die Rolle der Hypophyse in der Schwangerschaft ist beim Menschen noch weitgehend ungeklärt. Während der Gravidität enthält die Hypophyse **keine** Gonadotropine, welches mit der Blokkierung durch die zunehmend im Blut kreisenden Sexualsteroide erklärt werden kann.

Ovar

Von dem befruchteten Keim geht eine noch ungeklärte Wirkung auf das Ovar aus. Etwa zum Zeitpunkt der Nidation ist im Corpus luteum eine vermehrte Vaskularisation gegenüber einem Gelbkörper in der zweiten Zyklushälfte zu beobachten. Es kommt zu einer Vergrößerung der Theka- und Granulosazellschicht, häufig auch der zentralen Höhle des Corpus luteum. — Zumindest in den ersten Tagen bis zu

3 Wochen hat das Corpus luteum eine Bedeutung für die Fortentwicklung des Endometriums zur Graviditätsschleimhaut mit dezidualer Umwandlung. Mit Ausbildung des Synzytiotrophoblasten und Zytotrophoblasten wird die Hormonproduktion in steigendem Maße von diesen übernommen. Bereits am Ende des ersten Graviditätsmonats führt die Entfernung des Corpus luteum beim Menschen nicht mehr zu einer Störung des wachsenden Keimes. Dieses unfreiwillige Experiment wurde wiederholt durchgeführt, da ein Corpus luteum in der Gravidität zystisch faustgroß werden kann. In diesen Fällen laparotomierte man unter dem Verdacht eines Ovarialtumors. Am Ende des zweiten Graviditätsmonats sind deutliche Regressionszeichen im Corpus luteum nachweisbar. Im Corpus luteum graviditate kommt es nach biochemischen Untersuchungen von ZANDER nicht zu einer Steigerung, aber zu einer Fortdauer der Gestagensynthese.

Plazenta

Unter den zahlreichen Funktionen, die der Plazenta zugeschrieben werden, treten zwei besonders hervor. — Die Plazenta vermittelt den Stoff- und Energieaustausch zwischen Mutter und Fetus. Sie bildet als autonome, endokrine Drüse mit zeitlicher Begrenzung vom Beginn bis zum Ende der Schwangerschaft Sexualhormone, die für die Erhaltung der Schwangerschaft und für die Vorbereitung des mütterlichen Organismus auf die Geburt von entscheidender Bedeutung sind. Folgende Hormone werden in der Plazenta in großen Mengen gebildet: Choriongonadotropin (HCG) sowie Östrogene (überwiegend Östriol) und Progesteron. Wahrscheinlich werden alle Hormone im Synzytiotrophoblasten synthetisiert. Abb. 39 zeigt die Ausscheidung der Plazentahormone bzw. ihrer Harnmetaboliten während der Gravidität.

Choriongonadotropin

Die Bedeutung des Choriongonadotropins ist nicht sicher bekannt. Man konnte nachweisen, daß HCG das Corpus luteum am Zusammenbruch hindert. Damit findet sich aber keine einleuchtende Erklärung, warum eine so starke HCG-Produktion im 2. und 3. Graviditätsmonat stattfindet (Abb. 39), wenn das Corpus luteum keine schwangerschaftserhaltende Funktion mehr ausübt. Etwa 3—5 % des in der Plazenta gebildeten HCG wird über die Niere, 10—20 % über die Leber ausgeschieden. Über den Stoffwechsel und Abbau des HCG ist nichts bekannt.

Der rasche Anstieg der HCG-Ausscheidung in der 3.—4. Graviditätswoche gehört zu den objektiven Schwangerschaftszeichen. Das Choriongonadotropin läßt sich im Harn im Tierversuch (an der Maus und Kröte), in den letzten Jahren auch in vitro, mit Hilfe immunologischer Reaktionen nachweisen (Schwangerschaftsteste s. S. 244).

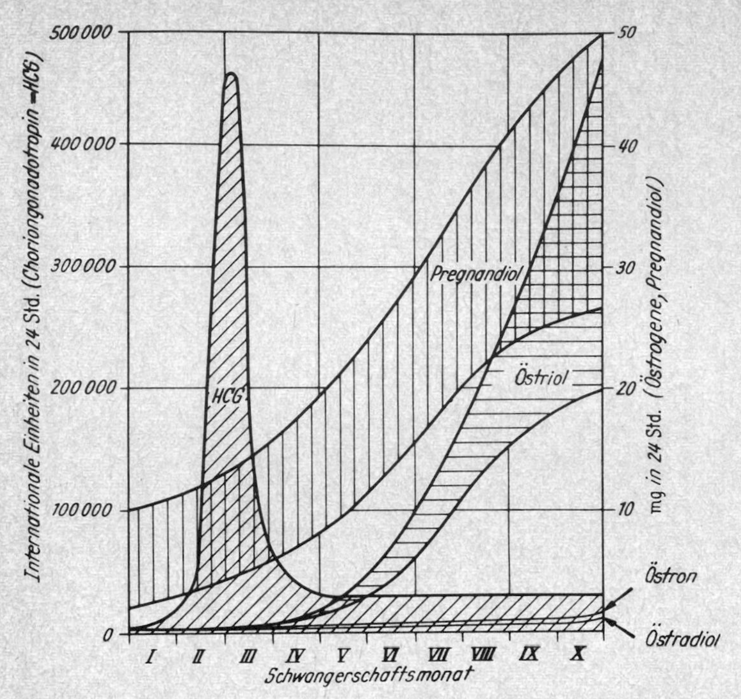

Abb. 39 Ausscheidung der Hormonmetaboliten in der Gravidität (aus Zander, J., Die Schwangerschaft, in: Klinik der Inneren Sekretion, hsg. von A. Labhart, Springer, 1957)

Neuere immunologische Untersuchungen haben ergeben, daß die Plazenta in großen Mengen ein weiteres Hormon bildet. Es handelt sich um das **plazentare Laktogen** (**h**uman **p**lacental **l**actogen = HPL), welches durch Potenzierung des Wachstumshormons Einfluß auf die Embryonalentwicklung hat.

Östrogene und Progesteron

Die Wirkung der beiden, von der Plazenta in großen Mengen gebildeten, Sexualsteroide läßt sich nicht voneinander trennen. Die Überflutung des Gesamtorganismus mit Hormonen ist für die Schwangerschaftsveränderungen des weiblichen Organismus verantwortlich. Welche Auswirkungen sind im Organismus vorhanden?

Uterus. Wie bereits erwähnt, kommt es unter der anhaltenden Östrogen-Progesteron-Wirkung zur Ausbildung einer Graviditätsschleimhaut. Die sekretorisch umgewandelten Drüsen sezernieren verstärkt. Sie liegen dicht nebeneinander (Zona spongiosa). Die Schleimhaut wird besonders gut vaskularisiert. An der Oberfläche wirkt die Schleimhaut kompakter, dort entwickelt sich das Stroma zur Dezidua (Zona compacta). Die Stromazellen wandeln sich in zytoplasmareiche polygonale Deziduazellen um (Abb. 40). Der menstruelle Zerfall der Schleimhaut bleibt aus. Die Patientin wird amenorrhoisch. Die Umwandlung der Schleimhaut dient der Nidation des befruchteten Eies. Während der Nidation sinkt das menschliche Ei tief in die Zona compacta ein. Unmittelbar um den Keim ist die Dezidualisierung der Schleimhaut am ausgeprägtesten. Nach Ablauf des 3. Graviditätsmonats bildet sich die Zona spongiosa der Dezidua weitgehend zurück. Für dieses Phänomen fehlt eine befriedigende Erklärung.

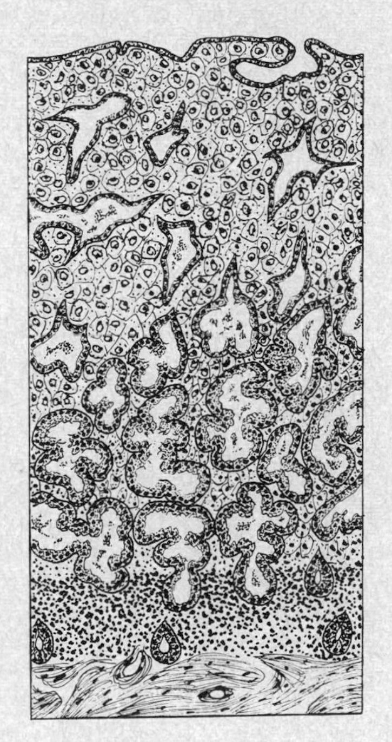

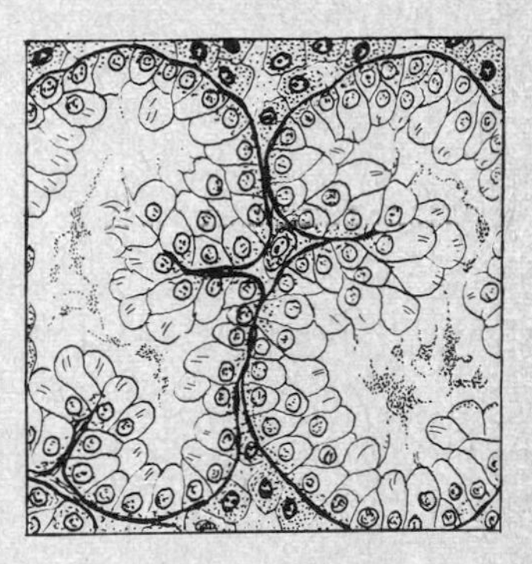

Abb. 40 Graviditätsschleimhaut. Das Drüsenepithel zeigt eine Hypersekretion. Das Stroma des Endometriums ist dezidual umgewandelt.

Das Wachstum der Uterusmuskulatur wird angeregt. Es kommt zu einer echten Vermehrung der Muskelfasern durch mitotische Teilung, aber auch zu einer Hypertrophie. Die Zellzwischenräume lockern sich auf. Am Ende der Gravidität sind die Muskelfasern 10mal so lang als im nichtschwangeren Zustand. Die Gefäße wachsen im gleichen Ausmaß wie die Muskulatur. Die Auflockerung des Uterus ist palpatorisch als erstes subjektives Zeichen klinisch zu beobachten. Der Uterus wird weich und eindrückbar, besonders im isthmischen Anteil (HEGARsches Zeichen). Der Konsistenzwechsel ist charakteristisch. Eine Vergrößerung des Uterus ist nur bei schlanken Patientinnen nach Ablauf des ersten Graviditätsmonats zu tasten.

Der Einfluß der Sexualsteroide auf die Motilität der Uterusmuskulatur ist umstritten. Es ist nicht sicher, ob Progesteron die Uterusmuskulatur in der Gravidität ruhigstellt.

Die Zervix wird weich und ödematös. Das Zervixdrüsenfeld hypertrophiert und sezerniert vermehrt. Der Schleim läßt sich nicht lang ausziehen, das Farnkrautphänomen ist nicht auslösbar. Auf Grund der Hyperämie wirkt die Schleimhaut der Portiooberfläche livide verfärbt.

Vagina. Die Scheide wird aufgelockert. Die Schleimhaut wirkt feucht und ist livide verfärbt. Dies betrifft auch die Schleimhaut des Introitus. Im Abstrichbild findet sich eine Massenabschilferung von Intermediärzellen, die einem überwiegenden Progesteroneinfluß entspricht. Die starke Abschilferung führt im Zusammenhang mit der vermehrten Zervixsekretion zu einem weißlichen Fluor, der nicht behandlungsbedürftig ist.

Brustdrüsen. Die Östrogene bewirken eine Proliferation der Drüsengänge, das Progesteron eine Vermehrung der Drüsenalveolen. Die Brustspannung nach Ausbleiben der Periode ist ein recht guter Hinweis für eine eingetretene Gravidität. Das Spannungsgefühl bleibt nur in den ersten Graviditätswochen erhalten. Die Brustvergrößerung ist individuell verschieden ausgeprägt.

Andere Organ- und Gewebsveränderungen. Der Gesamtorganismus wird besser durchblutet (blühendes Aussehen der gesunden Schwangeren). Besonders gut durchblutet und aufgelockert werden die Organe des kleinen Beckens, die sich auf die wachsende Frucht einstellen und für die mechanische Beanspruchung unter der Geburt vorbereitet werden. Gleichzeitig ist der Kreislauf oft labil, Schwindel- und Ohnmachtsanfälle können auftreten. Die Symphyse lockert sich während der Gravidität. Die glatte Muskulatur erschlafft in ihrem Tonus. Die Ureteren werden weitgestellt. Die Blase muß oft entleert werden. Die Darmmotilität wird vermindert, so daß Schwangere oft unter einer hartnäckigen Verstopfung leiden. Während der Gravidität besteht eine Neigung zur Natrium- und Wasserretention. Die ansteigende Östrogensynthese wird im ersten Drittel der Gravidität von vielen Schwangeren mit morgendlicher Übelkeit und Erbrechen beantwortet. Heißhunger auf bestimmte Speisen (meist pikant Saures) stellt sich ein.

Aufwachtemperatur. Ein objektives Zeichen für den Eintritt einer Schwangerschaft ist die persistierende Hyperthermie beim Ausbleiben der erwarteten Regelblutung (Abb. 41). 15–16 Tage nach der Ovulation ist eine Befruchtung anzunehmen, wenn die Temperatur erhöht bleibt. – Das Temperaturzentrum spricht auf die steigenden Progesteronmengen drei bis vier Monate lang an. Dann sinkt die Temperatur langsam unter 37 ° C ab und bleibt so bis zum Ende der Gravidität.

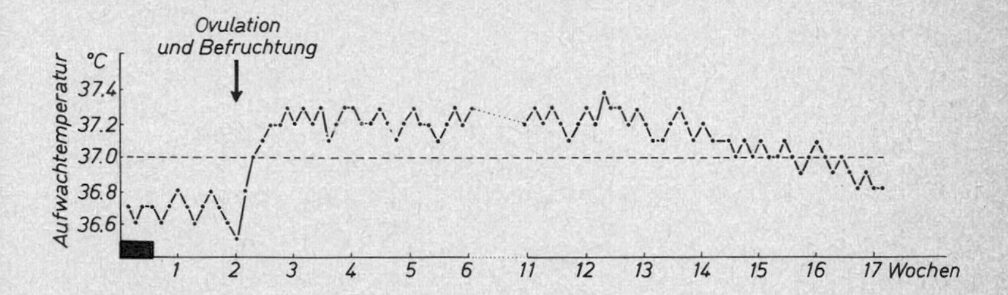

Abb. 41 Temperaturverlauf während einer normalen Gravidität. Nach Beendigung des dritten Graviditätsmonats ist mit einem Absinken der Temperatur unter 37 ° C zu rechnen. Der Temperaturabfall ist individuell verschieden

Nebenniere. Während der Gravidität kommt es zu einer, den erhöhten Erfordernissen angepaßten Aktivitätssteigerung der Nebennierenrinde. Die Nebennieren nehmen um etwa 50 % ihres Gewichtes zu. Die Ausscheidung der Kortikosteroide im Harn steigt an. Wahrscheinlich ist das Auftreten der **Striae gravidarum** und des **Chloasma uterinum** mit der veränderten Nebennierenrindenfunktion in Zusammenhang zu bringen.

Diagnostik der Frühgravidität

Eine der häufigsten Entscheidungen in einer gynäkologischen Sprechstunde betrifft die Bestätigung oder den Ausschluß einer jungen Gravidität. Es soll hier nicht die Rede sein von Schwangerschaftsbefunden jenseits des 2. Monats, bei denen die Uterusvergrößerung festgestellt werden kann, sondern von jungen Graviditäten, etwa 6–8 Wochen nach der letzten Periodenblutung (also von 4–6 Wochen Dauer). Tab. 9 gibt einen Überblick der subjektiven und objektiven Befunde, die für eine Frühgravidität sprechen.

Nicht selten kommen die Patientinnen 2 Tage nach dem Ausbleiben ihrer erwarteten Periodenblutung mit der Frage, ob sie schwanger seien. Die Beantwortung ist zu diesem frühen Zeitpunkt nicht möglich, da die HCG-Produktion des Trophoblasten noch nicht das Ausmaß erreicht hat, um den unteren Schwellenwert der Graviditätsteste

Tabelle 9

Diagnostik der Frühgravidität (6—8 Wochen nach der letzten Regelblutung)

Subjektive, von der Patientin angegebene Symptome:

Ausgebliebene oder zu schwache Periodenblutung, morgendliche Übelkeit, Brechreiz, Schwindel, häufiges Wasserlassen, Verstopfung, Brustspannung

Subjektive, bei der Untersuchung erhobene Befunde:

Lividität des Introitus und der Vaginalschleimhaut, aufgelockerter, fraglich vergrößerter Uterus (HEGARsches Zeichen), evtl. Konsistenzwechsel

Objektive, für eine Gravidität sprechende Befunde:

Fortdauer der Hyperthermie (auch bei eventuell einsetzender Blutung)
Positive Schwangerschaftsteste.

---

zu erreichen. Ein negativer Schwangerschaftstest schließt daher eine eingetretene Gravidität nicht aus. Der Inspektions- und Palpationsbefund ist zu diesem Zeitpunkt unergiebig. Man erklärt der Patientin, daß die Diagnose noch nicht gestellt werden kann. Sie wird aufgefordert, die **Aufwachtemperaturkurve** zu führen und sich eine Woche später erneut vorzustellen. Ist eine Gravidität eingetreten, besteht eine Hyperthermie. Meist sind dann die immunbiologischen Graviditätsteste bereits positiv. — Sind die Teste trotz der Hyperthermie negativ, so kann es sich um einen verspäteten Eisprung handeln. Die Patientin befindet sich in der hyperthermen Corpus-luteum-Phase. In dem Fall müßte aber nach 13—14 Hyperthermietagen die Periodenblutung eintreten.

Von praktizierenden Gynäkologen wird gern der **hormonale Schwangerschaftstest** angewandt. Frauen mit kurzdauernder Amenorrhoe erhalten ein Östrogen-Gestagen-Gemisch (z. B. 2 Tabletten Duogynon an aufeinanderfolgenden Tagen). Ist die Patientin nicht schwanger, folgt 3—10 Tage später eine Abbruchblutung, je nachdem in welcher Phase des menstruellen Corpus luteum das Präparat gegeben wird. Die Dosierung bewirkt auch bei einem anovulatorischen Zyklus eine unvollkommene sekretorische Umwandlung mit Abbruchblutung. Ist die Patientin gravide, bleibt die Abbruchblutung aus. Wenn in den Präparaten keine virilisierenden Gestagene vorhanden sind, ist gegen diesen Test nichts einzuwenden. Die Aufwachtemperaturkurve liefert jedoch eindeutigere Hinweise. Beim Ausbleiben der Abbruchblutung müssen außerdem Schwangerschaftsteste zur Sicherung angeschlossen werden.

Zusammenfassung: Die Ovulation ist für die Fortpflanzungsfähigkeit der Frau maßgebend. Die Festlegung des Ovulationstermins ist im voraus nicht exakt möglich. Aus bestimmten Untersuchungsbefunden kann aber ermittelt werden, daß die Ovulation stattgefunden hat.

Der Geschlechtstrieb führt Mann und Frau zusammen. Die Libido der Frau ist nicht an das geschlechtsreife Alter gebunden. Während der Kohabitation kann es bei der Frau zu organisch oder psychisch bedingten Beschwerden kommen. Die Frigidität der Frau hat eine große Bedeutung innerhalb einer sexuellen Gemeinschaft. Ein fehlender Orgasmus setzt die Empfängnisfähigkeit nicht herab.

Die Spermatozoen legen den Weg in die Tuben aus eigener Kraft zurück. Sie werden durch chemotaktische Eigenschaften des Zervixsekretes und von Ovarialsubstanzen gelenkt. Die Ektropionierung des Zervixdrüsenfeldes hat eine physiologische Bedeutung für die Fertilität der Frau. Die Befruchtung erfolgt in der Ampulle der Tube. Das befruchtete Ei wandert in 4–6 Tagen ohne Kontakt mit dem mütterlichen Organismus in den Uterus und nistet sich im gravide umgewandelten Endometrium ein. Das Corpus luteum persistiert bei eingetretener Befruchtung. Die Hormonproduktion von Östrogenen und Progesteron wird bald vom Trophoblasten übernommen. Die Plazenta vermittelt den Stoff- und Energieaustausch zwischen Mutter und Fetus. Sie bildet als endokrine Drüse neben Sexualsteroiden das Choriongonadotropin. Die körperlichen Veränderungen der frühen Gravidität beruhen auf der zunehmenden Überflutung des Organismus mit Östrogenen und Progesteron.

Sterilität und Infertilität

Die ungewollte Kinderlosigkeit ist für ein Ehepaar eine große Belastung. Diejenige Frau, welche sich ein Kind wünscht, gehört zu den geduldigsten Patientinnen, die sorgsam alle Anweisungen ihres behandelnden Arztes befolgt. Wird der Wunsch nach einem Kind erfüllt, so ist ihre Dankbarkeit rührend.

Eine Ehe ist nicht fertil, wenn bei zwei bis drei Kohabitationen pro Woche nach einer gewissen Zeit (1—2 Jahre) keine Konzeption eintritt.

Die **Sterilität** kann von Beginn der Ehe an bestehen (primäre Sterilität) oder nach Geburten oder Fehlgeburten erworben sein (sekundäre Sterilität). Die Sterilität wird in 45—50 % durch die Frau, in 35—40 % durch den Mann verursacht. In 10—20 % der Fälle bleibt die Ursache ungeklärt.

Bei der **Infertilität** ist die Konzeptionsfähigkeit erhalten, die Schwangerschaft wird aber nicht bis zu einem lebensfähigen Kind ausgetragen. Die faßbaren Ursachen der Infertilität liegen überwiegend bei der Frau. Häufig bestehen Nidationsschwierigkeiten oder eine Insuffizienz des Fruchthalters, sich entsprechend dem Wachstum der Frucht zu vergrößern. Bleibt die regelrechte Fruchtentwicklung aus, weil schwere chromosomale Störungen zum frühzeitigen Fruchttod führen, so kann die Infertilität in gleichem Maße vom Mann verursacht sein.

Im vorliegenden Kapitel wird von der Sterilität der Frau die Rede sein. Die Infertilität wird nur bezüglich der Nidationsstörungen behandelt. Die Patientinnen erscheinen steril, da das befruchtete Ei zum Zeitpunkt der erwarteten Periode ausgestoßen und die Konzeption nicht bemerkt wird. – Die vielfachen Ursachen des spontanen Abortes sind in geburtshilflichen Lehrbüchern nachzulesen.

Etwa 10–15 % aller Ehen bleiben trotz Kinderwunsches ohne Nachkommen. Weitere 10 % wünschen keine Kinder und suchen daher keinen ärztlichen Rat.

Für den Zeitpunkt der Beratung sollten keine starren Regeln gelten. Je früher die Fertilitätschancen beider Ehepartner untersucht werden, um so besser sind die Erfolge. Auf keinen Fall sollten zwei Jahre vergehen, bis eingehende Untersuchungen und Behandlungen erfolgen. Die Sterilitätspatientinnen sind durchschnittlich 30 Jahre alt, ein Grund mehr, keine Zeit zu verlieren. Eine junge Frau, Anfang 20, glaubt im allgemeinen fest daran, daß sich Nachwuchs einstellen wird. Häufig wird der Wunsch nach einer Untersuchung von den Patientinnen erst geäußert, wenn sie sich dem 4. Lebensjahrzehnt nähern.

Sterilitätsursachen

In den vorangehenden Kapiteln wurden zahlreiche Krankheitsbilder besprochen, die mit einer Sterilität verbunden sind. Sie werden hier nur kurz erwähnt. Für die Besprechung der Sterilitätsursachen wurde eine Einteilung gewählt, die die Fertilitätschancen berücksichtigt und nicht organbezogen ist.

Konzeption nicht möglich, Behandlung ohne Aussicht auf Erfolg

Phänotypisch weibliche Individuen, bei denen in der Fetalzeit eine chromosomale Entwicklungsstörung oder eine schwere Form der Hemmungsmißbildung des weiblichen Genitale entstand, sind im allgemeinen nicht fortpflanzungsfähig. – Häufig wird die Störung bereits erkannt, wenn die Menarche ausbleibt. Aber auch unter den Sterilitätspatientinnen finden sich solche, die erst im Zusammenhang mit der gewünschten Nachkommenschaft den Arzt aufsuchen. Die wichtigsten Krankheitsbilder sind:

Chromosomale Entwicklungsstörungen

XO-Gonadendysgenesie (s. S. 15). In den Gonaden finden sich keine Primordialfollikel.

Deletion- und Isochromosombildung. Die Kenntnis über diese Art der chromosomalen Störung ist noch jung. Bisher wurde kein Fall bekannt, bei dem eine Ovulationsauslösung mit nachfolgender Gravidität beobachtet wurde.

Testikuläre Feminisierung (s. S. 35). An Stelle der Ovarien finden sich Hoden.

Hemmungsmißbildungen

XX-Gonadendysgenesie (s. S. 22). In den Gonaden finden sich keine Primordialfollikel.

Uterusaplasie (s. S. 25). Der fehlende Fruchthalter kann nicht durch plastische Operationen ersetzt werden.

Atresien oder Aplasien des unteren Genitaltraktes bei vorhandenen Ovarien und normalem Uterus werden diagnostiziert und meist erfolgreich behandelt, wenn die erwartete Menarche nicht eintritt.

Hypergonadotrope Ovarialhypoplasie (s. S. 23)

Bei der Ovarialhypoplasie mit einer stark reduzierten Anzahl von Primordialfollikeln gelingt die Ovulationsauslösung **nicht**, wenn es sich um eine Form handelt, bei der die Hypophyse vermehrt Gonadotropine bildet.

Nach Klärung der Diagnose muß die Patientin in schonender Form darauf aufmerksam gemacht werden, daß sie keine Kinder bekommen wird und Behandlungsversuche nicht sinnvoll sind. Man sollte sie aber nicht mit der Aufklärung über chromosomale Defekte belasten. Meist genügt die Erklärung, daß z. B. die „Eierstöcke" kindlich klein geblieben seien. — Bei der Beratung dieser Patientinnen ist auch zu beachten, daß die ärztliche Schweigepflicht gegenüber dem Ehemann gewahrt wird. Welcher Mann würde z. B. die Kenntnis ertragen, daß bei seiner Frau an Stelle von Ovarien Hoden vorliegen?

Konzeption nicht möglich, Behandlung aussichtsreich

Bei einer weiteren Gruppe von Patientinnen liegt eine dauernde oder zeitweise Unfruchtbarkeit vor, bei der eine Behandlung nicht ohne Aussicht auf Erfolg ist.

Störungen des Ovarialendokriniums

Wird die funktionelle Einheit Hypothalamus/Hypophyse — Ovar gestört, so bleibt in schweren Fällen die Ovulation aus. Damit ist die betreffende Frau in dieser Zeit nicht empfängnisfähig.

Kongenitales adrenogenitales Syndrom (s. S. 36). Durch die vermehrte Androgenbildung der Nebennierenrinde wird die Gonadotropinsynthese der Hypophyse gehemmt. Es kommt zur primären, seltener nach der Pubertät zur sekundären Amenorrhoe.

Die Substitution mit Cortison beseitigt die Balancestörung des Endokriniums. Die Patientinnen bekommen spontane Ovulationen. Zahlreiche Schwangerschaften bei behandeltem AGS sind beobachtet worden.

Sekundäre Amenorrhoe (s. S. 104). Patientinnen mit sekundärer Amenorrhoe sind, solange die Ovulationen ausbleiben, nicht fortpflanzungsfähig. Die verschiedenen Formen der sekundären Amenorrhoe müssen differentialdiagnostisch geklärt werden (Fehlfunktion des Hypothalamus, Fehlfunktion der Hypophyse, polyzystische Ovarien, hypogonadotrope Ovarialhypoplasie, andere Erkrankungen, z. B. chronische Unterernährung, Leberzirrhose, Nebennieren- und Schilddrüsenerkrankungen). Die Therapie ist auf die Heilung der Grundkrankheit und auf die Ovulationsauslösung gerichtet (Tab. 7).

Anovulatorische Oligomenorrhoe. Frauen mit Oligomenorrhoen, bei denen die Aufwachtemperatur einen monophasischen Kurvenverlauf zeigt, sind in dieser Zeit nicht fortpflanzungsfähig. Auch hier richtet sich das therapeutische Bemühen um die Ovulationsauslösung.

Erworbene Verschlüsse im Genitaltrakt

Bei einer relativ großen Gruppe von Sterilitätspatientinnen kommt es auf Grund früher durchgemachter, entzündlicher Erkrankungen des Genitaltraktes zu Obliterationen vorwiegend der Tuben, so daß Ei- und Samenzellen sich nicht vereinigen können.

Doppelseitiger unspezifischer, entzündlicher Tubenverschluß. Bei aufsteigenden Infektionen postmenstruell, post abortum (arteficialis) oder post partum kann es zu eitrigen Salpingitiden kommen (s. S. 308). Als schwerste Folge der durchgemachten Salpingitis entstehen doppelseitige Pyosalpingen mit ampullärem Tubenverschluß, aber auch bindegewebige Verwachsungen des Tubenlumens, die an jeder Stelle der Tube lokalisiert sein können.

Der einseitige Tubenverschluß führt nicht zur Sterilität, ebensowenig die operative Entfernung einer Tube. Die funktionsfähige Tube ist offenbar in der Lage, das Ei auch vom gegenüberliegenden Ovar aufzufangen.

Der doppelseitige Tubenverschluß bedingt eine Sterilität.

DIAGNOSE. Der Tubenverschluß wird mit Hilfe der Pertubation, Laparoskopie mit Blauprobe und Salpingographie (s. S. 273—280) festgestellt. Die Lokalisation des Verschlusses gelingt mit der Hysterosalpingographie.

THERAPIE. Ist bei der Patientin ein entzündungsfreier Zustand erreicht, so kann mit plastischen Operationen versucht werden, die Wegsamkeit der Tuben wiederherzustellen. Man unterscheidet drei Formen (Abb. 42): **Salpingolysis, Salpingotomie:** In leichteren Fällen hat sich das Fimbrienende nur eingekrempelt und kann vorsichtig durch stumpfe und scharfe Präparation befreit werden. — Besteht ein fester bindegewebiger Verschluß des ampullären Endes, wird dieser durch Kreuzschnitte scharf durchtrennt. Mit feinen Nähten wird die Tubenschleimhaut nach außen fixiert. **Tubenanastomose:** In seltenen Fällen kann eine partielle Verödung des Tubenlumens im mittleren Anteil durch die Exzision und End-zu-End-Anastomose der durchgängigen Anteile korrigiert werden. Obliterationen über längere Wegstrecken sind für eine operative Therapie nicht geeignet. **Tubenimplantation:** Ist das Fimbrienende intakt und der Verschluß uterusnahe oder in der Uteruswand lokalisiert, so kann eine Tubenimplantation versucht werden. Dabei wird der durchgängige Tubenanteil abgeschnitten, das obliterierte Stück exzidiert und die Tube in einen neu formierten Kanal in die Uteruswand implantiert. **Ovarialimplantation:** Sind beide Tuben zerstört oder entfernt, so bleibt als letzter Ausweg die Implantation des Ovars in den Fundus uteri. Beim Follikelsprung gerät das Ei sofort in das Uteruskavum. Dies ist für die Befruchtung und die Nidation ungünstig. Die Zeit des Tubentransporters fehlt, in der sich Ei und Endometrium für die Nidation vorbereiten. Eine Schwangerschaft wird durch die drohende Uterusruptur gefährdet. Erfolgreich ausgetragene Graviditäten sind nach dieser Operation äußerst selten.

Voraussetzung für die operative Therapie bei Tubenverschlüssen ist der Nachweis der Zeugungsfähigkeit des Ehemannes und regelmäßiger Ovulationen bei der Frau. — Beide Partner müssen nachdrücklich auf die geringen Erfolgsaussichten (15—20 %) hingewiesen werden, verbunden mit den Gefahren, die jede Laparotomie mit sich bringt. Frauen um das 40. Lebensjahr sollte man von derartigen Operationen abraten.

Doppelseitiger tuberkulöser Tubenverschluß. Die früher häufige Genitaltuberkulose führt in vielen Fällen zu einem beidseitigen Tubenverschluß. Auf Grund weitgehender Schleimhautzerstörung kommt es meist zu Obliterationen über eine lange Wegstrecke. Ausgeheilte Tubentuberkulosen sind für operative plastische Versuche wenig geeignet.

Doppelseitiger Tubenverschluß durch Endometriose, im Funduswinkel sitzende Myome. Endometrioseherde können in der Tubenschleimhaut lokalisiert sein (s. S. 436). Adenomyome und Myome verdrängen den intramuralen Tubenabschnitt. Die Therapie besteht in der Enukleation der Geschwulst und wenn nötig, der Reimplantation der Tube.

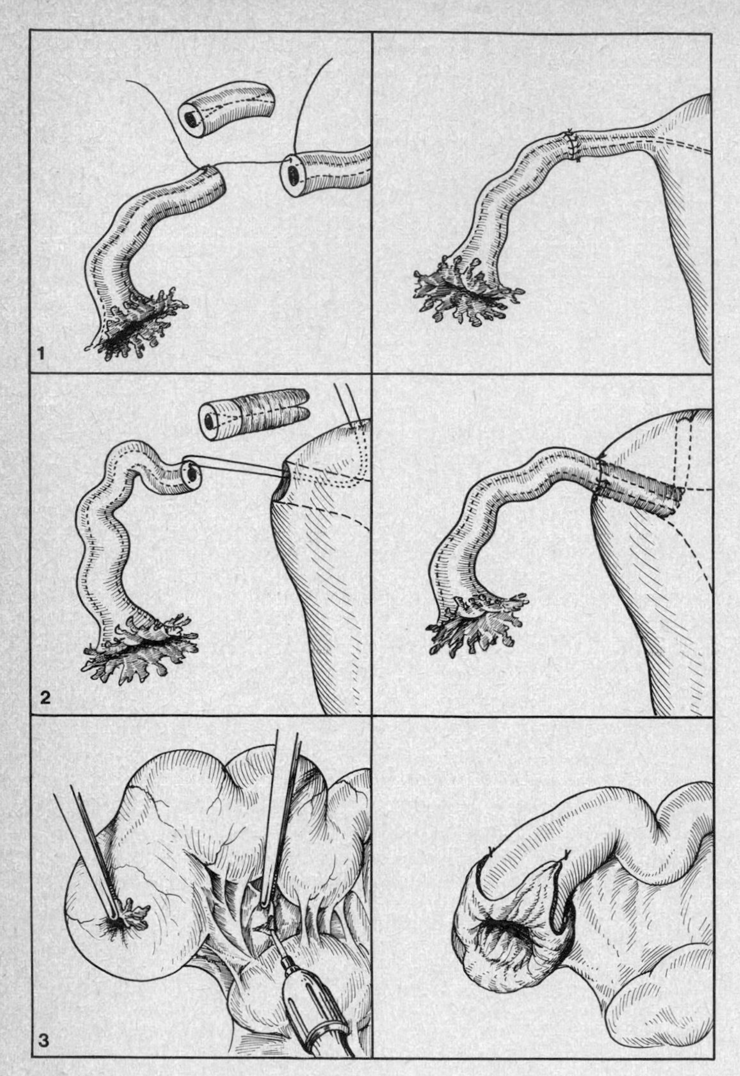

Abb. 42 Schematischer Überblick über Tubenplastiken. 1. Exzision des verschlossenen Tubenstückes und End-zu-End-Anastomose. 2. Ausschneidung des verschlossenen uterusnahen Tubenstückes und Reimplantation der Tube. 3. Verschluß der Ampulle. Links: Versuch der Salpingolyse zur stumpfen Wiedereröffnung des ampullären Endes. Elektrokaustische Durchtrennung von Verwachsungen zwischen Tube und Ovar, die die Tubenmotilität behindern. Rechts: Periphere Tubenplastik durch kreuzförmige Einschnitte am verschlossenen Tubenende und Ausstülpen der Tubenschleimhaut

Zustand nach Sterilisierung. Wurden beide Tuben in früheren Jahren zum Zwecke der Sterilisierung verschlossen und wünscht die Patientin eine Korrektur, so kann eine Rekanalisation versucht werden.

Obliteration des Cavum uteri. Die traumatische Entfernung der basalen Schichten des Endometriums führt zu einer Verödung des Cavum uteri und damit zur Sterilität. Die Behandlung (Östrogene, Endometriumtransplantation) wurde auf S. 103 geschildert. Die Fertilität nach ausgedehnter Endometriumtuberkulose ist nicht wieder zu erreichen.

Konzeption erschwert, Behandlung aussichtsreich

Bei der größten Gruppe der Sterilitätspatientinnen liegt keine absolute Sterilität vor, sondern Bedingungen, die die Konzeption erschweren.

Scheinbare Sterilität

Die Unkenntnis über den Zeugungsvorgang und das Konzeptionsoptimum kann bei unerfahrenen Eheleuten zu einer scheinbaren Sterilität führen.

Fehlende Immissio penis mit oder ohne Hymenalanomalien. In seltenen Fällen findet man bei einer Patientin ein intaktes Hymen oder eine Hymenalanomalie (Septum, Hymen cribriformis). Über die Art des Koitus befragt, gibt sie an, daß eine Immissio penis nie stattgefunden hat. Die Ursache kann in der Unerfahrenheit beider Partner oder in der zu großen Rücksichtnahme des Mannes liegen. Denkbar ist auch eine Impotentia coeundi des Mannes. — Obwohl Konzeptionen möglich sind, wenn sich das Ejakulat vor die Vulva ergießt, so sind die Bedingungen doch erschwert, weil die Motilität der Spermien in der Vagina gehemmt wird. — Die Therapie besteht in einer eingehenden Aufklärung, in einer Weitung oder Beseitigung der Hymenalanomalie oder in der Behandlung der männlichen Potenzstörung.

Vaginaler Reflux. Manche Frauen berichten, daß das Ejakulat nach der Kohabitation sofort wieder aus der Vagina herausfließt. Ob dieses Phänomen tatsächlich zu einer Verminderung der aufsteigenden Spermatozoen führt, ist schwer zu beweisen. Der vaginale Reflux wird bei der Retroflexio uteri vermehrt beschrieben, wobei die Portiooberfläche symphysenwärts gerichtet ist, aber das Ejakulat sich ins hintere Scheidengewölbe ergießt. Da sich die Scheidenwände jedoch aneinanderlegen, sobald der Penis zurückgezogen wird, müßte genügend Ejakulat die Portio bedecken. — Therapeutisch rät man den Patientinnen, während der Kohabitation das Gesäß auf ein Kissen zu lagern und in dieser Position nach dem Koitus mindestens 1–2

Stunden zu verharren. Findet sich keine andere Ursache der Sterilität, kann eine homologe künstliche Insemination mit Hilfe einer Portiokappe erwogen werden (s. S. 154).

Unkenntnis des Konzeptionsoptimums. Eine Frau ist im Monat nur für etwa einen Tag empfängnisfähig. Es ist möglich, daß Ehepaare innerhalb von ein bis zwei Jahren diese Zeit versäumen. Die Zahl der Kohabitationen kann zu selten sein. Der Beruf kann beide Partner zeitlich so in Anspruch nehmen, daß zufällig der Eisprung verpaßt wird. – Die Therapie besteht in der eingehenden Aufklärung über das Konzeptionsoptimum. Die Patientin wird aufgefordert, die Aufwachtemperatur zu messen, um ihr individuelles Konzeptionsoptimum möglichst genau zu erfassen (s. S. 240).

Psychische und physische Belastung, Erwartungsneurose. Es gibt Frauen, die trotz schwerster körperlicher und psychischer Belastung auch ungewollt konzipieren. Es ist aber nicht zu leugnen, daß berufstätige Frauen durch ihre Doppelbelastung oft überfordert werden. Bei Kinderwunsch muß der Rat gegeben werden, sich zu entlasten und zu entspannen. – In anderen Fällen führt der dringende Kinderwunsch auch ohne berufliche Belastung zu einem starken psychischen Zwang. Die Patientinnen steigern sich in eine Erwartungsneurose und sind bei jeder einsetzenden Monatsblutung deprimiert. Hier sollte die Psychotherapie im Vordergrund stehen.

Fortgeschrittenes Lebensalter. Welche Konsequenzen entstehen, wenn eine Frau um oder gar über dem 40. Lebensjahr wegen Kinderwunsches die Sprechstunde aufsucht? Vielfach handelt es sich um Frauen, die erst spät eine Ehe eingingen. Zunächst sollte im Gespräch erforscht werden, ob der Kinderwunsch wirklich ein ernstes Anliegen ist. Man muß der Patientin erklären, daß die Konzeptionschancen in diesem Lebensalter nicht mehr so günstig sind wie in jungen Jahren. Man sollte auch vorsichtig andeuten, daß die Mißbildungsrate der Kinder von Müttern über dem 40. Lebensjahr 10mal höher liegt als bei jüngeren Frauen (1 % gegenüber 0,1 %). Die Beratung dieser Frauen sollte sich auf das Konzeptionsoptimum beschränken. Forderungen nach plastischen Operationen zur Wiederherstellung der Fertilität sind in diesem Alter wegen der geringen Erfolge abzulehnen.

Lageanomalie des Uterus. Die mobile Retroflexio uteri, die man früher als Sterilitätsursache ansah, vermindert die Konzeptionschancen offenbar nicht. Es gibt viele Beispiele, daß Frauen mit einer Retroflexio uteri schnell und ohne Störungen gravide werden. Operative Korrekturen, bei denen der retroflektierte Uterus in eine Anteflexion gebracht wird, sind meist **nicht** indiziert (s. S. 444). Bei jeder Operation muß mit nachfolgenden Verwachsungen gerechnet werden, die die Motilität der Tuben einschränken und damit die Konzeptionschancen tatsächlich verschlechtern.

Eine andere Situation besteht bei der fixierten Retroflexio uteri. Dabei ist der Uterusfundus, nach entzündlichen Vorgängen oder bei retrozervikaler Endometriose, im kleinen Becken mit der Vorderwand des Rektums verhaftet. Meist finden sich auch Verwachsungen im Bereich der Tuben. In diesen Fällen ist eine Lösung der Adhäsionen zwischen Darm und Uterus sowie die Durchtrennung bindegewebiger Adhäsionen im Tubenbereich gerechtfertigt. Um eine erneute Verwachsung mit dem Darm zu vermeiden, wird der Uterus in eine anteflektierte Position gebracht (Abb. 167). — Ein Deszensus des Uterus schränkt die Konzeptionsfähigkeit nicht ein.

Ovulatorische Oligomenorrhoe

Eine Konzeptionserschwerung besteht bei einem verlängerten, unregelmäßigen Zyklus (asthenische Frauen). Trotz Kontrolle der Aufwachtemperatur ist der Zeitpunkt der Ovulation schwer vorauszusagen. Zumindest gelingt es mit Hilfe der Aufwachtemperatur, die Zeitspanne einzuengen, in der die Ovulation erwartet werden kann. Das Ehepaar wird angewiesen, in der Woche vor dem erwarteten Eisprung möglichst viele Kohabitationen zu haben.

Hypoplasie des inneren Genitale (Infantilismus)

Patientinnen erscheinen nicht selten in der Sprechstunde mit der vorgefaßten Meinung, sie könnten keine Kinder bekommen, da ihre Gebärmutter zu klein sei. Diese Auskunft habe der behandelnde Arzt gegeben. Mit dieser Mitteilung sollte man äußerst zurückhaltend sein, da die Fertilität junger Frauen trotz palpatorisch kleinem Uterus recht gut sein kann. Unter keinen Umständen sollte man ein zur Ehe entschlossenes Paar mit dieser, im Wahrheitsgehalt sehr fraglichen, Aussage belasten.

Trotzdem gehören Patientinnen mit einer allgemeinen Hypoplasie des inneren Genitale (Muldendamm, lange, enge Scheide, relativ kleiner Uterus oft in Streckstellung oder spitzwinkliger Anteflexion mit grübchen- bis punktförmigem Muttermund und Zervix-Korpuslängenverhältnis 1:1, Portiooberfläche vollkommen mit Plattenepithel bedeckt, lange, dünne Tuben) zu den Frauen, die erschwert, oft erst nach Jahren konzipieren. Bei Patientinnen der Sterilitätssprechstunde findet man gehäuft im Spekulumbild eine zierliche, spitzkonische Portio, die kolposkopisch originär überhäutet ist. Wir halten das Ausbleiben der Ektropionierung in der Geschlechtsreife für eine mangelhafte Reifung im Sinne eines Infantilismus des inneren Genitale. Nicht selten haben die Patientinnen einen labilen Zyklus mit anovulatorischen Oligomenorrhoen. — Therapeutisch kann man mit zyklischen Östrogengaben oder dem Aufbau einer Pseudogravidität versuchen, eine Nachreifung des inneren Genitale zu erzielen. Um das Ejakulat länger mit dem grübchenförmigen Muttermund in Kontakt zu halten, ist bei diesen Patientinnen eine homologe Insemination mit Hilfe einer Portiokappe zu diskutieren (s. S. 154).

Entzündliche Veränderungen des Genitaltraktes

Zu einer Störung der Konzeptionsfähigkeit führen entzündliche Veränderungen des Genitaltraktes, da die bakteriell und leukozytär durchsetzten Sekrete der Frau die Motilität der Spermatozoen hemmen.

Vagina. Bei einer Sterilitätsuntersuchung sollte die Zusammensetzung des Scheidensekretes mikroskopisch überprüft werden. Auch wenn keine klinischen Zeichen für eine Vaginitis vorliegen, wirkt eine unphysiologische Besiedelung der Vagina mit Mikroorganismen auf die Motilität der Spermien ungünstig (Nativsekretuntersuchung siehe S. 211). Bei der betreffenden Frau sollte man versuchen, eine DÖDERLEIN-Flora wiederherzustellen; Therapie s. S. 300.

Zervix. Die physiologische Ektropionierung des Zervixdrüsenfeldes auf die Portiooberfläche in der Geschlechtsreife dient der Verbesserung der Fertilität. – Das Zervixdrüsenfeld bietet aber neben der chemotaktischen Anziehung auf die Spermatozoen auch für Bakterien einen guten Schlupfwinkel und neigt zur entzündlichen Reaktion. Eine Zervizitis hemmt die Spermien an der Durchwanderung. Häufig wird eine rezidivierende Zervizitis mit einer Konisation oder Elektrokoagulation der Zervix behandelt, wonach es zur Konzeption kommt. Wir haben die Erfahrung gemacht, daß ein derart aktives Vorgehen zur Ausheilung einer Zervizitis nur in ganz seltenen Fällen am Platze ist, da meist mit einer gezielten Fluortherapie eine gleichzeitige Ausheilung der Zervizitis erreicht wird.

Endometrium. Eine entzündliche Veränderung des Endometriums wirkt sich ungünstig auf die Fertilität aus. Entweder gelingt es den Spermatozoen nicht, die entzündete Schleimhaut zu überwinden, oder das befruchtete Ei findet keinen geeigneten Nährboden. Wahrscheinlich wird es von Leukozyten und Lymphozyten zusätzlich angegriffen und vital gestört (s. S. 304).

Tuben. Die doppelseitige Tubenobliteration nach Entzündungen war früher die gefürchtete Konsequenz nach jeder aszendierenden Infektion. – Da die Aszension besonders nach artefiziellen Aborten auftritt, bezahlten junge Frauen diesen Eingriff oft mit späterer Kinderlosigkeit.

Die Prognose einer akuten, bakteriellen Salpingitis, auch mit tumoröser Auftreibung der Tuben, hat sich in den letzten Jahren mit Hilfe der Kombinationstherapie Antibiotika-Hydrocortison wesentlich verbessert.

Wenn auch die Wegsamkeit der Tuben erhalten bleibt, so muß doch nach Entzündungen oder Laparotomien damit gerechnet werden, daß sich peritubar bindegewebige Verwachsungen bilden. Die Bewegung der Tuben wird eingeschränkt und der Eiauffangmechanismus gestört. Die Diagnose kann mit Hilfe der Zölioskopie (s. S. 278) oder bei der Laparotomie gestellt werden. Anschließend Durchtrennung der Verwachsungen.

Andere fragliche Ursachen

Ob isolierte Vitaminmangelzustände beim Menschen eine Fertilitätsstörung hervorrufen, ist unbewiesen. Im Tierversuch führt der Entzug von Vitamin A, B_2, B_6, E und Pantothensäure zur Sterilität. Bei normal ernährten Frauen dürfte dies keine Rolle spielen. Bei extrem unterernährten Patientinnen tritt neben dem Vitaminmangel die Entkräftung hinzu, die oft zur sekundären Amenorrhoe führt.

Rauschgift und der übermäßige Gebrauch von Schlafmitteln setzen die Fertilität herab. Allerdings gehören diese Frauen kaum zu Patientinnen der Sterilitätssprechstunde.

Viele Frauen fragen, ob das Rauchen ihre Fertilität einschränkt. Statistische Untersuchungen haben eine Einschränkung der Fertilität bei Nikotinabusus gezeigt. Kettenrauchende Frauen mit Kinderwunsch dürften selten sein. Wenige Zigaretten am Tag beeinträchtigen die Fertilität der Frau nicht. Der Nikotinabusus des Mannes scheint dessen Fertilität nicht negativ zu beeinflussen. Ein Zusammenhang zwischen Fertilität und Koffeinabusus ist nicht bewiesen. Leistungssport und Kinderwunsch sind zu gleicher Zeit schwer in Einklang zu bringen.

Allgemein läßt sich zu den erwähnten Problemen sagen, daß eine Patientin mit ernsthaftem Kinderwunsch sofort alle ihr lieb gewordenen Gewohnheiten aufgibt, wenn ihr dazu geraten wird.

Konzeption möglich, frühzeitiger Fruchttod oder gestörte Nidation

Vereinigen sich Ei- und Samenzelle, so wandert das befruchtete Ei in ca. 3—4 Tagen in den Uterus. Geht es dabei zugrunde oder kann sich im Endometrium nicht implantieren, stellt auch das Corpus luteum bald die Progesteronsynthese ein. Damit kommt es zu einer, um wenige Tage verschobenen Abbruchblutung, die die Patientin nicht als ungewöhnlich empfindet. Die Befruchtung wird nicht bemerkt. — Frauen, die gewissenhaft über Jahre die Aufwachtemperaturkurve führen, können bei einer über 15 Tage verlängerten Hyperthermie eine Konzeption nachweisen (s. Abb. 27 Mitte, S. 90). Das Ereignis ist nicht selten.

Ursächlich kommen für die kurze Lebenszeit des befruchteten Eies verschiedene Faktoren in Betracht.

Letalfaktoren

Finden sich im befruchteten Ei chromosomale Störungen, die nicht mit der Weiterentwicklung vereinbar sind, so geht das Ei vielfach schon auf dem Weg in den Uterus zugrunde. — Aber auch exogene Noxen können das junge Ei auf dem Weg durch die Tuben so schädigen, daß es abstirbt (z. B. eine schwere Intoxikation des Gesamtorganismus, Hysterosalpingographie während der hyperthermen Phase, die streng kontraindiziert ist! — u. a. unbekannte Faktoren).

Corpus-luteum-Insuffizienz

Eine behebbare Form der Nidationsstörung ist die zu kurze Lebensdauer des Corpus luteum. An Hand der Aufwachtemperaturkurve erkennt man, daß die Hyperthermie auf 8 bis 11 Tage verkürzt ist. Häufig ist damit ein treppenförmiger Anstieg nach der Ovulation kombiniert. D. h. die Progesteronsynthese kommt nur zögernd in Gang und wird zu früh beendet. Damit wird das Endometrium unvollkommen sekretorisch umgewandelt. Wenn das Ei mit dem Endometrium Kontakt aufnimmt, sind offenbar im Corpus luteum bereits regressive Veränderungen im Gange, so daß die Fortführung der Funktion als Corpus luteum graviditate nicht gelingt. Das befruchtete Ei wird mit der zusammenbrechenden Schleimhaut ausgestoßen.

Die Therapie besteht in einer Verlängerung der Progesteronphase durch Zufuhr eines Gestagen-Östrogen-Gemisches (Abb. 43). Damit erreicht man gute Nidationsbedingungen für das befruchtete Ei, die solange unterstützt werden sollten, bis der Trophoblast eine eigene Hormonproduktion aufgenommen hat. Unter Kontrolle der Aufwachtemperatur nimmt die Patientin **nach** dem Eisprung (bei sicher eingetretener Hyperthermie) z. B. 2mal 1 Tablette Primosiston über 15 Tage lang. Am 16. Tag spritzt man vorsichtshalber ein Kombinations-Depotpräparat, z. B. eine Ampulle Gravibinon i.m. und prüft die Schwangerschaftsreaktion um den 21. und 28. Tag post ovulationem. Ohne Konzeption, d. h. mit negativer Schwangerschaftsreaktion erfolgt etwa 1 Woche nach der Hormoninjektion die Abbruchblutung. — Ist eine Gravidität eingetreten, sollte man trotz des angezweifelten objektiven Nutzens, aus psychischen Gründen über längere Zeit natürliches Progesteron zuführen. — Die Verlängerung der peroralen Gestagenzufuhr über 15 Tage ist wegen der Virilisierungsgefahr weiblicher Feten durch Primosiston **nicht** indiziert (s. auch S. 39).

Organische, intrauterine Störungen

Veränderungen im Cavum uteri führen zu Nidationsstörungen. In erster Linie handelt es sich um intramural und submukös entwickelte

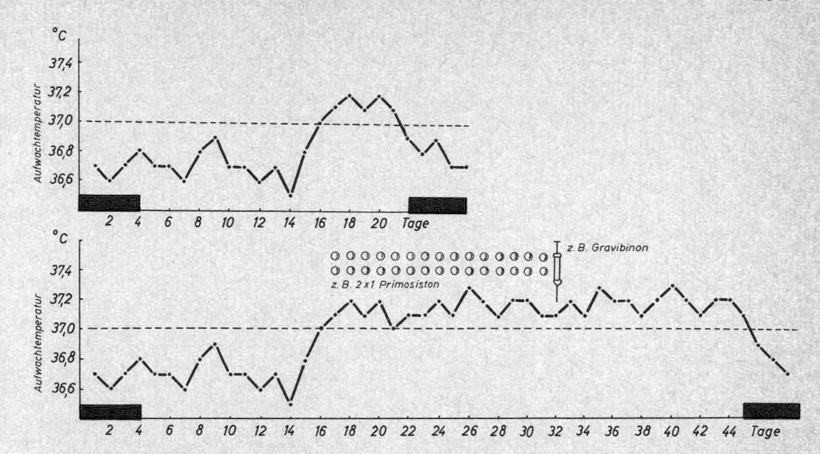

Abb. 43 Behandlung der Corpus-luteum-Insuffizienz. Oben: verkürzte Corpus-luteum-Phase, die zur Sterilität führt. Unten: nach sicherem Temperaturanstieg exogene Zufuhr von z. B. 2 x 1 Tabl. Primosiston tgl. über 15 Tage lang. Sicherheitshalber kann man am 16. Tag eine Hormoninjektion anschließen. Ist die Frau nicht schwanger geworden, kommt es weitere 10 Tage später zur Abbruchblutung. Ist eine Konzeption eingetreten, kann vom 21. Tag nach der Ovulation die Schwangerschaftsreaktion geprüft werden

Myome, in seltenen Fällen um Korpuspolypen. Beide Veränderungen sind Erkrankungen der älteren Frau. Handelt es sich um isolierte Myome, so kann eine konservative Myomenukleation versucht werden (Abb. 123/1, S. 350). Die Patientin muß darauf aufmerksam gemacht werden, daß sie bei einer eventuellen Gravidität in ärztlicher Kontrolle bleiben muß und eine klinische Entbindung notwendig ist. Die Gefahr der Uterusruptur nach Myomenukleation muß einkalkuliert werden.

Alle anderen Formen der abweichenden Uterusgestalt (unvollkommene oder vollkommene Doppelbildungen, Hypoplasie, fixierte Retroflexio uteri usw.) sind Ursachen der Infertilität, d. h. es kommt im ersten oder zweiten Schwangerschaftsdrittel zum Abort.

Sterilität bei nicht nachweisbaren Fertilitätsstörungen beider Partner

Nach eingehenden Untersuchungen verbleibt eine Gruppe von Ehepaaren, bei denen keine faßbaren Fertilitätsstörungen vorliegen und die trotz ernsthaften Kinderwunsches ohne Nachkommen bleiben.

Diskutiert werden einige Hypothesen, warum es bei diesen Ehepaaren nicht zur Konzeption kommt: Gegen das Sperma des Mannes kann die Frau sensibilisiert werden und Antikörper entwickeln. Es kommt während der aufsteigenden Wanderung zu einer Agglutination und Motilitätshemmung der Spermatozoen.

Die Vereinigung der beiden haploiden Chromosomensätze von Ei- und Samenzelle mißlingt aus unbekannten Gründen.

Die Nidation des befruchteten Eies wird als „Heterotransplantat" empfunden und mittels einer körpereigenen Abwehrreaktion mit Leukozyten, Lymphozyten demarkiert und zum frühzeitigen Untergang gezwungen.

Eine wirksame Abhilfe ist bisher nicht möglich. — Es ist nicht selten, daß beide Ehepartner in einer zweiten Ehe Nachkommen haben.

Sterilitätsdiagnostik und Beratung

Für die Diagnostik und Beratung von Sterilitätspatientinnen gilt im vermehrten Maße die Mahnung, daß diagnostische oder therapeutische Maßnahmen der Patientin nicht schaden dürfen. Die Einbeziehung des Ehemannes in die Untersuchung, d. h. der Nachweis seiner Zeugungsfähigkeit ist unerläßlich, bevor bei der Patientin eingreifende Untersuchungen durchgeführt werden.

In der Sterilitätssprechstunde ist es zweckmäßig, eine gewisse Reihenfolge der Untersuchungen und Beratungen einzuhalten, die in Tab. 10 zusammengefaßt sind. Finden sich während der Untersuchung Abweichungen von der Norm, die auf den vorangehenden Seiten geschildert wurden, so ist ein Behandlungsversuch, der auch nur das geringste Risiko beinhaltet, erst dann einzuleiten, wenn die Zeugungsfähigkeit des Ehemannes bestätigt wurde. — Man sollte die Untersuchung des Mannes einer Fachklinik (meist Spezialgebiet der Dermatologie, „Andrologie") überlassen. Die mikroskopische Überprüfung des Ejakulats ist für den Beweis der Zeugungsfähigkeit des Mannes nicht ausreichend.

Künstliche Insemination

Unter artefizieller Insemination versteht man die Einbringung männlichen Ejakulats in das weibliche Genitale ohne Vollzug einer Kohabitation.

Bereits Ende des 18. Jh. wurde von J. Hunter eine erfolgreiche Insemination durchgeführt. Der Ehemann der Patientin litt an einer Hypospadie.

Grundsätzlich muß zwischen der heterologen Insemination (Sperma eines Spenders) und der homologen Insemination (Sperma des Ehemannes) unterschieden werden.

Tabelle 10 **Sterilitätsberatung einer gesunden Patientin mit normalem gynäkologischen Befund**

---

1. Termin:

Anamnese: (s. S. 202; zusätzlich muß erfragt werden: Dauer der Ehe, Dauer der Sterilität, wie lange besteht Kinderwunsch, welche Antikonzeption; Koitusfrequenz pro Woche, vaginaler Reflux, Dyspareunie; frühere Ehe des Mannes, frühere Ehe der Frau, Kinder aus früheren Ehen von Mann und Frau; frühere Sterilitätsabklärung, frühere Sterilitätsbehandlung)

Allgemeinuntersuchung

Gynäkologischer Befund (s. S. 206)

Patientin wird angewiesen, an Hand der Aufwachtemperaturkurve die Ovarialfunktion zu überprüfen. Konzeptionsoptimum wird erklärt.

Wenn keine physiologische Scheidenflora, Fluorbehandlung

2. Termin:

(nach 2—3 Monaten, mittlere Follikelphase)

Post-coitum-Test (Sims-Huhner) (s. S. 272)

evtl. gekreuzter Invasionstest (Kurzrock-Miller) (s. S. 272)

Ehe weitere diagnostische Maßnahmen bei der Patientin geplant werden, muß die Zeugungsfähigkeit des Ehemannes untersucht werden.

---

3. Termin:

(mittlere Follikelphase)

Pertubation (s. S. 273)

4. Termin:

(mittlere Follikelphase)

Hysterosalpingographie (s. S. 275) oder Zölioskopie (s. S. 278)

5. Termin:

(ca. 4 Tage vor der erwarteten Regelblutung)

evtl. Strichbiopsie (s. S. 238)

Die **heterologe** Insemination wirft zahlreiche Probleme auf.

Sie wird dann diskutiert, wenn der Ehemann steril und seine Frau fertil ist, abgesehen von seltenen eugenischen Indikationen (amaurotische Idiotie, familiäre Dysautosomie) und einer extremen Rh-Sensibilisierung der Ehefrau, wenn der Mann homozygot Rh-positiv ist. In den Vereinigten

Staaten und in England bestehen die meisten Erfahrungen mit der heterologen Insemination. Die Auswahl des Samenspenders, die Anonymität gegenüber den Eheleuten, die Eintragung des zeugungsunfähigen Ehemannes als gesetzlichen Vater deuten die Vielschichtigkeit der entstehenden Probleme an. — Die Erfolgsrate der heterologen Insemination ist gut, da qualifiziertes Sperma einer fertilen Frau übertragen wird. Die dieser Zeugung entstammenden Kinder waren alle gesund. Zwei Drittel aller Ärzte zeigten bei einer Umfrage der American Society for the Study of Sterility 1947 eine zustimmende Haltung und glaubten, daß die Harmonie zwischen Eltern und Kindern das therapeutische Vorgehen rechtfertige. Allgemein wird davon abgeraten, das Kind über die Diskrepanz zwischen gesetzlichem und biologischem Vater aufzuklären. — Die Einstellung der Religionsgemeinschaften ist verschieden: Die römisch-katholische und die anglikanische Kirche lehnen die heterologe Insemination ab. Protestantische Kirchen nehmen einen unverbindlichen Standpunkt ein. Die Meinung bedeutender Rabbiner ist uneinheitlich.

Die Juristen gelangen bei Rechtsstreitigkeiten zu individuellen Urteilen, so daß Ärzte und Patienten bisher der Gefahr ausgesetzt sind, ungesetzlicher Handlungen bezichtigt zu werden. 1959 lehnte die Standesorganisation deutscher Ärzte die heterologe Insemination aus sittlichen Bedenken ab.

Die **homologe** Insemination kann dann erwogen werden, wenn bei dem Mann die Zeugungsfähigkeit zwar gegeben ist, aber die Möglichkeit fehlt, das Ejakulat in die Vagina zu bringen (Obliteration des Ductus deferens, Impotentia coeundi, schwere Form der Ejaculatio praecox, Hypospadie, exzessive Fettleibigkeit u. a.) Eine weitere Indikation besteht bei Männern mit Oligospermie, unzureichender Spermienmotilität, vermindertem Volumen oder unzureichender Verflüssigung des Ejakulats. — Von der homologen Insemination mit stark abnormem Sperma wird abgeraten. Außerdem besteht eine Indikation zur Insemination, wenn offenbar Störungen im Zervix-Vaginalbereich den Eintritt der Spermien in den Uterus erschweren (vaginaler Reflux, punktförmiger Muttermund, Retroflexio uteri etc.).

Die Erfahrungen mit der homologen künstlichen Insemination gehen dahin, daß eine intrauterine Instillation des Ejakulats keine Vorteile gegenüber der präzervikalen Deponierung besitzt. Den Spermien fehlt bei intrauteriner Insemination der Kontakt mit dem Zervixsekret, der offenbar für die ungestörte Wanderung in die Tuben notwendig ist.

Technisch geht man so vor, daß eine gut sitzende Plastikkappe (im Handel ist eine ganze Skala verschiedener Größen) auf die Portio aufgesetzt wird. Von dort führt ein dünner Schlauch aus der Vagina heraus. In den Schlauch wird das, durch Masturbation gewonnene, Ejakulat mit einer Spritze in die Kappe injiziert. Ein einfaches Ventil verhindert den Reflux (Abb. 44). Die Spermien kommen dadurch nur wenig mit dem sauren Vaginalmilieu in Berührung und bleiben für Stunden mit dem äußeren Muttermund in Kontakt. Die Patientin

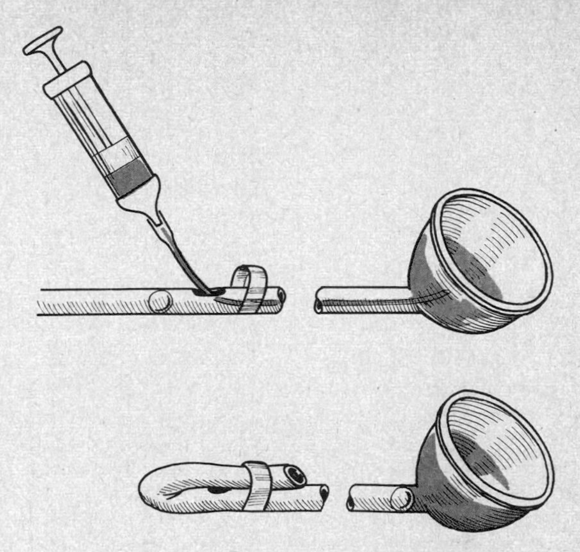

Abb. 44 Präzervikale Insemination: Eine modifizierte Portiokappe nach WILDE wird auf die Portio gut haftend aufgesetzt. Durch eine Öffnung im ansetzenden Plastikschlauch wird ein kleinerer Schlauch in das Innere der Zervixkappe eingeführt und das durch Masturbation gewonnene Ejakulat mit einer Spritze injiziert. Um das Ejakulat in der Zervixkappe zu fixieren, schiebt man eine Kugel, die einem Ventilverschluß gleicht, in dem ableitenden Schlauch hoch

kann nach dem Eingriff nach Hause gehen und die Portiokappe 6 Stunden später mit leichtem Zug entfernen. Die Insemination wird etwa 72 und 24 Stunden vor der erwarteten Ovulation und ein drittes Mal 24 Stunden danach ausgeführt. – Man unterschätze aber nicht die psychologischen Gefahren der Methode. Einige Männer fühlen sich durch das Verfahren herabgesetzt, besonders wenn die Prozedur viele Male wiederholt werden muß.

Erfolge der Sterilitätsbehandlung

Nüchterne statistische Zahlen über Erfolge von Sterilitätsbehandlungen liegen im Mittel um 30 %, wenn eine echte Fertilitätsstörung vorgelegen hat. Das vergleichsweise schlechte Ergebnis berücksichtigt aber nicht die Beglückung jedes einzelnen Ehepaares, wenn die Behandlung zum Erfolg führte. BICKENBACH und DÖRING (Tab. 11) publizierten Prozentsätze aus ihrem eigenen Patientinnengut, die die Problematik der Sterilitätsbehandlung eindringlich aufzeigen.

Tabelle 11

Ursache	Erfolgsquote
ovariell	24,3 %
tubar	18,3 %
uterin (Korpus)	29,1 %
zervikal	47,4 %
vaginal	26,3 %
Beratung (ohne pathologischen Befund)	77,0 %

Zusammenfassung: Die ungewollte Kinderlosigkeit belastet eine Ehe. Die erfolgreiche Behandlung gehört zu den dankbarsten Aufgaben eines Gynäkologen.

Eine kleine Gruppe von Patientinnen mit fetal erworbenen chromosomalen Entwicklungsstörungen oder schweren Hemmungsmißbildungen ist nicht fortpflanzungsfähig. Eine Behandlung hat keine Aussicht auf Erfolg.

Frauen mit endokrinen Störungen, bei denen die Ovulationen ausbleiben, sind in diesem Zeitraum nicht empfängnisfähig. Die Therapie richtet sich auf die Heilung der Grundkrankheit und die Ovulationsauslösung. Entzündliche Erkrankungen, besonders der Eileiter, führen infolge doppelseitiger Obliteration zur Sterilität. Plastische Operationen an den Tuben dürfen nur dann ausgeführt werden, wenn die generative Fortpflanzungsfähigkeit beider Partner bewiesen ist.

Bei zahlreichen Patientinnen ist die Konzeption zwar erschwert, aber nicht unmöglich. Eine scheinbare Sterilität kann durch eine Aufklärung über den Zeugungsvorgang und das Konzeptionsoptimum beseitigt werden. Eine erschwerte Konzeption liegt bei den individuell verschiedenen Formen der Hypoplasie des inneren Genitale vor, die oft kombiniert ist mit einer anovulatorischen Oligomenorrhoe. Entzündliche Veränderungen im Genitaltrakt mindern die Empfängnisfähigkeit.

Zur Infertilität gehören der frühzeitige Fruchttod des noch nicht implantierten Keimes und Nidationsstörungen. Die Patientinnen erscheinen steril, da die Konzeption nicht bemerkt wird. Einige Ehepaare bleiben ohne Nachkommen, obwohl keine faßbaren Fertilitätsstörungen vorliegen.

Zur Sterilitätsdiagnostik und -beratung gehören Erfahrung, Takt und Einfühlungsvermögen. Die Zeugungsfähigkeit des Ehemannes muß bewiesen sein, ehe diagnostische oder therapeutische Maßnahmen bei der Patientin durchgeführt werden, die auch nur mit geringstem Risiko verbunden sind. Die heterologe Insemination wirft noch viele Probleme auf. Die homologe künstliche Insemination kann nur die Startbedingungen der Spermien verbessern. Die Patientinnen müssen vor übertriebenen Erwartungen gewarnt werden.

Wenn auch die durchschnittlichen Erfolge der Sterilitätsbehandlung bei vorhandenen Fertilitätsstörungen nur um 30 % liegen, so werden die eingehende Beratung, Diagnostik und Behandlung durch jeden Einzelerfolg gerechtfertigt.

Extrauteringravidität

Wenn sich das befruchtete Ei nicht im Uterus, sondern außerhalb des physiologischen Fruchthalters implantiert, entsteht eine regelwidrige Schwangerschaft, die Extrauteringravidität. Da sich außerhalb des Uterus ein ungenügender Nährboden für die Plazentahaftstelle und kein adäquater Fruchthalter findet, kommt es bald zu Störungen, die sowohl die Frucht schädigen, als auch die Mutter in akute, lebensbedrohliche Zustände bringen. — Die Extrauteringravidität verursacht die häufigste akute Situation in der Frauenheilkunde, die schnell erkannt werden muß, um die Patientin mit einer schweren intraabdominalen Blutung einer operativen Behandlung zuzuführen. Man rechnet etwa 1 Extrauteringravidität auf 100 Geburten. In der Bundesrepublik werden ca. 10 000 Fälle jährlich behandelt.

Lokalisation und Ursachen

Eine Extrauteringravidität kann an jeder Stelle entstehen, an der sich ein befruchtungsfähiges Ei befindet. Die bevorzugte Lokalisation ist die Tube, in der physiologisch die Konzeption stattfindet (Abb. 45).

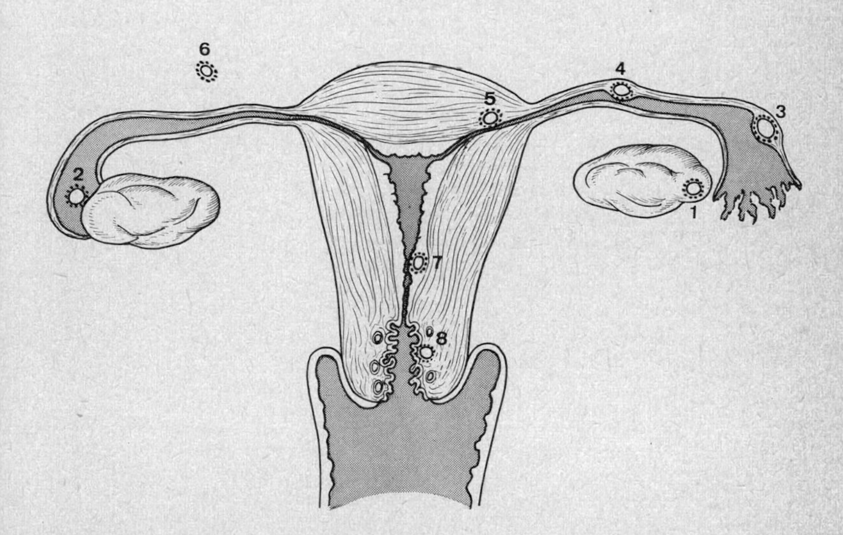

Abb. 45 Fehlnidation des befruchteten Eies. 1. ovariell, 2. tubovariell, 3. ampullär, 4. isthmisch, 5. interstitiell, 6. abdominal, 7. tiefer Sitz im Corpus uteri, 8. zervikal

Ovarielle Gravidität

In seltenen Fällen (0,5—1,0 % aller Extrauteringraviditäten) wird die Eizelle im gesprungenen Follikel befruchtet (intrafollikuläre Gravidität). Das Ei implantiert sich nach Tagen an dieser Stelle. Wahrscheinlich fand die Kohabitation Stunden vor dem Eisprung statt. Die Spermatozoen hatten Gelegenheit die ganze Tube zu durchwandern und wurden chemotaktisch von der beim Follikelsprung austretenden Flüssigkeit angelockt. Ein Samenfaden befruchtete das Ei noch in der Follikelhöhle. Offenbar verklebt die Follikelhöhle wieder, so daß das befruchtete Ei nicht austreten kann. — Auch die sekundäre Implantation auf der Ovaroberfläche nach dem Eisprung ist möglich (superfizielle Ovarialgravidität). Das Corpus luteum liegt entfernt von der implantierten Frucht. Die Unterscheidung beider Formen ist nicht immer möglich.

Abdominale Gravidität

Noch seltener sind die Befruchtung und Nidation des Eies in der freien Bauchhöhle (1 Fall auf 2—3000 Geburten). Bevorzugte Implantationsstellen sind die Uterushinterwand oder die Rückseite des Lig. latum. Offensichtlich versagt der Eiauffangmechanismus der Tuben, der durch zarte oder festere Verwachsungen im Bereich der Mesosalpinx in der Motilität gehemmt sein kann.

Tubovarialgravidität

Bei dieser Form der Extrauteringravidität verklebt der Fimbrientrichter der Tube mit der Ovaroberfläche an der Stelle des Follikelsprunges. Kurz nach dem Eisprung findet die Befruchtung statt. Aus unbekannten Gründen wird das Ei nicht in die Tube weiterbewegt, sonderen bleibt am Fimbrienende liegen und implantiert sich dort nach 3—4 Tagen. Der Fruchthalter wird teils vom Fimbrienende der Tube, teils von der Ovaroberfläche gebildet.

Tubargravidität

Die Tube ist die häufigste Lokalisation (98 %) der Extrauteringravidität. Jeder Beginn einer Schwangerschaft findet in der Tube statt. Nach der Befruchtung wird das sich ständig fortentwickelnde Ei innerhalb von 3—4 Tagen passiv in den Uterus bewegt. Wenn der befruchtete Keim ein bestimmtes Stadium erlangt hat (Blastozyste 0,5 mm, mit erkennbarem Embryoblasten), implantiert er sich ohne Rücksicht auf die Lokalisation. Eine Weiterentwicklung ist ohne Kontakt mit der mütterlichen Energiequelle nicht möglich. Verschiedene Ursachen kommen für die Fehlimplantation in der Tube in Betracht. Bei **hypoplastischem** inneren Genitale sind die Tuben besonders lang und dünn. Die betroffenen Frauen neigen zu primären Tubenschwangerschaften, da offenbar der Weg durch die Tuben zu lang und ihre Motilität gestört ist. Die konstitutionelle Veranlagung bringt leider bei 50 % der Patientinnen eine Wiederholung der Eiimplantation in der verbliebenen Tube. – Nach **Entzündungen** der Tube kommt es zu Verklebungen einzelner Tubenschleimhautfalten. An den entzündlich geschädigten Schleimhautfalten wird der Flimmermechanismus gestört, der zusammen mit der Tubenmotorik das Ei vorwärts bewegt. Auch die Muskelschichten der Tube können nach einer Entzündung so geschädigt sein, daß die Tubenperistaltik zu schwach wird.

Das befruchtete Ei bleibt zwischen den verklebten Tubenschleimhautfalten stecken und implantiert sich dort. Die besseren Behandlungserfolge der Salpingitis mit Antibiotika und Hydrocortison sind leider kombiniert mit einem Anstieg der Tubargraviditäten, da die Tube zwar nicht obliteriert, aber doch die oben geschilderten Schäden davonträgt. Die Tubargravidität nach Salpingitis trifft meist die mehrgebärende Frau. Nach erfolgreich behandelter Tubentuberkulose sind Tubargraviditäten häufig (vorwiegend Erstschwangere). Seltener kommen **Tubenendometriosen,** Verziehung der Tube durch perisalpingitische **Verwachsungen,** Abdrängung durch im Tubenwinkel sitzende **Geschwülste** oder Parovarialzysten als mechanische Hindernisse für das wandernde Ei in Betracht. – Eine gewisse Bedeutung mißt man auch dem **Tubenspasmus** zu, der uterusnahe auftritt und u. U. das Ei an dem Durchtritt in den Uterus hindert. Eine **traumatische** Entstehung der Tubenschwangerschaft ist denkbar durch eine Pertubation und Hysterosalpingographie, die zu einem falschen Zeitpunkt in der hyperthermen Phase durchgeführt wird. Durch den in entgegengesetzter Richtung wirkenden CO_2- oder Flüssigkeitsstrom kann das befruchtete Ei mitgerissen werden und dann den Uterus nicht mehr zur rechten Zeit erreichen.

Wird das Ei im Bauchraum befruchtet und von der Tube der kontralateralen Seite aufgenommen (äußere Überwanderung), so kann es zur Tubargravidität kommen (Corpus luteum dann im Ovar der gegenüberliegenden Seite). Schließlich wird die Wanderung des befruchteten Eies von einer Tube in die andere durch den Fundus uteri für denkbar gehalten (innere Überwanderung).

Das Ei kann sich an jeder Stelle der Tube implantieren. Wegen der unterschiedlichen Symptomatik ist es zweckmäßig, drei Lokalisationen zu trennen.

Ampulläre Tubargravidität

Die Implantation erfolgt in der Ampulle der Tube (50–70 %).

Isthmische Tubargravidität

Das Ei implantiert sich im isthmischen Tubenabschnitt (30–40 %).

Interstitielle Gravidität

Das Ei implantiert sich im engsten, interstitiellen Tubenabschnitt (1 bis 2 %), der in der Uteruswand liegt.

Bei der Fehlimplantation des befruchteten Eies müssen noch zwei Lokalisationen erwähnt werden, die nicht zu einer Extrauteringravidität, aber zu schweren Störungen führen. In diesen Fällen legt das befruchtete Ei eine zu große Wegstrecke zurück. Die Nidation erfolgt nicht im Fundus uteri, sondern weiter peripher.

Tiefe Implantation

Das Ei implantiert sich am Übergang des Endometriums zur isthmischen Schleimhaut oder im Isthmus uteri selbst. In diesen Fällen entsteht ein tiefer Sitz der Plazenta oder eine Placenta praevia.

Zervikale Gravidität

In seltenen Fällen wandert das befruchtete Ei in den Zervikalkanal. Die Nidation findet in der Zervixschleimhaut statt.

Krankheitsverlauf und klinische Zeichen

Die ektopischen Graviditäten haben, bis auf die zu tiefe Implantation in utero, ein ähnliches Schicksal, so daß ihr Verlauf und die dabei auftretenden Symptome gemeinsam geschildert werden können. Nach Art und Intensität der Symptome unterscheidet man klinisch verschiedene Formen.

Symptomarmer Verlauf

Hat sich das befruchtete Ei außerhalb des Uterus implantiert, so verhält sich der Organismus zunächst nicht anders als bei jeder intrauterin beginnenden Schwangerschaft. Das Corpus luteum persistiert. Bald nimmt der Synzytiotrophoblast zusätzlich die Produktion von Choriongonadotropin, Progesteron und Östrogenen auf. Die Periode bleibt aus, u. U. kommt es zu morgendlicher Übelkeit, leichter Brustspannung usw. **Die Veränderungen in utero entsprechen bei einer ektopischen Gravidität vollkommen denen einer normal eingenisteten.** Der Uterus lockert sich auf, er wird plump, wirkt mäßig vergrößert. Portiooberfläche, Scheidenhaut und Introitus sind livide verfärbt. Die Ausbildung der Graviditätsschleimhaut mit Decidua compacta und spongiosa ist die gleiche wie bei einer regelrecht lokalisierten Gravidität. — Bei einem bestimmten Anteil der Fehlnidationen kommt es bereits in der 3.—4. Graviditätswoche zu Blutungen zwischen Plazenta-

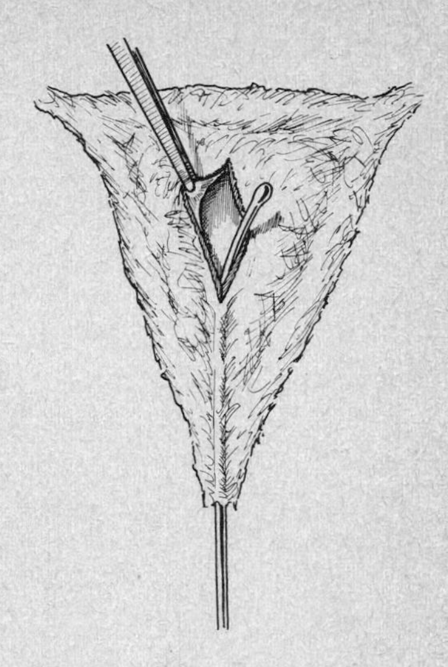

Abb. 46 3zipfeliger Deziduasack. Dieser ist mit einer Schere an der Vorderwand eröffnet, eine stumpfe Knopfsonde ist in das Lumen des Deziduasackes vorgeschoben

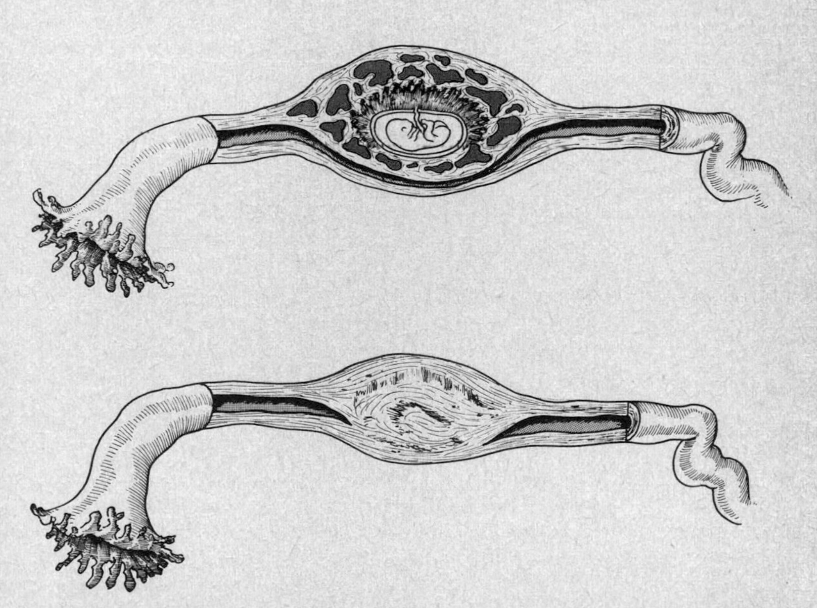

Abb. 47 Demarkierung einer frischen Extrauteringravidität durch Blut und nachfolgende Resorption des Schwangerschaftsproduktes. Bindegewebige Verdickung der Tubenwand und Verschluß des Tubenlumens

haftstelle und mütterlichem Gewebe. Der Trophoblast verliert weitgehend den Kontakt mit dem mütterlichen Gewebe, da er durch kleine Blutungen von der Unterlage abgehoben wird. Mit der beginnenden Ernährungsstörung verliert der Trophoblast seine Funktion als endokrine Drüse und als Ernährer des Embryos. Die Frucht stirbt ab. Infolge des absinkenden Progesteronspiegels kommt es in der uterinen Dezidua zu einer Durchbruchsblutung und beim vollständigen Fruchttod zum Abbruch der Schleimhaut. Klinisch äußert sich dies in einer beginnenden Schmierblutung. Nach kurzer Zeit kann ein dreizipfeliger Deziduasack ausgestoßen werden (Abb. 46). Es ist aber auch möglich, daß die Schleimhaut in Partikeln, ähnlich wie bei der Menstruation, abgeht. Die Frucht ist durch Blutkoagel von der Umgebung demarkiert und kann weitgehend resorbiert werden (Abb. 47). Die Patientin hat das Ausbleiben ihrer Periode bemerkt, u. U. auch ziehende Schmerzen in einer Beckenhälfte (Spannungsschmerz der Tubenwand). Mit Einsetzen der Schmierblutung läßt der Schmerz nach. Je nach dem Alter der Gravidität ist die Schwangerschaftsreaktion noch negativ oder wird es nach Absterben der Frucht. Hat die Patientin die Aufwachtemperatur gemessen, so kann man eine verlängerte hypertherme Phase und nach dem Fruchttod das langsame Absinken feststellen. Ohne operative Intervention bleibt eine verschlossene Tube zurück. Man rechnet damit, daß etwa 10–30 % der ektopischen Graviditäten symptomarm bleiben und nicht erkannt werden.

Protrahierter Verlauf (tubarer Abort)

Vorwiegend beim ampullären Sitz der tubaren Gravidität kommt es zu einer charakteristischen Verlaufsform der fehlimplantierten Schwangerschaft, die dennoch differentialdiagnostisch erhebliche Schwierigkeiten bereiten kann.

Die Ampulle bietet dem wachsenden Ei innerhalb der Tube den relativ günstigsten Platz. Die Entwicklung der Schwangerschaft bis zu 8 Wochen und darüber hinaus ist keine Seltenheit. Der ampulläre Tubenabschnitt kann langsam bis zur Größe eines Gänseeies gedehnt werden, wie es auch gelegentlich bei Saktosalpingen der Fall ist. Trotzdem ist die Ernährung der wachsenden Frucht in zunehmendem Maße in Frage gestellt. Bei der Eröffnung mütterlicher Gefäße kommt es zu Blutungen zwischen Plazenta und mütterlichem Nährboden, so daß die Frucht an Sauerstoffmangel leidet. Infolgedessen findet man bei Embryonen aus Extrauteringraviditäten relativ oft **kindliche Mißbildungen,** die man auf den chronischen Sauerstoffmangel zurückführt. – Die Patientin verspürt unterdessen wechselnd starke Schmerzen in der entsprechenden Beckenhälfte. Urin- und Stuhlentleerungen sind mit Schmerzen verbunden. Ist die Frucht nicht abgestorben, sind die Graviditätsteste positiv. Palpatorisch finden sich ein plumper Uterus sowie ein teigig weicher Adnextumor, der druckschmerzhaft ist. Die

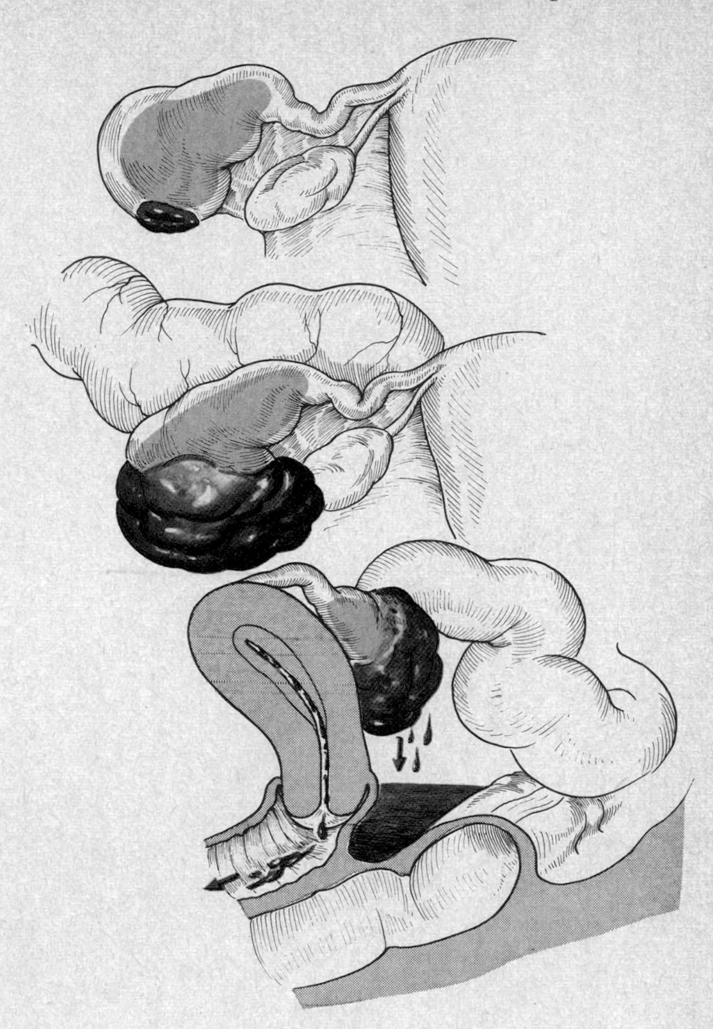

Abb. 48 Typischer Verlauf eines Tubarabortes. Peripherer Verschluß des Fimbrienendes. Nur geringer und sich schalenförmig anlagernder Blutaustritt mit Bildung eines sich vergrößernden Konglomerattumors. Abdecken der ampullären Extrauteringravidität durch Darmschlingen. Blutkoagula und frisches Blut sammeln sich im DOUGLASschen Raum, der sich vorwölbt. Bei diesem Verlauf ist das Schwangerschaftsprodukt meist längst zugrunde gegangen, daher Durchbruchs- und Abbruchblutung aus der zerfallenden Dezidua.

Bewegung des Uterus wird als schmerzhaft empfunden. – Differentialdiagnostisch muß außer einer Extrauteringravidität ein zystisches Corpus luteum graviditate in Erwägung gezogen werden.

Von einem bestimmten Zeitpunkt an werden die extravasalen Blutungen stärker. Beim ampullären Sitz kann das zwischen Frucht und mütterlichem Gewebe austretende Blut durch das Fimbrienende abfließen. Die durch die Tubargravidität irritierte Tube wird meist von Darmschlingen abgedeckt, so daß das Blut nicht ungehemmt in die freie Bauchhöhle läuft. Es sammelt sich, z. T. gerinnend, schalenförmig um das Fimbrienende (peritubare Hämatozele, Abb. 48). Manchmal dringt das Blut zwischen beide Blätter des Lig. latum ein, manchmal fließt es in den DOUGLASschen Raum ab (intraligamentäre Blutung, retrouterine Hämatozele, Abb. 48/49). Je nach Stärke der schubweise auftretenden Blutung verspüren die Patientinnen mehr oder minder starke Schmerzen. Wird das Krankheitsbild verkannt, so kann eine erhebliche Blutarmut mit Kollapsneigung eintreten. Jedoch entwickelt sich niemals das Bild des „akuten Abdomens". Die Diagnose ist schwierig zu stellen, wenn die Patientinnen relativ spät in ärztliche Betreuung kommen. Die Graviditätsreaktionen haben negative Ergebnisse, da die Frucht bereits abgestorben ist. Auch hier kommt es mit abnehmenden Hormonkonzentrationen im Blut zu einer uterinen Schmierblutung aus der Dezidua (Durchbruchsblutung). Die Dezidua kann als dreizipfeliger Sack ausgestoßen werden.
Der Nachweis von Choriongonadotropin durch Konzentration des 24-Stunden-Harns unterstützt die Diagnose. Eine zusätzliche Maskierung des Krankheitsbildes tritt ein, wenn das abgestorbene Schwangerschaftsprodukt und die Blutkoagula sekundär infiziert werden. Die Abgrenzung gegenüber einem entzündlichen Konglomerattumor wird schwieriger. Da die Ablösung der Frucht und die zunehmende Blutung durch das Fimbrienende dem uterinen Abort ähnlich sind, bezeichnet man diese Form der Extrauteringravidität als **tubaren Abort.** Die ampulläre Extrauteringravidität zeigt einen ähnlichen Verlauf wie die Tubovarialgravidität.

Akuter Verlauf (Tubarruptur)

Hat sich das befruchtete Ei in der Pars isthmica der Tube implantiert, kommt es bereits in der 3. bis 5. Graviditätswoche zu einer akuten, das Leben der Patientin bedrohenden Situation. – Auch hier hat sich der Beginn der Gravidität nicht von der normalen unterschieden. Das wachsende Ei findet im isthmischen Anteil weniger Platz als im ampullären Tubenabschnitt. Die Plazentazotten durchsetzen die Tubenwand bis zur Serosa. Dabei werden kleine Äste der Tubenarterien von den Trophoblastzellen eröffnet, die, sobald die Gewebsbedeckung fehlt, spritzend in die freie Bauchhöhle bluten. – Mit dem Einreißen der Serosa kommt es zu einem plötzlichen, schweren Krankheitsbild (Abb.

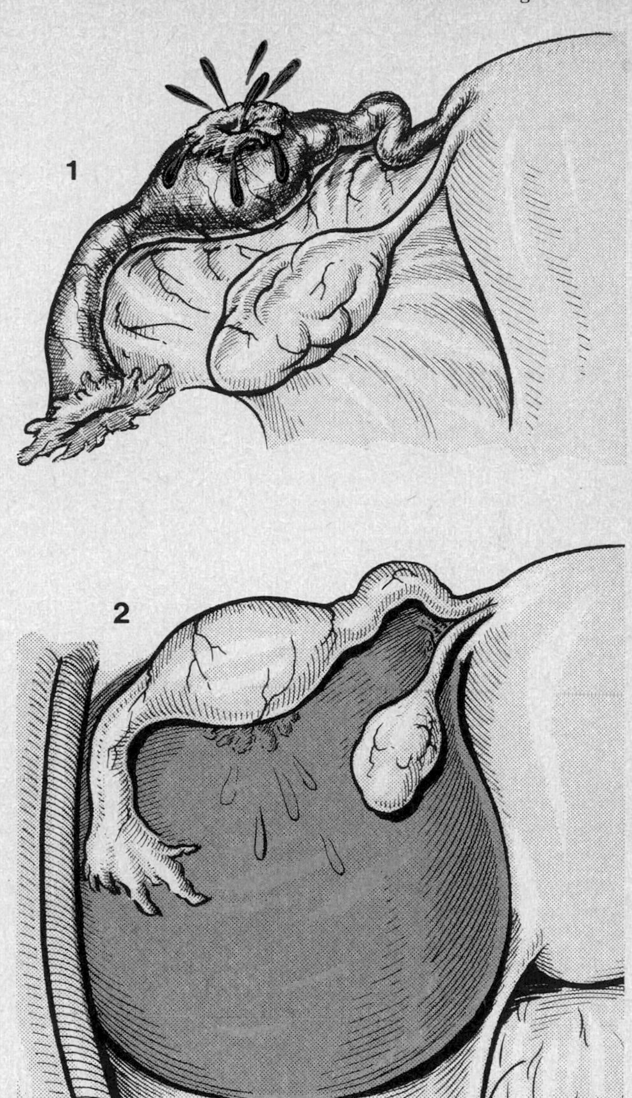

Abb. 49 Schematische Darstellung der offenen und gedeckten Tubarruptur. Bei der offenen Ruptur fließt das Blut in die freie Bauchhöhle (1). Bei der gedeckten Ruptur liegt die Rupturstelle zufällig am Ansatz des Lig. latum. Das austretende Blut drängt beide Blätter auseinander (2)

49/1). Die Patientinnen verspüren einen heftigen Schmerz und geraten rasch in einen Schock- oder Kollapszustand. Die Gesichtsfarbe wird aschfahl, die Atmung frequent und oberflächlich. Werden die Patientinnen aufgefordert, tief durchzuatmen, geben sie einen Schmerz im Bereich des rechten Schulterblattes an. Der Schmerz entsteht reflektorisch, wenn das Blut zwischen Zwerchfellkuppel und Leber läuft. Kann nicht bald Abhilfe erfolgen, verlieren die Patientinnen infolge der massiven, intraabdominalen Blutung das Bewußtsein und können im Kreislaufkollaps sterben. Die Tubarruptur hat eine primäre Letalität zwischen 2 und 3 ‰. – In seltenen Fällen erfolgt die Tubarruptur in die Mesosalpinx. Das austretende Blut drängt die beiden Blätter des Lig. latum auseinander (gedeckte intraligamentäre Ruptur, Abb. 49/2). Bei der gynäkologischen Untersuchung kann die vaginale Blutung fehlen. Der Zeitraum zwischen intraabdominaler Blutung und Absinken des Hormonspiegels ist zu kurz, um in der uterinen Dezidua zu einer Durchbruchsblutung zu führen. Die Betastung des DOUGLASschen Raumes ist sehr schmerzhaft. Die hintere Scheidenwand wird im oberen Drittel vorgewölbt. Hebt man die Portio mit dem Finger an (Portiolüftungsschmerz), schreien die halb kollabierten Patientinnen vor Schmerzen auf.

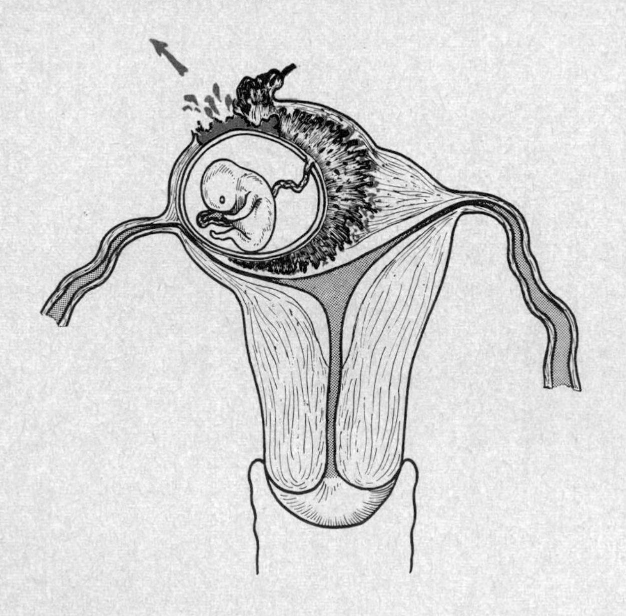

Abb. 50 Schematische Darstellung einer interstitiellen Gravidität mit Ruptur. Da sich hier das Schwangerschaftsprodukt meist länger erhält, ist die Blutung bei der Ruptur besonders stark.

Die Tubarruptur kann ohne erkennbaren Anlaß, aber auch nach der Defäkation, nach einer Kohabitation und nicht zuletzt nach gynäkologischen Untersuchungen auftreten. Man sollte daher bei dem geringsten Verdacht auf eine stehende Tubargravidität die Patientin nicht ohne genaue Verhaltensvorschriften und ohne Begleitung nach Hause gehen lassen. Sicherer ist eine klinische Beobachtung.

Ähnliche massive intraabdominelle Blutungen entstehen durch die plötzliche Arrosion von Gefäßen bei der Ovarial-, Abdominal- und in besonders schwerem Ausmaß bei der interstitiellen Gravidität (Abb. 50). Im letzten Falle wird das wachsende Ei zunächst von der dicken Muskelschicht des Uterus in der Tubenecke umgeben und entwickelt sich in das Myometrium hinein. Das Cavum uteri wird nicht in den Brutraum einbezogen. Zunächst entwickelt sich die Frucht 7—10 Wochen lang ungestört, bis es zur Ruptur kommt, deren Verlauf wegen der Blutung aus den stark entwickelten Kollateralgefäßen besonders schwer ist.

Fortgeschrittene ektopische Gravidität

In seltenen Fällen entwickelt sich die Frucht über das erste Schwangerschaftsdrittel hinaus. Es handelt sich meist um einen primär ampullären Sitz der ektopischen Gravidität. Mit zunehmender Größe von Frucht und Plazenta werden die Plazentahaftstelle und der Brutraum in den Bauchraum verlagert. Man bezeichnet diese Form als sekundäre Abdominalgravidität (Abb. 51). Die Plazenta haftet auf dem viszeralen und parietalen Peritoneum. Suchen die Patientinnen erst zu einem Zeitpunkt den Arzt auf, an dem die Frucht eine von außen palpable Größe hat, so wird der nur unwesentlich vergrößerte Uterus oft übersehen. Die Schwangerschaft ist charakterisiert durch starke Beschwerden, insbesondere durch schmerzhafte Kindsbewegungen. Bei schlanken Patientinnen sind die Kindsteile bauchdeckennahe zu tasten. Die operative Entbindung einer solchen Patientin mit Rettung des Kindes ist sehr selten.

Tiefe Implantation

Die tiefe Ansiedelung des befruchteten Eies im Cavum uteri, die zum tiefen Sitz der Plazenta oder zur Placenta praevia führt, ist ein wichtiges Thema der Geburtshilfe und muß dort nachgelesen werden. Der Gynäkologe wird damit konfrontiert, wenn es bereits in der ersten Schwangerschaftshälfte zu schweren Blutungen aus der Plazenta kommt. Zwingt die Blutung zu einer Entleerung des Uterus, so sollte der Eingriff nicht ambulant vorgenommen werden, da die Blutungen ein lebensbedrohliches Ausmaß annehmen können. In den meisten Fällen entwickelt sich die Gravidität jedoch bis zur Lebensfähigkeit des Kindes und gehört daher in die Hände des Geburtshelfers.

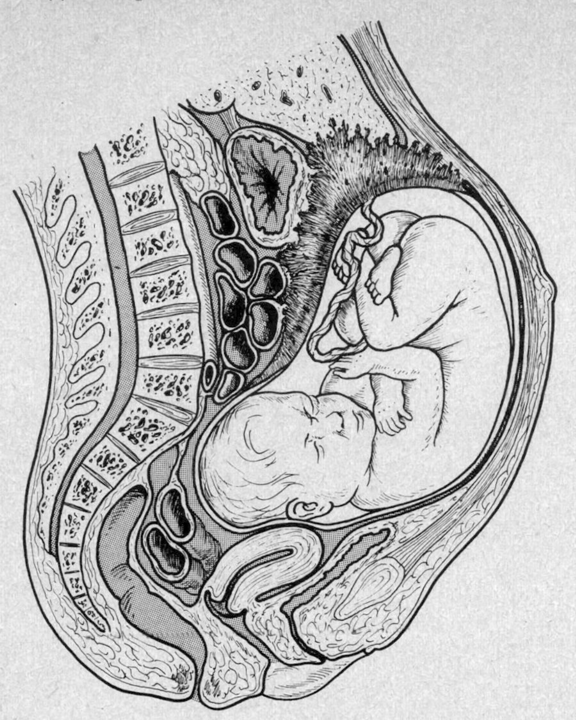

Abb. 51 Fortgeschrittene Abdominalgravidität. Der Uterus hat sich, etwa einer Gravidität M. II—III entsprechend, vergrößert. Eine Sondierung des Uteruskavums erleichtert die Diagnose.

Zervikale Gravidität

Bei der zervikalen Nidation des befruchteten Eies wird das erste Schwangerschaftsdrittel kaum überschritten. Die Zervix wird durch das wachsende Ei tonnenförmig aufgetrieben, das Corpus uteri sitzt ihr kappenförmig auf (Abb. 52). An der Plazentahaftstelle kann es zur Perforation und Blutung in das Parametrium kommen. Der äußere Muttermund bleibt lange geschlossen. Unmittelbar dahinter ist der Zervikalkanal durch die Frucht ausgeweitet.

Durch die Eröffnung mütterlicher Gefäße kommt es zu Blutungen, die ein außerordentlich gefährliches Ausmaß annehmen können, da die Zervix nicht die kontraktile Muskelmasse besitzt wie das Corpus uteri. Die klinische Situation ist bedrohlich, weil die Fehlimplantation zunächst oft verkannt wird. Der behandelnde Arzt wird von der

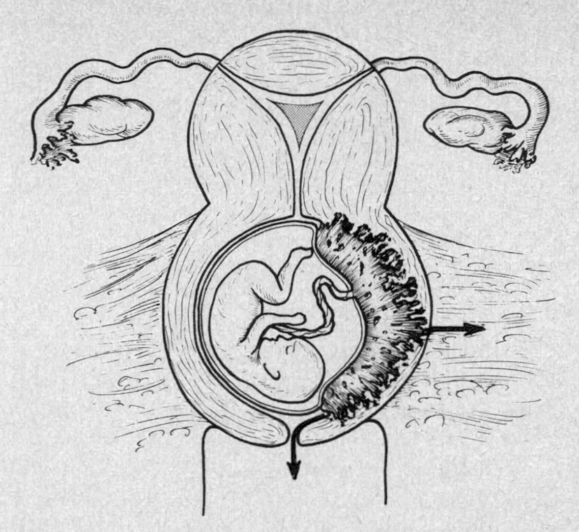

Abb. 52 Zervikale Schwangerschaft. Bei der Ablösung der Plazenta kommt es zu einer ungewöhnlich starken, vaginalen Blutung. Es besteht die Gefahr der Perforation ins Parametrium

unstillbaren Blutung überrascht. Ins Parametrium perforierende Zervixrisse komplizieren das Krankheitsbild. U. U. kann nur durch die Uterusexstirpation die Blutung gestillt werden.

Diagnostik

Die ektopische Gravidität kann oft mit einem Blick erkannt werden (Tubarruptur), häufig ist die Diagnostik aber schwierig. Tab. 12 vermittelt einen Überblick über Symptomatik, Diagnostik und Differentialdiagnostik der ektopischen Gravidität.

Wie aus Tab. 12 ersichtlich, ist die intakte frühe Tubargravidität praktisch nicht von einer intrauterinen zu unterscheiden. Besteht auch nur der geringste Anhalt für eine ektopische Gravidität, sollte man die Patientin auf die Symptome einer Tubarruptur hinweisen und ihr raten, keine Reisen zu unternehmen oder über längere Zeit allein zu sein.

Wenn bei einem Schwangerschaftsgeschehen unabhängig von der Lokalisation, die positiven Schwangerschaftsteste innerhalb kurzer Zeit negativ werden, kann kein lebensfähiger Keim vorliegen. Sowohl aus diagnostischen als auch aus therapeutischen Überlegungen ist dann eine Vollkürettage (s. S. 268) indiziert. Es ist sehr wichtig, daß das gesamte gewonnene Gewebe histologisch untersucht wird. Nur

Tabelle 12

Intakte frühe Tubargravidität

Symptomatik

kurzfristige Amenorrhoe, Schwangerschaftsgefühl, aufgelockerter Uterus, livide verfärbte Scheidenhaut, keine vaginale Blutung, keine oder nur geringe Schmerzen.

Diagnostik

1. sorgfältige Anamnese
2. gynäkologische Untersuchung, Tuben meist unauffällig
3. Schwangerschaftstest, negativer Ausfall schließt Gravidität nicht aus, positiver Ausfall gibt keinen Hinweis auf die Lokalisation der Schwangerschaft
4. Temperatur rektal um 37,2°—37,5° C. Normale BSG.

Differential-Diagnostik

die Abgrenzung gegenüber einer intrauterinen beginnenden Gravidität ist **nicht** möglich

Gestörte Tubargravidität ohne Blutaustritt in die freie Bauchhöhle

Symptomatik

nach Amenorrhoe einsetzende Schmierblutung, evtl. Spontanabgang eines Deziduasackes, nachlassendes Schwangerschaftsgefühl, keine deutliche Lividität der Scheidenhaut, ziehende Schmerzen mäßiger Art auf der befallenen Seite

Diagnostik

1. wie oben
2. befallene Tube druckschmerzhaft, nicht sicher verdickt
3. Schwangerschaftsteste werden negativ, HCG kann durch Konzentrierung des 24-Stunden-Urins noch erfaßt werden
4. Temperatur rektal um 37,2—37,5° C. Normale BSG
5. bei negativ gewordenem Schwangerschaftstest Vollkürettage. Fehlen fetale Elemente wird der Verdacht auf eine ektopische Gravidität verstärkt.
6. Zölioskopie oder Kolpozöliotomie zur Klärung der Diagnose

Differential-Diagnostik

Abgrenzung von einem drohenden intrauterinen Abort nur durch Punkt 6 möglich.

Auch bei intrauterinem Sitz kann die Kürettage Gewebsmaterial ohne fetale Elemente fördern, wenn das Ei unbemerkt abgegangen ist.

Ein Teil der Fälle bleibt ungeklärt, wenn die Patientin nach der Kürettage beschwerdefrei wird (resorbierte ektopische Gravidität).

Gestörte oder unterbrochene Tubargravidität mit Blutung in die Bauchhöhle

Tubarer Abort

Symptomatik

nach Amenorrhoe langanhaltende Schmierblutung, evtl. Spontanabgang eines Deziduasackes, kein Schwangerschaftsgefühl mehr, keine ausgeprägte Lividität der Scheidenhaut, wechselnd starke, wehenartige Schmerzen auf der befallenen Seite, zunehmende Blässe, Miktions-, Defäkations-Beschwerden.

Diagnostik Fortsetzung Tabelle 12

1. wie oben
2. Ausbildung eines sich langsam vergrößernden, druckschmerzhaften Adnextumors, evtl. Ausbildung einer retrouterinen Hämatozele mit Vorwölbung des DOUGLASschen Raumes, zunehmender Portiolüftungsschmerz
3. wie oben
4. Temperatur rektal um 37,2°—37,5° C. BSG normal (schließt entzündlichen Adnexprozeß aus)
5. Vollkürettage; fehlen fetale Elemente, wird der Verdacht auf eine ektopische Gravidität verstärkt
6. bei vorgewölbtem DOUGLASschen Raum Punktion; wird dunkles Blut mit Koageln aspiriert, Laparotomie.

Differential-Diagnostik

Bei tastbarem Adnexbefund muß ein alter einseitiger Konglomerattumor, eine Saktosalpinx, ein Ovarialtumor oder ein gestieltes Myom erwogen werden.

Bei positivem Graviditätstest ist eine intrauterine Gravidität mit zystischem Corpus luteum graviditate zu diskutieren.

Bei retrouterinem Hämatom Verwechslung mit schwangerem retroflektiertem Uterus möglich.

Bei Temperaturanstieg, BSG-Beschleunigung und positiven Schwangerschaftstesten ist die Abgrenzung zum intrauterinen Abort mit entzündlichem Adnextumor nicht möglich. Unter klinischem Schutz muß der Verlauf beobachtet werden.

Tubarruptur

Symptomatik

kurzfristige Amenorrhoe, meist keine oder nur kurzdauernde Schmierblutung, Lividität der Scheidenhaut. Patientin in schlechtem Allgemeinzustand, extreme Blässe, Atemnot, Schulterschmerz, starke Unterbauchschmerzen, Präkollaps, Kollaps

Diagnostik

1. Anamnese muß u. U. von den Angehörigen erfragt werden, wenn Patientin kollabiert ist
2. Extremer Portiolüftungsschmerz, vorgewölbter DOUGLASscher Raum, peritoneale Abwehrspannung
3. kann positiv sein
4. Temperatur rektal um 37,2°—37,5° C. Normale BSG
5. entfällt
6. Douglaspunktion; wird Blut aspiriert, Laparotomie (vorher Blut oder Blutersatz bereitstellen)

Differential-Diagnostik

Ein „akutes Abdomen“ entsteht auch bei stielgedrehtem Ovarialtumor, Perforationen aus dem Intestinaltrakt u. a. m. Patientin ist nicht blaß, es besteht keine Amenorrhoe, kein Hinweis auf Schwangerschaft. Temperatur und BSG sind pathologisch erhöht. Leukozytose.

Das Bild der Tubarruptur kann durch eine Blutung beim Follikelsprung oder beim Platzen einer Corpus-luteum-Zyste imitiert werden.

---

so kann eine Aussage erfolgen, ob im Geschabsel fetale Elemente vorhanden sind oder nicht. Finden sich weder Plazentazotten noch Trophoblastzellen, sondern wird Decidua compacta und Decidua spongiosa gefördert ohne starke Begleitentzündung, so wird der Verdacht auf eine ektopische Gravidität zwingend. Einen absoluten Beweis erhält man nicht, da das Ei vor der Kürettage unbemerkt abgegangen sein kann. — Die makroskopische Beurteilung eines jungen Schwangerschaftsproduktes ist nur dann möglich, wenn der Fetus vorhanden ist. Ohne Embryo kann man Plazentateilchen **nicht** von der massig entwickelten, makroskopisch zottig erscheinenden Dezidua unterscheiden.

Auch der Nachweis eines intrauterinen Abortes schließt eine Extrauteringravidität nicht sicher aus. Neben der intrauterinen kann sich eine zweite Gravidität in der Tube entwickeln, wenn die Patientin einen doppelten Eisprung hatte.

Besteht kein Anhalt für eine intraabdominelle Blutung, aber trotzdem der zwingende Verdacht auf einen ektopischen Sitz der Gravidität, so ist der Versuch einer Douglaspunktion sinnlos, weil kein Blut aspiriert werden kann. Zur Klärung der Diagnose hilft die Zölioskopie (s. S. 278) oder die hintere Kolpozöliotomie (s. S. 281). Sieht man bei den Eingriffen eine bläulich schimmernde, aufgetriebene Tube, so wird in der gleichen Narkose die Entfernung der Tube angeschlossen.

Die Diagnose einer Tubarruptur ist auf Grund des klinischen Bildes meist klar, so daß die Douglaspunktion (s. S. 280) als unnötige Verzögerung angesehen werden könnte. Der Beweis der intraabdominellen Blutung ist aber doch für die Untermauerung der Diagnose, auch aus juristischen Erwägungen, wichtig. Kann kein Blut aspiriert werden, so ist die Diagnose Tubarruptur nicht sicher. Verwachsungen im DOUGLASschen Raum können die Ursache sein. Aber auch andere Krankheitszustände, z. B. ein hypoglykämischer Schock, Perforationen aus dem Intestinaltrakt usw., sollten erwogen werden.

Die Diagnose der fortgeschrittenen ektopischen Gravidität ist außerordentlich schwierig. In den meisten Fällen wird das Krankheitsbild nicht erkannt. Bei Mehrgebärenden ist der Uterus oft so dünnwandig, daß Kindsteile sehr bauchdeckennahe palpiert werden können. Bei Verdacht auf einen extrauterinen Sitz einer fortgeschrittenen Gravidität wird die Diagnose geklärt durch eine vorsichtige Sondierung des Uteruskavums mit einer gebogenen Knopfsonde. Dabei geht man, nach Anhaken der Portio, mit der Sonde ohne Kraftaufwand in den Uterus ein. Beträgt die Sondenlänge nur 9—12 cm, so kann sich die Frucht nicht in utero befinden. Dringt die Sonde zwanglos wesentlich tiefer, ist ein ektopischer Sitz nicht wahrscheinlich. Eine Röntgenübersichtsaufnahme des Abdomens gibt gute Hinweise auf die Lage des Feten.

Behandlung

Die Extrauteringravidität wird operativ behandelt.

Bei der Eröffnung des Bauchraumes bietet sich je nach Verlaufsart ein unterschiedliches Bild. Nach einem protrahierten **Tubarabort** kann die befallene Seite von Darmschlingen abgedeckt sein, die zart miteinander verklebt sind. Nach deren stumpfer Lösung erkennt man einen großen, blutig imbibierten Adnextumor. Die geronnenen Blutmassen können mit der Hand entfernt werden. Die befallene Tube wird an der Mesosalpinx abgesetzt und der Tubenansatz aus dem Uterus ausgeschnitten (Abb. 53). Die Tube sollte vollkommen entfernt werden, auch wenn die Implantationsstelle peripher im ampullären Anteil lokalisiert ist. Die Gefahr einer erneuten Tubargravidität in dem verbliebenen Tubenstumpf ist groß. Das Ovar der betroffenen Seite bleibt unangetastet (lediglich bei einer Tubovarial- oder Ovarialgravidität wird dies nicht gelingen). Die Tube wird exstirpiert, nachdem man sich von dem Zustand der nicht betroffenen Seite überzeugt hat. Fehlt ein Adnex (frühere Operation) und besteht dringender Kinderwunsch, kann man beim ampullären Sitz der ektopischen Gravidität die Ausräumung des Schwangerschaftsproduktes unter Belassung der Tube versuchen. Eine eventuelle Wiederholung einer Extrauteringravidität muß in Kauf genommen werden. Ist die nicht betroffene Tube verschlossen, sollte eine Salpingolysis angeschlossen werden, wenn bei der Patientin Kinderwunsch besteht.

Ein anderes Bild bietet die **Tubarruptur** bei der Eröffnung des Bauches. Vor Einleitung der Narkose sollten Infusionen mit Blut- oder

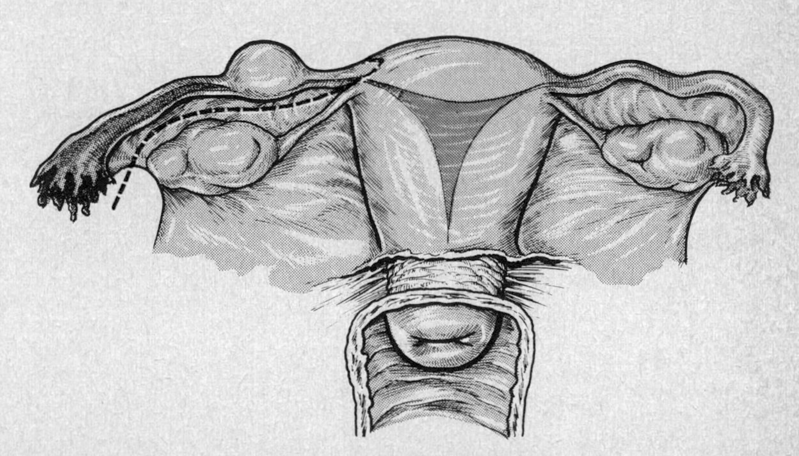

Abb. 53 Operationsprinzip bei der Tubargravidität. Man versucht stets, das Ovar zu erhalten. Die Ansatzstelle der Tube wird keilförmig exzidiert

Blutersatzflüssigkeit angelegt werden. Nach Freilegung des Peritoneums schimmert das in die Bauchhöhle ausgetretene Blut bläulich durch. Mit Eröffnung des Bauchfells quillt das teils geronnene, teils frische Blut heraus und verhindert die Sicht. Zunächst wird der größte Teil des Blutes entfernt. Sobald die Übersicht hergestellt ist, wird die erkrankte Tube entfernt.

Wichtig für die spätere Fertilität der Patientin ist die möglichst vollständige Säuberung des Bauchraumes von dem ausgetretenen Blut. Obwohl der Organismus das extravasale Blut resorbiert, wird die Neigung zu Verwachsungen durch das verbliebene Blut gefördert.

Bei der Tubarruptur ist oft viel Blut in den Oberbauch geflossen. Um es zu beseitigen, muß die Patientin eine kurze Zeit mit dem Becken tief- und dem Kopf hochgelagert werden. Aus den Zwerchfellkuppeln und den Nierenlagern fließen oft erstaunlich große Blutmengen nach unten ab.

Sehr schwierig ist die operative Behandlung der **fortgeschrittenen ektopischen Gravidität,** wenn die Plazentahaftstelle und der Brutraum des Kindes im Bauchraum liegen. Ist die Diagnose sicher, sollte in jedem Fall die Schwangerschaft entfernt werden, ohne Rücksicht auf die Lebensfähigkeit des Kindes. Zu jeder Zeit droht eine lebensgefährliche intraabdominelle Blutung. Die Kinder sind in 50 % der Fälle mit Mißbildungen behaftet auf Grund der ungünstigen Fruchthöhle und schlechten Ernährungsbedingungen. — Die operative Entfernung von Kind und Eihäuten gelingt meist leicht, dagegen ist die Lösung der Plazenta vom Peritoneum sehr problematisch. Leicht entfernbare Teile sollen vorsichtig abgelöst werden. Festhaftende sind wegen der Blutungs- und Perforationsgefahr in den Darm zu belassen. Der Bauchraum wird breit drainiert. Innerhalb von Wochen stößt sich die nekrotisch werdende Plazenta nach außen ab, z. T. wird sie auch resorbiert.

Auch heute noch sind Todesfälle wegen Extrauteringravidität möglich. In den letzten 30 Jahren betrug der Anteil der an einer Extrauteringravidität verstorbenen Patientinnen 2—12 %, bezogen auf alle Todesfälle, die im Zusammenhang mit Schwangerschaft und Geburt stehen (gesamte mütterliche Mortalität).

Zusammenfassung: Die Implantation des befruchteten Eies außerhalb des Cavum uteri führt zu schweren Störungen des Schwangerschaftsproduktes und zu bedrohlichen Erkrankungen der Mutter. An jeder Stelle, an der sich ein befruchtungsfähiges Ei befindet, kann eine Konzeption und spätere Nidation stattfinden. Das befruchtete Ei erreicht die Uterushöhle nicht oder wandert zu weit. Die bevorzugte Lokalisation der ektopischen Gravidität ist die Tube. Ursächlich kommen hypoplastische, lange Tuben und Hindernisse in der Tubenlichtung in Betracht. Wandert das befruchtete Ei zu weit, entsteht ein tiefer Sitz der Plazenta oder eine zervikale Gravidität.

Der Beginn einer ektopischen Gravidität ist vollkommen identisch mit einer normalen intrauterinen Gravidität. Geht das Schwangerschaftsprodukt zugrunde und wird resorbiert, kann das Geschehen unbemerkt bleiben.

Beim tubaren Abort (ampulläre Tubargravidität) ist der Verlauf protrahiert. Blut sammelt sich peritubar schubweise an. Mit dem zugrunde gehenden Trophoblasten entsteht in der intrauterinen Dezidua eine Durchbruchsblutung. Gelegentlich wird die Dezidua als dreizipfeliger Sack in toto ausgestoßen.

Die Tubarruptur (isthmische Tubargravidität, interstitielle Gravidität) ist ein plötzliches Ereignis mit einer schweren intraabdominellen Blutung.

Bei der tiefen Implantation im Isthmus uteri entsteht eine tiefsitzende Plazenta oder eine Placenta praevia partialis bis centralis. Die Gravidität entwickelt sich meist bis zur Lebensfähigkeit des Kindes.

Die zervikale Gravidität wird durch besonders schwere, vaginale Blutungen im ersten Schwangerschaftsdrittel und durch die Perforation ins Parametrium zu einem bedrohlichen Krankheitsbild.

Die Diagnostik der ektopischen Gravidität ist je nach der Verlaufsform unterschiedlich.

Die Behandlung besteht in der operativen Entfernung des fehlimplantierten Schwangerschaftsproduktes, wobei der insuffiziente Fruchthalter (Tube) exstirpiert wird.

Schwangerschaftsunterbrechung und Sterilisierung

Das Thema der Schwangerschaftsunterbrechung fand schon im Altertum Fürsprecher und entschiedene Gegner. Bereits im Eid des Hippokrates steht, daß der Arzt einer Schwangeren kein Abtreibungsmittel geben darf. In diesem Kapitel soll nicht von der Abtreibung und ihren Folgen die Rede sein, sondern von legalisierten Schwangerschaftsunterbrechungen durch Ärzte, die z. Z. von Laien, Juristen und Theologen leidenschaftlich diskutiert werden. Am distanziertesten verhalten sich die Gynäkologen, denen der Eingriff des Schwangerschaftsabbruchs zugemutet wird.

Indikationen zur Schwangerschaftsunterbrechung und Sterilisierung

Der Wunsch nach einer Schwangerschaftsunterbrechung kann aus verschiedenen Gründen gestellt werden. Man unterscheidet 4 klassische Indikationen:

Soziale Indikation

Die soziale Indikation, Notlage der Eltern bei geistiger und körperlicher Gesundheit (Armut, zu viele Kinder, zu kleine Wohnung usw.), wird bisher von ärztlicher und juristischer Seite in der Bundesrepublik abgelehnt. Ein sozialer Übelstand sollte durch sozialpolitische Maßnahmen und nicht durch die Legalisierung des künstlichen Abortes behoben werden. Die freiwillige Sterilisierung aus sozialen Gründen wird großzügiger gehandhabt als vor wenigen Jahren, obwohl weiterhin eine Rechtsunsicherheit in der Bundesrepublik besteht. Viele andere Länder haben Gesetze zur freiwilligen Sterilisierung erlassen, wobei fast immer die soziale Indikation eingeschlossen ist.

Eugenische Indikation

Unter dieser Indikation versteht man die Verhinderung der Geburt eines Kindes, welches mit großer Wahrscheinlichkeit krank oder lebensuntüchtig geboren würde. Ursächlich kommen Erbkrankheiten und Embryopathien in Betracht. Nach dem hier gültigen Gesetz ist die Unterbrechung einer Schwangerschaft aus eugenischer Indikation **nicht** gestattet, in zahlreichen anderen Ländern gesetzlich erlaubt. Gegen die freiwillige Sterilisierung bestehen auch hier keine juristischen Einwände, wenn mit großer Wahrscheinlichkeit ein dominant vererbliches Leiden vorliegt und beide Partner freiwillig und schriftlich ihr Einverständnis erklären.

Ethische Indikation

Hierunter versteht man die Unterbrechung einer Gravidität nach Vergewaltigung trotz ernsthaften Widerstandes, Schwängerung einer Willens- oder Bewußtlosen und die Schwängerung von Minderjährigen und Geisteskranken. Juristisch wird die Unterbrechung einer derart zustande gekommenen Gravidität bisher **nicht** gestattet, obwohl sich Gynäkologen und Psychologen für eine Unterbrechung einer derart zustande gekommenen Schwangerschaft aussprachen. Zahlreiche andere Länder erlauben den Schwangerschaftsabbruch unter diesen Umständen. Die Frage der Sterilisierung entfällt hier.

Medizinische Indikation

Die medizinische Indikation zur Schwangerschaftsunterbrechung besteht dann, wenn das Leben der Mutter durch die Fortdauer der Gravidität ernsthaft gefährdet wird. Die Interruptio aus medizinischer Indikation ist de jure erlaubt, in gleichem Maße die freiwillige Sterilisierung der betreffenden Frau.

Gesetzliche Regelung

Die illegale Abtreibung einer Schwangerschaft wird strafrechtlich verfolgt.

Der § 218 des Strafgesetzbuches lautet wörtlich: „Eine Frau, die ihre Leibesfrucht abtötet oder die Abtötung durch einen anderen zuläßt, wird mit Freiheitsstrafe bis zu 5 Jahren bestraft.

Wer sonst die Leibesfrucht einer Schwangeren abtötet, wird mit Freiheitsstrafe bis zu fünf Jahren, in besonders schweren Fällen mit Freiheitsstrafe von einem Jahr bis zu zehn Jahren bestraft.

Der Versuch ist strafbar.

Wer einer Schwangeren ein Mittel oder einen Gegenstand zur Abtötung der Leibesfrucht verschafft, wird mit Freiheitsstrafe bis zu fünf Jahren, in besonders schweren Fällen mit Freiheitsstrafe von einem Jahr bis zu zehn Jahren bestraft."

Die geplante Strafrechtsreform sieht eine Änderung des § 218 vor.

Da zum jetzigen Zeitpunkt eine Änderung des § 218 noch nicht eingetreten ist, können die folgenden Ausführungen nur unter dem Gesichtspunkt des z. Z. herrschenden Gesetzes betrachtet werden.

In England ist die Schwangerschaftsunterbrechung 1967 mit dem „Abortion act" praktisch freigegeben worden.

Die Stadt New York hält die Schwangerschaftsunterbrechung nicht für rechtswidrig, wenn sie mit Einverständnis der Frau von einem approbierten Arzt vorgenommen wird, und zwar a) wenn es für die Gesundheit der Frau notwendig ist und b) innerhalb von 24 Wochen nach Beginn der Schwangerschaft.

Die Zitierung der liberalen Rechtsauffassung anderer Länder läßt sich noch beliebig fortsetzen.

Eine gesetzliche Regelung der **medizinischen Indikation** zur Schwangerschaftsunterbrechung erfolgte in Deutschland erstmals 1933 im § 14 Abs. I des Gesetzes zur Verhütung erbkranken Nachwuchses. Danach wurde die medizinische Indikation als Rechtfertigungsgrund anerkannt. Der Eingriff darf nur in einer Klinik durchgeführt werden, wenn eine Gutachterkommission einen entsprechenden Antrag genehmigt hat. Der § 14 hat in den Ländern der Bundesrepublik noch heute Gültigkeit mit Ausnahme von Hessen und Bayern. Die Praxis unterscheidet sich in beiden Ländern jedoch nicht von der Durchführung des § 14.

Auch die **freiwillige Sterilisierung** unterliegt einer gesetzlichen Regelung. In allen Ländern der Bundesrepublik außer Hessen und Bayern wird die Sterilisierung nur durch eine medizinische Indikation gerechtfertigt, wie sie 1933 in § 14 Abs. I im Gesetz zur Verhütung erbkranken Nachwuchses formuliert wurde. Hessen und Bayern lassen für die freiwillige Sterilisierung neben der medizinischen auch die eugenische und mit gewissen Einschränkungen auch die soziale Indikation gelten.

Formelles Verfahren

Der Antrag zur Schwangerschaftsunterbrechung wird vom Hausarzt für die Patientin gestellt. Der Antrag richtet sich an die Gutachterstelle für Schwangerschaftsunterbrechung des zuständigen Gesundheitsamtes. – Die Gutachterstelle benennt zwei Gutachter, welche zu dem Antrag auf Interruptio Stellung nehmen müssen. Die Gutachten sollen in der Regel von einem Gynäkologen und einem Fachvertreter der Grundkrankheit der Patientin erstellt werden. Ist das Ergebnis gleichlautend, wird der Antrag je nach der Stellungnahme abgelehnt oder genehmigt. Differieren beide Gutachten, muß ein Obergutachten eingeholt werden. Ein Antrag zur Schwangerschaftsunterbrechung sollte nur bei Graviditäten unter der 18. Schwangerschaftswoche gestellt werden. Ist die Schwangerschaft weiter fortgeschritten, stehen u. U. die Größe und das Risiko des Eingriffs in keinem Verhältnis zu dem eventuellen Nutzen durch die Unterbrechung.

Medizinische Indikationen zur Schwangerschaftsunterbrechung

Tab. 13 orientiert über die wesentlichen anerkannten medizinischen Indikationen zur Schwangerschaftsunterbrechung und nimmt zu der Frage Stellung, ob eine gleichzeitige Sterilisierung sinnvoll ist oder nicht. Wenn auch gewisse Richtlinien für die Indikation zur Interruptio gegeben werden können, so liegt doch jedes Krankheitsgeschehen individuell verschieden und muß im Einzelfall beurteilt werden. – In den letzten Jahren wurden für zahlreiche Erkrankungen neue Behandlungsverfahren wirksam, die die früher übliche Schwangerschaftsunterbrechung nicht mehr nötig machen. Ein Beispiel ist die Lungentuberkulose, bei der nur noch in Ausnahmefällen eine Interruptio gestattet wird. Ähnliches gilt für kompensierte Herzfehler. Die Operation einer Mitralstenose während der Gravidität ist heute kein seltener Eingriff mehr. Führt die Operation zum Erfolg, kann die Schwangerschaft ausgetragen werden. Die Anwendung von Antibiotika hat die Interruptio bei entzündlichen Erkrankungen der ableitenden Harnwege überflüssig gemacht. Eine gezielte Hormontherapie läßt eine Gravidität bei schweren endokrinologischen Erkrankungen möglich werden (Diabetes, Morbus Addison, Morbus Basedow). Diese Beispiele können beliebig erweitert werden.

Eine Schwangerschaftsunterbrechung ist nicht indiziert, wenn das Leiden der Graviden infaust ist. Tritt die Erkrankung erst dann auf, wenn das Kind lebensfähig erscheint, so kann durch eine Schnittentbindung das Kind gerettet werden. Die vorzeitige Entbindung eines Kindes bei schwerer Erkrankung der Mutter wird immer mit dem Ziel ausgeführt, nach Möglichkeit auch das Leben des Kindes zu retten. Die Voraussetzungen sind also ganz anders als bei der

Schwangerschaftsunterbrechung, bei der der Arzt gezwungen wird, werdendes Leben zu vernichten.

Methoden der Schwangerschaftsunterbrechung und Sterilisierung

Die künstliche Unterbrechung einer Schwangerschaft muß laut Gesetz in der Bundesrepublik in einer Klinik vorgenommen werden. Die Risiken des Eingriffes rechtfertigen die gesetzliche Auflage.

Einzeitige Entleerung des graviden Uterus

Dieses Verfahren wird bis zum 3. Graviditätsmonat angewandt. Dabei erweitert man den Zervikalkanal langsam mit HEGAR-Stiften. Das Schwangerschaftsprodukt wird mit stumpfer Kürette und Abortzange entfernt. Die anschließende Nachkürettage sollte vorsichtig ausgeführt werden, um eine Perforation des weichen Uterus zu vermeiden und um die basalen Schichten des Endometriums zu schonen. Intravenöse Kontraktionsmittel tonisieren den Uterus. Eventuell muß Blut oder Blutersatz bei stärkerem Blutverlust gegeben werden. Die Risiken des Eingriffes sind: Partielle Zervixrisse nach zu schneller Dilatation, Perforation des Uterus, postoperative entzündliche Aszension.

In den letzten Jahren wird der „Saug- oder Aspirationskürettage" der Vorzug gegeben. Nach einer Dilatation des Zervikalkanals wird das Schwangerschaftsprodukt mit großkalibrigen Tuben abgesaugt. Dies gelingt bei Schwangerschaften bis zur 8. Woche mit einem Unterdruck von 0,5 Atmosphären innerhalb von 20—60 Sekunden. Der Blutverlust ist gering. Perforationen wurden bei großen Berichtszahlen nicht beobachtet. Die schnelle postoperative Rückbildung des Uterus gestattet eine ambulante Durchführung des Eingriffs oder eine kurze Hospitalisierung von 1—2 Tagen. Als Nachteil wird angeführt, daß Nachkürettagen häufiger sind als bei herkömmlichen Abortausräumungen.

Zweizeitige Entleerung des graviden Uterus

Ist die Gravidität älter als Mens III, ist das zweizeitige Verfahren schonender. Man dilatiert den Zervikalkanal mit Laminariastiften (langsam quellende Stifte aus aufbereiteten Meeresalgen) innerhalb von 24 Stunden. Mit Hilfe eines intravenösen Dauertropfes mit Wehenmitteln wird der Uterus zur Spontanausstoßung der Frucht angeregt oder mit der Aspirationskürettage der Schwangerschaftsabbruch erzwungen. Bei der Interruptio dieser Art kann es zu einem starken Blutverlust beim Ablösen der Plazenta kommen.

Tabelle 13 **Medizinische Indikationen zur Schwangerschaftsunterbrechung** (nach MUTH und ENGELHARDT 1964, ergänzt nach C. MÜLLER 1969)

Diagnose	*gleichzeitige Sterilisierung?*
Schwangerschaftsbedingte Erkrankungen	
unbeeinflußbare Frühgestose (Hyperemesis gravidarum)	nein
Schwangerschaftspolyneuritis	nein
Encephalopathia gravidarum	nein
Beginnende, akute gelbe Leberatrophie	nein
Therapieresistenter Herpes gestationes mit Verschlechterung des Allgemeinzustandes	nein
Genitalorgane	
Schwangerschaft in einem, durch Operation interponierten vesikovaginal liegenden, Uterus	ja
Infiltrierende Kollumkarzinome und andere bösartige Geschwülste im Genitaltrakt	entfällt, da Radikal-Op. oder Bestrahlg.
Extragenitale Malignome	
Alle Sarkome	? *
Mammakarzinom	?
Magenkarzinom	?
Rektumkarzinom	?
Hirntumor, bösartig	?
Schwangerschaft in den ersten beiden Jahren nach primärer Malignombildung und -behandlung	?
Tuberkulose	
Lungentuberkulose bei doppelseitigem Pneumothorax	nein
Lungentuberkulose bei Pneumothorax und ungenügender Kollapswirkung	nein
Ausdehnung des spezifischen Prozesses (respiratorische Insuffizienz) mit deutlicher Verschlechterung in der Gravidität	nein
Lungentuberkulose und zusätzliche Herzerkrankung	nein
Doppelseitige Nierentuberkulose	ja
Tuberkulöse Spondylitis der Lumbalwirbel mit Querschnittslähmung	ja
Tuberkulöse Koxitis	?
Tuberkulose der Iliosakralgelenke	?
Lunge	
Chronische Lungenerkrankungen mit mehr als $^2/_3$ Funktionsverlust des Sollwertes, Hypooxämie unter 85 % (z. B. Asthma bronchiale)	ja
Herz-Kreislauf	
Dekompensierte Mitralstenose nach Valvulotomie	ja
Dekompensierte Mitralstenose (wenn Kommissurotomie in der Gravidität nicht möglich)	nein

Schwerste Mitralinsuffizienz mit Dekompensation	ja
Dekompensierte angeborene Herzvitien	ja
Dekompensiertes Cor kyphoskolioticum	ja
Uropoetisches System	
Chronische Glomerulonephritis mit beginnender Urämie	ja
Chronische Glomerulonephritis mit Retinablutungen und Ablatio retinae	ja
Chronische Glomerulonephritis mit Verschlechterung des Allgemeinzustandes	ja
Therapieresistente Glomerulonephritis mit nephrotischem Einschlag	ja
Diabetische Glomerulosklerose	ja
Therapieresistente maligne Nephrosklerose	ja
Wenn nur eine Niere vorhanden ist und diese erkrankt an:	
Tuberkulose	ja
Nephrolithiasis	ja
Pyelonephritis	ja
Blut und Gefäße	
hämolytische Anämien; kongenitale Sphärozytose	nein
Therapieresistente Agranulozytose	nein
familiäre Thrombopathien	ja
Maligne, unreifzellige Leukämien	ja
Lympho-, Retikulosarkom und Plasmazytom mit Verschlechterung in der Frühgravidität	ja
Kavernöses Leberhämangiom	ja
Rezidivierende Thrombophlebitis mit Zustand nach Hirnsinusthrombose und/oder thromboembolischen Schüben	ja
Skelet	
Therapieresistente Koxitis	ja
Morbus BECHTEREW	ja
Therapieresistente Osteomalazie	ja
Augen	
Retinitis angiospastica mit Retinablutungen	ja
Amaurose bei chronischer vaskulärer Nephritis	ja
Neurologie, Psychiatrie	
Polysklerose bei Verschlimmerung in der Frühgravidität	ja
Akute Myelitis	?
Status epilepticus mit Verschlimmerung in der Frühgravidität	?
Myasthenia gravis pseudoparalyticum	ja
Schizophrenie	?
Reaktive therapieresistente Depression	nein
Zustand nach Wochenbettpsychose	?

? * = hängt von der Verlaufsform ab

Das Risiko der Interruptio wird dadurch erhöht, daß es sich vielfach um Schwerkranke handelt. Eine schonende Narkose, eine optimale Sauerstoffzufuhr und ein schneller Blutersatz müssen gewährleistet sein.

Interruptio mit gleichzeitiger Sterilisierung

Soll an die Entleerung des Uteruskavums die Sterilisierung angeschlossen werden, so kann diese vaginal durch eine Kolpozöliotomie erfolgen. Die Operationsbelastung ist für die Patientin geringer als beim abdominalen Vorgehen. – Wird der abdominale Weg gewählt, so wird das Schwangerschaftsprodukt durch eine Sectio parva (quere Eröffnung des Fundus uteri) entfernt. Anschließend wird die Tubensterilisierung durchgeführt.

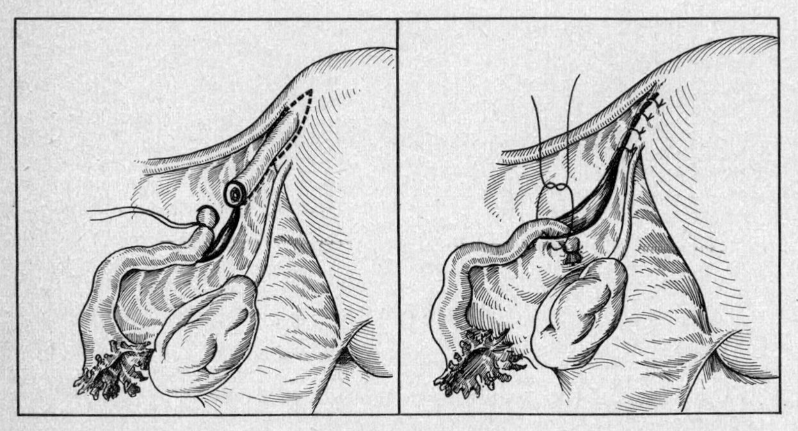

Abb. 54 Beispiel zur Tubensterilisation. Das uterusnahe Tubenende wird keilförmig reseziert. Der verbliebene Tubenstumpf wird in die beiden Blätter des Lig. latum versenkt und vernäht

Sterilisierende Operationen

Um eine dauernde Unfruchtbarkeit zu erreichen, werden Teile der Tuben exzidiert oder so unterbunden, daß eine Rekanalisation unmöglich erscheint (Abb. 54). Die einfache Unterbindung der Tuben ist zu unsicher, da die Fäden sich lösen können und dann die Tuben ihre volle Funktion wieder erlangen.

Als Termin zur Sterilisierung ist der erste postpartale Tag günstig, weil man dann von einem kleinen periumbilikalen Schnitt den noch hochstehenden Uterus mit Tuben leicht erreichen kann. Die Operationsbelastung ist für die Wöchnerin sehr gering.

Zusammenfassung: Die Schwangerschaftsunterbrechung ist, nach § 14 Abs. I des Gesetzes zur Verhütung erbkranken Nachwuchses, aus medizinischer Indikation dann gestattet, wenn das Leben der Schwangeren durch die Gravidität in ernsthafte Gefahr gerät. Die Schwangerschaftsunterbrechung muß über eine staatliche Gutachterstelle von zwei ärztlichen Gutachten abhängig gemacht werden. Der Eingriff darf nur in einer Klinik vorgenommen werden. Die soziale, eugenische und ethische Indikation sind bisher keine gesetzlich anerkannten Begründungen für eine Schwangerschaftsunterbrechung. Die freiwillige Sterilisierung ist aus medizinischer Indikation gesetzlich anerkannt. Sie wird nicht selten auch aus sozialer Indikation durchgeführt, obwohl die Rechtssituation nicht eindeutig ist.

Empfängnisverhütung (Antikonzeption)

Seuchenbekämpfung, Senkung der Neugeborenen- und Säuglingssterblichkeit und andere zivilisatorische Erfolge haben die Zahl der Menschen entscheidend, in manchen Erdteilen bedrohlich, anwachsen lassen. Die Fertilität der Menschen ist wohl in allen Zeiten gleich gewesen. Die Chance, das fortpflanzungsfähige Alter zu erreichen, ist rapide gestiegen. Abb. 55 zeigt die Zunahme der Menschheit in den letzten Jahrhunderten. Der Bevölkerungsüberdruck in Ländern mit hochentwickelter Zivilisation nimmt aber auf Grund der Konzeptionsverhütung nicht so zu, wie nach der Kurve zu erwarten wäre. Man glaubt daher, daß der Wachstumsdruck in den entwicklungsbedürftigen Ländern abnimmt, wenn dort ein gewisser Wohlstand erreicht würde. Soziologen, Politiker und Mediziner stimmen überein, daß die Übervölkerung der Menschheit nur durch eine Limitierung der Fortpflanzung gewaltlos eingeschränkt werden kann.

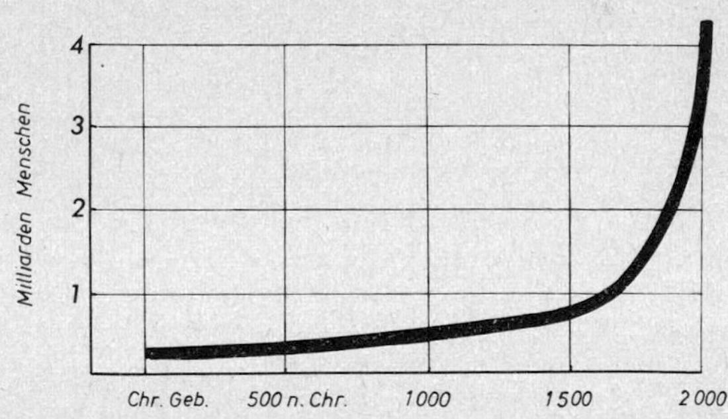

Abb. 55 Zunahme der Menschheit seit Christi Geburt (nach Hötzel). 1969: 3,6 Milliarden

Das Thema der Empfängnisverhütung ist im 20. Jahrhundert hochaktuell, hat aber die Menschen schon immer beschäftigt. Bereits 1900 vor Christi findet sich in einem ägyptischen Papyrus eine Mitteilung über Scheideneinlagen, die mit spermafeindlichen Substanzen getränkt waren. Genannt werden Dornakazie, Datteln, Krokodilskot und Akaziengummi. Interessant ist, daß die letzte Substanz noch heute in spermatiziden Gelees zur Konzeptionsverhütung verwendet wird. Auf Einzelheiten über die Geschichte der Empfängnisverhütung einzugehen, verbietet der Rahmen dieses Buches.

In allen Völkern, Kulturkreisen und Religionen werden der Zeugungsakt, die Empfängnis, die Empfängnisverhütung und die Fruchtabtreibung als zentrale Lebensprobleme empfunden. Dementsprechend ist auch die Regelung der Nachkommenschaft mit Vorschriften oder Verboten umgeben. An dieser Stelle kann nicht auf die Vielschichtigkeit des Problems eingegangen werden, es soll vielmehr der Versuch gemacht werden, aus gynäkologischer Sicht Nutzen und Gefahren der Konzeptionsverhütung darzustellen.

Biologische Empfängnisverhütung

Ende der zwanziger Jahre setzte sich mit zunehmendem Wissen über die Periodizität des weiblichen Zyklus die Erkenntnis durch, daß der Eisprung zu einer bestimmten Zeit zwischen zwei Menstruationsblutungen wiederkehrt und das menschliche Ei nicht sehr lange befruchtungsfähig ist. Wird dann Enthaltsamkeit geübt, so kann eine Konzeption vermieden werden. Aus diesen Überlegungen resultieren zwei Methoden.

Vermeidung des Konzeptionsoptimums nach Knaus-Ogino

Hermann Knaus (geb. 1892) beschäftigte sich Zeit seines Lebens mit der Periodizität des weiblichen Zyklus und kam zu dem Ergebnis, daß eine 5tägige Enthaltsamkeit etwa in der Mitte des Zyklus eine wirksame Empfängnisverhütung darstelle. Knaus erkannte, daß bei verschieden langen Zyklen die Zeit der Eireifung zwar verschieden lang sein kann, aber die Corpus-luteum-Phase immer konstant ist. Ogino (Japan) stellte ähnliche Überlegungen auf Grund von Operationsbefunden an, bei denen er registrierte, an welchem Zyklustag sprungreife Follikel vorhanden waren.

Knaus erklärt seine Methode folgendermaßen: 1. Jede Frau muß wissen, daß eine Empfängnis nur kurz vor oder unmittelbar nach dem Eisprung möglich ist. 2. Will eine Frau wissen, an welchen Tagen ihrer Periode sie empfangen kann, so muß sie für ein Jahr gewissenhaft einen Menstruationskalender führen. Aus dem Kalender werden der kürzeste und längste Zyklus herausgesucht. 3. Sind der längste und kürzeste Zyklus ermittelt, so kann die fruchtbare Periode errechnet werden (Tab. 14).

Tabelle 14 **Beispiel für die Berechnung der fruchtbaren Periode nach Knaus**

	längster Zyklus nach Ablauf eines Jahres			kürzester Zyklus nach Ablauf eines Jahres	
	32 Tage			27 Tage	
minus	15 Tage	(Corpus-luteum-Phase)	minus	15 Tage	(Corpus-luteum-Phase)
plus	2 Tage	(Sicherheit, Zyklus könnte länger sein)	minus	2 Tage	(Sicherheit, Zyklus könnte kürzer sein)
	19. Zyklustag			10. Zyklustag	

d. h. die betreffende Frau muß damit rechnen, vom 10.–19. Zyklustag empfängnisfähig zu sein.

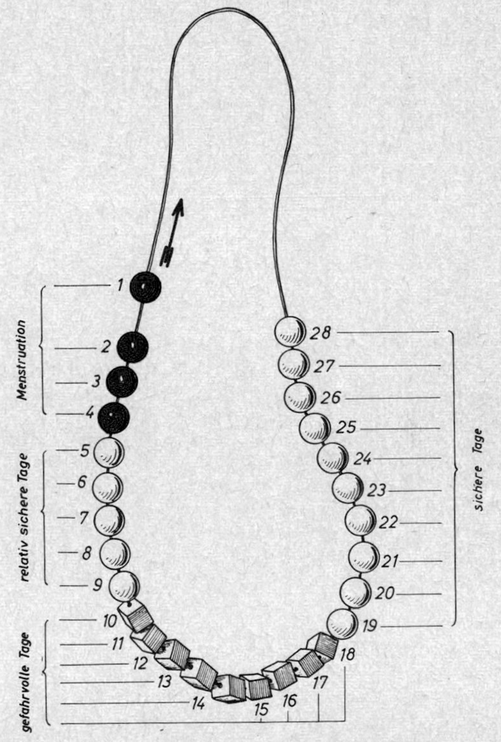

Abb. 56 Perlenkette nach STONE. Die roten Perlen zeigen die Tage der Menstruation an, die weißen Kugeln die Zeit, in der eine Konzeption unwahrscheinlich ist. An den Tagen der Würfel sollte kein Verkehr stattfinden

Wird die Methode nach KNAUS-OGINO befolgt, so ist die Empfängnisrate wesentlich herabgesetzt. Ein Nachteil ist die Notwendigkeit, daß die um Rat suchende Frau zunächst für ein Jahr ihren Zyklus registrieren muß. Sie verläßt dann entmutigt die Sprechstunde und gibt zu schnell auf. Auch muß man für das Verständnis der Methode ein Mindestmaß an Intelligenz voraussetzen.

Wie schwer es ist, größeren Bevölkerungsgruppen derartige Methoden begreiflich zu machen, soll folgendes Beispiel erläutern: Der Amerikaner STONE wollte die KNAUSsche Methode der indischen Bevölkerung verständlich machen und entwarf eine Kette, die die Frauen um den Hals tragen mußten (Abb. 56). Trat die Periode ein, sollte die Patientin die erste rote Perle auf die andere Halsseite schieben. An den Tagen der weißen Perlen war der Verkehr gestattet. Verboten sollte er sein an den Tagen der Würfel. Zur Sicherheit hatte STONE 9 enthaltsame Tage eingeplant. Die Würfel konnten auch in der Dunkelheit von den Perlen unterschieden werden. — Der Erfolg der Kette war nicht groß. Einmal wollten nicht alle Frauen die gleiche Kette tragen, zum anderen hatte ein Teil der Frauen geglaubt, das Tragen der Kette allein schütze als geheimer Zauber vor Schwangerschaften. Als sich trotzdem Nachwuchs einstellte, verlor STONE sein Renommé.

Vermeidung des Konzeptionsoptimums an Hand der Aufwachtemperaturkurve

THEODOR VAN DE VELDE (1873—1937), Direktor der Frauenklinik in Haarlem (Holland), berichtete 1904 über wellenförmige Bewegungen im biologischen Geschehen der Frau. 1927 empfahl er in seinem Buch „Die vollkommene Ehe" die Messung der Morgentemperatur der Frau zur Ermittlung des Eibläschensprunges.

Für die praktikable Anwendung der Aufwachtemperaturkurve setzte sich der im Rheinland tätige katholische Pfarrer WILHELM HILLEBRAND ein. 1930 versuchte HILLEBRAND seinen Beichtkindern zu helfen und erklärte ihnen die KNAUSsche Regel. Da er Versager erlebte, erinnerte er sich des Passus über die Temperaturmessung in VAN DE VELDES Buch. Bereits 1935 konnte er gut gemessene Kurven von 76 Zyklen vorweisen. Trotz Zweifel der Schulmedizin und Ablehnung bei den Theologen fuhr er fort, die um Rat suchenden Ehepaare in dieser Weise aufzuklären. 1950 wies DÖRING im deutschen Schrifttum auf die Bedeutung der Aufwachtemperaturmessung hin. Ein großer Teil des Materials stammte von WILHELM HILLEBRAND, dem dafür die Universität Köln 1959, kurz vor seinem Tode, die Ehrendoktorwürde der Medizin verlieh.

Die Methodik der Aufwachtemperaturkurve wird auf S. 240 ausführlich geschildert. Wird die Aufwachtemperaturkurve zum Zwecke der Empfängnisverhütung empfohlen, ist die Patientin auf verschiedene Punkte aufmerksam zu machen: 1. Bereits während der Messung des ersten Zyklus ist eine sichere unfruchtbare Periode zu erkennen, wenn die Hyperthermie 2 bis 3 Tage besteht (und **kein** fieberhafter Infekt vorliegt). Dies ist ein Vorteil gegenüber der KNAUSschen Methode.

2. Die Patientin sollte darauf hingewiesen werden, daß nicht sicher erkennbar ist, wann der Eisprung erfolgt, sondern nur die Tatsache, daß er stattgefunden hat. Daher muß, zumindest in den ersten drei Zyklen, die postmenstruelle, relativ unfruchtbare Phase sehr vorsichtig und kurz bemessen werden. 3. Die Patientin sollte wissen, daß Hormoninjektionen oder -tabletten, die der Hausarzt u. U. in Unkenntnis der Aufwachtemperaturkurve verordnet, das Bild verfälschen.

Eine Konzeptionsverhütung mit Hilfe der Aufwachtemperaturkurve ist sicherer als die KNAUSsche Methode. Auch sie setzt Einsicht, Verständnis und Intelligenz bei beiden Partnern voraus. Aber auch intelligente Frauen sind manchmal nicht in der Lage, eine zuverlässige Kurve zu führen, z. B. wenn morgens ein krankes Kind weint, das Telefon schellt oder der Hund nach draußen muß. Man muß diese banalen Dinge einkalkulieren, um die Situation der Patientinnen richtig beurteilen zu können.

Der unschätzbare Vorteil der biologischen Empfängnisverhütung besteht darin, daß ungestörte Kohabitationen zu gewissen Zeiten **ohne** physische oder psychische Beeinträchtigung beider Partner möglich sind.

Mechanische Empfängnisverhütung

Die im folgenden geschilderten Methoden gehen alle von der Überlegung aus, daß die Vereinigung der Spermatozoe mit der Eizelle verhindert werden soll.

Vaginale empfängnisverhütende Methoden

Die Wanderung der Spermatozoen in den Uterus kann durch zwei Methoden verhindert werden: In die Scheide eingebrachte Medikamente mindern die Vitalität und Motilität der Spermien, so daß sie nicht in den Uterus gelangen. — Der Muttermund wird durch Pessare verschlossen, so daß die Spermien nicht eindringen können.

Spermatizide Substanzen

Vor der Kohabitation werden mit Hilfe eines Ansatzrohres (meist aus einer Tube) Gelee, Creme, Aerosolschaum oder Vaginalzäpfchen mit einer spermatiziden Substanz im hinteren Scheidengewölbe deponiert. Spermatizide Substanzen sind: Borsäure, Essigsäure, Weinsäure, Milchsäure, Aluminiumazetat, Paraformaldehyd, Methylalkohol, Silber-Glykokoll, Sulfonamide, Nonyl-Phenoxy-Polyethoxy-Äthanol u. a. — Die Wirkung ist sehr unsicher, wenn nur wenig Material in die Scheide eingeführt wird (Abb. 57/1). Die Kohabitation soll innerhalb einer Stunde nach Einführung der Substanz stattfinden. Nach dem Verkehr darf die Scheide 6 Stunden lang nicht gespült werden, da sonst überlebende Spermien in den Uterus eindringen können. In dieser Zeit wird das ausfließende Sekret mit einer Vorlage aufgefangen.

Das Verfahren setzt zwar die Empfängnisrate herab, ist aber nicht sicher. Die Patientinnen klagen über die starke Scheidenbefeuchtung.

Scheidenpessare

Zervixkappe. Wilde empfahl 1838 eine gut passende Zervixkappe, um Frauen mit rachitischem, geburtsunmöglichen Becken vor Schwangerschaften zu bewahren. Die Pessare bestehen z. Z. aus Kunststoff und sitzen der Zervix festhaftend auf. Das Pessar muß monatlich vor der Periode entfernt werden. Manche Frauen erlernen das Einsetzen der Kappe, andere müssen dafür den Arzt aufsuchen. Das Verfahren ist recht wirksam. Versager kommen vor, wenn die Zervixkappe unbemerkt verrutscht. Der Vorteil liegt darin, daß vor der Kohabitation keine störenden Manipulationen ausgeführt werden müssen. Ein großer Nachteil ist die Gefahr der Zervizitis. Sobald Entzündungszeichen auftreten, muß die Kappe entfernt werden (Abb. 57/2).

Diaphragma. In diesem Falle wird ein elastischer, stabiler Gummiring, der mit einem weichen Gummidiaphragma überzogen ist, in die Scheide eingeführt. Das Diaphragma wird so plaziert, daß es unter Spannung vom hinteren Scheidengewölbe bis hinter die Symphyse reicht. Es wird unmittelbar vor der Kohabitation zusammen mit einer spermatiziden Substanz eingeführt und erst 6 Stunden nach dem Verkehr entfernt (Abb. 57/3).

Die Methode ist in Amerika sehr verbreitet und erscheint recht sicher. – Bei Patientinnen mit weiter Scheide und Descensus uteri hält das Diaphragma nicht, so daß die Methode nicht angewandt werden kann.

Uterine empfängnisverhütende Methoden

Graefenberg empfahl 1929 zur Empfängnisverhütung die intrauterine Einlage einer Ringspirale (Abb. 57/5) aus Gold oder Silber, nach Dilatation der Zervix, um die Konzeption zu verhüten. Nach der Einlage war der Ring nur noch röntgenologisch nachweisbar. Andere, nicht von Graefenberg stammende intrauterine Pessare (Abb. 57/4) waren z. T. bizarr geformt und führten zu schweren Komplikationen (Endometritis, Adnexitis, Pelveoperitonitis mit Todesfolge). Die deutsche Gesellschaft für Gynäkologie lehnte daher die Methode ab und kennzeichnete sie 1935 als fahrlässige Handlung.

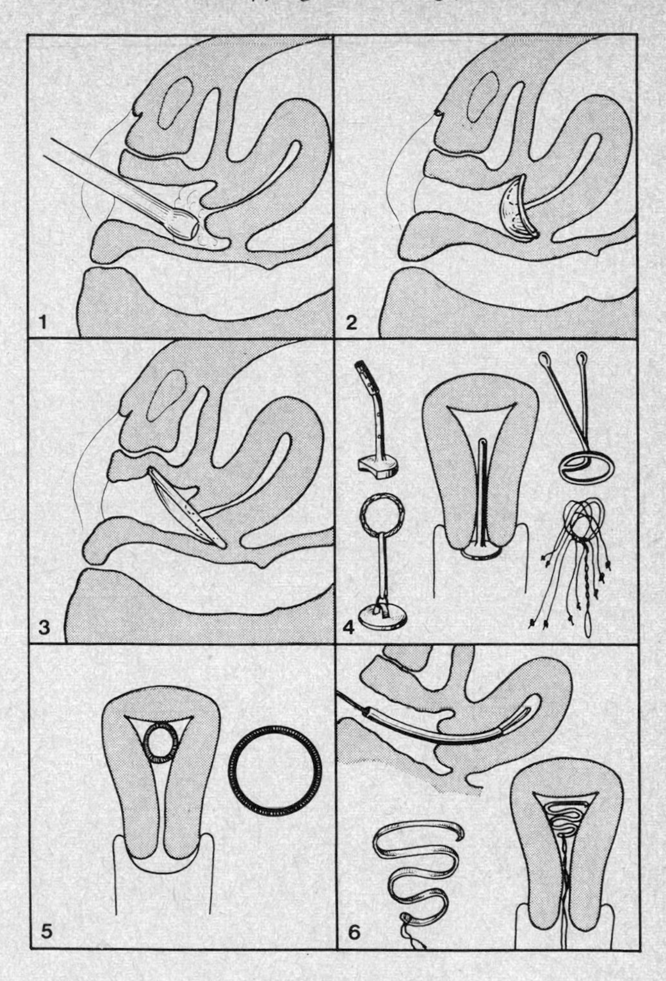

Abb. 57 Schematische Darstellung über die Methoden der Konzeptionsverhütung. 1. Einführung einer spermatiziden Creme, die die Spermien vital schädigt. 2. Portiokappe nach WILDE, die zum Zeitpunkt der Menstruation entfernt werden muß. 3. Vaginalpessar, welches vor dem Verkehr eingeführt wird. 4. Veraltete Intrauterinpessare, die meist zu einer schweren Endometritis und anderen Komplikationen führten. 5. GRAEFENBERG-Ring aus Silber oder Gold. Von den abgebildeten Intrauterinpessaren hatte dieser die geringste Komplikationsrate. 6. Intrauterine Plastikschlinge (Lippes loop) bei der Einführung in den Uterus und Lage innerhalb des Uteruskavums

Die GRAEFENBERGsche Idee wurde in Amerika wieder aufgegriffen, da wesentlich gewebsfreundlicheres Material zur Verfügung steht. Man entwickelte Plastikspiralen und -schlingen, die in zunehmendem Umfang angewandt werden.

Unter sterilen Bedingungen wird eine biegsame Plastikspirale oder -schlinge in den Uterus geschoben. Das Ende der Spirale schaut nach der Einlage aus dem äußeren Muttermund heraus (Abb. 57/6). Wird die Spirale von der Patientin vertragen, kann sie über Jahre liegen bleiben. Ein Wechsel wird nach einem Zeitabstand von 18 Monaten empfohlen. Die Wirkung der Intrauterinspirale ist nicht sicher bekannt. Manche Autoren diskutieren eine Verhinderung der Spermienwanderung durch die veränderte Motilität des Uterus oder durch die mechanische Irritation des Endometriums. Wahrscheinlicher ist, daß die Konzeption stattfindet, aber die Nidation des befruchteten Eies gestört wird. Tatsächlich ist die Rate der Frühaborte nicht gering. Tab. 15 gibt einen Einblick in die Art und Häufigkeit der unerwünschten Nebenwirkungen.

Tabelle 15 **Nebenwirkungen bei intrauterinen Plastikspiralen**
(nach: Report on the Use of **I**ntra**u**terine **C**ontraceptive **D**evices = IUCD 1964)

Art	% aller Patientinnen mit Plastikspirale
Leichte Blutung nach Einlage der Spirale,	
einige Stunden Dauer	25 %
2 bis 7 Tage	75 %
Zwischenblutungen in den folgenden Zyklen	25 %
Krampfartige Schmerzen	
Mehrgebärende	10 %
Nulliparae	80 %
Kollaps bei der Einlage	Einzelfälle
Pelveoperitonitis	8 %
Unbemerkte Spontanausstoßung der Spirale	5 %
Frühaborte	bis 10 %
Perforation der Spirale ins kleine Becken	Einzelfälle

Die Intrauterinpessare sind, wenn sie keine Nebenwirkungen zeigen, für die betreffende Frau ein bequemes Antikonzipiens. Sie eignen sich für Frauen, bei denen eine Kontraindikation zur Einnahme von Ovulationshemmern besteht, oder für diejenigen, die nicht in der Lage sind, eine andere Methode zur Konzeptionsverhütung durchzuführen. Die weiteste Verbreitung haben die Intrauterinpessare in den Entwicklungsländern gefunden.

Tubare Empfängnisverhütung

Die operative Tubensterilisierung wurde bereits im vorangehenden Kapitel besprochen. Da die Methode mit einem Operationsrisiko belastet ist und zu einer unwiderruflichen Sterilisierung führt, ist das Für und Wider bei jedem Einzelfall genau abzuwägen (s. S. 177 und 182).

Empfängnisverhütung durch Ovulationshemmung

Im Vordergrund des Interesses steht bei Medizinern und Laien seit ca. 15 Jahren eine Form der Empfängnisverhütung, die die generative Fortpflanzungsfähigkeit der Frau vorübergehend hemmt. Schätzungen der WHO (World Health Organization) gehen dahin, daß ca. 18 Millionen Frauen insgesamt, davon ca. 3 Millionen in der BRD, Ovulationshemmer einnehmen.

Während der Schwangerschaft wird durch die andauernde Hormonwirkung im Organismus für 9 Monate die Ovulation verhindert. Man erprobte daher, ob mit geringeren exogen zugeführten Hormondosen die Ovulation unterdrückt werden kann. Die Erkenntnisse wurden von Pincus und Rock 1956 in Puerto Rico gewonnen, die diese Methode bei der weiblichen Bevölkerung der Insel anwandten.

De facto kann die Ovulation mit Einzel- und Kombinationsgaben aller drei Sexualsteroide (Östrogene, Gestagene und Androgene) gehemmt werden, wenn die Einnahme kontinuierlich etwa über 3 Wochen erfolgt. Nach Beendigung der Medikation kommt es zu einer Entzugs- oder Abbruchblutung. Es ist klar, daß sich die Einnahme von Androgenen bei der Frau wegen der vermännlichenden Eigenschaften verbietet. Die isolierte Anwendung von Östrogenen würde zu schweren Abbruchblutungen aus dem zu stark proliferierenden Endometrium führen. — Nach zahlreichen Versuchen sind Präparate in den Handel gekommen, die Östrogen-Gestagen-Gemische enthalten und folgende Voraussetzungen erfüllen: 1. In niedriger Dosierung wird mit täglichen oralen Gaben eine sichere Hemmung der Ovulation erreicht. 2. Die Präparate wirken nicht vermännlichend. 3. Die Präparate sind so dosiert, daß möglichst keine Durchbruchsblutung eintritt und die Abbruchblutung das Maß einer Periode nicht über-, sondern unterschreitet.

Anwendung

Vom 5. Tag des Menstruationszyklus an wird täglich eine Tablette, insgesamt 21—22 pro Zyklus eingenommen. Die meisten Tabletten enthalten ein Östrogen-Gestagen-Gemisch in unterschiedlicher Dosierung. In den Präparaten werden nur synthetische, peroral wirksame Hormone verwandt. Jedem Präparat sind vom Hersteller gute,

Tabelle 16

Zusammensetzung von Ovulationshemmern

Präparat	Östrogen →		Dosierung in mg		← Gestagen	
Anovlar	Äthinylöstradiol		0,05	4,00	Norethisteronacetat*	
Planovin	Äthinylöstradiol		0,05	4,00	Megestrolacetat	
Etalontin	Äthinylöstradiol		0,05	2,50	Norethisteronacetat*	
Lyndiol	Äthinylöstradiol		0,05	2,50	Lynoestrenol*	
Noracyclin	Mestranol		0,075	2,50	Lynoestrenol*	
Eugynon	Äthinylöstradiol		0,05	0,50	Norgestrel*	
Neogynon	Äthinylöstradiol		0,05	0,25	Norgestrel*	
Stediril-D	Äthinylöstradiol		0,05	0,25	Norgestrel*	
Orlest	Äthinylöstradiol		0,05	1,00	Norethisteronacetat*	
Ortho-Novum 1/50	Mestranol		0,05	1,00	Norethisteron*	
Ovanon, biphasisch	Mestranol	7 Tage	0,08			
	Mestranol	15 Tage	0,075	2,50	Lynoestrenol*	15 Tage
Tri-Ervonum, biphasisch	Mestranol	16 Tage	0,10	0,10	Megestrolacetat	16 Tage
	Äthinylöstradiol	7 Tage	0,10	1,00	Megestrolacetat	7 Tage

Oraconal, biphasisch	Äthinylöstradiol	16 Tage	0,10	0,10	Megestrolacetat	16 Tage
	Äthinylöstradiol	7 Tage	0,10	1,00	Megestrolacetat	7 Tage
Kombiquens, biphasisch	Äthinylöstradiol	16 Tage	0,10	0,10	Megestrolacetat	16 Tage
	Äthinylöstradiol	7 Tage	0,10	1,00	Megestrolacetat	7 Tage
Co-Ervonum	Äthinylöstradiol		0,10	2,00	Megestrolacetat	
Anacyclin	Mestranol		0,10	1,00	Lynoestrenol*	
Gynorm	Mestranol		0,10	2,50	Norethynodrel*	
Ortho-Novum	Mestranol		0,10	2,00	Norethisteron*	
Ovulen	Mestranol		0,10	1,00	Ethinodioldiacetat*	

Gestagenbetont

(die mit einem * bezeichneten Stoffe sind Nortestosteronderivate)

ausgewogen

Östrogenbetont

(die Östrogenaktivität ist bei gleicher Dosierung für Äthinylöstradiol höher als für Mestranol)

für den Laien verständliche Hinweise beigelegt. Bei etwa halbjährlicher gynäkologischer Kontrolle kann die Ovulation etwa 2—3 Jahre lang gehemmt werden. Danach sollte eine Pause von drei Monaten mit Kontrolle der Ovarialfunktion (Aufwachtemperaturkurve mit ovulatorischen Zyklen) eingehalten werden. — Ovulationshemmer ist der Sammelbegriff für die Präparate, die im Volksmund „Antibabypillen" genannt werden. — Erprobt sind zwei verschiedene Aufbereitungen:

Die monophasischen Kombinationspräparate: Jede Tablette enthält über den ganzen Einnahmeturnus das gleiche Östrogen-Gestagen-Gemisch.

Die biphasischen Sequenzpräparate: Bei dieser Form sollen die hormonalen Verhältnisse dem spontanen Zyklus angenähert werden. Nach einer 1—2wöchentlichen ausschließlichen oder überwiegenden Östrogenzufuhr wird bis zum Ende der 3. Woche ein Östrogen-Gestagen-Gemisch gegeben. Die Proliferation des Endometriums entspricht dann mehr der Norm, die sekretorische Umwandlung wird nur unvollkommen erreicht. Die antikonzeptionelle Wirkung soll mit einer gering erhöhten Versagerquote belastet sein.

Bei allen Ovulationshemmern variiert das Mengenverhältnis zwischen den Sexualsteroiden. Tab. 16 zeigt eine Zusammenstellung der **gestagenbetonten, ausgeglichenen** und **östrogenbetonten** Präparate.

Bisher kurzfristig im Handel:

Die alleinige, kontinuierliche oder zyklische Gestagenzufuhr (Minipille): Angeblich bessere Verträglichkeit im Vergleich zu den Östrogen-Gestagen-Gemischen. Leicht erhöhte Versagerquote. Häufig Schmier- und Durchbruchsblutungen.

Wirkungsweise

Der Eingriff in das Ovarialendokrinium durch exogen zugeführte Hormone wurde bereits (s. S. 79) geschildert, so daß hier eine kurze Rekapitulation erfolgen kann.

Hypophyse

Die Synthese der Gesamtgonadotropine in der Hypophyse wird durch die Einnahme von Ovulationshemmern herabgesetzt. Wahrscheinlich wird das luteotrope Hormon (LH) gebremst. — Nach Absetzen der exogenen Hormonzufuhr nimmt die Hypophyse ihre gonadotrope Funktion wieder auf. Bisher wurde kein Fall einer Hypophysenschädigung bekannt. In allen Fällen setzte die von der Hypophyse gesteuerte Ovarialtätigkeit wieder ein.

Ovar

Die Primordialfollikel werden nicht beeinflußt. In der Ovarialrinde bilden sich alle Reifungsstadien mit Ausnahme von sprungreifen Follikeln. Durchbruchsovulationen sind möglich, wobei nicht sicher auszuschließen ist, ob es sich um die Folge von Einnahmefehlern handelt. Die Sekundär- und Tertiärfollikel zeigen morphologisch Anzeichen der beginnenden Atrophie (einsprossende Gefäße in die Granulosazellschicht). Der Ovarialbefund unterstützt die Annahme, daß die Gonadotropinausschüttung nur partiell blockiert ist, da sonst die Follikelreifung bis zum Tertiärfollikel nicht möglich wäre. – Wird die Einnahme der Ovulationshemmer nur kurz unterbrochen (eine Pille vergessen), so kann es zur Ausbildung eines sprungreifen Follikels, zum Eisprung und damit zur Konzeption kommen. – Nach Absetzen der Medikation verläuft nach den bisherigen Erfahrungen die Ovulation ungestört. Der erste Zyklus ist meist anovulatorisch. Bei oligomenorrhoischen Patientinnen ist ein „Rebound-Effekt" möglich (s. S. 81). Die nach einer zeitweisen Unterdrückung der Ovarialfunktion geborenen Kinder waren alle gesund.

Bei Kinderwunsch wurden 62 % der Frauen innerhalb des ersten ovulatorischen Zyklus nach Absetzen der ovulationshemmenden Substanzen schwanger, aber nur 34 % der Frauen nach Gebrauch von mechanischen empfängnisverhütenden Methoden. Der Unterschied liegt darin, daß gehäuft entzündliche Veränderungen im Genitaltrakt bei mechanischen Verhütungsmitteln auftreten.

Endometrium

Die Tabletteneinnahme beginnt am 5. Zyklustag. Auf Grund der so früh einsetzenden Gestagenwirkung kommt es bei den monophasischen Präparaten in den Drüsenschläuchen zu einer sekretorischen Umwandlung, noch ehe die Proliferation richtig stattgefunden hat. Die Drüsenschlängelung bleibt weitgehend aus. Um den 14. Tag der Tabletteneinnahme schrumpfen die Endometriumdrüsen; sie werden atrophisch. Das Stroma des Endometriums wandelt sich in den ersten 10 Tagen der Tabletteneinnahme prädezidual um (Abb. 58). Auf Grund des wesentlich geringeren Endometriumaufbaues gegenüber dem ovulatorischen Zyklus ist das Ausmaß der Abbruchblutung geringer als bei der spontanen Menstruationsblutung.

Zervix

Viskosität und Menge des Zervixschleimes entsprechen etwa der Sekretionsphase, d. h. es wird relativ viel Schleim gebildet. Die Spermienpenetration wird herabgesetzt oder vollkommen verhindert. Letzteres ist sehr wesentlich als Schutzmechanismus gegen gelegentlich doch stattfindende Ovulationen.

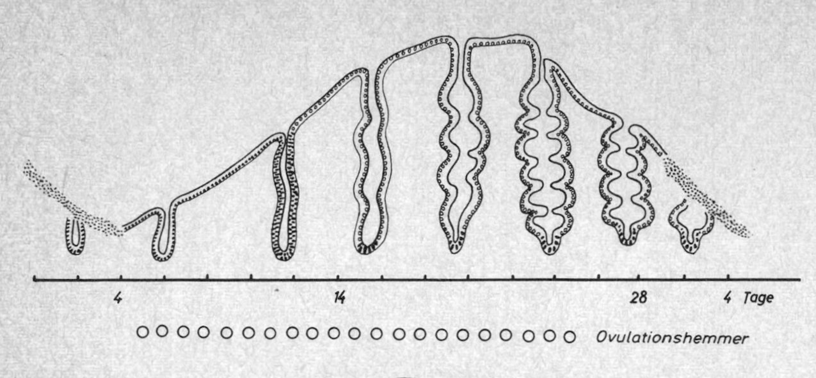

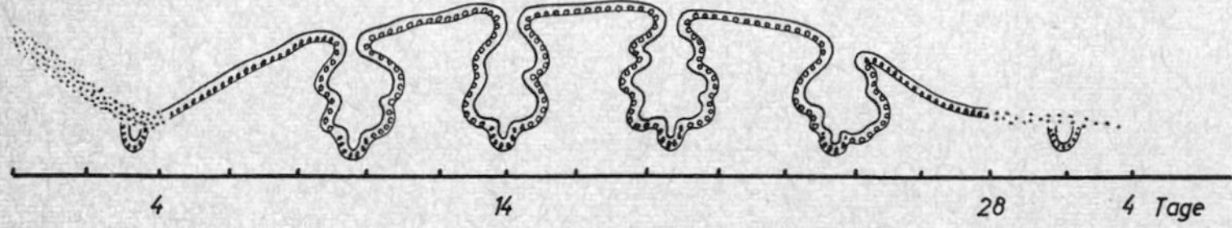

Abb. 58 Vergleich des Endometriums während eines spontanen ovulatorischen Zyklus und unter monophasischen Ovulationshemmern. Durch die frühzeitig einsetzende Gestagenwirkung kommt es nicht zu einer Proliferation der Drüsenschläuche, sondern zu einer unvollkommenen sekretorischen Umwandlung, die später in eine Schrumpfung des Endometriums übergeht. Die darauffolgende Abbruchblutung ist gewöhnlich schwächer als eine normale Menstruationsblutung

Vagina

Das Abstrichbild entspricht der sekretorischen Phase. Es finden sich basophile, zusammengerollte, in Haufen liegende Oberflächen- und Intermediärzellen.

Nebenwirkungen

In den ersten drei Monaten der Einnahme kommt es gehäuft zu Nebenwirkungen, die später meist verschwinden. Man nimmt an, daß sich erst dann die Frau an die veränderte Hormonlage gewöhnt hat, ähnlich wie in der normalen Schwangerschaft. Neigt eine Patientin während der Tabletteneinnahme zu Kopfschmerzen, Übelkeit, Erbrechen, Wasserretention, Hyperpigmentierung und zervikaler Hypersekretion, so sollten **östrogenbetonte** Präparate **nicht** verordnet werden (s. Tab. 16).

Klagen Patientinnen über allgemeine Müdigkeit, Depression, Libidoabnahme, Appetit- und Gewichtszunahme, so ist dies meist auf **gestagenbetonte** Präparate zurückzuführen (s. Tab. 16).

Tabelle 17 **Nebenwirkungen von Ovulationshemmern**
(nach HAUSER 1965)

Art	Prozentuale Häufigkeit
Venensystem	
Müdigkeit, Kribbeln und Schwere in den Beinen	15 %
Thrombosegefahr	nicht bewiesen
Körpergewicht	
Zunahme in den ersten drei Zyklen (bis 4 kg), danach Reduktion	38 %
Abnahme (bis 4 kg)	37 %
unverändert	25 %
Psychisch überlagerte Symptome	
Übelkeit	16 %
Magen-Darm-Symptome (vor allem Verstopfung)	14 %
Kopfschmerzen	8 %
Brustschwellung	10 %
Nervositätssteigerung von ohnehin schon nervösen Frauen	10 %
Prämenstruelles Syndrom	eher Zu- als Abnahme
Libidobeeinflussung	
Steigerung	15 %
Abnahme	45 %
unverändert	39 %
Zwischenblutungen (Durchbruchsblutungen)	
bei langzeitiger zyklischer Einnahme (bis 2 Jahre)	99 %
fehlende Abbruchblutung	2 %

Nortestosteronderivate sollte man **nicht** verordnen, wenn eine Neigung zu Akne, fettigem Haar, Haarausfall und Hypertrichose vorhanden ist. Kopfschmerzen sind in der Tablettenpause häufiger, ebenso soll es bei dieser Präparategruppe öfter zu Hypo- und Amenorrhoen kommen (s. Tab. 16).

Tab. 17 zeigt einen Überblick über Art und Häufigkeit der Nebenwirkungen bei der Einnahme von Ovulationshemmern.

Eine besonders unangenehme Nebenwirkung ist die Zwischenblutung, die bei fast jeder Frau bei langdauernder Einnahme vorkommt. In diesem Falle soll die Patientin an den verbleibenden Tagen der Tablettenzufuhr täglich zwei an Stelle einer Tablette einnehmen.

Während der Einnahme von Ovulationshemmern kommt es in der Scheide relativ oft zu Pilzinfektionen, die sich jedoch therapeutisch leicht beeinflussen lassen (s. S. 300).

Gegenindikation

Sehr umstritten ist die Rezeptur von Ovulationshemmern bei Jugendlichen. In jedem Falle sollte die Stabilisierung des spontanen Zyklus abgewartet werden. Greift man während der Adoleszenz bei noch instabilem Zyklus mit Ovulationshemmern ein, so können später langanhaltende Amenorrhoen die Folge sein.

Ovulationshemmer sollen bei Patientinnen mit Leberschädigung nicht verordnet werden. Nach ausgeheilter Hepatitis bestehen dagegen keine Bedenken. Eine lebertoxische Wirkung ist nicht bekannt, obwohl die Transaminasen leicht ansteigen können. Bei Epileptikerinnen wurde z. T. eine Verschlechterung der Anfallssituation beobachtet. — Für Zuckerkranke wird zur Zurückhaltung geraten, weil die Stoffwechselzusammenhänge noch nicht genügend geklärt sind. — Finden sich Thromboembolien in der Anamnese, sollten ebenfalls die Präparate nicht rezeptiert werden. Einzelfälle scheinen auf einen Zusammenhang mit erneuten Thrombosen hinzuweisen, obwohl die statistische Beweisführung keinen sicheren Hinweis erbrachte. — Bei Frauen mit Hypertonien unterschiedlichster Genese ist die Verordnung von Ovulationshemmern kontraindiziert. Eine krebsfördernde Wirkung kann den Ovulationshemmern **nicht** zugeschrieben werden. Große Statistiken beweisen eher das Gegenteil.

Da die tägliche Tabletteneinnahme oft als lästig empfunden wird, sucht man weitere Wege zur Konzeptionsverhütung in Form von Depotpräparaten.

„Dreimonatsspritze": Parenterale Zufuhr von 150 mg eines Progesteronderivats mit einer antikonzeptionellen Wirkung von 90 Tagen. Schmierblutungen, Metrorrhagien und langanhaltende Amenorrhoen sind unerwünschte Nebenwirkungen.

„Einmonatsspritze": Östrogen-Gestagen-Depot von 4 Wochen Wirksamkeit. Auch hier sind gehäuft Durchbruchsblutungen sowie verlängerte und verstärkte Abbruchblutungen zu beobachten.

Als **Frühabortivum** muß man folgende in der Erprobung befindliche Hormonmedikationen betrachten:

„Pille danach": In den ersten drei Tagen nach dem Geschlechtsverkehr werden hochdosierte Östrogenderivate verabfolgt (z. B. 2,5 mg Stilboestrol 5 Tage lang). Bei der wenige Tage nach Absetzen der Östrogenzufuhr eintretenden Abbruchblutung wird die Fruchtanlage mit ausgestoßen.

Prostaglandine: Diese regen als Vaginalsuppositorien relativ sicher den Uterus zu Kontraktionen an und bringen wahrscheinlich die Corpus luteum-Funktion zum Erliegen.

Therapeutische Anwendung

Da mit den Ovulationshemmern wohlausgewogene Hormonpräparate zur Verfügung stehen, werden diese nicht nur zur Empfängnisverhütung, sondern auch als Therapeutikum gebraucht. Die Hauptanwendungsgebiete sind die Dysmenorrhoe (s. S. 92) und die Endometriose (s. S. 433). Die juvenile Acne vulgaris bei Mädchen wird günstig durch Ovulationshemmer, die keine Nortestosteronderivate enthalten, beeinflußt.

Zusammenfassend kann zur Empfängnisverhütung durch Ovulationshemmung folgendes festgehalten werden: Durch die Einnahme eines niedrig dosierten Östrogen-Gestagen-Gemisches kommt es zu einer sicheren Unterdrückung der Ovulation. Damit wird in die innersekretorische Wechselwirkung zwischen Hypophyse, Ovar und Erfolgsorganen eingegriffen. Eine tgl. Tabletteneinnahme über 21 bis 22 Tg. pro Mon. ist erforderlich. Für Mann und Frau sind ungestörte Kohabitationen möglich. Die Methode hat relativ häufige, **bisher nicht** schwerwiegende Nebenwirkungen. Evtl. Folgen nach Generationen sind noch unbekannt und nicht abschätzbar.

Vom Mann ausgehende Empfängnisverhütung

Mit den oben geschilderten Methoden sind die Möglichkeiten der Empfängnisverhütung von seiten der Frau erschöpft. Der Mann bedient sich seit langem zweier Verfahren:

Kondom (Präservativ)

Fallopius empfahl 1564 den Männern, ein Leinensäckchen über den Penis zu streifen, um sich vor gonorrhoischen Ansteckungen zu schützen. Aus dieser Empfehlung entwickelten sich die heute im Handel befindlichen, aus weichem Gummi von 0,05 mm Dicke bestehenden Kondome. Der Kondom ist in der Form dem erigierten Penis angepaßt und wird vor der Immissio penis übergestreift. Das Ejakulat gelangt nicht in die Vagina, sondern wird durch das Präservativ aufgefangen. Prozentual steht der Kondom unter den Verhütungsmitteln an erster Stelle, offensichtlich wegen der einfachen und dem Laien sinnvollen Handhabung.

Coitus interruptus

Darunter versteht man eine Trennung der Partner vor der Ejakulation. Das Ejakulat wird außerhalb der Vagina entleert. Nicht jeder Mann ist in der Lage, kurz vor dem Orgasmus den Ablauf des Ereignisses zu unterbrechen. Nicht selten tritt auch bereits wenig Samenflüssigkeit aus, ehe sich die Ejakulation wirklich anbahnt, so daß trotz des Coitus interruptus eine Konzeption eintreten kann.

Die Beurteilung des Coitus interruptus ist unterschiedlich. Die Empfängnisrate wird dadurch herabgesetzt. Wenn ein Paar auf diese Praxis eingespielt ist, ist kein psychischer Schaden zu erwarten.

Sterilisierung

Die Sterilisierung des Mannes durch Unterbrechung des Ductus deferens bds. ist technisch einfacher durchführbar als die Tubensterilisation. Die vita sexualis des Mannes bleibt ungestört. Bisher wird vorwiegend in Indien diese Methode zur Eindämmung der drohenden Übervölkerung angewandt.

Antikonzeptionelle Beratung

Empfängnisverhütung ist ein sehr vielschichtiges Problem. Ein Arzt sollte die Methoden mit ihren Vor- und Nachteilen kennen. Bei der Beratung der Patientinnen müssen deren persönliche Situation, ihre menschliche Eigenart und ihre religiöse Gebundenheit berücksichtigt werden. Die Beratung erfordert vom Beratenden ein hohes Maß an menschlicher Reife.

Einigen Patientinnen sollte von jeder Form der Antikonzeption abgeraten werden:

Jungverheiratete Ehepaare, die aus sozialen Gründen die Schwangerschaft etwas aufschieben möchten, bei denen aber die Frau das 30. Lebensjahr überschritten hat. Im 4. Lebensjahrzehnt ist mit einer Herabsetzung der Fertilität zu rechnen. Eine Frau über 30, deren Fertilität nicht feststeht, sollte bezüglich ihrer Nachkommenschaft keine Zeit vergeuden.

Deckt die gynäkologische Untersuchung eine eventuell verminderte Fertilität auf (endokrine Abweichungen mit Virilismus, Hypoplasie des inneren Genitale, Zustand nach operativer Entfernung eines Adnex, Zustand nach Adnexentzündungen, Geschwulstbildungen), so sollte die Patientin darauf hingewiesen werden. Vielfach sind Behandlungen erfolgreich. Sind aber erst Jahre mit Antikonzeption vergangen, kommen die Behandlungsversuche zur Wiederherstellung der Fertilität oft zu spät.

Handelt es sich um eine 2. Ehe der Patientin und blieb die 1. Ehe kinderlos, sollte von einer Antikonzeption abgeraten werden.

Wenn Ehepaare 3–4 Jahre mit Erfolg eine empfängnisverhütende Methode praktizierten, sollte man zu weiterem Nachwuchs raten, damit der Abstand zwischen den Geschwistern nicht zu groß wird.

Zusammenfassung: Man unterscheidet biologische, mechanische und ovulationshemmende empfängnisverhütende Methoden. Alle Verfahren beinhalten Vor- und Nachteile. Die biologische Empfängnisverhütung hat vor allen anderen Methoden den Vorteil, daß niemand geschädigt wird. – Die mechanischen vaginalen, empfängnisverhütenden Mittel beeinträchtigen den ungestörten Ablauf des Koitus und verhindern nicht sicher eine ungewollte Konzeption. – Die Konzeptionsverhütung mit Hilfe der Intrauterinspirale ist mit relativ vielen Nebenwirkungen belastet. – Die Tubensterilisierung kommt bei medizinischer, eugenischer und sozialer Indikation in Betracht. – Die jetzt weitverbreitete Ovulationshemmung durch exogene Hormonzufuhr verhindert sicher den Eisprung. Die bisher beobachteten Nebenwirkungen sind harmlos. Die Auswirkungen nach Jahrzehnten und Generationen sind noch nicht bekannt. – Sehr häufig geht die Konzeptionsverhütung vom Mann aus, der ein Kondom benutzt oder den Coitus interruptus durchführt. Die ärztliche Beratung zum Problem Empfängnisverhütung ist eine verantwortungsvolle Aufgabe.

UNTERSUCHUNGSMETHODEN

Anamnese

Das Gespräch zwischen Arzt und Patientin ist in vielfacher Hinsicht bedeutsam. Die Patientin soll durch die Unterhaltung Vertrauen zu dem Arzt gewinnen. Der Arzt will sich aus den Klagen der Patientin ein Bild über ihre Persönlichkeit und ihre Erkrankung machen. Gehemmte, schüchterne Frauen müssen durch gezielte Fragen zu dem vermutlichen Kern ihres Anliegens gebracht werden, bei anderen muß der Redefluß in sinnvolle Bahnen gelenkt werden. Der Extrakt des Gespräches wird schriftlich fixiert — die Anamnese entsteht.

Für jedes Fachgebiet der Medizin variieren in typischer Weise die Fragen, die den Patienten vorgelegt werden. Die Gynäkologie erfaßt die Intimsphäre der Frau. Takt, Einfühlungsvermögen und Lebenserfahrung sind notwendig, um mit der Patientin in ein echtes Gespräch zu kommen. Die schriftliche Fixierung dieses Dialoges sollte in den Worten der Patientin erfolgen. Eine Umdeutung der Klagen in medizinische Begriffe führt oft zu Fehlern.

Es ist sinnvoll, die Befragung der Patientin nach einem Schema vorzunehmen, um das Zwiegespräch geordnet wiedergeben zu können. Als Beispiel sei der Vordruck zur Anamnese gezeigt, wie er in der Universitäts-Frauenklinik in Köln verwendet wird (Abb. 59).

Auch wenn täglich sehr viele Patientinnen untersucht werden müssen, sollte man es nicht versäumen, die Patientin mit einem Händedruck zu begrüßen und sich vorzustellen. Dann fordert man die Frau höflich auf, Platz zu nehmen. Bereits während dieser kurzen Szene gewinnt man einen Eindruck von dem Menschen, der in den nächsten Minuten beraten werden soll. Handelt es sich um eine intelligente, aktive Frau, kann man sofort mit der Frage beginnen: „Was führt Sie zu mir?" (Abb. 59) und entwickelt aus der aktuellen Situation die Krankengeschichte. — Eine schüchterne, introvertierte Frau ist oft dankbar, wenn man sie erst nach Familienerkrankungen und ihren früheren Leiden fragt. Sie schöpft dann während der Unterhaltung Mut und ist eher in der Lage, ihr Anliegen vorzubringen.

Für die Untersuchung bedeutsam sind früher durchgemachte Unterleibserkrankungen. Hier sollte man so genau wie möglich Auskunft fordern und den Namen des früher konsultierten Arztes festhalten, um u. U. Behandlungsberichte anfordern zu können. – Geburten und Fehlgeburten müssen registriert werden. Besonderheiten im Geburtsablauf stehen nicht selten mit späteren Erkrankungen im Zusammenhang. Ähnliches gilt von Folgezuständen nach fieberhaften Fehlgeburten. Diese Detailfragen sind keine Zeitvergeudung (Einzelheiten s. Abb. 59).

Eingehend befragt werden muß die Patientin über ihre Regelanamnese. Das Alter bei der ersten Periode, die zeitliche Wiederkehr des Zyklus, Dauer und Stärke der Blutung und das Datum der letzten Periode oder der Menopause werden fixiert. Über die Genauigkeit der Angaben darf man sich keinen Illusionen hingeben, wenn die Patientin keine schriftlichen Aufzeichnungen bei sich hat. Ohne Menstruationskalender sind die Angaben nur bedingt zu verwerten. – Vom Datum der letzten Periode ausgehend füllt man das von KALTENBACH entworfene Blutungsschema aus (Abb. 60). Damit bekommt man optisch einen guten Überblick über die Art der Blutungen in den vergangenen sechs Monaten. In das KALTENBACH-Schema sollen alle, auch außerhalb der Regel, auftretenden Blutungen eingetragen werden. Die Stärke der Blutungen wird individuell sehr verschieden empfunden. Daher ist es zweckmäßig zu fragen, wieviel Zellstoffvorlagen oder Tampons pro Tag benutzt werden (3–4 pro Tag während der Menstruation sind normal).

In jedem Falle muß nach der Einnahme von Hormonen gefragt werden, da Verschiebungen des Zyklus oder wiederauftretende Blutungen bei älteren Frauen u. U. auf die Einnahme von Hormonen zurückgeführt werden können. Kennt die Patientin das Präparat nicht, welches sie genommen hat, so läßt man sich beim nächsten Besuch die Packung mitbringen oder erkundigt sich bei dem behandelnden Kollegen.

Nach Blutabgängen außerhalb der Regel, beim Stuhlgang oder nach dem Geschlechtsverkehr sollte besonders gefragt werden.

Hat die Patientin ihre Beschwerden geschildert, sollte man ggf. nach Schmerzen beim Geschlechtsverkehr fragen. Es ist aber ratsam, diese Frage erst nach der Untersuchung zu stellen.

Angaben über vaginalen Ausfluß werden vollständiger, wenn man sich nach Stärke, Farbe, Geruch und Dauer erkundigt.

Meist geben die Patientinnen an, daß Stuhlgang und Wasserlassen normal seien. Fragt man dann, ob nicht doch beim Husten, Niesen oder Lachen Harn abgehe, so wird die Frage gelegentlich bejaht. Die

Universitäts-Frauenklinik Köln

Personalien	Station	Blatt angelegt Tag, Monat / Jahr	Seite

Anamnese

erhoben von

Familiengeschichte

	wer	Art
Krebs		
Tuberkulose		
Zucker		
Allergie		
Geisteskrankheiten		
Zwillinge		

Eigene Erkrankungen

wann	Art

Unterleibserkrankungen

wann	Art und Behandlung	wo behandelt

Geschlechtskrankheiten

Geburten ________ lebende Kinder ________

wann	wo	Besonderheiten	Kind: Geburtsgewicht	Geschlecht	lebt	gest.

Fehlgeburten ________

wann	welcher Monat	Fieber ja	Fieber nein	Nachräumung ja	Nachräumung nein	wann	welcher Monat	Fieber ja	Fieber nein	Nachräumung ja	Nachräumung nein

bitte wenden!

a.

Abb. 59 Vordruck zur Anamnese (Vorder- und Rückseite des Formulars) Universitäts-Frauenklink, Köln

Mensueller Status

Erste Regel mit ________ Jahren

Regeltyp

Letzte normale Regel

Letzte Regel mit ________ Jahren

Hormonbehandlung

Jetzige Erkrankung Die Patientin kommt wegen (nur Stichwort)
bzw. Schwangerschaftsverlauf

Blutungsstörungen

Schmerzen

Ausfluß

Beschwerden beim Wasserlassen

Darmbeschwerden

Brustbeschwerden

Gewichtsveränderungen + ________ kg seit ________
− ________ kg seit ________

Weitere Angaben der Patientin

Von außerhalb mitgeteilte Befunde

b.

Patientinnen halten dieses Symptom nicht für krankhaft. – Gibt die Frau von sich aus an, daß sie den Harn nicht halten könne, muß man genau erforschen, wann der Urin abgeht. Man erfährt dann bereits aus der Anamnese, ob es sich um eine Harninkontinenz I., II. oder

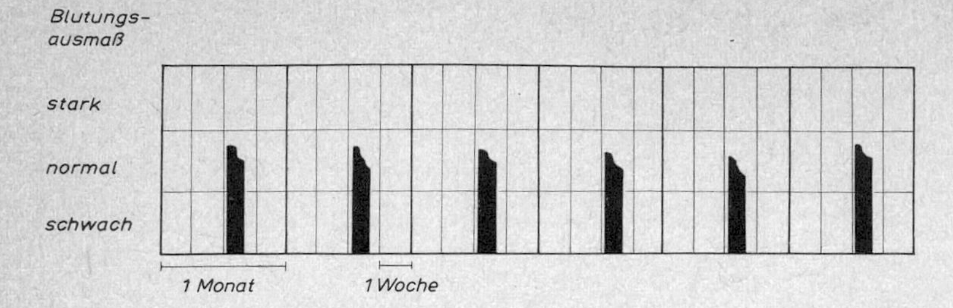

Abb. 60 Kaltenbach-Schema. Die Höhe der Säulen deutet die Stärke der Blutabgänge an. Wochen und Monate sind durch die horizontale Einteilung markiert. Diese Patientin blutet alle 4 Wochen in normaler Stärke, 3—4 Tage lang

III. Grades handelt (s. S. 468). Sehr häufig wird eine Verstopfung angegeben. Man lasse sich sagen, ob und welche Abführmittel genommen werden.

Fragen nach Veränderungen in der Brust und Veränderungen des Körpergewichtes schließen sich an.

Die Vielfalt der Klagen und Beschwerden überschreitet jedes Schema. Daher muß immer Raum für zusätzliche Angaben der Patientin sein, die oft erst ihr Hauptanliegen enthalten.

Gynäkologische Untersuchung

Schon während der Unterhaltung zur Anamnese hat man Gelegenheit, die Patientin zu betrachten. Vermehrte Behaarung des Gesichtes, der Haaransatz am Kopf oder die Stimmodulation fallen auf. — Zunächst bittet man sie, zur Untersuchung Schlüpfer und Hüfthalter abzulegen. Es schüchtert die Patientin unnötig ein, wenn sie sich sofort vollkommen entkleiden soll. Man muß aber darauf bestehen, daß das Korsett ausgezogen wird, da adipöse Patientinnen darin eingezwängt sind, so daß die bimanuelle Untersuchung unmöglich wird. Vor der Untersuchung muß die Patientin die Blase entleeren, da bei gefüllter Blase die Palpation des inneren Genitale erschwert ist.

Während der Untersuchung sollte eine Hilfsperson (Schwester, Arzthelferin) anwesend sein, einmal um den Ablauf der Untersuchung zu erleichtern, zum anderen um vor späteren Anschuldigungen der Patientin gesichert zu sein.

Die Patientin wird auf dem gynäkologischen Untersuchungsstuhl gelagert. Sie liegt auf dem Rücken, hat die Oberschenkel gebeugt

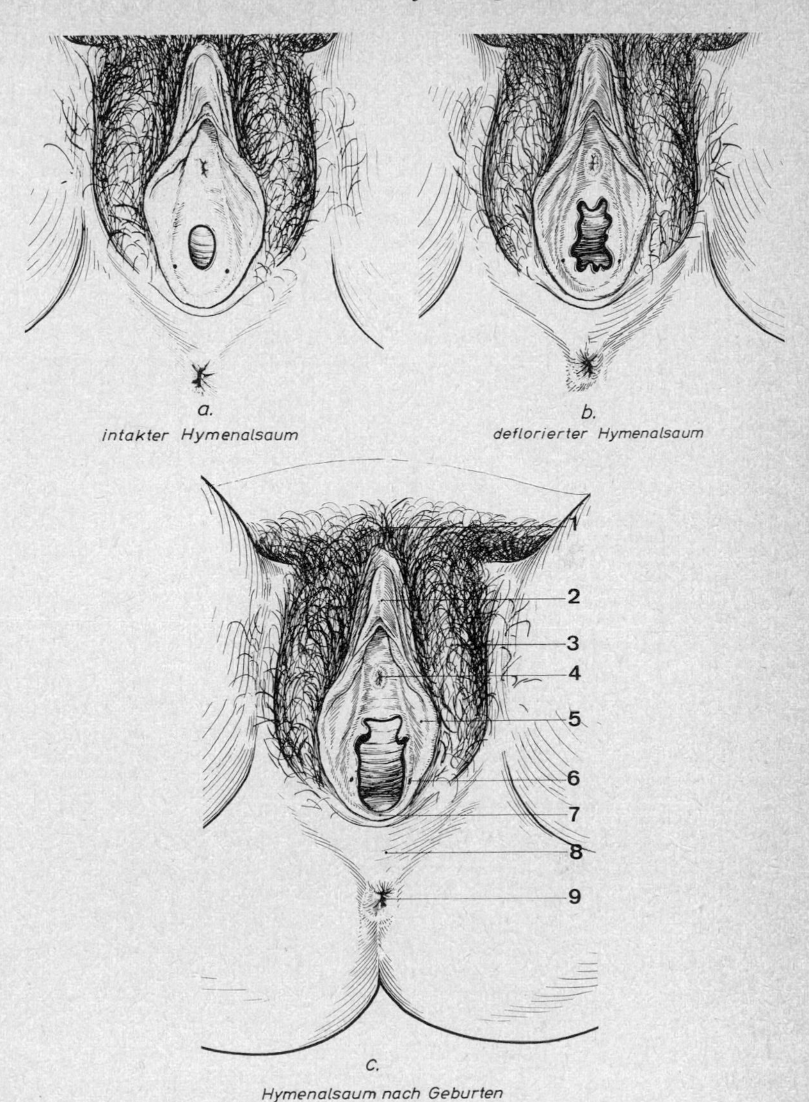

Abb. 61 Das äußere Genitale, a) eines jungfräulichen Mädchens, b) einer erwachsenen Frau, c) einer Frau, die geboren hat. 1. Mons pubis, 2. Klitoris mit Präputium, 3. Labia majora, 4. Ostium urethrae externum, 5. Labia minora, 6. Ausführungsgang der BARTHOLINschen Drüse, 7. hintere Kommissur, 8. Damm, 9. Anus

und gespreizt und die Knie angewinkelt. Man bezeichnet allgemein diese Lagerung als Steinschnittlage, da früher in dieser Position Blasensteine „geschnitten" wurden. Eine derartige Lage nimmt eine Frau nur beim Koitus ein, so daß sie beim Arzt dieser Position nur widerstrebend nachgibt. Diejenigen Untersuchungsstühle sind zweckmäßig, die eine zwanglose Haltung der Beine ermöglichen. Die Lage der Knie sollte nicht starr fixiert sein. Sehr bewährt haben sich Modelle, bei denen die liegende Frau nur ihre Füße in eine Halterung stellt. Meist schließt sie dann aus Schamgefühl zunächst die Oberschenkel. Man bittet sie, erst wenn alles zur Untersuchung bereit liegt, die Knie weich auseinanderfallen zu lassen.

Zur Untersuchung werden Handschuhe angezogen. Bis vor wenigen Jahren wurde die Untersuchung mit Gummihandschuhen durchgeführt. Das Säubern, Sterilisieren und Pudern der Handschuhe sind für die Praxisschwestern eine erhebliche Arbeitsbelastung. Einmalhandschuhe aus durchsichtiger Plastikfolie sind praktisch. Nach Gebrauch werden die Handschuhe weggeworfen.

Inspektion

Die Untersuchung beginnt mit der Inspektion des äußeren Genitale. Man achtet auf die Begrenzung der Schambehaarung am Mons pubis und auf eine übergreifende Behaarung in den Bereich der Oberschenkel. Die Größe der Klitoris und die der kleinen Labien wird vermerkt. Dann spreizt man die kleinen Labien mit Daumen und Zeigefinger und betrachtet den Introitus vaginae. Je nachdem, ob es sich um ein virginelles Mädchen, eine Frau mit oder ohne Kinder handelt, ist der Scheideneingang verschieden gestaltet (Abb. 61). Haut und Schleimhäute an der Vulva werden genau betrachtet, Hämorrhoiden im Analbereich registriert.

Findet man bei der Inspektion des äußeren Genitale von der Norm abweichende Befunde, z. B. eine virile Schambehaarung oder eine vergrößerte Klitoris, so muß, im Anschluß an die Spekulum- und Tastuntersuchung, die Patientin sich vollkommen entkleiden. Damit werden weitere Anomalien des Körperbaus oder der Behaarung aufgedeckt.

Abschließend fordert man die Patientin auf, kräftig nach unten zu drücken und beobachtet dabei den Introitus. Ein Deszensus der Vagina oder des Uterus ist bereits durch diese einfache Beobachtung zu diagnostizieren.

Spekulumuntersuchung

Während der Inspektion des äußeren Genitale hat man sich ein Bild von der Weite des Introitus gemacht und wählt ein entsprechend gro-

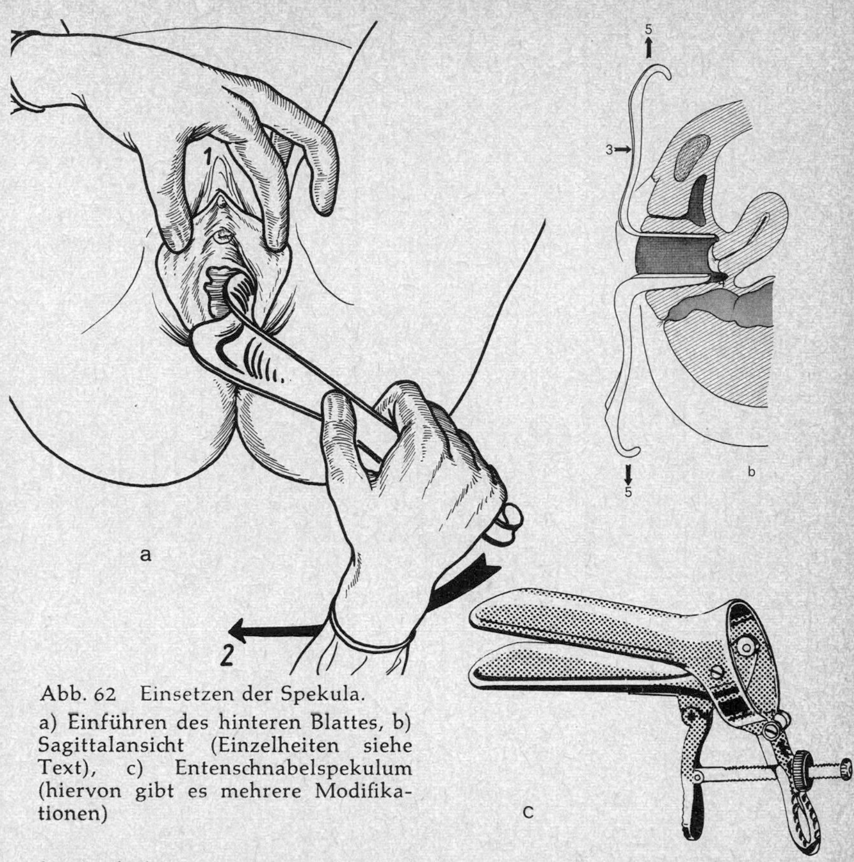

Abb. 62 Einsetzen der Spekula.
a) Einführen des hinteren Blattes, b) Sagittalansicht (Einzelheiten siehe Text), c) Entenschnabelspekulum (hiervon gibt es mehrere Modifikationen)

ßes Spekulumpaar aus. Bei der Spekulumuntersuchung wird die Scheide entfaltet und die Portio uteri zwischen beiden Blättern eingestellt. Getrennte Spekulumblätter (das vordere und hintere Blatt) werden der individuellen Weite der Vagina besser gerecht als sogen. Selbsthalte-, Scharnier- oder Entenschnabelspecula (Abb. 62 c). Zunächst werden die kleinen Labien entfaltet (Abb. 62/1). Das hintere Blatt wird zuerst eingeführt. Wegen der längsovalen Form des Introitus ist es besser, das hintere Blatt in seitlicher Position einzusetzen und dann um 45 Grad nach hinten zu drehen (Abb. 62/2). Die Überwindung des Introitus gelingt durch diesen Kunstgriff mühelos und bereitet der Patientin keine Schmerzen. Eine Benetzung der Metallspekula ist bei feuchten Scheidenwänden unnötig, bei Greisinnen aber meist nicht zu umgehen. Mit dem hinteren Blatt dringt man etwa bis zu zwei Dritteln seiner Länge bei gleichzeitigem zarten Druck nach unten in die Scheide ein. Führt man das hintere Blatt ohne Sicht sofort tief ein, stößt man oft an die Portio, welche leicht verletzlich sein kann. Unter Schonung des Urethralwulstes plaziert man das vordere Blatt parallel zum hinteren und entfaltet dabei die Scheide (Abb. 62/3) Sobald die Portio ins Gesichtsfeld kommt, kann das vordere Blatt in das vordere Scheidengewölbe vorgeschoben werden. Zieht man beide Blätter auseinander, so entfaltet sich auch das hintere Scheidengewölbe, so daß unter Sicht das hintere Blatt vollkommen eingeführt werden kann (Abb. 62/4). Das hintere Blatt hält man dann mit der linken Hand unter leichtem Dauerzug nach unten (Abb. 62/5). Das vordere Blatt wird von einer Hilfsperson übernommen, so daß die rechte Hand des Arztes für weitere Manipulationen frei ist. Mit dem Selbsthaltespekulum braucht man keine Hilfsperson. Man plaziert aber mit dieser Instrumentenart einen geschlossenen Metallring in den Introitus, von dem aus die Scheide nach hinten entfaltet wird. Die Inspektion des unteren Vaginaldrittels wird dadurch erschwert.

Beim Einsetzen der Spekula ist es wichtig, daß die Patientin die Untersuchung nicht schmerzhaft empfindet, da sie sonst mit Abwehrbewegungen reagiert. Die Spekula können sich verschieben und Schleimhautfalten am Introitus einklemmen. Erschreckt man die Patientin mit diesen ersten Handgriffen, so ist oft die weitere Untersuchung sehr unergiebig.

Abb. 63 zeigt den Blick auf die Portiooberfläche. Bei der Betrachtung mit bloßem Auge registriert man deren Form, die Tiefe der Scheidengewölbe, das aus dem Zervikalkanal ausfließende Sekret und die Kon-

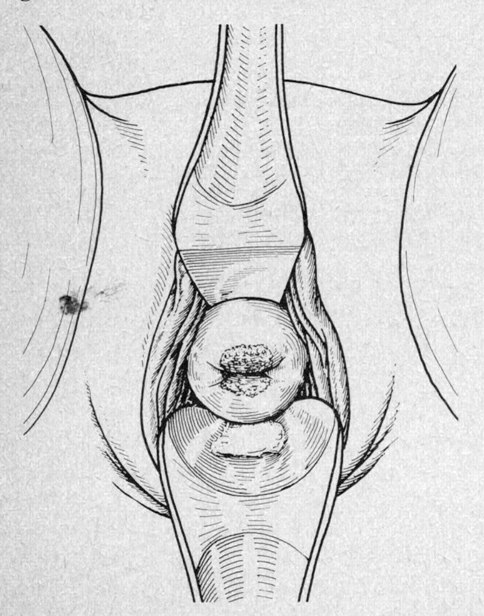

Abb. 63 Makroskopische Betrachtung der Portiooberfläche. Auf dem hinteren Blatt ist Sekret sichtbar

tur des äußeren Muttermundes. Rötungen im Bereich des Muttermundes müssen ebenfalls festgehalten werden. Mit bloßem Auge erkennt man meist nur einen roten Fleck „Erythroplakie" und beschreibt dessen Ausdehnung und Lokalisation. Pathologische Befunde, z. B. Polypen, spitze Kondylome oder Karzinome unterschiedlicher Ausdehnung, werden auch dem Ungeübten sofort auffallen. Um die Betrachtung der Portio mit bloßem Auge zu erleichtern, muß die Scheide in ihrer ganzen Tiefe ausgeleuchtet werden. Eine gut zentrierte Untersuchungslampe sollte vorhanden sein. Die Ausleuchtung kann für die makroskopische Betrachtung mit dem gut gebündelten Licht des Kolposkops verbessert werden.

Bei der Spekulumuntersuchung sollte auch die Scheidenschleimhaut im gesamten Vaginalrohr einer Inspektion unterzogen werden. Die getrennten Blätter lassen die seitlichen Vaginalwände frei. Die vordere und hintere Vaginalwand betrachtet man am besten beim langsamen Herausgleiten des vorderen und dann des hinteren Blattes.

Vor der Beendigung der Spekulumuntersuchung können weitere Untersuchungen durchgeführt werden, die im folgenden beschrieben werden.

Nativsekretuntersuchung

Bei der Spekulumeinstellung erkennt man mehr oder weniger viel Sekret in der Scheide. Oft hat die Patientin schon bei der Anamnese angegeben, daß sie unter Ausfluß leidet. Das Sekret sammelt sich auf dem hinteren Blatt an. Makroskopisch kann aus der Menge, Farbe und Beschaffenheit des Sekretes kein sicherer Hinweis gewonnen werden, ob die Scheide mit unphysiologischen Mikroorganismen besiedelt ist. Die **mikroskopische Untersuchung** des ungefärbten Sekretes gibt eine gute Information. Zu diesem Zweck entnimmt man mit einem Instrument (Pinzette, Spatel, Platinöse o. ä.) einen Tropfen Sekret, bringt ihn auf einen Objektträger und bedeckt ihn mit einem Deckglas. Man kann das Präparat bis zur Beendigung der Untersuchung liegen lassen. Das Sekret darf aber nicht eintrocknen. Das Deckglas wird mit einem Finger angedrückt, damit eine möglichst dünne Schicht zur Betrachtung verbleibt. Mit einem Objektiv 40:1 und einem 10- bis 12fach-Okular wird bei stark abgeblendetem Gesichtsfeld und ohne Kondensorlupe (stärkere Kontraste) mikroskopiert. (Es ist auch eine Betrachtung im Phasenkontrastmikroskop möglich; dies bedarf einer Zusatzeinrichtung am Mikroskop.)

Folgende Bilder sind für die Nativbetrachtung des Scheidensekretes typisch:

Döderlein-Flora

Neben gut aufgebauten Vaginalepithelien finden sich je nach der Zyklusphase mehr oder weniger viele Leukozyten. Über das ganze

Blickfeld verstreut erkennt man relativ lange, dünne, stäbchenförmige Bakterien. Oft legen sich zwei zu einer V-Form aneinander. Es handelt sich um die „DÖDERLEINschen Vaginalstäbchen", die für die Bildung der Milchsäure im physiologischen Scheidenmilieu verantwortlich sind (Abb. 64/1).

Trichomonaden

Durch das Blickfeld schwimmen amöboide Einzeller. Sie haben eine birnenförmige Gestalt und sind von unterschiedlicher Größe, etwa 2–4mal so groß wie ein Leukozyt. Der Plasmaleib ist bis auf eine angedeutete Organelle unstrukturiert. Stößt der Einzeller mit einer anderen Zelle zusammen, so wird er eingedellt. An einem Ende des birnenförmigen Lebewesens sind 2 Geißeln in lebhafter Bewegung. Es handelt sich um einen Trichomonadenbefall. Besteht keine bakterielle Verunreinigung des Sekretes, so ist die Diagnose mit einem Blick zu stellen. Finden sich massenhaft andere, unspezifische Keime im Sekret (meist Kokken), so sind auch die Trichomonaden von den Bakterien dicht besetzt. Sie werden in ihrer Vitalität und Beweglichkeit stark eingeschränkt. Gelegentlich gelingt der Nachweis der Trichomonaden bei starkem Bakterienbefall im ungefärbten Präparat nicht (Abb. 64/2 u. 3).

Unspezifische Bakterien

Das Präparat ist mehr oder weniger mit Bakterien durchsetzt. Oft handelt es sich um Kokken, aber auch um Stäbchenbakterien. Eine exakte bakteriologische Diagnose ist aus dem Nativpräparat nicht möglich. Es genügt, wenn man festhält, daß die Keimbesiedelung unphysiologisch ist. Damit ist nicht gesagt, daß es sich um pathogene Keime handelt. – Findet man ein derartiges Bild, so muß vor Einleitung einer Fluortherapie (s. S. 300) ein Abstrich aus der Zervix und Urethra eine gonorrhoische Infektion ausschließen (Abb. 64/3).

Leptothrix

Darunter versteht man Fadenbakterien, die als Saprophyten in der Scheide anzutreffen sind. Im Blickfeld sieht man lange, ungegliederte dünne Fäden (ca. 30–50 μ). Die Menge der Fadenbakterien ist ganz unterschiedlich, manchmal treten sie massenhaft auf und verursachen einen juckenden Fluor (Abb. 64/4).

Pilzbefall

Als Hefepilz kommt besonders oft Candida albicans in der Scheide vor. Im Nativpräparat finden sich „Pilzfäden", das sog. Pseudomyzel und Sproßpilze (Sproßzellen). Gut zu erkennen ist das Pseudomyzel. Es handelt sich um lange fadenartige Gebilde, die wesentlich dicker sind als die Leptothrixfäden. Sie sind immer doppelt konturiert und

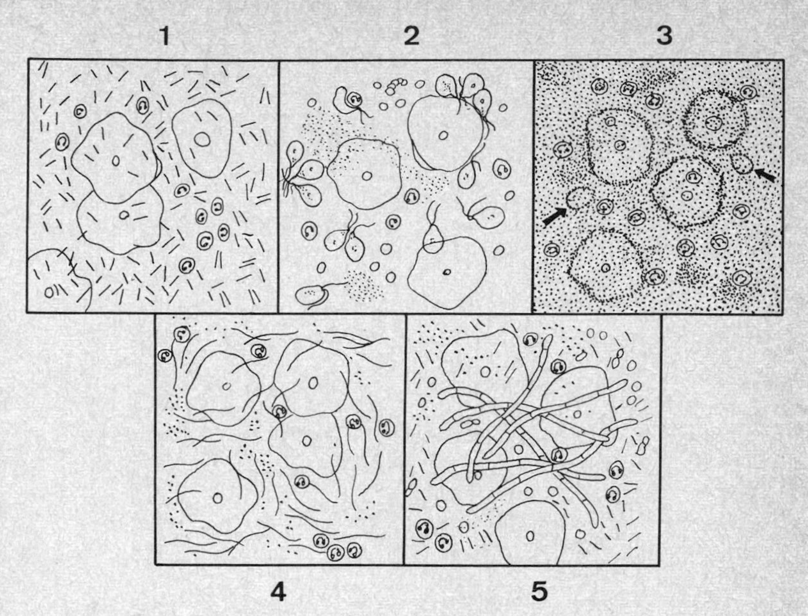

Abb. 64 Mikroskopische Untersuchung des Scheidensekretes. Das Sekret ist ungefärbt und unfixiert. 1. DÖDERLEIN-Flora, 2. Trichomonaden- neben geringem Kokkenbefall, 3. ausgeprägter Kokkenbefall. Pfeil: Verdacht auf Trichomonadenmischinfektion, 4. Fadenbakterien (Leptothrix) neben unspezifischen Keimen, 5. Pseudomyzel bei Candida-Mykose

gegliedert. Am Ende eines Pilzfadens ist oft die Sproßzelle zu erkennen (Abb. 64/5). Auch die Sproßzellen sind im ungefärbten Präparat zu erkennen. Fügt man dem Nativpräparat einen Tropfen gesättigte Methylenblaulösung zu, so färben sich diese rasch an. Man läßt die Farblösung mit einer Injektionsspritze unter das Deckglas diffundieren. Der Zeitaufwand ist minimal, und die Sicherheit der Diagnostik wird verbessert.

Mit Hilfe der Nativsekretuntersuchung gewinnt man einen guten Hinweis in der täglichen Sprechstunde. In den meisten Fällen kann eine Fluortherapie sofort eingeleitet werden.

Sekretentnahme zur bakteriologischen Untersuchung

Es besteht nur selten die Notwendigkeit, exakte **bakteriologische Analysen** des Vaginalsekretes zu fordern. Dazu benutzt man die, von den bakteriologischen Instituten gelieferten, sterilen Glasröhrchen.

Die Röhrchen sind mit einem Korken verschlossen, an dessen Innenseite ein Watteträger eingebohrt ist. Mit diesem entnimmt man Sekret, ohne die Vulva zu berühren.

Da im Nativsekret **Gonokokken** nicht nachgewiesen werden können, außerdem diese Keime die Vagina nicht befallen, muß die Fahndung nach dem Erreger des Morbus NEISSER gesondert vorgenommen werden. Abb. 65 zeigt die Art der Entnahme. Mit Platinösen oder Wattestäbchen gewinnt man aus dem Zervikalkanal und der Urethra Sekret und streicht es auf einem Objektträger aus. Auf dem Objektträger ist der Ort der Entnahme gekennzeichnet. Der Abstrich aus der Urethra wird verbessert, wenn diese mit einem Finger exprimiert wird.

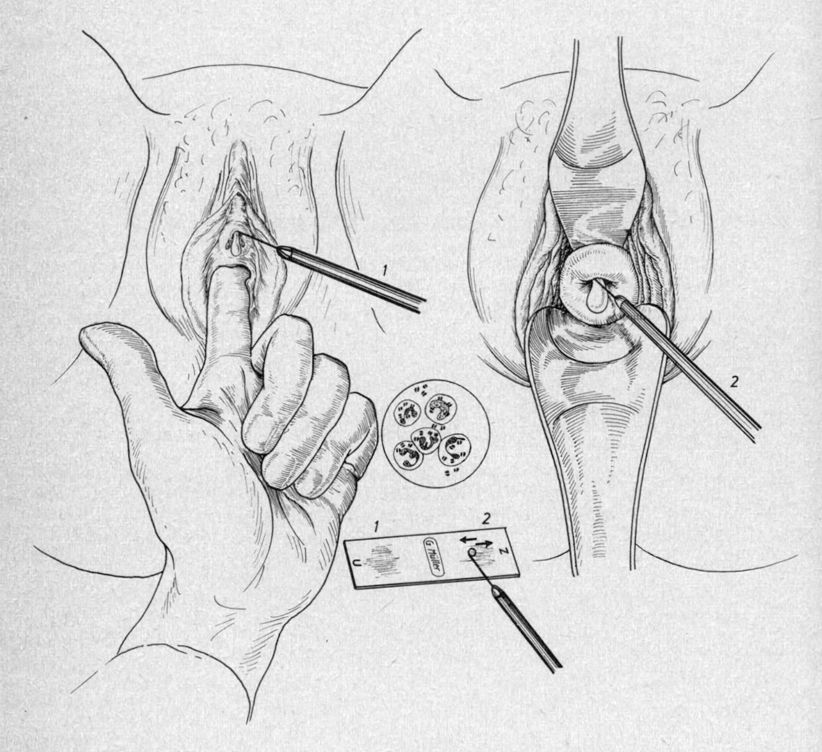

Abb. 65 Entnahme von Sekret bei Verdacht auf gonorrhoische Infektion. Die Sekretgewinnung aus dem Zervikalkanal kann auch mit einem Watteträger erfolgen. Auf dem Objektträger wird der Entnahmeort markiert. U = Urethra. Z = Zervix. Intraleukozytär gelegene Diplokokken sind auf eine gonorrhoische Infektion äußerst verdächtig. 1 = Urethra, 2 = Zervikalkanal

Durch den Druck entleeren sich die SKENEschen Drüsen, die häufig von Gonokokken befallen sind.

Die Präparate werden kurz durch die Flamme gezogen und mit Methylenblau gefärbt. Genauere Resultate liefert die Gramfärbung. Die Gonokokken sind gramnegativ. Sie finden sich im Zytoplasma von Leukozyten. Lautet der Befund nach Methylenblaufärbung „intrazelluläre Diplokokken", so sollte zum Beweis eine Gramfärbung angeschlossen werden. Der direkte Nachweis gelingt in 50 % mit der Färbung, aber in 90 % auf Nährböden (s. S. 322). Da Gonokokken gegen Austrocknung empfindlich sind, wird der Versand in STUARTscher Lösung empfohlen. Das Transportmedium muß in einem mikrobiologischen Institut angefordert werden.

Zellabstriche zur Krebsfährtensuche

Bisher wurde aus dem Vaginalrohr bei eingestellten Spekula Nativsekret zur Beurteilung des Fluors und Sekret zum Nachweis von Gonokokken entnommen. Beide Präparate werden auf den Instrumententisch gelegt. Die Entnahme von Zellabstrichen zur Krebsfährtensuche erfolgt anschließend (PAPANICOLAOU 1929).

Man benutzt für die Abstriche zur Krebsfährtensuche entfettete Objektträger. Eine Glasküvette ist mit der Fixationslösung gefüllt.

(Entwässerter, vollständig vergällter Branntwein [Alkohol] Nr. 642 zu Wasch- und Desinfektionszwecken ohne beabsichtigte Heilwirkung, 1 Liter kostet 0,82 DM, erhältlich bei den Vertriebsstellen der Bundesmonopolverwaltung für Branntwein-Verwertung. Das Vergällungsmittel spielt für die Fixierung keine Rolle. Die Mischung des Alkohols mit Äthyläther 1:1 ist sinnvoll. Der in den Apotheken erhältliche Alkohol ist um ein Vielfaches teurer.)

Zur Entnahme dienen Watteträger. Dies sind ca. 20 cm lange Holzstäbchen, deren Ende dünn, aber fest mit Watte in ca. 3 cm Länge umwickelt ist. Der Name der Patientin wird auf zwei Objektträgern mit dem Diamantschreiber eingeritzt oder bei vorhandenem Mattrand mit Bleistift aufgetragen. Ein Objektträger ist für den Abstrich von der Portiooberfläche, der andere für den aus dem Zervikalkanal bestimmt (Abb. 66).

Für die Auswertung des Abstrichmaterials ist es wichtig, daß **Kontaktabstriche** gewonnen werden, d. h. man versucht, möglichst Zellen aus den oberflächlichen Epithellagen abzustreichen, die noch keinen auto- oder heterolytischen Einflüssen ausgesetzt waren.

Abstrich von der Portiooberfläche (Abb. 67)

Das vordere und hintere Spekulumblatt werden so verschoben, daß die Portio sich nach hinten oder vorn neigt, je nachdem, welcher Posi-

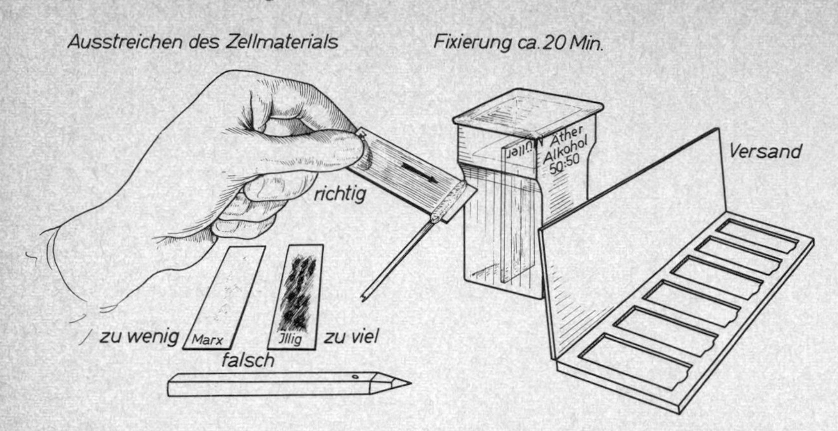

Abb. 66 Erforderliche Gerätschaften zur Abstrichentnahme (Objektträger, Diamantschreiber oder Bleistift, Watteträger, Küvette mit Fixationsflüssigkeit, Mappe zum Versand). Das Material auf dem in der Hand befindlichen Objektträger wird richtig ausgestrichen. Auf dem Präparat „Marx" findet sich zu wenig, auf dem Präparat „Illig" zu viel Material

tion sie ohne Zwang folgt (meist nach hinten). Durch diese Verschiebung kann der Watteträger tangential der Portiooberfläche angelegt werden. Ist die Portiooberfläche stark mit Fluor bedeckt, so wird das Sekret mit einem Tupfer vorsichtig entfernt. Die Portio sollte aber nicht vollkommen „trocken" sein. Bei zu geringem Feuchtigkeitsgehalt saugt die Watte das entnommene Zellmaterial auf, so daß man es nicht ohne mechanische Artefakte auf den Objektträger ausstreichen kann. Die Portiooberfläche wird mit **kräftigem** Druck abgestrichen. Das Zellmaterial überträgt man auf den beschrifteten Objektträger. Hier muß das Zellmaterial **zart** ausgebreitet werden. Durch heftiges Reiben zerstört man die Zellstrukturen. Das Sekret wird gleichmäßig dünn auf $^{3}/_{4}$ des Objektträgers ausgestrichen. Ein flüchtiger Strich auf der Mitte des Glases genügt nicht, da dann für die Auswertung zu wenig Zellmaterial vorliegt. Große Schleimklumpen sind bei der mikroskopischen Durchsicht ungünstig, da nach der Färbung zu dick aufgetragene Stellen undurchsichtig werden. Eine Schwester hält den Objektträger zum Ausstreichen bereit und gibt ihn mit dem noch **feuchten** Sekret in die Fixationslösung.

Abstrich aus dem Zervikalkanal (Abb. 67)

Mit einem zweiten Watteträger geht man in den Zervikalkanal ein und umfährt mit kräftigem Druck die ganze Zirkumferenz des Kanals, wobei man mit dem Watteträger kreisförmige Bewegungen macht. Es genügt nicht, das Stäbchen um die eigene Achse zu drehen. Mit dem Zellmaterial wird, wie oben beschrieben, verfahren. – Der Abstrich aus dem Zervikalkanal ist notwendig, da ein hoher Prozentsatz von Vorstadien und beginnenden Zervixkrebsen im Zervikalkanal lokalisiert ist.

Die Empfehlung, mit kräftigem Druck abzustreichen, gilt für alle nichtschwangeren Patientinnen. Bei Graviden ist Vorsicht am Platze, da das turgeszente Gewebe der Zervix leicht blutet.

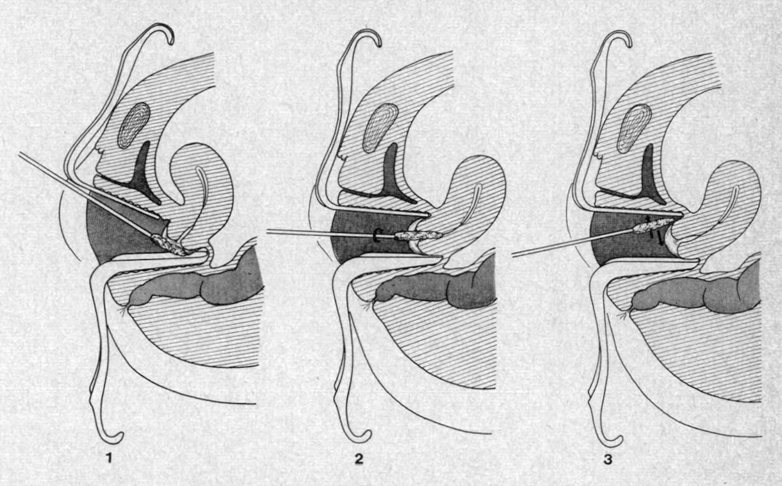

Abb. 67 Zellabstriche 1. von der Portiooberfläche, 2. aus dem Zervikalkanal. 1. und 2. dienen zur Krebsfährtensuche; 3. von der seitlichen Vaginalwand, um den Hormonaufbau des Epithels festzustellen

Die Präparate können nach 20 Min. oder auch nach unbegrenzter Zeit aus der Fixationslösung genommen werden. In Sekunden sind sie an der Luft getrocknet. In Präparatemappen werden sie an ein Laboratorium versandt. Es wird auch empfohlen, die Präparate mit Glycerin und einem zweiten Glas zu bedecken. Das hat sich nicht bewährt, da sich das Glycerin schwer von dem Objektträger löst und Zellmaterial bei der Entfernung des Deckglases abgerissen wird. Meist stellen Einsendelaboratorien Vordrucke zur Verfügung, die Daten zur Person der Patientin vorsehen. Wenn dies nicht der Fall ist, so sollten auf einem Begleitzettel Name, Vorname, Geburtsdatum, Zahl der Geburten und Fehlgeburten, jetziger mensueller Status, klinische Diagnose, Operationen im Genitalbereich und der makroskopische Portiobefund vermerkt werden.

Kolposkopie

Nach der Entnahme zytologischer Abstriche betrachtet man die Portiooberfläche mit dem Kolposkop (HINSELMANN 1926).

Das Kolposkop besteht aus einer binokularen Lupe mit einer gut gebündelten Lichtquelle. Das Anwendungsgebiet wird Kolposkopie genannt. Vergrößerungen sind von 10- bis 40fach möglich. Es gibt eine Reihe gut durchdachter Modelle verschiedener Firmen.

Abb. 68 zeigt ein Kolposkop der Firma Möller. Die Geräte werden entweder auf einem Stativ an den Untersuchungsstuhl herangefahren oder sind mit einem schwenkbaren Arm am Untersuchungsstuhl montiert.

Während der kolposkopischen Betrachtung wird das vordere Blatt von einer Hilfsperson, das hintere Blatt des Spekulums mit der linken Hand gehalten. Um die Portiooberfläche in eine für die Kolposkopie günstige Position zu bringen, muß man die Handhaltung des vorderen Blattes korrigieren. Dabei ist zu bedenken, daß die assistierende Schwester, neben dem Untersuchungsstuhl stehend, nicht in das Vaginalrohr hineinsehen kann.

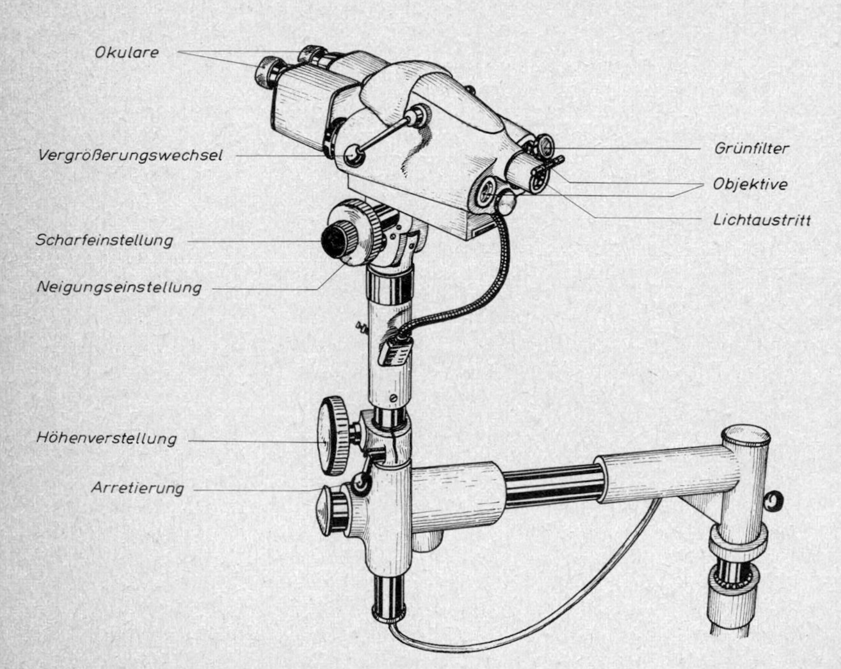

Abb. 68 Kolposkop der Firma MÖLLER

Die Portiooberfläche ist gut durchblutet und mit Zervixschleim bedeckt. Dadurch wirkt das Oberflächenrelief auch bei der Lupenbetrachtung mit dem Kolposkop wenig kontrastreich. Deshalb ist es zweckmäßig, sofort eine 3 %ige Essigsäurelösung anzuwenden **(Essigsäureprobe)**, wodurch eine leichte Anämisierung eintritt, kleine Blutungen (durch den zytologischen Abstrich provoziert) zum Stehen kommen und der Schleim gefällt wird. Man kann die Essigsäurelösung mit einem Tupfer auftragen, aber auch aus einer Phiole auf das hintere Blatt gießen, so daß die Portiooberfläche eintaucht. Man braucht gerade so viel Lösung, daß mit einem trockenen Tupfer die Flüssigkeit wieder aufgesaugt wird. Die Essigsäure soll etwa 30 Sek. einwirken.

Die kolposkopische Betrachtung zeigt die Teile der Zervix, die auch makroskopisch bei der Spekulumeinstellung sichtbar sind. Der Zervikalkanal kann nur bis zu wenigen Millimetern Tiefe mit dem Kolposkop eingesehen werden. Man hat sich bemüht, mit Spreizinstrumenten den Zervikalkanal für die Untersuchung sichtbar zu machen. Die Methode ist zeitraubend und umständlich.

An dieser Stelle wird nicht auf die Morphologie und Bedeutung von normalen und pathologischen kolposkopischen Befunden eingegangen (s. S. 220, 260 und 390). In diesem Kapitel über die technische Durchführung gynäkologischer Untersuchungen soll der Leser auf einige Besonderheiten bei der Auflichtbetrachtung hingewiesen werden. Das kolposkopische Bild wird geprägt von der Oberflächenstruktur der Epithelien an der Cervix uteri und deren Transparenz.

Normal aufgebautes Plattenepithel, welches faltenlos die Zervix überzieht, wirkt im Kolposkop glatt und, da das gut durchblutete Zervixstroma nur schwach durchschimmert, blaß rosa.

Verdickt sich das Plattenepithel, so ist es gegenüber dem Niveau des normalen Plattenepithels erhaben und hat meist eine charakteristische Oberflächenzeichnung. Es ist nicht mehr transparent und wirkt weiß.

Je dünner das Epithel ist, um so mehr schimmert der rote Untergrund durch, so daß die Stellen gerötet aussehen. Es handelt sich meist um Plattenepithel, welches in schmalen, aus wenigen Zellagen bestehenden Zungen in Richtung Zervikalkanal wächst.

Das Zervixdrüsenfeld ist bei geschlechtsreifen Frauen sehr häufig auf der Portiooberfläche lokalisiert. Die Auflichtbetrachtung zeigt verschiedene Besonderheiten. Die Buchten und Krypten des Zervixdrüsenfeldes wirken wie eine Ansammlung ovaler Träubchen (Abb. 69/1). Die räumliche Vorstellung wird erleichtert, wenn man einen histologischen Schnitt durch das Zervixdrüsenfeld betrachtet. Das Epithel ist einschichtig, die zylindrischen Zellen enthalten glasigen Schleim. Dadurch ist das Epithel transparent, so daß es intensiv rot aussieht. Bei der Essigsäureprobe tritt eine leichte Anämisierung ein, wodurch die Träubchen wie zart getöntes Glas aussehen.

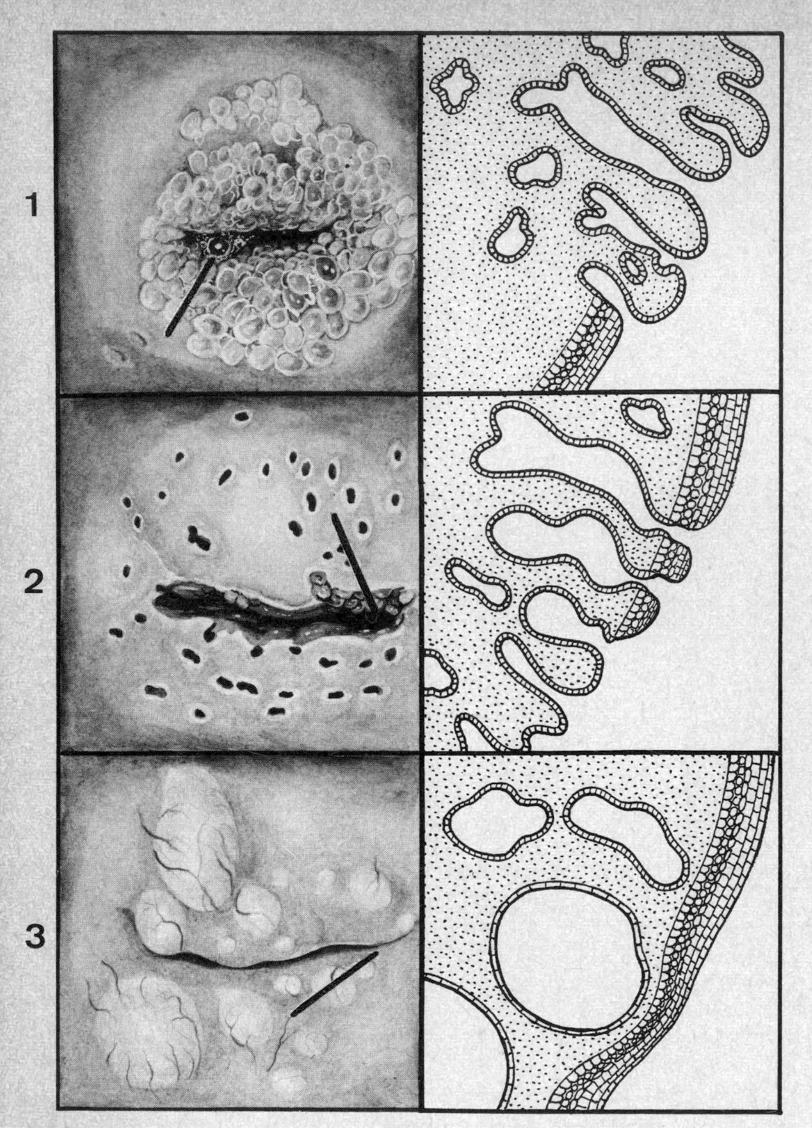

Abb. 69 Normaler kolposkopischer Befund und histologisches Substrat. (Der rote Strich kennzeichnet das Areal, welches im histologischen Schnitt vorliegt.) 1. Zervixdrüsenfeld auf der Portiooberfläche (Ektropionierung). 2. Zervixdrüsen von Plattenepithel überwachsen, Ausführungsgänge noch offen (offene Umwandlungszone). 3. Verschluß der Drüsen durch Plattenepithel, Bildung von Retentionszysten, den sog. Ovula NABOTHI (geschlossene Umwandlungszone)

Wird das Zervixdrüsenfeld vom Plattenepithel überwachsen, bleiben die Eingänge der Zervixdrüsen zunächst offen. Im Auflicht wirken diese Areale durchlöchert (Abb. 69/2).

Sind die Zervixdrüsen verschlossen, so daß sich Retentionszysten bilden, buckeln diese oft das Plattenepithel vor, so daß dort eine gewisse Druckatrophie entsteht. Die mit Schleim gefüllten Retentionszysten schimmern weißlich durch das verdünnte Plattenepithel durch (Abb. 69/3).

Blutgefäße sind unter bestimmten Bedingungen auf der Portiooberfläche sichtbar. Sie wirken tiefrot. Die Beurteilung kann mit Hilfe eines Grünfilters verbessert werden. Die Gefäße wirken fast schwarz auf zart grünem Untergrund.

Der kolposkopische Befund sollte nach Abschluß der Untersuchung in einer Skizze festgehalten werden. Für die kolposkopischen Befunde sind von verschiedenen Autoren Symbole vorgeschlagen worden. Bei uns haben sich die in Abb. 70 wiedergegebenen Signaturen bewährt. Im Laufe der Zeit ändern sich die Befunde bei einer Patientin in Art und Ausdehnung. Zeichnungen geben dies besser wieder als Beschreibungen.

Jodprobe

(SCHILLERsche Jodprobe 1929). Normales Plattenepithel enthält in seinen mittleren Zellagen reichlich Glykogen, welches durch Jod dunkelbraun gefärbt wird. Bringt man eine 3 %ige wäßrige Jod-Jodkalium-Lösung mit dem Tupfer auf die Portiooberfläche oder gießt die Lösung mit einer Phiole auf das hintere Blatt und taucht die Zervix ein, so färben sich Bezirke mit normalem Plattenepithel dunkelbraun an. Epithelien, die wenig oder kein Glykogen enthalten, färben sich nicht und imponieren als hellbraune oder ockerfarbene Flecken (Abb. 71). Folgende Nomenklatur ist üblich.

jodpositiv: die ganze Portiooberfläche ist dunkelbraun und damit von normalem glykogenhaltigen Plattenepithel bedeckt.

jodhell: hellbraune Flecken von dunkelbraunem Areal umgeben. (Das Plattenepithel enthält wenig Glykogen. Der hellbraune Farbton kann auch zustande kommen, weil in den Buchten des Zylinderepithels, welches kein Glykogen enthält, Jodlösung hängen bleibt.)

jodnegativ: ockerfarbene Flecken von dunkelbraunem Areal umgeben. (Epithel enthält kein Glykogen, diese Eigenschaft ist nicht spezifisch, aber pathognomonisch für maligne Veränderungen des Plattenepithels.)

Abb. 70 Schema der kolposkopischen Signaturen (aus KERN, G., Carcinoma in situ. Springer, 1964)

Die Jodlösung besteht aus

Jod	3.0
Jodkalium	6.0
Aqua dest. ad	100.0

Die Lösung muß in verschlossenen, dunklen Flaschen aufbewahrt werden. Die Patientin erhält zum Abschluß der Untersuchung eine Zellstoffvorlage, damit die Wäsche nicht durch auslaufende Jodlösung verschmutzt wird. Nach 1—2 Tagen ist die Braunfärbung des Plattenepithels verschwunden.

Die Portiooberfläche kann nach Anwendung der Jodprobe mit bloßem Auge, aber auch mit dem Kolposkop betrachtet werden. Mit dem

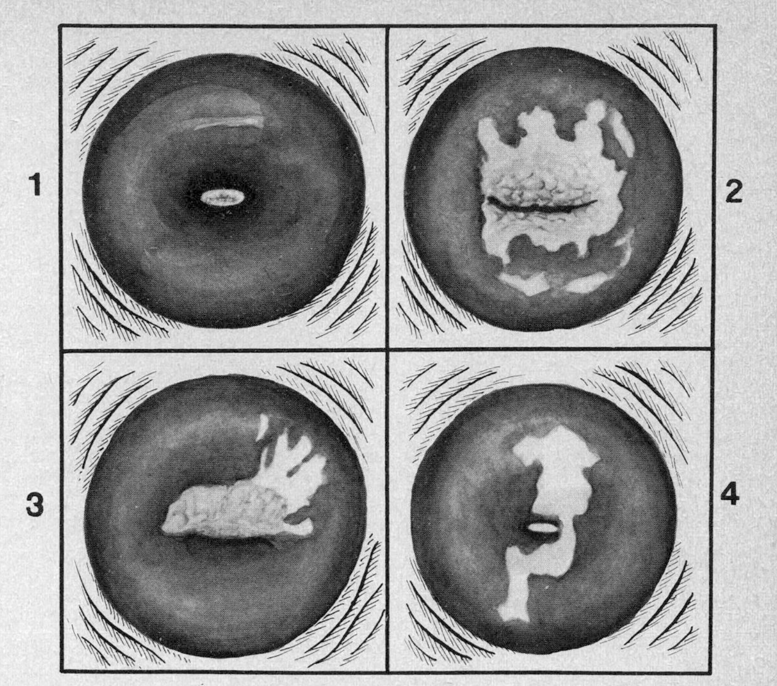

Abb. 71 SCHILLERsche Jodprobe, 1. jodpositive Portio, 2. jodhelle Areale, 3. jodhelle und jodnegative Flecken, 4. jodnegative Areale

Kolposkop werden besonders die Ränder der jodhellen oder jodnegativen Flecken deutlich, die sich unscharf, aber auch scharfrandig von der dunkelbraun verfärbten Umgebung abheben.

Was geschah bisher, seitdem die Patientin den Untersuchungsraum betreten hat? Die Krankengeschichte wurde aufgenommen, die Patientin auf dem Untersuchungsstuhl gelagert und nach der Inspektion des äußeren Genitale die Portio mit Spekula eingestellt. Es wurden Nativsekret aus dem hinteren Scheidendrittel und eventuell GO-Abstriche aus Zervix und Urethra, sowie Zellabstriche von der Zervix zur Krebsfährtensuche gewonnen. Anschließend wurde die Patientin kolposkopiert. Beendet wurde die Spekulumuntersuchung mit der SCHILLERschen Jodprobe. Die Untersuchung dauerte bisher nicht länger als 3–5 Minuten. Die Spekula werden entfernt und zur Sterilisation gegeben.

Palpationsbefund

Bei der Spekulumuntersuchung ist eine gute Beobachtungsgabe, für die Palpationsuntersuchung ein ausgeprägtes Tastgefühl und räumliches Vorstellungsvermögen erforderlich. Ist es schon schwer, Organstrukturen bei der Betrachtung zu deuten, so fällt es besonders dem Unerfahrenen **noch** schwerer, einen Befund, der nur zu tasten, aber nicht zu sehen ist, richtig zu bewerten. Der Tastbefund muß mit dem Normalbefund, der aus der Anatomie und Propädeutik bekannt ist, verglichen werden.

Die Tastuntersuchung wird in anderen Gebieten der Medizin meist nur von außen durchgeführt und durch die Perkussion (z. B. Lebergröße) ergänzt. Oder man beschränkt sich bei der rektalen Untersuchung (z. B. Prostatabetastung) auf die Austastung des Gebietes, welches mit einem Finger erreicht werden kann. – Bei der Palpationsuntersuchung des weiblichen inneren Genitale nimmt man beide Hände zu Hilfe. Mit 1 oder 2 Fingern einer Hand geht man in die Scheide ein und legt die andere Hand auf den Unterbauch auf. Mit beiden Händen versucht man, sich einen räumlichen Eindruck von der Größe, Lage und Beweglichkeit der inneren Genitalorgane zu verschaffen.

Bei der Untersuchung unterscheidet man die „innere" (in der Vagina) und „äußere" (auf dem Abdomen) liegende Hand. Es ist individuell verschieden, ob man die linke oder rechte Hand für die intravaginale Untersuchung benutzt.

Zunächst wird der Zeigefinger der inneren Hand in die Scheide eingeführt, bis die Portio erreicht ist. Nun tastet man die Portio ab, prüft ihre Form und Konsistenz und vergleicht sie mit dem im Spekulum gewonnenen Eindruck. Nur wenn die Scheide ausreichend weit ist, führt man auch den Mittelfinger ein. Versucht man sofort mit zwei Fingern in die Scheide einzugehen, so empfindet das die Patientin, besonders wenn sie noch nicht geboren hat, als unangenehm und reagiert mit Abwehrbewegungen.

Mit der inneren Hand werden außerdem die Scheidengewölbe und die Vagina ausgetastet. Gewebsverhärtungen, die bei der Spekulumuntersuchung nicht auffielen, werden oft erst durch die Tastuntersuchung erkannt.

Die Patientin wird nun nochmals aufgefordert, die Beine weich auseinanderfallen und das Gesäß nach unten sinken zu lassen. Die Arme soll sie auf der Brust verschränken. Abb. 72 zeigt die Haltung beider Hände bei der bimanuellen Tastuntersuchung. Die äußere Hand wird oberhalb der Haargrenze auf den Unterbauch aufgelegt. Nun drückt man mit der ganzen Fläche der Fingerinnenseiten den Bauch weich ein, gleichzeitig hebt man mit der inneren Hand den Uterus vom hinteren Scheidengewölbe aus an und versucht, zunächst den Uterus-

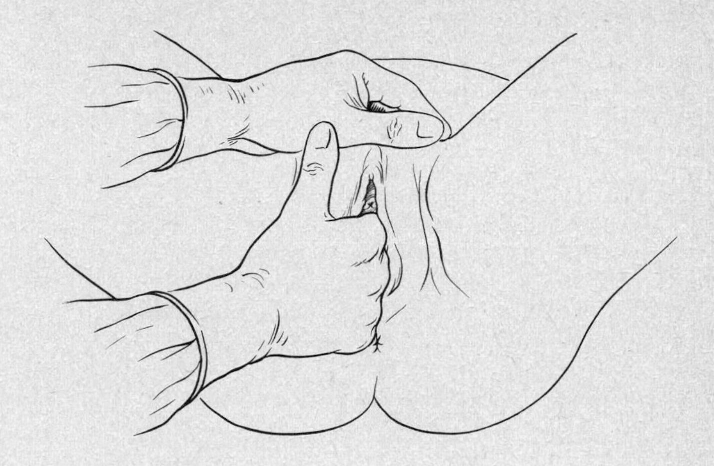

Abb. 72 Handhaltung bei der bimanuellen Untersuchung des weiblichen Genitale etwas von seitlich gesehen

körper zwischen beide Hände zu bekommen. Die äußere Hand darf nicht mit den Fingerspitzen die Bauchdecken eindrücken. Das bewirkt bei der Patientin eine Spannung der Bauchmuskulatur, und die Untersuchung wird erschwert. Liegt der Uterus in normaler Anteflexion, so gelingt es leicht, wenn die Patientin nicht übermäßig dick ist, das Korpus durch die Bewegung der inneren Hand, der äußeren entgegen zu bringen. Hat man den Uterus zwischen beiden Händen, bestimmt man dessen Größe, Form, Konsistenz, Lage und Beweglichkeit.

Größe und Form des Uterus

Wie auf S. 44 geschildert, ist die Größe des Uterus individuell und je nach dem Alter und der Kinderzahl der Patientin verschieden. Unter „normal groß" versteht man den Tasteindruck, den etwa eine mittelgroße Birne vermitteln würde. Man läßt den Uterus zwischen beiden Händen hin- und hergleiten, um seine Form oder Abweichung vom Normalen zu palpieren. Die äußere Kontur des normalen Uterus ist glatt. Auch die Form ist mit einer Birne vergleichbar, wobei der dicke Teil der Birne dem Corpus uteri entsprechen würde.

Konsistenz des Uterus

Der nichtschwangere Uterus der geschlechtsreifen Frau ist recht derb und vergleichbar mit der Konsistenz eines kontrahierten Skeletmuskels (z. B. des kontrahierten M. biceps). – Aufgelockert und weich ist der Uterus in der Schwangerschaft. Die Auflockerung ist eines der frühesten Schwangerschaftszeichen, die eher eintritt als eine palpable Vergrößerung.

Lage des Uterus (Abb. 73)

Die Normalhaltung des Uterus ist die Anteflexion. Dabei liegt das Corpus uteri nach vorn zur Blase geneigt in einem Winkel von etwa 120 Grad gegenüber der Cervix uteri. Liegt die innere Hand im hinteren Scheidengewölbe, so kann man einen anteflektierten Uterus sehr gut tasten. Anders ist es, wenn der Uterus sich nach hinten neigt, also retroflektiert ist. Dann hat man auf den Fingern der inneren Hand nur die Zervix und kann bei der bimanuellen Untersuchung den Uterus nicht nach oben abgrenzen. Man geht dann in das vordere Scheidengewölbe ein und nähert beide Hände erneut einander. Liegt der Uterus anteflektiert, so kann man isoliert das Corpus uteri abtasten. Bei retroflektiert liegendem Uterus ist der Raum leer, man hat nur die Bauchdecken zwischen beiden Fingerspitzen. Dies erhärtet

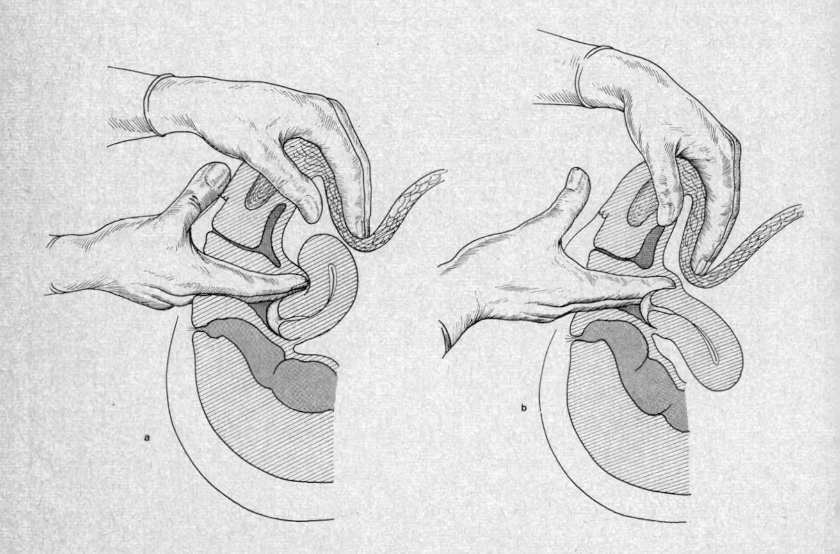

Abb. 73 Unterschied bei der Palpation eines anteflektierten (a) und retroflektierten (b) Uterus

den Verdacht, daß der Uterus retroflektiert liegt. Man dringt nun so tief wie möglich in das hintere Scheidengewölbe ein und drückt den Bauch mit der äußeren Hand ein, um das in der Kreuzbeinhöhle liegende Corpus uteri zu erreichen. Dabei kann man den Versuch machen, den Uterus aufzurichten. Folgt der Uterus nicht ohne Zwang, forciere man nicht, da dies schmerzhaft ist. Abb. 73 a und b zeigen im Sagittalschnitt den Unterschied bei der Betastung eines anteflektierten und retroflektierten Uterus.

Beweglichkeit des Uterus

Schon bei der Betastung des Uterus registriert man, ob dies der Patientin Schmerzen bereitet. Besonders aufmerksam beobachtet man sie, wenn man die Beweglichkeit des Uterus prüft. Dazu schiebt man den Uterus mit der inneren Hand nach kranial und mit der äußeren wieder nach kaudal. Mit der inneren Hand wird die Portio vom hinteren Scheidengewölbe her angehoben („gelüftet"). Bereitet das Schmerzen, so vermerkt man dies als „Portiolüftungsschmerz". Weiter beurteilt man die Beweglichkeit der Zervix nach rechts und links, wobei man die Zervix mit der inneren Hand hin- und herschiebt. Die Beweglichkeit in dieser Ebene hängt von der Elastizität der Parametrien ab.

Beurteilung der Adnexe

Wesentlich schwieriger als die Betastung des relativ großen Uterus ist die der Adnexe. Eine normale Tube ist bleistiftdünn und weich. Das Ovar ist etwa walnußgroß und derb. Eine normale Tube ist auch bei einer schlanken Frau praktisch nicht zu tasten, das derbe Ovar kann man palpieren.

Um die Adnexe zu tasten, geht man vom Uterus aus (Abb. 74/1—3). Man umfaßt das Corpus uteri mit beiden Händen und gleitet von ihm nach der linken oder rechten Seite ab. Die innere Hand bewegt sich dabei in das seitliche Scheidengewölbe, die äußere folgt in gleicher Richtung. Dabei nähern sich die Fingerspitzen beider Hände einander. Man hat den Eindruck, daß sich zwischen den Fingerspitzen nur noch Bauchdecke befindet (Abb. 74/2). Bei schlanken Frauen kann man das normal große Ovar erfassen. Der Druck auf das normale Ovar ist schmerzhaft, ähnlich wie die Keimdrüsen des Mannes druckempfindlich sind. Befindet sich bei der Patientin eine Resistenz im Bereich der Tube oder des Ovars, so ist es vom Uterus kommend meist nicht möglich, die Hände einander zu nähern (Abb. 74/3). Man versucht dann, durch vorsichtige Bewegung beider Hände, die Resistenz in der Größe und Konsistenz abzutasten und ihre Organzugehörigkeit zu klären.

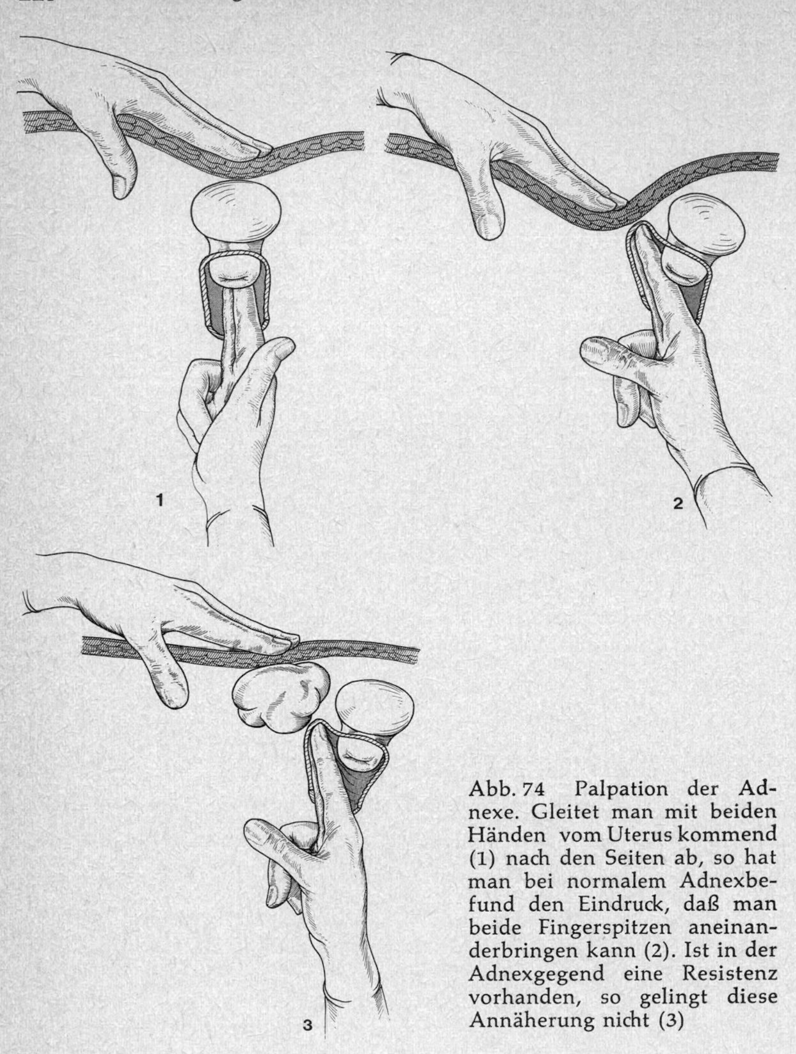

Abb. 74 Palpation der Adnexe. Gleitet man mit beiden Händen vom Uterus kommend (1) nach den Seiten ab, so hat man bei normalem Adnexbefund den Eindruck, daß man beide Fingerspitzen aneinanderbringen kann (2). Ist in der Adnexgegend eine Resistenz vorhanden, so gelingt diese Annäherung nicht (3)

Rektale Untersuchung

Bei der Untersuchung von Kindern oder virginellen Mädchen läßt der intakte Hymenalring meist den untersuchenden Finger nicht passieren. Man untersucht dann bimanuell vom Rektum aus, indem man den Zeigefinger der inneren Hand in den Darm einführt. Der Finger wird mit einer Gleitcreme benetzt. Der Sphincter ani läßt sich leicht überwinden, wenn man die Patientin auffordert, kräftig nach unten zu drücken wie beim Stuhlgang. Die Untersuchung läuft dann gleichartig wie bei der vaginalen bimanuellen Untersuchung ab.

Rektovaginale Untersuchung

Eine wertvolle Ergänzung der bimanuellen vaginalen Untersuchung stellt die rektovaginale bimanuelle Untersuchung dar.

Die Scheide ist in ihrer Länge und Dehnungsfähigkeit nach oben begrenzt, nicht dagegen das Rektum. Prozesse, die sich hinter dem Uterus und rechts und links von ihm abspielen, sind oft besser durch die Palpation vom Rektum aus zu erfassen.

Knoten und Flüssigkeitsansammlungen im DOUGLASschen Raum fallen zwar schon bei der Betastung des hinteren Scheidengewölbes auf. Es ist aber unmöglich, sie in ihrer Begrenzung zu erfassen, zumal man die äußere Hand meist nicht so tief eindrücken kann, daß man Prozesse an der Zervixhinterwand zwischen beide Hände bekommt. Ähnliches gilt für Infiltrationen oder Tumorbildungen im Bereich der Parametrien.

Man geht mit dem Mittelfinger in das Rektum ein und bringt den Zeigefinger in die Vagina. Durch diese Handhaltung ergeben sich

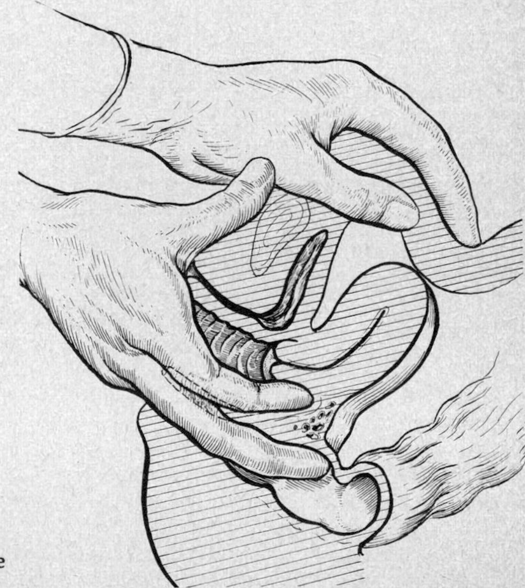

Abb. 75
Rektovaginale Untersuchung. Beurteilung des DOUGLASschen Raumes. In diesem Falle liegt eine retrozervikale Endometriose vor

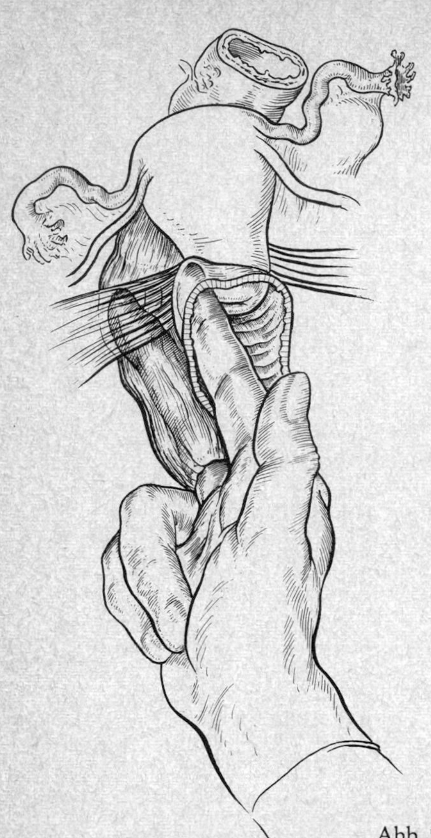

zwei Vorteile. Erstens dringt der Mittelfinger im Darm tiefer ein als der Zeigefinger, so daß man über das hintere Scheidengewölbe hinaus die Hinterwand der Zervix abtasten kann (Abb. 75). Ein typisches Beispiel ist die Erkennung der retrozervikalen Endometriose, die mit der rektovaginalen Untersuchung wesentlich besser gelingt als mit der vaginalen. Zweitens kann man mit Mittel- und Zeigefinger scherenförmige Bewegungen machen und dadurch die Beschaffenheit der Parametrien seitlich vom Uterus (Abb. 76) abschätzen.

Die äußere Hand dient bei der rektovaginalen Untersuchung vorwiegend dazu, den zu untersuchenden Prozeß der inneren Hand entgegenzudrücken und durch Hin- und Herbewegen besser kenntlich zu machen.

Abb. 76 Rektovaginale Untersuchung zur Beurteilung der Parametrien

Mit der bimanuellen Untersuchung ist die gynäkologische Untersuchung abgeschlossen. Man bittet die Patientin, sich wieder anzukleiden. Die Zwischenzeit kann man benutzen, um das Scheidensekret im Mikroskop zu betrachten und den Befund schriftlich zu fixieren. — Die Patientin hat ein Recht darauf, in einer verständlichen Form über den erhobenen Befund unterrichtet zu werden. Behandlungsvorschriften müssen ihr begreiflich dargelegt werden. Bei der schriftlichen Fixierung des Befundes ist es ratsam, eine gewisse Ordnung einzuhalten. Auch normale Befunde sollten erwähnt werden, um bei späteren Vergleichen sicher zu sein, daß bei der Erstuntersuchung darauf geachtet wurde. Ein normaler gynäkologischer Befundbericht würde etwa wie folgt aussehen:

„Vulva und Vagina ohne krankhaften Befund. In der Scheide weißliches Sekret. Im Nativpräparat DÖDERLEIN-Flora. Portiooberfläche makroskopisch um den äußeren Muttermund gerötet. Zellabstriche entnommen. Kolposkopisch Ektropionierung des Zervixepithels mit beginnender randständiger Überhäutung. Muttermund und Zervikalkanal geschlossen. Zum Zeitpunkt der Untersuchung keine Blutung aus dem Zervikalkanal.

Uterus anteflektiert, normal groß, derb und beweglich. In beiden Adnexgegenden kein krankhafter Befund. Parametrium bds. und DOUGLASscher Raum frei."

Die im folgenden geschilderten Untersuchungsmethoden gehören nicht obligat zur gynäkologischen Routineuntersuchung. Einige können während der ambulanten Untersuchung der Patientin, andere nicht ohne Narkose und kurzen klinischen Aufenthalt durchgeführt werden. Manche Untersuchungsmethoden können von jedem Arzt ausgewertet werden. Für andere sind Speziallaboratorien notwendig.

Zyklusdiagnostik

Vaginalabstrich

Der empfindlichste Indikator für Schwankungen des Hormonspiegels im Organismus der Frau ist das Vaginalepithel. Eine Änderung der Sexualhormone wird nicht an Biopsien, sondern am Zellbild der abgeschilferten Vaginalepithelien abgelesen. Aus einem unerheblichen, beliebig oft wiederholbaren Eingriff an einem leicht zugänglichen Ort wurde eine Methode entwickelt, die man als **hormonale Zytodiagnostik** bezeichnet (PAPANICOLAOU u. STOCKARD 1927).

Abb. 77 zeigt schematisch den Aufbau des Vaginalepithels. Auf der Basalmembran findet sich die Basalzellschicht (Germinativ- oder Keimzellschicht), darüber die mehrreihige Parabasalzellschicht (Stachelzellschicht oder Stratum interspinosum). Die kubischen Zellen sind durch Interzellularbrücken miteinander verbunden. In beiden Schichten kommen Mitosen vor. Darüber folgt die Intermediär- oder Navikularzellschicht. Die großen polygonalen Zellen enthalten im Zytoplasma Glykogen. Das Epithel wird nach oben begrenzt durch die innere und äußere Oberflächenschicht. Die Zellen flachen sich ab. Die Kerne werden kleiner und pyknotischer. Das Zytoplasma ändert sich von basophil nach eosinophil.

Vorwiegend durch die hormonale Stimulation, manchmal auch in Folge lokaler Scheidenveränderungen wechselt der Aufbau des Vaginalepithels. Es kann z. B. nur aus 3—4 Zellagen bestehen, die dann aus Basal- und Parabasalzellen gebildet werden. Der mangelhafte Aufbau geht zu Lasten der oberen Zellschichten.

Das Scheidenepithel schilfert wie alle Körperoberflächen ständig Zellen ab. Zellabstriche spiegeln den Reifegrad wider. In einem Abstrich

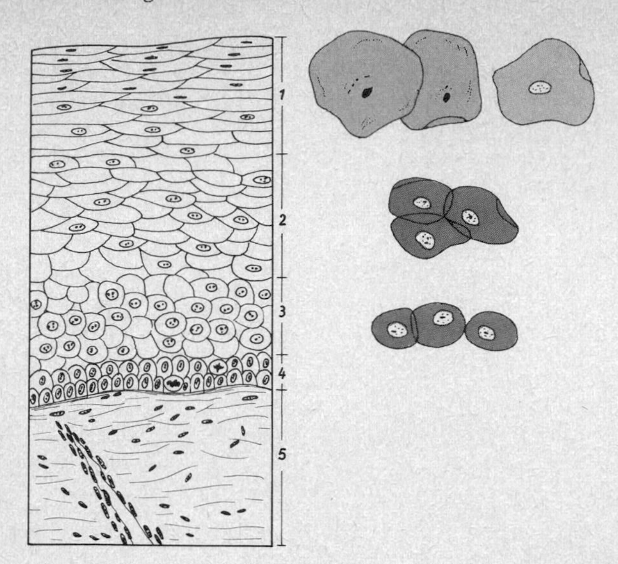

Abb. 77 Schematischer Aufbau des Vaginalepithels. 1. Äußere und innere Oberflächenschicht, 2. Intermediärschicht, 3. Parabasalzellschicht, 4. Basalzellschicht, 5. gefäßführendes Zervixstroma
Rechts sind die abgeschilferten Zellen abgebildet

erscheinen nur Zellen von der dem Vaginallumen zugewandten Epithelseite, so daß aus ihrer Morphologie auf die Proliferationshöhe und damit auf die Hormonbildung im Organismus geschlossen werden kann (Abb. 77). – Außer den Plattenepithelien finden sich im Ausstrich Leukozyten, Erythrozyten, Histiozyten, selten Epithelien aus den oberen Abschnitten des Genitaltraktes und Mikroorganismen der Scheide.

Technische Durchführung

Vor der Abstrichentnahme darf das Epithel nicht durch Faktoren beeinflußt werden, die, unabhängig vom Hormonspiegel, auf den normalen Aufbau wirken. Vor der Untersuchung sollten vermieden werden: Vaginalspülungen, mechanische Reize (Pessare), chemische Einflüsse (Medikamente, Antikonzeptiva), Hormonbehandlungen. Bei Fluor mit oder ohne entzündliche Begleiterscheinungen sollte eine lokale Therapie die Ausgangsbedingungen verbessern.

Als Entnahmeort eignet sich das hintere Drittel der seitlichen Vaginalwand (Abb. 67/3). Die Technik ist die gleiche wie bei den Abstrichen zur Krebsfährtensuche. Abnahme, Übertrag auf den Objektträger, Fixierung und Versand wurden oben beschrieben. Die Färbung der Präparate erfolgt meist nach der Methode von Papanicolaou oder einer Modifikation. Das Prinzip besteht in einer guten Kernfärbung und einer Zytoplasmadifferenzierung zwischen basophil und eosinophil.

Auswertung

Eine einmalige Entnahme läßt eine Aussage zu über den Proliferationsgrad des Vaginalepithels, der in Beziehung gesetzt wird zu dem einer normalen, nicht graviden Frau gleichen Alters.

Wiederholte Zellentnahmen bei der gleichen Frau lassen Aussagen zu über die hormonabhängige Änderung des Epithels, die bei endogenem Wechsel des Hormonspiegels oder bei exogener Zufuhr von Hormonen erzeugt wird. Die Auswertung sollte graphisch dargestellt werden.

Man kann den Vaginalabstrich wie ein Blutbild auszählen, wobei die Zelltypen **prozentual** angegeben werden. Meist abstrahiert man die Auszählung aber auf einen bestimmten Zelltyp, der besonders empfindlich auf Hormonschwankungen reagiert. Man nennt dies die Bestimmung von Indizes.

Karyopyknotischer Index

In 4 verschiedenen Gesichtsfeldern werden je 200 Zellen ausgezählt. Dabei zählt man den prozentualen Anteil der Oberflächenzellen mit vollkommen pyknotischem Kern im Verhältnis zu allen anderen Plattenepithelien. Die Auswertung wird im Phasenkontrastmikroskop verbessert, da alle pyknotischen Kerne hellrot aufleuchten, während andere blau bleiben (Abb. 78).

Eosinophilenindex

Man zählt das Verhältnis der eosinophilen Oberflächenzellen zu den basophilen Plattenepithelien im normalen Lichtmikroskop (Abb. 78). Ähnliche Indizes kann man gewinnen aus der prozentualen Auszählung aller Oberflächenzellen (Oberflächenzellindex) oder der Auszählung der Zellen, deren Zytoplasma gefältelt ist (Fältelungsindex).

Die Indexbestimmungen geben gute vergleichbare Resultate, sind aber zeitraubend. Sie sind für bestimmte Fragestellungen unerläßlich (z. B. Testung von Hormonen am atrophischen Vaginalepithel oder Beurteilung einer Hormonmedikation).

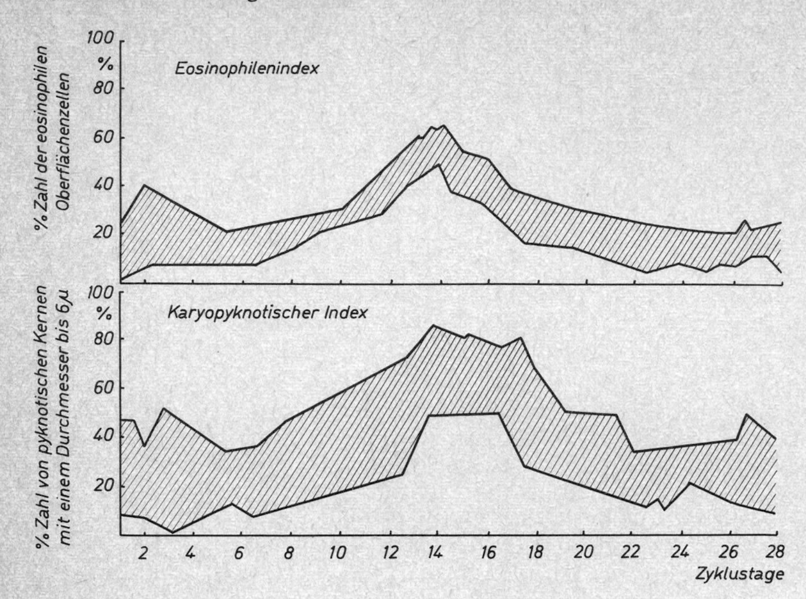

Abb. 78 Eosinophilen- und karyopyknotischer Index im Verlauf eines Zyklus. Beide Werte erreichen zum Zeitpunkt der Ovulation einen Gipfel

Auswertung nach Schmitt (1953) (Abb. 79)

Nach der Durchmusterung des zytologischen Ausstrichs schätzt man das Verhältnis der Vaginalepithelien zueinander. Das Ergebnis wird in arabischen Zahlen ausgedrückt (Tab. 18).

Tabelle 18 **Gradeinteilung der Zellbilder**

Grad 1:	nur Parabasalzellen
Grad 1—2:	überwiegend Parabasalzellen, einzelne Intermediärzellen
Grad 2—1:	überwiegend Intermediärzellen, einzelne Parabasalzellen
Grad 2:	nur Intermediärzellen
Grad 2—3:	überwiegend Intermediärzellen, einzelne innere Oberflächenzellen
Grad 3—2:	überwiegend innere Oberflächenzellen, einzelne Intermediärzellen
Grad 3:	nur innere Oberflächenzellen
Grad 3—4:	überwiegend innere, vereinzelt äußere Oberflächenzellen
Grad 4—3:	überwiegend äußere, vereinzelt innere Oberflächenzellen
Grad 4:	nur äußere Oberflächenzellen

Wird das Abstrichbild nach dieser Gradeinteilung beurteilt, so gewinnt man einen guten Überblick über die Proliferation des Vaginalepithels. Für die Routinezytologie hat sich das Verfahren bewährt.

Testung von Sexualhormonen am Vaginalepithel

Die physiologisch vorkommenden Abstrichbilder werden leicht verständlich, wenn man die Wirkung künstlich zugeführter Hormone am atrophischen Vaginalepithel kennt. Daher soll ihre Wirkungsweise hier kurz geschildert werden. – (Über das Abstrichbild in Kindheit, Geschlechtsreife, Klimakterium und Senium s. S. 45, 73, 110).

Exogen zugeführte Sexualhormone wirken wie endogen produzierte auf das Vaginalepithel ein. Seit der Synthetisierung der Sexualhormone testet man ihre Wirkung am menschlichen Vaginalepithel. Als Testpersonen eignen sich nur Frauen mit erloschener oder nicht vorhandener Ovarialfunktion, die ein atrophisches Vaginalepithel haben (Greisinnen, Kastratinnen ohne Substitutionstherapie einige Jahre nach der Kastration, Patientinnen mit Gonadendysgenesie). Anderenfalls würde sich die Wirkung der exogen zugeführten mit der der endogen gebildeten Sexualhormone kombinieren. – Das Vaginalepithel reagiert wesentlich empfindlicher auf Hormone als das Endometrium. Es können „endometriumunterschwellige" Dosen verabreicht werden, die keine Proliferation des Endometriums hervorrufen, so daß eine Abbruchblutung vermieden wird. Zur Testung müssen die semiquantitativen prozentualen Auswertungen zur exakten Erfassung des Zellbildes herangezogen werden.

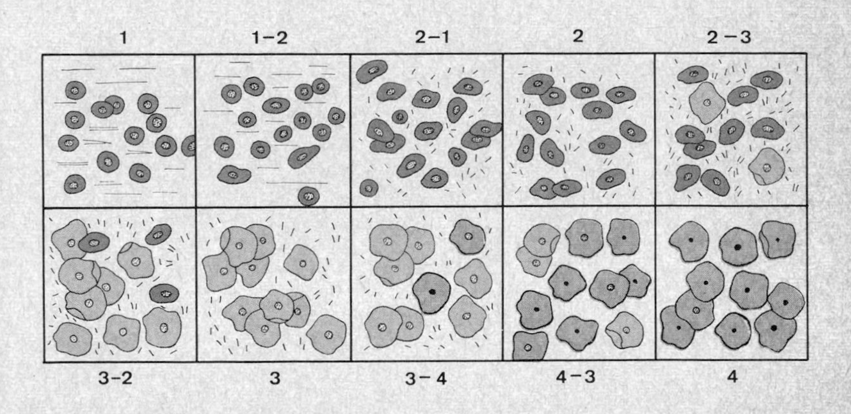

Abb. 79 SCHMITTsche Gradeinteilung des Vaginalabstriches

Östrogene

Nach der Zufuhr von Östrogenen (z. B. 10 mg Östradioldiproprionat in Öl i. m.) wird das atrophische Vaginalepithel vollkommen aufgebaut. Nach 24—48 Stunden treten an die Stelle der atrophischen Epithelien Parabasal- und Intermediärzellen. 8 Tage nach der Hormonzufuhr besteht der Ausstrich nur noch aus Oberflächenzellen. War die Dosis hoch genug, sind es nur eosinophile Oberflächenzellen mit pyknotischen Kernen. Der Effekt ist spezifisch für Östrogene und wird mit keinem anderen Sexualhormon erreicht. Bei der abklingenden Wirkung kehrt das Vaginalepithel in umgekehrter Reihenfolge langsam zur Ausgangsphase zurück.

Gestagene

Werden Gestagene allein angewandt, so entwickelt sich das atrophische Vaginalepithel nur bis zur Intermediärschicht. Die Proliferationszeit ist länger als bei der Zufuhr von Östrogenen. — Die isolierte Wirkung von Gestagenen kommt im Organismus nie vor, sondern Gestagene werden nur nach und in Kombination mit Östrogenen gebildet. Gibt man die Gestagene im Anschluß an eine vollwirksame Östrogendosis, so werden Oberflächenzellen massenhaft abgeschilfert, die in Haufen miteinander verkleben und deren Zytoplasma sich aufrollt und fältelt. Nach der Abschilferung der Oberflächenzellen bleibt bei fortbestehender Gestagenwirkung der Aufbau der Intermediärschicht bestehen. Physiologisch ist dieser Zustand in der Gravidität.

Androgene

Androgene bewirken ähnlich wie Gestagene eine Proliferation des atrophischen Vaginalepithels bis zur Intermediärschicht. Manche Autoren bezeichnen daher auch einen Ausstrich, der in Haufen liegende Intermediärzellen enthält, als „androgenen Ausstrichtyp".

Indikationen zur Abstrichentnahme

Die Bestimmung des Proliferationsgrades des Vaginalepithels ist diagnostisch wichtig bei folgenden Krankheitsbildern: Kinder weiblichen Geschlechtes mit Zeichen der Pubertas praecox, Störungen der Geschlechtsentwicklung in der Adoleszenz und der Geschlechtsreife, bestimmte Formen der Zyklusstörungen, Verdacht auf hormonbildende Tumoren im Senium. Darüber hinaus kann man aus dem Abstrichbild der gesunden Frau einen Hinweis auf die Zyklusphase gewinnen, in der sie sich zum Zeitpunkt der Untersuchung befindet. Die Beurteilung wird aufschlußreicher, wenn man von der gleichen Patientin eine Abstrichserie innerhalb eines Zyklus gewinnen kann.

Zervixsekret

Mit dem ansteigenden Östrogenspiegel in der Proliferationsphase verändert sich der von den Zervixdrüsen gebildete Schleim in charakteristischer Weise. Mit zwei einfachen Methoden kann man nachweisen, daß im Organismus ein Östrogenspiegel erreicht ist, der den physiologischen Verhältnissen 1—3 Tage vor der Ovulation entspricht.

Spinnbarkeitstest

Auf Grund der Viskositätsverminderung läßt sich der klare Zervixschleim mit einer Pinzette zu einem 6—8 cm langen Schleimfaden ausziehen (Abb. 80). Man kann den Schleimfaden vom Muttermund her nach außen ziehen, oder man bringt einen Sekrettropfen zwischen die Branchen einer Pinzette und spreizt sie. Eine dritte Möglichkeit ist das Auseinanderziehen des Fadens zwischen zwei Objektträgern. Die Prüfung des Zervixschleims wird „Spinnbarkeitstest" genannt. Die „Spinnbarkeit" ist für die Östrogenwirkung spezifisch. In allen anderen Zyklusphasen gelingt das Ausspinnen des Schleimfadens nicht.

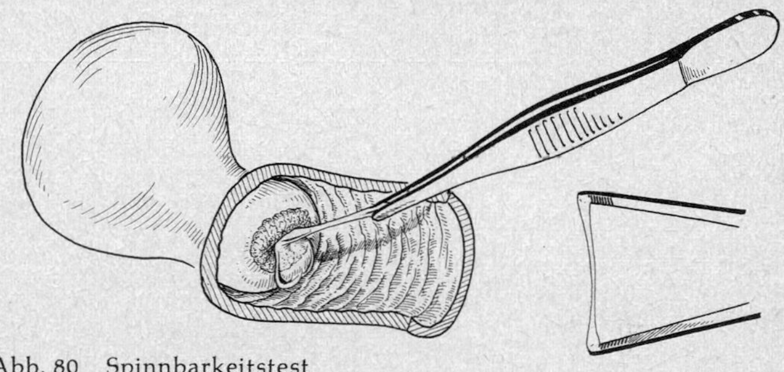

Abb. 80 Spinnbarkeitstest

Farntest

In gleicher Abhängigkeit vom Östrogenspiegel ändert sich das Kristallisationsbild des Zervixsekretes. Bringt man einen Tropfen auf einen Objektträger und betrachtet ihn während oder nach der Trocknung unter dem Mikroskop, so kann man die Bildung von farnkrautähnlichen Kristallen beobachten (Abb. 81). Die vollständige Ausbildung des Farnkrautmusters entsteht nur bei der Östrogenwirkung, die der präovulatorischen Phase entspricht. Abb. 81 zeigt zum Vergleich das Kristallisationsbild von Zervixschleim aus der späten Progesteronphase. Es entstehen nur wenige, gering verzweigte Kristalle.

Abb. 81 Farn-Test 1. Zeitpunkt des Follikelsprunges 2. Späte Corpus-luteum-Phase

Strichbiopsie

Am Endometrium spielen sich während des Zyklus typische Veränderungen ab, an denen man die verschiedenen Zyklusphasen ablesen kann. Z. B. kann die eintretende Progesteronwirkung nach dem Follikelsprung am Endometrium eindeutig an den auftretenden Glykogenvakuolen (s. S. 70) nachgewiesen werden. Verschiedene hormonelle Behandlungen können nur am Gewebsbild des Endometriums überprüft werden. — Zu diesem Zweck braucht die Schleimhaut des Uterus nicht vollkommen durch eine Kürettage entfernt zu werden. Man begnügt sich vielmehr mit einem Gewebsstreifen, der mit einer Strichkürette gewonnen wird.

Dafür benutzt man eine Kürette, die möglichst ohne Dilatation den inneren Muttermund überwindet, um den Eingriff ohne Allgemeinnarkose durchführen zu können. Bei infantilen Uteri, aber gelegentlich auch bei Nulliparen gelingt dies nicht. Dann ist eine intravenöse Kurznarkose notwendig.

Abb. 82 zeigt eine Endometrium-Strichkürette. In der Kappe am oberen Ende wird der abgeschabte Endometriumstreifen aufgefangen. In den USA wird ein anderer Kürettentyp, die Novaksche Saugkürette, viel verwandt. Dabei wird ein Stück Endometrium in das Instrument eingesaugt. Die Materialentnahme ist einfach, meist wird aber die Schleimhaut mechanisch durch den Sog beschädigt.

Nachdem man sich palpatorisch über die Lage des Uterus orientiert hat, wird die Scheide mit einem Rinnenspekulum mit Gewicht nach hinten entfaltet und die Portio mit einer Kugelzange angehakt. Bei der unnarkotisierten Patientin darf man nur vorsichtig an der Portio ziehen, da sie sonst Schmerzen verspürt. Die Kürette wird so hoch wie möglich eingeführt und die schneidende Fläche der Seitenwand des Uterus zugewandt (Abb. 83). Mit zartem Druck wird die Kürette nach unten gezogen und ein ca. 1,5—2 cm langer Schleimhautstreifen

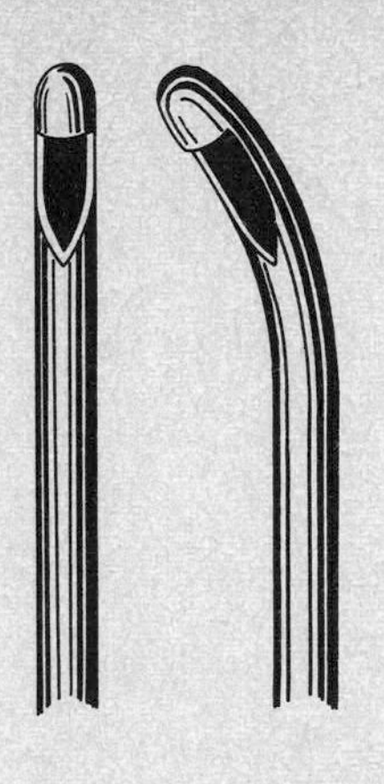

Abb. 82

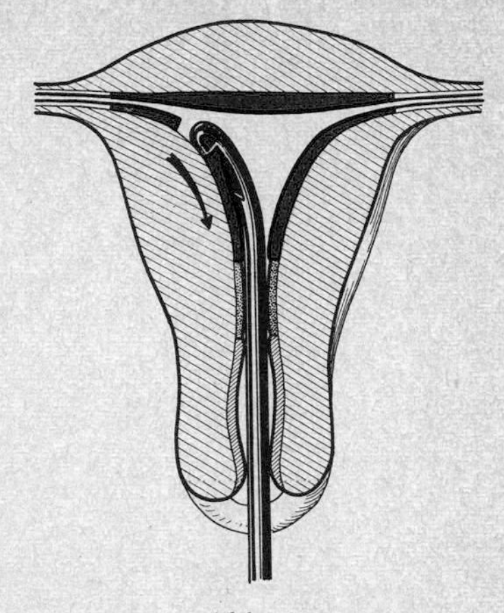

Abb. 83

Abb. 82 Endometriumstrichkürette

Abb. 83 Entfernung eines Schleimhautstreifens mit der Strichkürette von der Seitenwand des Uterus. Die Endometriumbiopsie wird in der Kürettenkappe aufgefangen

entfernt. Dann richtet man die Kürette auf und zieht sie aus dem Kavum heraus. Die Bewegung des Aufrichtens ist deshalb wichtig, weil man nur dann sicher sein kann, Endometrium und nicht Isthmusschleimhaut zu fördern. Hat z. B. der Ungeübte im Kavum keine Schleimhaut gewonnen und zieht die Kürette mit gleichmäßigem Druck auf die Seitenwand heraus, dann schneidet die Kürette am engen Isthmus uteri die Schleimhaut ab. Diese ist für eine Zyklusdiagnostik ungeeignet, da dort nur sehr diskrete zyklische Veränderungen auftreten. Der gewonnene Schleimhautstreifen wird vorsichtig mit einer anatomischen Pinzette aus der Kürettenkappe entfernt und lebenswarm in eine Fixierungsflüssigkeit (s. S. 271) gegeben. Der Endometriumstreifen sollte nicht gequetscht werden oder unfixiert liegenbleiben. Das Endometrium kann mechanisch und durch Autolyse geschädigt werden, so daß die histologische Diagnostik erschwert wird. Der Gewebsstreifen enthält ein ausreichend großes Areal Endometrium, aus dem eine Zyklusdiagnose möglich ist. Form und Epithelaufbau der Drüsen sowie Eigenarten des Stromas können an den Endometriumbiopsien beurteilt werden.

Bei vorsichtiger Handhabung besteht keine Perforationsgefahr. Der Zeitpunkt der Strichbiopsie ist am günstigsten, wenn sich die Patientin im letzten Drittel der Sekretionsphase befindet.

Aufwachtemperaturkurve

Keine Methode läßt so gute Rückschlüsse über den Ablauf eines Zyklus oder über die Ursachen von Zyklusstörungen zu wie die Aufwachtemperaturkurve (auch Basaltemperaturkurve genannt).

Die Temperaturmessungen werden von der Patientin zu Hause vorgenommen. Man ist daher auf ihr Verständnis und ihre Zuverlässigkeit angewiesen. Es hat sich bewährt, der Patientin zusätzlich zur mündlichen Erklärung eine schriftliche „Gebrauchsanweisung" mitzugeben. Eine Frau ist bei der Untersuchung oft sehr aufgeregt, so daß sie Belehrungen mißversteht. An Hand eines Textes kann sie sich zu Hause erneut orientieren. Die Patientinnen der Universitäts-Frauenklinik in Köln erhalten folgende Vordrucke:

„Sehr geehrte Patientin!

Mit Hilfe einer täglichen Temperaturmessung kann man die Funktion der Eierstöcke während des monatlichen Zyklus sehr genau beurteilen. — Die Aufwachtemperaturkurve gibt Antwort auf eine Reihe von Fragen. Für Sie und Ihren Arzt ist z. B. wichtig zu wissen:

1. Findet jeden Monat ein Eisprung statt?
2. An welchem Tage ist dieser zu erwarten?
3. Welche Tage sind befruchtungsgünstig, und an welchen Tagen ist eine Befruchtung kaum möglich?
4. Ist eine Schwangerschaft eingetreten und verläuft sie ungestört?
5. Wenn Sie unter unregelmäßigen Blutungen leiden, ist es möglich, auf Grund der Kurve deren Ursache festzustellen. Wenn eine genau gemessene Kurve vorliegt, ersparen Sie sich u. U. eine Ausschabung.
6. Mit der Temperaturmessung kann Ihr Arzt prüfen, ob Ihnen die begonnene Behandlung hilft.

Bitte führen Sie die Kurve im eigenen Interesse sehr sorgfältig!

Was ist zu beachten?

1. Immer das gleiche, normale Fieberthermometer abends heruntergeschlagen bereitlegen. Schreibstift dazulegen.
2. Wenn Sie morgens wach werden, als erstes das Thermometer für 5 Minuten in den Darm einführen. Sie dürfen *nicht* vorher aufstehen, da sich dann die Temperatur verändert.
3. Nach 5 Minuten Temperatur ablesen und sofort in das beiliegende Formular eintragen.
4. Zur Eintragung: Senkrecht finden Sie die Temperaturgrade, waagerecht die Tage des Monats. Markieren Sie täglich Ihre Temperatur mit einem Punkt und verbinden die Punkte mit einem Strich. Dadurch ergibt sich eine Kurve.

Wenn Sie Ihre Monatsblutung bekommen, tragen Sie diese mit einem Kreuz in die Rubrik „Blutung" ein. Bitte messen Sie aber auch während der Blutung. — Auch Zwischenblutungen müssen registriert werden.

Sollten Sie erkältet sein oder anderweit erkranken, vermerken Sie das bitte unter der Rubrik „Bemerkungen".

Auf der folgenden Seite finden Sie das Beispiel einer normalen Temperaturkurve bei einer gesunden Frau.

In den ersten 2 Wochen nach Beginn der Periode ist die Temperatur vorwiegend unter 37 °. Sobald der Eisprung erfolgt ist, bildet der Eierstock ein Schwangerschaftsschutzhormon, und dadurch steigt die Aufwachtemperatur an. Wird das Ei nicht befruchtet, so sinkt mit Eintritt der Periode die Aufwachtemperatur wieder ab, und der Zyklus beginnt erneut.

Wird das Ei aber befruchtet, so bleibt die Körpertemperatur über den 28. Zyklustag hinaus erhöht, so daß man eine Frühschwangerschaft an der Aufwachtemperaturkurve ablesen kann."

Die Messung kann auch oral oder vaginal durchgeführt werden. Die axillare Messung ergibt keine zuverlässigen Werte. Vor der Messung sollten einige Stunden Nachtruhe liegen. Man sollte aber nicht bestimmte Stunden festlegen. Kontrollen bei Schwestern und Ärztinnen im Nachtdienst mit regelmäßigem Zyklus ergaben keine Abweichungen im Kurvenverlauf, wenn die Betreffenden vor der Temperaturmessung noch eine Stunde schlafen konnten.

Für die Beurteilung der Kurve ist die absolute Höhe der Temperatur nicht entscheidend, sondern die Abweichungen zwischen den Werten. Das Temperaturniveau kann bei verschiedenen Frauen um einige Zehntel Grad voneinander abweichen.

Steigt die Körpertemperatur z. B. infolge eines Infektes an, so wird die normale Temperatur überlagert. Medikamente, die einen depres-

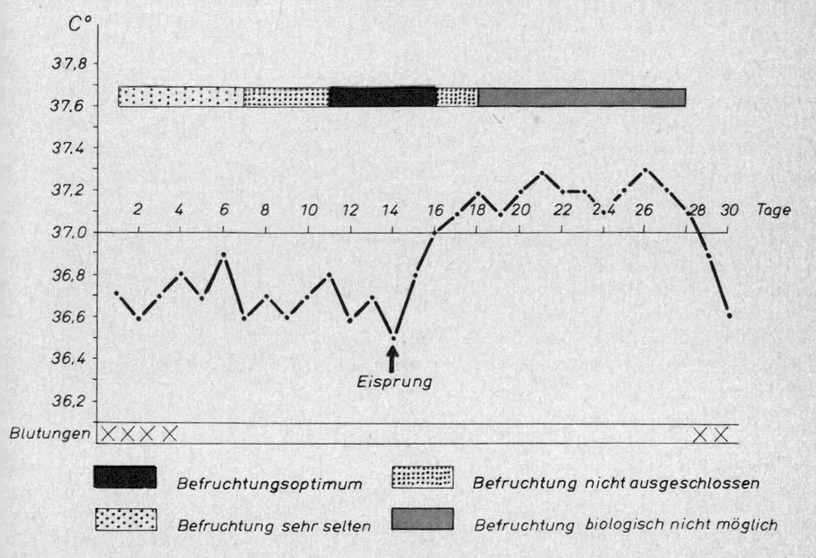

Abb. 84 Aufwachtemperaturkurve einer gesunden Frau

sorischen Effekt auf das Zwischenhirn ausüben (z. B. Barbiturate), können den Temperaturanstieg, der durch das Progesteron bewirkt wird, u. U. verhindern. Über die Deutung der Aufwachtemperaturkurven bei physiologischem und pathologischem Verlauf siehe S. 88, 90.

Hormonanalysen

Die Bestimmung von Hormonen aus dem Urin wird in Speziallaboratorien durchgeführt und geht mit erheblichem Zeit- und Kostenaufwand einher. Die Bewertung der Ergebnisse wird durch die physiologische Streubreite der Werte erschwert. Allgemein sollten Hormonanalysen nur bei gravierenden Störungen des Zyklus angeordnet werden. Im folgenden werden das Prinzip der Methodik sowie die physiologischen Werte im Zyklus mitgeteilt.

Östrogene

Für die Analyse muß die 24-Stunden-Menge des Urins bekannt sein. Zur Auswertung genügen 300—500 ml. Nach der Kober-Reaktion (1931) bilden die Gesamtöstrogene (phenolische Steroide) mit Phenolschwefelsäure nach Erhitzen einen rotvioletten Farbstoff. Mit Hilfe der Kolorimetrie wird die Intensität des Farbstoffes gemessen und auf die Menge der Östrogene geschlossen. Unspezifische Begleitstoffe, die ebenfalls mit einem roten Farbniederschlag reagieren, sollten eliminiert werden. Dies gelingt durch die Behandlung des Reaktionsgemisches mit p-Nitrophenol-Chloroform-Lösung bzw. p-Nitrophenol in Azetylentetrabromid (Modifikation nach Ittrich 1960, die nur für Östrogenausscheidungswerte in der Gravidität empfindlich genug ist.). Zur differenzierten Bestimmung der Östrogene wird die Methode von Brown (1953/57) angewandt. Meist genügt die Bestimmung der Gesamtöstrogene oder des Östriols.

Normalwerte der Östrogenbestimmung aus dem 24-Stunden-Harn:

Postmenstruelles Minimum:	Östradiol	0,7 µg	
	Östron	2,8 µg	(0,2— 7,2 µg)
	Östriol	4,7 µg	(1,9— 11,4 µg)
Ovulationsmaximum:	Östradiol	7,9 µg	(2,8— 21,8 µg)
	Östron	20,1 µg	(14,8— 27,4 µg)
	Östriol	30,9 µg	(8,1—119,0 µg)
Lutealmaximum:	Östradiol	5,0 µg	(2,1— 10,6 µg)
	Östron	11,3 µg	(5,1— 25,0 µg)
	Östriol	21,1 µg	(5,0— 89,0 µg)

Gestagene

Die 24-Stunden-Menge des Urins muß bekannt sein. Zur Analyse genügen 300—500 ml Urin. Die Gestagene werden als Pregnandiol im Harn ausgeschieden. Pregnandiol wird in Pregnandioldiazetat übergeführt. Dieses bildet mit konzentrierter Schwefelsäure einen gelben Farbstoff, der kolorimetriert wird (Methode nach KLOPPER u. Mitarb. 1955).

Normalwerte der Pregnandiolbestimmung aus dem 24-Stunden-Harn:

Follikelphase: 1,1 mg (0,8—1,5 mg)

Lutealphase: 2—5 mg

C_{17}-Ketosteroide (nach Zimmermann 1935)

Die Menge des 24-Stunden-Urins muß bekannt sein. Zur Bestimmung genügen 300—500 ml. Die C_{17}-Ketosteroide sind vorwiegend Abkömmlinge der NNR-Steroide. Nach der Behandlung mit m-Dinitrobenzol und Kalilauge bildet sich ein rotvioletter Farbstoff, dessen Intensität kolorimetrisch gemessen wird. Bei der Mikromethode nach VESTERGAARD (1951) werden nur wenige Kubikzentimeter Urin benötigt.

Wesentlich differenziertere Aussagen als die Gesamtbestimmung der Steroide mit einer C_{17}-Ketogruppe bringt die Fraktionierung, deren Methodik hier nicht geschildert werden soll.

Im 24-Stunden-Harn werden bei geschlechtsreifen Frauen 10,4 mg ($s = \pm 1{,}8$) bei einer Streuung von 6,8—14 mg ausgeschieden.

17-Hydroxysteroide

Die Menge des 24-Stunden-Urins muß bekannt sein. Zur Bestimmung genügen 300—500 ml. Bei dieser Analyse werden Cortisol, Cortison, ihre Di- und Tetrahydroderivate und synthetische Hormone wie Prednisolon u. a. erfaßt. Bei der Reaktion bilden sich unter der Einwirkung von Phenylhydrazin in Schwefelsäure aus den 17-Hydroxysteroiden gelbgefärbte Hydrazone, deren Quantität spektrophotometrisch bestimmt wird (PORTER u. SILBER 1950).

Im 24-Stunden-Harn werden bei geschlechtsreifen Frauen 3—13 mg ausgeschieden.

Gonadotrope Hormone

Die Bestimmung wird aus der Gesamtmenge des 24-Stunden-Urins vorgenommen. Die Gonadotropine werden in einem komplizierten Verfahren aus dem 24-Stunden-Urin extrahiert. Der Extrakt wird infantilen weißen Mäusen injiziert. Durch die gonadotrope Wirkung reifen die Ovarien, und der Uterus wächst. Als Maß für die Gonadotropinwirkung gilt die Gewichtszunahme des herauspräparierten Mäuseuterus. Der Gewichtsanstieg wird verglichen mit dem Effekt eines standardisierten Gonadotropinpräparates und in HMG-Einheiten (**H**uman **M**enopausal **G**onadotrophin) ausgedrückt.

Die Bestimmung von FSH und LH gelingt neuerdings sehr exakt mit Hilfe radioimmunologischer Methoden.

Bei geschlechtsreifen Frauen finden sich 4—20 HMG Einheiten, um den Zeitpunkt der Ovulation 13—40 HMG Einheiten.

Schwangerschaftsteste

Der Beweis oder der Ausschluß einer jungen Gravidität gehört zu den häufigsten Überlegungen der täglichen Praxis. Die Angaben über die letzte Regelblutung oder der Tastbefund geben nur unsichere Hinweise. Folgende Methoden objektivieren den klinischen Verdacht auf eine Frühgravidität:

Aufwachtemperaturkurve

Eine Verlängerung der Sekretions- oder Progesteronphase über 15—16 Tage hinaus ist ohne Eintritt einer Befruchtung kaum denkbar. Die Verlängerung der Hyperthermie, die durch den Fortbestand des Corpus luteum und dessen ansteigende Progesteronsynthese zustande kommt, ist daher das früheste objektive Zeichen für den Eintritt einer Befruchtung.

Biologische Schwangerschaftsreaktionen (Abb. 85)

Alle Schwangerschaftsreaktionen beruhen auf dem Nachweis des Choriongonadotropins im Urin der schwangeren Frau. Da das Chorion des Feten erst nach der Nidation ansteigende Mengen Choriongonadotropin synthetisiert, werden die Teste erst dann positiv, wenn das Schwangerschaftsprodukt eine gewisse Größe erreicht hat. Mit anderen Worten, der positive Ausfall beweist eine Gravidität, das negative Resultat schließt eine ganz junge Gravidität nicht aus.

Aschheim-Zondeksche Schwangerschaftsreaktion

Die Autoren der nach ihnen benannten Reaktion entdeckten 1927 die biologische Wirksamkeit des Urins gravider Frauen. Obwohl die Methode inzwischen durch andere Verfahren ersetzt wurde, ist sie historisch so wichtig, daß ihr Prinzip hier erklärt werden soll.

Spritzt man jungen infantilen weiblichen Mäusen, die 3—5 Wochen alt sind, Schwangerenurin unter die Rückenhaut, so machen sie auf Grund des zugeführten Choriongonadotropins eine stürmische geschlechtliche Reife durch. Der vorher kleine grazile Uterus wird groß und aufgebläht. Im Ovar reifen mehrere Follikel heran, platzen und

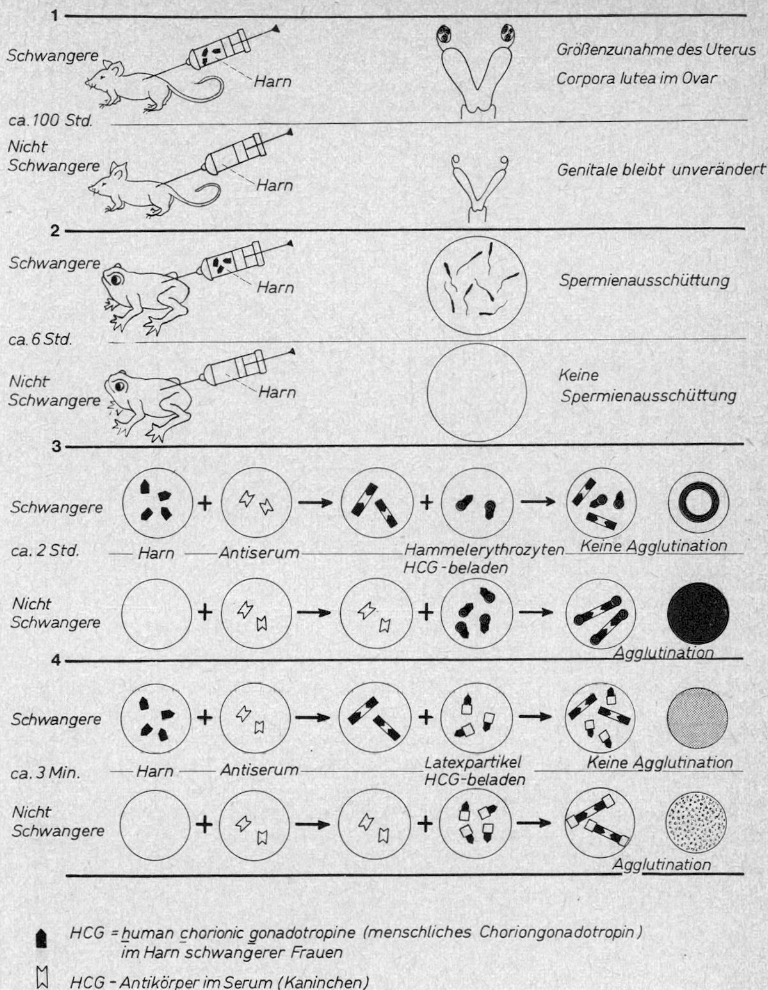

Abb. 85 Schema der Schwangerschaftsreaktionen. 1. ASCHHEIM-ZONDEKsche Schwangerschaftsreaktion, 2. Reaktion nach GALLI-MAININI, 3. immunologischer Test mit Hammelerythrozyten, 4. immunologischer Test mit Latexpartikeln

bilden sich zu Corpora lutea um. Der Prozeß dauert ca. 100 Std. Nach dieser Zeitspanne werden die Tiere getötet (für einen Versuch werden 3 Mäuse verwandt), und man erkennt am obduzierten Tier makroskopisch die beschriebenen Veränderungen am Genitale. Der Test ist positiv, wenn pro Liter Schwangerenurin 5—10 000 Einheiten Choriongonadotropin (HCG = **H**uman **C**horionic **G**onadotrophin) ausgeschieden werden. Das entspricht einer Mindestschwangerschaftsdauer von ca. 24 Tagen vom Tage der Konzeption an.

Schwangerschaftsreaktion nach Galli-Mainini

Als Versuchstiere dienen männliche Erdkröten im geschlechtsreifen Alter. In den dorsalen Lymphsack der Kröten wird Schwangerenurin eingespritzt. Unter dem Einfluß des Choriongonadotropins wird die Spermiogenese angeregt. Die Tiere reagieren 2—6 Stunden nach der Injektion mit einer Samenausschüttung. Das Ejakulat sammelt sich in der Kloake der Tiere. Von dort wird es mit einer Glaspipette entnommen und mikroskopisch kontrolliert. Im positiven Falle erkennt man lebende Froschspermien, die sich meist in lebhafter Bewegung befinden. Morphologisch fallen die Krötenspermien durch einen langgestreckten Kopf auf. Der Versuch wird mit 2 Tieren angesetzt. Die Kröten können nach einer Pause von 6 Wochen wieder verwendet werden.

Für eine positive Reaktion muß der Schwangerenurin pro Liter 5—10 000 Einheiten HCG enthalten. Das entspricht einer Schwangerschaftsdauer von ca. 24 Tagen. Die Kröten haben je nach der Jahreszeit eine unterschiedliche Empfindlichkeit. Im Laboratorium ist im Sommer die Reaktionsfähigkeit der Kröten auf HCG herabgesetzt.

Der Schwangerschaftsnachweis an der Maus und an der Kröte erfordert einen gewissen Aufwand zur Haltung der Tiere. — Darüber hinaus sind die Tiere nicht unempfindlich gegen andere im Urin ausgeschiedene Stoffe. So ist es nicht selten, daß die Tiere im Versuch sterben, weil der Urin toxische Substanzen oder Ausscheidungsprodukte von Medikamenten (z. B. Schlafmittel) enthält.

Immunologische Schwangerschaftsreaktionen

Seit ca. 10 Jahren werden Verfahren entwickelt, die einen Schwangerschaftsnachweis in vitro gestatten. Zwei Verfahren bewähren sich. Beide sind auf den gleichen immunologischen Prinzipien aufgebaut.

Test mit Hammelerythrozyten (Abb. 85)

Zwei Aufbereitungen stehen zur Verfügung.

1. Kaninchen werden durch Injektionen mit menschlichem Choriongonadotropin gegen diesen Stoff immunisiert und bilden Antikör-

per. Die Antikörper sind in dem Blutserum der Kaninchen enthalten. Das „HCG-Antiserum" ist im Handel.

2. Durch ein physikalisch-chemisches Verfahren wird menschliches Choriongonadotropin an Hammelerythrozyten gebunden. Die mit HCG beladenen Hammelerythrozyten sind im Handel.

Bringt man $^1/_{10}$ ml Schwangerenurin mit dem HCG-Antiserum zusammen, so ist nach kurzer Zeit das gesamte HCG von den im Kaninchenserum befindlichen Antikörpern gebunden und immunologisch inaktiviert. Die nachfolgende Zugabe von HCG beladenen Hammelerythrozyten trifft auf eine immunologisch unwirksame Lösung. Die Erythrozyten bleiben in Suspension und sedimentieren im Reagenzglas langsam nach unten. Da der Reagenzglasboden gewölbt ist, bilden die zu Boden sinkenden Erythrozyten einen Ring. Dieser ist deutlich zu erkennen, wenn der Reagenzglasboden mit Hilfe eines Spiegels betrachtet wird. Die Ringbildung zeigt an, daß keine Agglutination der Hammelerythrozyten eintrat, die Reaktion ist positiv. — Ist kein HCG im Urin enthalten, so bleiben die Antikörper im Kaninchenserum nach der Mischung mit dem Urin immunologisch aktiv. Bei der nachfolgenden Zugabe verbinden sie sich sofort mit dem an die Hammelerythrozyten gebundenen HCG und bewirken eine Agglutination der Erythrozyten. Es entsteht ein homogener agglutinierter Erythrozytenhaufen, der die Wölbung des Reagenzglasbodens vollkommen ausfüllt. Die Agglutination der Hammelerythrozyten beweist, daß kein HCG im Schwangerenurin vorhanden war, die Reaktion ist negativ.

Das Ergebnis des immunologischen Testes kann nach 2 Stunden abgelesen werden. In einem Liter Schwangerenurin müssen 750—1000 Einheiten HCG enthalten sein. Der Test wird also frühestens 22—26 Tage nach der Konzeption positiv (oder 36—38 Tg. nach der letzten Menstruation).

Test mit Latexpartikeln (Abb. 85)

An Stelle der Hammelerythrozyten werden Kunststoffpartikel von ca. 2 μ Größe benutzt, an die HCG adsorbiert wird. Die Aufschwemmung der Kunststoffpartikel sieht milchig-weiß aus. Der Test wird nicht im Reagenzglas, sondern auf einem Objektträger durchgeführt.

Ein Tropfen Urin wird mit einem Tropfen „HCG Antiserum" gemischt. Enthält der Urin HCG, wird das Gemisch immunologisch inaktiv. Nach dem Zusatz der Latexpartikel bleibt die Suspension erhalten. Auf dem Objektträger bleibt die Flüssigkeitsschicht homogen milchig-weiß. Die Reaktion ist positiv. Die Ablesbarkeit wird durch einen schwarzen Untergrund verbessert.

Enthält der Urin kein HCG, so bewirken die freigebliebenen HCG-Antikörper eine Agglutination der Latexpartikelchen. Die milchigweiße Flüssigkeit gerinnt, makroskopisch wirkt der Flüssigkeitstropfen auf dem Objektträger wie geronnene Milch. Die Reaktion ist negativ.

Die Reaktionsdauer beträgt 2½—3 Minuten. Die im Prospekt angegebenen Mischungsverhältnisse und -zeiten müssen genau eingehalten werden, da sonst Fehldeutungen vorkommen. Wir haben auch die Erfahrung gemacht, daß geringe Fettspuren auf dem Objektträger ein positives Ergebnis vortäuschen, weil offenbar die veränderten Spannungsverhältnisse zwischen Glas und Flüssigkeit die Gerinnbarkeit der Latexpartikel verhindern.

In einem Liter Schwangerenurin müssen ca. 2500—5000 Einheiten Choriongonadotropin enthalten sein. Der Test wird also frühestens nach 26—28 Tagen post conceptionem positiv (oder 40—42 Tage nach der letzten Menstruation).

Die immunologischen Schwangerschaftsnachweise sind zwar noch immer recht teuer. Man umgeht aber den Tierversuch. Der Zeitaufwand wird wesentlich herabgesetzt. Der Test mit Latexpartikeln eignet sich mit einer Reaktionszeit von 2½ Min. für die Praxis insofern, als das Ergebnis der Patientin während ihres Besuches mitgeteilt werden kann. Die immunologischen Methoden haben den großen Vorteil, daß andere im Urin ausgeschiedene Substanzen den Reaktionsablauf nicht stören (Toxine, Medikamente). Ist der Urin durch Salze u. a. stark getrübt, muß er vor der Reaktion gefiltert werden.

Störungen der Geschlechtsentwicklung

Bei primärer oder sekundärer Amenorrhoe, bei einem offenkundigen Mißverhältnis zwischen Lebensalter und Körpergröße, Vermännlichungserscheinungen oder Verdacht auf Zwitterbildung liegt nicht selten eine Störung im Bereich der Geschlechtschromosomen vor. Die Erkenntnisse sind noch jung.

Bestimmung des Kerngeschlechts

Barr und Bertram entdeckten 1948/49, daß sich die Ruhekerne beim Menschen und bei Säugetieren morphologisch im Lichtmikroskop je nach dem Geschlecht ihres Trägers unterscheiden.

Spätere Untersuchungen haben gezeigt, daß der Unterschied durch die bei männlichen und weiblichen Individuen verschiedenen Geschlechtschromosomenpaare verursacht wird. Die Geschlechtschromosomen (Gonosomen) des Mannes bestehen aus einem relativ großen X-Chromosom und einem kleinen Y-Chromosom. Auch die Gonosomen werden nur in der Mitose sichtbar und entspiralisieren sich im Interphasenkern. Die Ruhekerne des Mannes zeigen im Lichtmikroskop ein zartes Chromatingerüst.

Die Geschlechtschromosomen der Frau bestehen aus zwei gleichen, relativ großen X-Chromosomen. Auch diese werden in der Mitose sichtbar.

Im Interphasenkern entspiralisiert sich aber nur ein X-Chromosom, das andere lagert sich als heterochromatisches Chromatinklümpchen an der Kernmembran an. Im Lichtmikroskop ist die Chromatinanhäufung an der Kernmembran eindeutig zu erkennen. Nach ihrem Entdecker nennt man dieses Phänomen BARRsches Chromatinkörperchen (Synonym: Sexchromatin, Geschlechtschromatin). Das BARRsche Chromatinkörperchen läßt sich in allen Geweben der Frau nachweisen. Es ist nicht in allen Kernen sichtbar, nur dann, wenn dieser so gelagert ist, daß sich die Chromatinverdichtung im Profil dem Betrachter zuwendet.

Die Bestimmung des BARRschen Geschlechtschromatins wird aus Zellkernen der Wangenschleimhaut, in neutrophilen Leukozyten, an Haarwurzelzellen oder in histologischen Schnitten von Hautbiopsien durchgeführt.

Abstrich der Wangenschleimhaut (Barr-Test)

Die Wangenschleimhaut ist für eine Beurteilung des Kerngeschlechtes gut geeignet, da von ihrer Oberfläche gleichförmige Epithelien mit großen Kernen abgeschilfert werden.

Mit einem Holzspatel entnimmt man unter kräftigem Druck von der Wangenschleimhaut Zellmaterial und streicht es auf einem fettfreien Objektträger aus. Das Präparat wird noch feucht in Äther-Alkohol 1:1 fixiert. Es empfiehlt sich, einen zweiten Abstrich von der anderen Wangenschleimhautseite zu entnehmen. Nach 20 Min. Fixierung können die Präparate trocken verschickt werden. Zur Färbung eignet sich jeder Farbstoff, der eine Affinität zum Chromatin aufweist und der sich gut differenzieren läßt, so daß die Kerne sich transparent, aber distinkt darstellen (z. B. EHRLICHS Hämatoxylin, Kresylechtviolett).

Die gefärbten und eingedeckten Präparate werden mit Ölimmersion betrachtet. Zur Auswertung werden nur die Zellkerne ausgewählt, welche ein zartes Chromatingerüst mit deutlicher Kernmembran haben. Pyknotische oder gefältelte Kerne und solche mit starker Bakterienüberlagerung werden nicht ausgewertet. Man zählt wie bei einem Blutbild 200 Kerne mit und ohne randständigem Chromatinkörper. Abb. 86 zeigt die Morphologie des BARRschen Geschlechtschromatins in Zellen der Wangenschleimhaut. Die Chromatinverdichtung kann dreieckig, halbmondförmig oder langgestreckt sein.

Die Größe des BARRschen Chromatinkörperchens beträgt etwa 1,5 μ. Bei Anomalien des X-Chromosoms kann das BARRsche Chromatinkörperchen kleiner (bei Chromatinverlusten) oder größer (bei abnorm großem Isochromosom X) sein. Morphologische Abweichungen von der Norm müssen daher genau beachtet werden, da der BARR-Test einen ersten Hinweis auf eine derartige Chromosomenstörung bringen kann. Allerdings sind Größenabweichungen schwer beurteilbar.

Finden sich mehr als zwei X-Chromosomen im Zellkern, so verhalten sich das 2. und alle anderen heterochromatisch, so daß man zwei und mehr BARRsche Chromatinkörperchen an der Kernmembran erkennt (Abb. 86/5,6).

In Abstrichen der Wangenschleimhaut gesunder Frauen findet man im Durchschnitt 25 % Kerne (Streubreite ± 10 %) mit randständigem BARRschen Chromatinkörperchen. Alle anderen Kerne sind so gelagert, daß die Verdichtung an der Kernmembran sich nicht im Profil abzeichnet. Tabelle 19 gibt einen Überblick, wie die prozentualen Ergebnisse des BARR-Testes zu bewerten sind:

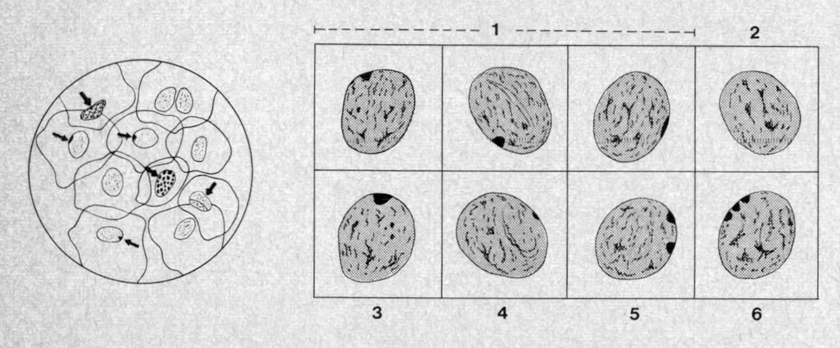

Abb. 86 Bestimmung des Kerngeschlechtes aus Abstrichen der Wangenschleimhaut (BARR-Test). Im Kreis sind die Zellen mit einem BARRschen Chromatinkörperchen durch einen schwarzen Pfeil gekennzeichnet. Rote Pfeile deuten auf Zellen, die bei der Auswertung nicht gezählt werden dürfen.

Die obere Reihe der Zellkerne zeigt normale BARRsche Chromatinkörperchen, 1. dreieckig, halbkreisförmig, länglich; 2. Kern ohne randständige Chromatinverdichtung. Die untere Reihe zeigt pathologische Formen, 3. zu groß; 4. zu klein; 5. und 6. zwei und mehr in einem Zellkern.

Neutrophile Granulozyten

Von DAVIDSON u. SMITH wurde 1954 in den segmentkernigen neutrophilen Granulozyten ein Kernanhangsgebilde beschrieben, welches wie das BARRsche Chromatinkörperchen nur bei Frauen vorkommt.

Tabelle 19 **Bewertung der prozentualen Ergebnisse aus Abstrichen der Wangenschleimhaut**

Prozentzahl	Bedeutung
über 15 %	XX-Konfiguration, wenn es sich um morphologisch gleichartige, normal große BARRsche Chromatinkörperchen handelt
5—15 %	Chromosomale Störung möglich, besonders wenn morphologische Abweichungen des randständigen Chromatins auffallen. Chromosomenanalyse zur Klärung notwendig
unter 5 %	XY- oder XO-Konfiguration. Wenn das klinische Bild nicht eindeutig ist, muß die Chromosomenanalyse zur Klärung herangezogen werden.

Es handelt sich dabei um einen trommelschlegelartigen 1,5 μ breiten und 2 μ langen Kernanhang, der durch eine zarte Chromatinbrücke mit dem Kern verbunden ist. Von seinen Entdeckern wurde das Gebilde „Drumstick" = Trommelschlegel genannt. Seine Form ist relativ konstant. In einem Blutausstrich finden sich bei einer normalen Frau 2—3 % bei Auszählung von 500 Leukozyten (1 auf 36). Beim Mann finden sich keine Drumsticks. Abb. 87 zeigt zwei Leukozyten mit Kernanhangsgebilden und einen ohne. Die Beurteilung wird erschwert durch Kernanhangsgebilde, die mit den Drumsticks verwechselt werden können (sog. „Minor lobes" oder „Small clubs").

Ein trockener Blutausstrich wird nach einer Modifikation der PAPPENHEIM-Methode gefärbt. Zur Auswertung müssen 500—1000 neutrophile Leukozyten gezählt werden. Da diese Zahl oft schwierig im Ausstrich zu finden ist, sollten die Leukozyten aus dem Blut angereichert werden. Dafür zentrifugiert man ungerinnbares Blut (Vetren- oder Natrium-citricum-Zusatz) 5—10 Min. bei 3000 Umdrehungen/Min. Danach wird die Plasmasäule vorsichtig abgesaugt. Auf den Erythrozyten sedimentiert eine Schicht Leukozyten ab, die mit einer Platinöse entnommen und auf einem Objektträger ausgestrichen wird.

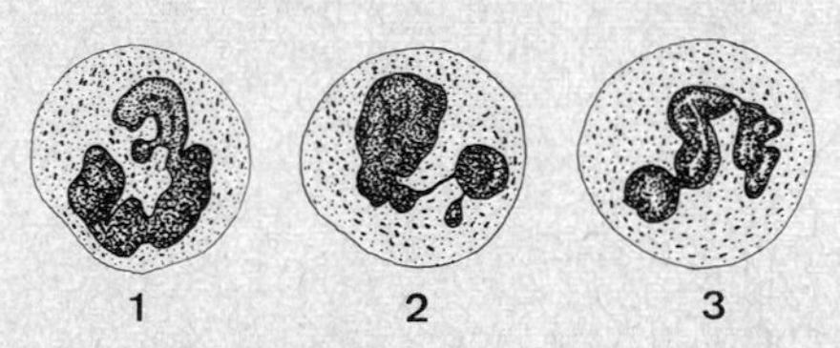

Abb. 87 1., 2. Trommelschlegel (Drumsticks) in neutrophilen Granulozyten. 3. Leukozyt ohne Drumstick

Das Ausstreichen muß sehr vorsichtig erfolgen, da die Leukozyten nach der Anreicherung leicht mechanisch zerstört werden. Für einen normalen Blutausstrich muß mit einer Auswertungszeit von 1$^{1}/_{2}$ Std. gerechnet werden. Bei angereicherten Präparaten verringert sich die Zeit auf 20 Min.

Chromosomenanalysen (Karyogramm)

Die Bestimmung des Kerngeschlechtes ergibt einen Hinweis auf eine chromosomale Störung. Eine Klärung bringt erst die Struktur- und Zahlanalyse der Chromosomen.

In den letzten 10 Jahren wurden Verfahren entwickelt, die eine exakte Chromosomenanalyse gestatten. Seitdem ist sichergestellt, daß der Mensch 23 Chromosomenpaare besitzt (22 Autosomen- und 1 Gonosomenpaar), insgesamt also 46 Chromosomen.

Die Chromosomenanalyse wird an Zellen vorgenommen, die sich in der Metaphase der Mitose befinden. Man benutzt dazu Gewebe, welches ohnehin reich an Mitosen ist (Knochenmark), oder überträgt Gewebe in die Gewebekultur (Hautbiopsien, Blutlymphozyten; Technik der einschichtigen Gewebskultur auf Glasplatten). Nach einer gewissen Proliferation in vitro gibt man ein Mitosegift zu, das die Zellteilung in der Metaphase unterbricht. Mit hypotonen Lösungen erreicht man, daß die in der Äquatorialebene angeordneten Chromosomen sich in der ganzen Zelle verteilen, so daß sie optisch nicht mehr überlagert sind. Die Präparate werden dann fixiert und gefärbt, mikroskopisch photographiert und stark vergrößert. Aus den Papiervergrößerungen schneidet man die abgebildeten Chromosomen aus und ordnet sie nach ihrer Form und Größe. Abb. 88 zeigt das Karyogramm eines gesunden Mannes und einer gesunden Frau. Die Zuordnung der Chromosomen erfolgt nach einem 1960 in Denver beschlossenen und später mehrfach ergänzten System. Danach werden Chromosomen gleicher Größe und ähnlicher Morphologie in Gruppen zusammengefaßt, die mit Buchstaben gekennzeichnet sind. Die einzelnen Chromosomenpaare sind fortlaufend numeriert.

In der Metaphase ist die Teilung der Chromosomen bis auf das Zentromer vollzogen. Dadurch entsteht bei zentraler Lage des Zentromers eine X-Form und bei endständiger Lage die Form eines V. Für die Kennzeichnung eines Chromosoms sind die Gesamtlänge und die Lage des Zentromers bestimmend (Abb. 1). Man unterscheidet metazentrische (z. B. Gruppe A), submetazentrische (z. B. Gruppe B) und akrozentrische Chromosomen (z. B. Gruppe D und G sowie das Y-Chromosom).

Für eine Analyse müssen 20 bis 50 Mitosen ausgewertet werden. Die Methodik ist also außerordentlich aufwendig.

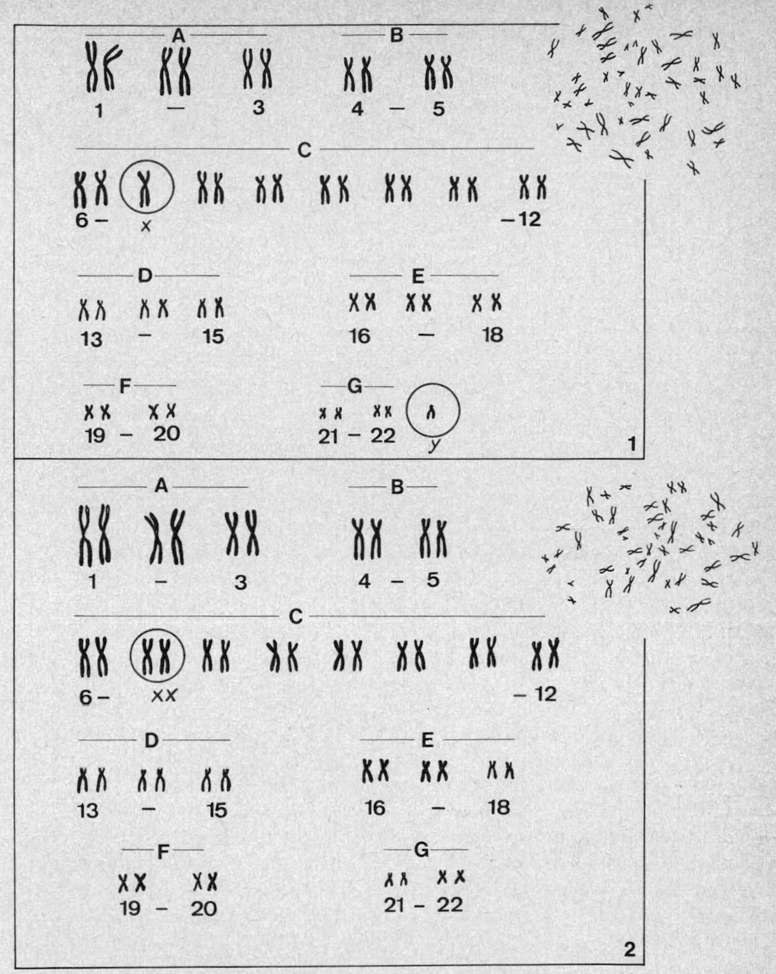

Abb. 88 Karyogramm eines normalen Mannes (1) und einer normalen Frau (2). In der rechten oberen Ecke beider Bilder finden sich die Chromosomen, wie sie aus dem Präparat fotografiert wurden. Das Karyogramm ist nach dem System von DENVER geordnet

Eine Vielzahl von Chromosomenstörungen ist bisher bekannt geworden. Viele sind mit dem Leben unvereinbar und führen zum vorzeitigen Fruchttod. Andere verursachen schwere Mißbildungen. Nicht selten sind die Gonosomen von Störungen betroffen, die eine Reihe abnormer Geschlechtsentwicklungen zu erklären vermögen.

Endokrinologische Untersuchungen

Bei Störungen in der Geschlechtsentwicklung, besonders bei primären und sekundären Amenorrhoen, muß die Hormonausscheidung im Urin überprüft werden. Besonders aufschlußreich ist die Bestimmung der C_{17}-Ketosteroide, 17-Hydroxysteroide und der Gonadotropine. Das Prinzip der Bestimmung wurde bereits geschildert (s. S. 243). Zusätzlich sind u. U. folgende diagnostische Untersuchungen erforderlich:

Ansprechbarkeit auf Hormone

Bei Amenorrhoen prüft man die Reaktion auf bestimmte Hormongaben und schließt aus der Reaktionsweise des Endometriums auf den Grad der ovariellen Insuffizienz.

Gestagentest. Nach Ausschluß einer Gravidität gibt man an 5 aufeinanderfolgenden Tagen ein Progesteronpräparat (z. B. Progesteron in öliger Lösung i. m. oder ein Nor-Gestagen oder ein Hydroxyprogesteronderivat per os). Folgt 2—3 Tage später eine Abbruchblutung, so kann man daraus schließen, daß das Endometrium sich sekretorisch umwandelte. Die Ovarien sind also zu einer gewissen Östrogensynthese fähig, da das Gestagen ohne Endometriumproliferation keine Wirkung gehabt hätte.

Das Ausbleiben der Abbruchblutung deutet erstens auf eine Unfähigkeit der Ovarien zur Östrogenbildung hin. Das Endometrium ist vollkommen atrophisch und wird vom Progesteron allein nicht stimuliert. Zweitens könnte eine Zerstörung des Endometriums durch tuberkulöse Prozesse oder durch eine Kürettage vorliegen. Zur Sicherung dieses Verdachtes stellt man den Östrogentest an.

Östrogentest. Verlief der Gestagentest negativ, d. h. ohne Abbruchblutung, so gibt man 20 mg eines Östrogendepotpräparates oder 14 Tage lang 2mal täglich 0,02 mg Äthinylöstradiol per os. Erfolgt darauf eine Abbruchblutung, so ist das Endometrium proliferationsfähig. Bleibt die Blutung aus, so ist mit einer Aplasie des Endometriums zu rechnen. Auch die Anwendung eines zweiphasischen Ovulationshemmers erlaubt den gleichen Rückschluß. Eine weitere Beurteilung der Ovarialfunktion ist nicht möglich.

Gonadotropintest. Unter Kontrolle der Basaltemperatur werden Gonadotropine exogen zugeführt. Kommt es unter dieser Medikation zum Eisprung und später zur Menstruationsblutung oder zumindest zu einer Blutung aus dem Endometrium, so ist die Amenorrhoe durch eine zentrale Fehlregulation ausgelöst, während die peripheren Erfolgsorgane (Ovar, Endometrium) intakt sind. Bleibt die Reaktion aus, so wiederholt man den Versuch mit der doppelten Dosierung.

Bleibt die Patientin trotzdem amenorrhoisch, so besteht meist eine schwere Ovarialhypoplasie, die auf eine Hormontherapie nicht anspricht. Aufschlußreicher als dieser Test ist die Gonadotropinbestimmung (s. S. 243).

Funktionsdiagnostik des Nebennierenrindensystems

Bei einer Störung des Nebennierenrinden-Hypophysensystems wird meist die Hormonproduktion der Ovarien in Mitleidenschaft gezogen. Aufschlußreicher als die Bestimmung der C_{17}-Ketosteroide und der 17-Hydroxysteroide im Harn sind Funktionsanalysen der Nebennierenrindenfunktion:

ACTH-Stimulationstest. An zwei aufeinanderfolgenden Tagen werden je 120 IE adrenokortikotropes Hormon (ACTH) verabfolgt. Beim Gesunden steigt darauf die Ausscheidung der 17-Hydroxykortikoide im Harn meist um das 2—4fache manchmal nur geringfügig an, ebenso die Konzentration der Kortisolderivate im Plasma. Bei einer primären Insuffizienz der Nebennierenrinde verändern sich die Werte nicht. Bei einer Überfunktion der NNR steigen die 17-Hydroxysteroide im Harn auf 30—40 mg pro die an, nicht aber bei einem Tumor der NNR.

Dexamethasonhemmungstest. 3—4 Tage lang wird 3—5 mg pro die Dexamethason per os zugeführt. Diese und ähnliche Präparate üben eine starke Hemmung auf die ACTH-Bildung der Adenohypophyse aus. Beim Gesunden sinkt die Ausscheidung der 11-Hydroxysteroide am 2. Tag der Applikation unter 3 mg pro die ab. Unterschreiten die Harnwerte 5 mg pro die nicht, sind sie also nicht wesentlich abgesunken, so spricht dies für einen hypophysären oder adrenokortikalen Hyperkortizismus (Tumor der Hypophyse oder der NNR). Mit Hilfe eines abgestuften Dexamethason-Testes nach LIDDLE kann die Differentialdiagnose NNR-Tumor oder NNR-Hyperplasie eingeengt werden.

Metopirontest. Metopiron ist das Derivat eines Insektizides (DDT). Es blockiert die Kortisolsynthese durch Hemmung eines Enzyms. Durch die Blockierung der Kortisolsynthese wird überschießend ACTH in der Hypophyse gebildet. Damit wird die Nebennierenrinde vermehrt zur 11-Desoxykortisolbildung angeregt und die Ausscheidungswerte im Harn steigen an.

An drei aufeinanderfolgenden Tagen gibt man 6mal 0,5 g Metopiron pro die. Beim Gesunden steigt die Ausscheidung der Harnanalysenwerte um das 2—4fache an. Der Anstieg bleibt aus, wenn die NNR zerstört ist (primäre NNR-Insuffizienz oder Tumorbildung), oder die Adenohypophyse insuffizient ist oder durch einen Tumor beeinträchtigt wird. Besteht dagegen ein Hyperkortizismus, der hypothalamhypophysär bedingt ist, steigen die primär schon hohen Harnausscheidungswerte extrem an (z. B. Cushing-Syndrom).

Verdacht auf Gewebserkrankungen

Zellabstrich

Zellabstriche können von der Haut und Schleimhaut des weiblichen Genitaltraktes entnommen werden, soweit sie einer Zellentnahme zugänglich sind. Das betrifft demnach das Gebiet von der Vulva bis zum Zervikalkanal.

Die zur Krebsfährtensuche entnommenen Zellabstriche von der Cervix uteri werden bei jeder gynäkologischen Untersuchung routinemäßig durchgeführt. Eine Selektion nach Fällen, in denen die Portio makroskopisch oder kolposkopisch einen Verdacht erweckt, ist nicht sinnvoll, da sehr viele Fälle **nur** durch den Zellabstrich entdeckt werden. Aus diesem Gesichtspunkt wurde die Technik des Zellabstriches von der Zervix im Kapitel „Gynäkologische Untersuchung" beschrieben (s. S. 215).

Aus der Vagina und Vulva entnimmt man im allgemeinen nur dann Zellabstriche, wenn sich makroskopisch eine verdächtige Stelle findet. Aus der Vagina entnimmt man Abstriche mit einem Watteträger. Für die Vulva empfiehlt sich ein Holzspatel, da die Zellen fester im Verband haften. Auch aus der Brustdrüse austretendes Sekret kann ausgestrichen und untersucht werden. Das Sekret wird durch leichten Druck auf das Brustparenchym gewonnen und unmittelbar von der Warze auf den Objektträger dünn ausgestrichen. Die Präparate enthalten in einem gewissen Prozentsatz Tumorzellen, wenn es sich um meist fortgeschrittene Milchgangskarzinome handelt, d. h. ein Krebswachstum in Milchgängen erfolgt. Die Brustsekretuntersuchung ist im Vergleich zur Zervixzytodiagnostik bei der Entdeckung klinisch stummer Karzinome wenig ergiebig.

Färbung der zytologischen Präparate

Die Färbetechnik nach Papanicolaou wird auch heute noch allgemein angewandt. Dabei werden die Kerne zunächst mit Hämatoxylin gefärbt. Die Kernfärbung muß kräftig, aber gut differenziert sein, um neben normalen Kernen mit zartem Chromatingerüst hyperchromatische Kernstrukturen gut unterscheiden zu können. Die Kernhyperchromasie ist einer der wichtigsten Hinweise für das Vorliegen einer Epithelveränderung. Danach schließt sich eine trichrome Zytoplasmafärbung an, die zwischen basophilen und eosinophilen Zytoplasmaelementen unterscheidet. Bei beginnender Verhornung in Oberflächenzellen wird der dritte Farbton (Orange) sichtbar.

Beurteilung der zytologischen Präparate

Die nachfolgende Beschreibung pathologischer Zelltypen bezieht sich nur auf pathologische Epithelveränderungen an der Zervix oder in der Vagina. Die Zellbilder der Vulva oder der Brustdrüse sind nur bedingt mit diesen zu vergleichen.

Normale Epithelzellen

Der Aufbau des normalen Vaginalepithels wurde auf S. 231 geschildert und in Abb. 77 dargestellt.

Pseudodyskaryosen (Abb. 89)

Die Kerne in den Plattenepithelien aller Schichten sind wesentlich vergrößert und gering entrundet. Kernverdoppelungen sind oft angedeutet. Die Kernstruktur erscheint etwas dichter als in normalen Zellkernen. Es liegt keine Hyperchromasie vor. Das Zytoplasma der Zellen ist vollkommen intakt. In Oberflächenzellen kommt Zellgigantismus, also eine Vergrößerung von Kern und Zytoplasma, vor. **Charakteristikum:** Kernvergrößerung, geringe Entrundung, keine Hyperchromasie, intaktes Zytoplasma.

Finden sich diese Zellen im Ausstrich, so besteht Verdacht auf eine geringe Epithelstörung im Sinne eines dysplastischen Epithels.

Dyskaryotisch veränderte Zellen (Abb. 89)

Auch hier sind die pathologisch veränderten Zellen mit den normalen Plattenepithelien vergleichbar. Man kann sie bestimmten Schichten zuordnen. Der Zellkern ist gegenüber der Norm vergrößert, wesentlich entrundet, mit z. T. bizarren Ecken und Kanten und ausgeprägt hyperchromatisch, so daß Chromatinstrukturen meist nicht mehr erkennbar sind. Das Zytoplasma dieser Zellen ist oft gestört in dem Sinne, daß die Anfärbbarkeit stark eosinophil wird. Die Zytoplasmabegrenzung wird unscharf, der Zellkörper ist kleiner als normal. **Charakteristikum:** Kernvergrößerung, starke Kernentrundung, ausgeprägte Hyperchromasie, gestörtes Zytoplasma.

Findet man diese Zellen im Ausstrich, so besteht Verdacht auf eine schwerer wiegende Epithelveränderung, das sog. Carcinoma in situ.

Atypische Zellen (Abb. 89)

Diese Zellen sind nicht mit normalen Plattenepithelien vergleichbar. Man unterscheidet zwei Formen:

Uniform atypische Zellen. Hierbei handelt es sich um kleine Zellen, die etwa die Größe einer Parabasalzelle haben oder etwas kleiner sind. Die Bezeichnung uniform atypisch wurde gewählt, weil die Morphologie dieser Zellen völlig gleichartig ist. Es handelt sich um Zellen, bei denen die Kernplasmarelation stark zugunsten des Kernes

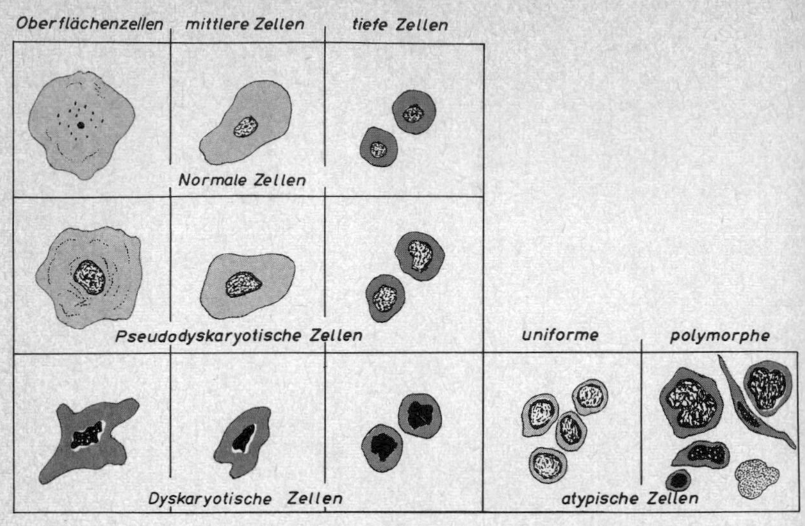

Abb. 89 Schematische Übersicht von Zellen, die bei der Krebsfährtensuche gewonnen werden (nach KERN 1964)

verschoben ist. Die Kerne sind groß, rund mit einer deutlichen Kernmembran und etwas vergröberter Chromatinstruktur ohne Hyperchromasie. Im Kern sind meist mehrere Nukleoli sichtbar. Der Zytoplasmasaum ist schmal und ähnelt dem eines Lymphozyten. Das Zytoplasma ist blaß basophil und kann Vakuolen aufweisen, manchmal ist es zipflig ausgezogen. **Charakteristikum:** Kleine Zellen mit relativ großem, rundem Kern und schmalem Zytoplasmasaum.

Finden sich diese Zellen im Ausstrich, so liegt immer eine Erkrankung des Epithels vor, welche mindestens ein Carcinoma in situ beinhaltet. Sichere Angaben über die Art der Veränderung können aber nicht gemacht werden.

Polymorph atypische Zellen. Es handelt sich um ein morphologisch buntes Zellbild, welches im Ausstrich sofort als pathologisch auffällt. Gestalt und Größe der Kerne und des Zytoplasmas sind ganz unterschiedlich. Die Zellkerne sind meist hyperchromatisch, aber nicht in dem Maße wie bei den Dyskaryosen. Das Chromatin ist verklumpt. Die Kernplasmarelation ist zugunsten des Kernes verschoben. Die Kernmembran ist oft entrundet, unvollkommene Doppelkernbildungen sind nicht selten. – Wird der Abstrich von der Oberfläche eines Karzinoms entnommen, welches Nekrosen zeigt, so färben sich die Tumorzellkerne nur schwer an, sie bleiben blaß violett, fallen aber durch ihre unterschiedliche Größe auf. – Oft fehlt das Zytoplasma, so daß „nackte" Kerne vorliegen. Das Zytoplasma ist wechselnd ausgebildet und verhält sich teils eosinophil, teils basophil. **Charakteristikum:** Vielgestaltige Zellen mit stark pathologisch verändertem Kern und Zytoplasma.

Die polymorph atypischen Zellen werden von infiltrierenden Karzinomen abgeschilfert. Aus ihrem Vorkommen kann man auf das Vorliegen eines Krebses schließen.

Gruppeneinteilung nach Papanicolaou (Tab. 20)

Nach der Durchmusterung der Präparate und der eventuellen Entdekkung pathologischer Zellen bildet der Untersucher eine Diagnose, die mit den von PAPANICOLAOU angegebenen Gruppen gekennzeichnet wird. Die Gruppeneinteilung hat die Wertigkeit negativ, suspekt und positiv. Wird das Präparat als **negativ** bezeichnet, fand sich keine der oben beschriebenen Zellatypien. Die Bezeichnung **suspekt** sollte Präparaten vorbehalten bleiben, die Pseudodyskaryosen enthalten oder Zellen, deren Einordnung als normal oder atypisch nicht sicher mög-

Tabelle 20

Gruppe	Wertigkeit	Zellbild und klinische Konsequenz
I	negativ	Nur normale Epithelien, keine Leukozyten- und Mikroorganismenbeimengungen
II	negativ	Neben normalen Epithelien mehr oder minder starke Leukozyten- und Mikroorganismenbeimengungen, keine pathologischen Zellen
II w	negativ	Starke Leukozyten- und Mikroorganismenbeimengungen. Entzündungserscheinungen an Epithelzellen oder starke Atrophie. Evtl. auch falsche Abstrichtechnik. Abstrich soll wiederholt werden, möglichst nach Fluorbehandlung oder Hormonaufbau
III	suspekt	Im Ausstrich befinden sich Pseudodyskaryosen oder solche Kern- und Zellveränderungen, die nicht sicher beurteilbar sind. Patientin muß so lange kontrolliert werden (alle 3 Monate), bis eine sichere Aussage möglich ist
IV	positiv	Im Ausstrich befinden sich pathologische Zelltypen. Histologische Abklärung notwendig
V	positiv	Im Ausstrich befinden sich massenhaft pathologische Zelltypen. Histologische Abklärung erforderlich

lich ist. **Positive** Präparate sind alle diejenigen, die allein oder in Kombination Dyskaryosen aller Schichten sowie uniform und polymorph atypische Zellen enthalten.

Die folgende tabellarische Zusammenstellung soll auf Fehlermöglichkeiten und deren Abhilfe hinweisen.

Tabelle 21

Ursachen für Fehldiagnosen in der Zytologie	Verbesserungsmöglichkeiten
Mangelhafte Abstrichtechnik	Kontaktabstrich s. S. 215
Verunreinigung mit Mikroorganismen	Wiederholung des Abstriches nach Fluorbehandlung s. S. 300
Mangelhafte Färbung (zu blasse oder zu intensive Kernfärbung)	Kernfärbung muß während des Färbevorganges kontrolliert werden
Abstriche alter Frauen in der Postmenopause	Hormonaufbau mit Östrogenen
Zu starke Blutbeimengung	Abstrich wiederholen, wenn Blutung gestillt ist
Autolytischer Zerfall von Tumorzellen	Hierbei handelt es sich meist um klinisch erkennbare Karzinome, Zytologie wurde am falschen Objekt angewandt
Seltene Tumoren mit geringer Abschilferungstendenz oder mit primär stromawärts gerichtetem Wachstum, so daß die epithelbedeckende Oberfläche wenig verändert wird	Echte Versager der Zytodiagnostik
Übermüdung durch zu langes Mikroskopieren	Nach der Durchmusterung von 30—40 Fällen sollte eine Erholungspause eingelegt werden, da sonst die Aufmerksamkeit stark nachläßt

Kolposkopische Befunde

Auch die Kolposkopie sollte routinemäßig zu einer gynäkologischen Untersuchung gehören. Daher wurde die Methodik im Rahmen der Untersuchungstechnik (s. S. 218) geschildert.

Wann erweckt die Kolposkopie Verdacht auf das Vorliegen einer Gewebserkrankung und wie sind die Befunde beschaffen? In Tab. 22 sind die Kennzeichen der kolposkopischen Befunde und ihre Bewertung zusammengefaßt. Man unterscheidet normale, suspekte und positive kolposkopische Befunde.

Normale kolposkopische Befunde

Die Epithelverschiebungen an der Cervix uteri sind im Kolposkop ausgezeichnet erkennbar und wurden eingehend auf S. 70 und 219 besprochen.

Suspekte kolposkopische Befunde

Das gemeinsame Kennzeichen ist eine Epithelverdickung mit oder ohne Gefäßzeichnung. Durch die Verdickung verliert das Epithel seine Transparenz und wirkt weiß. Die Nomenklatur kolposkopischer Befunde stammt weitgehend von HINSELMANN.

Matrixbezirke

Die Bezeichnung wurde gewählt, weil man glaubte, daß sich hinter diesen kolposkopischen Befunden der Boden für ein beginnendes Krebswachstum verberge. Je nach der Ausprägung der Befunde empfiehlt es sich, zwischen matrixähnlichen- und Matrixbezirken zu unterscheiden.

Leukoplakie (Abb. 90/1). Auf der Portio finden sich, manchmal bereits makroskopisch sichtbar, weiße Flecken. Sie sind meist scharf begrenzt und gegenüber der Umgebung etwas erhaben. Mit einem Tupfer kann man Teile der weißlichen Beläge abwischen. Im Kolposkop erscheint die Oberfläche leicht körnig. Wirkt diese Oberfläche schollig, so vermerkt man dies als „schollige Leukoplakie". Mit der Essigsäureprobe wird der Befund plastischer. Die Jodprobe zeigt die Bezirke jodnegativ.

Felderung (Abb. 90/2). Der Befund besteht ebenfalls in einer Epithelverdickung, welche durch Linien in ein Mosaik unterteilt ist, „gefeldert" aussieht. Die Felderung kann klein- oder grobmaschig sein. Bei stärkerer Vergrößerung erkennt man im Bereich der Linien punktförmige Kapillaren. Die Felderung wird oft erst nach der Essigsäureprobe deutlich. Sie ist immer jodnegativ.

Grund (Abb. 90/3). HINSELMANN bezeichnete Areale, die nach dem Abwischen einer Leukoplakie zum Vorschein kamen, als Grund. Sie kommen aber auch eigenständig vor. Die Bezirke wirken leicht verdickt, zeigen einen wechselnden Niveauunterschied zur Umgebung und sind von zahlreichen punktförmigen Gefäßen durchsetzt, die sehr dicht stehen. Manchmal ist die Oberfläche nicht glatt, sondern feinhöckerig. Man nennt die Veränderung „papillärer Grund". Grundbe-

Tabelle 22 (aus G. KERN, Carcinoma in situ, Springer, Berlin 1964)

Kolposkopische Bezeichnung	Erklärung	Bewertung
Originäre Portio	Portiooberfläche ganz von Plattenepithel überzogen	
Ektopie	Zylinderepithel des Zervikalkanals auf der Portiooberfläche	
Ektopie mit Umwandlungszone	Ektopie, vom Rande her beginnende zarte Überhäutung auf der Portiooberfläche	
Offene Umwandlungszone	Von Plattenepithel überhäutete Ektopie mit offenen Drüsenausführungsgängen	negativ (Dignität gutartig)
Geschlossene Umwandlungszone	Von Plattenepithel überhäutete Ektopie. Drüsenausführungsgänge geschlossen. Bildung von Ovula NABOTHI	physiologische Epithelverschiebungen im Leben einer Frau
Gefäßreiche Umwandlungszone	Baumartig verzweigte Gefäße sprossen in das Plattenepithel der Überhäutungszone ein	
Matrixähnliche Befunde	Eigenschaften der Matrixbezirke, aber nur in angedeuteter Form	
Matrixbezirke: Leukoplakie	Weißlich verdicktes Epithel, Hyperkeratose	suspekt (Dignität fraglich)
Matrixbezirke: Felderung	Mosaikartige Zeichnung im verdickten Plattenepithel	unphysiologische Befunde
Matrixbezirke: Grund	Punktförmige Gefäßanordnung in gerötetem oder weißlichem Untergrund	
Atypische Umwandlungszone	Nicht der Norm entsprechende Überhäutungs- und Gefäßbilder	
IVa-Bezirk (adaptive Gefäßhypertrophie)	Charakteristisches Gefäßbild Korkzieherkapillaren, Kaliberschwankungen. Wirrer Gefäßverlauf	positiv (Dignität bösartig)
Höckeriges Karzinomgewebe	Leicht blutendes, höckeriges Gewebe mit Niveauunterschieden und Gefäßatypien. Weißlich-gelblicher Farbton. Speckig oder markig bröckelig	Malignom an der Portio

zirke sind erst nach der Essigsäureprobe zu erkennen, sie sind immer jodnegativ.

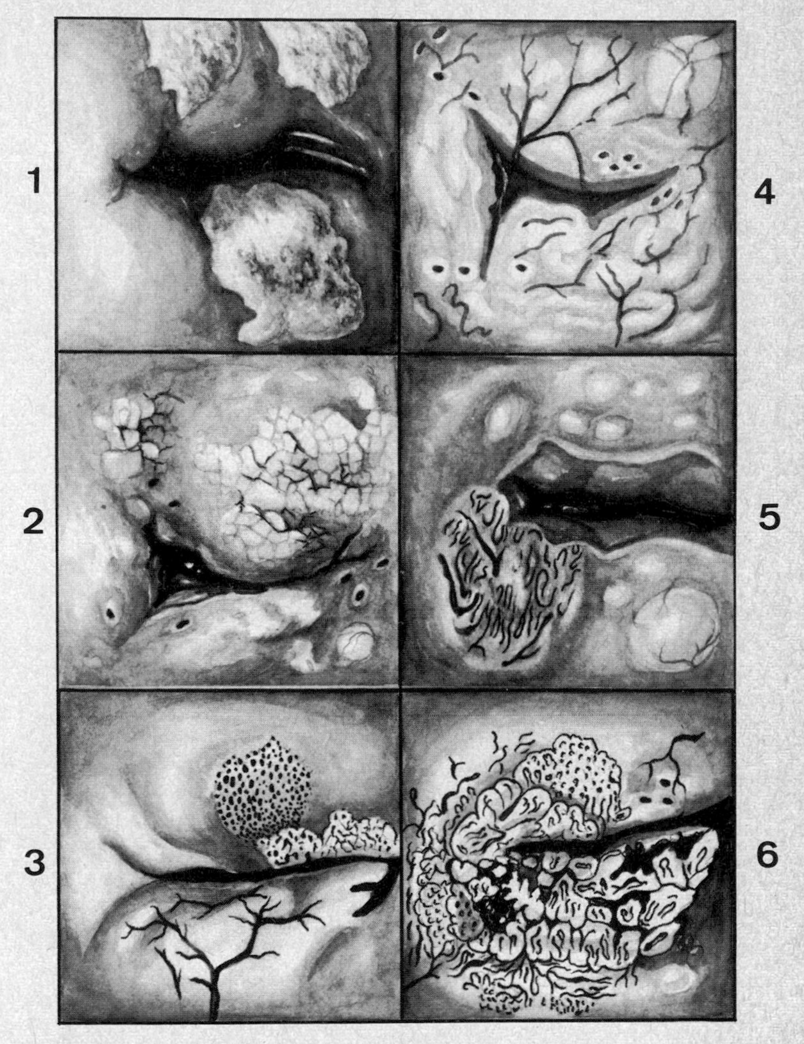

Abb. 90 Suspekte und positive kolposkopische Befunde.

1. Leukoplakie, 2. Felderung, 3. Grundbezirk und papillärer Grundbezirk, 4. atypische Umwandlungszone, 5. adaptive Gefäßhypertrophie, 6. Karzinomgewebe

Atypische Umwandlungszone (Abb. 90/4). Dieser Begriff wurde von GLATTHAAR eingeführt. Der Befund ist vielgestaltig und wird als Sammelbegriff für schwer einzuordnende kolposkopische Bilder gebraucht. Zu der atypischen Umwandlungszone gehören auffällige Epithelverdickungen um Drüsenöffnungen, Verdickungen des Plattenepithels beim Überwachsen des Zylinderepithels und ungerichtetes Gefäßwachstum ohne sichere baumartige Verzweigung auf der Portiooberfläche. Auch hier verdeutlicht die Essigsäureprobe die Befunde. Die Areale sind jodnegativ.
Suspekte kolposkopische Befunde bedürfen einer sorgfältigen zytologischen Kontrolle, da sich hinter jedem 4.—5. Fall eine Epithelatypie verbergen kann.

Positive kolposkopische Befunde

Pathologische Gefäßbilder (Abb. 90/5)

An der Oberfläche des auffälligen Areals besteht ein ungewöhnlicher Gefäßreichtum. Die Gefäße verzweigen sich nicht baumartig und werden nach der Peripherie zu nicht kontinuierlich dünner. Sie liegen manchmal in dichten Bündeln nebeneinander. Kann man ein Gefäß über eine längere Strecke verfolgen, so fallen Kaliberschwankungen auf. Gelegentlich ist der Verlauf geschlängelt, man nennt diese Form „Korkzieherkapillaren". Andere Gefäße sind U-förmig gekrümmt, sog. „Haarnadelgefäße". Der pathologische Gefäßreichtum und -verlauf wurde von HINSELMANN „adaptive Gefäßhypertrophie" oder „IVa-Bezirk" genannt. Tatsächlich handelt es sich um eine dem malignen Wachstum angepaßte Gefäßvermehrung, da dieser Befund immer mit einer bösartigen Erkrankung an der Portio einhergeht. Besonders gut ist der Befund am Rande von klinischen Karzinomen zu erkennen. Der pathologische Gefäßverlauf kommt deutlich bei der Anwendung des Grünfilters zur Darstellung. Mit der Jodprobe sind die Areale stets jodhell oder jodnegativ.

Karzinomgewebe (Abb. 90/6)

Das kolposkopische Bild von Karzinomgewebe ist je nach Art des Tumors sehr vielgestaltig. Verhornende Plattenepithelkarzinome sehen höckerig und glasig speckig aus. Handelt es sich um unreife Tumoren, so blickt man auf markig-bröckeliges Gewebe. Mit der Essigsäureprobe gelingt eine kurzfristige Blutstillung. Karzinome sind meist jodhell.
Positive kolposkopische Bilder beinhalten immer eine maligne Neubildung und müssen einer histologischen Klärung zugeführt werden.

Kolpomikroskopie (Antoine und Grünberger 1949)

Bei der Kolpomikroskopie wird die Portiooberfläche mit einem Auflichtmikroskop bis zu einer 200fachen Vergrößerung betrachtet. Durch

Auftupfen einer 1 %igen wäßrigen Toluidinlösung werden die Zellkerne und Zellgrenzen intravital gefärbt. Die Optik wird dicht an die Portiooberfläche herangebracht. Das Blickfeld ist nur 1 mm^2 groß. Die Methode bringt in der Hand des Erfahrenen recht sichere Aussagen über den an der Epitheloberfläche liegenden Zellverband. In dieser Beziehung stellt die Kolpomikroskopie ein Bindeglied zwischen Kolposkopie und Zytologie dar (z. B. sind Dyskaryosen des Carcinoma in situ oder polymorph atypische Zellen des Karzinoms gut erkennbar).

Diagnostische Gewebsentnahmen zur histologischen Abklärung

Makroskopische Befunde, auch wenn sie vollkommen eindeutig sind, sowie kolposkopische und zytologische Hinweisbefunde bedürfen, vor Beginn einer eingreifenden Therapie, einer histologischen Klärung. Zu diesem Zwecke werden Gewebsentnahmen vorgenommen. Die Fehlermöglichkeiten sind groß, da die schwerste Gewebserkrankung verfehlt werden kann. Abb. 91 zeigt einen Überblick über die Art der Biopsien an der Portio, das zugehörige Instrumentarium, die Größe der entnommenen Gewebspartikel und die histologische Aussagemöglichkeit.

Bröckelentnahme (Abb. 91/1)

Die Bröckelentnahme ist die Methode der Wahl bei Tumoren, an denen wirklich etwas „abzubröckeln" ist, d. h. zur histologischen Sicherung klinisch erkennbarer Karzinome. Das Gewebe wird mit der Bröckelzange oder mit dem scharfen Löffel gewonnen. Das entfernte Gewebsstück ist meist ausreichend groß und erbringt bei der histologischen Aufarbeitung eine eindeutige Diagnose. – Für intrazervikal entwickelte Karzinome benutzt man besser einen kleinen scharfen Löffel oder eine kleine scharfe Kürette. Der Eingriff kann ambulant, ohne Narkose erfolgen. Bei Blutungen empfiehlt sich eine Tamponade, die mit Reptilase oder mit einer 2 %igen Endoxanlösung (Zytostatikum) getränkt ist.

Schillersche Abschabung und Zervixkürettage (Abb. 91/2)

Die Schillersche Abschabung stellt eine Kürettage der Portiooberfläche dar. Schiller gab dieses Verfahren in Verbindung mit der Jodprobe an und empfahl, alle sich nicht jodbraun anfärbenden Areale mit dem scharfen Löffel abzukratzen. Der dazu verwendete Löffel oder die Kürette müssen sehr scharf geschliffen sein, da man sonst zu wenig Material gewinnt und das Gewebe mechanisch zerrieben wird. Bessere Resultate erhält man bei der Abschabung mit einem Skalpell.

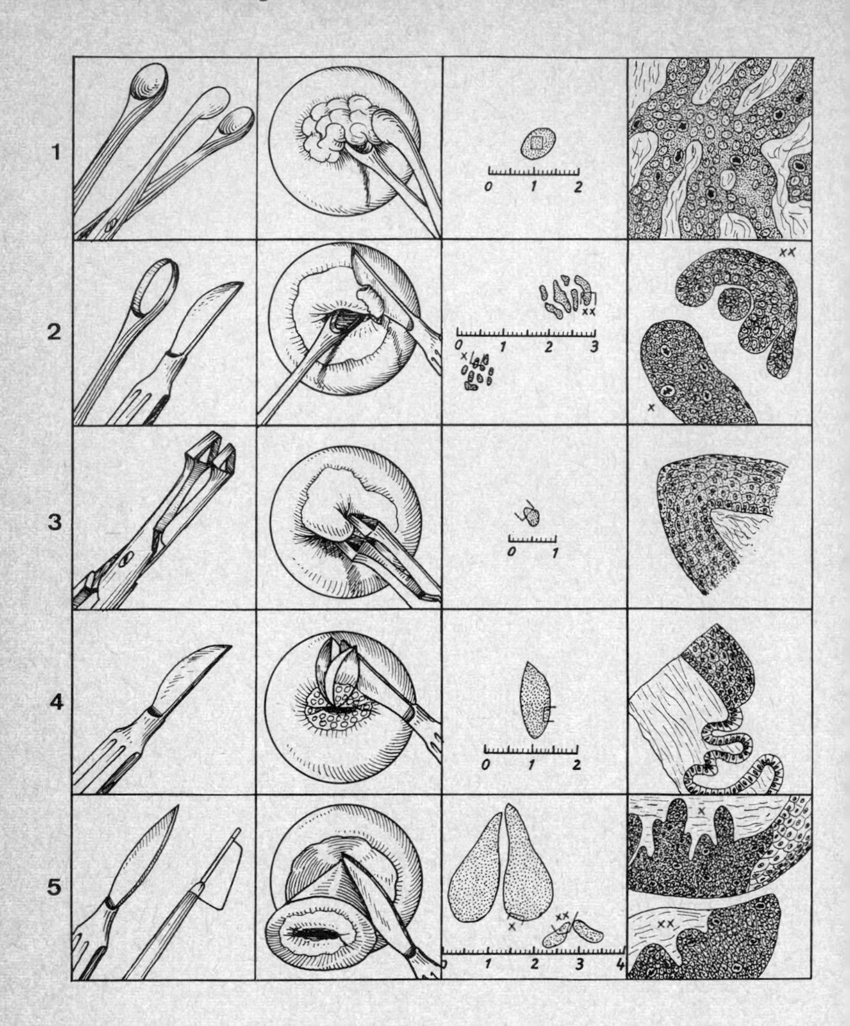

Abb. 91 Diagnostische Gewebsentnahmen von der Cervix uteri. 1. Bröckelentnahme mit der Bröckelzange oder dem scharfen Löffel, 2. SCHILLERsche Abschabung und Zervixkürettage mit dem Skalpell und der scharfen Kürette, 3. Knipsbiopsie mit einer Spezialzange, 4. Probeexzision mit einem normalen Skalpell, 5. Konisation mit einem schmalen Skalpell oder einer elektrischen Schlinge. In der 3. Spalte dieser Abbildung sind entnommene Gewebspartikel in gleicher Vergrößerung zusammengestellt. Das rot umrandete Areal zeigt jeweils das histologische Bild, welches in der 4. Spalte dargestellt ist

Zusätzlich zur Abschabung der Portiooberfläche muß eine Zervixkürettage vorgenommen werden. Man benutzt eine kleine scharfe Kürette und kratzt ohne vorhergehende Dilatation und ohne Überwindung des inneren Muttermundes den Zervikalkanal aus. Die Abrasio muß sorgfältig und intensiv ausgeführt werden. Ein auf dem hinteren Spekulum liegendes Leinenläppchen filtert die Gewebsteilchen vom Blut ab.

Die geförderten Gewebsteilchen sind meist sehr klein. Die Gefahr, daß bei der Entfernung und bei der späteren Aufbereitung im Laboratorium Partikel verloren gehen, ist nicht von der Hand zu weisen. Auch kann wohl kein Operateur garantieren, daß wirklich die gesamte Oberfläche der Portio und des Zervikalkanals erfaßt wurde. Epithelerkrankungen in kleinsten Arealen können verfehlt werden. Die histologische Interpretation kann schwierig sein. Wurden nur atypische Plattenepithelbänder ohne erkennbare Stromabeteiligung gewonnen, so ist nicht sicher zu entscheiden, ob es sich um ein Carcinoma in situ oder um einen echten Krebs handelt.

Die Methode ist dann empfehlenswert, wenn man sich nicht entschließen kann, auf Grund eines positiven Zellabstriches sofort einen größeren Eingriff einzuleiten, sondern als Zwischensicherung ein histologisches Ergebnis wünscht. Eine kurze Anästhesie muß für den Eingriff angewandt werden.

Knipsbiopsie (Abb. 91/3)

Die Knipsbiopsie wird mit einer zierlichen Zange ausgeführt, mit der ein dreieckiges Gewebsstück von wenigen Millimetern Durchmesser entfernt wird. In Amerika wird diese Gewebsentnahme multipel in jodnegativen Arealen durchgeführt, meist als „Four point biopsy" (4-Punkt-Biopsie). Die Treffsicherheit wird verbessert, wenn man das Gewebe unter Sicht des Kolposkops in suspekten Arealen entnimmt. Bei positiver Zytodiagnostik und negativem Ausfall der Knipsbiopsie wurde mit großer Wahrscheinlichkeit die Veränderung verfehlt. Der Eingriff kann ambulant und ohne Narkose erfolgen.

Probeexzision (Abb. 91/4)

Bei der Probeexzision wird ein apfelsinenscheibenähnliches Gewebsstück mit dem Skalpell aus der Portiooberfläche ausgeschnitten. Dieser Eingriff ist für Zervixveränderungen gedacht, die makroskopisch nicht sicher zu beurteilen sind. Bei zirkulären Befunden wird die Exzision bei 12 Uhr oder am Ort des stärksten makroskopischen Suspiziums vorgenommen. Die entstandene Wundfläche wird mit 2 bis 3 Katgutnähten verschlossen. Obwohl das entfernte Gewebsstück im Vergleich mit den bisher geschilderten Methoden relativ groß ist und die histologische Deutung keine Schwierigkeiten macht, so hat die

Probeexzision doch große Nachteile. Auch hier kann die Epithelerkrankung verfehlt oder ihre schwerste Form nicht gefunden werden. Nicht selten wird ein Carcinoma in situ diagnostiziert, welches in Wahrheit der Randbelag eines tiefer liegenden Krebses ist.

Die Probeexzision sollte Sonderfällen vorbehalten bleiben (z. B. Portiopapillom usw.), bei denen man die Bröckelentnahme nicht für ausreichend hält. Eine Narkose ist erforderlich.

Konisation (Abb. 91/5 und 142, 143)

Unter diesem Eingriff versteht man eine konusförmige Entfernung von Portiogewebe zirkulär um den äußeren Muttermund. Die Ausdehnung des Gewebsstückes wird vielerorts sehr verschieden verstanden. Einige entfernen einen kleinen Kegel oder eine Scheibe im Bereich des äußeren Muttermundes (Ringbiopsie). Wir verstehen unter der Konisation einen Eingriff, der speziell bei zytologisch entdeckten Präkanzerosen indiziert ist. Sie vereint eine optimale, histologische Diagnostik und vollständige Therapie.

Technisch geht man folgendermaßen vor: Die Portio wird seitlich angehakt und vorgezogen. Mit dem Skalpell markiert man die basale Schnittfigur des Konus. Sie muß peripher von der makroskopisch sichtbaren Erythroplakie und außerhalb von jodhellen oder jodnegativen Arealen verlaufen. Mit einem Hegar-Stift orientiert man sich über die Richtung und Länge des Zervikalkanals. Mit sägenden Bewegungen schneidet man, bei 12 Uhr beginnend, ein kegelförmiges Gewebsstück aus. Der Kegel sollte bei jungen Frauen breitbasig und flach, bei älteren schmal und hoch sein. Die entstehende Blutung wird durch Infiltration mit Suprareninlösung und anschließender Verschorfung der Wundfläche mit dem Elektrokauter gestillt. Die Aufarbeitung des Konus in flächenhaften Schnitten bietet eine optimale Histodiagnostik. Der Eingriff sollte in einer Klinik in Vollnarkose ausgeführt werden.

Abrasio

Bei der Vollkürettage beabsichtigt man, die Schleimhautauskleidung des Cavum uteri bis zum äußeren Muttermund möglichst weitgehend zu entfernen. Dieser Eingriff ist notwendig, wenn ein Malignom im Cavum uteri ausgeschlossen oder bewiesen werden soll.

Dazu verwendet man kleine bis mittlere, scharf geschliffene Küretten, die meist gefenstert sind.

Die Patientin wird anästhesiert, da für die Abrasio des Cavum uteri eine Dilatation des inneren Muttermundes notwendig ist, welche außerordentlich schmerzhaft ist.

Um eine eventuelle krankhafte Veränderung lokalisieren zu können, sollte man immer die Zervix- und Korpusabrasio trennen.

Die Zervixkürettage wird in gleicher Weise ausgeführt, wie oben beschrieben. Das Gewebsmaterial wird in einem besonderen Gefäß fixiert und gekennzeichnet.

Nach beendeter Zervixkürettage folgt die Dilatation des inneren Muttermundes. Man beginnt mit dem HEGAR-Stift, der mühelos durchgeht und führt ihn entsprechend der Lage des Uterus in anteflektierter oder retroflektierter Krümmung ein. Mit jeweils einem eine halbe Nummer stärkeren HEGAR-Stift erweitert man vorsichtig den inneren Muttermund. Dazu braucht man etwas Zeit. Sobald man die Stifte nur gegen Widerstand einführen kann, muß man sie etwas liegen lassen, da der Zervikalkanal einreißen kann. Für eine diagnostische Kürettage genügt meist eine Dilatation bis HEGAR-Stift Nr. 8, höchstens bis Nr. 10 (Nr. = mm ⌀). Bei der Dilatation darf nie mit Gewalt vorgegangen werden, da man sonst mit den starren Stiften einen falschen Weg bohren und die Zervixwand perforieren kann.

Vor oder nach der Dilatation wird der Uterus sondiert und seine Länge gemessen. Dann tastet man vorsichtig mit der Sonde nach rechts oder links, um evtl. Uterusmißbildungen (Uterus bicornis usw.) durch eine unterschiedliche Sondenlänge im Vergleich zur Funduslänge, festzustellen. Bei alten Patientinnen und bei begründetem Karzinomverdacht muß sehr vorsichtig sondiert werden, um den Uterus nicht zu perforieren.

Um eine Abrasio des Cavum uteri optimal ausführen zu können, sollte man sich über dessen Form im klaren sein (Abb. 92). Das Endometrium bildet eine dreizipflige flache Tüte, deren Spitze zum Zervikalkanal hinweist. Mit der Kürette geht man bis zum Fundus uteri ein, übt einen leichten Druck mit der schneidenden Seite auf die Uteruswand aus und zieht die Kürette ganz nach unten heraus (Abb. 93).

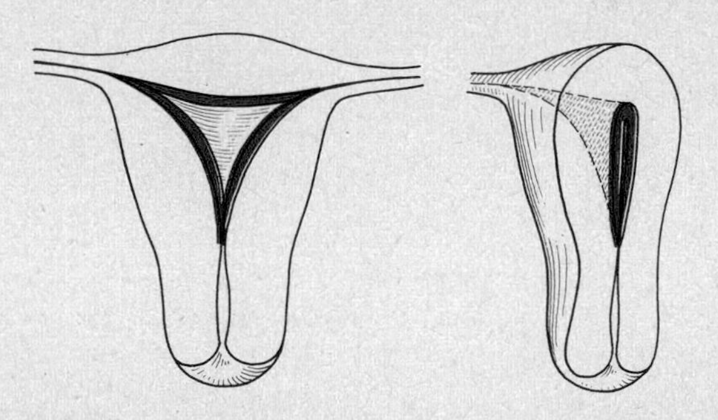

Abb. 92 Form des Cavum uteri

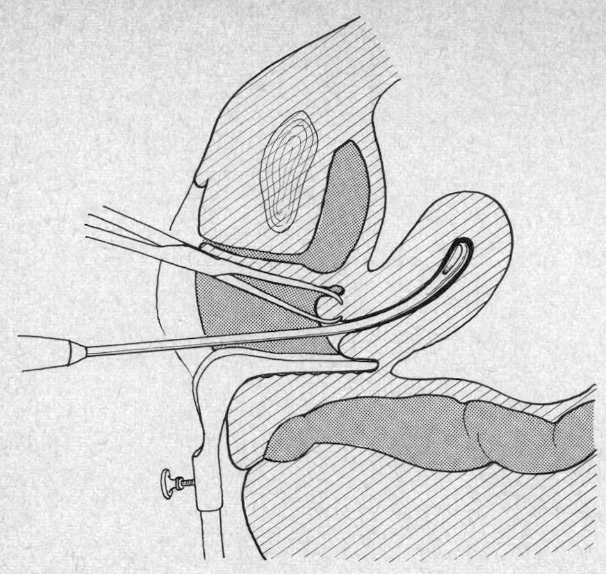

Abb. 93 Kürettage des Corpus uteri

Damit gewinnt man einen 3—5 cm langen Schleimhautstreifen, der von oben nach unten Endometrium und Isthmusschleimhaut enthält. So geht man systematisch Strich für Strich vor. Das Gewebe wird im hinteren Blatt auf einem Leinenläppchen aufgefangen. Zum Schluß kürettiert man die Tubenwinkel mit einer leichten Drehbewegung aus. Abb. 94 zeigt die Schleimhautstreifen einer diagnostischen Kürettage, die nicht aus kleinen Gewebstrümmern bestehen sollte. Fördert man bröckeliges, auf Karzinom verdächtiges Gewebe, so sollte man den

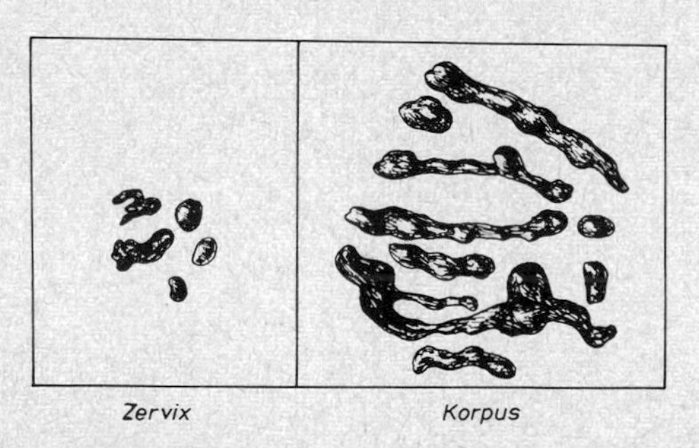

Abb. 94 Schleimhautstreifen einer getrennten Zervix-Korpus-Kürettage.

Uterus nicht ganz entleeren. Bei Greisinnen mit senil atrophischem Endometrium ist es oft schwer, Material zu gewinnen. Auch hier ist Vorsicht am Platze, da die Uteruswand oft sehr dünn ist.

Ist trotz aller Vorsicht eine Perforation erfolgt, die man durch das plötzliche tiefe Eindringen der Kürette bemerkt, so muß der Eingriff abgebrochen werden. Die Patientin sollte in klinische Beobachtung gebracht werden. Unter Antibiotika und 3—5 Tagen Bettruhe verklebt der kleine Defekt in der Uteruswand meist rasch, so daß eine Laparotomie nicht notwendig wird.

Fixierung und Versand von Gewebsentnahmen

Für die Fixierung des Gewebes sind neben 10 %iger Formalinlösung zwei Lösungen zu empfehlen:

STIEVEsche Lösung: 700 ml heiß gesättigte Sublimatlösung
40 ml Eisessig
200 ml 40 %iges Formalin

BOUINsche Lösung: 150 ml heiß gesättigte, wäßrige Pikrinsäurelösung
50 ml 40 %iges Formalin
10 ml Eisessig

Die Gewebspartikel müssen in reichlich Fixationslösung schwimmen. Sie werden in bruchsicheren Behältern versandt (runde Glasgefäße mit Korkenverschluß befinden sich in Metall- oder Holzhülsen). Neben der guten Verpackung ist das Begleitformular wichtig. Dieses soll Namen, Vornamen, Geburtsdatum, Adresse der Patientin, Angaben über Menarche, Geburten, Aborte, Menopause, letzte Regel und ein Blutungsschema der letzten 6 Monate enthalten. Klinische Diagnose und Art des Eingriffs werden angegeben.

Diagnostische Untersuchungen bei Sterilität der Frau

Sucht eine Frau wegen Sterilität die Sprechstunde auf, so wird ihr nach einer eingehenden gynäkologischen Untersuchung zunächst empfohlen, 3 Monate lang die Aufwachtemperatur zu messen. Dazu erklärt man ihr das Konzeptionsoptimum und -minimum.

Untersuchung des Ehemanns

Hat die Patientin einen normalen Genitalbefund und biphasischen Temperaturverlauf, muß zunächst der Ehemann untersucht werden. Das Sperma wird mindestens auf folgende Eigenschaften geprüft:

Menge des Ejakulats. Durchschnittswert 2,5—3,5 cm^3, untere Grenze der Norm 2,0 cm^3.

Zahl der Spermien pro Kubikzentimeter. Durchschnittswert 60–120 Mill./cm³, untere Grenze der Norm 20 Mill./cm³

Beweglichkeit der Spermien. 2 Stunden nach der Ejakulation sollen noch 60–70 % der Spermien propulsiv beweglich sein.

Morphologie. In jedem Sperma kommen pathologische Formen von Spermatozoen vor. Die Zahl sollte 20 % nicht übersteigen.

Einen groben Anhalt über die Zeugungsfähigkeit des Partners gewinnt man bei einem Test, der bei der Patientin vorgenommen wird.

Sims-Huhner-Test (Post coital test)

Die Patientin wird gebeten, kurz vor dem Zeitpunkt des Eisprungs nach einer Kohabitation (bis zu 12 Stunden später) zur Untersuchung zu kommen. Man entnimmt dann mit einer Pinzette oder einer Platinöse Sekret aus dem hinteren Scheidengewölbe und dem Zervikalkanal und untersucht es mikroskopisch. Das Ergebnis läßt mehrere Deutungen zu:

1. Finden sich im Zervixsekret reichlich bewegliche Spermien, jedoch im Vaginalsekret keine oder unbewegliche, so ist die Zeugungsfähigkeit des Mannes wahrscheinlich und die Penetration des Zervixschleimes gut.
2. Findet man in der präovulatorischen Phase, bei nachweisbar spinnbarem Zervixschleim in 2–3 Zyklen, weder im Zervixsekret noch im Vaginalsekret Spermien, so muß die Zeugungsfähigkeit des Partners ernsthaft in Zweifel gezogen werden. Unter Hinweis auf diesen Befund gelingt es eher, den Ehemann für eine Untersuchung zu gewinnen.
3. Findet man im Zervixsekret keine Spermien, dagegen im Vaginalsekret reichlich, meist mit eingeschränkter oder erloschener Motilität, so ist die Penetrationsfähigkeit des Zervixschleims für das Sperma des Partners zu diesem Zeitpunkt nicht gegeben.
   In diesem Falle kann man den gekreuzten Invasionstest anschließen, der aber organisatorisch oft nicht durchführbar ist.

Kurzrock-Miller-Test (gekreuzter Invasionstest)

Auf einem Objektträger wird das präovulatorische Zervixsekret der Patientin mit dem Fremdsperma eines fertilen Mannes mikroskopisch untersucht. Außerdem wird das Sperma des Ehemannes mit dem Zervixsekret einer empfängnisfähigen Frau in der präovulatorischen Phase getestet. Fällt der Vergleich der Penetrationsfähigkeit des Spermas für den Ehemann ungünstig aus, so muß die Ursache der Konzeptionsschwierigkeit beim Mann gesehen werden. – Ist auch Fremdsperma nicht in der Lage, in den Zervixschleim der Patientin in vitro einzudringen, so liegt die Konzeptionsschwierigkeit bei der Frau.

Ist der Untersuchungsbefund bei der Patientin normal, der Verlauf der Aufwachtemperatur biphasisch, der SIMS-HUHNER-Test positiv bzw. die Zeugungsfähigkeit des Ehemannes bestätigt, muß geprüft werden, wodurch die Vereinigung von Ei- und Samenzelle verhindert wird.

Pertubation

Zwischen Vagina und Abdomen besteht eine offene Kommunikation. Um die Durchgängigkeit dieses Weges zu prüfen, wird ein Gas unter Überdruck in den Zervikalkanal eingeblasen. Die Methode ist nicht ganz ungefährlich.

Aus der Vagina und dem Zervikalkanal können unphysiologische Keime nach oben verschleppt werden und eine bakterielle Salpingitis verursachen. Entzündliche Tubenveränderungen können erneut aufflackern. Das Gas kann in die Blutbahn eindringen. Schließlich könnte ein befruchtetes Ei in der Tube durch den Gasstrom zerstört oder zu einer Fehlnidation (Tubar-, Abdominal-Gravidität) veranlaßt werden. Die Pertubation darf daher nur unter folgenden Voraussetzungen vorgenommen werden:

1. Überprüfung des Keimgehaltes von Vagina und Zervikalkanal. Eventuell Fluorbehandlung. Es sollte nur bei einer DÖDERLEIN-Flora pertubiert werden.
2. Bei normalem Palpationsbefund müssen die Blutsenkungsgeschwindigkeit und die Leukozytenzahl normal sein. BSG-Beschleunigung und eine leichte Leukozytose können auf eine subakute oder chronische Salpingitis hinweisen. Einige Autoren empfehlen auch die Anwendung von Wärme (Lichtbogen), etwa 20 Min. auf das Abdomen. Die Rektaltemperatur darf nur um 0,5 Grad ansteigen. Bei höherem Temperaturanstieg ist mit entzündlichen Veränderungen im kleinen Becken zu rechnen.
3. Der Druck des einströmenden Gases muß regulierbar und kontrollierbar sein. Luft ist ungeeignet, da von tödlichen Luftembolien berichtet wurde. Man verwendet jetzt allgemein Kohlensäure, die bei einem Übertritt in die Blutbahn rasch resorbiert wird.
4. Die Pertubation darf nur unter Kontrolle der Aufwachtemperatur in der präovulatorischen Phase und keinesfalls in der hyperthermen Phase durchgeführt werden. Die Pertubation vor dem Eisprung hat gelegentlich einen therapeutischen Effekt, da die Tubendurchwanderung für Ei und Spermien nach der Durchblasung erleichtert wird. Häufig kommt es unmittelbar nach der Pertubation zur Konzeption.

5. Vor dem Eingriff muß eine Frühschwangerschaft ausgeschlossen werden.
6. Eine Blutung aus dem Uterus darf nicht bestehen.

Der Eingriff wird ohne Narkose vorgenommen. Die Patientin wird auf dem gynäkologischen Untersuchungsstuhl gelagert. Der Oberkörper muß flach oder etwas nach hinten geneigt liegen. Nach der Pertubation sollte die Patientin 24 Stunden unter Beobachtung bleiben. Sie muß zunächst einige Stunden flach liegen, bis das Gas resorbiert ist. Beim Aufsetzen steigt die Kohlensäure hoch und sammelt sich unter dem Zwerchfell. Dies verursacht einen heftigen Phrenikusschmerz.

Zur Pertubation wurden mehrere Geräte entwickelt. Perfekt und zuverlässig arbeitet das Pertubationsgerät von Fikentscher und Semm. Abb. 95 zeigt einen schematischen Überblick zur Arbeitsweise des Gerätes. Der Zervikalkanal wird gasdicht mit dem System verbunden. Dazu benutzt man einen doppelwandigen Kunststoffadapter oder einen doppelwandigen Ballonkatheter. Die Kohlensäure strömt durch die Zwischenschaltung von Druckausgleichsgefäßen, Druckmessern und einem Durchströmungsmeßgerät mit genauem Druck in den Uterus ein. Während der Durchströmung zeichnet ein Druckschreiber Höhe und Dauer des angewandten Gasdruckes auf. Man beginnt mit

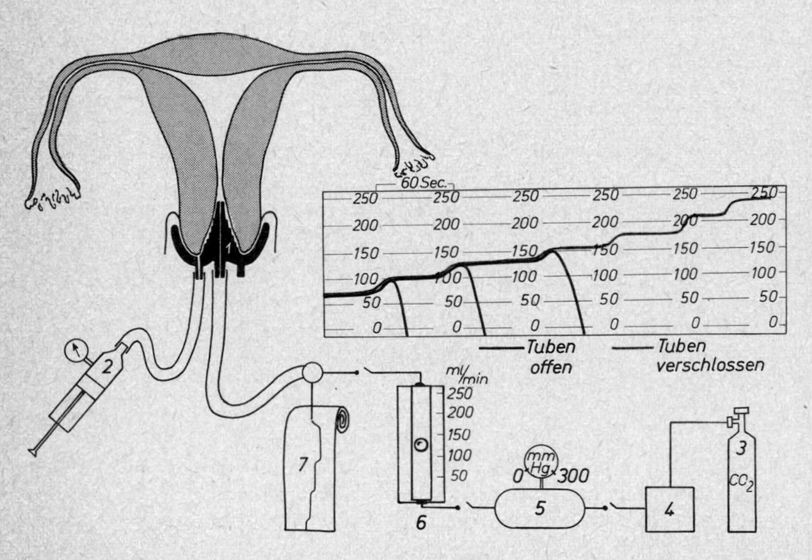

Abb. 95 Pertubation der Tuben. 1. Kunststoffadapter, 2. Vakuumpumpe, 3. CO_2-Bombe, 4. + 5. Druckausgleichsgefäße, 6. Durchflußmesser, 7. Registrierung der Druckkurve

einem Druck von 100 mm Hg, den man konstant ca. 1 Min. hält. Hört die Durchblasung auf, so sinkt die Druckkurve bei durchgängigen Tuben rasch ab. Der Druck verharrt noch eine gewisse Zeit auf einem niedrigen Niveau, welches dem inneren Widerstand der Tuben entspricht. Kommt es nicht zum Druckabfall, so erhöht man jeweils den Druck um ca. 25 mm Hg konstant für ca. 1 Min. usw. Kommt es bei 200 mm Hg **nicht** zum Druckabfall, so muß mit einem doppelseitigen Tubenverschluß gerechnet werden. Meist gibt die Patientin bei höheren Druckwerten erhebliche Schmerzen an. Wurde eine Tubendurchgängigkeit erst bei 150 mm Hg angezeigt, so kann ein Tubenspasmus oder eine unvollkommene Tubenverklebung vorliegen. Wird während der Pertubation das Abdomen auskultiert, so hört man das Gas leicht blubbernd in das Abdomen austreten. Sensible Patientinnen bemerken in beiden Flanken ein kribbelndes Gefühl.

Mit der Pertubation kann man mit großer Sicherheit die Tubendurchgängigkeit oder den doppelseitigen Verschluß feststellen. Aussagen über die Art und Lokalisation des Verschlusses sind nicht verläßlich.

Hysterosalpingographie

Bei der Hysterosalpingographie werden der Uterus und die Tuben mit einem Kontrastmittel gefüllt. Damit wird eine röntgenologische Darstellung des Uteruskavums und der Tubenlichtungen erreicht. Tritt das Kontrastmittel in die freie Bauchhöhle aus, so ist die Durchgängigkeit der Tuben gesichert.

Die Voraussetzungen zur Hysterosalpingographie sind ganz ähnlich wie bei der Pertubation (s. o.). Der Druck des einfließenden Kontrastmittels muß kontrollierbar sein. Früher wurden öllösliche Kontrastmittel verwandt. Diese haben folgende Nachteile: Beim Einbruch in die Blutbahn kann es zu Ölembolien kommen. Das Kontrastmittel wird nur sehr langsam resorbiert. In der Tube beobachtet man eine Ansammlung von Makrophagen, die Öl phagozytiert haben. Es kann zur Bildung von Fremdkörpergranulomen kommen. Die Tubenschleimhautfalten werden voluminöser und unbeweglicher. Jetzt verwendet man ein wasserlösliches Kontrastmittel (Endografin). Mit diesem Mittel entsteht nur eine kurzfristige Schädigung des Tubenepithels im Sinne einer trüben Schwellung.

Der Eingriff kann mit oder ohne Narkose ausgeführt werden. Verwendet man den Portioadapter nach Fikentscher und Semm, kann ohne Narkose gearbeitet werden. Bei Anwendung eines starren Metallsystems wird die Portio mit Kugelzangen angehakt und durch Zug der Uterus gestreckt, welches Schmerzen verursacht. Eine Narkose erspart der Patientin die unangenehmen Sensationen, außerdem kommt es seltener zu Tubenspasmen. Der Eingriff sollte nicht ambulant ausgeführt werden. Danach bleibt die Patientin einige Stunden liegen und ca. 24 Stunden unter Aufsicht.

Abb. 96 zeigt ein Hysterosalpingographiebesteck, von dem es viele Modifikationen gibt. Die konische Spitze wird in den Zervikalkanal eingelegt, die Portio mit zwei Kugelzangen angehakt und so mit dem System verankert, daß der Metallkonus fest in der Zervix liegt. Der Metallkonus ist starr mit einer vor der Vulva liegenden Spritze verbunden, die mit dem Kontrastmittel gefüllt ist.

Die Auffüllung des Uteruskavums und der Tuben beobachtet man unter dem Röntgenschirm oder mit Hilfe eines Bildumwandlers mit einem Fernsehgerät. Das Kontrastmittel wird mit Druck (nicht mehr als 150 mm Hg) injiziert. Sobald sich beide Tuben dargestellt haben, wird das erste Bild, nach Austritt des Kontrastmittels in die freie Bauchhöhle das zweite aufgenommen. Die Röntgenbelastung muß so gering wie möglich gehalten werden und sollte 0,1 bis 0,2 r für die Durchleuchtung und Aufnahmen nicht überschreiten.

Mit der Hysterographie werden Form, Lage und Gestalt des Uteruskavums und des Zervikalkanals dargestellt. Die Weite des inneren Muttermundes kann beurteilt werden. Füllungsdefekte weisen auf submuköse Myome oder größere Korpuspolypen hin. Uterusmißbildungen werden mit der Röntgendarstellung erkannt.

Die Hysterosalpingographie zeigt nicht nur, ob die Tuben durchgängig sind, sondern deckt gleichzeitig die Lokalisation des Tubenverschlusses auf.

Abb. 97 zeigt neben einem normalen Hysterosalpingogramm einige typische Beispiele von Uterusmißbildungen und Tubenverschlüssen.

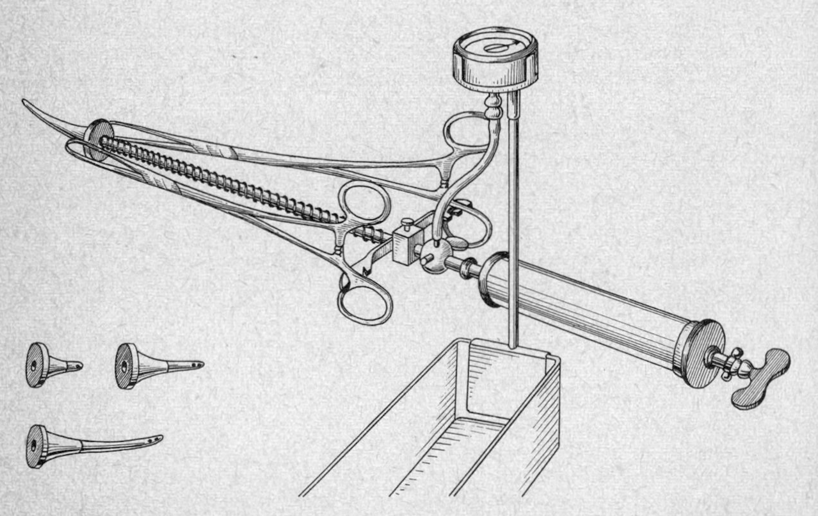

Abb. 96 Hysterosalpingographiebesteck nach PALMER mit verschiedenen Ansatzstücken

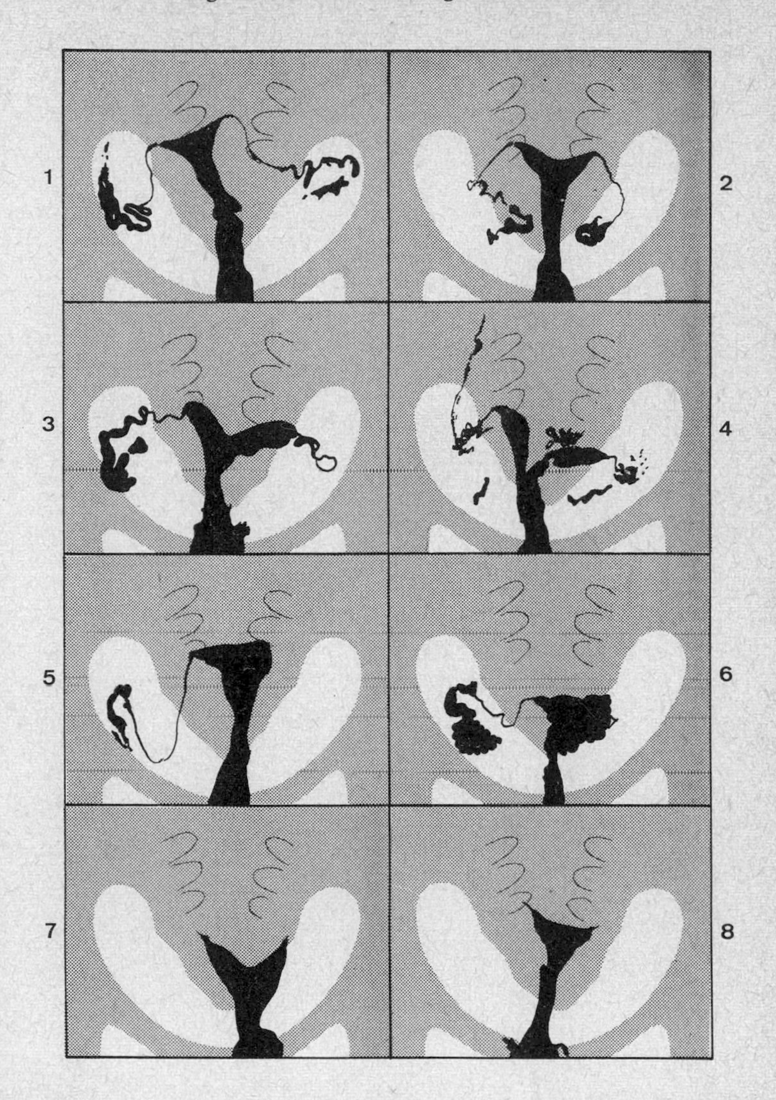

Abb. 97 Hysterosalpingogramme. 1. Normales Bild mit durchgängigen Tuben, 2.—4. verschiedene Grade der Uterusdoppelmißbildung mit durchgängigen Tuben, 5. einseitiger isthmischer Tubenverschluß, 6. doppelseitiger ampullärer Tubenverschluß mit beidseitigen Hydrosalpingen, 7. und 8. doppelseitiger isthmischer Tubenverschluß

Die Indikation zur Pertubation ist die primäre Sterilität. Die Indikation zur Hysterosalpingographie ist vielseitiger: Sterilität, wiederholte Aborte, Verdacht auf submuköse Myome, Polypen, Synechien oder Uterusmißbildungen, unklare Unterbauchbeschwerden ohne Tastbefund und ohne Hinweis auf entzündliche Erkrankungen und Zustand nach abgelaufenen Tubenentzündungen.

Verdacht auf intraabdominelle Veränderungen

Die intraabdominellen Organe des kleinen Beckens können mit Hilfe der Palpation oder mit Röntgenaufnahmen beurteilt werden. Beide Methoden bringen keine restlose Klärung. Daher wurden Methoden entwickelt, die eine Inspektion des inneren Genitale von der Bauchhöhle aus gestatten. Gewebe oder Gewebsflüssigkeit können für diagnostische Zwecke gewonnen werden. Diese Eingriffe sind kleine Operationen zur Sicherung der Diagnose für die Einleitung einer sinnvollen Therapie. Die Verfahren sollten nur unter klinischen Bedingungen in Narkose durchgeführt werden.

Zölioskopie

Bei der Laparoskopie wird ein optisches System durch die Bauchdekken, bei der Kuldoskopie durch das hintere Scheidengewölbe in die Bauchhöhle eingeführt. Die wichtigsten Indikationen sind in der Frauenheilkunde: therapieresistente Sterilität, unklare endokrine Fälle, Verdacht auf Genitaltuberkulose, -endometriose oder stehende Tubargravidität, chronische Bauchbeschwerden ohne faßbaren Organbefund, unklare Palpationsbefunde, Verdacht auf Tubarabort. — Die Laparoskopie hat wenig Aussicht auf Erfolg bei Verdacht auf Verwachsungen nach Peritonitis oder nach wiederholten Laparotomien. Die Kuldoskopie darf nicht ausgeführt werden bei fixiertem retroflektiertem Uterus, bei Tumoren, die im DOUGLASschen Raum fixiert sind und bei akuten Infektionen im unteren und oberen Genitalbereich. Sie ist technisch nicht durchführbar bei virginellen Mädchen oder Frauen mit enger Scheide. Bei beiden Methoden sind intraabdominelle photographische Aufnahmen möglich. Mit Zusatzgeräten können kleine Gewebspartikel entnommen werden.

Laparoskopie (Abb. 98)

Der Eingriff kann in Allgemeinnarkose oder Lokalanästhesie vorgenommen werden. Um eine Übersicht im Bauchraum zu bekommen, wird das Abdomen mit Kohlensäure gefüllt. Dazu sticht man eine Kanüle zwischen Nabel und Spina ossis ischii ein und füllt das

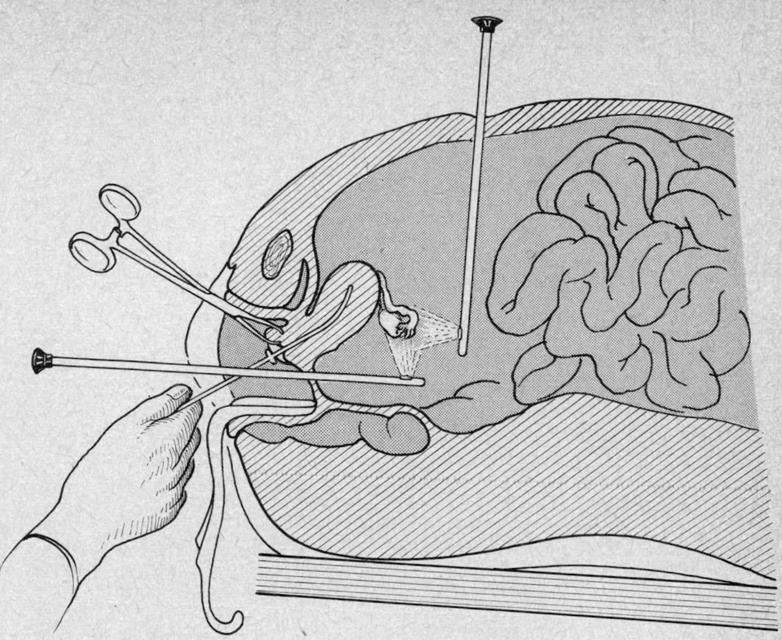

Abb. 98 Schema der Laparoskopie und Kuldoskopie zur Inspektion des inneren Genitale

Abdomen unter kontrolliertem Druck (nicht über 30–40 mm Hg), bis die Bauchdecken sich vorwölben. Die Patientin liegt auf einer Schräge, der Kopf tiefer als das Becken. Dadurch sinken die Därme in den Oberbauch und der Blick in das kleine Becken wird frei. Eine Führungskanüle mit Trokar wird durch einen 1 cm langen Hautschnitt am unteren Nabelrand in das Abdomen eingeführt und der Trokar durch das Laparoskop ersetzt. Die Füllung des Abdomens mit Kohlensäure und die Einführung des optischen Systems können auch von der gleichen Einstichstelle aus erfolgen. Die Inspektion des Genitale wird erleichtert, wenn man in das Uteruskavum eine arretierte Sonde oder einen armierten HEGAR-Stift einlegt, so daß der Uterus durch eine Assistenz während der Laparoskopie bewegt werden kann. Sinnvoll ist auch die gleichzeitige Pertubation oder die Injektion einer Methylenblaulösung durch den Zervikalkanal (Pertubations-, bzw. Salpingographiegerät). Man kann dann den Gas- oder Farbstoffaustritt in den Bauchraum beobachten. Mit Zusatzinstrumenten können Punktionen, Gewebsbiopsien u. a. ausgeführt werden. Am Ende des Eingriffs wird zunächst die Optik entfernt. Die Kohlensäure entleert man durch Kompression der Bauchdecken durch den Trokar oder die noch liegende erste Kanüle. Nach dem Eingriff muß die Patientin 24 Stunden flach liegen.

Kuldoskopie (Abb. 98)

Bei diesem Verfahren wird das Abdomen durch Einstich in den DOUGLASschen Raum mit Kohlensäure gefüllt und das optische System durch die gleiche Einstichstelle eingeführt. Die Patientin liegt entweder in gynäkologischer Untersuchungsstellung mit hochgelagertem Becken oder in Knie-Ellenbogen-Lage mit steil nach unten gesenktem Oberkörper. In der ersten Position muß der Uterus mit einer Kugelzange symphysenwärts gezogen werden, um den DOUGLASschen Raum zu entfalten; bei der Knie-Ellenbogen-Lage ist dies nicht notwendig. Allerdings ist diese Stellung für die Patientin sehr unbequem und für eine eventuelle Allgemeinnarkose extrem ungünstig. Ansonsten gleicht das Verfahren vollkommen der Laparoskopie.

Douglaspunktion (Abb. 99)

Im DOUGLASschen Raum kann sich zwischen Uterushinterwand und Rektum Blut, Gewebsflüssigkeit oder Eiter ansammeln. In typischen Fällen wird die hintere Scheidenwand vorgewölbt. Die Flüssigkeit kann durch Punktion gewonnen werden und läßt diagnostische Schlüsse zu.

Die Patientin wird in Operationsbereitschaft voll narkotisiert. Sie wird so gelagert, daß das Becken tiefer liegt als der Kopf, damit die Flüssigkeit nicht nach oben abfließt. In Narkose wird der Palpationsbefund erneut überprüft. Das hintere Scheidengewölbe wird mit einem Selbsthaltespekulum entfaltet. Die hintere Muttermundslippe hakt man mit zwei Kugelzangen an und zieht den Uterus kräftig nach vorn und oben. Mit einer ca. 12 cm langen, dicken Kanüle, die einer Rekordspritze aufsitzt, sticht man 1 cm von der Zervix entfernt in die hintere Scheidenwand ein. Die Kanüle muß parallel zur Uterushinterwand geführt werden, um nicht den Darm zu verletzen. Durch Aspiration versucht man, Flüssigkeit zu gewinnen. Beweisend für ein Hämoperitoneum ist altes Blut, untermischt mit kleinen Blutkoageln. Seröse Flüssigkeit stammt meist von geplatzten Zysten (Follikelzysten usw.). Fließt Eiter ab, erweitert man die Punktion zur Stichinzision und legt ein T-Drain ein, um dem Douglasabszeß Abfluß zu verschaffen (Abb. 111). Es empfiehlt sich in jedem Falle, das Punktat einer bakteriellen und zytologischen Untersuchung zuzuführen.

Die Douglaspunktion ist für die Diagnostik nur dann beweisend, wenn Flüssigkeit aspiriert werden kann. Gelingt dies nicht, so kann z. B. trotzdem eine Tubargravidität vorliegen, die noch nicht rupturiert ist. Auch Verwachsungen verhindern die Aspiration von Blut.

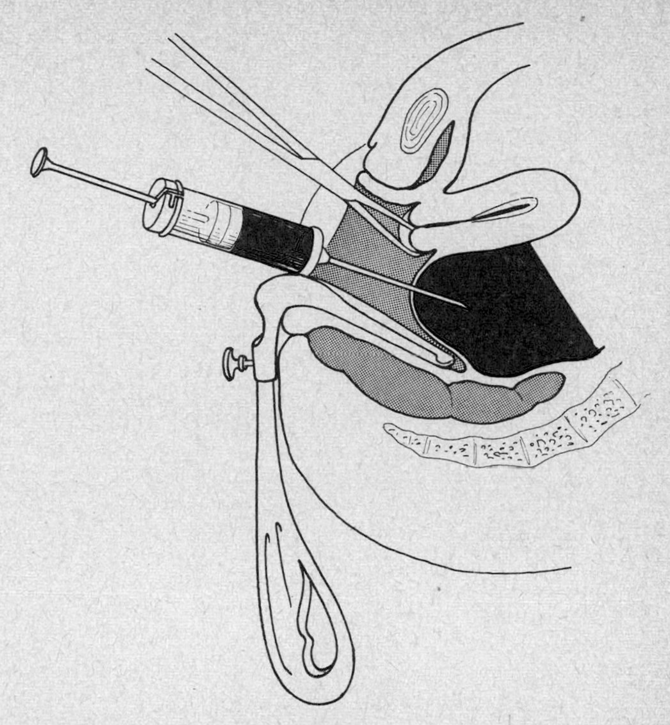

Abb. 99 Douglaspunktion. Im DOUGLASschen Raum findet sich Blut

Hintere Kolpozöliotomie (Abb. 100)

Bei der hinteren Kolpozöliotomie wird der DOUGLASsche Raum so eröffnet, daß die Organe des kleinen Beckens besichtigt werden können.

Die Zervix wird an der hinteren Muttermundslippe mit Kugelzangen kräftig nach vorn und oben gezogen. Durch einen queren Einschnitt in die Vaginalhaut hinter der Zervix und nach Eröffnung des Peritoneums gelangt man in den DOUGLASschen Raum, in den ein Rinnenspekulum eingesetzt wird. Mit Hilfe von schmalen langen Blättern oder durch Verlagerung des Uterus durch Einstopfen schmaler Tuchstreifen (Longetten) bringt man nacheinander beide Tuben und Ovarien zur Darstellung. Die Tuben inspiziert man vom Abgang aus dem Uterus bis zum Fimbrienende, um eine noch kleine, stehende Tubargravidität nicht zu übersehen. Macht die Einstellung der uterusnahen Anteile der Tuben Schwierigkeiten, so kann man das Corpus uteri manuell oder mit Faßinstrumenten in stark retroflektierte Haltung bringen, wodurch der uterusnahe Tubenanteil besser zur Darstellung kommt. Kleinere therapeutische Eingriffe können vorgenommen werden.

Nach Abschluß der Kolpozöliotomie wird zunächst das Peritoneum, anschließend die Scheidenhaut mit wenigen Knopfnähten versorgt.

Diagnostische Laparotomie

Der größte diagnostische Eingriff ist die Eröffnung der Bauchhöhle. Dieser Eingriff wird selbstverständlich immer unter dem Gesichtspunkt ausgeführt, gleichzeitig eine therapeutische Maßnahme einleiten zu können.

Bei der diagnostischen Laparotomie wird (in der Gynäkologie) das Abdomen mit dem Pfannenstielquerschnitt eröffnet. Der Schnitt wird

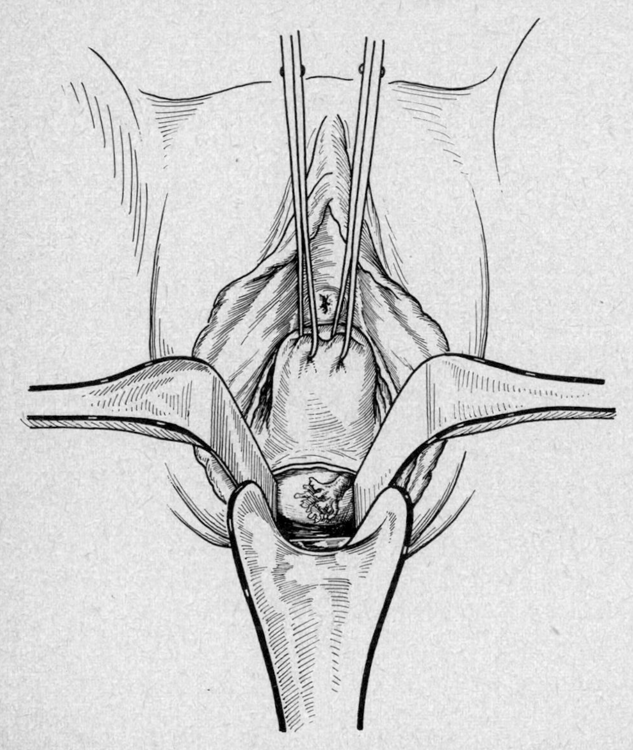

Abb. 100 Hintere Kolpozöliotomie. Das Abdomen ist eröffnet. Man erkennt die Uterushinterwand mit dem Fimbrienende der linken Tube.

nach Möglichkeit klein gehalten, wenn es sich nur darum handelt, Klarheit über eine bestimmte klinische Situation zu erhalten. Die Schnittführung liegt unmittelbar an der oberen Grenze der Schambehaarung, wo sie kosmetisch am wenigsten auffällt. Die Übersicht im Bauchraum ist trotzdem gut.

Die diagnostische Laparotomie ist indiziert, wenn Voruntersuchungen die Diagnose nicht klärten. Auch beim sog. akuten Abdomen wird die Diagnose erst klar, wenn man den Bauchraum eröffnet hat. Die Therapie schließt sich unmittelbar an. Schließlich sind noch die Fälle zu nennen, bei denen klinisch Verdacht auf ein fortgeschrittenes Karzinom, gleich welcher Organzugehörigkeit, besteht und man durch die Inspektion der Bauchhöhle prüfen will, ob eine Operabilität noch gegeben ist oder nicht. Muß man erkennen, daß die Ausbreitung des Tumors seine Entfernung nicht mehr zuläßt, so begnügt man sich mit einer Gewebsbiopsie, um die Tumorart histologisch untersuchen zu können. Die Therapie beschränkt sich auf die Bestrahlung und die Zufuhr von Zytostatika.

Brustuntersuchungen

Die weibliche Brust gehört zu den sekundären weiblichen Geschlechtsmerkmalen. Ob die Beurteilung und Behandlung von Mammaveränderungen vom Chirurgen oder Gynäkologen ausgeführt werden, ist nebensächlich. Wichtig ist, daß die Brustuntersuchung **nicht** vernachlässigt wird, da das Brustkarzinom der Frau häufiger vorkommt als der Gebärmutterhalskrebs.

Inspektion

Die Patientin wird gebeten, den Oberkörper ganz zu entblößen. Zunächst betrachtet man beide Brüste der stehenden oder sitzenden

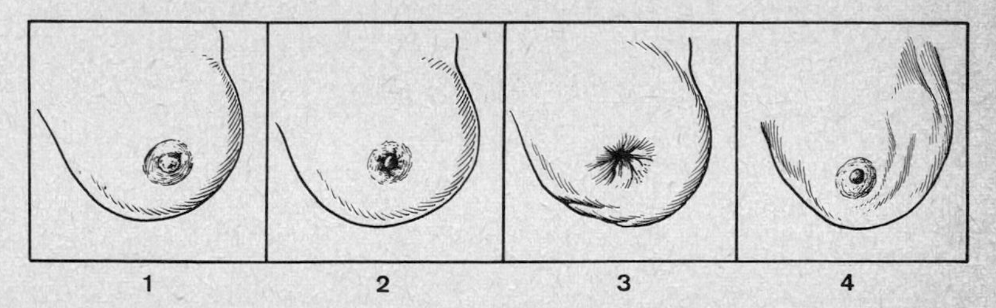

Abb. 101 Inspektion der Brust. 1. Normales Bild, 2. leicht eingezogene Brustwarze, 3. stark eingezogene Brustwarze, 4. Hautrunzelung im Bereich des lateralen Anteils der Brust

Frau von einer gewissen Distanz aus. Differenzen in der Größe und Form sind zu beachten. Dann geht man näher heran und betrachtet die Form beider Mamillen und die Färbung des Warzenhofes. Einziehungen der Brustwarze, auch geringfügiger Art, sind ein alarmierendes Symptom. Man lasse sich nicht von der Patientin mit dem Hinweis beruhigen, diese Brustwarze sei schon immer so gewesen. Auch ekzematöse Veränderungen des Warzenhofes und Borkenbildung auf der Spitze der Brustwarze sind meist nicht harmloser Natur. Die Haut beider Brüste muß genau inspiziert werden. Hautrunzelungen oder Einziehungen sind verdächtig. Die Haut sieht in umschriebenen Bezirken gelegentlich der Oberflächenstruktur einer Apfelsinenschale ähnlich. Auch dieses Zeichen ist suspekt.

Einziehungen der Haut und der Mamille lassen sich aber wesentlich besser erkennen, wenn man die Patientin auffordert, einige Armbewegungen auszuführen. Eine gesunde Brust wird durch das Muskelspiel am Thorax passiv hin und her bewegt, ohne daß sich am Hautrelief oder an der Brustwarze irgend etwas verändert. Hat sich in der Brust ein maligner Tumor entwickelt, so schränkt er meist frühzeitig die Verschieblichkeit des umgebenden Gewebes ein. Bei Bewegungen der Mamma werden Haut- oder Mamilleneinziehungen sichtbar, die bei herabhängenden Armen nicht erkennbar waren. Folgende Bewegungen sind zu empfehlen: Oberkörper vorbeugen, so daß die frei hängenden Brüste betrachtet werden können; ausgestreckte Arme über den Kopf erheben; Hände in die Hüften stützen und mit Kraft zusammendrücken; Oberarme leicht abwinkeln, Fäuste unterhalb der Brust vereinigen und kräftig zusammendrücken; Arme leicht anwinkeln und Schultergürtel so weit wie möglich zurücknehmen. Abb. 101 zeigt neben einer normalen Brust eine geringfügige und eine starke Warzeneinziehung sowie eine deutliche Hautrunzelung. In allen Fällen handelt es sich um Karzinome.

Palpation

An die Inspektion der Brust schließt sich eine sorgfältige Palpation an. Kommt die Patientin, um die Brust untersuchen zu lassen, so hat sie oft selbst einen Knoten bemerkt. Sie wird dann den Arzt mit Nachdruck darauf aufmerksam machen. — Zunächst palpiert man die Brust bei der stehenden oder sitzenden Frau. Man nimmt die Brust in die flache Hohlhand und palpiert mit der Innenseite der Finger das Brustparenchym. Systematischer geht man vor, nachdem die Patientin sich flach hingelegt hat. Mit leicht kreisenden Bewegungen betastet man das Brustparenchym von 12 Uhr kommend im Uhrzeigersinne. Festgestellte Anomalien werden lokalisiert, indem man die Brust in 4 Quadranten einteilt: oberer äußerer (lateraler), unterer äußerer (lateraler), oberer innerer (sternaler) und unterer innerer (sternaler) Quadrant.

Unabhängig vom Mammabefund betastet man beide Achselhöhlen. Es empfiehlt sich, dazu Plastikhandschuhe anzuziehen, weil die Patientinnen durch die Aufregung meist erheblich transpirieren. Bei der Palpation der Achselhöhle fahndet man nach Lymphknoten. Zunächst untersucht man bei herunterhängenden Armen, da Lymphknoten durch die Abduktion des Armes sich oft der Betastung entziehen. Die Beurteilung des Befundes in der Achselhöhle ist schwierig. Derbe, vergrößerte Lymphknoten sind sehr suspekt. Kleine Lymphknoten finden sich auch bei schlanken Frauen, ohne daß diesem Befund ein Krankheitswert zuzumessen wäre. Schließlich palpiert man noch rechts und links die Supraklavikulargruben. Dort sollten bei gesunden Frauen keine Lymphknoten nachweisbar sein.

Mammographie

Im letzten Jahrzehnt ist die röntgenologische Weichteilaufnahme der weiblichen Brust zu einer wichtigen Ergänzung der klinischen Untersuchung geworden. Die Mammographie grenzt wesentlich genauer zwischen benignen und malignen Brustveränderungen ab und ist sogar in der Lage, okkulte Mammakarzinome aufzudecken, die sich der klinischen Untersuchung entziehen.

Untersuchungstechnik

Es werden beide Brüste mammographisch untersucht. Von jeder Brust werden zwei Aufnahmen in verschiedenen Ebenen gemacht. Man beginnt mit den **kraniokaudalen** Aufnahmen (Abb. 102/1): Die Patientin sitzt auf einem Hocker, läßt beide Arme weich nach unten und den Schultergürtel nach vorn fallen. Eine Platte mit dem Filmmaterial wird unter eine Brust geschoben, so daß eine Kante fest am Thorax anstößt und die Brust auf der Platte aufliegt. Ein nierenförmiger Röntgentubus wird, mit der Eindellung zum Thorax gewandt, auf die Brust heruntergezogen, so daß noch ein Spielraum von 1–2 cm verbleibt. Das Mammaparenchym soll von dem Röntgentubus nicht gedrückt werden. Durch den Druck verschieben sich pathologische Prozesse so, daß ihre Lokalisation später Schwierigkeiten machen kann. Anschließend wird die Patientin auf eine Trage gelagert. Je nachdem, welche Brust aufgenommen werden soll, muß die Patientin sich auf die rechte oder linke Seite legen. Es folgt in der Position die **seitliche** Aufnahme der Brust (Abb. 102/2). Die Platte mit dem Filmmaterial wird fest an die laterale Thoraxwand herangeschoben. Die Patientin neigt sich in seitlicher Haltung noch etwas der Platte zu, so daß die Brust gut aufliegt. Je kleiner die Brüste entwickelt sind, um so mehr muß die Patientin sich der Platte entgegen neigen. Die andere Brust wird mit der Hand nach lateral geschoben, um den Röntgentubus dicht am Thorax etwa 1–2 cm oberhalb der

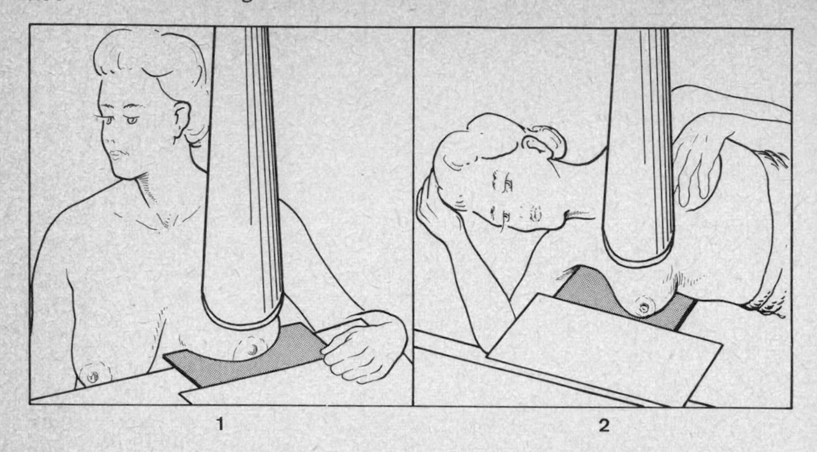

Abb. 102 Mammographie. 1. Position der Patientin für die kraniokaudale Aufnahme, 2. Position der Patientin für die seitliche Aufnahme

Mamma aufsetzen zu können. Wird die linke Brust geröntgt, so verschränkt die Patientin ihren linken Arm hinter dem Kopf, der rechte Arm wird ohne Zwang entweder neben die Röntgenplatte gelegt oder kann den Röntgentubus umgreifen.

Mit dieser Technik gewinnt man gute Aufnahmen von der Weichteilstruktur der Brust. Abb. 103 zeigt schematisiert eine normale und eine von Krebs befallene Brust. Typisch für ein Karzinom sind feine Ausläufer in die Umgebung, auch „Krebsfüße" genannt.

Neben der hier geschilderten gibt es die **isodensische Aufnahmetechnik** der Mamma. Dabei werden beide Mammae in ein Flüssigkeitsmedium (Alkohol) eingetaucht (Patientin liegt bäuchlings auf einer Spezialliege). Die Methode hat den Vorteil, daß die Brust nicht durch die Lagerung deformiert wird. Außerdem hat das umgebende Medium einen ähnlichen Brechungsindex wie das Fett der Brüste. Die Aufnahmen decken mehr Details auf. Die Technik hat gewisse Vorteile, die Befunde sind aber oft schwerer zu deuten.

Eine Mammographie ist indiziert bei Patientinnen nach dem 40. Lebensjahr ohne klinischen Befund, wenn diese über Brustschmerzen klagen oder eine familiäre Belastung mit Brustkrebs besteht. Auch bei der klinisch schwer zu beurteilenden, fettreichen Brust ist die Mammographie zu empfehlen. Sie wird angewendet bei allen tastbaren Tumoren, aber besonders bei nicht abgrenzbaren Parenchymverdichtungen, die klinisch nicht zu deuten sind. Regelmäßig sollte eine Mammographie der gesunden Brust durchgeführt werden bei Patientinnen, die eine Brustkrebsoperation hinter sich haben.

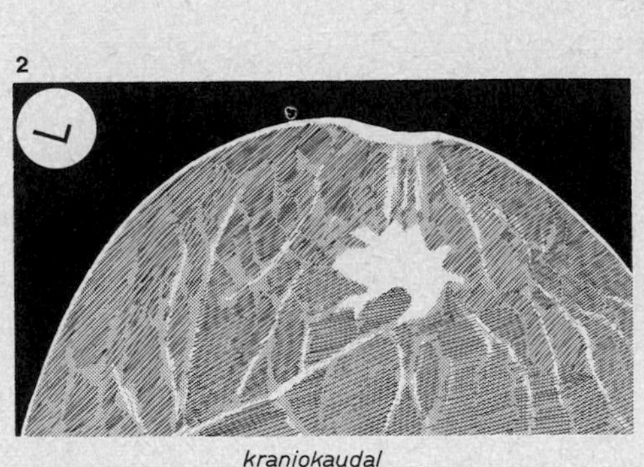

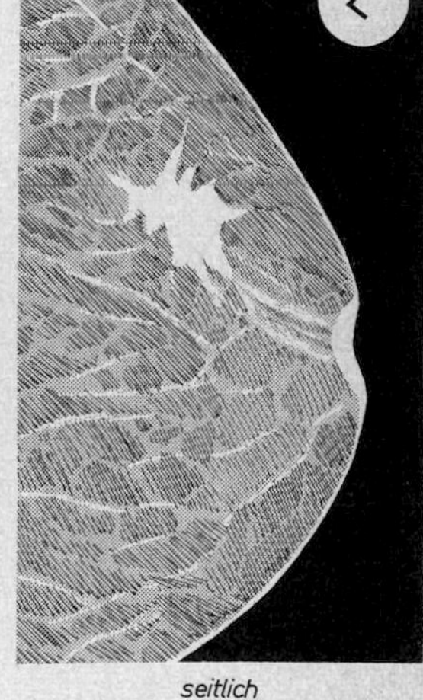

Abb. 103 Schematische Darstellung mammographischer Aufnahmen. 1. Weichteilaufnahme einer gesunden Frau, linke Brust. 2. Weichteilaufnahme einer an Brustkrebs erkrankten Frau, linke Brust

Galaktographie

Die Füllung von Milchgängen mit einem Kontrastmittel gibt Anhaltspunkte bei pathologischer Sekretion der nichtlaktierenden Brust. Milchgangsektasien, Kaliberschwankungen, Milchgangsabbrüche oder Kontrastmittelaussparungen können auf organische Veränderungen im Bereich der zentralen Milchgänge hinweisen.

Thermographie

Farbaufnahme mit Infrarotlicht. Dabei werden Hautbezirke mit unterschiedlicher Temperatur verschiedenfarbig abgebildet. Meist ist die Haut über Karzinomen wärmer als über normalem Brustparenchym.

Gewebsentnahmen aus der Brust

Hat die klinische Untersuchung einen faßbaren Tumor aufgedeckt, oder wird durch die Röntgenaufnahme ein Befund sichtbar, der eine histologische Klärung fordert, so muß eine Exzision vorgenommen werden. Bei Gewebsentnahmen aus der Brust sollte man den tastbaren Tumor in toto entfernen und sich nicht mit einer Probebiopsie begnügen. Die Gefahr, Gewebe an der falschen Stelle zu entnehmen und die schwerste Mammaerkrankung zu verfehlen, ist bei der Brust noch größer als an der Cervix uteri. – Außerdem birgt die Probebiopsie in einem Karzinom die Gefahr in sich, daß Krebszellen in die Blutbahn eingeschwemmt werden. Besteht klinisch Krebsverdacht, so sollte die histologische Diagnose mit einem Schnellschnitt in wenigen Minuten geklärt und die operative Therapie sofort angeschlossen werden.

Bei allen Gewebsentnahmen aus der Brust muß eine besonders gute Blutstillung erfolgen oder eine Redon-Drainage eingelegt werden, da sonst Hämatome oder Serome die Wundheilung verzögern. Die Schnittführung sollte so verlaufen, daß die Brust kosmetisch nicht beeinträchtigt wird. Viele Tumoren können durch einen am Außenrand des Warzenhofes verlaufenden Schnitt entfernt werden.

Auf die Möglichkeit der mikroskopischen Untersuchung von austretendem Sekret aus der Mamille wurde bereits (s. S. 256) hingewiesen.

SPEZIELLE GYNÄKOLOGIE

Entzündliche Genitalerkrankungen

Entzündliche Erkrankungen im Bereich des weiblichen Genitale gefährden nicht nur die Fortpflanzungsfähigkeit, sondern führen nicht selten zu schweren langwierigen Krankheitsabläufen, die das körperliche Wohlbefinden und das Sexualleben der Betroffenen stark beeinträchtigen. Die offene Kommunikation zwischen Introitus vaginae und dem Ostium abdominale der Tube bahnt unter ungünstigen Bedingungen bakteriellen Infektionen den Weg in auf- oder absteigender Richtung. Jede lokal begrenzte Entzündung muß daher sorgfältig behandelt werden, um eine Ausbreitung im Genitalschlauch zu verhüten.

Vulva

Haut und Schleimhaut der Vulva kommen ständig mit den Ausscheidungen aus der Blase, der Vagina und dem Rektum in Kontakt. Auf der Oberfläche der Vulva finden sich stets massenhaft Bakterien aller Art. Trotzdem gehört die Vulvitis zu den seltenen Erkrankungen. Man unterscheidet folgende Formen:

Diffuse Vulvitis

ÄTIOLOGIE. Die Ursachen der Vulvitis sind recht mannigfaltig, häufig kombinieren sie sich. Da bei fast allen Formen starker Juckreiz auftritt, spielt die zusätzliche mechanische Irritation durch Kratzen und Reiben eine verschlimmernde Rolle.

1. Falsche oder mangelhafte Hygiene

Starke Verschmutzung durch Kot, Urin, vaginalen Fluor, Menstruationsblut oder Wochenfluß. Zu häufige Waschungen, Sitzbäder oder

Spülungen in heißen oder hochprozentigen desinfizierenden Lösungen (z. B. Sagrotan). Eine mangelhafte Hygiene beobachtet man häufiger bei adipösen älteren Frauen, deren Beweglichkeit so eingeschränkt ist, daß ihnen die normale Säuberung nach der Defäkation Mühe bereitet. Außerdem leiden diese Personen unter einer vermehrten Schweißabsonderung in allen Hautfalten, so daß sich leicht ekzematöse Veränderungen mit einer dunklen Pigmentierung in den Inguinaloberschenkelfalten bilden.

2. Mechanische Ursachen

Primär können kleine Epithelläsionen mit anschließender Infektion entstehen bei der Defloration, durch mechanische Insulte der Klitoris und des Introitus vaginae bei der Kohabitation und Onanie, durch rauhe Kleidungsstücke, Monatsbinden und durch den „Kratzzwang" beim Pruritus vulvae (s. S. 115), insbesondere bei der Kraurosis vulvae.

3. Bakterien, Mikroorganismen und Parasiten

Die normale Besiedelung der Vulva mit Bakterien (Streptokokken, Staphylokokken, Kolibakterien u. a.) führt gewöhnlich nicht zu einer entzündlichen Infektion. Operative Eingriffe im Vulva-Damm-Bereich heilen trotz des Bakterienreichtums fast immer primär ab (Episiotomien, plastische Operationen).

a) Mykosen. Pilzinfektionen der Vagina greifen leicht auf die Vulva über und verursachen einen quälenden Juckreiz. Prädestiniert sind Schwangere und Kinder (bei letzteren nur auf die Vulva beschränkt). Es handelt sich meist um eine Candidainfektion.

b) Trichomonaden. Eine Trichomonadenkolpitis reizt gelegentlich durch den starken Fluor auch den Bereich der kleinen Labien.

c) Oxyuren. Häufig bei Kindern, Kinderschwestern und Kindergärtnerinnen. Die in der Nacht aus dem Anus austretenden Madenwürmer verursachen heftigen Juckreiz. Die Patientinnen kratzen, kleine Epithelverletzungen können sich entzündlich verändern.

d) Filzläuse (Pediculi pubis). Juckreiz entsteht an den Bißstellen der Läuse (s. unter c).

4. Innere Erkrankungen

Können die oben aufgeführten Ursachen weitgehend ausgeschlossen werden, so muß bei einer Vulvitis ungeklärter Genese vor allem an Diabetes gedacht werden. Meist tritt ein allgemeiner Juckreiz am ganzen Körper auf, der häufig an der Vulva beginnt. Erst in zweiter Linie kommen Lebererkrankungen, eine Anaemia perniciosa, Leukämie oder Lymphogranulomatose in Betracht.

5. Dermatologische Affektionen

Alle Erkrankungen der Haut können auf die Vulva übergreifen oder sich bevorzugt dort lokalisieren. Diagnose und Therapie liegen in der Hand des Dermatologen.

SYMPTOMATIK. Die Patientinnen klagen über einen quälenden Juckreiz, der auch mit brennenden Schmerzen, besonders beim Wasserlassen, einhergehen kann. Im Bereich der großen und kleinen Schamlippen besteht ein Schwellungs- und Spannungsgefühl. Die Frauen bemerken eine verstärkte Flüssigkeitsabsonderung. Kohabitationen sind wegen der Schmerzhaftigkeit des Introitus vaginae oft nicht möglich. Eine diffuse Vulvitis kann in jedem Alter, besonders auch bei Kindern, auftreten.

DIAGNOSE. Der Verdacht auf eine diffuse Vulvitis wird schon durch die Klagen der Patientin sehr wahrscheinlich. Bei der Inspektion des äußeren Genitale finden sich eine Rötung und Schwellung der kleinen und großen Labien. Die Schleimhautfalten sind oft mit Sekret verklebt. Die Haut- und Schleimhautoberflächen zeigen mehr oder minder ausgedehnte Kratzeffekte mit oberflächlichen Epithelläsionen. Die klinische Diagnose ist also recht leicht. Die Ursache einer Vulvitis zu klären, um eine gezielte Therapie einzuleiten, ist schwieriger.

Bei einer diffusen Vulvitis fahndet man gleichzeitig nach einer Kolpitis oder nach der Ursache eines vermehrten vaginalen Fluors. Oft gelingt bereits mit Hilfe des Nativsekretes (s. S. 211) die Diagnose „Pilzbefall" oder „Trichomonadenfluor". Ist die Nativsekretuntersuchung unergiebig, wird das an der Vulva haftende Sekret vom Bakteriologen auf Mikroorganismen untersucht. Bereits beim ersten Besuch der Patientin sollten der Urin auf eine Zuckerausscheidung überprüft und ein Blutbild veranlaßt werden. Bei einer entzündlich veränderten Kraurosis vulvae sollte ein Holzspatelabstrich von makroskopisch verdächtigen Stellen zytodiagnostisch untersucht werden, um eine beginnende maligne Umwandlung nicht zu übersehen.

THERAPIE. Die gemeinsame Symptomatik der Vulvaentzündungen unterschiedlicher Genese beinhaltet auch eine zunächst gleichartige Therapie, mit dem Ziel, die Entzündung und Schwellung zum Abklingen zu bringen. Schon bei der ersten Konsultation sollte man versuchen, die Ätiologie zu klären. Gelingt dies nicht, kann man langwierige bakteriologische Analysen nicht abwarten, **ohne** eine Behandlung einzuleiten.

1. Sitzbäder, z. B. in Kamillosan, Ichtho-Bad-Teilbad o. ä. in handwarmer Lösung für 10–15 Min. vor dem Schlafengehen. Danach zartes Abtupfen und Trocknen mit einem sauberen Handtuch. Nach Abklingen der akuten Entzündung nur noch jeden 2.–3. Tag ein Sitzbad, um die Haut nicht zu stark zu mazerieren. Anschließend

2. Salbenbehandlung. Salbenaufbereitungen, die eine Mischung aus Cortison und Antibiotika bzw. Antimykotika enthalten, führen zu einer raschen Besserung. Geeignet sind z. B. Scheroson-F-Salbe, Lo-

cacorten-Creme, Volon-A-Salbe, Volonimat Plus, Sterosan-Hydrocortison-Salbe u. a. Salbe nur dünn auftragen.

3. Hygienische Maßnahmen. Nach jeder Entleerung der Blase wird die Vulva mit saugfähigem Gewebe abgetupft, damit keine Urinreste zurückbleiben (Papiertaschentücher). Nach jeder Defäkation soll die Vulva mit einer milden Seife und Wasser gründlich gewaschen werden.

Auf die Frage, in welcher Weise der Anus gesäubert wird, antworten viele, meist fettleibige ältere Patientinnen, daß sie von vorn zwischen beiden Beinen durchgreifen und die Analgegend durch wischende Bewegungen von hinten nach vorne reinigen. Damit werden immer Kotpartikel in den Vulvabereich verschmiert und geben zu Reinfektionen Anlaß. Man muß die Patientinnen darüber belehren, daß die Säuberung von hinten in Richtung der Rima ani erfolgen soll.

Mit einer Puderbehandlung haben wir keine guten Erfahrungen gemacht. Der Puder vermischt sich mit Sekret, klumpt und krümelt und verstärkt dadurch oft den Juckreiz. Die Patientin soll täglich frische, ausgekochte Baumwollschlüpfer tragen und — solange noch intensives Nässen besteht — Watte vorlegen. Fast alle Monatsbinden sind für diesen Zweck zu rauh.

4. Spezielle therapeutische Maßnahmen. Ist die Ätiologie der Vulvitis bekannt, wird kausal behandelt.

a) Mykosen. Fungizide Mittel, z. B. Moronal-Salbenbehandlung, bei Mischinfektionen Sterosan-Hydrocortison-Salbe. Da meist auch die Scheide von der Mykose befallen ist, wird gleichzeitig mit Moronal-Ovula (jeden Abend eins, insgesamt 12 Tage lang) behandelt.

b) Trichomonaden. Imidazolderivat, d. h. Clont-Behandlung per os und per vaginam unter Mitbehandlung des Partners (s. S. 300).

c) Oxyuren. Wurmkur mit Piperazin-Präparaten, z. B. Uvilon-Tabletten (Bayer) o. ä.

d) Pediculi. DDT-Puder.

e) Diabetes. Einstellung des Kohlenhydratstoffwechsels.

Pruritus, Leukoplakie, Kraurosis vulvae s. S. 115

Lokal begrenzte Entzündungen im Vulvabereich

Follikulitis

Im Bereich der behaarten Haut kann es an der Vulva zu harmlosen Entzündungen der Haarbälge kommen.

THERAPIE. Einpinselung mit Jodtinktur, Vorlagen mit essigsaurer Tonerde.

Furunkulose

Bei einer hartnäckigen Furunkulose besteht Verdacht auf Diabetes. *THERAPIE.* Borwasserumschläge, Sitzbäder, bei Einschmelzung Inzision.

Talgdrüsenretention und -einschmelzung

Besonders die unbehaarte Haut der kleinen Labien ist reich an Talgdrüsen. Nicht selten verstopft einer der Ausführungsgänge. Es bildet sich rasch ein erbsgroßes, zunächst indolentes Knötchen, welches sich meist entzündlich verändert, dann kurzfristig heftige Beschwerden verursacht, bald perforiert und nach der Entleerung spontan heilt.

THERAPIE. Meist nicht notwendig, sonst wie Furunkulose.

Herpes genitalis

In Gruppen auftretende kleine Bläschen, die sich nach dem Platzen mit Borken bedecken. Häufig von heftigen neuralgischen Schmerzen begleitet. Bei einseitigem Befall handelt es sich oft um einen Herpes zoster. Ähnlich wie an der Mundschleimhaut rezidiviert der Herpes genitalis leicht.

THERAPIE. Antibakterieller Puder, cortisonhaltige Salben. Bei schweren Fällen Röntgenbestrahlung 1—3mal 40—100 r in 2wöchigen Abständen (90 kV und 0,5 mm Al).

Aphthen

Vorwiegend an der Innenseite der kleinen Labien können Aphthen auftreten, wie man sie häufig in der Mundschleimhaut findet. Sie sind meist multipel und zerfallen zentral geschwürig. Der Rand ist scharf ausgestanzt, es besteht starke Schmerzhaftigkeit. Es handelt sich vorwiegend um eine Infektion bei resistenzgeschwächten Frauen.

THERAPIE. Sitzbäder, cortisonhaltige Salben, z. B. Volon-A-Salbe. Die Reepithelialisierung dauert 2—3 Wochen.

Ulcus vulvae acutum (Lipschütz)

Schwere Form der Aphthenbildung. Meist hochfieberhafter, stark gestörter Allgemeinzustand. Multiple Eiterpusteln schmelzen zentral ein und hinterlassen unregelmäßige, nekrotische Geschwüre. Wahrscheinlich ist der Erreger ein stäbchenförmiges Bakterium (B. crassus).

THERAPIE. Bettruhe, Sitzbäder, Antibiotika.

Ulcus vulvae chronicum

Geschwürige Elephantiasis, die vorwiegend bei Prostituierten vorkommen soll.

THERAPIE. Partielle Vulvektomie.

Ulcus molle (Kankroid oder weicher Schanker)

Auf das Genitale beschränkt bleibende venerische Infektion. Erreger: gramnegatives Stäbchenbakterium Haemophilius ducreyi. Multiple Geschwüre im Bereich der großen und kleinen Labien mit schmerzhafter, z. T. eitriger Schwellung und Einschmelzung der inguinalen Lymphknoten. In Europa selten.

THERAPIE. Antibiotika.

Lymphogranuloma inguinale

Ebenfalls venerische Infektion, wahrscheinlich durch ein Virus, welches in kleine Verletzungen eindringt und geschwürige, granulomatöse Veränderungen großen Umfanges hervorruft, die häufig mit einem Karzinom verwechselt werden. Die Diagnose erfolgt durch die FREIsche Reaktion (Einspritzung von Gewebsflüssigkeit aus dem Lymphogranulom in die Haut). In Europa selten.

THERAPIE. Antibiotika, vorwiegend Aureomycin.

Aktinomykose

Tritt die Aktinomykose isoliert an der Vulva auf, so handelt es sich meist um das Eindringen von strahlenpilzinfizierten Pflanzenteilen in die Haut (Landarbeiterinnen). Der Erreger (Actinomyces Israeli) wuchert in typischen Drusen und verursacht diffuse, eitrige Einschmelzungen des Gewebes, die mit stark verzogenen Narben heilen. Die bakterielle Diagnose aus dem Eiter ist relativ leicht.

THERAPIE. Antibiotika.

Entzündung der Bartholinschen Drüse (Bartholinitis)

Die BARTHOLINsche Drüse besteht aus einem ca. haselnußgroßen weichen Drüsenkörper, welcher symmetrisch im unteren Anteil des Vestibulums angelegt ist. Die Ausführungsgänge münden zwischen den kleinen Labien und dem Hymenalsaum etwa 1 cm oberhalb der hinteren Kommissur. Die Sekretion wird nervös infolge sexueller Erregung ausgelöst. Es bildet sich ein wasserklares, muzinöses, geruchloses Sekret, welches den Introitus vaginae bedeckt und gleitfähig macht. Keime können in das Gangsystem der verzweigten Drüse eindringen und dort eine eitrige Einschmelzung verursachen.

ÄTIOLOGIE. Diverse Eitererreger, vorwiegend Staphylokokken und Streptokokken, nur in seltenen Fällen Gonokokken.

SYMPTOMATIK. Es entsteht einseitig zunächst im Bereich der kleinen, je nach Größe der Abszeßbildung auch der großen Labie eine schmerzhafte Vorwölbung mit Hautrötung. Jede Berührung ist stark schmerzempfindlich. Eine Spekulumuntersuchung mißlingt wegen der starken Schmerzhaftigkeit im Introitusbereich. Kurz vor der Perforation des Abszesses können die Patientinnen nicht mehr sitzen, sondern stehen schmerzverkrümmt und weinend vor dem Untersuchungsstuhl.

DIAGNOSE. Die klinische Diagnose ist leicht zu stellen durch die Inspektion des äußeren Genitale und die vorsichtige Palpation (Abb. 104). Die Lokalisation der BARTHOLINschen Drüse muß beachtet werden. Schwellungen und Abszesse im Bereich der vorderen Kommissur gehen nicht von der BARTHOLINschen Drüse aus. — Sekret vom Introitus vaginae wird im Nativpräparat und bakteriologisch, der Urethralabstrich auf Gonokokken untersucht. Auf eine Inspektion und Palpation des inneren Genitale wird zunächst, wegen der großen Schmerzhaftigkeit, verzichtet.

THERAPIE. Da die eitrige Einschmelzung trotz einer resorbierenden Behandlung meist nicht zu umgehen ist, richtet sich die Therapie auf

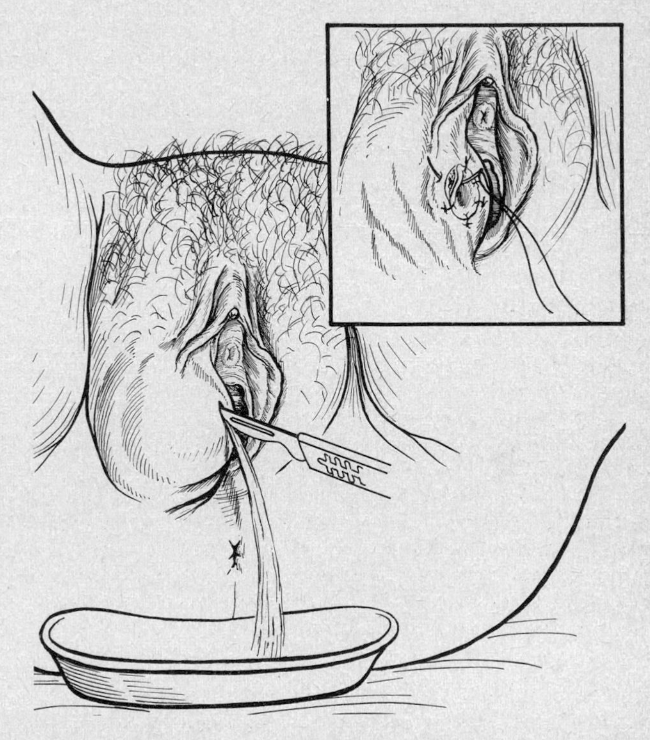

Abb. 104 BARTHOLINscher Abszeß. Inzision des fluktuierenden Abszesses. Eiter spritzt unter Druck heraus. Anschließend Marsupialisation: Auskrempelung der Abszeßmembran oder — der Zystenwand — und Vernähung mit der äußeren Haut

die Linderung der Beschwerden und die Beschleunigung der Einschmelzung. Das erreicht man mit feuchten Borwasservorlagen und 2mal 5—10 Min. Rotlicht auf den befallenen Bereich. Für die Bartholinitis kann man ähnlich wie bei der Mastitis sagen, daß der Zeitpunkt zur Inzision nie zu spät, aber oft zu früh gewählt wird. Eine zu frühe Inzision verzögert die Reinigung der Wundhöhle. — Wartet man zu lange, so perforiert der Abszeß spontan, worauf die Patientinnen eine sofortige Linderung angeben. Therapeutisch hat man nichts versäumt, wenn die Perforationsöffnung nachinzidiert und die Wundhöhle drainiert wird. Die Inzision wird in Allgemeinkurznarkose mit einem Skalpell ausgeführt und sollte mindestens 1,5—2 cm lang sein. Danach tastet man die oft hühnereigroße Wundhöhle digital aus und drainiert mit einer Gummilasche. Der abfließende Eiter wird bakteriologisch untersucht. Zunächst tägliches Sitzbad. Die Abheilung beträgt wenige Tage. Die Gefahr des Rezidivs ist groß. Bessere Erfolge werden mit der Marsupialisation erzielt. In jedem Fall muß die Scheidenflora saniert und die Patientin eingehend über hygienische Maßnahmen (s. S. 298) in der Genitalsphäre aufgeklärt werden. Nach der Ausheilung können Verklebungen im Ausführungsgang zur Zystenbildung Veranlassung geben (s. S. 337).

Entzündliche Erkrankungen im Vulvabereich bei Allgemeininfektionen

Luetischer Primäraffekt (Ulcus durum oder harter Schanker; Abb. 105/1)

Durch kleine Epithelläsionen dringen Spirochäten (Treponema pallidum) in das Gewebe ein und bilden dort ein Granulom (ca. 1,0 bis 1,5 cm Durchmesser) mit hartem, aufgeworfenem Rand, welches indolent ist. Ebenso indolent sind die bald anschwellenden, derben Inguinaldrüsen. Die Diagnose wird durch den Spirochätennachweis im Dunkelfeld gestellt. Das Wundsekret gewinnt man von der Oberfläche des Granuloms durch Kratzen mit einem Holzspatel. Die Seroreaktionen sind meist noch negativ. Im Bereich der kleinen Labien kommen Abklatschgranulome vor.

Condylomata lata (Erscheinungen der Lues II; Abb. 105/2)

Ein typisches Kennzeichen der Lues im Stadium II sind die auf die Vulva begrenzten „breiten Kondylome". Sie sind von blaßgrauer Farbe mit zentraler Eindellung und nässen meist. Auch von diesen Granulomen lassen sich Spirochäten im Dunkelfeld nachweisen. Die Seroreaktionen sind immer positiv. Die Condylomata lata sind hochinfektiös.

THERAPIE. Hochdosierte Penicillinbehandlung (s. S. 325), bis zur Ausheilung Verbot jedes geschlechtlichen Kontaktes.

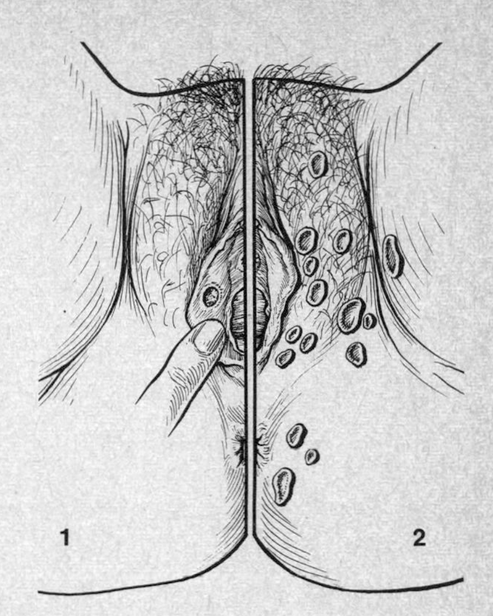

Abb. 105 1. Primäraffekt der Lues I, rundes Geschwür mit wallartig erhabenem, derbem Rand. 2. Condylomata lata (breite Kondylome) bei Lues II

Diphtherie, Typhus, Dysenterie, Tuberkulose

Schließlich kommen isolierte oder multiple Geschwüre an der Vulva bei den aufgeführten Allgemeininfektionen vor. Die Diagnose kann schwierig sein, wenn Allgemeinreaktionen fehlen, sie muß bakteriologisch geklärt werden. Die Behandlung ist spezifisch.

Zusammenfassung: Das äußere Genitale der Frau ist durch die topographische Lage von Urethra, Introitus vaginae und Anus ein Prädilektionsort für Bakterien aller Art. Trotz ungünstiger Bedingungen sind entzündliche Erkrankungen selten, vielfach entstehen sie auf dem Boden einer mangelnden oder falschen Hygiene. Die diffuse Vulvitis geht mit allen Zeichen der Entzündung (Rötung, Schwellung, Schmerzen) einher. Die Ursachen sind mannigfaltig. – Lokal begrenzte Entzündungen im Vulvabereich betreffen vorwiegend die Hautanhangsorgane. – Praktisch wichtig ist die Entzündung der Bartholinschen Drüse mit Abszeßbildung. Allgemeininfektionen können an der Vulva typische Veränderungen ausprägen, wobei der Primäraffekt der Lues I und die breiten Kondylome der Lues II am wichtigsten sind.

Vagina

Die Vagina wird von nicht verhornendem Plattenepithel ausgekleidet (Aufbau des Vaginalepithels s. S. 231). Das Plattenepithel wird nicht durch Drüsenausführungsgänge unterbrochen, im gesamten Vaginalbereich finden sich keine sezernierenden Drüsen. Die physiologische Besiedelung mit milchsäurebildenden DÖDERLEINschen Vaginalbazillen sowie die Abschilferung der äußeren und inneren Oberflächenschicht des Plattenepithels schwanken, hormonell abhängig, im

Verlauf des Zyklus. Die Vagina wird befeuchtet durch den Zervixschleim sowie durch das aus dem Uteruskavum abgehende Sekret. Während der Kohabitation kommt es zusätzlich zu einer Flüssigkeitstranssudation durch das Vaginalepithel.

Abgesehen von der Menstruationsblutung sowie der kurzfristigen prä- und postmenstruellen Leukorrhoe ist um den Ovulationstermin die Menge des aus der Vagina austretenden Zervixsekretes am größten. Häufig bemerken die Patientinnen beim Stuhlgang das Abtropfen eines langen Schleimfadens. Einige halten diesen Sekretabgang für pathologisch und suchen deshalb ärztlichen Rat. Dieser sollte, nach Überprüfung des Nativsekretes, darin bestehen, der Patientin verständlich zu machen, daß die Benetzung der Scheide physiologischen Schwankungen unterliegt. Eine Behandlung ist nicht notwendig, im Gegenteil falsch.

Fehlbesiedelung der Scheide mit Bakterien und anderen Mikroorganismen, Kolpitis

ÄTIOLOGIE. Bakterien und Mikroorganismen können nur durch den Introitus in die Scheide eindringen. Das durch die physiologische DÖDERLEIN-Flora bedingte saure pH wirkt dem spontanen Eindringen von Keimen des Vulvabereiches entgegen. In der Scheide können alle Arten von Kokken (Streptokokken, Staphylokokken, Enterokokken), stäbchenförmige Bakterien (Haemophilus vaginalis, Koli usw.) u. a. Bakterien auftreten. Ferner finden sich häufig Trichomonas vaginalis und Pilze (vorwiegend Candidainfektionen). Hauptursachen für eine Fehlbesiedelung der Scheide sind:

1. Kohabitationen, wenn das Smegma des Präputiums bakteriell verunreinigt ist.

2. Tampons zum Auffangen des Menstrualblutes. Frauen, die nicht zu starke Periodenblutungen haben, benutzen sehr gern Intravaginaltampons, da die Anwendung bequem und einfach ist. Leider werden die Tampons meist zu lange belassen, so daß der aus dem Scheideneingang heraushängende Faden zur Entfernung des Tampons als Leitschiene für das Eindringen von Bakterien dient. Wir haben in der großen poliklinischen Sprechstunde der Universitäts-Frauenklinik Köln nur selten Frauen gesehen, die trotz Tampongebrauches eine DÖDERLEINsche Vaginalflora hatten. Tritt nach Beendigung der Periode ein bakterieller Fluor auf, so benutzen viele Frauen weiterhin Tampons, um die Wäsche nicht zu beschmutzen, welches einen Circulus vitiosus in Gang setzt.

3. Unhygienische Körperpflege. Ähnlich wie bei der Vulvitis kommt es durch eine ungenügende und falsche Säuberung des Anus nach der Defäkation zu einer Schmierinfektion im Bereich des Introitus, wodurch eine Keimaszension in die Scheide begünstigt wird.

4. Hormonabhängige Veränderungen im Vaginalepithel: Hierzu gehört die gehäufte Infektion mit Candida bei Schwangeren und Frauen, die Ovulationshemmer einnehmen. – Andere Bedingungen finden sich bei der Atrophie des Vaginalepithels (senile Kolpitis). Bei der Atrophie nach erloschener Ovarialfunktion verschwindet die DÖDERLEINsche Vaginalflora, da zu deren Lebensbedingungen die glykogenbildende Intermediärschicht fehlt. Ausgeprägte bakterielle Besiedelungen der atrophischen Scheide sind nicht häufig, dagegen kommt es oft abakteriell unter dem dünnen Epithelsaum zu leukozytären kleinen Infiltraten, die als rote Stippchen zu erkennen sind.

5. Fremdkörper (vorwiegend bei Kindern).

SYMPTOMATIK. Vor allem nach der Defloration, aber auch bei Kindern kann die Scheide von einer Vielzahl von Bakterien und anderen Mikroorganismen besiedelt werden. Viele dieser Bakterien sind nicht im eigentlichen Sinne pathogen. Oft existiert die bakterielle Fehlbesiedelung über lange Zeit, ohne daß die Patientin über Fluor klagt. Wird die DÖDERLEINsche Vaginalflora von ortsfremden Bakterien zurückgedrängt und überwuchert, so verschiebt sich das saure Milieu (pH = 4,0) und wird alkalisch. Der Geruch des Scheidensekretes verändert sich. Scheidensekret mit DÖDERLEINschen Stäbchen riecht gering säuerlich, während bakteriell verunreinigtes Sekret einen unangenehmen, an Fisch erinnernden Geruch annimmt. Die Farbe des austretenden Sekretes wechselt von glasig weißlich zu mehr oder minder intensiv gelblich bis bräunlich. Trotzdem braucht noch keine Scheidenentzündung einzutreten. Durch meist unbekannt bleibende, zusätzliche Faktoren entwickelt sich eine **Kolpitis,** die durch eine fleckförmige oder diffuse Rötung der Vaginalwände gekennzeichnet ist. Oft sind die kleinen roten Flecken sehr dicht und etwas erhaben, so daß die Vaginalwand ein samtähnliches Aussehen annimmt. Durch die Vaginalwand treten Leukozyten aus, so daß das Sekret nicht nur von Bakterien, sondern auch mit weißen Blutkörperchen durchsetzt ist. Bei schweren Entzündungen kommt es zu Diapedesisblutungen, so daß der Fluor durch die Beimengung von Erythrozyten rötlich aussieht.

DIAGNOSE. Die Fluordiagnostik erfolgt mit dem Mikroskop, bei einer ca. 400fachen Vergrößerung im abgeblendeten Blickfeld oder mit dem Phasenkontrastverfahren, zunächst aus dem Nativsekret (s. S. 211). Ist daraus keine Klarheit zu gewinnen, wird das Scheidensekret mit Methylenblau, evtl. nach GRAM gefärbt. Eine Gonorrhoe muß ausgeschlossen werden (s. S. 214). In der überwiegenden Mehrzahl der Fälle ist die Ursache des Fluors zu erkennen, so daß eine gezielte Behandlung eingeleitet werden kann. Mißlingt die Therapie, so kann die Art der Bakterien durch den Bakteriologen genauer analysiert werden und mit Hilfe von Resistenzbestimmungen ein wirksames Medikament gefunden werden.

THERAPIE. Bei uns hat sich folgendes Vorgehen bewährt:

1. Bakterielle Fehlbesiedelung. Keine allgemeine antibiotische Therapie. Lokal verordnet man ein Tetracyclinpräparat, z. B. Terramycin-Vaginaltabletten (insgesamt 4, die lokale antibiotische Therapie sollte immer nur kurzfristig durchgeführt werden), im Wechsel mit einem Antimykotikum, z. B. Moronal als Ovulum. Je eine Tablette wird abends tief in die Scheide eingeführt nach folgendem Schema:

1. Abend: Terramycin-Ovulum
2. Abend: Moronal-Ovulum
3.– 7. Abend: Terramycin- und Moronal-Ovula im Wechsel
8.–12. Abend: Moronal-Ovula

Die Kombination mit einem Antimykotikum empfiehlt sich, da man häufig bei einer starken bakteriellen Fehlbesiedlung eine geringe Mischinfektion mit Pilzen übersieht. Ohne die prophylaktische antimykotische Therapie kann es unter dem lokal angewandten Antibiotikum zu einer Exazerbation der Mykose kommen mit ausgeprägter Kolpitis und intensivem Juckreiz.

Während der Therapie kein Verkehr. Behandlung möglichst im blutungsfreien Intervall. Tritt die Menstruationsblutung ein, soll die Applikation trotzdem fortgesetzt werden. Eine Gravidität ist keine Kontraindikation. Kontrolle des Fluors 1 Woche nach Beendigung der intravaginalen Therapie.

Um eine Reinfektion zu vermeiden, rät man den Patientinnen folgendes: Der Ehemann soll angehalten werden, das Präputium täglich und vor dem Verkehr mit einer milden Seife und Wasser zu säubern. – Bei der Periode Blut **vor** der Scheide auffangen, keine Tampons, keine Vaginalspülungen. Nach der Defäkation Anus und Vulva mit Wasser und Seife gründlich säubern.

2. Trichomonadeninfektion. Perorale und intravaginale Clont-Behandlung. Clont ist ein Imidazolderivat und wirkt spezifisch gegen Trichomonaden. **Per os:** morgens und abends eine Tablette über 6 Tage. **Vaginal lokal:** abends einen Clont-Stift tief in die Scheide einführen. Der **Partner** soll die Tablettenbehandlung zur gleichen Zeit durchführen. Auch wenn beim Mann kein Ausfluß nachweisbar ist, muß er prophylaktisch mitbehandelt werden, da ein Rezidiv sonst schnell eintritt. In der Gravidität verzichten wir in der ersten Hälfte auf eine perorale Therapie. Rezidive sind dann nicht selten.

3. Mykosen. Mit dem fungiziden Antibiotikum Nystatin (Moronal) wird die gesamte Gruppe der Candidainfektionen erfaßt. Man behandelt nach folgendem Schema:

1.–4. Tag: morgens und abends je ein Ovulum
5.–8. Tag: abends ein Ovulum.

Nur bei rasch aufeinanderfolgenden Rezidiven sollte man auch den Darm durch eine orale Therapie mit Moronal-Dragees sanieren. Der Partner soll das gereinigte Präputium über längere Zeit mit Moronal-Salbe eincremen.

4. Senile Kolpitis (s. S. 114). Behandlung wie oben bei Bakterien- oder Mikroorganismenbefall, anschließend oder ausschließlich Aufbau des Vaginalepithels mit östrogenhaltigen Salben (z. B. Oestro-Gynaedron-Salbe) ca. 20 Tage lang. Der bessere Aufbau des Vaginalepithels verhütet eine Reinfektion. Auch die abakterielle senile Kolpitis verschwindet nach der hormonellen Behandlung.

5. Kindlicher Fluor. Entfernung von Fremdkörpern (in Narkose). Bei bakteriellem Fluor oder Trichomonaden bzw. Pilzbefall der kindlichen Scheide ist eine Lokalbehandlung meist nicht durchführbar, da die kleinen Patientinnen sich heftig dagegen wehren. Dann u. U. eine kurzfristige, hochdosierte Antibiotikabehandlung, perorale Clont- und perorale Moronal-Therapie.

Lokal begrenzte entzündliche Scheidenveränderungen

Makroskopisch unklare, geschwürige oder granulomatöse Veränderungen in der Scheide sind stets karzinomverdächtig und bedürfen einer klinischen Abklärung. Nicht selten treten bei der Pessarbehandlung des Descensus uteri et vaginae mechanische Druckulzera in der Scheide auf.

Dekubitalulkus

Wenn ein Scheidenpessar eine Haltefunktion ausüben soll, muß es mit einer gewissen Spannung ringförmig den Scheidenwänden anliegen. Im Bereich des Pessars kommt es zu Drucknekrosen. Bei der Entfernung findet man flache, meist scharf begrenzte Ulzerationen, oft zirkulär entsprechend der Lage des Pessars. Es entsteht eitriger Fluor. Der Ulkusgrund ist gegenüber der gesunden Schleimhaut hochrot verändert. Diagnostisch muß ein Scheidenkarzinom ausgeschlossen werden.

THERAPIE. Pessar nicht wieder einführen, Salbenbehandlung der Scheide mit Bepanthensalbe, Oestro-Gynaedron-Salbe u. ä. bis zur vollkommenen Reepithelialisierung. Operative Therapie des Deszensus erwägen.

Seltene entzündliche Scheidenerkrankungen

Bei schweren Allgemeinerkrankungen kann es zu Scheidengeschwüren kommen (Diphtherie, Typhus, Lues, Bilharziose usw.).

Uterus

Der Uterus stellt für entzündliche Erkrankungen keine Einheit dar, da wegen des unterschiedlichen Schleimhautaufbaues begrenzte Entzündungen möglich sind.

Zervix

Die epithelialen Verhältnisse an der Zervix, die Grenzverschiebungen des Zylinderepithels und dessen Auseinandersetzung mit dem Plattenepithel wurden auf S. 70, 221 beschrieben. Nach Eintritt der Geschlechtsreife kommt es mehr oder weniger stark zu einer Eversion des Zervixdrüsenfeldes auf die Portiooberfläche. Dieser Zustand und die sich über Jahrzehnte erstreckende Überhäutung mit Plattenepithel bietet sich dem unbewaffneten Auge als roter Fleck (Erythroplakie) dar. Bei einer Fehlbesiedelung der Scheide ist die Portiooberfläche von den gleichen Keimen bzw. Mikroorganismen besiedelt. Das einschichtige Zylinderepithel oder dünne Überhäutungsepithel neigt leicht zu entzündlichen Veränderungen.

Erythroplakie

Ein roter Fleck um den äußeren Muttermund findet sich bei der Spekulumuntersuchung in 90 % aller Patientinnen. Leider wird hieraus oft vorschnell (rot = Entzündung) der Schluß gezogen, hier liege eine entzündliche Veränderung des Muttermundes vor. Ätiologisch handelt es sich um die physiologische, altersabhängige Epithelverschiebung. Eine Auflösung des roten Fleckes ist nur mit Hilfe des Kolposkops möglich (s. gutartige Kolposkopiebefunde S. 221). Findet sich ein normaler Kolposkopiebefund, ist die Scheidenflora in Ordnung, und ergibt der Zellabstrich keinen Hinweis auf eine Epithelatypie, so ist eine Behandlung der Erythroplakie **nicht** erforderlich.

Unspezifische Zervizitis.

Wie bereits angedeutet, bietet das auf der Portiooberfläche liegende Zervixdrüsenfeld mit seiner großen Oberfläche den in der Scheide vorhandenen Bakterien einen guten Nährboden. Dann entsteht recht häufig das Bild der Zervizitis.

ÄTIOLOGIE. Fehlbesiedelung der Scheide mit Aszension ins Zervixdrüsenfeld.

SYMPTOMATIK. Die Erythroplakie erscheint makroskopisch und unter dem Kolposkop kräftig rot. Das umgebende Plattenepithel zeigt kleine rote Flecken. Das aus der Zervix austretende Sekret ist gelblich eitrig verfärbt. Die Patientinnen klagen über schlecht riechenden, star-

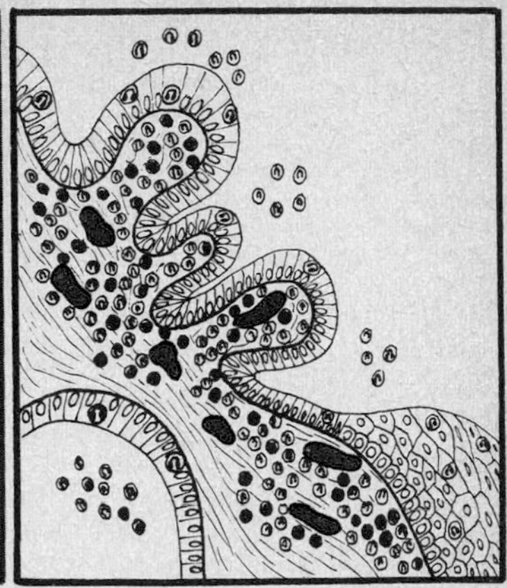

Abb. 106 Zervizitis und Kolpitis. Das Plattenepithel der Vaginalhaut ist fleckförmig gerötet, aus dem Zervikalkanal fließt eitriges Sekret. – Histologisch finden sich reichlich leuko- und lymphozytäre, subepitheliale Infiltrate. Leukozyten durchwandern das Epithel

ken Fluor, nicht selten werden Kontaktblutungen angegeben. Histologisch findet man unter dem Zylinderepithel, aber auch unter Überhäutungsepithel zahlreiche leukozytäre und lymphozytäre Infiltrate. Es besteht eine Leukopedese durch das Epithel. Im Plattenepithel macht sich bei einer ausgeprägten Zervizitis eine Kernunruhe bemerkbar (Abb. 106).

DIAGNOSE. Kann mit Sicherheit nur histologisch gestellt werden. Bei einem langanhaltenden Fluor kann man fast immer mit einer Mitbeteiligung der Zervix rechnen. Es muß daher eine sorgfältige Fluordiagnostik mit Ausschluß einer Gonorrhoe durchgeführt werden (s. S. 214).

THERAPIE. Behandlung wie beim Fluor vaginalis mit dem Ziel, eine DÖDERLEINsche Vaginalflora wiederherzustellen. Gelingt dies, heilt meist auch die Zervizitis aus. Man muß aber damit rechnen, daß die Entzündung in der Zervix langsamer abklingt als in der Scheide. Entsteht klinisch wiederholt ein Rezidiv, trotz Innehaltung aller prophylaktischen Maßnahmen der Genitalhygiene, so kommt als Herd die Zervix in Frage. Eine chronische Zervizitis führt zu einer Fertilitätsstörung, da die Spermien das entzündlich durchsetzte Sekret erschwert durchwandern. Mit einer kleinen Biopsie kann die Diagnose „Zervizitis" gesichert, und mit einer Konisation die chronisch entzündliche Schleimhautpartie entfernt werden. Auch die Elektrokoagulation bringt gute Resultate. Diese Maßnahmen sollten aber zu den seltenen Eingriffen gehören.

Geschwürige oder granulomatöse Zervixveränderungen

Immer karzinomverdächtig, bis das Gegenteil bewiesen ist. In Erwägung zu ziehen sind: Primäraffekt der Lues I, Gumma der Lues III, Tuberkulose, Diphtherie, Aktinomykose, Geschwüre bei auszehrenden Erkrankungen (Leukämie, Agranulozytose) usw.

Corpus uteri

Die Aszension von Keimen aus der Vagina in die Zervix mit Auslösung einer Zervizitis ist ein häufiges Ereignis. Dagegen bietet der innere Muttermund eine für Bakterien schwer zu überwindende Schranke, so daß das Corpus uteri keimfrei bleibt. Der innere Muttermund wird definiert durch die Schleimhautgrenze zwischen Zervix und Isthmus uteri. Hier findet sich eine individuell verschieden lange Strecke von Isthmussschleimhaut, welche topographisch die engste Stelle des Uterus umgibt.

Unspezifische Endometritis

ÄTIOLOGIE. Nur bei bestimmten, meist physiologischen Ereignissen (Menstruation, Abort, Geburt) oder instrumentellen Eingriffen im Cavum uteri (Sondierung, Strichabrasio, Abrasio, Hysterographie, Pertubation) kann es zu einer Aszension von Keimen in die Gebärmutterhöhle kommen. Dann findet sich eine leukozytäre und lymphozytäre Durchsetzung des Endometriumstromas mit Durchwanderung des Drüsenepithels. Ist ein derartiger Zustand eingetreten, so gelingt der zyklisch wechselnde Auf- und Abbau des Endometriums nur unvollkommen, was zur Folge hat, daß es zu anhaltenden Blutaustritten kommt. Über die Wirkung von Intrauterin-Spiralen auf das Endometrium s. S. 188.

SYMPTOMATIK. Führendes Symptom der Endometritis ist die nach der Menstruation oder nach der Abrasio (s. o.) anhaltende Schmierblutung. Unterbauchschmerzen werden nur selten und ganz diffus angegeben. Der Uteruskörper kann bei der gynäkologischen Palpation gering druckschmerzhaft sein. Bestehen subfebrile oder febrile Temperaturen, ist meist eine Aszension in die Tuben erfolgt.

DIAGNOSE. Die Diagnose gewinnt man aus einer exakt erhobenen Anamnese in Kombination mit dem Symptom postmenstruelle bzw. postoperative Schmierblutung. Es bleibt bei einem Verdacht, da die Diagnose „Endometritis“ an sich nur histologisch möglich ist. Da aber die Patientinnen häufig infolge eines instrumentellen Eingriffes erkranken, kann die Klärung nicht durch eine erneute Gewebsentnahme erzwungen werden.

THERAPIE. Die Zona functionalis des Endometriums wird alle 4 Wochen abgestoßen, daher neigt die Endometritis zur Selbstheilung. Man kann dies fördern, indem man den Schleimhautaufbau mit Östrogenen unterstützt (z. B. 10 mg Ovocyclin M i. m. postmenstruell), ebenso die sekretorische Umwandlung (z. B. 3 x 1 Primosiston täglich über 10 Tage lang ab 16. Zyklustag). Danach erfolgt ein besonders gründlicher Abbruch der Schleimhaut (hormonelle Abrasio), wobei die entzündlich veränderten Partien mitentfernt werden. Liegt der Kausalzusammenhang auf der Hand, so sollte man die hormonelle Therapie mit einem Antibiotikumstoß unterstützen.

Spezifische Endometritis

Endometritis gonorrhoica s. S. 321, Endometritis tuberkulosa s. S. 327.

Senile Endometritis

Bei alten Frauen kann es durch Verklebungen im Bereich des Isthmus uteri zu einer Sekretstauung im Corpus uteri mit bakterieller Zersetzung kommen. Die Frauen klagen über heftige Unterbauchschmerzen. Der Uterus wirkt aufgetrieben und ist stark druckschmerzhaft. U. U. kommt es spontan zu einer schwallartigen Entleerung aus dem Uteruskavum, wobei eine größere Menge dünneitrigen Sekretes aus der Vagina abfließt. Die Behandlung der sog. **Pyometra** besteht in der vorsichtigen Entleerung des Cavum uteri durch Einlage einer dicken Kanüle (FEHLINGsches Röhrchen) in Kombination mit Antibiotika. Die Pyometra wird nicht selten durch ein Korpuskarzinom verursacht, so daß etwa 2 Wochen nach der Entleerung eine vorsichtige diagnostische Kürettage angeschlossen werden muß (s. S. 417; Abb. 153).

Myometritis

Eine isolierte Myometritis kommt praktisch nicht vor. Bei einer schweren eitrigen Endometritis kann es zu einem Übergreifen der entzündlichen Infiltrate in das Myometrium kommen. Vor der antibiotischen Ära fand sich dieses Bild häufig bei einer puerperalen Infektion mit einer Durchsetzung der gesamten Muskelschicht. Die Diagnose ist nur histologisch am exstirpierten Uterus zu stellen. Es besteht der Verdacht, wenn bei einer Endometritis der Uterus besonders druckschmerzhaft ist. Die Therapie ist antibiotisch.

Adnexe (Tuben und Ovarien), Beckenbindegewebe

Eine entzündliche Erkrankung der Adnexe ist ernst zu bewerten, da bei einer unzureichenden Behandlung Dauerschäden, nämlich chronische Unterleibsbeschwerden und Sterilität, zurückbleiben.

Unspezifische akute Salpingitis

ÄTIOLOGIE. Ähnlich der Endometritis. Aufsteigende bakterielle Infektion. Besondere Gefahr besteht nach instrumentellen Eingriffen. Zwei Ausnahmen: Tuberkulose (s. S. 327, ist immer hämatogen), Übergreifen von einem perityphlitischen Prozeß auf die Tuben.

SYMPTOMATIK. Kurz nach den oben erwähnten Ereignissen klagen die Patientinnen über heftige Leibschmerzen, die einseitig, aber meist doppelseitig im Unterbauch angegeben werden. Es können subfebrile bis febrile Temperaturen auftreten. Bei der gynäkologischen Untersuchung ist die Palpation der Adnexgegend sehr schmerzhaft, nicht selten besteht dort eine Abwehrspannung. Zunächst braucht palpatorisch keine Volumenzunahme der Tuben aufzufallen.

Morphologisch kommt es zu einer vorwiegend leukozytären Infiltration im Stroma aller Tubenschleimhautfalten, wodurch diese anschwellen. Im Tubenlumen findet sich leukozytär durchsetztes Sekret (Abb. 107). Um eine Ausbreitung der Entzündung in den freien Bauchraum zu verhindern, stülpt sich das Fimbrienende der Tube ein und verklebt. Auf Grund der allgemeinen Schleimhautanschwellung verschließt sich auch der intramurale Tubenanteil. Die Reaktion der

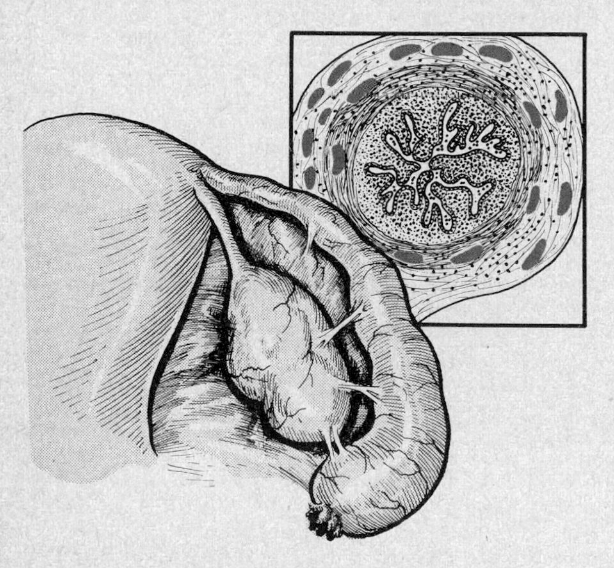

Abb. 107 Unspezifische akute Salpingitis. Tube nur wenig verdickt, vermehrter Gefäßreichtum auf der Serosa, beginnende Einkrempelung des Ostium abdominale, zarte Verwachsungen mit dem Ovar. Histologisch starke entzündliche Durchsetzung der Schleimhaut und der Tubenwand

Tube dient zwar dem Schutz des Gesamtorganismus vor einer Peritonitis, sie schadet aber der Tubenfunktion selbst außerordentlich. Sobald das eitrige Sekret weder nach abdominal noch zum Uterus Abfluß findet, schwillt die Tube auf Grund des transsudierten Sekretes stark an.

Palpatorisch tastet man bei unterschiedlich ausgeprägter Abwehrspannung, ein- oder doppelseitig, wurstförmige, bis zu doppeldaumendicke Tuben. Diese Entwicklung wird im Rahmen einer akuten Salpingitis sehr schnell durchlaufen. Setzt eine Behandlung nicht bald ein, geht die akute in die chronische Form über.

Bei der akuten Salpingitis sind meist nur die Tuben befallen. Tritt die Infektion dann ein, wenn die Tube sich im Kontakt mit dem Ovar befindet (Eisprung) oder auf Grund der Virulenz der Entzündung das noch nicht verschlossene Tubenende überwunden wird (z. B. nach artefiziellen Aborten), ist auch von Beginn an eine Mitbeteiligung des Ovars möglich, die meist zu dem schweren Krankheitsbild des **Tubovarialabszesses** (s. S. 312) führt.

DIAGNOSE. Kaum eine Diagnose wird in unserem Fachgebiet so häufig und zu Unrecht gestellt wie die sog. „Eierstocksentzündung". Gibt die Patientin bei der Betastung der Adnexe Schmerzen an, so berechtigt dies keinesfalls zu der Diagnose „Adnexitis" und Einleitung von unnötigen Behandlungen. Meist handelt es sich um den Ovarialdruckschmerz, der bei allen Frauen auslösbar ist, wenn es gelingt, die Ovarien palpatorisch zu erfassen.

Bei einer Salpingitis ist der Druckschmerz heftig, die Patientin läßt sich bei der Untersuchung von ihren Schmerzen nicht ablenken. Es bestehen subfebrile Temperaturen oder gar Fieber, die BSG ist über die Norm erhöht, es kann eine leichte bis deutliche Leukozytose im Blutbild bestehen. Die Diagnose wird unterstützt durch eine sorgfältig erhobene Anamnese, aus der Zusammenhänge deutlich werden. Häufig leidet die Patientin unter starkem Fluor (Kolpitis) und Schmierblutungen (Endometritis).

Differentialdiagnostisch kommt eine Extrauteringravidität und bei rechtsseitigem Befall eine Appendizitis in Frage. Die Extrauteringravidität geht meist ohne Temperaturerhöhung, BSG-Beschleunigung und Leukozytose einher. Ausnahmen sind möglich. Ein positiver Schwangerschaftstest macht eine Extrauteringravidität wahrscheinlicher, kann aber auch nach artefiziellen, nicht nachgeräumten Aborten vorhanden sein. — Die Appendizitis ist nicht leicht abgrenzbar, da die allgemeinen Zeichen einer Entzündung ebenfalls vorhanden sind. Das Punctum maximum des Schmerzes liegt aber deutlich oberhalb der Adnexgegend (McBURNEYscher Punkt). Die Patientinnen haben Magen-Darm-Symptome (belegte Zunge, Erbrechen, Diarrhoe im Wechsel mit Stuhlverhaltung). Der Zusammenhang mit Menstruation, Geburt oder Abort bzw. gynäkologischen Eingriffen fehlt. — Erkrankt ein junges Mädchen an einem entzündlichen Adnextumor, muß differentialdiagnostisch die Tubentuberkulose (s. u.) in den Vordergrund rücken. — Die unspezifische akute Adnexitis ist eine Erkrankung von Frauen im geschlechtsreifen Alter. Postmenopausal kommt eine aszendierende Infektion kaum vor, es sei denn bei mischinfizierten Korpuskarzinomen oder echten Neubildungen im Tubenbereich. — Abzugrenzen sind schließlich noch alle echten Tumoren vorwiegend des Ovars, s. u.

THERAPIE. Die Behandlung zielt auf die Erhaltung der Tubenfunktion und der Fertilität, welche mit jeder Adnexentzündung bedroht sind. Bei einer Salpingitis sollte strenge Bettruhe eingehalten werden, die meist nur bei stationärem Aufenthalt durchführbar ist. Eine intensive Antibiotikabehandlung mit breitem Spektrum in Kombination mit einem Kortikoidpräparat ist die Therapie der Wahl. Kortikoide wirken stark antiphlogistisch und fördern die Resorption entzündlicher Infiltrate. Gleichzeitig hemmen sie die bindegewebige Abdeckung von Entzündungsherden, so daß die Antibiotika optimal lokal wirksam werden können. Kortikoide dürfen bei entzündlichen Erkrankungen niemals ohne Antibiotika angewandt werden, weil es sonst zu einer ungehemmten Ausbreitung der Infektion kommen kann. Tab. 23 vermittelt einen Überblick über die medikamentösen Behandlungsmöglichkeiten. In unkomplizierten Fällen können die Kortikoide durch Pyrazolonderivate, die einen antiphlogistischen und antipyretischen Effekt haben, ersetzt werden (Butazolidin, Tanderil). Gleichzeitig muß die Scheide lokal saniert werden. Eine Endometritis heilt unter Hormonbehandlung schneller aus (s. o.). Für eine regelmäßige Darmentleerung muß gesorgt werden. Unter dieser Therapie sieht man, selbst bei schon vorhandenen entzündlichen Adnextumoren, erstaunliche Erfolge mit Wiederherstellung der Funktion, die dadurch am besten bewiesen wird, daß die Patientinnen nach überstandener Adnexitis wieder schwanger werden. — Darüber hinaus spielt die physikalische Therapie der Adnexitis eine Rolle, die in einer bestimmten Reihenfolge angewandt wird: bei starken Schmerzen stundenweise Eisblase auf den Bauch, später feuchtwarme Wickel, Fangopackungen, Kurzwellenbehandlungen. Nach überstandener Adnexitis wird ein Kuraufenthalt mit weiteren Fangopackungen und Moorbädern von den Patientinnen angenehm empfunden.

Unspezifische chronische Salpingitis

ÄTIOLOGIE wie oben.

SYMPTOMATIK. Die Patientinnen haben alle das akute Stadium durchlaufen. Viele suchen bei einer nicht lange anhaltenden Schmerzattacke keinen Arzt auf. Sie klagen später über bohrende, wechselnd starke Schmerzen in einer oder beiden Unterbauchseiten. Oft wird der

Tabelle 23 **Medikamentöse Behandlung der bakteriellen Adnexitis**

Medikament	akutes Stadium (parenteral)	subakutes bis chronisches Stadium (oral)	Präparate (Beispiele)	Wirkungsbereich
Penicilline	400—800 000 IE bis zu 20—40 Mega IE pro die	3—6mal 200—400 000 IE pro die	Binotal, Cryptocillin, Stapenor u. a.	Gramnegative und grampositive Kokken, grampositive Bakterien, Spirochäten
Tetracycline	500—1000 mg pro die	4mal 250 mg bis 3mal 500 mg pro die	Aureomycin, Hostacyclin, Ledermycin, Terramycin u. a.	Grampositive und gramnegative Kokken, fast alle gramnegativen Bakterien (auch B. coli), grampositive Bakterien, Anaerobier, Aktinomyzeten, Spirochäten, Leptospiren
Chloramphenicol	1—3 g pro die	3—5mal 250—500 mg pro die	Chloromycetin, Leukomycin, Paraxin u. a.	Grampositive und gramnegative Kokken, gramnegative Bakterien (umfassender als Tetracycline), grampositive Bakterien, Sporenbakterien, Aktinomyzeten, Spirochäten, Leptospiren, „große Viren"
Erythromycin	1—2 g pro die	4—6mal 250—500 mg pro die (nicht über 10 Tage)	Erycinum, Neo-Erycinum	Grampositive und gramnegative Kokken, grampositive Bakterien, Aktinomyzeten
Alle Antibiotika können kombiniert werden mit Glukokortikosteroiden, z. B. Prednisolon.	3—5 Tage 50—80 mg pro die, dann langsame Reduktion, nicht länger als 3 Wochen	15—20 mg pro die, nicht länger als 3—5 Wochen	Decortin-H, Scherisolon, Ultracorten-H	Wirkt stark antiphlogistisch und gewebeauflockernd. Dadurch werden die Antibiotika am Ort der Entzündung stärker wirksam.

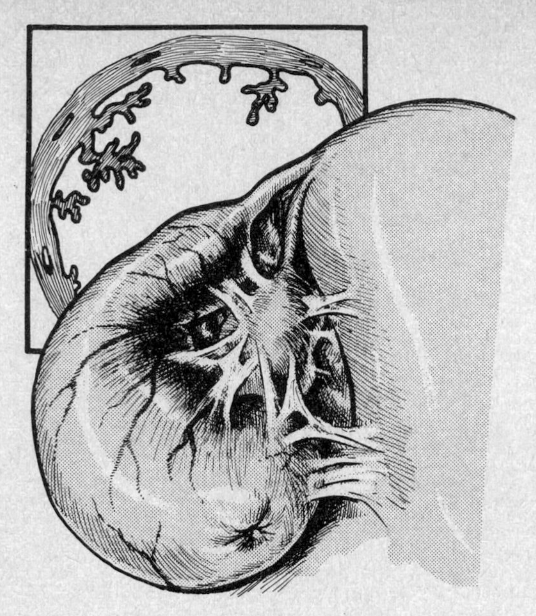

Abb. 108 Zustand nach chronischer Salpingitis. Tube verschlossen, hühnereidick, starke Verwachsungen mit der Umgebung. Im Tubeninneren findet sich kein Eiter, sondern ein wäßriges Sekret (Hydrosalpinx). Histologisch weitgehender Schwund der Tubenschleimhautfalten

Schmerz beim Hinsetzen besonders heftig. Die Schmerzen können in den Oberschenkel ausstrahlen. Der Beginn der Erkrankung ist den Patientinnen oft nicht mehr erinnerlich, so daß anamnestische Erhebungen keine zuverlässigen Hinweise bieten. – Bei der Palpation finden sich deutlich ganz unterschiedlich große ein- oder doppelseitige Adnextumoren, die druckschmerzhaft sind, aber meist ohne Abwehrspannung ertragen werden.

Morphologisch kommt es nach dem Verschluß des uterinen und ampullären Tubenanteils zunächst zu einer sackartigen Erweiterung des Tubenlumens durch Eiter **(Pyosalpinx).** Gelegentlich kann der Eiter hämorrhagisch durchsetzt sein **(Hämatosalpinx,** immer verdächtig auf mischinfizierte EU). Klingt die Entzündung ab, wird der Eiter durch eine seröse Flüssigkeit ersetzt **(Hydrosalpinx).** Wenn die Erweiterung des Tubenlumens längere Zeit besteht, kommt es zu einer Druckatrophie der Tubenschleimhautfalten, so daß nach Eröffnung einer Hydrosalpinx der Tubensack fast glattwandig erscheint (Abb. 108). Fast immer werden während des Entzündungsablaufes nicht nur die Schleimhaut, sondern auch die Tubenwand und die Serosa von entzündlichen Infiltrationen durchsetzt **(Perisalpingitis).** Verwachsungen mit der Umgebung sind die Folge.

DIAGNOSE. Ein- oder doppelseitige druckschmerzhafte Adnextumoren bei Frauen im geschlechtsreifen Alter mit meist stark erhöhter BSG und Leuko- und Lymphozytose des Blutbildes sprechen für einen entzündlichen Adnextumor. Bei einseitigem Befall ist die Differentialdiagnose gegenüber einer abgestorbenen Extrauteringravidität schwierig. Sonst gelten differentialdiagnostisch ähnliche Überlegungen wie bei der akuten Adnexitis.

THERAPIE. Die Behandlung sollte stationär erfolgen. Ein Versuch mit Bettruhe und der Kombination Antibiotika-Kortikoidpräparate sollte in jedem Fall unternommen werden. Auch faustgroße Adnextumoren werden unter dieser Therapie resorbiert und sind später palpatorisch nicht mehr nachweisbar. Die Prognose ist im Hinblick auf die Wiederherstellung der Funktion wesentlich schlechter als im akuten Stadium. — Meist bleibt der ampulläre Teil der Tube verschlossen. Wünscht die Patientin dringend die Wiederherstellung ihrer Fertilität, kann der Versuch einer plastischen Operation (s. S. 144) mit Lösung der Verwachsungen unternommen werden.

Wurde Beschwerdefreiheit mit der resorbierenden Behandlung erreicht, so besteht für die Patientinnen immer die Gefahr des Rezidivs. Einerseits können kleine Infektionsherde im Tubenbereich erneut aufflackern, andererseits sind wiederholte Aszensionen möglich, da es sich häufig um Personen mit schlechter Genitalhygiene handelt (unter Privatpatientinnen ist eine schwere Adnexentzündung recht selten). Jede Menstruation wird zum Gefahrenpunkt, wenn z. B. die Fehlbesiedlung der Scheide mit Mikroorganismen anhält oder rezidiviert. Nach mehreren Rezidiven sind konservative Behandlungsversuche nicht sinnvoll, sondern die operative Entfernung der entzündlich veränderten Tuben ist notwendig. Unter Belassung beider Ovarien werden die Tuben mit dem keiner Funktion mehr dienenden Uterus (Karzinomprophylaxe!) entfernt.

Komplikationen der akuten und chronischen Salpingitis

Übergreifen auf das Ovar (Oophoritis, Perioophoritis, Tubovarialabszeß)

ÄTIOLOGIE. Wenn sich das Fimbrienende der Tube nicht rechtzeitig verschließt, oder die Entzündung die Tubenwand durchwandert, ist ein Übergreifen auf das Ovar möglich. Besonders gefährlich bei Eröffnung der Ovarialrinde zum Zeitpunkt des Eisprunges.

SYMPTOMATIK. Klinisch läßt sich die Mitbeteiligung des Ovars nicht sicher abgrenzen.

Morphologisch kommt es bei einem Übergreifen der Entzündung auf die Ovarialoberfläche (Perioophoritis) zu mehr oder minder starken Verwachsungen zwischen Tube und Ovar, die zu einer Verschlechterung des Eiauffangmechanismus führen. — Wesentlich schwerer wiegt die Ausbildung eines Konglomerattumors zwischen Tube und Ovar mit Ausbildung einer Abszeßhöhle, die von dem ampullären Anteil der Tube einerseits und Ovarialgewebe andererseits (meist alte Follikelhöhle) gebildet wird (Abb. 109). Mit Ausbildung des Abszesses

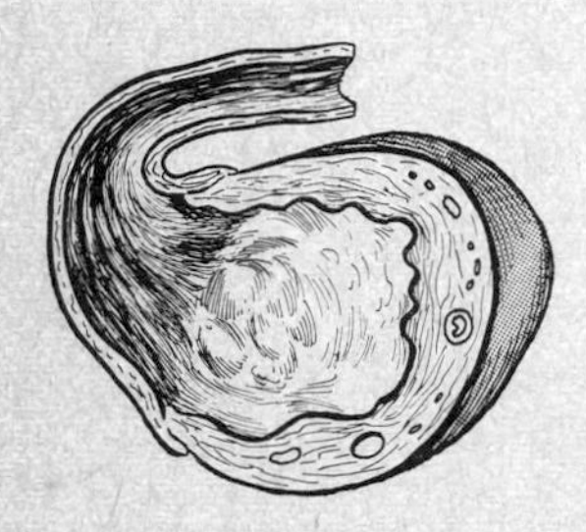

Abb. 109 Tubovarialabszeß. Der ampulläre Tubenanteil und das Ovar bilden eine große Abszeßhöhle. Das Fimbrienende der Tube ist mit dem Ovar untrennbar verwachsen.

kommt es zu intensiven Verwachsungen mit der Umgebung, besonders der Beckenwand, so daß man palpatorisch ein unbewegliches Tumorkonglomerat in der einen Beckenhälfte vorfindet (Abb. 110). Die Einbeziehung des Ureters in das schwielig veränderte Gewebe kann in seltenen Fällen zu Stenosierungen führen.

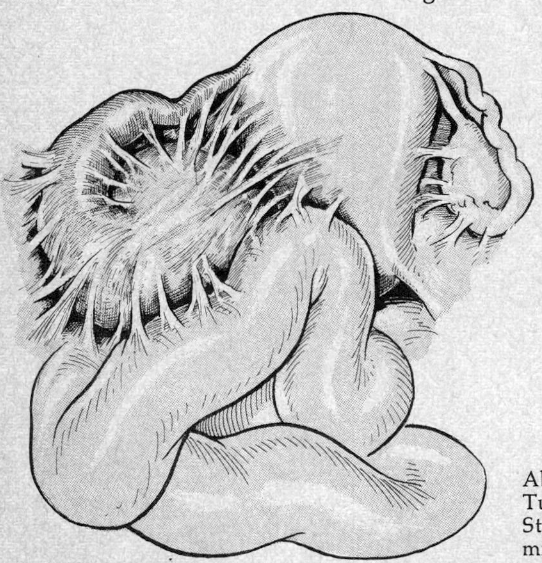

Abb. 110 Tubovarialabszeß. Starke Verwachsungen mit der Umgebung

DIAGNOSE. Es handelt sich um chronisch kranke Frauen in reduziertem Allgemeinzustand. Sie klagen seit langem über starke Unterbauchschmerzen. Die BSG ist meist extrem erhöht, ebenso das Blutbild verändert. Septische Temperaturen wechseln mit fieberfreien Intervallen. Die Ausbreitung einer Sepsis ist wie bei jedem chronischen Infektionsherd zu fürchten. Das Tumorkonglomerat ist unbeweglich, die Untersuchung stark schmerzhaft.

THERAPIE. Operative Entfernung unter massivem Antibiotikaschutz. Gehört zu den schwierigsten gynäkologischen Operationen, da die Trennung von den Nachbarorganen (Rektum, Blase, Ureter, Darm) kompliziert sein kann. Die Operation sollte nur in Fachkliniken ausgeführt werden. Reste des befallenen Ovars sind kaum zu erhalten.

Douglasabszeß

ÄTIOLOGIE. Während einer akuten oder chronischen Adnexitis kann es zu einer Durchwanderung der Infektion in das kleine Becken kommen und zu einer Ansammlung von eitrigem Exsudat im DOUGLASschen Raum; eine plötzliche Perforation einer Pyosalpinx ist möglich (Vorsicht bei der Tastuntersuchung).

SYMPTOMATIK. Alle Zeichen einer chronischen Unterbauchentzündung mit akutem Schub. Bei der Spekulumuntersuchung wölbt sich der obere Anteil der hinteren Scheidenwand vor. Die Betastung ist extrem schmerzhaft. Oft läßt sich das innere Genitale aus einem großen Konglomerattumor nicht palpatorisch trennen. Nicht selten überragt der obere Pol dieses Konglomerattumors das kleine Becken. Ist der Abszeß „reif", läßt sich eine deutliche Fluktuation im hinteren Scheidengewölbe nachweisen. Die Abdeckung des Douglasabszesses nach oben wird durch Dünndarm erreicht. Der Abszeß engt auch das Lumen des Rektums ein, so daß die Defäkation sehr schmerzhaft wird. Es wurden Spontanperforationen ins Rektum beobachtet, wobei sich große Eitermengen aus dem Anus entleerten.

DIAGNOSE. Wird durch die Symptomatik gegeben. Die kombinierte rektovaginale Palpationsuntersuchung ist für die Diagnostik des Douglasabszesses sehr aufschlußreich. Das Rektum wird deutlich eingeengt. Der Uterus ist so gegen die Symphyse gedrängt, daß man ihn palpatorisch kaum erfassen kann. Bei der Spekulumuntersuchung gelingt es manchmal nicht, die Portio einzustellen. Die Abgrenzung gegenüber einer Extrauteringravidität mit einer Blutung in den DOUGLASschen Raum ist durch den Verlauf gekennzeichnet: Douglasabszeß: langer Verlauf, schlechter Allgemeinzustand, hohe BSG, Linksverschiebung im Blutbild, Fieber, keine Kollapsneigung; Extrauteringravidität: plötzlicher Beginn, kein Fieber, keine erhöhte BSG, ausgeprägte Kollapsneigung.

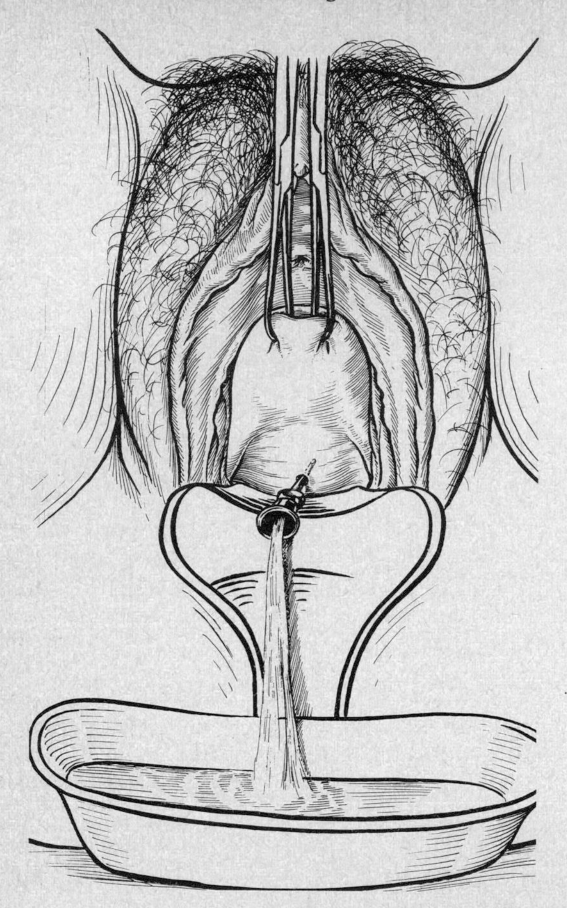

Abb. 111 Punktion eines DOUGLASschen Abszesses. Die Portio wird mit Kugelzangen nach vorn gezogen. Die Punktionskanüle durchsticht den sich vorwölbenden DOUGLASschen Raum. Eiter fließt ab (s. auch Abb. 99)

Die Diagnose wird gestellt mit der gleichzeitigen Einleitung der Therapie: Punktion des vorgewölbten DOUGLASschen Raumes vom hinteren Scheidengewölbe aus mit einer dicken, stumpfen Kanüle (Abb. 111).

THERAPIE. Fließt bei der Douglaspunktion Eiter ab, so impft man für die bakteriologische Untersuchung mit Resistenzbestimmung ab und leitet eine allgemeine antibiotische Therapie ein. Der Eiter wird so weit wie möglich abgelassen, wobei sich der Konglomerattumor wesentlich verkleinert. Dann erweitert man die Inzisionswunde scharf mit einem Skalpell, so daß ein T-Drain eingeführt werden kann. Der Drain muß bis zur Heilung liegen bleiben. Spülungen mit antibiotikahaltigen Lösungen fördern die Säuberung. Heilt die Entzündung aus, bleiben Verwachsungen im Unterbauch zurück.

Diffuse Peritonitis

ÄTIOLOGIE. Durch die offene Kommunikation der Tube mit dem Bauchraum ist es nicht ausgeschlossen, daß sich bei besonderer Virulenz der Infektion eine diffuse Peritonitis entwickelt. Eine Gefahr soll auch dann bestehen, wenn bei einer Eiteransammlung in den Tuben zu brüsk untersucht wird und sich der Eiter aus dem noch nicht fest verklebten Fimbrienende in die freie Bauchhöhle entleert.

SYMPTOMATIK. Schmerzen nicht auf den Unterbauch beschränkt. Zunehmende Stuhlentleerungsstörungen mit Blähung der Darmschlingen. Trockene, belegte Zunge, Erbrechen, diffuse Abwehrspannung über dem ganzen Abdomen, Verschlechterung des Allgemeinzustandes.

DIAGNOSE. Ergibt sich aus der Symptomatik. Mit der Ausbildung einer diffusen Peritonitis wird es schwieriger, die Ursache der Infektion zu erfassen. Differentialdiagnostisch kommen Perforationen des Magen-Darm-Traktes, der Gallenblase, eine Pankreatitis u. a. in Frage. Oft kann nur eine Laparotomie die Situation klären.

THERAPIE. Möglichst konservativ mit Breitbandantibiotika. Besondere Sorgfalt sollte auf die Darmentleerung gelegt werden. Diffuse, therapeutisch schwer zu beeinflussende Bauchfellentzündungen mit lebensbedrohlichem Ausgang sind selten, meist handelt es sich um Folgen von Abtreibungsversuchen.

Parametritis und parametraner Abszeß

ÄTIOLOGIE. Fast immer ist eine Wandverletzung des Uterus im zervikalen oder isthmischen Bereich vorausgegangen. In Frage kommen inkomplette Risse bei Geburten oder Fehlgeburten oder ein unbeabsichtigtes Aufreißen der Zervixwand durch HEGAR-Stifte, wenn zu schnell dilatiert wurde. Die gleiche Möglichkeit besteht bei kompletten oder inkompletten Perforationen mit Instrumenten (Kürette, Sonde, Intrauterinspirale, spitze Gegenstände bei Abtreibungsversuchen), wenn ein falscher Weg bei anteflektiertem oder retroflektiertem Uterus gebohrt wurde. Eine entzündliche Durchwanderung der unversehrten Zervixwand in das Parametrium dürfte praktisch kaum vorkommen. Das parametrane entzündliche Infiltrat bzw. der Abszeß kann eine Komplikation von operativen und strahlentherapeutischen gynäkologischen Eingriffen sein. Nicht zuletzt besteht häufig beim nachgewiesenen Zervixkarzinom eine entzündliche Infiltration des parametranen Gewebes.

SYMPTOMATIK. Meist einseitig empfundene, tiefsitzende bohrende Schmerzen, die in das Gesäß und in die Oberschenkel ausstrahlen, Fieber, BSG-Erhöhung, Leukozytose.

DIAGNOSE. Palpatorisch schmerzhaftes keilförmiges Infiltrat zwischen seitlicher Zervixwand und Beckenwand, welches den Uterus einseitig verdrängt, ihn starr und unbeweglich macht. Die breite Fixierung mit der Beckenwand ist das differentialdiagnostisch wichtigste Zeichen gegenüber Adnexprozessen entzündlicher Art, bei denen meist an der Beckenwand eine freie Zone tastbar ist. Die phlegmonöse Ausbreitung braucht nicht nur lateral lokalisiert zu sein, sondern kann den vorderen und hinteren Anteil des parametranen Halteapparates erfassen. In praxi ist die Unterscheidung nicht wesentlich. Eine räumliche Vorstellung über die Ausdehnung der Infiltration gewinnt man erst bei einer Untersuchung in Narkose. Die Ausbildung eines Abszesses ist möglich (Abb. 112). Eine retroperitoneale Ausbreitung des Eiters bis zum Nierenlager oder durch den Leistenkanal wird bei schwersten Verlaufsformen beschrieben.

THERAPIE. Antibiotisch, resorptiv. Bei Fluktuation mit Vorwölbung in die Scheide Punktion und Eiterentleerung.

Parametropathia spastica

Der parametrane Aufhängeapparat des Uterus besteht aus Bindegewebe und glatten Muskelfasern. Vorwiegend psychisch bedingt, kann es zu chronischen Kontraktionen der glatten Muskulatur kommen. In den meisten Fällen liegt keine entzündliche Infiltration des Parametriums vor. – Die Bewegungen des inneren Genitale werden schmerzhaft empfunden. Besonders betroffen sind die Ligg. sacrouterina. Die Behandlung ist überwiegend psychotherapeutisch (s. S. 126).

Zusammenfassung: Unspezifische entzündliche Erkrankungen des inneren Genitale sind sehr häufig. Ausgangspunkt ist meist die Fehlbesiedelung der Scheide mit Mikroorganismen, welche in jedem Lebensalter, aber vorwiegend bei geschlechtsreifen Frauen vorkommt. Vor der Pubertät ist eine Aszension nicht zu fürchten. Mit dem Eintritt von Menstruationen und Fortpflanzungsvorgängen wird die Möglichkeit der aszendierenden Infektion im Genitalschlauch wesentlich häufiger. Erlischt die generative Funktion, werden entzündliche Veränderungen des inneren Genitale wieder seltener. – Eine Normalisierung der Scheidenflora sollte in jedem Fall angestrebt werden. Belehrungen über die Sexualhygiene, die den Partner einbeziehen, sind zur Verhinderung von Rezidiven wichtig. Die Zervizitis heilt oft aus, wenn eine Döderleinsche Vaginalflora wiederhergestellt wurde. – Die Endometritis tritt vorwiegend post abortum oder post partum auf. Sie neigt zur Selbstheilung auf Grund der zyklischen Abstoßung

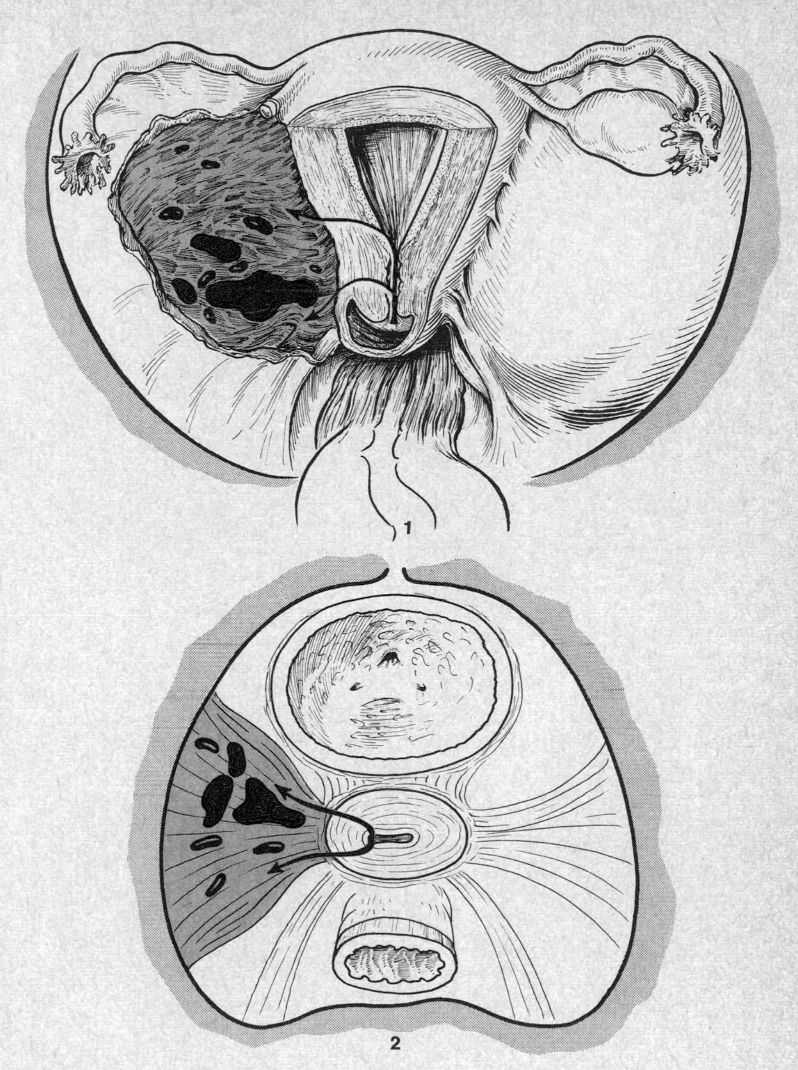

Abb. 112 Parametritis mit Abszeßbildung.

1. Ansicht von hinten, links ist das Paragewebe eröffnet, rechts die Vorwölbung des hinteren Blattes des Lig. latum gezeigt (aus didaktischen Gründen, die Parametritis kommt meist nur einseitig vor).

2. Ausbreitung der Parametritis mit Abszeßbildung in der Ansicht von oben. Es wird vorwiegend der Bereich des Lig. cardinale betroffen (nach NETTER)

des Endometriums. Die Salpingitis ist in ihrem akuten und chronischen Stadium immer mit der Gefahr eines Fertilitätsverlustes verbunden. Als Komplikationen sind der Tubovarialabszeß, der Douglasabszeß, die diffuse Peritonitis und die Sepsis zu befürchten. – Entzündliche Veränderungen im Beckenbindegewebe (Parametritis) mit Abszedierungen kommen nach traumatischen Wandverletzungen im Zervix- und Isthmusbereich des Uterus und als Begleiterscheinung des Zervixkarzinoms vor. Bei der Parametropathia spastica kommt es vorwiegend psychogen zu einer Kontraktur der glatten Muskulatur im Parametrium.

Geschlechtskrankheiten (venerische Infektionen)

1953 wurde das Bundesgesetz zur Bekämpfung von Geschlechtskrankheiten erlassen. Geschlechtskrankheiten im Sinne des Gesetzes sind nach § 1:

1. Syphilis (Lues)
2. Gonorrhoe (Tripper)
3. Ulcus molle (weicher Schanker s. S. 294)
4. Lymphogranuloma inguinale (venerische Lymphknotenentzündung s. S. 294)

Die beiden letztgenannten Erkrankungen spielen in Europa praktisch keine Rolle. Die Syphilis und Gonorrhoe waren nach Beendigung des 2. Weltkrieges sehr verbreitet. Mit der Penicillintherapie sank die Häufigkeit stark ab, so daß Optimisten bereits mit dem Verschwinden der Geschlechtskrankheiten rechneten. Die Syphilis war 30mal und die Gonorrhoe 3mal seltener als vor dem Kriege. Offenbar unter diesem Eindruck wurde die Meldepflicht für Geschlechtskrankheiten 1953 liberalisiert.

Nach § 12 hat der behandelnde Arzt nur dann namentliche Meldung Geschlechtskranker an das zuständige Gesundheitsamt zu erstatten, wenn folgende Umstände eine erfolgreiche Behandlung in Frage stellen:

1. Bei Verweigerung der Behandlung oder deren Fortsetzung, deren Unterbrechung ohne triftigen Grund sowie Nichteinhaltung der Nachkontrolle.
2. Sofern durch die Lebensweise oder die Lebensumstände eine ernste Gefahr der Übertragung auf andere besteht.
3. Wenn offensichtlich falsche Angaben über die Ansteckungsquelle oder die durch den Kranken gefährdeten Personen gemacht werden (nach § 13 ist der Arzt verpflichtet, alle Glieder der Infektionsquelle auszumachen).
4. Wenn es sich um Jugendliche handelt, die das 18. Lebensjahr noch nicht vollendet haben und sittlich gefährdet erscheinen. Die Meldung kann jedoch unterlassen werden, wenn der Arzt nach Beratung mit den Eltern, Erziehungsberechtigten oder dem gesetzlichen Vertreter die Überzeugung gewonnen hat, daß diese die Gewähr für eine ordnungsgemäße Behandlung und Betreuung der Jugendlichen übernehmen.

Nach §§ 17—19 des Gesetzes kann dann durch entsprechende Maßnahmen, wie zwangsweise Vorführung und Einweisung in ein Krankenhaus, die Befolgung der gesetzgeberischen Absichten sichergestellt werden.

Seit Mitte der 50er Jahre wird in den USA und in Europa eine erneute Zunahme der Erkrankungen beobachtet, die vor allem jüngere Altersklassen betrifft. Im letzten Jahrzehnt wird eine Steigerung von rund 250% in jugendlichen Altersgruppen mitgeteilt. Genaue Zahlen aus dem Bundesgebiet fehlen, da keine generelle Meldepflicht besteht. Es dürfte jedoch auch hier der gleiche Trend vorhanden sein wie in anderen Ländern, so daß beide Erkrankungen, Lues und Gonorrhoe, ernst genommen und in ihrer Häufigkeit nicht unterschätzt werden dürfen. Der Gynäkologe und Geburtshelfer ist verpflichtet, routinemäßig mit diagnostischen Methoden beiden Erkrankungen nachzuspüren. Diagnostik und Therapie der Geschlechtskrankheiten werden ebenso von den Dermatologen durchgeführt, zumal in deren Hand die Betreuung des männlichen Partners liegt. Es ist aber oft der Gynäkologe, der die Erkrankung diagnostiziert.

Gonorrhoe (Tripper)

ÄTIOLOGIE. Die Gonorrhoe wird durch den von Neisser 1879 entdeckten Gonokokkus hervorgerufen. Es handelt sich um einen Diplokokkus von typischer Semmelform, der als Schleimhautparasit lebt. Er dringt in intakte Schleimhäute ein und vermehrt sich intra- und subepithelial unter partieller Zerstörung der Mukosa mit einer entzündlichen Gegenreaktion des Wirtsorganismus. Der Gonokokkus bevorzugt sekretorisches Epithel, er siedelt nicht oder nur unter bestimmten Bedingungen auf Plattenepithel. Die Gonokokkeninfektion wird oft durch unspezifische Eiterkeime maskiert, welche deren Erkennung erschwert. Die Übertragung erfolgt durch den Geschlechtsverkehr. Nur in Ausnahmefällen ist eine Übertragung durch die gemeinsame Benutzung von Waschlappen usw. glaubhaft.

SYMPTOMATIK. Der an Gonorrhoe erkrankte Mann leidet unter gonokokkenhaltigem eitrigem Ausfluß. Das Ejakulat ist von Gonokokken durchsetzt. Beim Geschlechtsverkehr kommen die Vulva, die Vagina und die Portiooberfläche mit dem infektiösen Sekret in Berührung. Die Gonokokken können sich in der Urethralöffnung, den Ausführungsgängen der Bartholinschen Drüsen, der Zervixschleimhaut und im Rektum ansiedeln (Abb. 113). Die intakte Haut der Vulva, das leicht verhornende Plattenepithel des Vestibulums und das nicht verhornende Plattenepithel der Vagina der geschlechtsreifen Frau bleiben davon verschont. Bei der Infektion kann auch nur ein Prädilektionsort befallen werden. Ähnlich den unspezifischen entzündlichen Genitalerkrankungen bietet der innere Muttermund für die Gonokokken eine Schranke, so daß sich zunächst eine sog. „untere Gonorrhoe" entwickelt. Bei einer gonorrhoischen Infektion kommt es durch

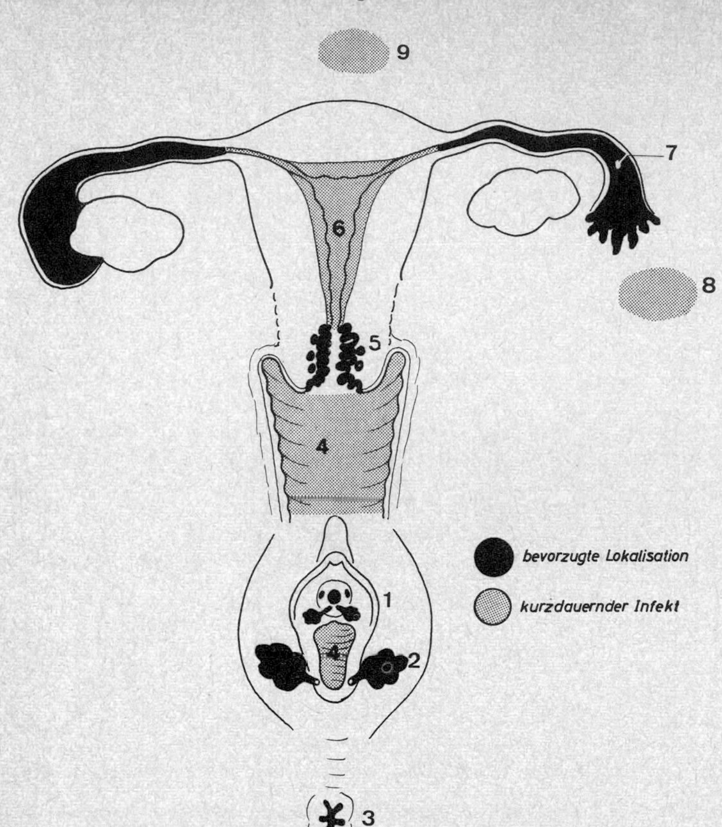

Abb. 113 Lokalisation der gonorrhoischen Infektion. 1. Urethra mit Paraurethraldrüsen und Skeneschen Drüsen, 2. Bartholinsche Drüsen, 3. Rektumschleimhaut, 4. Vaginalschleimhaut, 5. Zervixdrüsen, 6. Endometrium, 7. Tubenschleimhaut, 8. Beckenperitoneum, 9. Peritoneum des freien Abdomens

physiologische Ereignisse (Menstruation, Abort, Geburt) oder durch intrauterine Eingriffe schnell zu einer Aszension und Ausprägung einer „oberen Gonorrhoe".

Hat sich die Patientin mit dem Gonokokkus infiziert, so spürt sie wenige Stunden nach dem Verkehr auf Grund der entzündlichen Reaktion der Urethralschleimhaut und der Paraurethraldrüsen ein Brennen beim Wasserlassen. Wurde nur die Zervix infiziert oder zusätzlich infiziert, so tritt wenige Tage nach dem Infekt eitriger Fluor auf, der oft von einer grün-gelblichen Farbe ist. Der austretende Eiter infiziert wiederum die Schleimhaut der Urethra und der BARTHOLINschen Drüsen, so daß auch dann ein Brennen beim Wasserlassen als wichtigstes Symptom empfunden und angegeben wird. Bei der frischen Gonorrhoe findet sich zu 95 % eine Infektion der Urethra, zu 80 % der Zervixdrüsen, zu 20 % der BARTHOLINschen Drüsen und, was oft nicht beachtet wird, zu 10 % der Rektumschleimhaut. Übersieht die Patientin die ersten Symptome, so droht die Gefahr eines tieferen Eindringens der Infektion. Diese besteht in der gonorrhoischen Bartholinitis, die immer zur eitrigen Einschmelzung führt, sowie in der Aszension und Ausbildung einer „oberen Gonorrhoe". Jede Menstruation bringt für die an Gonorrhoe erkrankte Frau die Gefahr der **Aszension** mit sich. Die Gonokokken verursachen eine flüchtige, nur die oberflächlichen Schleimhautpartien ergreifende **Endometritis gonorrhoica** (welche bald abgestoßen wird) und gelangen rasch in die Tuben, wo sie eine akute, mit heftigen Schmerzen einhergehende **Salpingitis gonorrhoica** erzeugen. Die Patientin erkrankt plötzlich mit heftigen Unterbauchschmerzen, hohem Fieber, Abwehrspannung im Unterleib, Stuhlverhaltung und flüchtigen peritonealen Symptomen. Typisch für die Gonorrhoe ist jedoch, daß dieser schwere Krankheitszustand relativ schnell vorübergeht, weil sich die Tubenenden gegen den Bauchraum meist rechtzeitig verschließen, so daß die **Peritonitis gonorrhoica** selten ist. Durch eine Mischinfektion kommt es bald zur Ausbildung einer Pyosalpinx, die in ihrer Symptomatik weder im klinischen Erscheinungsbild noch in der Morphologie von der unspezifischen Salpingitis abweicht. Die Entwicklung eines Tubovarialabszesses ist, wie bei der unspezifischen Adnexentzündung, möglich.

Bei der Infektion von Kindern und postmenopausalen Frauen entsteht eine Infektion der Vagina, da der Gonokokkus in das aus wenigen Zellagen bestehende atrophische Plattenepithel einzudringen vermag. Es entwickelt sich das Bild der **Vaginitis gonorrhoica infantum** oder **Vaginitis gonorrhoica senilis.** – Bei Kindern wird die Mutter aufmerksam, wenn diese über Schmerzen beim Wasserlassen klagen und grüngelber Ausfluß im Höschen nachweisbar ist. – Alte Frauen bemerken plötzlich auftretenden eitrigen Ausfluß und Brennen beim Wasserlassen.

Besteht seit längerer Zeit ein gonorrhoisch infizierter Fluor, so ist, wie auch beim mischinfizierten Fluor, die Ausbildung von **spitzen Kondylomen** (s. S. 335) im Bereich der Vulva und Vagina bis zur Portiooberfläche möglich.

Eine große Gefahr stellt der gonorrhoisch infizierte Geburtskanal für den Fetus dar, da das Kind während der Geburt mit den infektiösen Sekreten in Berührung kommt. Besonders gefährdet sind die Augen des Kindes, da der Gonokokkus zu einer schweren, die Hornhaut des

Auges zerstörenden, Konjunktivitis führt. In früheren Zeiten war die **Conjunctivitis gonorrhoica** die häufigste Ursache der Blindheit. Daher hat der Gesetzgeber die CREDÉsche Augenprophylaxe Hebammen und Geburtshelfern zur Pflicht gemacht (Einträufeln von 1%iger Silbernitratlösung in beide Augen jedes neugeborenen Kindes).

DIAGNOSE. Patientinnen sprechen selten ihre Befürchtung, geschlechtskrank zu sein aus, sondern warten den Gang der Untersuchung ab. Viele Frauen werden auch, wegen der Flüchtigkeit der ersten Symptome, nicht auf die Idee einer gonorrhoischen Infektion kommen. Bei der anamnestischen Erhebung sollte die Frage nach Brennen beim Wasserlassen nicht fehlen. Die Inspektion des äußeren Genitale zeigt oft eine periurethrale sowie u. U. eine punktförmige Rötung an den Ausführungsgängen der BARTHOLINschen Drüsen. Aus der Urethra kann eitriges Sekret austreten, oder es ist mit einem Finger beim Ausstreichen der Urethra ausdrückbar. In der Scheide findet sich meist viel Fluor, der in typischen Fällen grüngelb erscheint. Aus der Zervix rinnt der gleiche Eiter. Eine Erythroplakie ist fast immer dunkelrot verfärbt.

Mit einem sterilen Wattestäbchen oder mit einer Platinöse wird Sekret aus der Urethra und der Zervix entnommen und mit Methylenblau sowie nach GRAM gefärbt (Abb. 65).

Die Fahndung nach Gonokokken mit der Abstrichmethode hat eine relativ hohe Versagerquote. Oft sind die Gonokokken tief in Schleimhautfalten der Urethra, in den Paraurethraldrüsen oder im Zervixdrüsenfeld versteckt, so daß man mit dem abstreichenden Instrument nicht herankommt. Wiederholte Abstriche erhöhen die Treffsicherheit. — Provokatorische Maßnahmen verfolgen das Ziel, die Gonokokken aus ihren Schlupfwinkeln an die Schleimhautoberfläche zu locken. Dies ist aber mit dem Nachteil verbunden, daß der Beginn einer Behandlung verzögert wird und die Provokationen nicht ganz ungefährlich wegen der drohenden aszendierenden Infektion sind.

Beispiele zur Provokation des Gonokokkennachweises, nicht nur zur Erstdiagnose, sondern auch zum Nachweis des Behandlungserfolges: 1. Thermisch: Kurzwellen-Diathermie, 5mal in 10 Tagen ansteigend je 10—20 Min.; 2. Vakzinatorisch: mit Gono-Yatren (Hoechst) $1/2$ Ampulle = 1 cm^3, danach kurzfristige Fieberreaktion; 3. Chemisch: Injektion von 1:10 verdünnter LUGOLscher Lösung in die Harnröhre (nicht in der Zervix anwenden) für 2 Min. — Besteht der Verdacht auf eine Gonorrhoe, die sich zunächst nicht nachweisen läßt, so ist die beste Chance des Gonokokkennachweises 1—2 Tage nach der nächsten Periode.

Finden sich intrazelluläre gramnegative Diplokokken in der typischen Semmelform, so ist die Diagnose „Gonorrhoe" höchstwahrscheinlich (s. S. 214). Es gibt jedoch eine zu den Myxobakterien gehörende Keimgruppe (sog. Mimea-Gruppe), die morphologisch nicht von den NEISSERschen Gonokokken unterschieden werden kann. Dies ist nur möglich durch die Prüfung des biologischen Verhaltens auf verschiedenen Nährböden, wozu die Mitarbeit eines bakteriologischen Institutes erforderlich ist. Dieser zusätzliche Aufwand sollte aus zwei Gründen in Kauf genommen werden: Einerseits sollte die schwerwiegende und oft menschliche Tragödien hervorrufende Diagnose wirklich bis ins letzte gesichert sein. Andererseits sprechen die Bakterien der Mimea-Gruppe oft nicht auf Penicillin an (viele sog. penicillinresistente Gonorrhoe-Fälle dürften in Wirklichkeit durch Mimea verursacht sein). — Besteht bereits eine chronische Gonorrhoe mit Adnexentzündungen, so ist der Gonokokkus durch die vorhandene Mischinfektion schwer nachweisbar. Dann muß durch eine bakteriologische Analyse und Resistenzbestimmung der Keime zuerst die Begleitflora ausgeschaltet werden, ehe die Gonorrhoe diagnostiziert werden kann.

Da bei einer gonorrhoischen Infektion keine Immunität entsteht, sind serologisch keine Abwehrstoffe nachweisbar, die zur Diagnostik herangezogen werden könnten. Eine Komplementbindungsreaktion kann jedoch zur Sicherung der Diagnose bei unklaren Adnexprozessen Aufschlüsse geben.

THERAPIE. Die Behandlung der Gonorrhoe war früher eine Qual, da sie mit lokalen Ätzungen in Verbindung mit künstlich erzeugtem Fieber den Erkrankten sehr tangierten. Sulfonamide erzielten anfangs sehr gute Erfolge, es bildeten sich aber rasch sulfonamidresistente Stämme. Mit der Entdeckung des Penicillins schien die gonorrhoische Infektion gebannt. Seit 1961 wird aber eine zunehmende Unempfindlichkeit der Gonokokken gegenüber Penicillin beobachtet. Seither mußte die Dosierung um eine Zehnerpotenz gesteigert werden. Eine echte Penicillinresistenz wird bisher bezweifelt. Sie kann vorgetäuscht werden durch die Infektion mit der Mimea-Gruppe, durch eine Superinfektion mit penicillinasebildenden Bakterien (Staphylokokken, Streptokokken, B. coli, Pseudomonas aeruginosa, Proteus vulgaris) oder bei der Phagozytose von Gonokokken durch mesenchymale Zellen (Fibroblasten).

Die akute unkomplizierte Gonorrhoe der Frau wird heute mit 10 Mega IE Depot-Penicillin (pro die 1 Mega i. m.) behandelt. Durch diese hohe Dosierung saniert man eine gleichzeitig erworbene, noch nicht diagnostizierbare **luetische** Infektion. — Besteht bei der Erkrankten eine Penicillinüberempfindlichkeit, so behandelt man mit Tetracyclinen oder Chloramphenicol (1 g/die, mindestens 1 Woche lang, bei aufsteigender Gonorrhoe 10—14 Tg.), wobei mit einer Versagerquote von 1—2 % zu rechnen ist.

Für die komplizierte Gonorrhoe werden z. Z. bereits 20 Mega Penicillin verteilt auf wenige Tage empfohlen (z. B. Liquocillin, 1 Amp. enthält 4 Mega). Die Behandlung mischinfizierter Adnextumoren nach der Penicillintherapie s. S. 309.

Nach Abschluß der Behandlung sollten mehrere Abstrichkontrollen ein negatives Ergebnis bringen. Man wählt dazu den Zeitpunkt nach der Menstruation, weil dann versteckte Gonokokken oft wieder nachweisbar werden. Die früher üblichen provokatorischen Maßnahmen sind bei einer hochdosierten Penicillinbehandlung nicht unbedingt erforderlich.

Syphilis (Lues)

ÄTIOLOGIE. Der Erreger der Syphilis ist eine 1905 von SCHAUDIN und HOFMANN entdeckte Spirochäte (Treponema pallidum). Die Spirochäte dringt in kleinste Haut- oder Schleimhautläsionen ein, ist aber nicht imstande, intakte Epitheloberflächen zu überwinden. Die Infektion kommt zustande durch die Berührung mit luetischen, spirochätenhaltigen Effloreszenzen oder – bei ärztlichem Personal – mit spirochätenhaltigem Blut. Der häufigste Übertragungsmodus ist der Geschlechtsverkehr. Durch die Bewegungen beim Koitus kommt es beim gesunden Partner zu kleinsten Epithelläsionen, in die die Spirochäten aus nässenden Papeln (Primäraffekt oder Papeln der Lues II) des erkrankten Partners eindringen. Ferner durchwandern die Spirochäten die Plazentaschranke mühelos und infizieren den Feten, der intrauterin absterben oder schwer erkrankt zur Welt kommen kann.

SYMPTOMATIK. Etwa drei Wochen nach dem infizierenden Kontakt kommt es an der Stelle des Spirochäteneintritts zu einem harten, indolenten Geschwür (Primäraffekt, harter Schanker, Ulcus durum) mit aufgeworfenen Rändern, welches zentral etwas eingesunken ist. Die Oberfläche näßt meist. Bevorzugte Lokalisationen sind die Vulva (s. S. 296; Abb. 105), das hintere Scheidengewölbe oder die Portiooberfläche. Gleichzeitig schwellen die inguinalen Lymphknoten erheblich an (bis zu Kastaniengröße). Sie sind auffallend hart und indolent. Extragenitale Primäraffekte sind nicht selten (Lippen, Zunge, Tonsillen, Nabel, Mamillen, Finger, Anus). Bei aufeinanderliegenden Schleimhautoberflächen (kleine Labien, Scheide) kommen Abklatschulzera vor. Die Seroreaktionen werden im ersten Stadium der Syphilis (Lues I) in der 3.–5. Woche positiv (WASSERMANNsche Reaktion). – Von dem Granulom des Primäraffektes dringen die Spirochäten ins Blut ein. Etwa in der 9. Woche nach der Erstinfektion ist mit den Symptomen der Lues II zu rechnen. Es treten papulomatöse Exantheme am Stamm und in den Schenkelbeugen auf. An der Vulva, in der Scheide und auf der Portiooberfläche entwickeln sich multiple breite Kondylome (Condylomata lata; Abb. 105). Die syphilitischen Papeln nässen und sind hochinfektiös. – Patientinnen mit den Symptomen einer Lues III sieht der Gynäkologe nicht oft. Im Bereich des äußeren und inneren Genitale können Gummata auftreten. Es handelt sich um kirsch- bis pflaumengroße, runde, zentral erweichte Granulome, oft mit ulzerierter Oberfläche, die von einem Karzinom makroskopisch schwer zu unterscheiden sind. Die neurologische Symptomatik der Lues III muß in den entsprechenden Lehrbüchern nachgelesen werden. Die Seroreaktionen sind bereits im sekundären Stadium der Lues alle positiv. Über die Symptomatik der konnatalen Lues s. Lehrbücher für Pädiatrie.

DIAGNOSE. Harte Geschwüre mit inguinaler Lymphknotenschwellung sind für einen luetischen Primäraffekt sehr verdächtig. Die Diagnose wird durch den Dunkelfeldnachweis der Spirochaeta pallida gesichert. Dabei schabt man mit einem Holzspatel Sekret von der Oberfläche des Granuloms und betrachtet das ungefärbte Sekret im Dunkelfeld. Die lebhaft sich bewegenden Spirochäten sind gut erkennbar. – Gleiches gilt für die Papeln der Lues II. Das Ergebnis der Seroreaktionen vervollständigt die Diagnose. Der Gynäkologe wird mit den sichtbaren Stadien der Lues I und Lues II konfrontiert. Hier ist die Diagnose relativ einfach, wenn an die Möglichkeit einer luetischen Infektion gedacht wird. Man muß aber damit rechnen, einer Patientin mit einer floriden Syphilis während eines symptomlosen Intervalls zu begegnen, welches besonders in graviditate für den Feten verhängnisvoll wird. Daher muß zu jeder Schwangerenuntersuchung die Überprüfung aller Seroreaktionen gehören.

THERAPIE. Auch die Syphilis wird mit Penicillin erfolgreich behandelt. Man sollte die Therapie den Dermatologen überlassen, da die Behandlungsform dem Abfall des quantitativen serologischen Titers angepaßt wird. Zur Orientierung sei auf Tabelle 24 verwiesen.

Zusammenfassung: In Europa kommen als Geschlechtskrankheiten vorwiegend die Gonorrhoe und die Syphilis vor. Trotz der Penicillintherapie nehmen beide Erkrankungen besonders in den jugendlichen Altersgruppen zu. Der Erreger der Gonorrhoe (Diplococcus Neisseria) dringt in intakte sekretorische Schleimhäute ein. Bei der Frau ist die Gefahr der Aszension in die Tuben mit nachfolgender Sterilität gegeben. Im Geburtskanal können die Augen des Kindes infiziert werden. Die Diagnose erfolgt aus dem Abstrich mit Nachweis des gramnegativen Diplokokkus, u. U. mit Überprüfung des biologischen Verhaltens auf Nährböden, um eine Verwechslung mit den Bakterien der sog. Mimea-Gruppe auszuschließen. Im letzten Jahrzehnt mußte die Dosierung der Penicillintherapie um mehr als eine 10er Potenz gesteigert werden. Eine

Tabelle 24

Lues I seronegativa:	Kur zu 15 Mill. IE Penicillin, tgl. 1 Mill. IE
Lues I seropositiva und Lues II:	Drei Kuren zu 15 Mill. IE, mit 3- bis 4wöchentlichem Intervall zwischen den Kuren
Lues latens, Lues III, und Lues congenita	5 Kuren wie oben, 1–2 Monate Intervall zwischen den Kuren

echte Penicillinresistenz wird für Gonokokken bezweifelt. – Die Syphilis wird durch die Spirochaeta pallida hervorgerufen. Es handelt sich um eine chronische, in drei Stadien ablaufende Erkrankung. In der gynäkologischen Sprechstunde wird man vorwiegend mit dem Primäraffekt der Lues I und den papulomatösen Exanthemen und breiten Kondylomen der Lues II konfrontiert. Die Diagnose gelingt aus dem Nachweis der Spirochäten im Dunkelfeld und dem Ergebnis der Seroreaktionen. Bei allen Schwangeren muß die routinemäßige Überprüfung der Seroreaktionen eine symptomlose Lues ausschließen. Die Therapie besteht in hohen Penicillindosen.

Genitaltuberkulose

ÄTIOLOGIE. Die Genitaltuberkulose entsteht vorwiegend durch die hämatogene Streuung der säurefesten KOCHschen Bakterien aus einem Primärherd. Der tuberkulöse Primärherd ist am häufigsten in der Lunge, den Hiluslymphknoten oder im Darm lokalisiert. Vielfach geht die Erstinfektion ohne erkennbare Krankheitszeichen vorüber, so daß sich aus der Anamnese kein Anhaltspunkt gewinnen läßt. Eine hämatogene Streuung ist aber wahrscheinlicher, wenn eine Tuberkuloseerkrankung mit klinischen Erscheinungen (Lungentuberkulose, Pleuritis exsudativa, tuberkulöse Peritonitis) vorausgegangen ist. Angaben über tuberkulöse Vorerkrankungen sind daher für die Beurteilung des Genitalbefundes wichtig.

Die Häufigkeit der Genitaltuberkulose geht mit der tuberkulösen Durchseuchung ganzer Bevölkerungsgruppen parallel. Diese ist abhängig vom Lebensstandard mit ausreichendem Nahrungsangebot und einer gut organisierten Tuberkulosevor- bzw. -fürsorge. Die Tuberkulose hat in Deutschland im letzten Jahrzehnt ständig abgenommen. Dank der wirksamen Tuberkulosebekämpfung verschiebt sich der Zeitpunkt der Erstinfektion von der Kindheit in das Erwachsenenalter, so daß sich auch das Erkrankungsalter der Genitaltuberkulose von der Spätpubertät in das 3.–4. Lebensjahrzehnt verschiebt.

Bei der hämatogenen Streuung in das Genitale wird vorwiegend die Tubenschleimhaut befallen. Von dort erfolgt, gefördert durch den ständigen Sekretstrom nach unten, eine **deszendierende** Ausbreitung in das Endometrium, in schweren Fällen auch bis zur Zervix. Angaben über die Häufigkeit der tuberkulösen Salpingitis im Rahmen aller entzündlichen Adnexprozesse schwanken zwischen 2 und 50 %. In Operationspräparaten alter entzündlicher Adnexveränderungen finden sich zwischen 5 und 10 % Tuberkulosen. Tuberkulöse Veränderungen der Scheide und der Vulva sind selten, ebenso eine isolierte hämatogene Streuung in das Endometrium ohne Mitbeteiligung der Tuben.

In etwa 10 % aller Genitaltuberkulosen besteht eine gleichzeitige hämatogene Infektion des uropoetischen Systems.

SYMPTOMATIK. Die Genitaltuberkulose ist vorwiegend eine Erkrankung von geschlechtsreifen Frauen, aber unabhängig von einer sexuellen Aktivität und unabhängig von Gestationsvorgängen. Es ist nicht selten, daß junge, nicht deflorierte Mädchen wegen unbestimmter Unterbauchbeschwerden oder junge Frauen wegen primärer Sterilität den Arzt aufsuchen.

Die klinische Symptomatik ist sehr uncharakteristisch. Die Patientinnen sind zeitweise leicht ermüdbar, matt und abgeschlagen. Nächtliche Schweißausbrüche und subfebrile Temperaturen können vorkommen. Es werden nur geringe Unterleibsschmerzen angegeben. Oft tritt eine Regelstörung auf, die individuell ganz verschieden sein kann (Irregularität des Zyklus, Oligomenorrhoe, aber auch Poly- oder Amenorrhoe). Zunehmende Periodenbeschwerden geben $^{2}/_{3}$ der Patientinnen an.

Der gynäkologische Tastbefund kann recht unergiebig sein. Beidseitig ausgebildete teigige, wenig druckschmerzhafte Adnextumoren sind verdächtig auf eine Tuberkulose. Bei fortgeschrittenen Fällen finden sich neben Konglomerattumoren schmerzhafte Tuberkel im DOUGLASschen Raum, die klinisch kaum von Endometrioseknoten zu unterscheiden sind.

Die Tuberkelbazillen haben im Genitalschlauch nur eine geringe Tendenz, über die Schleimhaut hinaus in die Wand des Organs einzudringen. Die **Schleimhaut der Tube** reagiert mit einer chronischen Lymphozyteninfiltration und einer Hypertrophie der Schleimhautfalten. Diese Veränderungen spielen sich vorwiegend im ampullären und mittleren Tubenanteil ab, während der isthmische Schleimhautbereich seltener betroffen wird. In den Tubenschleimhautfalten bilden sich typische tuberkulöse Granulome mit einer zentralen Nekrose, umgeben von einem Saum von Epitheloidzellen mit LANGHANSschen Riesenzellen und einem lymphozytären Sicherheitssaum (Abb. 114). Je länger die Erkrankung besteht, um so mehr wird eitriges, tuberkulös infiziertes Material ins Tubenlumen abgesondert. Das abdominale Ende der Tube verschließt sich bald, so daß wurstförmig aufgetriebene Tubentumoren entstehen. Nur in etwa $^{1}/_{3}$ der Fälle besteht eine begrenzte Peritonealtuberkulose, die sich darin äußert, daß die Serosa der Tube und der Bauchfellüberzug des Uterus mit stecknadelkopfgroßen, weißlichen tuberkulösen Knötchen besät sind. — Bei einer Schleimhauttuberkulose der Tube kommt es auf deszendierendem Wege zur Infektion des **Endometriums.** Die Uterusschleimhaut reagiert in der Zona functionalis ähnlich wie die Tube mit einer chronischen Endometritis und spezifischen Granulomen, nicht selten kombiniert mit einer glandulären Hyperplasie. Mit jeder Menstruation wird die erkrankte Zona functionalis abgestoßen. Nur in fortgeschrittenen Fällen ergreift die Tuberkulose auch die basalen Schichten. Wird das gesamte Endometrium durch die Tuberkulose zerstört, tritt eine

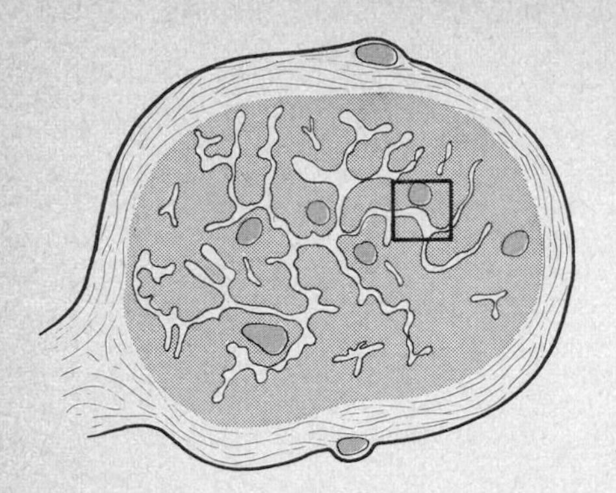

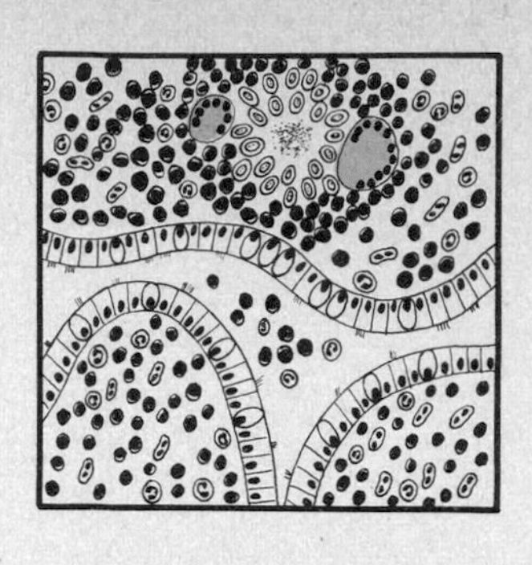

Abb. 114 Tubentuberkulose. Das Schema zeigt grau die hyperplastischen Tubenschleimhautfalten, rot angedeutet, tuberkulöse Granulome. In diesem Falle sind auch unter der Tubenserosa spezifische Granulome zu finden. — In der Ausschnittvergrößerung der typische Aufbau eines tuberkulösen Granuloms in einer Tubenschleimhautfalte: Zentrale Nekrose, Epitheloidzellen, lymphozytärer Sicherheitssaum mit LANGHANSschen Riesenzellen

uterine Amenorrhoe ein. Die periodische Abstoßung des Endometriums hat 2 Folgen: 1. Menstrualblut ist tuberkelbakterienhaltig und damit infektiös, 2. die Tuberkel müssen sich in jedem Zyklus neu bilden, daher ist mit ihrem Nachweis erst in der zweiten Hälfte der Sekretionsphase zu rechnen (also fast prämenstruell), dagegen niemals postmenstruell.

Tuberkulöse Infiltrate der **Zervixschleimhaut** sind in unserem Krankengut selten. Spanische Autoren haben die Symptomatik ausführlich beschrieben. Es kommt zu einer umschriebenen lymphozytären Reaktion mit Schleimhauthypertrophie und z. T. konfluierenden Tuberkeln. Dadurch kann makroskopisch der Eindruck eines Tumors entstehen, der — bei leichter Blutungsneigung — vielfach mit einem Karzinom verwechselt wird.

Bei einer Genitaltuberkulose finden sich besonders starke Verwachsungen sowohl zwischen Tube und Ovar als auch mit den bedeckenden Darmschlingen. Der Organismus versucht, mit der bindegewebigen Abdeckung, die Infektion zu lokalisieren.

DIAGNOSE. Die Diagnose der Genitaltuberkulose ist schwierig, da aus der Anamnese und dem klinischen Befund nur uncharakteristische Hinweise zu entnehmen sind. Bedeutsam sind aktive tuberkulöse Vorerkrankungen, therapeutisch schwer beeinflußbare Adnextumoren bei Mädchen oder Frauen, die noch nicht geboren haben, sowie die primäre Sterilität. Im Rahmen der Sterilitätsdiagnostik wird oft ein

Hysterosalpingogramm durchgeführt, wenn kein Verdacht auf eine spezifische oder unspezifische Entzündung im Genitalschlauch besteht. Dadurch wird man gelegentlich auf eine bestehende Tubentuberkulose aufmerksam. Folgende Bilder sind bei einer Tubentuberkulose zu finden: keulenförmig erweiterte Ampullen mit oder ohne Verschluß, starrer drahtähnlicher Verlauf, perlschnurartiges Füllungsbild, Hypertrophie der Tubenschleimhautfalten mit Darstellung des Reliefs. In Kenntnis einer Genitaltuberkulose sollte man jedoch keine Hysterosalpingographie durchführen, da eine Keimverschleppung in die offene Bauchhöhle nicht auszuschließen ist. Die Diagnose kann nur gesichert werden durch den bakteriologischen Nachweis und die histologische Aussage. Bei Verdacht auf Genitaltuberkulose empfiehlt sich folgendes diagnostisches Vorgehen:

1. Bakteriologischer Nachweis

a) Menstrualblut (Abb. 115). Das bei der Menstruation austretende Blut enthält Tuberkelbakterien, welche in der Kultur nachweisbar sind (Ergebnis in 2—3 Wochen). Sicherer ist die Überimpfung im Tierversuch, wobei eine tuberkulöse Erkrankung des geimpften Tieres erzeugt wird. Das Ergebnis ist nicht vor 8—10 Wochen zu erwarten. Ein negatives Ergebnis schließt eine Genitaltuberkulose nicht aus. Zum Auffangen des Menstrualblutes wird auf die Portio eine sog. Portiokappe aufgesetzt, von der eine Ableitung in ein steriles Plastiksäckchen führt, welches vor der Vulva liegt (Abb. 115). Die Gewinnung kann ambulant erfolgen. Die Patientin muß darüber belehrt werden, wie sie das Gefäß mit dem aufgefangenen Blut abnimmt und verschließt. Meist tropft in den ersten 11 Stunden nach Einsetzen der Periode eine ausreichend große Blutmenge ab (ca. 5—10 ml).

b) Endometrium. Der bakteriologische Nachweis gelingt sicherer aus dem Endometrium, weil dabei nicht die Verdünnung mit Blut vorliegt. Die Hälfte eines Geschabsels wird in einem sterilen Gefäß so schnell wie möglich unfixiert in ein bakteriologisches Institut transportiert und die andere Hälfte zur histologischen Untersuchung verwendet (Zeitpunkt der Kürettage s. u.). Auch hier ist das Ergebnis aus der Kultur in 2—3 Wochen und aus dem Tierversuch erst in 8—10 Wochen zu erwarten. Die Ausbeute ist deutlich besser als aus dem Menstrualblut.

Die Entnahme des Menstrualblutes ist für die Patientin ungefährlicher als die Kürettage, daher sollte erst dieser Nachweis versucht werden. Früher fürchtete man die hämatogene Streuung der Tuberkulose durch die Kürettage. Unter dem Schutz einer tuberkulostatischen Therapie wird die Gefahr vermindert. Die diagnostische Sicherheit ist am größten, wenn der bakteriologische Nachweis aus Menstrualblut und Endometrium mit dem histologischen Nachweis des spezifischen Granulationsgewebes kombiniert wird.

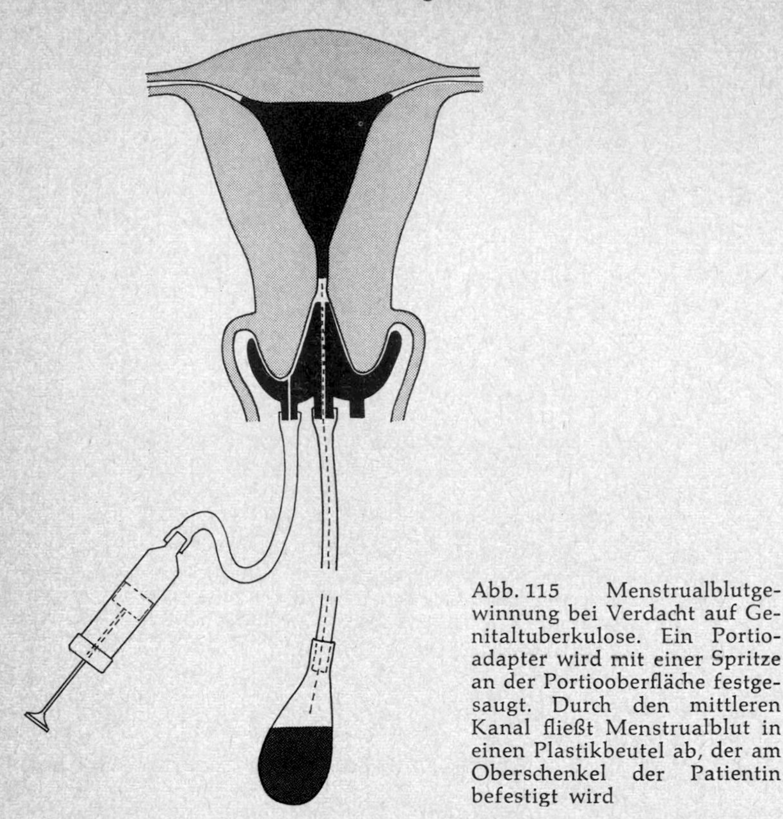

Abb. 115 Menstrualblutgewinnung bei Verdacht auf Genitaltuberkulose. Ein Portioadapter wird mit einer Spritze an der Portiooberfläche festgesaugt. Durch den mittleren Kanal fließt Menstrualblut in einen Plastikbeutel ab, der am Oberschenkel der Patientin befestigt wird

2. Histologischer Nachweis

Der spezifische Aufbau des tuberkulösen Granulationsgewebes erlaubt eine sichere Diagnose. Das Endometrium muß zu einem optimalen Zeitpunkt aus dem Uteruskavum gewonnen werden. Unter Kontrolle der Aufwachtemperatur wartet man den Eisprung ab und gibt dann 15 Tage lang 2mal 1 Tablette Primosiston. Damit unterstützt und verlängert man die sekretorische Phase, so daß die tuberkulösen Granulome Zeit haben, sich zu entwickeln. Der prämenstruelle Schleimhautzerfall wird verhindert. Am Ende der Primosistongaben sollte die Kürettage vorsichtig, mit stumpfen Küretten, durchgeführt werden. Eine möglichst rasche Reepithelialisierung des Kavums wird post abrasionem mit Östrogenen unterstützt (Antibiotikaschutz s. u.). Die feingewebliche Untersuchung ist nur sinnvoll, wenn das Material in Paraffin eingebettet und in Stufen aufgeschnitten wird. Die spezifischen Granulome kommen oft sehr isoliert vor, so daß Orientierungsschnitte ein falsch negatives Ergebnis bringen können.

Der histologische Nachweis von tuberkulösem Granulationsgewebe in operativ entfernten Pyosalpingen kann mühevoll sein, da die Mischinfektion die Tuberkulose überlagert. Daher sollten auch hier zahlreiche Schnitte die Tuberkulose ausschließen. Der histologische Nachweis **eines** spezifischen tuberkulösen Granuloms verpflichtet zur Einleitung einer tuberkulostatischen Therapie.

THERAPIE. Die Genitaltuberkulose ist meldepflichtig. Die Patientin ist infektiös, da sie mit dem Menstrualblut Tuberkelbakterien ausscheidet (Vorlagen verbrennen, nicht mit Kindern in einem Bett schlafen). Ein Heilverfahren muß eingeleitet werden. Die Behandlung sollte Spezialabteilungen überlassen werden, die in Tuberkulosekliniken und Heilstätten für genitaltuberkulöse Frauen eingerichtet wurden. Der stationäre Aufenthalt beträgt mindestens 4 Monate. Neben der allgemeinen Heilstättenbehandlung (klimatische Liegekuren, kräftige Ernährung) und resorptiven Lokalbehandlung wird in den letzten Jahrzehnten eine Reihe von Chemotherapeutika mit Erfolg zur Behandlung der Genitaltuberkulose angewandt. Tab. 25 vermittelt einen Überblick. Die medikamentöse Therapie wird noch über Monate und Jahre nach Abschluß der Heilstättenbehandlung fortgesetzt. Regelmäßige Kontrollen sind für die Dauer von 3 Jahren erforderlich.

Die Heilungsrate der Genitaltuberkulose liegt bei der konservativ medikamentösen Behandlung zwischen 70 und 90 %. Eine tuberkulöse Salpingitis kann ausheilen, so daß die Fertilität wieder erreicht wird. Allerdings ist die Häufigkeit von Tubargraviditäten nach überstandenen Tubentuberkulosen hoch, da das befruchtete Ei in verklebten oder verwachsenen Tubenschleimhautfalten hängen bleibt.

Die operative Behandlung der Genitaltuberkulose kommt in Betracht, wenn trotz intensiver Chemotherapie Adnextumoren bestehen bleiben (Pyosalpinx, Tubovarialabszeß). Nicht selten wird die Diagnose erst retrospektiv am Operationspräparat gestellt. — Nach überstandener Tubentuberkulose sind Verschlüsse im Tubenbereich häufig, so daß mit plastischen Operationen (s. S. 144) die Refertilisierung versucht werden kann. Die Erfolgschancen sind gering.

Zusammenfassung: Die Genitaltuberkulose entsteht als Sekundärerkrankung durch hämatogene Streuung. Sie ist vorwiegend eine Schleimhauttuberkulose. Die Mukosa der Tube, das Endometrium und die Zervixschleimhaut reagieren mit Hypertrophie, lymphozytärer Infiltration und Einlagerung von spezifischen Granulomen. Das klinische Bild und die Beschwerden sind uncharakteristisch. Die Genitaltuberkulose beginnt in den Tuben und schreitet auf deszendierendem Wege fort. Die Diagnose wird bakteriologisch (Menstrualblut, Endometrium) oder histologisch

Tabelle 25 **Tuberkulostatische Therapie**

	Dosierung	Nebenwirkungen	Resistenz-entwicklung	Beispiele	Kombinations-behandlung
Streptomycin	1—1,5 g tgl. i. m. bis 50—70 g	Hörstörungen, Kochlearisschädigung	rasch	Didrothenat	
Isonikotinsäure-hydrazid (INH)	300—600 mg tgl. oral über lange Zeit ca. 150 g pro Jahr	Magen-Darm-Störungen, Neuritiden, Schwindelgefühl, Allergien, Leukopenie	rasch	Neoteben, Rimifon	Beginn
Thiosemikarbazon (TB I)	1,5—2 mg/kg Körper-gewicht tgl. (= 2—3 mal tgl. 0,05 g) oral über lange Zeit ca. 20—60 g pro Jahr	Magen-Darm-Störungen, Exantheme, Blutbildveränderungen, zerebrale Symptome	langsam	Conteben	an-schlie-ßend
Paraaminosalicyl-säure (PAS)	12 g tgl. steigern auf 20 g tgl., Infusion oder oral, etwa 30 Infusionen in 8 Wochen und mehr	Magen-Darm-Störungen, Allergien, Hepatotoxität, Nierenfunktionsschädi-gung, Hemmung der Schild-drüsenfunktion	langsam	Pasalon, Aminox	

(Endometrium, Operationspräparat) gestellt. Eine gesicherte Genitaltuberkulose ist meldepflichtig, da die Patientin mit dem Menstrualblut Tuberkelbakterien ausscheidet. Die konservative Therapie wird in Tbc.-Spezialabteilungen mit einer Kombination von Chemotherapeutika über lange Zeit durchgeführt. Bleiben trotzdem Adnextumoren bestehen, ist die operative Entfernung der erkrankten Organe angezeigt.

Genitaltumoren

Geschwülste des Genitale können von jeder Gewebsart des äußeren und inneren Genitale ausgehen. Der Einteilung der allgemeinen Pathologie folgend, unterscheidet man epitheliale Geschwülste und mesenchymale Geschwülste des Binde- und Stützgewebes. Für die Trägerin ist die Frage entscheidend, ob die Geschwulst gut- oder bösartig ist.

Gutartige Tumoren

Gutartige Tumoren gefährden das Leben ihrer Trägerin nicht. Wächst der Tumor unter oder auf Oberflächen, so breitet er sich, meist dem Weg des geringsten Widerstandes folgend, in die Lichtung aus. Hat der Tumor keinen Anschluß an die Oberfläche des Organs, so verdrängt er langsam das normale Gewebe, welches sich wie eine Kapsel um den Tumor anordnet. Gutartige Tumoren des äußeren Genitale werden von der Patientin sehr bald entdeckt. Die benignen Tumoren des inneren Genitale machen erst ab einer Mindestgröße Symptome, indem sie Schmerzen bereiten, zu Blutungsstörungen Veranlassung geben oder durch Druck auf Nachbarorgane (ableitende Harnwege, Rektum) sich bemerkbar machen. Seltene Geschwülste des Ovars sind zur Hormonbildung fähig.

Epitheliale Tumoren sind Papillome, Polypen, Kondylome und Adenome. Es handelt sich um fibroepitheliale Neubildungen, da die epitheliale Wucherung immer von gefäßführendem Bindegewebsstroma begleitet wird.

Mesenchymale Tumoren sind Fibrome, Lipome, Myome, Myxome, Hämangiome und Lymphangiome.

Eine **Mischung** von epithelialen und mesenchymalen Geschwülsten ist möglich.

Schließlich spielen im Genitalbereich **zystische Tumoren** eine Rolle. Neben echten tumorösen Zysten (meist epithelialer Natur) gibt es zystische Erweiterungen vorgebildeter Hohlräume, die keine echten Neubildungen (Pseudozysten) sind.

Vulva

Gutartige Tumoren der Vulva sind selten. Obwohl sie von der Patientin leicht erkannt werden, ist man oft überrascht, welche Größe die Geschwülste annehmen, ehe die Frauen ärztliche Hilfe in Anspruch nehmen.

Epitheliale Tumoren

Hautwarzen

Im behaarten Hautbereich finden sich die auch an anderen Körperregionen vorkommenden Hautwarzen. Man entfernt sie auf Wunsch der Patientin scharf aus der Subkutis. In jedem Fall histologische Untersuchung, da Gefahr der malignen Entartung.

Polypen

Vorwiegend aus dem Epithel der Urethralmündung. Meist gestielt. Gestörte Miktion. Entfernung durch den Urologen.

Hidradenome

Papillärer Tumor der Schweißdrüsen, der nur in der Genitoanalregion vorkommt. Durchmesser etwa 1 cm. Wölbt die Haut vor. Bei Ulzeration Verdacht auf Karzinom. Exstirpation und histologische Untersuchung.

Spitze Kondylome

ÄTIOLOGIE. Die Befeuchtung der Vulvahaut durch Fluor (unspezifisch oder gonorrhoisch) kann im Verein mit einer Virusinfektion zur raschen Ausbildung von spitzen Kondylomen (Feigwarzen) führen.

SYMPTOMATIK. Alle Partien der Vulva (periurethral, Klitoris, kleine und große Labien, Introitus, Damm, perianal) einschließlich Vagina und Portiooberfläche können von den spitzen Kondylomen befallen sein. Die spitzen Kondylome kommen isoliert an verschiedenen Stellen, aber auch konfluierend in großen Beeten vor (Abb. 116). Die Kondylome nässen und sind leicht verletzlich. Es entstehen durch den abfließenden Harn brennende Schmerzen. – Morphologisch handelt es sich um regelmäßige Plattenepithelproliferationen mit einem ganz zarten, gefäßführenden Bindegewebsstroma. Eine maligne Degeneration kommt nicht vor.

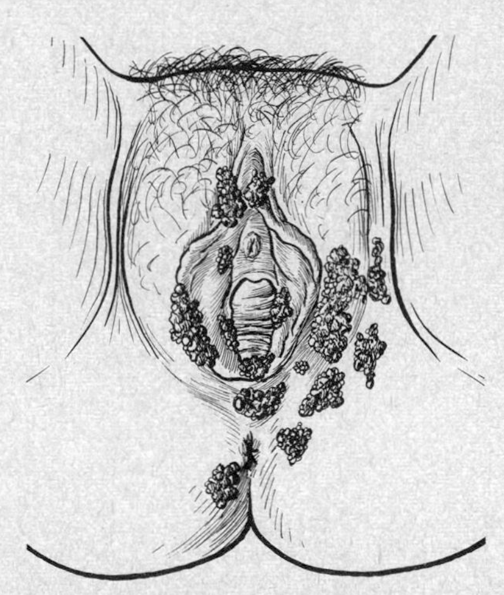

Abb. 116 Condylomata accuminata (spitze Kondylome)

DIAGNOSE. Mit bloßem Auge. Differentialdiagnostisch bei fortgeschrittenen Fällen Karzinomverdacht. Fahndung nach einer Gonorrhoe oder einer anderen Fluorursache.

THERAPIE. Behandlung der Grundkrankheit (Penicillintherapie der Gonorrhoe oder lokale Fluortherapie). Die Kondylome werden operativ mit dem scharfen Löffel oder elektrochirurgisch entfernt. Nachbehandlung der Wundflächen z. B. mit Kamillosansitzbädern und Volon-A-Salbe. Ist die Klitoris oder die Urethralmündung befallen, so kann man die Entfernung mit Zytostatikalösungen versuchen (Mulläppchen mit 2 %iger Endoxanlösung getränkt aufgelegt und mit Vorlagen fixiert). Wird im Anschluß an die Entfernung keine exakte Genitalhygiene eingehalten mit Sanierung der Scheidenflora, so rezidivieren die spitzen Kondylome leicht.

Mesenchymale Tumoren

ÄTIOLOGIE. Vorwiegend aus dem in die großen Labien einstrahlenden Lig. rotundum gehen isolierte **Fibrome** und **Myome** hervor. Fibrome erreichen eine beträchtliche Größe und hängen an einem Stiel pendelnd herab (Abb. 117). In der Subkutis der Vulva können sich multiple Fibrome entwickeln (Dermatofibroma protuberans). **Lipome**

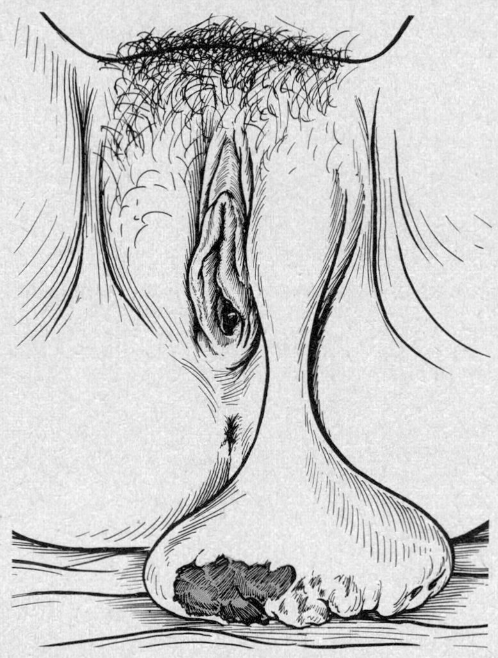

Abb. 117 Gestieltes Vulvafibrom aus dem Lig. rotundum. Am distalen Pol des Tumors hat sich eine oberflächliche Hautnekrose gebildet

gehen aus dem Unterhautfettgewebe hervor und sind bei adipösen Patientinnen ohne bevorzugte Lokalisation anzutreffen. Myxome sind extrem selten.

SYMPTOMATIK. Erreichen die Tumoren eine bestimmte Größe, stören sie beim Gehen und Sitzen. Peripher können Dekubitalulzera an der Tumoroberfläche auftreten.

DIAGNOSE. Die Diagnose wird bei der Inspektion der Vulva gestellt. Differentialdiagnostisch kommen bei weichen Geschwülsten im Bereich der großen Labien Zysten oder irreponible Leistenbrüche in Betracht. Die exakte Diagnose über die Gewebszusammensetzung wird erst durch die histologische Untersuchung möglich.

THERAPIE. Operative Entfernung.

Zystische Tumoren

Fast ausschließlich Pseudozysten. Dazu gehören Paraurethralzysten, Retentionszysten von Schweiß- und Talgdrüsen (Atherome), Zysten des GARTNERschen Ganges am Hymenalsaum, Zysten der BARTHOLINschen Drüse und meist zystisch veränderte Endometrioseherde (s. S. 438).

Zyste der Bartholinschen Drüse

ÄTIOLOGIE. Nach eitrigen Infektionen mit Abszeßbildung entstehen zystische Umwandlungen der Drüse und des Ausführungsganges.

SYMPTOMATIK. Einseitige, schmerzlose Schwellung der kleinen und großen Labien bis zur Eigröße. Verschieblichkeit des Tumors.

DIAGNOSE. Inspektion der Vulva, palpatorisch schlaffe bis prallelastische Zyste in der unteren Hälfte des Introitus (höher sitzende Zysten sind meist GARTNER-Gang-Zysten).

THERAPIE. Operativ, entweder Ausschälung der ganzen Zyste oder Marsupialisation (ca. 2 cm lange Schnittführung mit Ausklappen und Vernähung der Wundränder nach außen; Abb. 104). Zystischer Hohlraum verkleinert sich, Drüsensekret hat ständigen Abfluß.

Vagina

Gutartige Geschwülste der Vagina können, wenn sie eine bestimmte Größe nicht überschreiten, bei der Spekulumuntersuchung leicht übersehen werden, weil die Instrumentenblätter den Tumor verdecken. Oft wird man erst bei der Austastung der Vagina auf den Befund aufmerksam.

Epitheliale Tumoren

Spitze Kondylome (s. Vulva S. 335).

Mesenchymale Tumoren

Myome, Fibrome und Fibromyome. Von der glatten Muskulatur der Vaginalwand ausgehend. Oft nur erbsgroß, gut verschieblich. Selten Wachstum bis etwa Faustgröße, dann Einengung des Vaginallumens mit Kohabitationsbeschwerden. Wenn Beschwerden bestehen, operative Entfernung.

Zystische Tumoren

Zystische Erweiterungen des **Gartnerschen Ganges** (Topographie s. S. 9), an der seitlichen Vaginalwand lokalisiert. Meist schlaff, so daß sie zur Seite gedrängt werden und keine Beschwerden machen. Differentialdiagnostisch ist eine blind endende doppelte Vagina oder ein Urethraldivertikel zu diskutieren.

Besonders im unteren Drittel der Vagina kommen bei Frauen, die geboren haben, **versprengte Epithelzysten** vor. Bei Episiotomien und Dammrissen kann Vaginalepithel in tiefere Gewebsschichten vernäht werden und dann zur Zystenbildung Veranlassung geben. Ist der Zysteninhalt dunkel verfärbt (in vivo sichtbar), so muß eine **Endometriosezyste** in Betracht gezogen werden.

Scheidenzysten werden nur dann operativ entfernt, wenn sie Beschwerden machen.

Zusammenfassung: Gutartige Tumoren der Vulva und Vagina sind selten. Klinisch wichtig sind die in beiden Organgebieten vorkommenden spitzen Kondylome, bei denen ursächlich eine Virusinfektion angenommen wird. Die Kondylome werden operativ entfernt. – Nach Entzündungen der Bartholinschen Drüse kann sich eine Zyste (bis Hühnereigröße) bilden. Im entzündungsfreien Intervall operative Ausschälung oder Marsupialisation.

Uterus

In der Gebärmutter bilden sich häufig gutartige Tumoren (Polypen und Myome) aus. Die klinische Symptomatik unterscheidet sich oft nicht von der eines Karzinoms. Die richtige Beurteilung der Situation ist daher für die Patientin von großer Bedeutung.

Epitheliale Tumoren

Sowohl in der Schleimhaut des Korpus als auch in der Zervix können Polypen entstehen. Die Schleimhautpolypen enthalten Drüsen und Stroma. Oft ist eine Abgrenzung zwischen Tumorbildung und umschriebener Hyperplasie nur schwer oder unmöglich.

Zervixpolypen

ÄTIOLOGIE. Umschriebene Hyperplasie im Zervixdrüsenfeld unbekannter Genese. Offenbar der Schwerkraft folgend, sinken die polypösen Schleimhautanteile nach unten, so daß sie, an einem Stiel hängend, aus dem äußeren Muttermund heraustreten.

SYMPTOMATIK. Bei Frauen im geschlechtsreifen Alter häufig. Zervixpolypen kommen isoliert oder multipel vor. Ihre Größe variiert zwischen stecknadelkopfgroß bis daumengroß (Abb. 118). Besonders große Exemplare können pendelnd bis zum Introitus reichen. Die Patientin leidet an einem verstärkten glasigen Fluor, der häufig blutig tingiert ist. Kohabitationsblutungen kommen vor, weil die Oberfläche der Polypen leicht verletzlich ist. Bei größeren Polypen reicht die Gefäßversorgung nicht aus, so daß Diapedesisblutungen oder Blutaustritte aus oberflächlichen Nekrosen entstehen. Das Symptom Zwischenblutung ist häufig. Schmerzen werden nicht angegeben. Kleine Polypen sind nicht in jeder Zyklusphase sichtbar (weitgestellter Muttermund präovulatorisch: Polyp sichtbar; enggestellter Muttermund in der Sekretionsphase: Polyp im Zervikalkanal verschwunden). Die von einem Voruntersucher gestellte Diagnose „Zervixpolyp" sollte daher nicht angezweifelt werden, wenn man in einer anderen Zyklusphase den Polypen nicht sieht.

Morphologisch handelt es sich um polypöse Gebilde, die alle Elemente des Zervixdrüsenfeldes enthalten. Häufig sind die im Polypen enthaltenen Zervixdrüsen zystisch erweitert. Das Gewebsstroma ist oft mit

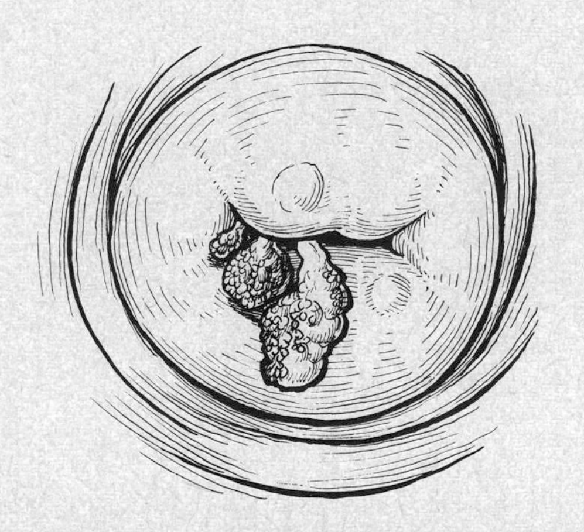

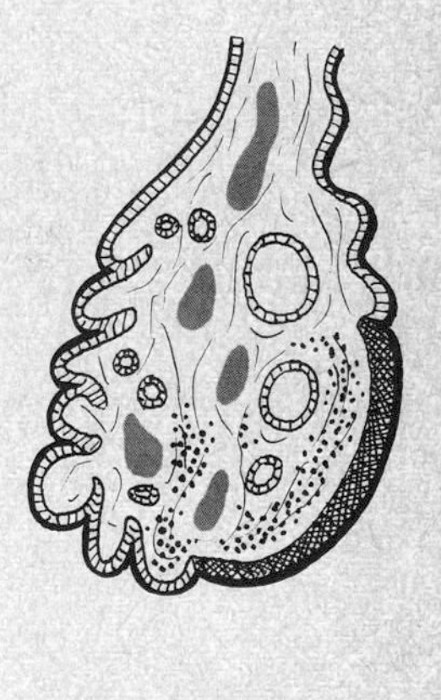

Abb. 118 Zervixpolypen. Die kleineren im rechten Muttermundswinkel bestehen aus Zervixschleimhaut, der große Polyp ist partiell überhäutet. Rechts schematischer Übersichtsschnitt des Polypen

Leuko- und Lymphozyten infiltriert. Die bedeckende Oberfläche ist entweder einschichtiges Zylinderepithel oder auch mehr oder minder gut aufgebautes Plattenepithel (epidermisierter Zervixpolyp). Oft fehlt ein Epithelbelag (Erosio vera). Die oberflächlichen Epithelverhältnisse lassen sich mit dem Kolposkop ausgezeichnet beurteilen. Eine hämorrhagische Infarzierung des ganzen Polypen kommt vor, makroskopisch sind die Polypen dann dunkelrot.

DIAGNOSE. Mit bloßem Auge, evtl. unter Zuhilfenahme des Kolposkops. Sind mit dem Kolposkop nicht eindeutig träubchenartige Zervixdrüsen oder Plattenepithel sichtbar, muß an einen heruntergewachsenen Korpuspolypen gedacht werden. Zellabstriche vom Polypen sind sinnvoll, da auf Zervixpolypen isolierte Carcinomata in situ (s. S. 385) vorkommen. Vor Einleitung einer Therapie sollte man bei größeren Polypen mit dem tastenden Finger die Basis des Polypen bestimmen (breitbasig oder dünn gestielt).

THERAPIE. Zervixpolypen werden meist mit der Kornzange erfaßt und abgedreht. Die entstehende Blutung ist geringer als bei scharfer Abtragung, weil die Gefäßzufuhr torquiert wird. Durch die Quetschung wird die nachfolgende histologische Untersuchung erschwert, so daß die Entfernung mit der Schere, dem Skalpell oder mit dem elektrischen Messer besser ist. Die ambulante Behandlung ist nicht ungefährlich, da es aus dem Stiel stark bluten kann. Früher wurde neben der Polypabdrehung die Korpusküretttage obligat empfohlen, da bei Zervixpolypen ein Korpuskarzinom häufiger sei. Wir haben diesen Zusammenhang nicht bestätigen können, so daß eine Kürettage nicht unbedingt erforderlich erscheint. In jedem Fall muß der entfernte Polyp histologisch untersucht werden.

Zervixpapillom

Vom Plattenepithel der Portiooberfläche entwickeln sich in seltenen Fällen Papillome. Beetartige oder breitbasige Anordnung. Gröbere Papillen als bei den spitzen Kondylomen. Fester Epithelbelag, weil oberflächlich Hyper- und Parakeratose. Farbe blaß-rosa. Im Zellbild außer vielen kernlosen Schollen kaum pathologische Zellelemente, gelegentlich Pseudodyskaryosen. Differentialdiagnostisch verhornendes Plattenepithelkarzinom. Operative Ausschälung tief im gesunden Zervixstroma, da auch eine kontinuierliche Infiltration in die Tiefe vorkommt.

Spitze Kondylome der Zervix (s. Vulva S. 335).

Korpuspolypen

ÄTIOLOGIE. Umschriebene Hyperplasie im Endometrium weitgehend unbekannter Genese. Diskutiert wird ein hormonaler Faktor.

SYMPTOMATIK. Das bevorzugte Alter für das Auftreten von Korpuspolypen sind das Klimakterium und die ersten postmenopausalen

Jahre. Der Ausgangspunkt ist meist der fundale Teil der Uterushöhle (Abb. 119). Die Polypen kommen isoliert, aber auch mehrfach vor, selten ist eine allgemeine Polyposis des Kavums. Die Patientin leidet an Schmier- und Kleckerblutungen zwischen den Menstruationen oder in der Postmenopause an wiederauftretenden schwachen Blutabgängen. Wenn der Polyp recht groß ist und an einem Stiel ins Cavum uteri herabhängt, wird er als Fremdkörper empfunden. Der Uterus versucht mit Kontraktionen, den Fremdkörper auszustoßen. Die Patientin empfindet wehenartige Schmerzen.

Morphologisch enthalten die Korpuspolypen Endometriumdrüsen und Stroma. Diese Drüsen nehmen an der zyklischen Umwandlung nicht in vollem Umfang teil. Eine gewisse menstruelle Abstoßung findet statt, wobei die Blutstillung wegen der fehlenden Kontraktionsmöglichkeit schlecht ist (postmenstruelle Schmierblutung). Besonders in der Postmenopause enthalten die Korpuspolypen zystisch erweiterte Drüsen mit atrophischem Epithel. Blutungen ins Stroma und partielle Nekrosen sind häufig.

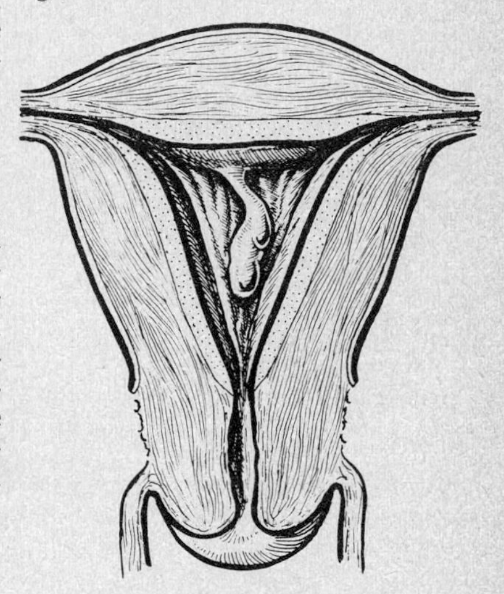

Abb. 119 Korpuspolyp

DIAGNOSE. Klinisch zunächst nur Verdachtsdiagnose, da die Polypen dem sichtbaren Auge nicht zugänglich sind (Geburt aus dem äußeren Muttermund selten). Differentialdiagnostisch muß bei Schmierblutungen im Klimakterium oder der Postmenopause immer ein Korpuskarzinom ausgeschlossen werden. Außerdem kommt die glandulär-zystische Hyperplasie in Betracht. Die sichere Diagnose wird erst bei der Abrasio oder am Operationspräparat gestellt. Eine sorgfältige histologische Untersuchung des Geschabsels mit den polypösen Gebilden ist notwendig, um eine krebsige Degeneration auszuschließen.

THERAPIE. Abrasio. Meist werden die Polypen mitentfernt. Da man die weichen Gebilde mit der Kürette nicht tasten kann und der Polypstiel oft dünn ist, kann bei unsystematischer Abrasio der Polyp verfehlt werden (Technik der Kürettage s. S. 268). Die Blutungsstörung wird dann rezidivieren. Es besteht auch die Möglichkeit, daß Korpuspolypen nach einigen Jahren wieder entstehen.

Mesenchymale Tumoren

Der weitaus häufigste Tumor im weiblichen Genitaltrakt ist das Myom der Gebärmutterwand. Man schätzt, daß 20 % aller Frauen über dem 30. Lebensjahr Myomträgerinnen sind.

Uterus myomatosus

ÄTIOLOGIE. Wahrscheinlich unter dem überwiegenden Einfluß von Östrogenen tumoröse Vermehrung aus glatten Muskelfasern (Leiomyome) unter gleichzeitiger Wucherung des Bindegewebes. Der Östrogeneinfluß wird deshalb angenommen, weil Myome im geschlechtsreifen Alter entstehen, ihr Wachstum aber nach Eintreten der Menopause meist sistiert, ja sogar eine Involution stattfindet.

SYMPTOMATIK. Myome können ganz unterschiedliche Größen und ebenso unterschiedliche Lokalisationen aufweisen. Neben kleinsten Myomkeimen kommen isoliert oder multiple Myomknollen in jeder Größe vor (bis Mannskopfgröße). Treten große Myome multipel auf, so kann der ganze Bauchraum ausgefüllt werden.

Morphologisch handelt es sich um eine gutartige Neubildung glatter Muskelfasern mit begleitendem Bindegewebe. Die Gefahr einer sarkomatösen Entartung liegt unter 0,5 %. Je nachdem, welche Gewebskomponente überwiegt, bezeichnet man die Geschwülste als Myome, Myofibrome oder Fibrome. Das Wachstum erfolgt in rundlichen Ballen mit Verdrängung des normalen Gewebes. Es bildet sich eine Geschwulstkapsel, aus der sich die Myome relativ gut ausschälen lassen. Häufig wird bei größeren Geschwülsten die Gefäßversorgung insuffizient. Es bilden sich **regressive Veränderungen** aus:

Myomerweichung: Ödem, extrazellulärer Flüssigkeitsaustritt mit Ausbildung zystischer Hohlräume.

Hyaline Degeneration, extrazelluläre Einlagerung von Hyalin, meist in Kombination und als Folge des Ödems.

Myomnekrose, nekrotischer Zerfall im Zentrum der Geschwulst mit Ausbildung großer Hohlräume. Kann plötzlich erfolgen, macht dann klinisch akute Symptome, s. S. 346, nicht selten in der Schwangerschaft. Weiße oder blasse Nekrose.

Chronische Blutstauung im Myom mit Ausbildung kavernöser Bluträume (Myoma cavernosum).

Myomnekrose durch Drosselung des Venenabflusses. Rote Nekrose, macht ebenfalls akute Symptome.

Nekrotische Myome können in seltenen Fällen vereitern und verjauchen. Es entsteht dann ein schweres, hochfieberhaftes Krankheitsbild.

Myomverhärtung: Je größer der Bindegewebsanteil, um so härter die Geschwulst. Degenerativ kommt es zur Einlagerung von Kalk, ja sogar zur knöchernen Umwandlung. Meist bei Greisinnen, die seit Jahrzehnten Myomträgerinnen sind. In der Röntgenübersichtsaufnahme des Abdomens kugelige Schatten.

Die klinische Symptomatik und die Komplikationsmöglichkeiten sind je nach Sitz der Myome recht unterschiedlich, so daß die Schilderung, geordnet nach der Topographie, gerechtfertigt erscheint. Da die Myome aber sehr oft multipel jede Lage einnehmen, kombinieren sich die Symptome.

1. **Intramurale Myome** (Abb. 120). Häufigste Lokalisation, einzeln und multipel. Kleine Myome, die noch nicht zu einer palpablen Vergrößerung des Uterus geführt haben, machen kaum Symptome und sind nicht zu diagnostizieren. Mit dem Wachstum der Geschwülste büßt die normale Muskulatur des Corpus uteri ihre Kontraktionsfähigkeit ein, so daß verstärkte und verlängerte Regelblutungen auftreten. Charakteristisch ist die Angabe, daß die Regel früher **nicht** derartig stark war. Häufig werden zunehmende Periodenbeschwerden infolge der prämenstruellen Blutfülle und eintretenden Kapselspannung im Myom angegeben.

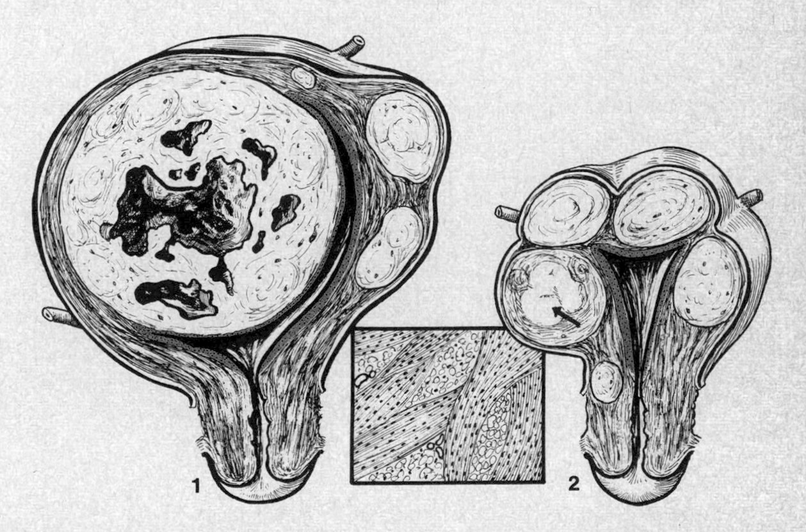

Abb. 120 Intramurale Myome. 1. Großes Myom mit zentraler Erweichung, starke Deformierung des Cavum uteri, Meno-Metrorrhagien. 2. Vielknollige Verformung des Uterus, Cavum uteri nicht betroffen, keine Blutungsstörungen. Der Pfeil deutet auf eine zentrale Verkalkung. — Mittlerer Bildausschnitt: histologische Struktur eines Leiomyoms

Die Verformung des Uterus ist unterschiedlich. In manchen Fällen erscheint der Uterus gleichmäßig vergrößert, da die normale Muskulatur das Wachstum des Myoms mit einer der Schwangerschaft ähnlichen Hypertrophie beantwortet. In anderen Fällen wird der Uterus unregelmäßig von Myomknollen deformiert. Bleibt die Hypertrophie der Uterusmuskulatur aus, so buckeln die Myomknoten sowohl den Serosaüberzug als auch die Uterusschleimhaut vor. Der Druck auf Nachbarorgane wird stärker. Es werden erhebliche Kreuzschmerzen, manchmal ischiasähnliche Beschwerden angegeben. Meist steigt der Uterus, wie in einer Schwangerschaft, etwa bei Kindskopfgröße aus dem kleinen Becken nach oben. Keilen sich die Myome im kleinen Becken ein, kommt es zu Entleerungsstörungen des Darmes und der Blase, Ureterstauungen sind möglich. Die Beweglichkeit des Uterus ist in diesem Fall stark eingeschränkt.

Durch große Einzelmyome oder viele intramurale Myome kann das Cavum uteri sehr stark verzogen werden (Abb. 120/1). Die Hypermenorrhoe verstärkt sich. Die Patientinnen werden blaß und anämisch. Der Hämoglobingehalt des Blutes kann unter die Hälfte der Norm absinken. Da es sich um eine sekundäre Anämie handelt, können alle Folgezustände (Atemnot, Zyanose, Ödeme) auftreten. Der Uterus myomatosus kann Ursache einer Sterilität sein. Es kommen aber nicht selten Schwangerschaften in einem myomatös veränderten Uterus vor (s. S. 347).

2. **Subseröse Myome** (Abb. 121/1). Entwickelt sich ein Myom unter dem Serosaüberzug des Uterus, so werden die Uteruswand und -höhle nicht verändert. Das Myom wächst, die Serosa vorbuckelnd, in die freie Bauchhöhle. Schließlich kann das Myom, nur mit einem Gefäßstiel verbunden, pendelnd mit dem Uterus in Verbindung stehen. Subseröse Myome machen **keine** Blutungsstörungen. Von einer bestimmten Größe an können sie durch den Druck auf Nachbarorgane Beschwerden verursachen. Subseröse Myome erreichen erhebliche Größen (mannskopfgroß). Bei einem gestielten subserösen Myom kann die Patientin aus völligem Wohlbefinden heraus durch **Drehung des Stieles** mit nachfolgender Nekrose an einem akuten Abdomen erkranken. Heftigste Unterbauchschmerzen, zunehmende Abwehrspannung, Übelkeit, Erbrechen, Pulsbeschleunigung führen zur Klinikseinweisung. Die Stieldrehung ist seltener als bei Ovarialtumoren, weil die Dicke des Stieles die Torquierung erschwert.

3. **Submuköse Myome** (Abb. 121/2). Die unmittelbare Lokalisation unter dem Endometrium ist am seltensten. Das Myom buckelt das Endometrium vor. An seiner Oberfläche wird die Schleimhaut atrophisch. Dort kommt es zu dauernden Blutaustritten, so daß die Symptome „Zwischenblutung" und „Hypermenorrhoe" entstehen. Ähnlich wie beim subserösen Sitz kann das Myom, nur mit einem Gefäßstiel verbunden, ganz aus der Uteruswand herausschlüpfen und dann, all-

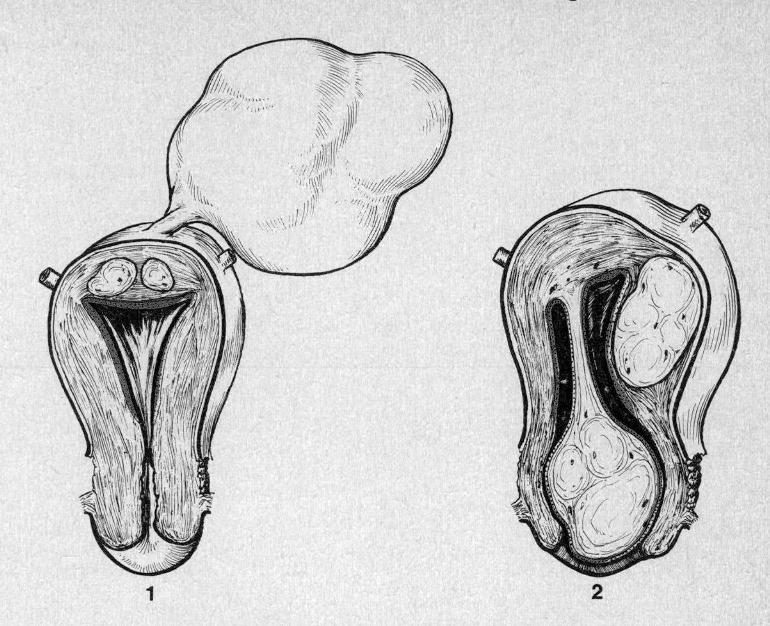

Abb. 121 1. Gestieltes subseröses Myom, palpatorisch schwer von einem Adnextumor abgrenzbar, kleine intramurale Myome. 2. In Geburt befindliches, gestieltes, submuköses Myom. In diesem Falle sehr bald ungeregelte Blutabgänge. Der Muttermund ist verstrichen, bei der Spekulumeinstellung ist der untere Pol des Myoms im Muttermund sichtbar

seits von gestörtem Endometrium umgeben, wie ein Polyp in das Uteruskavum hängen. Der Uterus empfindet das wachsende Myom als Fremdkörper und versucht diesen mit schmerzhaften Kontraktionen auszustoßen (wehenartige Schmerzen). Durch die Kontraktionen wird das Myom durch den Zervikalkanal und den äußeren Muttermund partiell oder vollkommen in die Scheide geboren (in Geburt befindliches Myom). Der Gefäßstiel kann nekrotisch werden und durchreißen, so daß das Myom durch die Scheide ausgestoßen wird (Selbstheilung). Die submukösen Myome sind selten größer als ein Hühnerei.

4. **Zervixmyom** (Abb. 122/1). Auch aus den in der Zervixwand spärlich vorhandenen glatten Muskelfasern können Myome hervorgehen. Sie erreichen beträchtliche Größen. Eine Muttermundslippe wird vollkommen deformiert und der äußere Muttermund so verzogen, daß man ihn nicht mit Spekula einstellen kann. Das Zervixmyom kann nicht in die freie Bauchhöhle ausweichen, sondern keilt den Uterus

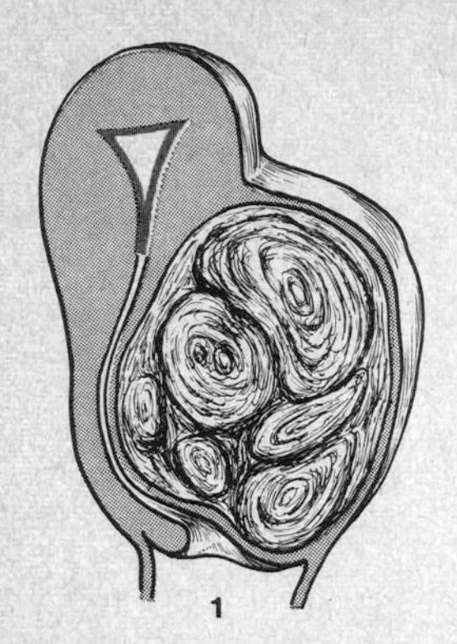

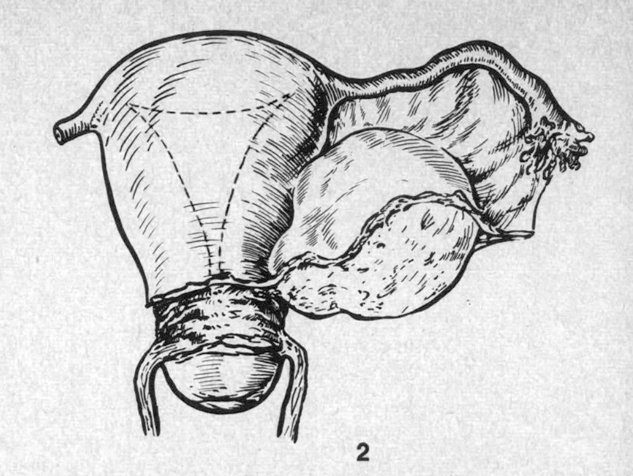

Abb. 122 1. Großes Zervixmyom der hinteren Muttermundslippe, die obere Partie des Myoms entwickelt sich intraligamentär. 2. Intraligamentär entwickeltes Myom aus dem isthmischen Uterusabschnitt

unbeweglich im kleinen Becken ein. Es kommt, je nach der Lokalisation, zum Druck auf den Ureter, die Blase (Harndrang) oder den Mastdarm.

5. **Intraligamentär entwickelte Myome** (Abb. 122/2). Von der Seitenwand des Uterus in Höhe des Isthmus uteri ausgehende Myome entwickeln sich zwischen beiden Blättern des Lig. latum, wobei der Ureter verdrängt und komprimiert wird. Bei dieser Lokalisation wird der Uterus nach der nicht befallenen Seite verschoben und unbeweglich im kleinen Becken fixiert. Die Lage der Myome ist extraperitoneal, sie haben keinen Serosaüberzug, sind in der Expansionsrichtung aber den subserösen Myomen vergleichbar. – Nicht mit dem Uterus zusammenhängende intraligamentär entwickelte Myome können auch von der glatten Muskulatur des Lig. rotundum ausgehen. Die Patientin verspürt einen dumpfen Schmerz einseitig tief im Unterbauch. Es kommt nicht zu Blutungsstörungen. Später treten Schmerzen im Nierenlager auf, wenn sich eine Harnstauung entwickelt.

Bei den geschilderten Möglichkeiten der Myomlokalisation kommen alle Formen und Kombinationen vor, so daß auch die Symptome sehr variabel sein können.

Auf zwei Faktoren soll noch besonders hingewiesen werden, die bei jeder Myomträgerin auftreten können: die Myomnekrose und die Kombination von Myom und Schwangerschaft.

6. **Myomnekrose.** Partielle Nekrosen sind in vielen Myomen nachweisbar, ohne daß sich zurückverfolgen läßt, ob die Patientin dieses Ereignis schmerzhaft verspürt hat. Heftige Beschwerden macht jedoch

stets die totale Nekrose eines Myoms, die durch die venöse Drosselung (rote Nekrose) oder komplette Drosselung der Blutzirkulation (weiße Nekrose) zustande kommt. Die totale Nekrose tritt nicht nur in gestielten subserösen Myomen durch Drehung des Stiels auf, sondern auch bei jeder anderen Lokalisation. Die Ursachen sind nicht immer erklärbar. Die Patientin verspürt akut an der Stelle des Myoms einen heftigen Schmerz. Die Betastung des Myomknotens wird sehr schmerzhaft. Vorübergehend kann ein peritonealer Reizzustand mit Übelkeit und Erbrechen eintreten. Die akute Myomnekrose ist in der Schwangerschaft nicht selten.

7. **Myom und Schwangerschaft.** Die Entwicklung von submukösen Myomen oder die Verziehung des Cavum uteri durch intramurale Myome führt meist zu einer Fertilitätsminderung im Sinne der gestörten Eieinbettung. Auch können die intramuralen Tubenabschnitte durch Myome so eingeengt werden, daß ein Verschluß entsteht. Bei unverändertem Cavum uteri kommt es zu einer Nidation des befruchteten Eies. Während der Schwangerschaft unterliegen die Myome einem zusätzlichen Wachstumsreiz und können sich schnell vergrößern. Die vermehrte Wassereinlagerung und Blutfülle kann zu schmerzhaften Kapselspannungen führen. Totalnekrosen kommen in der Schwangerschaft vor. Subseröse Myome stören das Fruchtwachstum kaum, intramurale Myome können zu einer Einengung des Brutraumes und u. U. zu mechanisch bedingten, kindlichen Entwicklungsstörungen führen. Lageanomalien des Kindes sind häufig. Bei Myomträgerinnen besteht eine erhöhte Fehlgeburtenrate. Tiefsitzende intramurale, intraligamentäre und zervikale Myome bilden ab einer bestimmten Größe ein absolutes Geburtshindernis. Post partum sind atonische Nachblutungen bei Myomträgerinnen häufiger als im Normkollektiv.

DIAGNOSE. Aus der Anamnese kann man häufig einen Hinweis gewinnen (Hypermenorrhoe, die früher nicht bestand). Meist sind es Patientinnen zwischen dem 40. und 50. Lebensjahr. Schlanke Frauen geben gelegentlich an, daß sie selbst bei Betastung des Unterleibes eine derbe Geschwulst festgestellt haben. — Die Diagnose ist, je nach der Lokalisation, bei der gynäkologischen Tastuntersuchung leicht, aber oft auch nicht zu stellen.

1. **Intramurale Myome.** Eine gleichmäßig derbe Vergrößerung des Uterusfundus bis zu Frauenfaustgröße muß nicht durch Myome bedingt sein. Bei älteren Frauen, die mehrere Kinder geboren haben, bleibt eine gewisse Hypertrophie der Muskulatur zurück.

Uterusmetropathie: Die diffuse Verdickung der Uteruswand entsteht durch eine gleichmäßige Vermehrung von Muskulatur und Bindegewebe. Uterussondenlänge bis 10 cm. Häufig kombiniert mit Endometriumhyperplasie. Bei Menorrhagien Versuch der hormonellen Behandlung (s. S. 352), beim Versagen derselben Uterusexstirpation.

Differentialdiagnostisch kommt auch eine intramural entwickelte Endometriose in Betracht. – Größere Myomknoten, die den Uterusfundus unregelmäßig vergrößern, sind leicht zu palpieren. – Einzelmyome täuschen oft eine gleichmäßige Vergrößerung des Uterus vor. Ist das Myom erweicht, kann die Unterscheidung von einem graviden Uterus schwer, wenn nicht unmöglich sein. Zwar neigt der gravide Uterus zum Konsistenzwechsel, man kann dieses Symptom aber nicht als objektives Zeichen verwerten. Außerdem ist nicht ausgeschlossen, daß eine Kombination von Myom **und** Schwangerschaft vorliegt. Man sollte niemals versäumen, eine Schwangerschaftsreaktion anzustellen, auch wenn die Patientin das 40. Lebensjahr überschritten hat. – Bei der Befunderhebung sollte eine möglichst genaue Beschreibung der Uterusvergrößerung (möglichst mit Zeichnung) angestrebt werden, um bei Kontrolluntersuchungen vergleichen zu können.

2. **Subseröse Myome.** Sind palpatorisch leicht zu diagnostizieren, wenn sie der Uteruswand breitbasig aufsitzen. Selbst erbsgroße subseröse Myome lassen sich bei schlanken Patientinnen palpieren. – Kleine subseröse Myomknoten an der Zervixhinterwand sind selten und eher verdächtig auf Endometrioseherde (letztere sind stark druckschmerzhaft). – Gestielte Myome nehmen oft eine seitliche Lage ein und sind dann schwer oder überhaupt nicht von Ovarialtumoren unterscheidbar. Gestielte Myome können sich relativ weit vom Uterus entfernen und eine Lokalisation im Mittelbauch einnehmen.

3. **Submuköse Myome.** Es kann nur eine Verdachtsdiagnose ausgesprochen werden, wenn das Myom nicht im Zervikalkanal sichtbar ist. – Da immer Meno-Metrorrhagien bestehen, kürettiert man die Patientin, wobei das derbe Myom mit der Kürette getastet wird. Endometriumpolypen sind von weicher Konsistenz. – Wurde das Myom partiell oder total geboren, so ist die Diagnose leicht. Differentialdiagnostisch kommt die Ausstoßung einer Fleisch- oder Blutmole oder ein in Geburt befindlicher großer Korpuspolyp in Frage. Myom, Mole und Polyp sind makroskopisch dunkelrot verfärbt. Das Myom fällt durch seine derbe Konsistenz auf. Mit dem Finger läßt sich der Myomstiel verfolgen.

4. **Zervixmyom.** Die Diagnose kann schwer sein, weil der Uterus durch große Myome unbeweglich im kleinen Becken fixiert wird oder andere raumfordernde Prozesse in Betracht kommen.

5. **Intraligamentär entwickeltes Myom.** Es bestehen diagnostisch ähnliche Schwierigkeiten wie beim Zervixmyom. Differentialdiagnostisch sollte in seltenen Fällen eine Beckenniere erwogen werden.

6. **Stieldrehung und Myomnekrose.** Differentialdiagnostisch kommt ein stielgedrehter Ovarialtumor in Frage. Die Patientinnen klagen sowohl bei der Stieldrehung als auch bei der akuten Nekrose über heftige, zunächst noch lokalisierbare Schmerzen. Sie haben eine mehr

oder minder ausgeprägte, peritoneale Abwehrspannung. Übelkeit und Erbrechen können eintreten. Kein Fieber (Abgrenzung gegen rupturierte Pyosalpinx oder Appendix), keine extreme Blässe und Kollapsneigung (Abgrenzung gegenüber rupturierter Tubargravidität).

7. **Myom und Schwangerschaft.** Man sollte immer bedenken, daß das eine das andere nicht ausschließt. Nicht selten wurden in einem „Uterus myomatosus" kindliche Herztöne festgestellt oder die Patientin bemerkte Kindsbewegungen. Die Menstruationsanamnese gibt keine verläßlichen Hinweise, da es einerseits Myome mit klimakterisch bedingten Oligomenorrhoen gibt, andererseits Schwangerschaften mit zyklusähnlichen Blutungen. Es ist niemals falsch, bei einer prämenopausalen Frau und dem Tastbefund „Uterus myomatosus" eine Schwangerschaftsreaktion anzustellen.

THERAPIE. Die Behandlung des Uterus myomatosus ist abhängig vom individuellen Befund, dem Alter und dem Allgemeinzustand der Patientin. Ganz allgemein kann festgehalten werden, daß die Myomentwicklung keine das Leben der Patientin bedrohende Erkrankung ist, so daß eine sofortige operative Intervention nur bei bestimmten Situationen notwendig ist.

1. **Operative Therapie.** a) **Konservative Myomoperation** (Enukleation). Bei Frauen im geschlechtsreifen Alter mit primärer oder sekundärer Sterilität oder noch vorhandenem Kinderwunsch sollte eine Erhaltung des Uterus versucht werden. Die Palpation des myomatös veränderten Uterus läßt nur vermuten, ob es sich um einen vielknolligen Uterus myomatosus oder um die Entwicklung eines oder zweier Myome handelt. Die Entscheidung fällt erst nach Eröffnung des Abdomens. Vor der Operation muß die Problematik mit der Patientin besprochen werden.

Subseröse Myome werden im Stiel aus der Fundusmuskulatur exzidiert. Intramurale Myome lassen sich stumpf mit dem Finger aus der Myomkapsel (zusammengedrängte normale Muskulatur) herausschälen (Abb. 123/1). Der entstandene Gewebsdefekt wird schichtweise verschlossen. Narbenbildungen sind nicht zu verhindern, die in einer darauffolgenden Schwangerschaft spontan oder nach Weheneintritt rupturieren können. Submuköse Myome lassen sich oft nur von vaginal nach Längsspaltung der vorderen Zervixwand (vordere Hysterotomie) abtragen. Eine Abdrehung kann mißlingen, wenn der Myomstiel derb und dick ist.

Schwangere Frauen müssen nach konservativer Myomoperation besonders sorgfältig betreut und unter klinischem Schutz entbunden werden. Eine primäre Schnittentbindung ist nach Entfernung großer Myome meist notwendig. Ein Myomrezidiv entsteht in ca. 15 % der Fälle. Bei schwangeren Myomträgerinnen wird die Entfernung des Myoms in graviditate notwendig, wenn die schnell wachsende Ge-

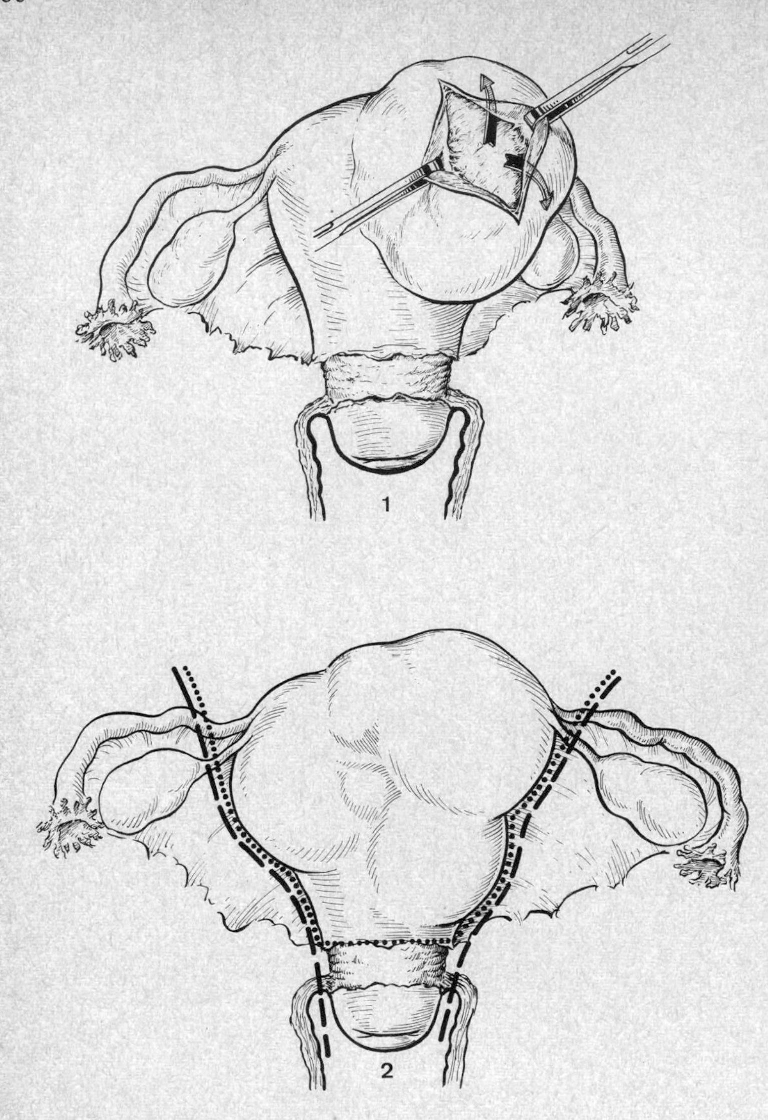

Abb. 123 1. Konservative Myomoperation, Enukleation eines isolierten Myoms, welches teils intramural, teils subserös entwickelt ist. 2. Prinzip der Hysterektomie im Vergleich zur supravaginalen Uterusamputation (punktierte Schnittführung)

schwulst die Ausdehnung des Brutraumes behindert oder eine Myomnekrose eintritt. Wird bei dem Eingriff der Brutraum nicht eröffnet, ist unter Gestagenschutz die Prognose nicht schlecht. Anderenfalls entleert man den Uterus, da die Schwangerschaft nicht zu retten ist.

b) **Uterusexstirpation.** Die Exstirpation des myomatös veränderten Uterus ist aus folgenden Gründen angezeigt:

Trotz Beschwerdefreiheit der Patientin:

- Schnelles Myomwachstum, Wachstum in der Postmenopause (Gefahr der sarkomatösen Entartung).
- Wenn differentialdiagnostisch ein Ovarialtumor nicht ausgeschlossen werden kann (zunächst Laparotomie).
- Ab einer bestimmten Myomgröße (Kindskopf), da Komplikationsmöglichkeiten zunehmen.
- Myomerweichung.

Bei Beschwerden der Patientin:

- Blutungsstörungen mit Anämie, die hormonell nicht beeinflußbar sind.
- Druck auf Nachbarorgane.
- Ständige Rückenschmerzen.
- Akute Komplikationen (Stieldrehung, Nekrose, Blutung in das Myom).
- Sekundärinfektion des Myoms.
- Zusatzerkrankungen (Deszensus, Adnexveränderungen).

Die Operation kann auf vaginalem oder abdominalem Wege vorgenommen werden. Die **vaginale** Entfernung gelingt bei Frauen, die geboren haben, wenn der Uterus Kindskopfgröße nicht überschreitet. Häufig muß der Uterus während der Operation in kleineren Portionen abgetragen werden (Morcellement).

Bei **abdominalem** Vorgehen hat man sich in früheren Jahren mit der Entfernung des Corpus uteri begnügt und die Zervix stehen lassen (supravaginale Uterusamputation), weil sich der Eingriff technisch leicht ausführen läßt. Diese Operation sollte heute nicht mehr vorgenommen werden, um der Gefahr eines Zervixstumpfkarzinoms auszuweichen (Abb. 123).

Bei Frauen unter dem 45.–50. Lebensjahr beläßt man die Ovarien. In der Postmenopause ist es ratsam, die Adnexe sowohl bei vaginalem als auch bei abdominalem Vorgehen zu entfernen (als Karzinomprophylaxe).

2. **Konservative Therapie.** Wie bereits angedeutet, bedarf ein Myom nur dann einer Behandlung, wenn es Beschwerden macht; Ausnahmen wurden oben angeführt.

a) **Keine Behandlung, nur Kontrollen.** Wird die Diagnose „Uterus myomatosus" als Zufallsbefund bei einer Routineuntersuchung gestellt und hat die Patientin keine Beschwerden, so ist **keine** Behandlung erforderlich. Man teilt der Patientin den Befund mit, beruhigt sie, erklärt ihr die Gutartigkeit der Veränderung und fordert sie auf, ca. alle 6 Monate eine Kontrolluntersuchung einzuhalten. Sollten Beschwerden eintreten, dann eher. Die Kontrollen sollten möglichst vom gleichen Arzt vorgenommen werden, um Befunderhebungen in Zeitabständen besser vergleichen zu können. Auch darauf sollte die Patientin hingewiesen werden. Nach Eintritt der Menopause kommt es auch bei großen Myomen zu einer erstaunlichen Schrumpfung.

b) **Hormonelle Behandlung.** Klagt die Patientin über verstärkte Regelblutungen bei Uterus myomatosus und nähert sie sich der Menopause, so kann eine hormonelle Therapie versucht werden. Man nützt dabei den unvollkommenen Aufbau des Endometriums nach Ovulationshemmern und die schwache Abbruchblutung aus, um Myomträgerinnen von ihren Menorrhagien zu befreien. Noch besser ist die alleinige Gabe von Progestagenen (z. B. Orgametril oder Niagestin, pro die 1 Tbl. 20 Tage lang, dann 1 Woche Pause), weil hier der Östrogenzusatz fehlt, der u. U. doch einen Wachstumsreiz auf die Myome ausüben könnte.

Vergrößern sich die Myome trotz der hormonalen Therapie, muß operativ vorgegangen werden.

c) **Strahlentherapie.** Spielt heute keine Rolle mehr.

Durch die Röntgenkastration vorzeitiger Eintritt der Menopause. Macht starke ovarielle Ausfallsbeschwerden.

Eine intrauterine Verschorfung des Endometriums mit Radium zur Beseitigung von Hypermenorrhoen kann nur bei unverändertem Cavum uteri durchgeführt werden. Auch dann ist die Gefahr einer Strahlenmyomnekrose nicht auszuschließen.

Zystische Tumoren

Zysten spielen im Uterus praktisch keine Rolle.

Ovula Nabothi

Können kirschgroß werden und wölben die Portiooberfläche vor. Spaltung der Zysten mit dem Skalpell.

Gartner-Gang-Zysten

Entsprechend dem Verlauf des GARTNERschen Ganges an der Seitenwand des Uterus. Extrem selten. Häufig findet man in histologischen Übersichtsschnitten des Uterus in Höhe des Isthmus zystische Erweiterungen des geschlängelt verlaufenden GARTNERschen Ganges. Bleibt symptomlos, hat klinisch keine Bedeutung.

Zusammenfassung: Gutartige Tumoren des Uterus sind häufig. Polypen der Zervixschleimhaut kommen in der Geschlechtsreife, Polypen der Korpusschleimhaut häufiger im Klimakterium und in der Postmenopause vor. Die klinische Symptomatik unterscheidet sich oft nicht von einem Karzinom, daher müssen Schleimhautpolypen entfernt und histologisch untersucht werden (Abdrehung, Abrasio). Die geschwulstmäßige Wucherung glatter Muskelfasern, das Uterusmyom, ist die häufigste Geschwulst des weiblichen Genitaltraktes. Man unterscheidet einen subserösen, intramuralen, submukösen und zervikalen Sitz. Myome treten isoliert und multipel auf. Die Symptomatik ist je nach Größe und Lokalisation sehr vielfältig (Meno-Metrorrhagien, Anämie, Druckbeschwerden auf die Nachbarorgane, subakuter bis akuter Bauch bei Myomnekrose und Stieldrehung). Eine Schwangerschaft bei Myomträgerinnen ist nicht selten und bedarf der besonderen Betreuung. Die Diagnose Uterus myomatosus wird meist durch die Palpationsuntersuchung gestellt. Die Therapie ist vorwiegend operativ. Bei jungen Frauen sollte die Myomenukleation unter Erhaltung des Uterus versucht werden. Bei älteren Frauen mit kleinen Myomen sind Hormongaben zur Behandlung der Menorrhagien sinnvoll, da sich postmenopausal die Myome zurückbilden können. Zystische Tumoren des Uterus spielen praktisch keine Rolle.

Tube

Gutartige Tumoren der Tube sind sehr selten. Man kann sie klinisch nicht von einem Ovarialtumor unterscheiden. Die Symptomatik ist gleichartig. Es kommen Adenome, Myome, Fibrome, Lipome, Lymphangiome und Dermoide vor.

Ovar

Im Ovar kann sich eine Fülle von morphologisch unterschiedlichen Tumoren entwickeln, deren Diagnose erst nach der feingeweblichen Untersuchung möglich ist. Kennzeichnend für die meisten Ovarialtumoren ist ihre Tendenz zur malignen Entartung. Man muß damit rechnen, daß jeder 3. bis 4. Ovarialtumor bösartig wird. Deshalb verbietet sich in den meisten Fällen eine längere Beobachtungszeit.

In Tab. 26 wurde eine Einteilung der klinisch wichtigsten Ovarialtumoren versucht. Daraus geht hervor, daß es neben eindeutig gut- und bösartigen Ovarialtumoren eine ganze Anzahl von Tumortypen gibt, deren Dignität fraglich ist. Letztlich läßt sich erst am Schicksal der Patientin ablesen, welche Dignität der Tumor hatte. – Die Gruppe der sexualhormonbildenden Tumoren wurde wegen ihrer klinischen Eigentümlichkeit herausgestellt.

„Funktionelle" Zysten

Funktionelle Zysten sind keine echten Tumoren, sondern sie entstehen durch eine zu große Sekretansammlung in Follikelbläschen vor dem Eisprung oder in Corpora lutea.

Tabelle 26 **Einteilung der Ovarialtumoren**

Tumorart	Dignität gutartig	Dignität fraglich	Dignität bösartig	Bemerkungen
„Funktionelle" Zysten	Follikelzyste Corpus-luteum-Zyste	–	–	
Epitheliale Tumoren	–	–	solide Karzinome	
Seröse Kystome	seröse papilläre Zystadenome	proliferierende seröse papilläre Zystadenome ohne Stromainvasion	seröse Zystadenokarzinome	Einteilung nach Stockholmer Konferenz 1961
Muzinöse Kystome	muzinöse Zystadenome	proliferierende muzinöse Zystadenome ohne Stromainvasion	muzinöse Zystadenokarzinome	
Endometrioide Tumoren	ovarielle Endometriose oder ektopisches Endometrium*)	proliferierende endometrioide Adenome und Zystadenome	endometrioide Adenokarzinome	
Andere Tumoren	BRENNER-Tumor	–	–	
	–	–	Disgerminom	
	–	–	KRUKENBERG-Tumoren (Metastasen in den Ovarien)	
Mesenchymale Tumoren	Fibrome, Myome, Osteome, Chondrome, Myxome	–	Sarkome	
	–	–	Endotheliome	
Embryonale Tumoren (aus drei Keimblättern)	Dermoidkystom (Teratom)	Struma ovarii (Teratom) [1]	Teratokarzinom [2]	[1] evtl. Thyroxin-
	–	–	Chorionkarzinom [2] (ohne Gravidität)	[2] evtl. HCG-Produktion
Sexualhormonbildende Tumoren				
Östrogenbildner	Granulosazelltumor Thekazelltumor	Granulosazelltumor Thekazelltumor		
Androgenbildner		Arrhenoblastom Hypernephroidtumor LEYDIG-Zelltumor	Arrhenoblastom Hypernephroidtumor LEYDIG-Zelltumor	

*) Die Stockholmer Konferenz erzielte hier keine Einigung, ob eine ovarielle Endometriose als echte Tumorbildung aufzufassen ist. Dieser Punkt wird im Kapitel „Endometriose" (s. S. 433) erörtert.

Follikelzysten

Normalerweise ist der sprungreife Follikel haselnuß- bis kirschgroß. Bei ausbleibendem Eisprung kann sich die Follikelhöhle bis zur Größe eines Hühnereies, selten bis zur Faustgröße erweitern. Am Ovar entsteht dann eine schmerzhafte Kapselspannung. Palpatorisch ist ein prallzystischer Ovarialtumor tastbar, der bei brüsker Untersuchung gelegentlich platzt. Das Ereignis kann Frauen bis zur Menopause betreffen, es findet sich häufiger in der Pubertät, im Klimakterium (s. o.) und nach operativer Entfernung der Tuben (Veränderung der Blutversorgung des Ovars, fehlender Kontakt der Tubenfimbrien auf der Ovaroberfläche). Wurde eine Temperaturkurve geführt, ist ein monophasischer Temperaturverlauf (siehe S. 88, 90) nachweisbar. Mit beginnender Atresie des Follikels wird die seröse Flüssigkeit resorbiert, so daß der „Ovarialtumor" nach ein bis zwei Zyklen nicht mehr nachweisbar ist (über polyzystische Ovarien s. S. 101).

THERAPIE. Keine. Kontrolluntersuchung nach zwei Periodenblutungen und Führen der Aufwachtemperaturkurve.

Corpus-luteum-Zyste

Eine zystische Vergrößerung des Corpus luteum ohne Schwangerschaft ist selten. Luteinisierungen von Follikelzysten kommen jedoch vor. Mit Eintritt einer Konzeption kann es zu einer palpatorisch erfaßbaren Vergrößerung des Corpus luteum durch Ansammlung seröser Flüssigkeit oder Blut in den Fibrinkern kommen (bis Faustgröße). Differentialdiagnostisch ist die Entscheidung schwierig, ob es sich um eine stehende Tubargravidität handelt. Bei der Corpus-luteum-Zyste bestehen wenig oder kaum Beschwerden. In die Corpus-luteum-Zyste hinein kann es verstärkt bluten, so daß die dünnwandige Zyste rupturiert. Die Patientin zeigt dann ähnliche Symptome wie bei einer Tubarruptur, so daß laparotomiert werden muß (über multiple, doppelseitige Corpus-luteum-Zysten s. S. 422).

THERAPIE. Wenn Komplikationen (Zystenruptur) ausbleiben keine. Schwangerschaftskontrolle im Abstand von 2 Wo., ob sich der Uterus entsprechend einer intrauterinen Gravidität vergrößert. Im zweiten Schwangerschaftstrimenon kann sich die Corpus-luteum-Zyste wieder verkleinern.

Zusammenfassung: Funktionelle Zysten des Ovars entstehen aus nicht rupturierten Follikelbläschen bei anovulatorischem Zyklus oder in graviditate aus dem Corpus luteum. Die Follikelzyste wird etwa hühnereigroß, die Corpus-luteum-Zyste kann Faustgröße erreichen. Die Follikelzyste bildet sich spontan nach 1–2 Zyklen zurück, die Corpus-luteum-Zyste im 2. Drittel der Schwangerschaft. Außer einer Kontrolle des Palpationsbefundes ist keine Behandlung erforderlich.

Epitheliale Tumoren

Die häufigsten Tumoren des Ovars sind epithelialer Natur, wobei morphologisch viele Varianten möglich sind. Der Übergang zwischen „benigne" und „maligne" ist oft vom Histopathologen nicht sicher zu beurteilen. Aus diesem Grunde haben führende Pathologen 1961 in einer Konferenz in Stockholm eine Einteilung der häufigsten epithelialen Ovarialtumoren vorgeschlagen, die nach ihrem histologischen Aufbau in gutartig, fraglich und bösartig rubrifiziert sind. Die Ergebnisse der Stockholmer Konferenz sind u. a. in Tab. 26 wiedergegeben. Klinisch ist wichtig, daß die epithelialen Ovarialtumoren sich zu bösartigen Geschwülsten entwickeln können.

Seröse Kystome

ÄTIOLOGIE. Nicht ganz geklärt, wahrscheinlich blastomatöses Tumorwachstum aus dem flachkubischen Oberflächenepithel des Ovars, welches sich häufig in Buchten in die Tiefe senkt und dort abgeschlossene Hohlräume bildet. Der Zusammenhang mit Follikelzysten scheint unwahrscheinlich, da die Epithelauskleidung seröser Kystome morphologisch nicht den Granulosazellen ähnelt.

SYMPTOMATIK. Es handelt sich um den häufigsten Ovarialtumor (20—25 % aller echten Ovarialneubildungen). Er kommt bei Frauen im geschlechtsreifen Alter, aber auch postmenopausal vor. Meist einseitig entwickelt. Die Größe variiert vom Hühnerei bis zu riesigen Dimensionen, so daß in seltenen Fällen das ganze Abdomen ausgefüllt und vorgewölbt wird. Gewöhnlich wird aber die Größe einer Pampelmuse nicht überschritten.

Morphologisch handelt es sich um gutartige, zystische Tumoren mit einer kubischen Epithelauskleidung (Kystoma simplex). Manchmal ist der Epithelsaum mit Flimmern besetzt. Die Zysten können sich **einkammerig** (unilokulär) oder **mehrkammerig** (multilokulär) entwikkeln. Die Zystenwände bestehen aus einem dünnwandigen, gefäßführenden Bindegewebe. Werden die Zysten punktiert oder angeschnitten, fließt eine klare, manchmal gelblich gefärbte, seröse Flüssigkeit ab. Bei multilokulären Kystomen kann der Zysteninhalt verschiedener Kammern unterschiedlich gefärbt sein. Z. B. kann eine partielle mangelhafte Gefäßversorgung zu einem blutig tingierten Zysteninhalt führen. Die Oberfläche der Tumoren ist spiegelnd glatt. Auch die Innenseite der entleerten Zyste ist beim einfachen Kystom glatt. Der Zysteninhalt schimmert oft durch die dünnen Wände (Abb. 124).

Besteht die epitheliale Innenauskleidung nicht nur aus einem Epithelsaum, sondern sind in der Zystenwand Drüsenformationen nachweisbar, so spricht man von einem **serösen Zystadenom.** Bestehen papilläre Epithelsprossen aus kubischem Epithel (meist erst in der

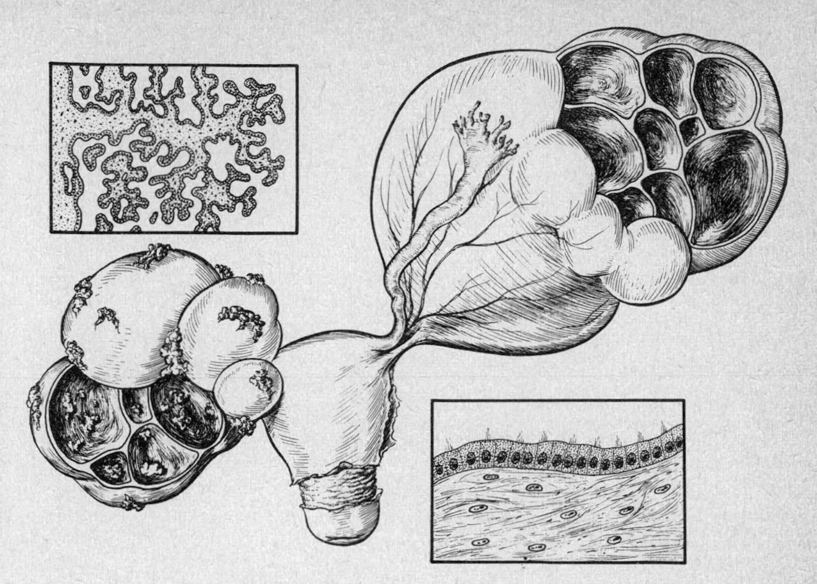

Abb. 124 Rechts: Multilokuläres einfaches, seröses Kystom. Die Auskleidung der Zysten besteht aus einem einschichtigen, kubischen Epithel. — Links: Multilokuläres papilläres, seröses Kystom. Die papillären Epithelsprossen finden sich an der Außen- und Innenwand der Kystomkammern. Das histologische Bild zeigt die Lupenübersicht einer Papille

Innenwand, später aber auch auf der Außenfläche des Tumors), so handelt es sich um ein **papilläres seröses Zystadenom** (Abb. 124). Seltene morphologische Varianten: 1. Das sog. **Oberflächenpapillom** des Ovars, bei dem es nicht zur Zystenbildung, sondern zu multiplen papillären Sprossen aus dem Oberflächenepithel des Ovars kommt. 2. Tumoren, bei denen der bindegewebige Tumoranteil stark vermehrt ist, so daß neben Zysten solide fibromatöse Tumorpartien vorhanden sind **(seröse Zystadenofibrome).** 3. Fibröse Tumoren mit Drüseneinschlüssen **(seröse Adenofibrome).**

Bei den zystischen Ovarialtumoren läßt sich in Verfolgung des Mesovariums ein solider „Tumoranteil" nachweisen. Es handelt sich um das Restovar, welches flach ausgezogen ist, aber meist funktionstüchtiges Ovarialparenchym enthält.

Die meisten serösen Kystome entwickeln sich in die freie Bauchhöhle. Sie finden dort keinen Widerstand und drängen die frei beweglichen Darmschlingen zur Seite. Daher verursachen sie meist keine Beschwerden. Die Trägerin bemerkt oft als Erstsymptom, daß der Leibesumfang („der Rock paßt nicht mehr") ohne allgemeine Gewichtszunahme zunimmt. Erreicht der obere Tumorpol die Oberbauchgegend, so werden Druckbeschwerden in der Magen- und Lebergegend angegeben. Es ist daher nicht selten, daß Kystompatientinnen von einer anderen Fachdisziplin zur Gynäkologie überwiesen werden, da die Patientinnen nicht an ein gynäkologisches Leiden denken. – Bei abrupten Bewegungen kann der Tumor durch Zerrung am Tumorstiel ziehende Beschwerden verursachen. Große Tumoren haben einen erheblichen Energiebedarf mit Eiweißverlust, so daß die Patientinnen trotz der Gutartigkeit der Geschwulst abmagern. Die Verschlechterung des Allgemeinzustandes führt zu einem Gesichtsausdruck, den auch Personen mit Magenulkus haben (Facies ovarica).

Frei in die Bauchhöhle entwickelte Ovarialkystome können folgende Komplikationen verursachen:

1. **Stieldrehung** (Abb. 125). Bei 10–20% aller Ovarialtumoren. Durch die schwerer werdende Geschwulst wird das Mesovar mit den zuführenden Gefäßen in die Länge gezogen. Die Peristaltik der Darm-

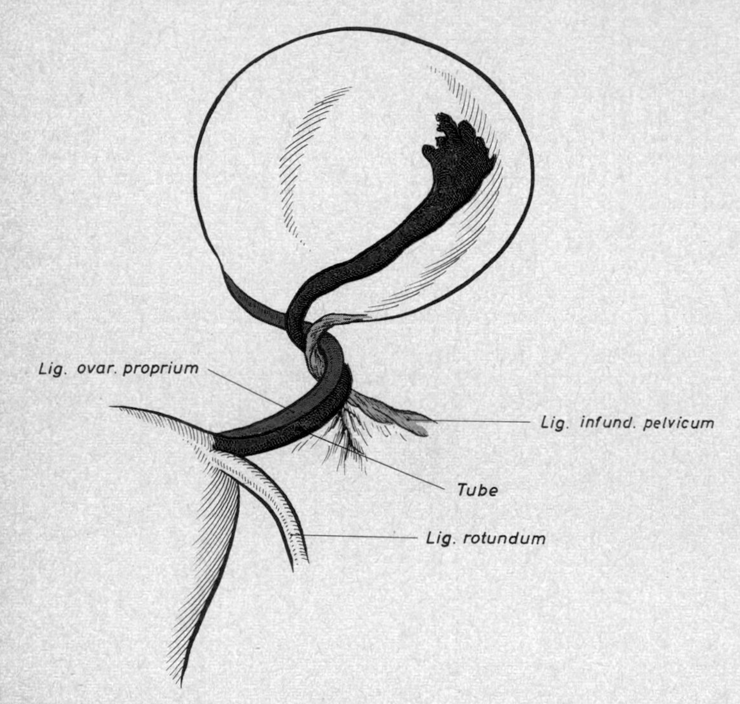

Abb. 125 Stieldrehung eines Ovarialtumors. Meist bleibt das Lig. rotundum von der Drehung ausgespart. In den Stiel einbezogen wird das Lig. ovarium proprium, das Lig. infund. pelvicum und die Tube

schlingen kann eine langsame Torquierung des Tumors um seinen Stiel bewirken. Plötzliche Bewegungen der Patientin können das Ereignis akut hervorrufen (Lagewechsel im Bett, Tanzen, Springen, Bücken, Heben usw.).

Mit der Stieldrehung kommt es zu einer Drosselung der Blutzirkulation. Die Venenkompression führt zu einer Stauung im Kystom (schnelle Volumenzunahme, Blutaustritte in das Lumen der Kystomkammern). Bei der Patientin treten langsam zunehmende Beschwerden mit Spannungsschmerzen im Bereich des Tumors, Übelkeit und Erbrechen ein. – Hat die Stieldrehung auch die arterielle Zufuhr unterbrochen, so entsteht akut ein dramatisches Krankheitsbild mit plötzlich einsetzenden starken Schmerzen, bretthart gespannten Bauchdecken und schockartigem Allgemeinzustand. Die Stieldrehung kann zur Zystenruptur führen.

2. **Ruptur.** Die spontane Ruptur eines Kystoms ist selten, sie kann durch eine brüske Untersuchung oder andere Traumen provoziert werden. Entleeren sich große Mengen von serösem Sekret in die Bauchhöhle, entsteht eine peritoneale Reizung. Bei papillären Ovarialkystomen besteht die Gefahr, daß epitheliale Zellnester mitgerissen werden und sich auf dem Peritoneum der freien Bauchhöhle implantieren. Die Ruptur eines Kystoms führt meist nicht zur Selbstheilung, da die Rißwunde verklebt und sich das Lumen der Zyste erneut auffüllt. Es sollen auch fistelnde Zysten vorkommen, die zur chronischen Aszitesbildung Veranlassung geben.

3. **Sekundärinfektionen.** Vereiterung und Verjauchung von Ovarialkystomen sind nicht ausgeschlossen, aber selten. Schweres, hoch fieberhaftes Krankheitsbild. Meist im Anschluß an eine verkannte, nichtbehandelte Stieldrehung mit nekrotischem Tumor.

4. **Einklemmung im kleinen Becken.** Ist der Tumor mit dem Ovar der Schwere folgend ins kleine Becken (DOUGLASscher Raum) abgesunken und dort verwachsen, besteht wie bei einem retroflektiert liegenden, graviden Uterus die Gefahr der Tumoreinklemmung mit Verdrängung der Blase und plötzlicher Harnverhaltung.

Eine vom Beginn des Tumorwachstums an andersartige Symptomatik besteht, wenn sich das Ovarialkystom **intraligamentär** entwickelt (Abb. 126). Der größer werdende Tumor hat keine Ausweichmöglichkeit, sondern verdrängt den Uterus nach der Seite und macht Kompressionserscheinungen am Ureter und an der Blase. Die Patientin verspürt bald dumpfe, einseitige Unterbauchschmerzen und sucht deshalb ärztlichen Rat.

DIAGNOSE. Kleinere Ovarialkystome werden durch die bimanuelle Untersuchung leicht erfaßt. Sie sind beweglich, rund und von zystischer Konsistenz. Sie liegen meist neben oder hinter dem Uterus,

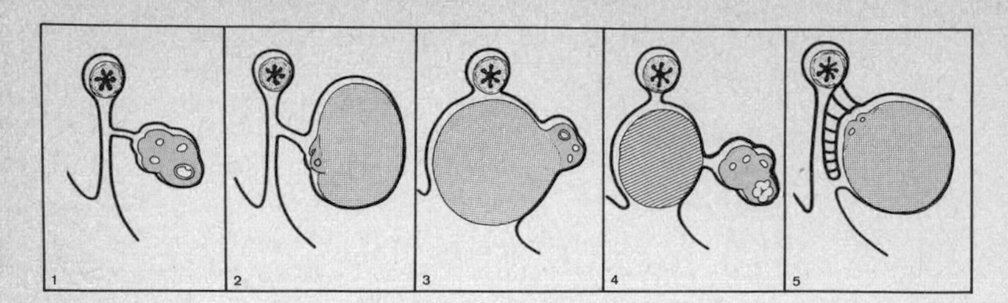

Abb. 126 Schema über die Beziehung von Tumoren zum Lig. latum. 1. Normale Situation, das Ovar hängt am Mesovar, dem hinteren Blatt des Lig. latum. 2. Extraligamentär entwickelter Ovarialtumor, der frei in die Bauchhöhle hochsteigen kann. 3. Intraligamentär entwickelter Ovarialtumor, der sehr bald Verdrängungserscheinungen in der betroffenen Bekkenhälfte macht. 4. Parovarialzyste, die sich intraligamentär entwickelt ohne Beziehung zum Ovar, klinisch aber nicht von der Situation 3 zu unterscheiden ist. 5. Scheinbare intraligamentäre Entwicklung eines in Wirklichkeit extraligamentär entwickelten Ovarialtumors. Die Hinterwand des Lig. latum ist mit einem Teil der Tumorwand verbacken

gelegentlich sinken sie in den DOUGLASschen Raum ab. Bei der guten Beweglichkeit der Geschwülste ist ihre Zugehörigkeit zum Genitale nicht immer klar erkennbar. Bewegt sich die Geschwulst beim Hin- und Herschieben des Uterus mit, so spricht dies für einen Ovarialtumor. Die häufigsten zystischen Tumoren des Abdomens sind ohnehin Ovarialtumoren, trotzdem sind Verwechslungen mit anderen seltenen Befunden möglich (tiefsitzender Hydrops der Gallenblase, Zystenniere, Beckenniere, Milztumoren, Mesenterialzysten, Darmtumoren u. a.).

Die Abgrenzung gegenüber anderen Genitaltumoren (gestieltes erweichtes Myom, alter Tubovarialabszeß, Hydrosalpinx) kann oft erst bei der Laparotomie gesichert werden. Bei geschlechtsreifen Frauen sollte vor jeder Intervention bei einem zystischen Ovarialtumor eine Gravidität durch immunbiologische Schwangerschaftsteste ausgeschlossen werden. Zystische Corpora lutea können einen Ovarialtumor bei intakter Gravidität vortäuschen, bedürfen aber keiner operativen Intervention. Extrauteringraviditäten sind durch die extreme Schmerzhaftigkeit bei der Betastung meist leicht abgrenzbar.

Bei größeren Ovarialkystomen, die sich in die freie Bauchhöhle entwickelt haben, ergibt die Inspektion außer einer evtl. vorhandenen Vorwölbung des Leibes keinen krankhaften Befund. Mit den tastenden Händen findet man die Tumoren meist nicht mehr im kleinen Becken, sondern oberhalb der Schambeinkante im Mittelbauch. Die Tumoren werden bei der Erstuntersuchung nicht selten übersehen. Erfaßt man sie mit beiden Händen, so sind sie beweglich, glatt begrenzt und von prallzystischer Konsistenz. Die Betastung ist nicht schmerzhaft. Bei größeren Tumoren ist die Seitenzugehörigkeit zum rechten oder linken Adnex nicht immer festzustellen. Von vaginal her kann man die Tumoren meist nicht erreichen. Häufig wird der Uterus durch den Tumor in eine Schräglage gedrängt, aber auch stark nach oben gezogen.

Große Zysten, die das Abdomen vorwölben, bieten besonders bei adipösen Patientinnen differentialdiagnostische Schwierigkeiten. Der Nachweis kindlichen Lebens einer fortgeschrittenen Gravidität gelingt bei fetten Frauen oder bei Hydramnion nicht immer (Kindsbewegungen, Herztöne). Die Ableitung kindlicher Herzaktionspotentiale oder eine Röntgenübersichtsaufnahme des Abdomens kann Klarheit bringen. – Die Abgrenzung gegen Aszites fällt bei schlaffen Zysten schwer. Die Verlagerung des gedämpften Klopfschalls beim freien Aszites durch Lagewechsel der Patientin fehlt bei der gut gefüllten Zyste. Bei abgekapseltem Aszites oder besonders schlaffen Zysten kann dieser Hinweis täuschen.

Mehrkammerige Zysten haben eine grobknollige Oberfläche. Sind solide Tumoranteile partiell vorhanden, so sinkt dieser Tumoranteil oft in den DOUGLASschen Raum ab, so daß man mit der inneren Hand im hinteren Scheidengewölbe grobknollige Tumoranteile tasten kann. Eine maligne Degeneration ist dann nicht selten.

Die häufigste Komplikation eines Ovarialtumors, die Stieldrehung, ist eine der Ursachen eines akuten Abdomens. Besteht nur eine venöse Drosselung, nehmen die Beschwerden in Stunden zu, der tastbare Tumor vergrößert sich zusehends. Wurde auch die arterielle Zufuhr gedrosselt, so kommt die Patientin in einen schockartigen Zustand. Die starke Abwehrspannung kann den Tastbefund unmöglich machen. Gegenüber einer Extrauteringravidität fehlt meist der Portiolüftungsschmerz, der Blutdruck ist normal, eher etwas erhöht, die Patientinnen sind nicht blaß anämisch, Schwangerschaftsteste sind negativ. – Die Abgrenzung gegenüber einer Perforation aus dem Intestinaltrakt kann sehr schwierig sein. Da es sich aber um ein lebensbedrohliches Krankheitsbild handelt, muß ohnehin laparotomiert werden.

THERAPIE. Operativ durch Laparotomie. Handelt es sich um junge geschlechtsreife Frauen, wird man bei einfachen Kystomen versuchen, das Restovar präparatorisch zu erhalten. Bei Frauen im Klimakterium oder postmenopausal sollten beide Ovarien entfernt werden, da nicht selten auch im anderen Ovar eine Tendenz zur Kystombildung besteht. – Große Zysten werden vor der operativen Entfernung punktiert, um ihren Umfang zu verkleinern. Der Inhalt sollte abgesaugt werden, da bei papillären Kystomen sich Epithelverbände im Peritoneum implantieren können. – Durch die Entleerung des Abdomens muß sich der Kreislauf der Patientin plötzlich umstellen, was zu kritischen Kreislaufsituationen führen kann. Stellt sich bei der Operation heraus, daß es sich um einen malignen Tumor handelt, so wird die abdominale Uterusexstirpation unter Mitnahme beider Adnexen durchgeführt.

Die im folgenden aufgeführten Ovarialtumoren ähneln in Symptomatik, Diagnostik und Therapie vielfach den eben beschriebenen serösen Kystomen. Es wird daher nur auf die Besonderheiten eingegangen und ansonsten auf das bereits Gesagte kurz verwiesen.

Muzinöse Kystome (Pseudomuzinkystom, Kystoma pseudomucinosum glandulare)

ÄTIOLOGIE. Unbekannt, im Ovarialgewebe findet sich kein vergleichbares Epithel, aus dem sich die Geschwulst entwickeln könnte.

SYMPTOMATIK. Geschlechtsreifes Alter und Postmenopause. Pseudomuzinkystome können riesige Ausmaße annehmen. Meist einseitig entwickelt.

Morphologisch vielkammerige Tumoren, die mit einer schleimigen, fadenziehenden Flüssigkeit von wasserklarer bis gelblicher Farbe gefüllt sind. Die Wand der Tumoren wird ausgekleidet von einem drüsenbildenden, sezernierenden, zylindrischen Epithel (Abb. 127). Das Epithel ähnelt am ehesten dem zylindrischen Epithel von Zervixdrüsen. Die Kerne liegen basal, das Zytoplasma ist erfüllt von Schleim, welcher ins Lumen abgesondert wird. Die Zystenkammern sind unterschiedlich groß, sie entstehen durch das Zusammenfließen mehrerer kleinerer zystischer Hohlräume. Symptomatik: s. seröse Kystome (S. 356). Komplikationen: s. seröse Kystome (S. 358).

DIAGNOSE. Prinzipiell wie bei den serösen Kystomen. Pseudomuzinkystome sind meist nicht prallelastisch, sondern von einer mittleren Konsistenz, oft vielknollig tastbar.

THERAPIE. Operative Entfernung. Hier ist bei der Punktion großer Tumoren und der Präparation Vorsicht geboten, da der in den freien Bauchraum fließende Schleim schwer resorbierbar ist und eine chronische Peritonitis hervorruft. Außerdem implantieren sich im vermehrten Maße, wie bei den papillären Kystomen, Epithelproliferationen im Peritoneum und bilden dort „Implantationsmetastasen", die zu einem chronischen Siechtum mit Aszitesbildung Veranlassung geben **(Pseudomyxoma peritonei).**

Endometrioide Tumoren

(s. Endometriose S. 433).

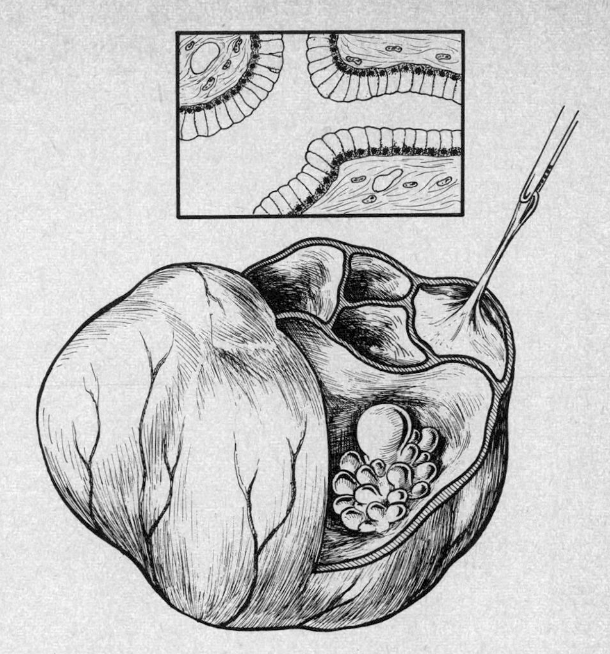

Abb. 127 Pseudomuzinkystom, z. T. aufgeschnitten. Die Kystomkammern sind von fadenziehendem Schleim erfüllt, in manchen Kystomkammern finden sich Tochterblasen. Histologisch schleimbildendes, zylindrisches Epithel

Brenner-Tumor (gutartiges Fibroepitheliom)

ÄTIOLOGIE. Wahrscheinlich aus konnatalen Epithelnestern im Inneren des Ovars (WALTHARD-Zellnester). Es wird auch der Ursprung aus dem Rete ovarii diskutiert.

SYMPTOMATIK. Seltener Tumor, 1—2 % aller Ovarialtumoren. Betrifft vorwiegend Frauen über dem 40. Lebensjahr. Immer einseitig lokalisiert. Gelegentlich Zufallsbefund in exstirpierten Ovarien, kann Kindskopfgröße annehmen. Manchmal in Kombination mit Pseudomuzinkystomen. Morphologisch solider derber Tumor. Histologisch finden sich in faserreichem Bindegewebe rundliche Epithelballen mit zytoplasmareichen regelmäßigen Epithelzellen (Abb. 128). — Klinisch macht der Tumor wenig Beschwerden. Von einer bestimmten Größe an können dumpfe Unterleibsschmerzen durch Druckerscheinungen auf die Nachbarorgane eintreten. Keine Hormonaktivität. Selten in Kombination mit dem MEIGS-Syndrom (s. Ovarialfibrom).

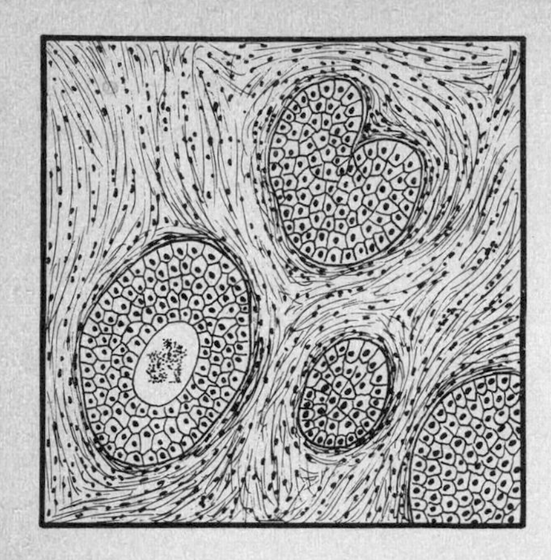

Abb. 128 BRENNER-Tumor, solide Epithelballen in faserreichem Bindegewebe

DIAGNOSE. Palpatorisch derber, etwas knolliger Tumor, läßt sich nicht von einem Fibrom oder Myom unterscheiden. Die Diagnose kann nur histologisch gestellt werden.

THERAPIE. Einfache Ovarektomie, da immer gutartig.

Zusammenfassung: Gutartige epitheliale Blastome des Ovars sind häufig. Sie neigen zur malignen Entartung (jeder 4. Fall) und müssen daher operativ entfernt werden. Bei den epithelialen Tumoren dominieren die serösen und muzinösen Kystome, welche den ganzen Bauchraum ausfüllen können. Die Kystome sind ein- oder mehrkammerig. Die häufigste Komplikation ist die Stieldrehung, die ein akutes abdominales Geschehen hervorruft. Bei intraligamentärer Entwicklung kommt es frühzeitig zu einer Verdrängung von Nachbarorganen. – Der Brenner-Tumor ist eine solide, hormon-inaktive fibroepitheliale Geschwulst, deren Symptomatik sich nicht von anderen soliden Ovarialgeschwülsten unterscheidet. Die Diagnose des seltenen Tumors wird histologisch gestellt.

Mesenchymale Tumoren

Bindegewebige Tumoren des Ovars sind selten. Es werden Myome, Osteome, Chondrome und Myxome beschrieben. Eine klinische Bedeutung haben nur die Fibrome.

Ovarialfibrom

ÄTIOLOGIE. Geschwulstmäßige Wucherung des ovariellen Bindegewebes.

SYMPTOMATIK. 5 % aller Ovarialtumoren. Zu 90 % einseitig. Kann in jedem Alter auftreten, bevorzugt ist die Postmenopause. Größe variiert bis zum Kindskopf.

Morphologisch solider derber Tumor, leicht beweglich. Neigt zur Stieldrehung. Histologisch faserreiches Bindegewebe. Bei größeren Tumoren können Hämorrhagien und Erweichungen zur Ausbildung zystischer Hohlräume führen. — Macht klinisch von einer bestimmten Größe an unbestimmte Unterbauchbeschwerden durch Druck auf die Nachbarorgane.

Ovarialfibrome sind deshalb besonders interessant, weil in 75 % der Fälle das sog. **Meigs-Syndrom** auftritt (Abb. 129). Darunter versteht man die Ausbildung von Aszites in der Bauchhöhle und eines meist ein-, aber auch doppelseitigen Pleuraexsudates. Der Zusammenhang ist ätiologisch unklar, aber empirisch bewiesen. — Da häufig der Pleuraerguß und der Aszites die Patientinnen dem Internisten zuführen, wird von dort bei der gynäkologischen Konsiliaruntersuchung der Ausschluß eines Ovarialfibroms gefordert.

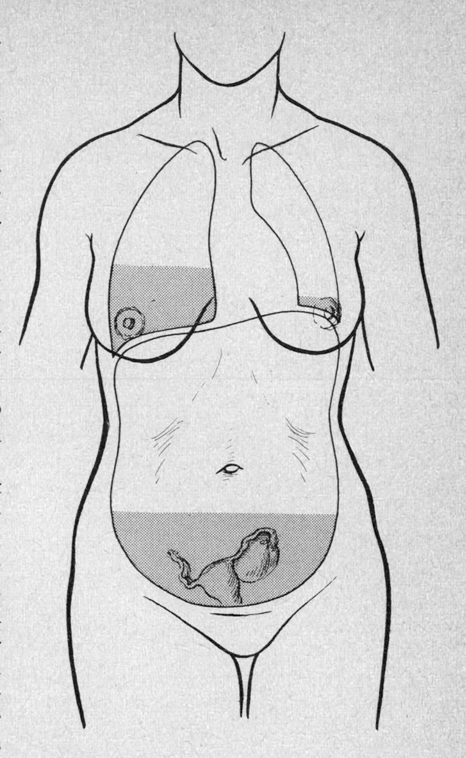

Abb. 129 MEIGS-Syndrom, vorwiegend beim Ovarialfibrom multiple seröse Ergüsse im Abdomen und in den Pleurahöhlen

Wesentlich seltener kann es zum MEIGS-Syndrom auch bei folgenden Genitaltumoren kommen: Fibroadenom des Ovars, BRENNER-Tumor, Thekazelltumor, Teratom, seröse Kystome, Pseudomuzinkystom, Ovarialkarzinom und bei Myomen des Uterus.

Klinisch muß bei einem derben Ovarialtumor immer an ein MEIGS-Syndrom gedacht werden.

DIAGNOSE. Palpatorisch unterscheidet sich das Ovarialfibrom nicht von gestielten Myomen des Uterus oder dem BRENNER-Tumor. Die Diagnose wird erst unter dem Mikroskop gestellt.

THERAPIE. Einfache Ovarektomie, bei Entfernung des Fibroms bilden sich die Ergüsse im Abdomen und Thorax spontan zurück.

Embryonale Tumoren (Teratome)

Embryonale Tumoren enthalten Gewebselemente aller drei Keimblätter. Sie entstehen wahrscheinlich parthenogenetisch aus Keimzellen (Parthenogenese = Entwicklung eines Lebewesens ohne Befruchtung). Neuere Forschungen zeigen, daß diese Geschwülste nur einen haploiden Chromosomensatz enthalten. Teratome treten bei beiden Geschlechtern, nicht nur in den Keimdrüsen, sondern auch anderenorts, bevorzugt in der Kaudalregion auf. Die gutartige Form des Teratoms in den Ovarien ist das Dermoidkystom.

Dermoidkystom

ÄTIOLOGIE. S. o. aus Keimzellen.

SYMPTOMATIK. Etwa 10 % aller Ovarialtumoren. Bevorzugtes Alter zwischen 20 und 40 Jahren. Eine bilaterale Entwicklung besteht in 25 % der Fälle. Dermoidkystome werden selten über faustgroß, sind von teigig-weicher, zystischer Konsistenz. Sie sind leicht beweglich und liegen meist neben und vor dem Uterus. Sie neigen zur Stieldrehung.

Morphologisch überwiegen ektodermale Gewebselemente. Eine derbe Bindegewebskapsel umhüllt die Zystenwand, die nach innen zu Epidermis mit Subkutis und allen Hautanhangsgebilden enthält. Es kommt zu einer abundanten Talgabsonderung ins Lumen des Tumors, so daß sich dieser zystisch erweitert. Aus der Haut wachsen reichlich Haare ins Innere (Abb. 130). In der Zystenwand läßt sich in der Regel eine dickere Gewebsschicht erkennen, in der sich histologisch die unterschiedlichsten Gewebselemente des menschlichen Körpers nachweisen lassen (Nervengewebe, Fettgewebe, Knorpel, Knochen, Muskulatur, Trachealgewebe, Thyreoidea, Darmepithel u. a.). Nicht selten sind Organstrukturen angedeutet. Häufig kommt es zur Ausbildung von gut strukturierten Zähnen, ja Teilen von Unterkiefern. Besonders die Zahnbildung ist bei Röntgenübersichtsaufnahmen des Abdomens eindeutig zu erkennen und weist als Zufallsbefund auf ein Dermoidkystom hin. In seltenen Fällen besteht das Teratom überwiegend aus Schilddrüsengewebe, man bezeichnet diese Form als **Struma ovarii.** Sie kann hormoninaktiv sein, aber auch im Überschuß Thyroxin produzieren und bei der Patientin eine BASEDOWsche Erkrankung hervorrufen. Die Struma ovarii ist in der Dignität fraglich und entartet oft maligne.

DIAGNOSE. Palpatorisch teigig-weicher Tumor, vorwiegend vor dem Uterus gelegen. Im Röntgenbild sind knöcherne Formationen oder Zahnbildungen beweisend.

THERAPIE. Einfache Ovarektomie, sorgfältige Inspektion des gesunden Ovars und evtl. Keilexzision kleinster Teratomkeime.

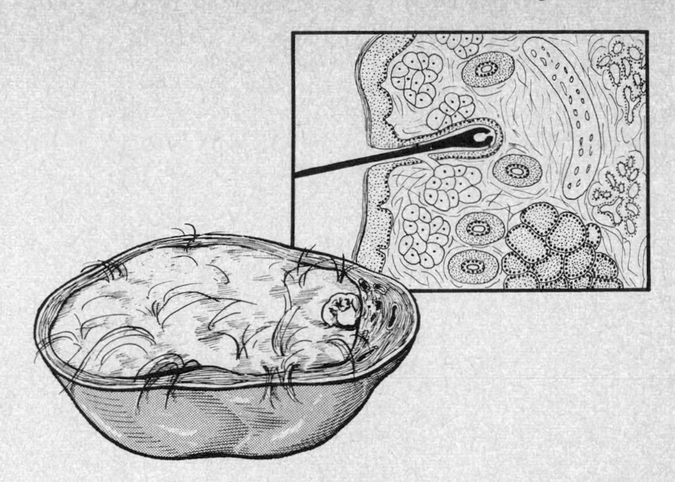

Abb. 130 Dermoidkystom, die Zyste ist mit Talg und Haaren erfüllt. An der verdickten Wandseite (Dermoidkeim) ein gut ausgebildeter Zahn. Histologisch sind zahlreiche Haarfollikel mit reichlich Talgdrüsen unter der, dem Lumen zugewandten, Epidermis zu finden, daneben Knorpelspange, schilddrüsenähnliches Gewebe und andere Drüsenformationen

Sexualhormonbildende Tumoren

Bei dieser Gruppe wurde von der Einteilung epithelial bzw. mesenchymal abgegangen, da die Tumoren auf Grund ihrer Produktion von Sexualhormonen klinisch deutlich abgrenzbare Krankheitsbilder erzeugen. Ganz allgemein kann festgehalten werden, daß die **östrogen**bildenden Tumoren im weiblichen Organismus vorwiegend gutartig sind und selten maligne entarten, während die **androgen**bildenden Tumoren von vornherein eine zweifelhafte Dignität haben.

Östrogenbildende Tumoren

Die Östrogenproduktion im geschlechtsreifen Ovar findet in den Granulosa- und Thekazellen des wachsenden Follikels statt. Beide Zellarten haben tumoröse Varianten, die im Überschuß und zyklusunabhängig Östrogene bilden.

Granulosazelltumor. *ÄTIOLOGIE.* Aus den Granulosazellen des Ovars.

SYMPTOMATIK. Häufigster hormonbildender Tumor des Ovars, 1–3 % aller Ovarialtumoren. Kommt in allen Lebensphasen der Frau vor (vor der Pubertät: 5–6 %, Geschlechtsreife: 45 %, Postmenopause: 50 %). Die Menge der Östrogensynthese ist variabel. Beim Kind führt sie zu einer frühzeitigen Reife (Pseudopubertas praecox). Bei der geschlechtsreifen Frau entsteht eine glandulär-zystische Hyperplasie mit Östrogendurchbruchsblutungen und manchmal ein Anschwellen der Brüste. Bei der postmenopausalen Frau kommt es zu Blutaustritten aus dem Genitaltrakt, verbunden mit einem, nicht dem Alter entsprechenden, hohen Aufbau des Vaginalepithels. In der Postmenopause zeigen Myome eine erneute Wachstumstendenz. Das Endometrium neigt zur Polyposis. Das Auftreten eines Korpuskarzinoms ist beim Granulosazelltumor nicht selten.

Morphologisch ist der Granulosazelltumor oft klein, trotzdem stark hormonaktiv. Er kann jedoch Größen bis zu 40 cm ⌀ annehmen. Meist einseitig. Im Anschnitt solider, intensiv gelblich gefärbter Tumor, durch Bindegewebssepten leicht lobuliert. Histologisch findet sich eine Ansammlung von Zellen, die Granulosazellen stark ähneln, in diffuser follikulärer, adenomatöser, rosettenförmiger oder trabekulärer Anordnung (Abb. 131). Mitosen sind häufig, besagen aber nichts über die Prognose, wenn das Zellbild nicht ausgesprochen anaplastisch wirkt. Teile des Tumors erscheinen luteinisiert. Einzelne Partien können einem Thekazelltumor ähneln. Granulosazelltumoren entarten relativ selten maligne, neigen aber in 25—30 % zu lokalen Rezidiven, wenn das befallene Ovar nicht ganz entfernt wird. Klinisch macht der Tumor, abgesehen von der Östrogenstimulation, die gleichen Symptome und Komplikationen wie andere solide Ovarialtumoren.

DIAGNOSE. Vaginale Blutungen bei Kindern mit mehr oder minder ausgeprägten Zeichen der Pubertas praecox sind immer verdächtig

Abb. 131 Granulosazelltumor. Den Granulosazellen des normalen Ovars gleichende Zellen lagern sich rosettenförmig um große Zellen, die Ähnlichkeit mit Primordialfollikeln haben

auf einen Granulosazelltumor. Während einer Untersuchung in Narkose wird ein palpatorisch erfaßbarer Ovarialtumor zu erkennen sein, anderenfalls muß eine Laparotomie zur Diagnose eines kleinen hormonaktiven Ovarialtumors beitragen.

Bei geschlechtsreifen und postmenopausalen Frauen deutet ein tastbarer solider, mäßig derber Ovarialtumor in Verbindung mit den Zeichen des Hyperöstrogenismus auf einen östrogenbildenden Tumor hin. Ist ein Adnextumor nicht palpabel, muß zunächst jede exogene Östrogenzufuhr ausgeschlossen und unterbunden werden. Dies ist bei der seit wenigen Jahren verbreiteten Substitutionstherapie im Klimakterium und der Postmenopause besonders naheliegend. Meist muß man 3 Monate ohne Hormonzufuhr abwarten, um sicher zu sein, daß der Hormongrad des Vaginalepithels oder die bei einer Kürettage geförderte glanduläre Hyperplasie des Endometriums von einer endogenen Hormonproduktion stammt. Bei geschlechtsreifen Frauen ist besonders in den Jahren der Pubertät und des Klimakteriums differentialdiagnostisch eine Follikelpersistenz wahrscheinlicher.

THERAPIE. Ovarektomie. Bei Verdacht auf Malignität histologische Sicherung während der Operation und Uterusexstirpation mit beiden Adnexen. Maligne degenerierte Granulosazelltumoren sind strahlenrefraktär.

Thekazelltumor. *ÄTIOLOGIE.* Aus den Thekazellen des Ovars.

SYMPTOMATIK. 1–2 % aller Ovarialtumoren, kommt im Gegensatz zum Granulosazelltumor **nicht** in der Kindheit, sondern vorwiegend über dem 30. Lebensjahr (30 %) und postmenopausal (70 %) vor.

Thekazelltumoren sind solide, derbe, unilateral entwickelte Tumoren. Auf der Schnittfläche wirken sie lobuliert, von wechselnd gelber bis bräunlicher Farbe auf Grund der reichlich eingelagerten Lipoide. Histologisch handelt es sich um eine Ansammlung epitheloider langgestreckter, fibrillenarmer Zellen mit fischzugähnlichem Verlauf. Hyaline Degenerationen und Nekrosen sind häufig. Thekazelltumoren sind immer benigne. Die klinischen Erscheinungen sind mit dem Granulosazelltumor identisch.

DIAGNOSE. Verdacht wie beim Granulosazelltumor, Sicherung nur histologisch.

THERAPIE. Ovarektomie.

Androgenbildende Tumoren

Von den fetal bisexuell angelegten Gonaden bleiben im erwachsenen weiblichen Organismus rudimentäre Gewebselemente des männlichen Genitale zurück. Aus diesen können sich Geschwülste entwickeln, die sich durch die vermehrte Produktion von Androgenen auszeichnen und bei der Frau ausgeprägte Vermännlichungserscheinungen hervorrufen.

Das klinische Bild gleicht sich bei allen drei Formen der androgenbildenden Tumoren, so daß es vorangestellt werden soll. Folgende Symptomatik ist charakteristisch: Verlust der Periodenblutungen (sekundäre Amenorrhoe), Sterilität, Verkleinerung der Brüste, Involution des inneren Genitale, Vergrößerung der Klitoris, zunehmende Behaarung an allen Körperregionen, Vergröberung des Skelets, Ausbildung von maskuliner Muskulatur, Stirnglatzenbildung, Akne und Tieferwerden der Stimme. Endokrinologisch sind die Ausscheidungen der Androgene und 17-Ketosteroide erhöht, aber die Gonadotropine und Östrogene vermindert nachweisbar. – Differentialdiagnostisch muß das adrenogenitale Syndrom, CUSHING-Syndrom, STEIN-LEVENTHAL-Syndrom oder ein Nebennierenrindenkarzinom diskutiert werden.

Arrhenoblastom. *ÄTIOLOGIE.* Wahrscheinlich aus männlich determinierten Zellen der indifferenten bisexuellen Gonadenanlage.

SYMPTOMATIK. Vorwiegend Frauen zwischen dem 25. und 45. Lebensjahr (Streuung 15–66 Jahre). Entwickelt sich zu 95 % unilateral. Variiert in der Größe im Durchmesser von sehr klein bis zu 27 cm ⌀. Makroskopisch solide, relativ weiche, etwas höckrige Tumoren. Auf der Schnittfläche lobuliert, gelblich grau. Nekrosen, Hämorrhagien und zystische Hohlräume sind häufig. Der überwiegende Teil ist gut abgegrenzt und läßt sich operativ leicht entfernen. Lokale Rezidive entstehen bei ca. 12 %. In 22 % besteht bereits bösartiges Verhalten mit peritonealer Aussaat und invasivem Wachstum. – Histologisch finden sich im Tumor tubuläre Zellformationen, die eine gewisse Ähnlichkeit mit Hodengewebe aufweisen. Je nach der Ausdifferenzierung sind diese mehr oder minder ausgeprägt. Der Grad der Malignität wächst mit der zunehmenden Entdifferenzierung des histologischen Bildes.

DIAGNOSE. Tastbarer Ovarialtumor mit Vermännlichungserscheinungen. Gegenüber dem AGS wesentlich kürzere Anamnese. Endgültige Diagnose nur histologisch.

THERAPIE. Ovarektomie. Bei Malignität Uterusexstirpation mit beiden Adnexen. Nach Entfernung des Tumors bilden sich die Vermännlichungserscheinungen bis zu einem gewissen Umfang zurück. Das verstärkte Haarwachstum unterliegt keiner weitgehenden Rückbildung.

Hypernephroidtumor. *ÄTIOLOGIE.* Wahrscheinlich aus aberrierendem Nebennierenrindengewebe.

SYMPTOMATIK. Sehr selten, einseitig entwickelt, bleibt relativ klein. Reste des normalen Ovars können erhalten bleiben. Die Schnittfläche ist gelblich braun, lobuliert. Nekrosen, Hämorrhagien und zystische Degenerationen sind häufig. Histologisch Ansammlung von polygonalen, zytoplasmareichen Zellen. Das Zytoplasma ist granuliert. Lipoide lassen sich nachweisen. Die Zellen ähneln denen der Nebennierenrinde. Die maligne Entartung scheint relativ selten zu sein.

DIAGNOSE. Kleiner tastbarer Ovarialtumor mit Vermännlichungserscheinungen. Endgültige Diagnose nur histologisch.

THERAPIE. Ovarektomie.

Leydig-Zelltumor. Entsteht aus Hiluszellen des Ovars, die den LEYDIGschen Zwischenzellen des Hodens entsprechen (Lokalisation s. S. 65). Extrem seltener Tumor, bisher nur wenige Fallmitteilungen in der Weltliteratur.

Parovarial-, Paroophoron- und Serosazysten

Aus den fetalen Nachbarorganen des Ovars können sich zystische Tumoren entwickeln, die bei der klinischen Untersuchung nicht von einem Ovarialtumor zu unterscheiden sind. Klarheit bringt meist erst der Operationssitus. Aus den Resten des Urnierenganges (Nebeneierstock, WOLFFscher Gang) entwickeln sich **Parovarialzysten,** die intraligamentär entwickelt sind (Abb. 126). Selten können diese auch gestielt wachsen, wobei der Stiel nur aus einem Blatt der Mesosalpinx besteht. Das Ovar läßt sich immer vom Tumor abgrenzen. In seltenen Fällen können auch **Zysten aus dem Rete ovarii** entstehen, die intraligamentär entwickelt sind. Die **Paroophoronzysten** gehen aus Resten des WOLFFschen Ganges hervor, die im Lig. infundibulo ovaricum lokalisiert sind. Sie liegen nicht intraligamentär. – Schließlich treten in Ovarialnähe nicht selten **Serosazysten** auf. Es handelt sich um zystische Erweiterungen im Peritoneum. Die Zysten sind dünnwandig und meist nicht größer als eine Weinbeere. Man findet sie als Zufallsbefund bei Laparotomien.

Zusammenfassung: Von den mesenchymalen gutartigen Ovarialtumoren ist das Fibrom klinisch bedeutsam. Bei 75 % aller Fälle kommt es zum sog. Meigs-Syndrom (Pleuraergüsse, Aszitesbildung). – Die embryonalen Tumoren bestehen aus Gewebselementen aller drei Keimblätter. Beim Dermoidkystom überwiegen ektodermale Gewebe. Der zystische Tumor ist von Talg und Haaren erfüllt. Eine seltene Variante, die sog. Struma ovarii, neigt zur malignen Entartung. – Hormonbildende Tumoren des Ovars können Östrogene oder Androgene produzieren. Zu den Östrogenbildnern gehören der Granulosa- und Thekazelltumor. Sie sind überwiegend gutartig. Die überschießende Östrogenproduktion führt beim Kind zur vorzeitigen Reife, bei der geschlechtsreifen Frau zu Endometriumwucherungen mit ungeregelten Blutungen und bei der postmenopausalen Frau zu erneuten Blutungen. – Die Androgenbildner (Arrhenoblastom, Hypernephroidtumor, Leydig-Zelltumor) entarten häufig maligne. Sie rufen bei der Frau ausgeprägte Vermännlichungserscheinungen hervor. – Neben dem Ovar liegende Zysten täuschen Ovarialzysten vor. Sie gehen aus embryonalen Resten der bisexuellen Gonadenanlage hervor.

Bösartige Tumoren

Der maligne Charakter einer Geschwulst wird vorwiegend durch drei Eigenschaften gekennzeichnet:

1. Das infiltrierende Wachstum mit Zerstörung von gesundem Gewebe des Wirtsorganismus.
2. Die Ausbreitung auf dem Lymphweg mit Metastasenbildung in den regionären Lymphknoten.
3. Die Ausbreitung auf dem Blutweg mit Metastasenbildung im venösen und arteriellen Kapillarnetz.

Bösartige Tumoren entstehen in allen Organen des weiblichen Genitale. Etwa 97 % aller Malignome sind Karzinome, die epitheliale Variante der bösartigen Tumoren. Der restliche kleine Prozentsatz umfaßt Sarkome und fetale Geschwülste. Bei den Karzinomen steht das Zervixkarzinom mit über 50 % aller Genitalkarzinome in der Häufigkeitsverteilung bei weitem an der Spitze. Große gynäkologische Kliniken rechnen mit 10 % aller stationären Patientinnen, die an einem bösartigen Tumor erkrankt sind und behandelt werden.

Jede Karzinomerkrankung wird in **Stadien** (I–IV) unterteilt. Der Stadieneinteilung liegt der verständliche Gedanke zugrunde, begrenzte Karzinome mit guten Heilungsaussichten von solchen mit schlechteren oder infausten Prognosen abzugrenzen und miteinander vergleichen zu können. Internationale Krebskomitees mit Experten aus aller Welt haben sich um Stadieneinteilungen bemüht. Sinnvoll erscheint die Größe und Abgrenzung des Primärtumors zu seinen Nachbarorganen (T = tumor) in Relation zu setzen mit der lymphogenen Absiedelung (N = nodule) und der hämatogenen Metastasierung (M = metastasis), TNM-System. Die klinisch richtige Einordnung des Individualfalles bleibt jedoch bei bestem Können und Bemühen problematisch, da z. B. ein kleiner Primärtumor ohne erfaßbare Lymphknoten bereits lymphogene Krebsmetastasen aufweisen kann, andererseits palpable Lymphknoten zwar entzündlich induriert, aber krebsfrei sein können.

Das weibliche Genitale ist bis zum äußeren Muttermund relativ leicht der Betrachtung zugängig. In den letzten Jahrzehnten sind die Methoden zur **Frühdiagnostik des Zervixkarzinoms** so verfeinert worden, daß es gelingt, Vorstadien der Krebserkrankung zu erfassen. Die Diagnostik dieser Erkrankung nimmt immer breiteren Umfang an und sollte **jedem Arzt** geläufig sein, da hier die Chancen einer echten Präventivmedizin liegen.

Vulva

Prämaligne Plattenepithelerkrankungen (Präkanzerosen)

Unter dieser Bezeichnung versteht man eine Umwandlung der Plattenepithelstruktur, welche im histologischen Aufbau alle Kriterien der Malignität erfüllt (Verlust der Schichtung, Mitosenreichtum usw.), **ohne** Zeichen der Infiltration und ohne lymphogene oder hämatogene Metastasenbildung. An der Vulva finden sich drei Formen, die sich im histologischen Aufbau unterscheiden, aber klinisch sehr ähnlich sind, so daß sie im Zusammenhang besprochen werden sollen. Es handelt sich um den Morbus BOWEN, die Erythroplasie nach QUEYRAT und den Morbus PAGET.

ÄTIOLOGIE. Unbekannt. Gehäuft auf dem Boden einer Leukoplakie oder Kraurosis vulvae. Manche Autoren rechnen auch diese Veränderungen zu den Präkanzerosen (Kraurosis vulvae s. S. 115). Sie sind zumindest potentiell verdächtig für die Entstehung einer präkanzerösen oder kanzerösen Vulvaerkrankung.

SYMPTOMATIK. Betrifft Frauen in der Postmenopause. Entsteht vorwiegend an den unbehaarten Partien der Vulva, im Bereich der kleinen Labien, an der Klitoris, periurethral oder an der hinteren Kommissur. Die Patientinnen bemerken lange Zeit nichts oder klagen über Juckreiz. Bei der Inspektion fällt ein unregelmäßig begrenzter, etwas erhabener rötlicher Fleck auf (zwischen 10-Pfennigstück-Größe und flächenhafter Ausbreitung). Unsachgemäße Selbstbehandlungen über Monate und Jahre sind leider nicht selten.

Histologisch ist der **Morbus Bowen** charakterisiert durch einen intraepithelialen Verlust der Schichtung, eine ungeregelte individuelle Zellverhornung, eine Durchsetzung des ganzen Epithels mit z. T. atypischen Mitosen und einer Polymorphie der Zellkerne. Oberflächlich fallen eine Hyper- und Parakeratose auf. Das Epithel ist verdickt, ein Einbruch in das unterliegende Stroma erfolgt nicht (Abb. 132/1). Unbehandelt dauert es ca. 10 Jahre bis ein invasives Krebswachstum erfolgt.

Die **Erythroplasie nach Queyrat** unterscheidet sich nur derart, daß die Hyper- und Parakeratose fehlen, also der intraepitheliale Strukturverlust noch weitgehender ist als beim Morbus BOWEN. Auch wird für die Erythroplasie ein schnellerer Übergang in das Karzinom beschrieben als beim Morbus BOWEN.

Die **Pagetsche Erkrankung der Vulva** gleicht im intraepithelialen Aufbau völlig dem Morbus PAGET der Mamma (s. S. 502). Im Gegensatz zur Mamma handelt es sich an der Vulva meist nicht um das Symptom eines tieferliegenden Karzinoms, sondern in der überwiegenden Zahl der Fälle noch um eine Präkanzerose. Das Epithel ist verdickt, die Schichtung verlorengegangen. Das ganze Epithel wird durchsetzt von

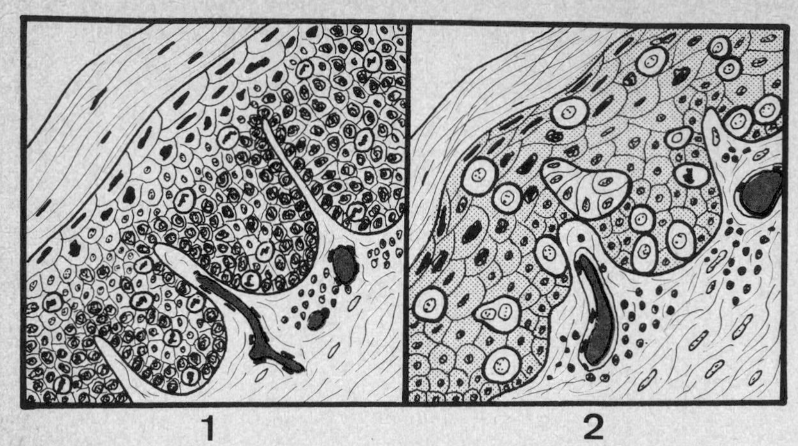

Abb. 132 1. Morbus Bowen, 2. Morbus Paget

großen, zytoplasmareichen Zellen (welche saure Mukopolysaccharide enthalten) mit bläschenförmigen Kernen, die als Paget-Zellen bekannt sind (Abb. 132/2). Der M. Paget der Vulva ist nicht selten kombiniert mit einem primären Karzinom des Rektums, der Urethra und der Mamma.

DIAGNOSE. Gerötete, leicht erhabene Flecken im Vulvabereich sollten immer durch eine Gewebsexzision in ihrer histologischen Struktur geklärt werden. Erste Hinweise kann man durch einen Zellabstrich gewinnen, der an der Vulva mit einem Holzspatel durchgeführt werden sollte, da die Epithelzellen wesentlich fester im Verband haften als an der Zervix. Die zytologische Diagnostik an der Vulva ist jedoch fehlerhafter, da durch die oberflächliche starke Verhornung im Ausstrich vorwiegend kernlose Schollen gewonnen werden. Ein negativer zytologischer Befund schließt eine Epithelatypie nicht aus.

THERAPIE. Operative Ausschneidung mindestens 1 cm im gesunden Gewebe. Vielfach wird auch eine Vulvektomie empfohlen, da die verbleibenden Vulvapartien zu Rezidiven der intraepithelialen Erkrankung neigen. Von einer strahlentherapeutischen Behandlung wird allgemein abgeraten. – Die entfernten Gewebspartien bedürfen einer subtilen histologischen Aufarbeitung, um eine bereits erfolgte Umwandlung in ein Karzinom nicht zu übersehen.

Vulvakarzinome

Das häufigste Karzinom der Vulva ist das Plattenepithelkarzinom. Wesentlich seltener sind Basalzellkarzinome, Karzinome der Bartho-

LINschen Vestibulardrüsen, maligne Melanome und Karzinome aus Resten des Sinus urogenitalis oder des WOLFFschen Ganges. Für die Praxis wichtig ist die Kenntnis des Plattenepithelkarzinoms an der Vulva.

Plattenepithelkarzinom

ÄTIOLOGIE. Unbekannt. Häufig (30—40 %) auf dem Boden einer Kraurosis oder Leukoplakie. Kinderlose und unverheiratete Frauen erkranken angeblich öfter als andere Frauen. Auch scheinen Frauen, die an venerischen granulomatösen Infekten erkrankt waren, für eine Karzinomerkrankung der Vulva prädisponiert zu sein.

SYMPTOMATIK. 5 % aller Karzinome des weiblichen Genitale. Vorwiegend bei Frauen in der Postmenopause. Durchschnittsalter über 60 Jahre. Als Frühsymptom werden Schmerzen im Vulvabereich angegeben. Juckreiz bestand oft jahrelang, wenn die Patientin an einer Kraurosis vulvae litt. Durchschnittlich vergehen 14 Monate bis zum ersten Arztgang. Der Grund liegt darin, daß ältere Frauen ungern mit einem Arzt die sie genierenden Symptome erörtern. Dazu spielen die Selbstbehandlung (Babypuder und -Creme) **und** die Verzögerung durch einen Arzt (Ekzembehandlung) eine wichtige Rolle.

Die Lokalisation der Plattenepithelkarzinome ist folgende: 40 % große Labien, 15 % kleine Labien, 17 % Klitoris, 28 % vordere und hintere Kommissur und 0,2 % BARTHOLINsche Drüsen.

Leider findet man selten das Karzinom im Frühstadium, sondern makroskopisch eine „exophytär" blumenkohlähnliche oder eine „endophytär" ulzerierende Form (Abb. 133). Beim blumenkohlähnlichen Wachstum kann der Tumor gestielt sein, aber auch breitbasig aufsitzen. Die Tumoroberfläche ulzeriert früher oder später. Die primär ulzerierenden Karzinome sind unregelmäßig, aber scharf begrenzt, die Ränder erhöht, der Tumorgrund ist schmierig nekrotisch. Abklatschmetastasen sind bei aneinanderliegenden Schleimhautoberflächen häufig. Beide Tumorformen sondern eine serös blutige, übelriechende Flüssigkeit ab.

Histologisch ist beim Plattenepithelkarzinom eine starke Verhornung nicht selten. Man findet jedoch alle Stadien der Entdifferenzierung bis zum völlig anaplastischen Tumortyp.

Das Vulvakarzinom metastasiert auf Grund der reichen Lymphbahnenversorgung des Vulvagebietes früh in die Lymphknoten der abhängigen Leistenregion. Dort werden schmerzhafte harte Knoten tastbar, die im fortgeschrittenen Stadium die Haut durchbrechen. Aber auch die pelvinen Lymphknoten werden befallen.

Unbehandelt oder rezidivierend führt das Vulvakarzinom zu einer völligen Zerstörung der Vulva, wobei die Benetzung der tumorösen

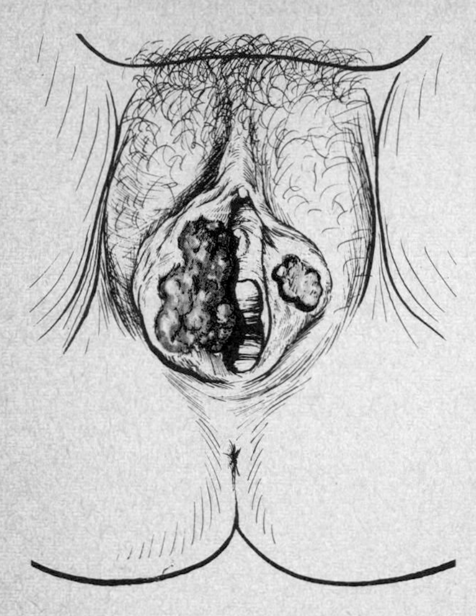

Abb. 133 Vulvakarzinom. Links: Exophytäres Wachstum. Rechts: Endophytäres Wachstum auf dem Boden einer Kraurosis vulvae. Das Karzinom wächst wie ein flaches, scharf ausgestanztes Geschwür

Wundgebiete mit Urin und Kot zusätzlich starke Schmerzen bereitet. Das Leiden ist langwierig und qualvoll, da eine hämatogene Metastasierung meist nicht erfolgt. Nur langsam entwickelt sich eine Tumorkachexie. Nicht selten wird das Ende durch die Arrosion großer Gefäße herbeigeführt.

Stadieneinteilung des Vulvakarzinoms:

I. Primärtumor nicht größer als 2 cm ⌀, keine oder klinisch unverdächtige Lymphknoten der Leistenbeuge.

II. Primärtumor größer als 2 cm ⌀, keine oder klinisch unverdächtige Lymphknoten der Leistenbeuge.

III. Primärtumor, gleich welcher Größe, geht über auf die Urethra, und/oder Vagina, Damm und Anus mit oder ohne klinisch verdächtige oder klinisch eindeutig karzinomatös veränderte Leistenlymphknoten (starre, konfluierende, z. T. ulzerierende Pakete).

IV. Primärtumor wie III mit Infiltration in Blase, Rektum und knöchernes Becken, mit oder ohne Lymphknotenbefall und Fernmetastasen.

DIAGNOSE. Die Diagnose sollte so früh wie möglich erfolgen. Kleine, rötlich erhabene Flecken im Bereich einer Kraurosis, aber auch bei sonst unveränderter Vulva sollten bald exzidiert und einer histologischen Untersuchung zugeführt werden. Zytologische Abstriche sind nur bei positivem Befund verwertbar. — Bei großen Tumoren genügt eine kleine Gewebsentnahme zur Sicherung der Diagnose. Vergrößerte Lymphknoten in der Leistengegend können auch unspezifisch sein, sollten aber exzidiert und feingeweblich untersucht werden.

Differentialdiagnostisch kommt bei kleinen ulzerierenden Prozessen der Primäraffekt der Lues oder das venerische Lymphogranulom in Frage. Auch andere granulomatöse oder ulzerierende Vulvaerkrankungen (s. S. 293) können ein Karzinom vortäuschen. Man sollte jedoch alle diese Veränderungen so lange als Karzinom ansehen, bis durch die histologische Untersuchung das Gegenteil bewiesen ist.

THERAPIE. Vulvakarzinom ohne Lymphknotenbeteiligung: Operative Entfernung durch Vulvektomie. Abb. 134 zeigt eines der operativen Behandlungsverfahren. Andere Operateure bevorzugen die radikale Semivulvektomie mit Ausräumung der inguinalen, manchmal auch der pelvinen Lymphknoten. Fortgeschrittene Vulvakarzinome: Operative Abtragung von exophytär wachsenden Tumormassen mit dem Elektrokauter. Die konventionelle Strahlentherapie (Röntgen und Radium) hat auf den Verlauf des Vulvakarzinoms keinen überzeugenden Einfluß. Bessere Erfolge erreicht dagegen die Bestrahlung mit der Hochvolttherapie (Betatron), so daß man vielerorts die opera-

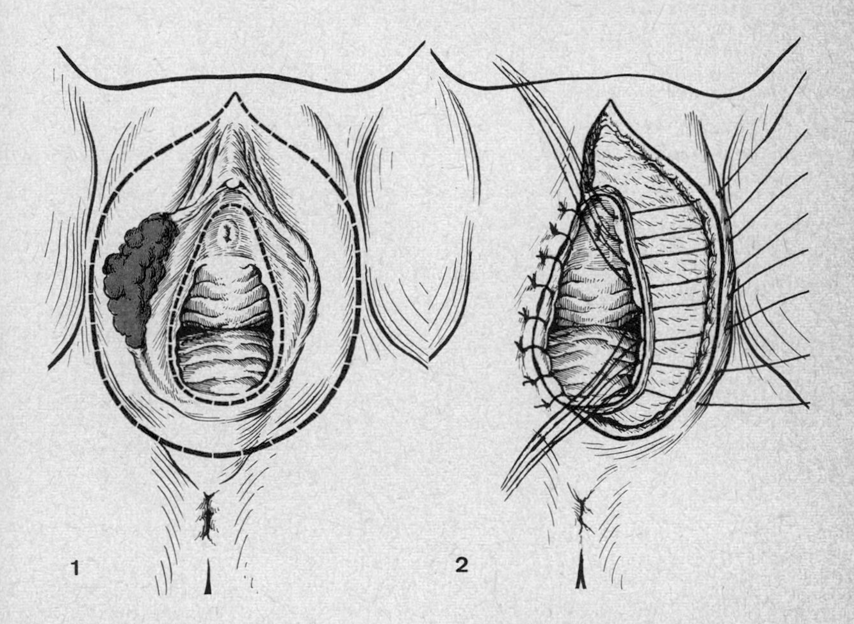

Abb. 134 Eine der operativen Behandlungsmöglichkeiten des Vulvakarzinoms. 1. Umschneidungsfigur zur Vulvektomie. 2. Deckung des Gewebsdefektes

tive Therapie überhaupt verläßt und nur noch die Strahlentherapie vorzieht. Letzteres auch aus dem Grund, weil ältere Patientinnen oft adipös und kardial geschädigt sind, so daß sie große operative Eingriffe schlechter tolerieren. Fortgeschrittene Vulvakarzinome mit ständigen petechialen Blutungen und penetrantem Gestank lassen sich durch Kompressen, die mit einer 2 %igen Zytostatikalösung getränkt sind (z. B. Endoxan), palliativ beeinflussen. Die Tumoren reinigen sich, bluten weniger und verlieren den die Patientin und das Pflegepersonal quälenden Gestank. Ein kurativer Effekt kommt dieser Behandlung nicht zu. — Die Prognose des Vulvakarzinoms hängt wesentlich von der Größe des Primärtumors ab. Bei einem Tumordurchmesser von 2 cm ist bereits eine lymphogene Metastasierung in 25 % der Fälle eingetreten, bei einem Durchmesser zwischen 3 bis 5 cm und darüber in mehr als 50 %. Patientinnen mit Vulvakarzinom des Stadium I haben eine Überlebenschance von 90 %, im Stadium II sinkt diese auf 70 % und im Stadium III—IV auf 0—19 % herab.

Basalzellkarzinom

Histologisch regelmäßige Epithelballen mit pallisadenähnlicher Anordnung der Basalzellen. Wächst langsam in tiefen Knoten, metastasiert nicht oder spät. Heilungsaussicht gut bei Exstirpation im Gesunden.

Malignes Melanom

Verdächtig sind braun-bläulich gefärbte, etwas erhabene Flecken. Wächst epitheloid- und sarkomähnlich. Rezidiviert leicht. Prognostisch ungünstig.

Karzinome der Vulvadrüsen (Bartholinsche-, Skenesche-, Vestibulardrüsen).

Meist adenomatöse Karzinome. Oft begleitendes Vulvaödem. Zunächst langsames Wachstum in tiefen Knoten. Wird lange Zeit verkannt. Schlechte Prognose.

Karzinommetastasen an der Vulva

Das Korpuskarzinom, seltener das Kollumkarzinom, das Hypernephrom und das Chorionepitheliom metastasieren in den Vulvabereich. Wenn die Metastase als Erstsymptom auftritt, muß nach dem Primärtumor gefahndet werden.

Karzinomatöse Erkrankungen der Urethra

Unklare Rötungen im Urethralbereich sollten dem Urologen zur Klärung zugeführt werden (Abgrenzung gegenüber Ektropium der Urethralschleimhaut).

Sarkome und andere Tumoren

Wachstum in tiefen, unter dem Epithel wachsenden Knoten, schlechte Prognose.

Zusammenfassung: Malignome im Vulvabereich gehen vorwiegend vom Plattenepithel aus. Prämaligne Epithelerkrankungen sind der Morbus Bowen, die Erythroplasie nach Queyrat und der Morbus Paget. Gerötete, juckende Flecken an der Vulva sind für eine Präkanzerose verdächtig. Therapeutisch genügt die Ausschneidung im Gesunden. – Das Plattenepithelkarzinom wächst langsam und gewebszerstörend. Es metastasiert bald in die Leistenlymphknoten. Die Therapie besteht in der Vulvektomie, wenn die Lymphknoten noch frei sind; in der Hochvolttherapie, wenn lymphogene Metastasen vorhanden sind.

Vagina

Prämaligne Plattenepithelerkrankungen

Im Plattenepithel der Vagina kommen intraepitheliale maligne Veränderungen vor, die einer Dysplasie, einem Carcinoma in situ (s. S. 382, 385) oder einem Morbus Bowen (s. Vulva S. 373) entsprechen. Für die Patientin bleiben die Veränderungen unbemerkt. Diagnostisch sind sie sehr schwer erkennbar, da das Vaginalrohr bei Routineuntersuchungen nicht mit frühdiagnostischen Methoden erfaßt wird. Umschriebene Rötungen, leukoplakische Verdickungen, jodnegative Areale sollten mit Hilfe der Zytodiagnostik **und** Gewebsentnahme in ihrer Natur geklärt werden. Therapeutisch kann man die erkrankten Partien im Gesunden exzidieren oder bestrahlen.

Primäres Vaginalkarzinom (Plattenepithelkarzinom)

ÄTIOLOGIE. Unbekannt. Wahrscheinlich ähnliche epidemiologische Faktoren wie beim Zervixkrebs (s. S. 394).

SYMPTOMATIK. 2,5 % aller Genitalkarzinome, also recht selten. Betrifft vorwiegend ältere Frauen in der Postmenopause. Meist entsteht an der Hinterwand der Vagina im oberen Drittel ein granulierter, geröteter, erhabener Fleck, der oberflächlich erodiert und auf Berührung blutet. Eine wäßrig blutige, übelriechende Sekretion und Kontaktblutungen (Kohabitation, Defäkation) führen die Patientin zum Arzt. Andere Symptome finden sich nicht bei umschriebener Ausbreitung.

Morphologisch handelt es sich bei primären Vaginalkarzinomen bis auf wenige Ausnahmen um Plattenepithelkrebse. Es kommen alle Formen von gut ausdifferenzierten verhornenden bis zu völlig anaplastischen Karzinomen vor. (Als Rarität adenomatöse Karzinome, die sich aus versprengten Zervixdrüsen oder Resten des Gartnerschen Ganges entwickeln.)

Das Karzinom breitet sich zunächst rasenartig, oft zirkulär in der Vagina aus, wächst in die lockeren Bindegewebsspalten zwischen Vagina und Blase bzw. Rektum ein und kann in beide Organe perforieren, so daß Fisteln mit Kloakenbildung entstehen. Die Lymphknoten des kleinen Beckens werden auf Grund der guten Lymphdrainage der Vagina bald befallen (zunächst iliakale, später auch para- und retrorektale, sakrale und inguinale Lymphknoten). Später kommt es zu einer tumorösen Ausmauerung des kleinen Beckens mit Kompression beider Ureteren. Das Scheidenkarzinom neigt nicht zur hämatogenen Streuung. Der Exitus erfolgt nicht selten im urämischen Koma.

Stadieneinteilung des Vaginalkarzinoms:

I. Primärtumor auf die Vaginalwand beschränkt.
II. Das Karzinom dringt in das paravaginale Gewebe ein.
III. Das Karzinom hat die Beckenwand erreicht.
IV. Weitgehende Ausmauerung des kleinen Beckens mit Einbruch in die Blase oder das Rektum.

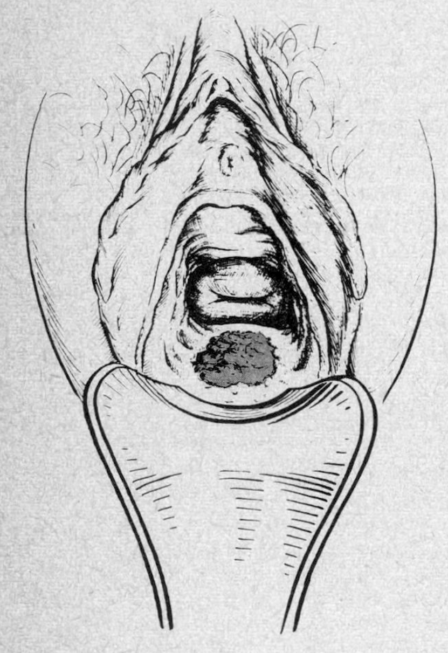

Abb. 135 Vaginalkarzinom, rasenartig an der Hinterwand der Vagina entwickelt

DIAGNOSE. Granulierte, ulzerierte Scheidenveränderungen werden bei der ersten Spekulumuntersuchung leicht übersehen, wenn man sofort die Zervix mit beiden untersuchenden Blättern einstellt und damit die Veränderung durch das Spekulumblatt verdeckt. Ist der Zervixbefund normal und man zieht beide Spekulumblätter rasch heraus, legen sich die vordere und hintere Vaginalwand sofort aneinander, so daß der Befund übersehen wird (Abb. 135). In jedem Fall sollte aber die Austastung der Vagina einen Hinweis erbringen. Die betroffene Stelle ist derb und höckerig. Meist ist die Vaginalwand erschwert oder nicht gegen die Umgebung verschieblich. Bei einer erneuten Inspektion der Scheide wird man die getastete Veränderung leicht erkennen können. Ein zytologischer Abstrich und unabhängig von dessen Resultat, eine baldige Gewebsentnahme sichern die Diagnose. — Die lokale Ausbreitung gegen die Blase und das Rektum wird mit der Zysto- und Rektoskopie verfolgt. Die Lymphographie kann auf Makrometastasen im Lymphabflußgebiet hinweisen.

THERAPIE. Die operative Behandlung des Scheidenkarzinoms ist bisher wenig erfolgreich, da die unmittelbare Nachbarschaft von Blase und Rektum nur eine eingeschränkte Radikalität zuläßt. Daher beschränkt man sich bei der Behandlung des Scheidenkarzinoms allgemein auf die Strahlentherapie. Der Primärherd wird mit Radium oder Kobalt bestrahlt. Die Ausbreitung des Karzinoms in die Lymphknoten des kleinen Beckens wird am erfolgreichsten mit der Hochvolttherapie behandelt. Das Scheidenkarzinom hat eine schlechte Prognose. Trotz Verbesserung der Strahlentherapie wird eine 5-Jahres-Überlebenszeit nur von 25 bis 30 % der Patientinnen erreicht. – Das Siechtum ist langwierig und quälend. Bei Perforationen ins Rektum legt man als Palliativmaßnahme einen Anus praeter an, um die Verschmutzung des karzinomatösen Gebietes mit Kot zu verhindern. Sickerblutungen und stinkenden Ausfluß kann man mit lockeren Tamponaden, die mit 2 %iger Zytostatikumlösung getränkt sind (z. B. Endoxan), vorübergehend mildern.

Sekundäre Vaginalkarzinome

Eine Metastasierung anderer Karzinome in die Scheide kommt vor (Kollumkarzinom, Korpuskarzinom, Chorionepitheliom und Hypernephrom). Einige Karzinome wachsen per continuitatem in die Scheide ein. Am häufigsten ist der Befall der Scheidengewölbe von einem Zervixkarzinom aus, seltener der Durchbruch eines Blasen-, Urethral- oder Rektumkarzinoms.

Vaginalsarkome

Bei Erwachsenen meist Spindelzellsarkome. Bei Kindern in der Scheide und Zervix das traubenförmige, exophytäre Sarcoma botryodes. Tumormassen verursachen vaginale Blutungen oder quellen aus dem Introitus hervor. Die Prognose ist infaust, da Sarkome auf Strahlenbehandlung fast nicht ansprechen.

Zusammenfassung: Bösartige Tumoren der Vagina gehen vorwiegend vom Plattenepithel aus. Ähnlich wie an der Vulva und an der Zervix kommen Präkanzerosen vor. Wegen der fehlenden Symptomatik werden sie kaum diagnostiziert. – Das Plattenepithelkarzinom der Vagina ist vorwiegend an der Hinterwand im oberen Scheidendrittel lokalisiert. Es wächst langsam und gewebszerstörend. Das Karzinom metastasiert bald in die abhängigen Lymphknoten, aber fast nie in die Blutbahn. Die Operation eines Vaginalkarzinoms ist wegen der unmittelbaren Nachbarschaft von Blase und Darm wenig erfolgreich. Die Therapie besteht in der Bestrahlung. Die 5-Jahre-Überlebenszeit erreichen höchstens 25–30 % der erkrankten Patientinnen.

Uterus, Zervix

Das Zervixkarzinom ist mit über 50 % die weitaus häufigste bösartige Geschwulst des weiblichen Genitaltraktes. Gynäkologen und Pathologen der ganzen Welt haben sich seit Ende des vorigen Jahrhunderts um die Bekämpfung dieser Erkrankung bemüht. Trotz ständiger Verbesserung therapeutischer Verfahren (Operation und Bestrahlung) konnte die Mortalität des Gebärmutterhalskrebses nur auf 50 % gesenkt werden. Ende der zwanziger Jahre, aber erst wirkungsvoll in den letzten 15—20 Jahren, setzte sich die Erkenntnis durch, daß man eine Verbesserung der Heilungsaussichten durch die Vorverlegung der Diagnose erreichen würde. Die **Frühdiagnose des Zervixkarzinoms** führte nicht nur zur Aufdeckung kleiner und damit prognostisch günstiger Karzinome, sondern vor allem zur **Diagnose prämaligner Epithelerkrankungen an der Cervix uteri.** Erkennung und Behandlung des intraepithelialen Stadiums garantieren eine 100 %ige Heilung.

Prämaligne Plattenepithelerkrankungen

Vorstadien des Gebärmutterhalskrebses wurden vor Einführung spezieller diagnostischer Methoden als Zufallsbefund an Operationspräparaten exstirpierter Uteri gefunden. Seit Einführung der Kolposkopie durch Hinselmann 1926, in Verbindung mit der Schillerschen Jodprobe 1929 und der Zytodiagnostik von Papanicolaou 1929, werden intraepitheliale Transformationen im Bereich der Cervix uteri in großer Zahl entdeckt. Mit zunehmender Kenntnis der verschiedenen Formen unterscheidet man zwischen der Dysplasie (einfache Atypie) und dem Carcinoma in situ (gesteigert atypisches Epithel).

Dysplasie

ÄTIOLOGIE (s. auch Zervixkarzinom). Eine besondere Bedeutung kommt bei der Entstehung einer Dysplasie chronisch entzündlichen Veränderungen zu, die meist durch eine Fehlbesiedelung der Scheide mit Mikroorganismen hervorgerufen werden.

SYMPTOMATIK. Kann bei geschlechtsreifen Frauen aller Altersklassen und postmenopausal auftreten. Für die Patientin bleibt die Veränderung unbemerkt.

Klinisch bietet sich keine auffallende Symptomatik. Die Untersuchung des Nativsekretes der Scheide ergibt in vielen Fällen, daß die Döderlein-Flora verschwunden ist und Kokken oder Stäbchenbakterien, Trichomonaden und Pilze vorherrschen. Eine klinisch erkennbare Kolpitis (fleckförmige oder diffuse Rötung der Vaginalwand und der Portiooberfläche) kann, braucht aber nicht vorhanden zu sein. Die Betrachtung der Portiooberfläche mit bloßem Auge bietet keinen Hinweis.

Die kolposkopische Untersuchung der Portiooberfläche ergibt uncharakteristische Befunde. Ektopien mit randständigen Umwandlungszonen, offene und geschlossene Umwandlungszonen, aber auch suspekte kolposkopische Befunde (Matrixbefunde: Felderung, Leukoplakie, Grund, atypische Umwandlungszone) können auftreten. Positive kolposkopische Befunde (adaptive Gefäßhypertrophie) sind nicht vorhanden. – Die SCHILLERsche Jodprobe deckt in fast allen Fällen gegenüber dem dunkel gefärbten, gesunden Plattenepithel helle oder jodnegative (glykogenarme oder glykogenfreie) Areale auf. – Die **vor** der kolposkopischen Untersuchung entnommenen zytologischen Abstriche zeigen neben der ausgeprägten Fehlbesiedelung der Scheide charakteristische Kern- und Zellveränderungen. Pseudodyskaryosen in allen Schichten des Plattenepithels und Dyskaryosen in äußeren und inneren Oberflächenzellen weisen auf eine dysplastische Epithelveränderung hin (Abb. 136). Kolpomikroskopisch sind Kernvergrößerungen an der Epitheloberfläche nachweisbar.

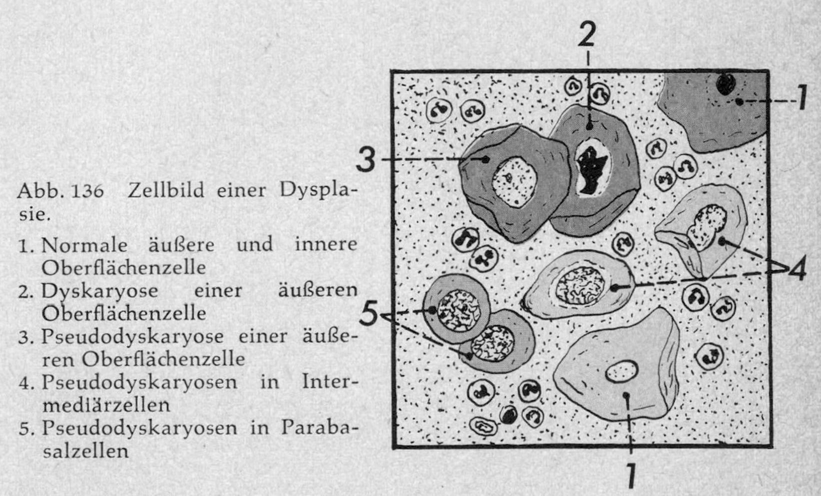

Abb. 136 Zellbild einer Dysplasie.

1. Normale äußere und innere Oberflächenzelle
2. Dyskaryose einer äußeren Oberflächenzelle
3. Pseudodyskaryose einer äußeren Oberflächenzelle
4. Pseudodyskaryosen in Intermediärzellen
5. Pseudodyskaryosen in Parabasalzellen

Histologisch unterscheidet man seit wenigen Jahren eine leichte, mäßige und schwere Dysplasie des Plattenepithels. Abb. 137 demonstriert die graduellen Unterschiede. Meist sind bei einer Patientin fließende Übergänge nachweisbar. Intraepithelial sind Zellgrenzen und eine gewisse Schichtung noch nachweisbar. Die Begrenzung zum gesunden Epithel ist oft unscharf. Dysplastisches Epithel kann in Drüsenräume einwachsen. Nicht nur im Bereich der „aufsteigenden Überhäutung" (s. S. 72), sondern auch innerhalb von metaplastisch entstandenem Plattenepithel im Zervikalkanal ist eine dysplastische Transformation möglich. Die Lokalisation ist, analog den altersentsprechenden Epithelverschiebungen der geschlechtsreifen Frau (s. S. 70), bei jungen Frauen vorwiegend auf der Portiooberfläche, bei älteren im Zervikalkanal.

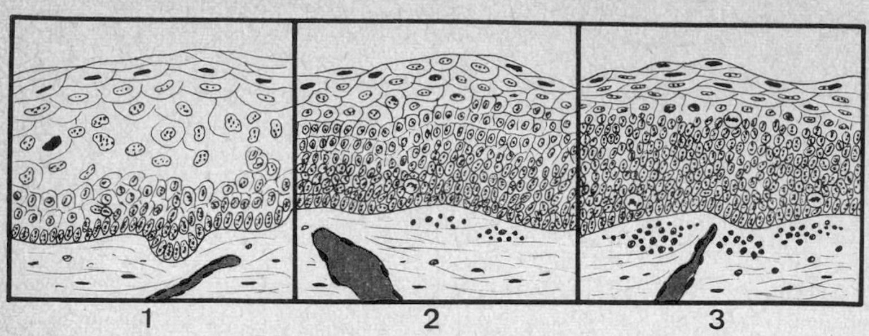

Abb. 137 Schema zur Charakterisierung einer leichten (1), mittleren (2) und schweren (3) Plattenepitheldysplasie. Mit steigendem Schweregrad geht die Schichtung des Epithels mehr und mehr verloren. Die Mitosen nehmen zu

DIAGNOSE. Dysplastische Plattenepithelveränderungen werden vorwiegend mit der Zytodiagnostik entdeckt. Wir beurteilen Abstriche mit Pseudodyskaryosen und Dyskaryosen von Oberflächenzellen mit der Gruppe III nach PAPANICOLAOU. Der betreuende Arzt wird auf die Dysplasie hingewiesen. Gleichzeitig wird auf Grund der vorhandenen Fehlbesiedelung eine Fluortherapie vorgeschlagen. Will man sich ein Bild über die Ausdehnung der Veränderung auf der Portiooberfläche machen, so ist die dysplastische Epithelerkrankung innerhalb von Matrixbezirken oder jodnegativen bzw. jodhellen Arealen des Plattenepithels zu suchen. Wird eine histologische Abklärung des zytologischen Befundes gewünscht, so sind multiple Knipsbiopsien oder die SCHILLERsche Abschabung in Verbindung mit einer Zervixkürettage am erfolgreichsten (s. Gewebsentnahmen S. 265).

THERAPIE. Die Diskussion über das Schicksal von dysplastischem Epithel an der Zervix ist z. Z. aktuell. Viele Autoren betrachten die Dysplasie als Vorläufer zum Carcinoma in situ und damit als Vorstufe zum Plattenepithelkarzinom. Einige halten auch einen unmittelbaren Übergang zum Karzinom aus der Dysplasie für möglich. Es wird aber auch nicht bestritten, daß sich eine Dysplasie zurückbilden kann. Zur Therapie soll daher die Auffassung des Autors wiedergegeben werden:

Bei entsprechendem zytologischem Hinweisbefund zunächst gezielte Fluortherapie bis zur Wiederherstellung der DÖDERLEIN-Flora. Innerhalb einiger Monate (3–6) kann eine völlige Normalisierung des Zellbildes eintreten. Eine weitere Behandlung erfolgt dann nicht, sondern die Patientin wird auf die Notwendigkeit halbjährlicher Kontrolluntersuchungen hingewiesen und genau belehrt, wie ein Fluorrezidiv durch hygienische Maßnahmen (s. S. 300) möglichst vermieden wird. Bleiben die Zellabstriche mit Gruppe III suspekt für eine Dysplasie, obwohl die Entzündung beseitigt wurde, halten wir eine zytologische Kontrolle in Abständen von 3–6 Monaten für ratsam. Die Patientin wird über die Art der Veränderung und die Notwendigkeit der Kontrollen unterrichtet. Handelt es sich um kooperativ eingestellte Frauen, so kann man zytologische Kontrollen über lange Zeit verantworten. Treten Schwangerschaften ein, so bleibt das Verhalten weiter konservativ. – Hat man den Eindruck, daß die Patientin durch die notwendigen Kontrollen stark beunruhigt wird oder sie deren Notwendigkeit nicht einsieht, empfehlen wir eine Konisation, um die Veränderung zu beseitigen.

Ändern sich während der Beobachtungszeit die Zellabstriche in der Weise, daß eine Progression zum Carcinoma in situ angenommen werden muß, wird die Patientin konisiert.

Carcinoma in situ

Das gebräuchlichste Synonym ist „gesteigert atypisches Epithel". Obwohl man sich darüber einig ist, daß die Nomenklatur Carcinoma in situ deshalb nicht glücklich ist, weil die Bezeichnung bei Unkenntnis der wahren Verhältnisse mit allen Eigenschaften eines infiltrierenden Krebses identifiziert wird, so ist der Begriff doch so eingeführt, daß er nicht mehr geändert werden kann. Es sei aber vorweg betont, daß das Carcinoma in situ **nur** eine Präkanzerose ist, d. h. weder mit einer Infiltration in das Zervixgewebe noch mit einer lymphogenen oder hämatogenen Metastasenbildung einhergeht. Die Behandlung des Carcinoma in situ unterscheidet sich daher auch grundsätzlich von der eines Karzinoms. Das Carcinoma in situ gilt als **obligater** Vorläufer zum Zervixkrebs. Man rechnet mit einer Erkrankungsfrequenz der weiblichen Bevölkerung von 1–2 %.

ÄTIOLOGIE. Chronisch entzündliche Veränderungen; s. auch ätiologische Betrachtungen über das Zervixkarzinom.

SYMPTOMATIK. Tritt bei geschlechtsreifen und postmenopausalen Frauen auf. Der höchste Prozentsatz der Erkrankung liegt 10–15 Jahre vor dem Altersgipfel des invasiven Zervixkrebses (Abb. 138). Für die Patientin bleibt die Veränderung unbemerkt. 1/3 der betroffenen Frauen fühlt sich vollkommen gesund, 1/3 sucht wegen unspezifischer Symptome (Fluor, Deszensusbeschwerden, Rückenschmerzen) den Arzt auf, und in einem weiteren Drittel sind gewisse Hinweise (zeitweise blutig verfärbter Fluor, Kontaktblutung, Blutung in der Postmenopause) vorhanden. Analysiert man das letzte Drittel, so sind die meisten Hinweissymptome durch andere Ursachen (Korpuspolyp, klimakterische Blutungsstörungen, Scheidenentzündungen) zu erklären. Nur in 10 % wird das Symptom offenbar von der Epithelerkrankung verursacht.

Das Carcinoma in situ ist weder mit dem bloßen Auge noch durch die Palpation zu erkennen. Nur in wenigen Fällen ist eine leukoplakische Epithelverdickung sichtbar.

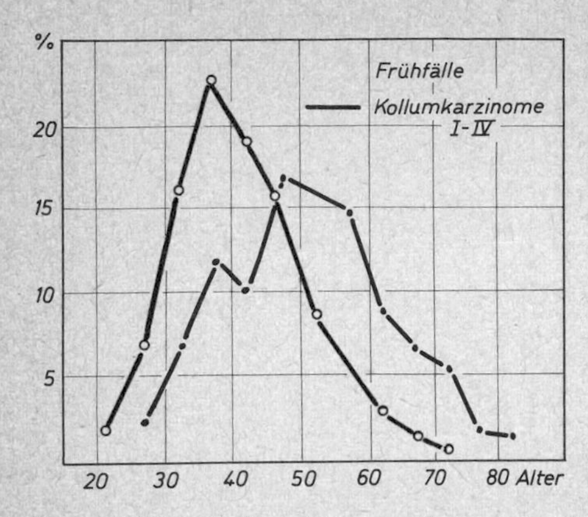

Abb. 138 Altersverteilung von sog. Frühfällen und Kollumkarzinomen. Der Gipfel der Frühfälle liegt 10—15 Jahre vor dem der invasiven Karzinome (aus Kern, 1964)

Morphologisch handelt es sich um eine intraepitheliale maligne Umwandlung, bei der die Schichtung des Epithels ganz verlorengeht. Interzellularbrücken und Zellgrenzen sind nicht mehr vorhanden. Das ganze Epithel wird von Mitosen, die z. T. atypische Teilungsfiguren aufweisen (Dreigruppenmetaphasen), durchsetzt. In den oberflächlichsten Zellagen kommt es meist zu einer unvollkommenen Ausreifung mit einer Pyknose der vergrößerten Kerne. Dadurch entsteht eine starke Hyperchromasie entrundeter und vergrößerter Kerne, die

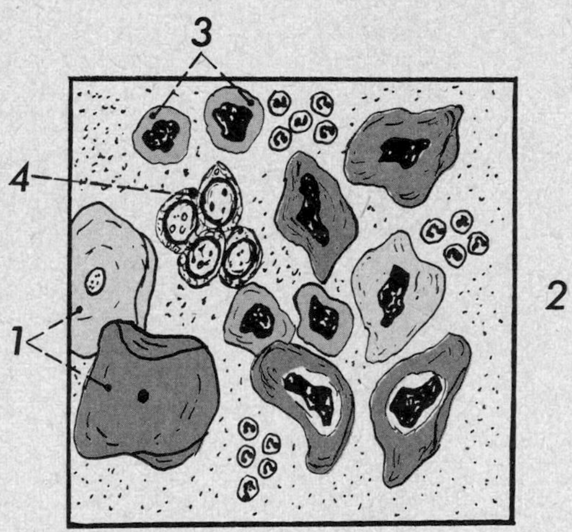

Abb. 139 Zellbild bei einem Carcinoma in situ der Zervix. 1. Normale äußere und innere Oberflächenzellen. 2. Eine Gruppe von 7 dyskaryotisch veränderten Plattenepithelzellen (äußere, innere Oberflächenzellen, Intermediärzellen). 3. Dyskaryosen in Parabasalzellen. 4. Uniform atypische Zellen

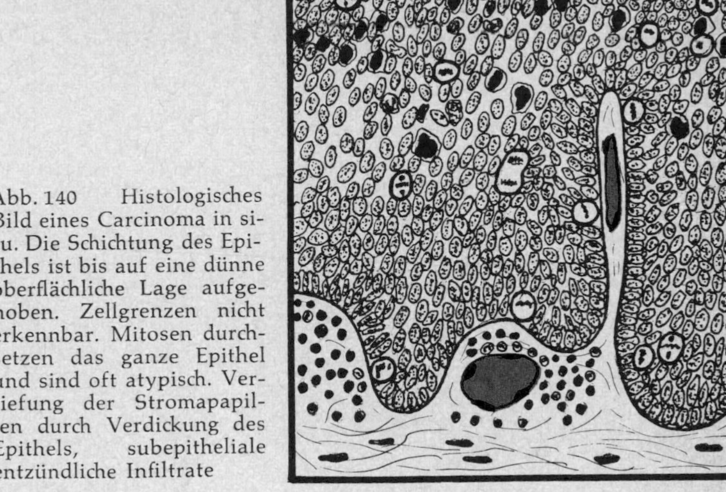

Abb. 140 Histologisches Bild eines Carcinoma in situ. Die Schichtung des Epithels ist bis auf eine dünne oberflächliche Lage aufgehoben. Zellgrenzen nicht erkennbar. Mitosen durchsetzen das ganze Epithel und sind oft atypisch. Vertiefung der Stromapapillen durch Verdickung des Epithels, subepitheliale entzündliche Infiltrate

im Ausstrich als Dyskaryosen aller Schichten erscheinen und auf S. 257 beschrieben wurden (Abb. 89, 139). Die Begrenzung des Carcinoma in situ zum gesunden Plattenepithel kann scharf sein, sie verläuft dann meist schräg (pflugscharähnlich). Der Übergang kann aber auch fließend sein, indem die gesteigerte Atypie in eine Dysplasie und diese unscharf in gesundes Plattenepithel übergeht. Die exakte Abgrenzung zwischen der schweren Dysplasie und dem Carcinoma in situ fällt auch erfahrenen Histopathologen schwer. Sie wird an verschiedenen Untersuchungsstellen nicht einheitlich durchgeführt. Zweifellos gibt es zwischen beiden Veränderungen eine gleitende Skala. Für die betroffene Frau ist dieses Problem wenig bedeutsam, da sich keine unterschiedlichen therapeutischen Konsequenzen daraus ableiten (s. S. 391).

Beim Carcinoma in situ ist nicht nur der intraepitheliale Aufbau verändert, sondern auch das Verhalten des Epithels gegenüber dem Zervixstroma. Hamperl hat auf Grund eines großen Materials eine Gruppierung vorgeschlagen, die Abb. 141 wiedergibt. Aus der Darstellung wird ersichtlich, daß das Carcinoma in situ (wie gesundes oder dysplastisches Epithel) in Drüsenräume einwachsen kann. Nach dem Stadium des „einfachen Ersatzes" kommt es zu einer Epithelverdickung, wobei das Epithel in plumpen Zapfen vorwächst und sich die gefäßführenden Stromapapillen vertiefen („plumpes Vorwuchern"). In der dritten Gruppe wird die maligne Potenz des erkrankten Epithels offenbar. Es schieben sich schlanke Epithelzapfen in das Zervixstroma vor, ohne den Kontakt mit dem Epithel

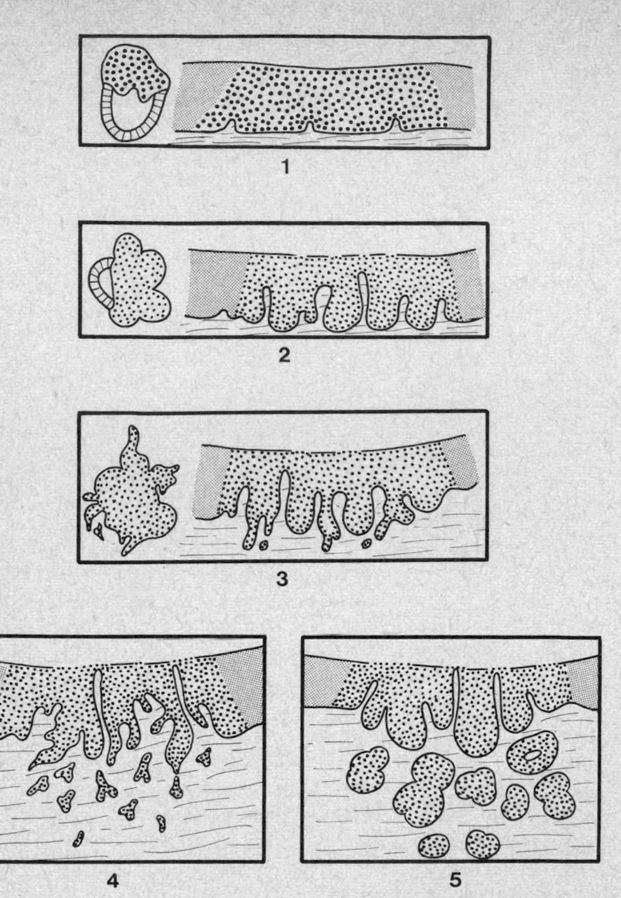

Abb. 141 Einteilung der „Frühfälle" hinsichtlich ihres Verhaltens gegenüber dem Zervixstroma (nach HAMPERL). 1. Einfacher Ersatz mit Einwachsen in Zervixdrüsen, 2. plumpes Vorwuchern, 3. frühe Stromainvasion (Early stromal invasion), 4. Mikrokarzinom mit netzartigem Vorwuchern, 5. Mikrokarzinom mit plumpem Vorwuchern

zu verlieren. Meist reagiert das Zervixgewebe mit einer heftigen lymphozytären Abwehr. Dieses Stadium wurde als Besonderheit von amerikanischen Autoren erkannt und allgemein „early stromal invasion" genannt oder auf deutsch „frühe Stromainvasion". Bei der vierten und fünften Gruppe ist der Schritt zum invasiven Karzinom vollzogen. Epithelgruppen haben sich vom ursprünglichen

Epithel getrennt und wachsen eigenständig in das Zervixstroma vor. Es ist ein kleinster Krebs entstanden, allgemein auch „**Mikrokarzinom**" genannt. Über die Definition des Mikrokarzinoms waren heftige Diskussionen im Gange. Man spricht dann noch von einem Mikrokarzinom, wenn die Ausdehnung 0,5 cm im Tiefenwachstum nicht überschreitet. In ganz seltenen Fällen treten beim Mikrokarzinom lymphogene Metastasen auf. Wir konnten eine derartige Beobachtung nicht machen. Das liegt u. U. daran, daß die Definition des Mikrokarzinoms international nicht einheitlich gehandhabt wird. Das Carcinoma in situ ist bevorzugt lokalisiert an der Plattenepithel-Zylinderepithel-Grenze der Cervix uteri und in der Zone, in der sich beide Epithelarten im Zuge der Überhäutung überlagern. Die Epithelverschiebung im Bereich der Cervix uteri wurde auf S. 70 ausführlich dargelegt. Die Kenntnisse dieser Vorgänge erklären die Lokalisation des Carcinoma in situ. Bei jungen Frauen entsteht das Carcinoma in situ vorwiegend im Bereich der Portiooberfläche, bei älteren mehr im Zervikalkanal (Abb. 143). Das Carcinoma in situ entsteht nicht nur an der Plattenepithel-Zylinderepithel-Grenze, sondern auch in Plattenepithelmetaplasien innerhalb des Zervixdrüsenfeldes.

DIAGNOSE. Das Carcinoma in situ ist weder durch die Inspektion noch durch die Palpation zu erkennen. Die Diagnostik beruht auf der Zytologie, Kolposkopie und ggf. der Kolpomikroskopie. Die technischen Details der Methoden wurden ausführlich besprochen, so daß hier nur die Bewertung der diagnostischen Verfahren erfolgen soll:

1. **Zytologie** (s. S. 215, 256). Finden sich im Zellabstrich pathologische Zellen, die als Dyskaryosen aller Schichten und uniform atypische Zellen beschrieben wurden, so handelt es sich mit 90 %iger Sicherheit um ein Carcinoma in situ (Abb. 139). Der Abstrich wird nach PAPANICOLAOU mit Gruppe IV (mäßig viele pathologische Zellen) oder V (massenhaft pathologische Zellen) beurteilt. Eine kleine Gruppe von Abstrichen mit einer bestimmten Zusammensetzung pathologischer Zellen läßt keinen Rückschluß zu, ob es sich um eine prämaligne oder bereits invasive Veränderung handelt. Dem Kliniker wird die Deutung des zytologischen Befundes in Worten mitgeteilt. Ein mit Gruppe IV oder V diagnostizierter Abstrich beinhaltet **immer** eine histologisch nachweisbare Epithelveränderung und bedarf einer therapeutischen Intervention. Die Patientin wird auf die Existenz eines Krebsvorstadiums hingewiesen und mit ihr ein Operationstermin vereinbart, der in einer für die Patientin passenden Zeit liegen kann, da nicht damit zu rechnen ist, daß die Veränderung in kurzer Zeit invasiv werden wird. Wurde zytologisch ein negativer Befund erhoben (Gruppe I oder II nach PAPANICOLAOU), so schließt dies eine Epithelatypie **nicht** mit Sicherheit aus. Fehler in der Abstrichmethode, mangelnde Abschilferungstendenz um den Ovulationstermin und Mikroskopierfehler sind verantwortlich für **falsch negative Resultate,** die zwischen 20—40 % veranschlagt werden müssen. Die Patientin sollte auf jähr-

liche Wiederholungsuntersuchungen hingewiesen werden, da zu erwarten ist, daß bei dem langen stationären Verhalten des Carcinoma in situ (10—15 Jahre) die übersehenen Fälle bei der Wiederholung entdeckt werden.

2. **Kolposkopie** (s. S. 218, 260). Die kolposkopische Betrachtung der Portiooberfläche sollte, wie der zytologische Abstrich, zur Routineuntersuchung jeder Patientin gehören. Die 10—40fache Vergrößerung erlaubt eine Beurteilung der Epithelverhältnisse der Zervix insofern, als sich sehr klar zwischen Zylinder- und Plattenepithel unterscheiden läßt. Der bei fast allen Patientinnen sichtbare rote Fleck läßt sich damit analysieren (Abb. 69, 90). Mit dem Kolposkop ist jedoch nicht oder nur unzureichend ein Rückschluß auf die intraepitheliale Struktur des Plattenepithels möglich, d. h. ein **normaler kolposkopischer** Befund schließt eine Plattenepithelatypie nicht aus. — Finden sich **suspekte kolposkopische** Befunde, so ist in dieser Gruppe in jedem 4.—5. Fall mit einer Dysplasie bzw. einer gesteigerten Atypie zu rechnen. **Positive kolposkopische** Befunde sind kennzeichnend für eine maligne Transformation. Nicht selten liegt dann bereits ein kleines Karzinom vor.

Mit dem Kolposkop ist der Einblick in den Zervikalkanal nur begrenzt möglich. Versuche, mit Spreizinstrumenten die Aussage zu erweitern, haben sich nicht bewährt. Die Beschränkung auf die Portiooberfläche ist besonders für ältere Patientinnen nachteilig, da sich bei ihnen eine Epithelatypie vorwiegend intrazervikal entwickelt.

Beim Vorliegen eines Carcinoma in situ ist in rund 70 % der Fälle der kolposkopische Befund suspekt oder positiv, in rund 30 % jedoch normal.

3. **Schillersche Jodprobe** (s. S. 221). Bei Berührung des Plattenepithels mit LUGOLscher Lösung färbt sich die glykogenhaltige Schicht normalen Plattenepithels dunkelbraun an. Epithelien ohne Glykogen heben sich durch eine gelblichweiße Farbe davon ab (Abb. 71). Carcinomata in situ sind immer glykogennegativ oder extrem glykogenarm, also jodnegativ. Das Ergebnis der Jodprobe kann mit bloßem Auge, besser noch mit dem Kolposkop beurteilt werden. Der Nachteil des Verfahrens ist, daß auch junges, überhäutendes Plattenepithel sowie Zylinderepithel kein Glykogen enthalten, so daß 70 % aller Patientinnen glykogenarme oder -negative Areale auf der Portiooberfläche aufweisen. In Kombination mit einem zytologisch suspekten oder positiven Befund gibt die Jodprobe einen ausgezeichneten Hinweis auf die mögliche Lokalisation der Veränderung. Die Epithelatypie ist innerhalb eines jodnegativen Areals zu suchen.

Bei hoch intrazervikalem Sitz des Carcinoma in situ finden sich in der Mehrzahl der Fälle jodnegative Areale um den äußeren Muttermund. In Einzelfällen kann auch hier die Jodprobe versagen.

4. **Kolpomikroskopie** (s. S. 264). Mit der Auflichtmikroskopie sind an der Epitheloberfläche große, hyperchromatische Kerne (Dyskaryosen) erkennbar. Der Ort kleiner, gezielter Gewebsentnahmen kann mit dem Kolpomikroskop sehr genau festgelegt werden.

THERAPIE. Dem Carcinoma in situ fehlen als obligatem Vorläufer des Zervixkarzinoms zwei Eigenschaften, die die Trägerin ernsthaft gefährden: Der Einbruch in das Zervixgewebe und die diskontinuierliche Absiedelung auf dem Lymph- oder Blutweg. Daher ist eine radikale Entfernung des inneren Genitale **nicht** erforderlich, sondern nur die **lokale** Entfernung der betroffenen Areale. – Die Art der operativen Behandlung sollte sich nach dem Alter der Patientin, ihrer Ein-

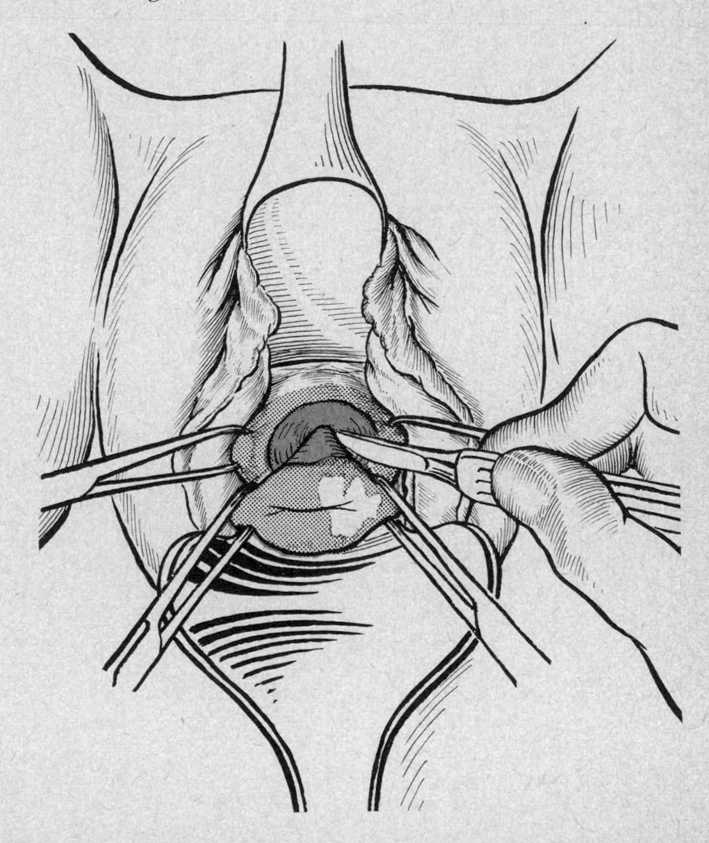

Abb. 142 Konisation, die Portio wird seitlich mit Kugelzangen angehakt und vorgezogen. Kegelförmige Ausschneidung, wobei die Umschneidungsfigur im jodpositiven Epithel liegen muß

stellung zu weiteren Schwangerschaften und Menstruationsblutungen richten.

1. **Konisation.** Die kegelförmige Ausschneidung der Zervix (Abb. 142) wird mit dem Ziel verfolgt, das Zervixdrüsenfeld mit Überhäutungszonen in toto zu entfernen. Die Basis des Kegels liegt auf der Portiooberfläche, seine Umschneidungsfigur muß in gesundem Plattenepithel liegen, welches sich am besten durch die SCHILLERsche Jodprobe markieren läßt. Auf Grund der altersabhängigen Lokalisation des Carcinoma in situ ist der auszuschneidende Kegel bei jungen Frauen breitbasig und flach, bei älteren Frauen schmal und hoch (Abb. 143). – Eine Konisation ist immer dann indiziert, wenn es sich um eine junge Frau handelt, bei der noch Kinderwunsch besteht. Die Grenze liegt etwa um das 40. Lebensjahr. Individuelle Gegebenheiten sollten berücksichtigt werden. Hat z. B. eine 36jährige Frau 3–4 Kinder und wünscht keinen Nachwuchs mehr, so sollte eine Hysterektomie durchgeführt werden. – Fühlt sich dagegen eine 43jährige Frau jugendlich frisch und legt Wert auf weitere Periodenblutungen, so sollte eine Konisation vorgenommen werden.

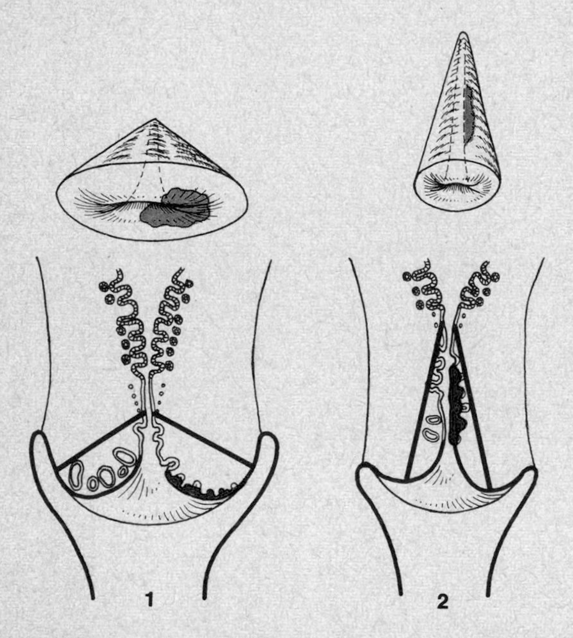

Abb. 143 Anpassung des Gewebskegels nach dem altersabhängigen Sitz des Carcinoma in situ (rot). 1. Geschlechtsreife, 2. Prä- und Postmenopause

Mit der Konisation und der exakten histologischen Aufarbeitung werden eine optimale Diagnostik **und** Therapie vereint. Nach der histologischen Bearbeitung kann man beurteilen, ob die Epithelerkrankung im Gesunden entfernt wurde oder nicht. Paßt man die Konusform den individuellen Gegebenheiten der Zervix an, so sollte das in 85 bis 90 % der Fälle gelingen. — Nach der Konisation formiert sich die Zervix sehr gut, so daß oft von dem überstandenen Eingriff kaum etwas zu sehen ist.

Lautet die histologische Diagnose: „Carcinoma in situ, nicht im Gesunden entfernt", so warten wir zunächst die zytologischen Kontrollen in Abständen von 3 Monaten ab. Bleiben die Abstriche positiv, so wird eine Hysterektomie angeschlossen. In der überwiegenden Zahl der Fälle geht aber das zurückgebliebene, gesteigert atypische Epithel während der Wundheilung zugrunde, so daß die nachfolgenden zytologischen Abstriche negativ sind.

2. **Uterusexstirpation:** Bei Frauen über 40 ohne Kinderwunsch sollte beim Vorliegen eines Carcinoma in situ die vaginale Uterusexstirpation vorgezogen werden (ohne Tubovarektomie vor der Menopause, mit Tubovarektomie nach der Menopause). Mit der Uterusexstirpation erspart man den Patientinnen endometriumbedingte Störungen benigner und maligner Art, die erst um das 50. Lebensjahr eintreten.

Wurde das Carcinoma in situ entfernt, so ist die Patientin von ihrer Erkrankung geheilt. Trotzdem halten wir eine gynäkologische Nachuntersuchung mit zytologischen Kontrollabstrichen in folgenden Abständen für sinnvoll: Im 1. Jahr postoperativ alle 3 Monate, im 2. Jahr postoperativ alle 6 Monate, ab dann jährlich einmal. — Bei über 500 Patientinnen haben wir einmal eine Zweiterkrankung an Carcinoma in situ in der Scheide gefunden.

Die soeben geschilderte Therapie gilt sowohl für das Carcinoma in situ bei einfachem Ersatz und plumpem Vorwuchern als auch bei der „frühen Stromainvasion" und dem „Mikrokarzinom". Erst die histologische Bearbeitung ergibt die exakte Diagnose. Wurde die Veränderung im Gesunden entfernt, schließen wir beim ca. reiskorngroßen Mikrokarzinom keine weitere Therapie an. Geht allerdings die krebsige Infiltration über das Maß eines Mikrokarzinoms hinaus, so muß die Therapie operativ oder radiologisch erweitert werden.

Wird ein Carcinoma in situ bei einer **Schwangeren** entdeckt, so halten wir ein abwartendes Verhalten für gerechtfertigt. Bei der monatlichen Untersuchung wird die Zervix zytologisch und kolposkopisch kontrolliert. Wir haben bei unseren Patientinnen in graviditate noch nie einen Übergang vom präinvasiven zum plötzlichen invasiven Wachstum beobachtet. 3—4 Monate post partum nehmen wir eine Konisation vor. — Man kann aber auch während der Gravidität eine flache Konisation durchführen, ohne daß es zu einer Störung der Schwangerschaft kommt. Dieser Eingriff ist dann indiziert, wenn mit den frühdiagnostischen Methoden eine beginnende Invasion nicht auszuschließen ist.

Die Dysplasie, das Carcinoma in situ einschließlich das Mikrokarzinom entwickeln sich für die Trägerin unbemerkt. Für den Arzt sind sie ohne Spezialmethoden nicht zu erkennen. Gesunde Frauen in der Geschlechtsreife sollten **einmal jährlich** gynäkologisch untersucht werden mit der Entnahme zytologischer Abstriche und kolposkopischer Kontrolle der Portiooberfläche.

Zusammenfassung: Die Dysplasie ist eine fakultative Präkanzerose der Cervix uteri, sie wird meist begleitet von entzündlichen Scheidenveränderungen. Mit der Normalisierung der Scheidenflora ist eine Rückbildung möglich. Lange stationäre Verläufe und Übergänge in das Carcinoma in situ kommen vor. Die Dysplasie wird vorwiegend mit der Zytologie, aber auch in suspekten kolposkopischen Befunden mit Knipsbiopsien entdeckt. Bei mangelnder Rückbildungstendenz sollte die Veränderung mit einer Konisation entfernt werden. – Die obligate Präkanzerose der Cervix uteri ist das Carcinoma in situ. Auch diese Veränderung wird mit Spezialmethoden (Zytologie, Kolposkopie, Kolpomikroskopie, Jodprobe) diagnostiziert. Zur histologischen Diagnose und Therapie empfehlen wir bei jungen Frauen eine den individuellen Gegebenheiten angepaßte Konisation, bei älteren die Uterusexstirpation. Einschließlich des Mikrokarzinoms wird die Patientin durch diesen Eingriff mit 100 %iger Sicherheit geheilt. Eine sorgfältige Nachkontrolle wird für notwendig erachtet.

Zervixkarzinome (Kollumkarzinom, Gebärmutterhalskrebs)

Karzinome des Gebärmutterhalses sind die häufigsten Malignome des weiblichen Genitaltraktes innerhalb der europäischen Bevölkerung. Von allen Epithelarten der Zervix können Karzinome ausgehen. Die Plattenepithelkarzinome stehen mit rund 94 % an der Spitze, es folgen Adenokarzinome aus dem Zylinderepithel mit rund 6 % und Adenokarzinome aus den drüsigen Formationen des GARTNERschen Ganges mit dem Bruchteil eines Prozentes.

Plattenepithelkarzinom

ÄTIOLOGIE. Über verhütende oder begünstigende Faktoren des Zervixkarzinoms wird viel diskutiert. Statistisch gesichert sind folgende Fakten: Das Zervixkarzinom kommt nicht vor bei Nonnen und jungfräulichen Mädchen. Es ist selten bei Jüdinnen, wozu zu sagen ist, daß der jüdische Mann beschnitten ist und beide Partner eine von der Religion beeinflußte Sexualhygiene betreiben. Das Zervixkarzinom ist häufig bei Afrikaner- und Inderinnen. Die Beschneidung des Mannes bei mohammedanisch gläubigen Afrikanern hat nur dann einen Einfluß auf die Häufigkeit des Zervixkarzinoms, wenn sie mit einer guten Genitalhygiene verbunden ist. Bei der europäischen Bevölkerung sind wenig begüterte Volksschichten häufiger betroffen als die mit gehobenem Einkommen. Der Zervixkrebs ist häufiger bei Frauen, die früh defloriert wurden, früh eine Ehe eingingen oder oft ihren Partner wechseln. Das Zervixkarzinom steigt mit der Anzahl der Geburten an. – Das Smegma des Mannes wurde auf kanzerogene Eigenschaften untersucht. Man konnte durch Pinselung mit Smegma bei Mäusen Zervixkarzinome hervorrufen (das gelingt allerdings mit einer großen Zahl anderer Substanzen auch). Pferde, die ein besonders faltenreiches Präputium haben, erkranken häufig an Peniskarzinomen. – Die genannten Faktoren lassen sich direkt oder indirekt auf einen Nenner bringen: Bei Nonnen und jungfräulichen Mädchen findet sich meist eine DÖDERLEINsche Vaginalflora. Die Genitalhygiene ist beim jüdischen Volk sehr gut. Für unterentwickelte, arme und kinderreiche Volksschichten ist die tägliche Säuberung keine Selbstverständlichkeit. Das Smegma des Mannes ist meist mit unspezifischen Keimen durchsetzt. Daher wird von Kennern der Materie die generelle Zirkumzision als wirksamste Prophylaxe zur Verhütung des Zervixkarzinoms angesehen. Die Scheide der Frau ist sehr oft mit Bakterien und anderen Mikroorganismen besiedelt. Scheidenentzündungen sind häufig. Eine Entzündung kann im Zervixbereich besonders leicht eindringen, eher als in das hoch aufgebaute Plattenepithel der Vagina. Die Erziehung von Mann und Frau zu einer praktikablen Genitalhygiene, unter Erhaltung der DÖDERLEINschen Vaginalflora, beseitigt einen wichtigen Faktor bei der Entstehung des Zervixkarzinoms. Diese Aufgabe sollte im Rahmen der Präventivmedizin intensiv verfolgt werden.

SYMPTOMATIK. Das Durchschnittsalter von Patientinnen mit Plattenepithelkarzinom der Zervix liegt im 5. Lebensjahrzehnt mit einer breiten Streuung nach oben und unten. Leider sind Frauen unter 30 mit einem klinischen Zervixkrebs keine Seltenheit.

Morphologisch gibt es innerhalb der Plattenepithelkarzinome viele Varianten von einem reifen verhornenden bis zu einem unreifen, entdifferenzierten Tumortyp. Abb. 144 vermittelt einen Eindruck über die feingeweblichen Strukturen. Die feingewebliche Eigenart ist in keine Beziehung, etwa zum Alter der Patientin zu setzen. Dagegen ist die Lokalisation des Karzinoms eng mit dem Alter der Erkrankten verknüpft. Bei jungen Frauen entwickelt sich das Karzinom vorwiegend auf der Portiooberfläche, bei älteren, postmenopausalen Frauen im Zervikalkanal. Dies wird, wie bei den Frühstadien Dysplasie und Carcinoma in situ, erklärt durch den Wandel der Epithelgrenzen im Lebensablauf einer Frau.

Welchen Weg nimmt das unbehandelte Karzinom? Bis heute ist eine Stadieneinteilung der Zervixkarzinome gebräuchlich, die in Tab. 27 wiedergegeben ist. Systematische Untersuchungen an Operationspräparaten von Zervixkarzinomträgerinnen haben jedoch gezeigt, daß die internationale Stadieneinteilung Widersprüche in sich birgt und den tatsächlichen Gegebenheiten nicht gerecht wird. In Abb. 145 ist der

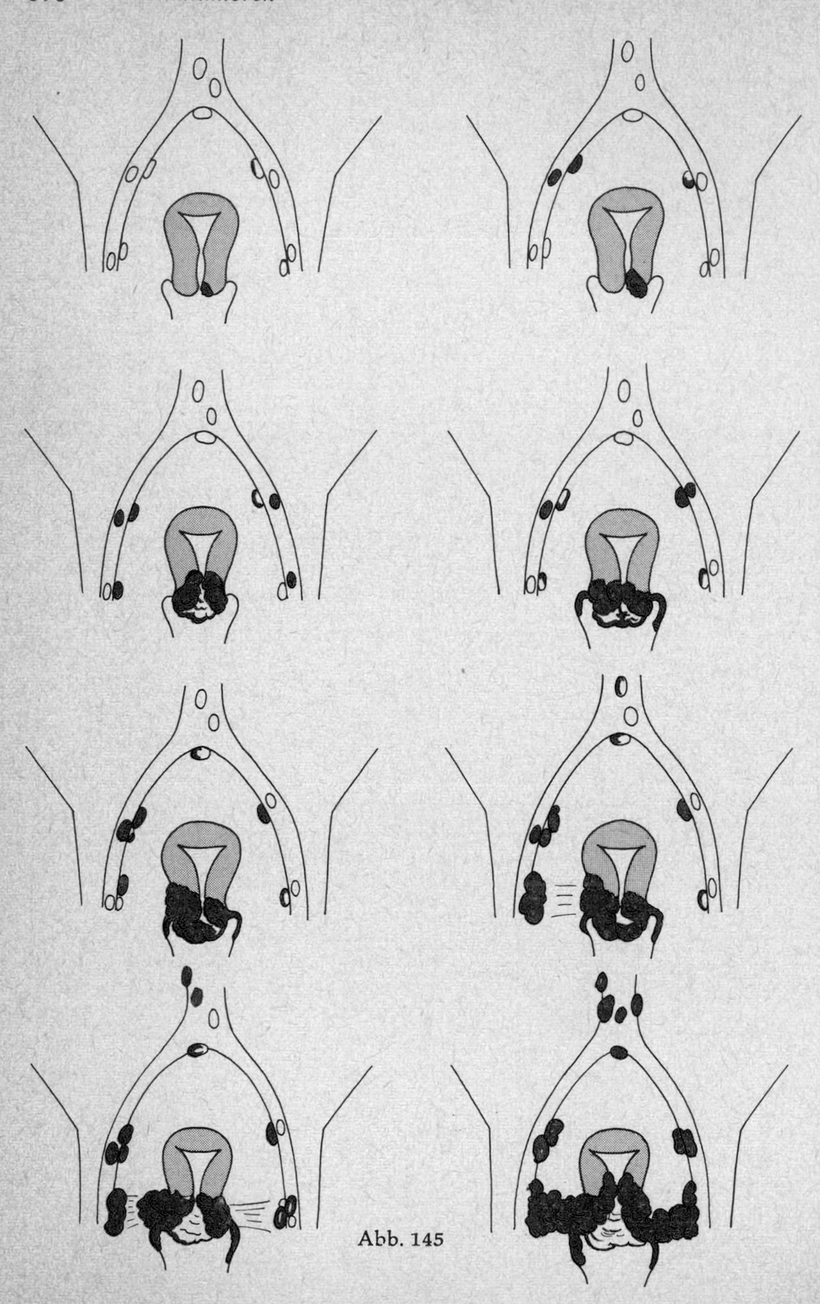

Abb. 145

Ausbreitungsmodus des Gebärmutterhalskrebses dargestellt. Das Karzinom bleibt zunächst auf die Zervix beschränkt. Es wächst **kontinuierlich** unter Zerstörung des Wirtsgewebes. Bereits bei einem Tumordurchmesser von 1—2 cm ist mit einer **lymphogenen Absiedelung** in die regionalen Lymphknoten zu rechnen (im Bereich der A. iliaca, der A. obturatoria und später paraaortal). Diese frühe **diskontinuierliche** Ausbreitung ist in der internationalen Stadieneinteilung nicht berücksichtigt.

Der Primärtumor kann exophytär oder endophytär wachsen. Exophytäre Tumoren gehen von der Portiooberfläche aus und wachsen blumenkohlähnlich in das Vaginallumen (Abb. 146). Das ganze hintere Scheidendrittel kann von Tumormassen ausgefüllt sein, die an einem breiten Stiel der Portiooberfläche aufsitzen. Die Prognose dieser Tumoren ist nicht schlecht, da die Operabilität gut ist. Meist kombiniert sich das exophytäre mit dem endophytären Wachstum, oder letzteres überwiegt. Dabei wird die Zervix zerstört, so daß ein Tumorkrater entsteht. Die Oberfläche des zerfallenden Gewebes ist häufig nekrotisch und daher schmierig gelblich verfärbt. Intrazervikal entstehende Karzi-

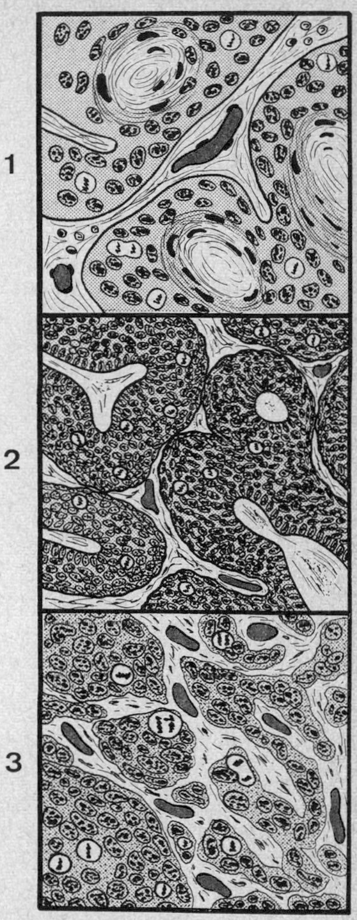

Abb. 144 Histologische Bilder von Zervixkarzinomen. 1. Verhornendes Plattenepithelkarzinom. 2. Nicht verhornendes Plattenepithelkarzinom. 3. Anaplastisches Karzinom

Abb. 145 Ausbreitung des Zervixkarzinoms. Bereits bei kleinem, sicher auf die Zervix beschränktem Primärtumor kommen Lymphknotenmetastasen vor. Die lymphogene Metastasierung nimmt mit der Größe des Primärtumors zu. Schließlich überschreitet der Zervixtumor die Organgrenze per continuitatem und fließt mit den Lymphknotenpaketen der Beckenwand zusammen

Tabelle 27 **Internationale Stadieneinteilung für das Zervixkarzinom**

Stadium	Beschreibung	5-Jahre-Überlebenszeit
0	Carcinoma in situ	100 %
Ia	Präklinisches, nur durch histologische Untersuchung festgestelltes invasives Karzinom (auch Mikrokarzinom)	fast 100 %
Ib	Klinisch erkennbarer Krebs mit eindeutiger Begrenzung auf den Gebärmutterhals	75—85 %
II	Übergang auf die Vagina und/oder Parametrien	40—50 %
III	Karzinom hat die Beckenwand erreicht, das untere Drittel der Vagina ist befallen	bis 30 %
IV	Fernmetastasen, lymphogen oder hämatogen, Einbruch in Blase oder Mastdarm	0—5 %

nome bei älteren Frauen sind lange Zeit an der Portiooberfläche nicht sichtbar, sondern treiben die Zervix tonnenförmig auf. Wenn sie auf die Portiooberfläche durchbrechen, entsteht meist ein tiefer Krater (Abb. 146).

Die anatomische, bindegewebige Verankerung des Uterus im kleinen Becken bildet mit der Zervix eine Einheit, so daß sich eine exakte Abgrenzung zwischen Zervix und **Parametrium** nicht finden läßt, jedoch eine faserreiche Grenzzone. Die Überschreitung dieser Zone scheint dem Karzinom per continuitatem einige Schwierigkeiten zu bereiten. Meist sind bereits vorher größere Lymphknotenmetastasen an der Beckenwand entstanden, hinzu kommen Lymphknotenmetastasen im Parametrium. Schließlich fließen die Tumormassen des Primärtumors und der lymphogenen Absiedelung zusammen, so daß es zur tumorösen Ausmauerung der Parametrien und schließlich des ganzen kleinen Beckens kommt (Abb. 145). Per continuitatem kann das Karzinom auch die **Scheide** erfassen. Das Scheidengewölbe wird an der betroffenen Seite flach und verkürzt. Die Grenze zum gesunden Vaginal-

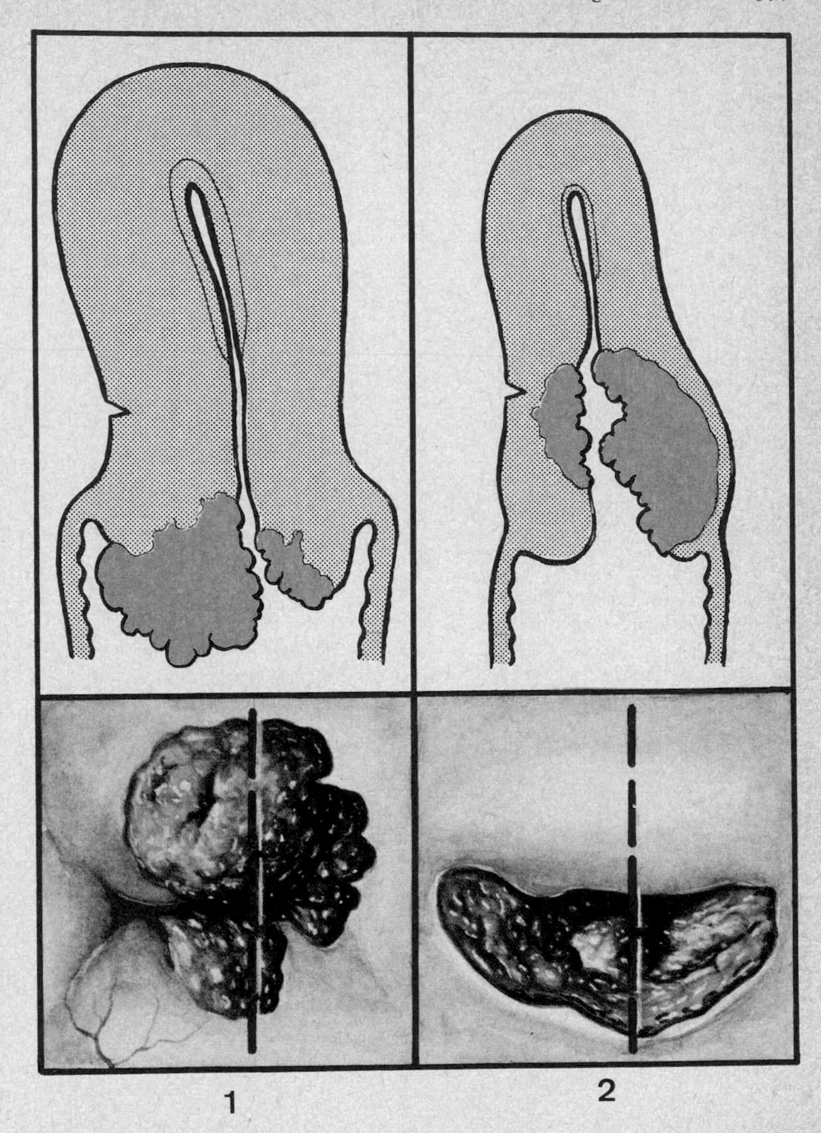

Abb. 146 1. Kolposkopisches Bild und histologischer Übersichtsschnitt eines exophytär entwickelten Zervixkrebses. 2. Das gleiche bei einem endophytär entwickelten Krebs. Die histologischen Schnitte sind in Höhe des Isthmus uteri gekerbt, um die Vorderwand des Uterus zu markieren

epithel ist meist scharf. In progredienten Fällen wächst das Karzinom in das Cavum uteri ein.

Wenn der Primärtumor die Grenzzone der Zervix erreicht oder gar überschritten hat, besteht Gefahr für Blase und Mastdarm. Der drohende Übergang auf die **Blase** kündigt sich im zystoskopischen Bild mit einem bullösen Ödem an (Abb. 178). Hat der Tumor die Blasenschleimhaut erreicht, wird der Urin bald sanguinolent getrübt. Bei Zerfall des Tumorgewebes entsteht eine Blasenscheidenfistel mit ständigem unwillkürlichem Harnabgang aus der Scheide, untermischt mit blutig eitrigem Sekret aus dem Karzinom. – Vor dem Einbruch in das **Rektum** wird dieses vom Tumor häufig umgriffen und stark eingeengt. Die Rektumschleimhaut ist nicht mehr verschieblich. Die Stenose kann solche Grade erreichen, daß man gezwungen ist, zur Darmentleerung einen Anus praeter anzulegen. Bricht das Karzinom ins Rektum ein, entsteht eine Rektum-Scheiden-Fistel, die nicht selten mit einer Blasen-Scheiden-Fistel kombiniert ist (Abb. 147).

Die tumoröse Ausmauerung des kleinen Beckens betrifft die **Ureteren** ein- oder doppelseitig. Die zunehmende Stenosierung führt zu einer Hydronephrose, später zum Verlust der Nierenfunktion (Abb. 148). Das urämische Koma erlöst die Patientinnen von ihrem Leiden.

Sehr selten kommt es beim Plattenepithelkarzinom der Zervix zu **hämatogenen Metastasen.**

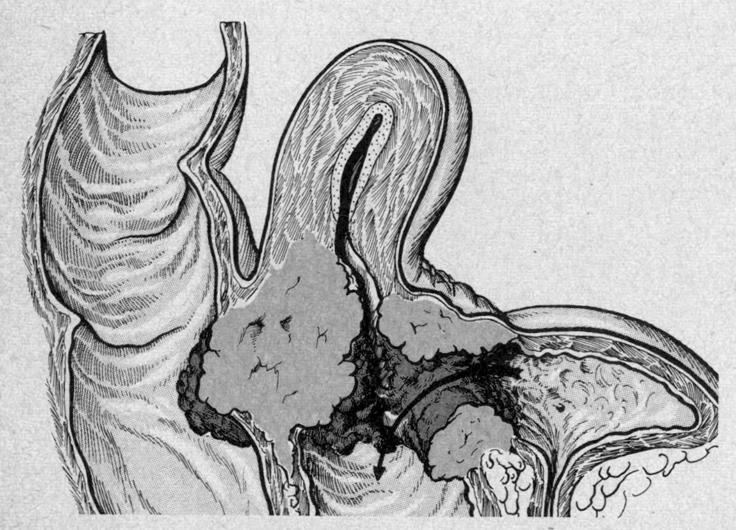

Abb. 147 Fortgeschrittenes Zervixkarzinom. Einbruch in die Blase mit Blasen-Scheiden-Fistel, Tumoreinbruch in das Rektum

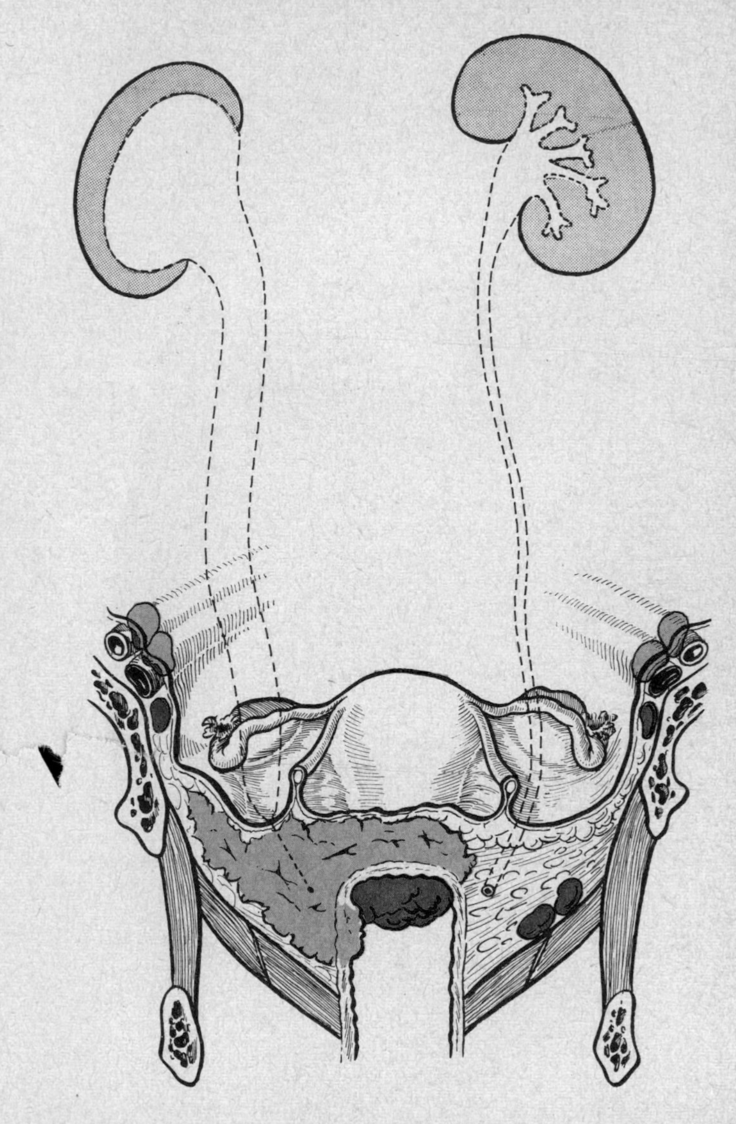

Abb. 148 Fortgeschrittenes Zervixkarzinom. Ausmauerung der rechten Beckenhälfte. Stenosierung des re. Ureters mit Ausbildung einer Hydronephrose

Welche Symptomatik besteht beim Zervixkarzinom für die erkrankte Frau? Das invasive Karzinom macht erst ab einer Mindestgröße Symptome. Wenn der Tumor oberflächlich mit leicht verletzlichen Gefäßen versorgt ist oder zerfällt, kommt es zu ungeregelten leichten Blutabgängen. Der Ausfluß variiert zwischen gelblich-bräunlich bis wäßrig-blutig. Häufig negieren die Frauen dieses Symptom und suchen erst einen Arzt auf, wenn plötzlich eine stärkere Blutung eintritt. Die leichte Verletzlichkeit der Tumoroberfläche führt zu einem Symptom, welchem man in der Anamnese große Aufmerksamkeit widmen sollte: Die Frage nach Blutungen beim Verkehr oder während der Defäkation (Kontaktblutungen). Nach den Menstruationen befragt, geben geschlechtsreife Frauen meist einen regelmäßigen Rhythmus an, mit gelegentlichen Zwischenblutungen ohne Beziehung zu einem bestimmten Zeitpunkt (Ovulationstermin, post- oder prämenstruelle Blutung). Frauen in der Postmenopause beobachten erneute Blutabgänge, meist in geringer Stärke. Schmerzen werden kaum angegeben, wenn das Karzinom noch auf die Zervix beschränkt ist, es sei denn, ein intrazervikal sitzendes Karzinom treibt die Zervix tonnenförmig auf.

Bei fortgeschrittenen Karzinomen, die die Organgrenze überschritten haben, treten heftige, kaum zu beeinflussende, ziehende Schmerzen ein. Häufig erfaßt das Karzinom sensible Nerven des Plexus sacralis, so daß ischialgiforme Beschwerden hinzukommen. Lymphknotenmetastasen hindern oft den Lymphabfluß der befallenen Seite, so daß starke Schwellungen des Beines auftreten können. — Der Durchbruch des Karzinoms in Blase und Rektum mit Kloakenbildung ist für die Kranke und ihre Umgebung ein schwer zu ertragender Zustand. Zu dem schmerzhaften Leiden kommt ein penetranter Gestank, der die Patientin dauernd umgibt. Die häusliche Pflege wird immer schwieriger. — Mit fortschreitendem Karzinom werden die Patientinnen kachektisch und oft, auch ohne große Blutverluste aus dem Karzinomgebiet, anämisch.

DIAGNOSE. Zwischen dem nur zytologisch oder kolposkopisch erkennbaren „Mikrokarzinom" und dem leicht zu erkennenden „Makrokarzinom" gibt es Übergänge. Ist der Krebs noch sehr klein oder liegt intrazervikal, so wird zunächst die Zytodiagnostik oder die Kolposkopie bzw. Kolpomikroskopie die entscheidenden Hinweise geben. Kleine Gewebsentnahmen (Kürettage oder Biopsien) sichern die Diagnose des „histologisch erkennbaren Karzinoms".

Die Diagnose des „Makrokarzinoms" ist leicht, wenn es auf der Portiooberfläche liegt und eine **Spekulumuntersuchung** durchgeführt wird. Eine karzinomatöse Veränderung im Zervixbereich sollte auch einem unerfahrenen Arzt auffallen. SCHRÖDER hat einmal treffend geäußert, daß in der Krebsbehandlung unendlich viel erreicht würde, wenn alle Frauen mit Blutungsunregelmäßigkeiten auch gynäkologisch untersucht würden. Das klinisch erkennbare Karzinom wirkt makroskopisch speckig glasig (verhornendes Karzinom) bis markig bröcklig (mehr undifferenzierter Tumortyp). Bei der Tastuntersuchung ist der Tumor unregelmäßig höckerig.

Schwierig ist die Diagnose bei intrazervikalem Sitz, wenn frühdiagnostische Methoden nicht angewandt werden. Die Auftreibung der Zervix ist erst ab einer erheblichen Größe des Primärtumors zu fühlen.

Mit der vaginalen bzw. rektovaginalen Untersuchung versucht man die Ausbreitung des Karzinoms auf die Parametrien zu beurteilen. Ein sehr subjektives Verfahren, da beim Vorliegen eines Zervixkarzinoms eine unspezifische Parametritis (besonders nach Gewebsentnahmen) eine Straffung, Verdickung oder Verkürzung einer Seite vortäuschen kann. Die Kombination von Spekulum- und Tastuntersuchung soll eine Einordnung des Krankheitsbildes in das internationale Stadienschema bringen.

Der Verdachtsdiagnose „Zervixkarzinom" muß die Gewebsentnahme folgen (s. S. 265). Für das Makrokarzinom eignet sich die Bröckelentnahme oder die Zervixkürettage. Differentialdiagnostisch kommt (wenn kein Kolposkop zur Verfügung steht) eine leicht blutende, polypöse Ektopie, besonders bei Schwangeren, in Betracht. Dehnungs- und Druckulzera bei Prolaps uteri und Pessarträgerinnen können den Unerfahrenen täuschen. Aber auch mit dem Kolposkop sind Geschwüre anderer Natur (Lues III, Lymphogranulomatose usw.) schwer abgrenzbar. Leider ist die Verdachtsdiagnose Karzinom aber am naheliegendsten und daher meist richtig.

Bei klinisch verdächtigen Fällen wird die CHROBAKsche Sondenprobe empfohlen. Dabei drückt man mit einer Knopfsonde auf die verdächtige Stelle. Krebsgewebe bricht eher ein als beispielsweise eine Ektropionierung. Die Probe verstärkt den Verdacht, ist aber keinesfalls spezifisch genug, um eine eindeutige Diagnose zu stellen. Bei großen, klinisch eindeutigen Karzinomen ist die Zytodiagnostik überflüssig, zumal ihr Ergebnis gelegentlich nicht klar ist, da die oberflächliche Zellnekrose nur schlecht zu beurteilende Zellbilder ergibt.

Ist die Diagnose Karzinom histologisch gesichert, sollte die Ausbreitung des Krebses, vor der Wahl und Einleitung einer Therapie, möglichst genau erfaßt werden. Der Übergang auf die Vagina ist mit bloßem Auge oder mit dem Kolposkop in Verbindung mit der Jodprobe sehr exakt feststellbar. Der parametrane Tastbefund bietet erhebliche Irrtumsmöglichkeiten. Zusätzlich zur Tastuntersuchung kann die Beziehung des Tumors zu Blase und Darm durch die Zystoskopie und Rektoskopie geklärt werden. Eine palpatorisch feststellbare Stenosierung des Darmes ist bei unbestrahlten Patientinnen meist durch den Tumor bedingt. – Ein Ausscheidungspyelogramm und evtl. ein retrogrades Pyelogramm sollten die Nierenfunktion, den

Ureterenverlauf und mögliche Stauungserscheinungen aufdecken. In den letzten Jahren bietet die **Lymphographie** eine zusätzliche Orientierungshilfe: Durch Füllung der Lymphbahnen, vom Fußrücken aus, mit einem Kontrastmittel lassen sich die Lymphknoten des kleinen Beckens ausgezeichnet darstellen. Aussparungen im Randsinus der Lymphknoten weisen auf lymphogene Metastasen hin, leider sind es bereits Makrometastasen. Kleine Tumorzellnester lassen sich mit dieser Methode nicht auffinden.

THERAPIE. Die Therapie des Zervixkarzinoms ist auf eine radikale operative Entfernung des Tumorgewebes gerichtet oder auf die Zerstörung desselben durch Bestrahlung. Beide Methoden haben Erfolgschancen und Vor- und Nachteile.

1. **Operative Therapie.** Die operative Entfernung eines karzinomatös erkrankten Uterus wurde erstmals 1878 von FREUND in Breslau auf abdominalem und von CZERNY in Heidelberg auf vaginalem Wege durchgeführt.

a) **Abdominale Radikaloperation** nach WERTHEIM und MEIGS (Abb. 149). WERTHEIM hat zu Beginn dieses Jahrhunderts Patientinnen mit Zervixkarzinom abdominal operiert und nicht nur den Uterus, sondern auch die Parametrien **und** Lymphknoten entfernt. Wegen der damaligen hohen Operationsmortalität (kein Blutersatz, keine Antibiotika, keine Intubationsnarkose) entwickelte WERTHEIM die klassische Operationsmethode, bei der der Uterus mit Scheidenmanschette und das parametrane Bindegewebe bis zur Beckenwand entfernt werden. Die Operation ist schwierig, weil der blasennahe Ureter aus dem Parametrium unverletzt herauspräpariert werden muß. WERTHEIM exstirpierte auch die Ovarien. — Unter den verbesserten Operationsbedingungen der Nachkriegszeit griff MEIGS die Lymphonodektomie wieder auf, die in vielen Kliniken routinemäßig zur Radikaloperation gehört. Aus der sorgfältigen Untersuchung der Operationspräparate ging die Erkenntnis hervor, daß ein kleines auf die Zervix beschränktes Karzinom zunächst in die Lymphknoten metastasiert, ehe es später auf die Parametrien übergeht. — Man braucht daher das Parametrium nicht so beckenwandnahe zu entfernen, womit die postoperative Fistelfrequenz gesenkt wird. Eine weitere wichtige Modifikation ist die Belassung der Ovarien bei geschlechtsreifen Frauen. Der Kastrationseffekt verändert das Leben der Betroffenen so, daß der Heilungserfolg dadurch getrübt wird. Diese Maßnahme ist vertretbar, weil auf die Zervix beschränkte Karzinome nicht in die Ovarien metastasieren.

b) **Vaginale Radikaloperation** nach SCHAUTA. SCHAUTA u. a. entwickelten ein Operationsverfahren, bei dem der Uterus mit Scheidenmanschette, mit Adnexen und Parametrien von vaginal her entfernt wird. Wie alle vaginalen Operationsverfahren ist diese Methode mit geringeren operativen und postoperativen Komplikationen belastet

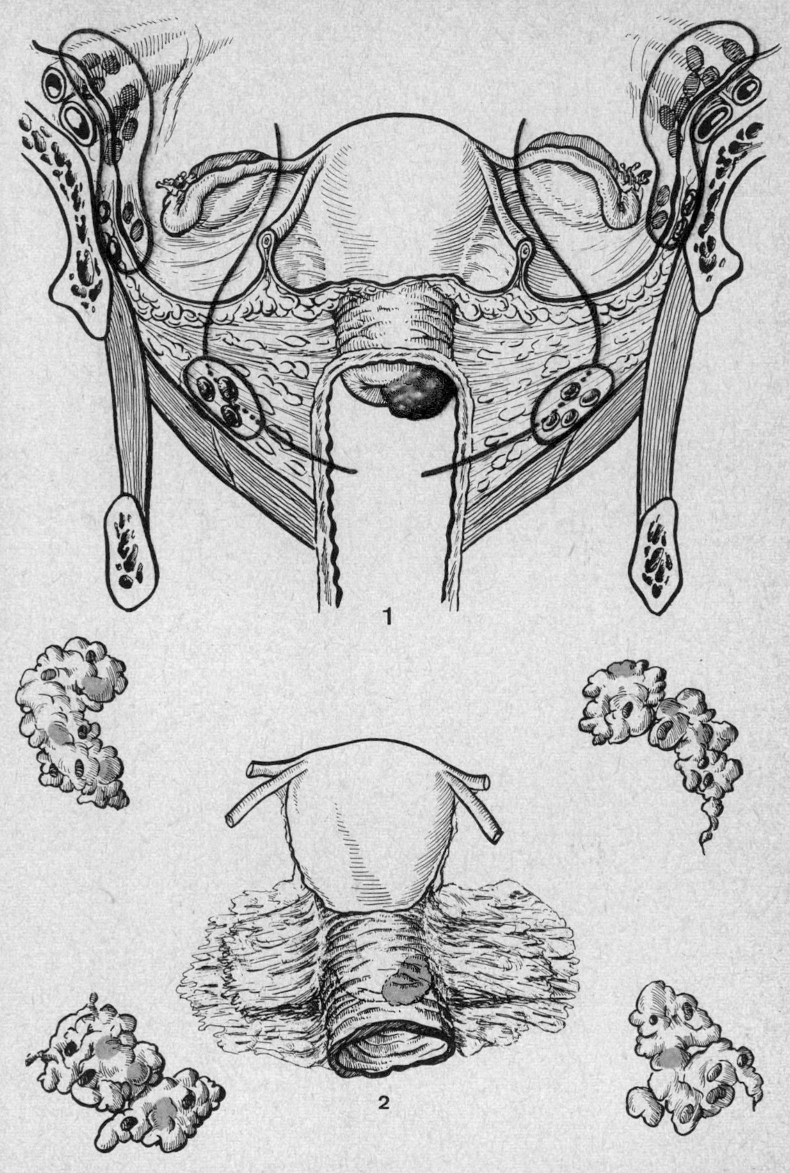

Abb. 149 1. Prinzip der WERTHEIM-MEIGSschen Operation. 2. Operationspräparat

als der abdominale Weg. Sie hat den Nachteil, daß keine Lymphonodektomie ausgeführt werden kann.

Einer **operativen Behandlung** werden Patientinnen zugeführt, die ein Zervixkarzinom mit evtl. Übergang auf die parametrane Grenzzone und die Scheide haben (Stadium I und II). Sie sollten nicht zu übergewichtig sein und stabile Herz- und Kreislaufverhältnisse aufweisen. Junge Patientinnen sollten möglichst operiert werden, um bei ihnen den, bei einer Strahlenbehandlung unumgänglichen, Verlust der Ovarialfunktion zu umgehen.

2. **Strahlenbehandlung.** Die Strahlentherapie wird kombiniert durchgeführt. Radium oder Radio-Kobalt wird lokal an den Tumor herangebracht. Man führt einen stiftförmigen Radiumträger in die Zervix ein und legt einen Radiumträger (Platte) vor den Tumor. Die intensive Wirkung des Radiums in Kombination mit der raschen Dosisverminderung, wenige Zentimeter vom Radium entfernt, ist für die lokale Behandlung des Primärtumors sehr günstig. — Allerdings besteht auch immer eine gewisse Gefahr für Blase und Mastdarm. Lange Zeit nach Beendigung der Bestrahlung kann eine Strahlennekrose mit Fistelbildung eintreten. Durch Dosismessungen in beiden Hohlorganen kann man die Strahlenbelastung beurteilen. Überdosierungen vermeidet man, wenn Blase und Darm durch eine Mulltamponade vom Radiumträger entfernt werden (Abb. 150). Die Radiumdosis beträgt 4000—7000 mgeh (1 mgeh = 1 mg Radiumelement, welches 1 Stunde einwirkt). Mit dem Radium werden **nicht** die beckenwandnahen Lymphknoten erfaßt. Daher wird zusätzlich eine perkutane Strahlentherapie durchgeführt. Um die Strahlenintensität im Parametrium und im Bereich der abhängigen Lymphknoten zu erhöhen, wählt man für die klassische Röntgenbestrahlung die Pendel-, Pendelkonvergenz- oder Konvergenzbestrahlung. Besonders erfolgreich ist die Hochvolttherapie. Die perkutane Bestrahlung verfolgt das Ziel, die Dosis am möglichen Tumorherd hoch, in der Peripherie dagegen klein zu halten.

Die Strahlentherapie spielt für **alle** Patientinnen mit Zervixkarzinom eine ganz wesentliche Rolle. Ergibt die histologische Aufarbeitung des Operationspräparates eine Absiedelung in die Lymphknoten, so **muß** eine **Nachbestrahlung** durchgeführt werden, ohne Rücksicht auf die Ovarialfunktion. Patientinnen mit primär fortgeschrittenen Karzinomen oder solche, die aus anderen Gründen nicht operabel sind, werden **primär bestrahlt.** Vergleichbare Fälle haben die gleiche Überlebenschance wie die operierten Patientinnen. Für die Operation sprechen jedoch die raschere Erholungsphase, ausbleibende Spätfolgen der Bestrahlung (starke Narbeninduration, Strahlenzystitis und -proktitis, Spätfisteln) und die Erhaltung der Ovarialfunktion. — Rezidivbehandlung s. S. 408.

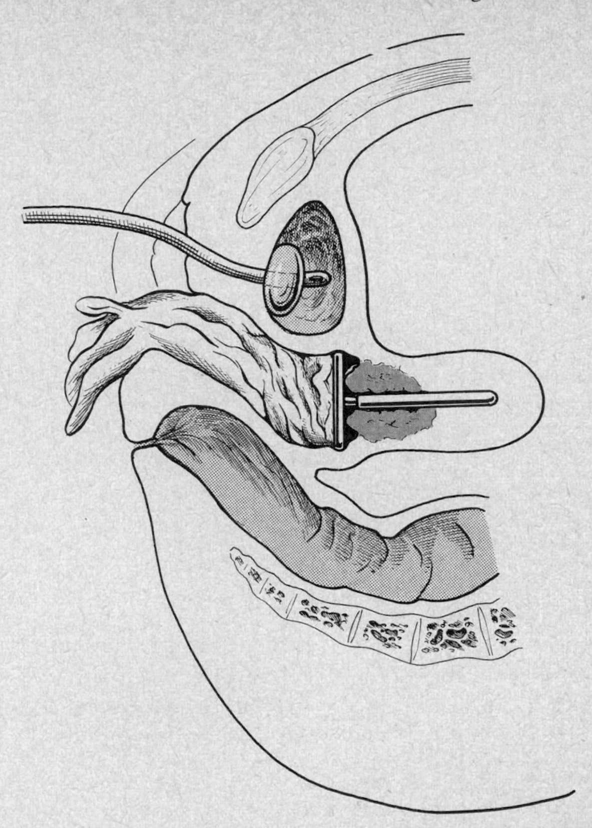

Abb. 150 Radiologische Behandlung bei Zervixkarzinom. Einlage eines intrazervikalen Stiftes und einer vor der Portiooberfläche liegenden Platte. Die Tamponade in der Vagina entfernt die Radiumträger von Blase und Darm

3. **Zytostatika.** Behandlungsversuche mit peroral oder parenteral applizierten Zytostatika haben auf das Wachstum des Plattenepithelkarzinoms keinen Einfluß. Bei fortgeschrittenen Karzinomen mit ständigen Sickerblutungen lassen sich eine Reinigung des Wundgebietes und eine relative Bluttrockenheit mit einer lockeren Tamponade, die mit Zytostatikumlösung getränkt ist, erreichen. Eine kurative Wirkung kommt dem Verfahren nicht zu.

4. **Zervixkarzinom** und **Schwangerschaft.** Bei der Häufung des Zervixkarzinoms im geschlechtsreifen Alter der Frau ist die tragische

Kombination nicht selten, daß ein Gebärmutterhalskrebs bei einer schwangeren Frau entdeckt wird. Man glaubt allgemein, daß während der Gravidität die Wachstumstendenz von Malignomen besonders gesteigert ist. Daher wird zu einer sofortigen Intervention mit Schwangerschaftsunterbrechung geraten. Handelt es sich um ein operables Karzinom, kann in der ersten Hälfte der Gravidität die typische WERTHEIM-MEIGSsche Radikaloperation durchgeführt werden. Hält man das Karzinom für nicht operabel, so muß vor einer Strahlentherapie der Uterus supravaginal amputiert werden. Ist die Schwangerschaft fortgeschritten, so daß das Kind lebensfähig erscheint, wird zunächst eine Schnittentbindung durchgeführt. — Sehr problematisch sind Patientinnen mit dringendem Kinderwunsch, bei denen noch Wochen und Monate bis zur Lebensfähigkeit des Kindes vergehen. Es gibt Frauen, die die Schwangerschaft trotz Gefährdung ihres Lebens auszutragen wünschen. Ob man dann zu einer vorsichtigen Radiumapplikation raten soll, ist sehr problematisch, da ein sicherer Strahlenschutz für das Kind nicht zu garantieren ist.

5. **Zervixkarzinom in Kombination mit anderen Genitaltumoren.** Finden sich außer dem Karzinom Uterusmyome, Tumoren der Tube oder des Ovars (alte Hydrosalpinx, Ovarialzysten), so darf nicht primär bestrahlt werden, da Myome u. a. Geschwülste durch die Bestrahlung nekrotisch werden können. Entweder muß die Patientin insgesamt operativ behandelt werden, oder die Tumoren müssen vor einer Bestrahlung operativ entfernt werden (Adnexexstirpation bei Tubovarialtumoren, supravaginale Uterusamputation bei Myomen).

6. **Rezidiv nach behandeltem Zervixkarzinom** (Punkt 6—8 gilt nicht nur für Plattenepithelkarzinome der Cervix uteri, sondern in gewissem Maße für alle Malignome im weiblichen Genitaltrakt.). Tritt innerhalb von 5 Jahren nach der Primärbehandlung ein erneutes Geschwulstwachstum auf, so bezeichnet man dieses Krankheitsbild als Rezidiv. Meist ist im ersten halben Jahr nach der Primärbehandlung mit dem Auftreten von Rezidiven zu rechnen. Es handelt sich um Tumorabsiedelungen, die bei der Operation nicht entfernt wurden, oder Tumorzellherde, die der Bestrahlung widerstanden haben. Die Diagnose eines lokalen Rezidivs im Bereich des Primärtumors wird durch Inspektion und Palpation unter Zuhilfenahme der Zytodiagnostik und Kolposkopie gestellt. Recht schwierig ist die Diagnose von Lymphknotenmetastasen, da — ohne Lymphographie — die Diagnose durch die bimanuelle Tastuntersuchung gestellt werden muß. Ein gewisser zusätzlicher Hinweis ist aus der ansteigenden Blutsenkungsgeschwindigkeit in Kombination mit dem Tastbefund erlaubt. Bei bestrahlten Patientinnen kommt erschwerend hinzu, daß das sonst weiche Parametrium durch die Strahlentherapie sich schwielig derb verändert, so daß die Beurteilung des Tastbefundes sehr problematisch wird. Punktionen des Parametriums mit mikroskopischer Untersuchung des Punktates sind bei tumorpositiven Befunden dia-

gnostisch nützlich. – Die Behandlung von Rezidiven besteht in der erneuten Strahlentherapie, wobei die primäre Strahlendosis und der zeitliche Abstand in die Kalkulation der Rezidivbestrahlung eingehen. Die Rezidivbestrahlung erreicht meist einen guten Palliativerfolg, selten eine Dauerheilung. – Seit einigen Jahren wird an wenigen Kliniken auch die operative Therapie von Rezidiven unter Mitnahme von Blase und Rektum (vordere, hintere oder totale Eviszeration) durchgeführt.

7. **Überwachung behandelter Krebspatientinnen.** Wir raten unseren Patientinnen zu vierteljährlichen Kontrolluntersuchungen im ersten und zweiten Jahr nach der Behandlung, ab dann zweimal jährlich, wenn sie sich beschwerdefrei fühlen. Die Nierenfunktion sollte mit Hilfe des Ausscheidungspyelogramms regelmäßig überprüft werden. – Karzinompatientinnen werden in den ersten beiden Jahren nach der Primärbehandlung invalidisiert, sollten dann aber in den Arbeitsprozeß wieder eingegliedert werden, da sie sich erst dadurch wieder „gesund" fühlen. In einigen Bundesländern haben sich kostenlose Erholungskuren, die den Kranken 6 Wochen pro Jahr, 5mal hintereinander in einem Sanatorium gewährt werden, günstig ausgewirkt. Die Kuraufenthalte wurden für erforderlich gehalten, da von Patientinnen mit gleichem Krankheitsstadium diejenigen eine bessere Heilungschance hatten, die aus sozial besser gestelltem Milieu kamen.

8. **Betreuung nicht mehr behandlungsfähiger Karzinomkranker.** Am hilfsbedürftigsten sind Patientinnen, die nach Operation oder Primärbestrahlung an einem rezidivierenden und sich immer mehr ausbreitenden Karzinom leiden. Auch mit den modernsten Bestrahlungsmethoden wird eine nicht zu überschreitende Strahlendosis erreicht. Dann ist die Möglichkeit der Tumortherapie nach dem heutigen Stand des Wissens erschöpft. – Dazu gehören auch Patientinnen, bei denen sich der Tumor bald als strahlenresistent erwies, d. h. unter der Strahlenwirkung keinerlei Rückbildungstendenz zeigte. Aus dem histologischen Bild läßt sich keine Prognose ableiten, welche Karzinome dazu gehören. – Schließlich bleibt noch eine kleine Zahl von Frauen, die primär mit derart fortgeschrittenen Karzinomen zur Betreuung kommen, daß eine auf Heilung gerichtete Therapie nicht mehr möglich ist. Trotzdem versucht man dann Palliativmaßnahmen, insbesondere die lokale Radiumtherapie, um die Blutungsneigung zerfallender Karzinome zu mindern. – Wenn die strahlentherapeutischen Möglichkeiten erschöpft sind, so bleibt die Aufgabe, der Patientin bis zum Tode ihr Siechtum zu erleichtern. Eine Aufgabe, die an die Angehörigen Anforderungen stellt, die sie oft beim besten Willen nur schwer bewältigen können (Kleinkinder im Haushalt, beengte Wohn- und sanitäre Verhältnisse). Gelingt es, die Patientin in einem Pflegeheim oder Krankenhaus unterzubringen, so tragen die Schwere der Last das Pflegepersonal und der Arzt. Neben den medikamentösen Möglich-

keiten der Schmerzerleichterung sind die Kranken besonders empfänglich für ein aufmunterndes Wort oder ein gewisses Maß an Liebe und Wärme, welches sie umgibt. Sehr problematisch ist die Frage, ob man die Kranken über ihren Zustand voll unterrichten oder ihnen täglich eine Besserung vortäuschen soll. Auch die eher zur Aufklärung der Patientinnen neigenden Amerikaner vertreten die Auffassung, daß individuell vorgegangen werden muß, da nur charakterlich starke Personen sich mit dem Gedanken vertraut machen können, noch eine begrenzte Zeit zu leben. Dann seien sie aber wesentlich leichter lenkbar als jene, die, schwankend zwischen Hoffnung und Mißtrauen, den sich verschlechternden Zustand für ein Versagen des Arztes halten. Die um ihr Leiden Wissenden sind dankbar für jeden erträglichen Tag. Sie beschäftigen sich intensiv mit der Ordnung ihres Nachlasses und können oft wichtige Entscheidungen über die Erziehung ihrer Kinder treffen usw. Für diese Frage kann man keine Regel aufstellen, sie gehört zu den schwierigsten ärztlichen Aufgaben überhaupt.

Die Kranken werden von zunehmenden Schmerzen vorwiegend im Plexus sacralis geplagt. Zunächst kann man mit Analgetika (Cibalgin, Dolviran, Gelonida usw.) in Kombination mit Phenothiazinen auskommen. Eine günstige Stimulierung erreicht man mit anabolen Hormonpräparaten mit gering virilisierender Wirkung (Deca-Durabolin, Dianabol, Primobolan usw.). Die Patientinnen bekommen mehr Appetit, nehmen an Gewicht zu und fühlen sich subjektiv wohler. Später wird man ohne Opiate kaum auskommen; man sollte bei diesen Patientinnen nicht sparsam damit umgehen. – Können die Schmerzen nicht gelindert werden, so verspricht eine Grenzstrangdurchtrennung Schmerzfreiheit, die aber nur dann in Frage kommt, wenn den Patientinnen dieser Eingriff noch zugemutet werden kann. Die fortschreitende Tumorkachexie und -anämie wird durch reichliche Vitaminzufuhr, Eisenpräparate und Bluttransfusionen protrahiert. Leider ist die Pflege solcher Kranken auch in einem hochzivilisierten und industrialisierten Land wie dem unseren nicht gelöst, da weder entsprechende Heime noch genügend Krankenbetten zur Verfügung stehen. Nur aus diesem Grunde ist es zu verstehen, daß private Kurheime einen großen Zulauf haben, weil die Patientinnen dort gepflegt und mit Hoffnung umgeben werden.

Adenokarzinom

ÄTIOLOGIE. Unbekannt, vom Zylinderepithel des Zervixdrüsenfeldes ausgehend.

SYMPTOMATIK. Nur 6 % aller Zervixkarzinome. Leichter verletzlich als Plattenepithelkarzinome, daher relativ früh Blutabgänge, wenn es an der Oberfläche liegt.

Morphologisch Adenokarzinome unterschiedlichen Differenzierungsgrades mit und ohne Schleimbildung. Ausbreitung, Metastasierung wie beim Plattenepithelkarzinom.

DIAGNOSE und *THERAPIE*. Wie beim Plattenepithelkarzinom.

Gartner-Gang-Karzinom

ÄTIOLOGIE. Unbekannt, von der im oberen Drittel des Zervikalkanals liegenden Ampulle des GARTNERschen Ganges ausgehend.

SYMPTOMATIK. Seltener Tumor, in jedem Lebensalter, auch beim jungen Mädchen, auftretend.

Morphologisch finden sich bei ca. 25 % aller Frauen dilatierte geschlängelte Drüsenformationen mit flachem einschichtigen Epithel im oberen Drittel des Zervikalkanals (GARTNER-Gang-Ampulle). Hieraus entstehen in seltenen Fällen Karzinome, die tubulären bis adenomatösen Aufbau haben. Es handelt sich um primär besonders hochsitzende „Zervixhöhlenkarzinome", die durch Blutungen auffallen.

DIAGNOSE. Histologisch im Abradat. Es kommt ebenso ein Korpuskarzinom in Frage. Exakt kann die Diagnose erst am Operationspräparat des exstirpierten Uterus gestellt werden. — Bei fortgeschrittenen Karzinomen ist die Differentialdiagnose oft nicht mehr möglich.

THERAPIE. Wenn der Tumor wie ein Zervixhöhlenkarzinom imponiert, dann wie oben beschrieben, sonst wie Korpuskarzinom.

Zervixstumpfkarzinom

Bei der supravaginalen Uterusamputation wird das Corpus uteri in der Höhe des inneren Muttermundes abgeschnitten. Die Zervix bleibt in voller Länge erhalten. Dieses Operationsverfahren wurde früher wegen der einfachen Operationstechnik angewandt. Den verbleibenden Uterusrest bezeichnet man als Zervixstumpf. — Patientinnen, welche einen solchen Befund aufweisen, erkranken ebenso häufig an Präkanzerosen oder Karzinomen der Zervix wie nicht operierte Patientinnen. Die Erkrankungen gleichen den oben ausführlich beschriebenen mit einer Ausnahme: Frauen ohne Corpus uteri menstruieren nicht mehr, so daß sie eine Blutung aus der Vagina bald zum Arzt führt. Da es sich bei der Karzinomblutung nicht um ein Frühsymptom handelt, müssen Frauen nach supravaginalen Uterusamputationen in regelmäßige Vorsichtsuntersuchungen einbezogen werden.

Sarkome

Sind an der Zervix sehr selten (Sarcoma botryodes bei Kindern s. S. 381), es kommen Myosarkome und polypöse Schleimhautsarkome aus dem Stroma der Zervixmukosa vor. Wirken klinisch wie Zervixmyome oder -karzinome. Prognose sehr schlecht.

Zusammenfassung: Das Plattenepithelkarzinom der Zervix ist der häufigste bösartige Tumor des weiblichen Genitaltraktes. Ätiologisch spielt die Entzündung, bedingt durch eine Fehlbesiedelung der Scheide, eine wesentliche Rolle. Morphologisch variiert das Karzinom vom stark verhornenden bis zum unreifen Tumortyp. Bei einem Tumordurchmesser von 1–2 cm treten vermehrt Lymphknotenmetastasen auf. Der diskontinuierlichen Ausbreitung folgt später die kontinuierliche mit Übergriff auf die Scheide, die Parametrien und Einbruch in die Nachbarorgane. Hämatogene Metastasen erfolgen relativ spät. Das Karzinom ist bei jüngeren Frauen auf der Portiooberfläche, bei älteren im Zervikalkanal lokalisiert. Die Diagnose wird vorwiegend makroskopisch bei der Spekulumeinstellung gestellt und durch die Gewebsentnahme histologisch gesichert. Die Behandlung kann radikal operativ in Kombination mit der Bestrahlung oder primär radiologisch sein. Zytostatika haben keinen Einfluß. Karzinom und Schwangerschaft bieten eine Indikation zur Interruptio bei nicht lebensfähigem Kind. Zweittumoren müssen vor einer Strahlentherapie operativ beseitigt werden. Krebspatientinnen bedürfen einer sorgfältigen Nachkontrolle, um Rezidive rechtzeitig zu erkennen. Die Betreuung inkurabler Patientinnen ist ein sozial, pflegerisch und ärztlich schwer lösbares Problem. – Die kleine Gruppe der Adenokarzinome der Zervix und die seltenen Gartner-Gang-Karzinome werden wie Plattenepithelkarzinome behandelt, ebenso die Zervixstumpfkarzinome. Sarkome im Zervixbereich gehören zu den extremen Seltenheiten und sind prognostisch sehr ungünstig.

Uterus, Korpus

Bösartige Tumoren des Corpus uteri verhalten sich klinisch und morphologisch anders als Zervixkarzinome. Man sollte immer zwischen beiden Lokalisationen zu unterscheiden versuchen. Der oft gebrauchte Ausdruck „Uteruskarzinom", der häufig auf dem Totenschein vom Hausarzt eingetragen wird, verfälscht alle statistischen Erhebungen über die Mortalität verschiedener Erkrankungen.

Prämaligne Schleimhauterkrankungen

Das Endometrium unterliegt einem raschen etwa 4wöchentlichen Auf- und Abbau. Zu Beginn und in den letzten Jahren der Geschlechtsreife kommen auf Grund ovarieller Fehlregulationen überschießende Proliferationen des Endometriums vor, denen bei einer bestimmten Ausprägung im Klimakterium und bei postmenopausalen Blutungen eine präkanzeröse Bedeutung zukommt.

Glandulär-zystische Hyperplasie (s. S. 94)

Manche Autoren halten die rezidivierende glandulär-zystische Hyperplasie für eine fakultative Präkanzerose. Sie sollte besonders jenseits des 50. Lebensjahres sorgfältig beobachtet werden. Rezidiviert die glandulär-zystische Hyperplasie nach monatelangen blutungsfreien

Intervallen, so sollte man eine Uterusexstirpation diskutieren, auch wenn das Abradat keinen Anhaltspunkt für Malignität bot.

Atypische adenomatöse Hyperplasie

ÄTIOLOGIE, SYMPTOMATIK und *DIAGNOSE* unterscheiden sich nicht von der glandulär-zystischen Hyperplasie. Kommt vorwiegend im präklimakterischen und postmenopausalen Alter vor.

Im histologischen Bild treten einige Besonderheiten auf, die nicht das ganze Endometrium betreffen, sondern nur in einigen Endometriumbröckeln des Geschabsels nachweisbar sind. Die Drüsen stehen dichter als normal, das Stroma ist vermindert. Die Epithelauskleidung der Drüsen ist bei der glandulär-zystischen Hyperplasie mehrreihig, aber glatt. Bei der atypischen Hyperplasie kommen Epithelsprossen (Abb. 151) ins Drüsenlumen hinzu. Häufig ist das Epithel dieser Sprossen in der Hämatoxylin-Eosin-Färbung besonders blaß (blasse Proliferation). Es finden sich reichlich Mitosen. Die Drüsenschläuche verzweigen sich. Einige Autoren haben für dieses Bild auch den Ausdruck „Adenocarcinoma in situ" des Endometriums geprägt.

THERAPIE. Uterusexstirpation, damit 100 %ige Heilung. Da es sich um ältere Frauen handelt, empfiehlt sich die Mitnahme beider Adnexe. Anschließend sollte eine Zeitlang mit Östrogenen behandelt werden, da diese Patientinnen meist ovariell unter einem langanhaltenden Östrogeneinfluß standen und, ohne Substitution, an Entzugserscheinungen leiden.

Korpuskarzinom (Endometriumkarzinom)

ÄTIOLOGIE. Östrogene regen das Endometrium zur Proliferation an. Hohe anhaltende Östrogenmengen führen immer zu einer glandulären Hyperplasie. Der Granulosazelltumor ist nicht selten kombiniert mit einem Korpuskarzinom. Daher sind einige Autoren geneigt, einer unphysiologisch hohen, langanhaltenden Östrogenwirkung eine kanzerisierende Wirkung auf das Endometrium zuzuschreiben, andere bestreiten dies. Die karzinomatöse Umwandlung des Endometriums wird offenbar durch endogene Faktoren, die maligne Transformation an der Zervix anscheinend mehr durch exogene Faktoren gefördert. Epidemiologisch interessant ist die Tatsache, daß vom Korpuskarzinom mehr unverheiratete und nullipare Frauen befallen werden. Das Korpuskarzinom kommt auch bei Nonnen vor. Korpuskarzinomträgerinnen sind häufig adipös, leiden an einem Diabetes, an Hochdruck oder anderen Herz-Kreislauf-Erkrankungen. — Frauen, die wegen klimakterischer Blutungsstörungen eine Radiummenolyse erhielten (Strahlenverschorfung des Endometriums zur Einleitung einer uterinen Amenorrhoe), erkranken 5—15 Jahre später häufiger am Korpuskarzinom als nicht behandelte Patientinnen.

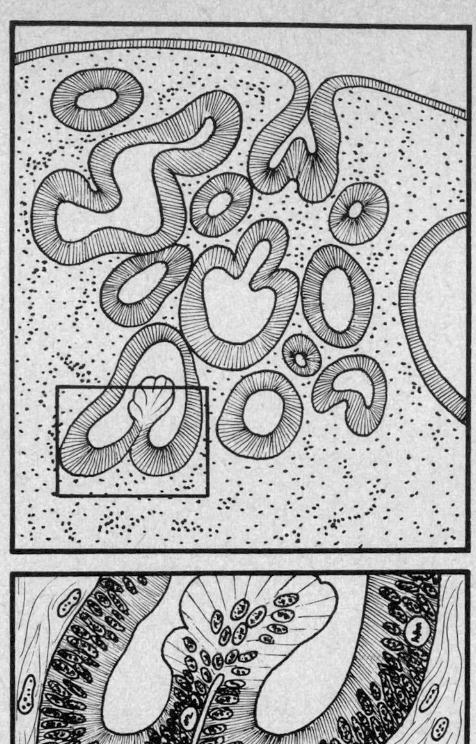

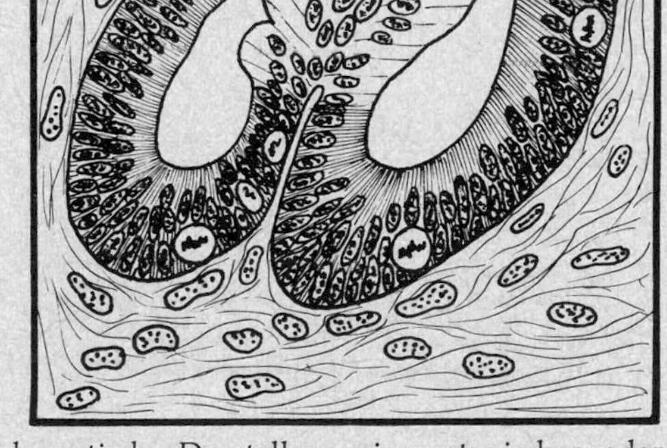

Abb. 151 Schematische Darstellung einer atypischen adenomatösen Hyperplasie des Endometriums mit blasser Epithelproliferation

SYMPTOMATIK. Das Karzinom der Gebärmutterhöhle ist ein Krebs der älteren Frau. Das Durchschnittsalter liegt im 6. Lebensjahrzehnt. Die Streuung nach oben und unten ist breit. 25 % aller Erkrankten haben keine Kinder.

Morphologisch handelt es sich beim Korpuskarzinom vorwiegend um **Adenokarzinome.** Die Variationsmöglichkeiten sind wesentlich vielfältiger als beim Plattenepithelkarzinom des Gebärmutterhalses. Vom hoch differenzierten, drüsigen Karzinom über den adenoiden zum mehr medullären soliden Tumortyp gibt es alle Übergänge (Abb. 152). Aber auch innerhalb eines Falles braucht das histologische Bild nicht einheitlich zu sein. Sonderformen sind das **Adenokankroid,** eine eigenartige Mischung aus Drüsen- und Plattenepithelkarzinom und das sog. hypernephroide **„Clear cell carcinoma"**. Bei letzterem handelt es sich um ein tubulär-medulläres Karzinom mit plasmareichen, in der Hämatoxylin-Eosin-Färbung wasserklar erscheinenden Zellen, die bei Spezialfärbungen sehr viel Glykogen enthalten.

Das Korpuskarzinom nimmt meist von den Tubenecken oder vom fundalen Anteil des Corpus uteri seinen Ausgang. Auch hier sind zwei Wachstumsrichtungen kennzeichnend (Abb. 153). Der polypös exophytäre Typ wächst in die Lichtung des Corpus uteri. Tumormassen können den Zervikalkanal eröffnen und im äußeren Muttermund sichtbar werden. Andere Karzinome wachsen vorwiegend endophytär infiltrierend in das Myometrium ein. Oft kombinieren sich beide Wachstumsrichtungen. Das Karzinom kann die Uteruswand partiell bis zur Serosa durchsetzen, es tritt aber selten eine spontane Perforation in die Bauchhöhle ein. — Eine kontinuierliche

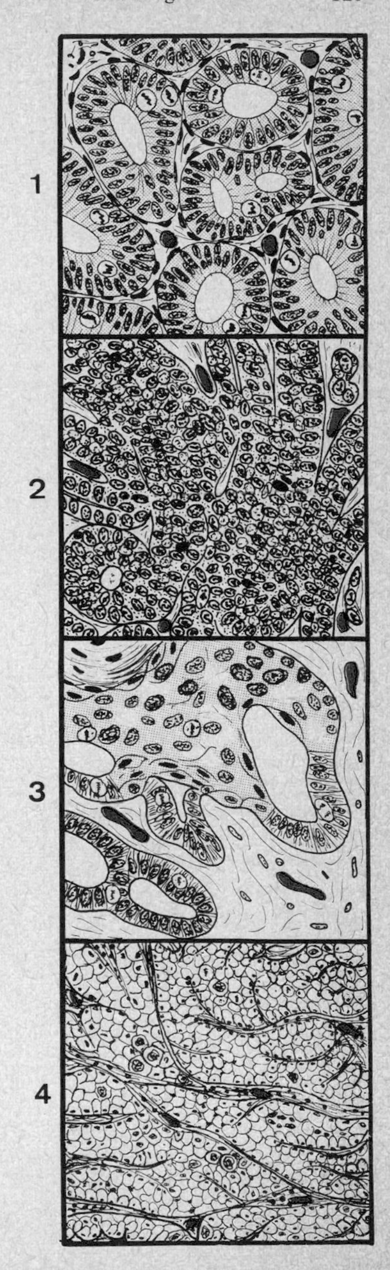

Abb. 152 Morphologie des Endometriumkarzinoms, 1. differenziertes Adenokarzinom, 2. undifferenziertes adenoides Karzinom, 3. Adenokankroid, 4. hypernephroides „Clear cell" Karzinom

Ausbreitung kann auch in die Tuben erfolgen, ein Befund, der aber nur bei fortgeschrittenen Fällen beobachtet wird. Dagegen scheint die Passage implantationsfähiger Tumorzellen durch die Tuben in die freie Bauchhöhle möglich zu sein, da die peritoneale Aussaat mit Aszitesbildung vorkommt. – Die diskontinuierliche Ausbreitung auf dem Lymphweg soll beim Korpuskarzinom wesentlich später erfolgen als beim Zervixkarzinom. Es werden die iliakalen, lumbalen und paraaortalen Lymphknoten betroffen. Die Frage nach dem zeitlichen Ablauf der Tumorausbreitung ist noch nicht endgültig zu beantworten, da bei der operativen Behandlung des Korpuskarzinoms nicht obligat Lymphonodektomien durchgeführt werden. Die meisten Beobachtungen stammen aus Autopsiematerial, also von fortgeschrittenen Fällen. Das Korpuskarzinom kann sich lymphogen unter dem Scheidenepithel oder in den Vulvabereich ausbreiten, so daß dort in einigen Fällen Karzinommetastasen zuerst gefunden werden. Die hämatogene Streuung erfolgt spät. Die Kombination Korpuskarzinom und Uterus myomatosus ist relativ häufig.

Stadieneinteilung des Korpuskarzinoms:

I. Karzinom ist auf das Corpus uteri beschränkt.
II. Das Karzinom ist bis zur Zervix heruntergewachsen.
III. Das Karzinom ist über den Uterus hinaus ins kleine Becken vorgedrungen.
IV. Übergreifen des Karzinoms vom kleinen Becken in das Abdomen und/oder Einbruch in die Blase und das Rektum.

Bei der betroffenen Patientin führt das Korpuskarzinom durch den oberflächlichen Zerfall zu bräunlichem, wäßrig-blutigem Ausfluß oder auch zu periodenähnlichen, später hellroten Blutabgängen. Außer dem blutig verfärbten Fluor kommt auch die reichliche Absonderung eines klaren serösen Sekretes vor, wie sie für das Tubenkarzinom charakteristisch ist. – Wächst das Karzinom vorwiegend exophytär, so reagiert der Uterus mit Kontraktionen, so daß wehenartige Schmerzen angegeben werden. Bei alten Patientinnen ist der Zervikalkanal oft stenosiert. Die wachsenden Tumormassen zerfallen dann oberflächlich nekrotisch, treiben das Uteruskavum ballonartig auf und können sich purulent zersetzen. Es entsteht das Bild der **Pyometra** (Abb. 153). Die Patientinnen klagen über anhaltende heftige Unterbauchbeschwerden. Gelingt es, mit einer Sonde den Zervikalkanal zu durchdringen, fließt reichlich eitrige Flüssigkeit ab. Bei einer Pyometra muß immer nach einem Korpuskarzinom gefahndet werden. Diese kann jedoch bei einer alten Frau auch unspezifisch sein. Unbehandelt überschreitet das Korpuskarzinom schließlich die Organgrenze. Mit den wachsenden Lymphknotenmetastasen kommt es zu einer Tumorinfiltration in das kleine Becken und zu einer Peritonealkarzinose. Auch ein Einbruch in Blase oder Rektum ist möglich. – Allgemein

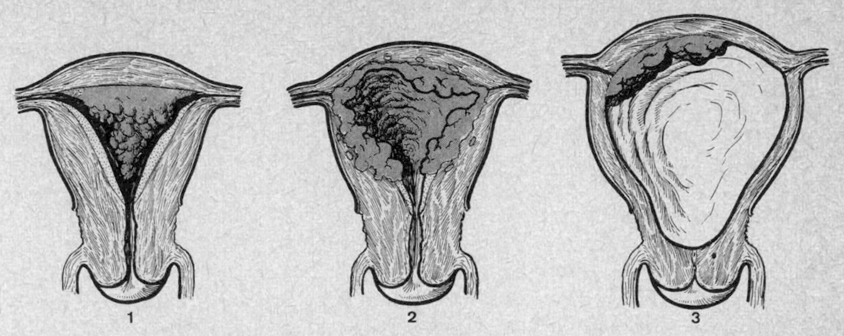

Abb. 153 Korpuskarzinom. 1. Exophytär, ins Cavum uteri wachsend. 2. Endophytär, die Uteruswand zerstörend. 3. Karzinom mit Ausbildung einer Pyometra bei Stenosierung des Zervikalkanals. Das Cavum uteri ist ballonartig erweitert und mit Eiter gefüllt

wird angenommen, daß das Korpuskarzinom relativ früh in beide Ovarien metastasieren kann. Wir konnten diesen Eindruck auf Grund der histologischen Bearbeitung von über 100 Operationspräparaten nicht bestätigen.

DIAGNOSE. Viele Patientinnen befinden sich bereits in der Postmenopause, wenn durch ein Korpuskarzinom Blutabgänge hervorgerufen werden. Dieses Symptom wird fast durchweg als krankhaft angesehen, so daß die Frauen bald einen Arzt aufsuchen. Schwieriger ist die Beurteilung der Blutung, wenn die Patientin noch regelmäßig oder unregelmäßig in der Prämenopause menstruiert. Hierfür läßt sich eine Regel aufstellen: Blutungen in der Postmenopause sollten immer durch eine getrennte Zervix-Korpus-Kürettage in ihrer Natur geklärt werden. Anhaltende Schmier- oder stärkere Blutungen bei noch vorhandenen Periodenblutungen können auch durch eine harmlose, glandulär-zystische Hyperplasie bedingt sein. Die Unterscheidung läßt sich treffen, indem man den Patientinnen ein Östrogen-Gestagen-Gemisch (z. B. 3mal 1 Primosiston 10 Tage lang) verordnet. Eine hormonabhängige Blutung kommt innerhalb von 2—3 Tagen zum Stillstand. Nach Absetzen der Therapie erfolgt die Abbruchblutung, die 5—7 Tage nicht überschreiten sollte. — Karzinome sind hormonunabhängige Blutungsquellen. Wird durch die Hormonzufuhr in den ersten 4 Tagen **kein** Blutungsstillstand erreicht, muß eine Abrasio durchgeführt werden (s. S. 112). Bei der Abrasio kürettiert man die Tubenecken besonders sorgfältig, um kleine Karzinome dort nicht zu „übersehen". Die Diagnose wird vom Histopathologen gestellt. Entleeren sich bei der Abrasio reichlich Tumorbröckel, verzichtet man auf eine restlose Ausräumung des Cavum uteri, da beim Korpuskarzinom die Uteruswand sehr dünn sein und eine Perforation vorkommen kann.

Spekulum- und Tastuntersuchungen sind bei Korpuskarzinomen meist unergiebig. Man beobachte aber exakt, ob eine Blutung aus dem Zervikalkanal besteht. Dies braucht zum Zeitpunkt der Untersuchung nicht der Fall zu sein. Die Angabe der Patientin genügt. Nur selten ist der Uterus durch das Karzinom vergrößert und weich. Meist bereitet dann die Betastung einen dumpfen Schmerz. Hat die Patientin nicht über Blutungen, sondern über eitrigen Ausfluß geklagt und ist der Uterus vergrößert, so besteht der Verdacht einer Pyometra. Fließt Eiter bei Sondierung des Zervikalkanals ab, so beläßt man über Tage eine Hohlsonde (FEHLINGsches Röhrchen), um dem Eiter Abfluß zu verschaffen. Die Uteruswand tonisiert sich, und der Zervikalkanal bleibt offen. Bei der, einige Tage darauf, folgenden Abrasio ist die Perforationsgefahr verringert.

Für das Korpuskarzinom gibt es keine frühdiagnostischen Methoden wie für das Kollumkarzinom. Zytodiagnostisch wird nur die Hälfte aller Gebärmutterhöhlenkarzinome erkannt. Oft handelt es sich um fortgeschrittene Fälle, bei denen sich Tumorbröckel im Zervikalkanal befinden.

Einige Autoren empfehlen die Hysterographie bei diagnostiziertem Korpuskarzinom, um dessen Ausbreitung vor Einleitung einer Therapie festzustellen. Die Gefahr der Verschleppung von Tumorzellen in die Tuben und in die Bauchhöhle durch den Druckanstieg im Cavum uteri ist bei vorsichtiger Technik (Bildwandler) minimal.

THERAPIE. Operation, Bestrahlung oder kombinierte Behandlung.

1. **Operative Therapie.** Das Korpuskarzinom ist für eine operative Therapie günstig, weil es lange innerhalb der Organgrenzen bleibt. Eine vaginale oder abdominale Uterusexstirpation unter Mitnahme beider Adnexe wird allgemein vorgenommen. Die Lymphonodektomie wird dann empfohlen, wenn das Karzinom bis zur Zervix herunterwächst oder eine tiefe Infiltration ins Myometrium besteht. Da es sich bei den Patientinnen vorwiegend um ältere Frauen handelt, ist die Mitnahme beider Adnexe in jedem Falle indiziert. Auch wenn die Ovarien meist tumorfrei sind, vermeidet man im Anschluß an die Operation zystische Degenerationen und maligne Neubildungen in den verbliebenen Ovarien. — Während der Uterusexstirpation sollte die Gebärmutter sehr schonend behandelt werden. Würde der Uterus mit Faßinstrumenten angehakt, so könnten sich Tumorzellen in die freie Bauchhöhle entleeren und sich dort implantieren. Häufiger ist aber die Auspressung von kleinen Tumoranteilen durch den äußeren Muttermund in die Scheide. Hier besteht die Gefahr, daß sich die Tumorbröckel im Scheidenwundrand implantieren und zu einem lokalen Rezidiv Veranlassung geben. — Zur Operation ausgewählt werden diejenigen Patientinnen, bei denen der gute Allgemeinzustand ein geringes Operationsrisiko verspricht. Aus diesem Grunde

sind Operationsstatistiken von Korpuskarzinomen meist günstiger als die Erfolge der Strahlentherapie. Behandlungserfolge von gleichen Patientinnengruppen zeigen aber die Gleichwertigkeit beider Verfahren. Ein echter Vorteil der Operation besteht bei den Patientinnen, bei denen ein endophytär infiltrierendes Tumorwachstum vorliegt, weil die peripher liegenden Tumorgebiete wegen des raschen Dosisabfalls des Radiums nicht von der Strahlenwirkung erfaßt werden. Im Gegensatz zum Kollumkarzinom ist in diesen Fällen die Operabilität noch recht gut.

2. **Strahlentherapie.** Das fortgeschrittene Alter, die häufig vorkommende Fettsucht, Diabetes und Kreislauferkrankungen schließen viele Patientinnen von einer operativen Therapie aus. Bei der lokalen Anwendung von Radium oder Kobalt-60 werden der Größe des Cavum uteri angepaßte Eier oder kleine Radiumträger (Abb. 154) eingelegt, so daß eine möglichst gleichmäßige Ausstrahlung des Cavum uteri erfolgt. Im Abstand von 8—10 Tagen wird dreimal eine Strahlentherapie durchgeführt mit einer Gesamtdosis von 6000 mgeh. Hat das Karzinom die Organgrenze überschritten, wird eine perkutane Strahlentherapie angeschlossen.

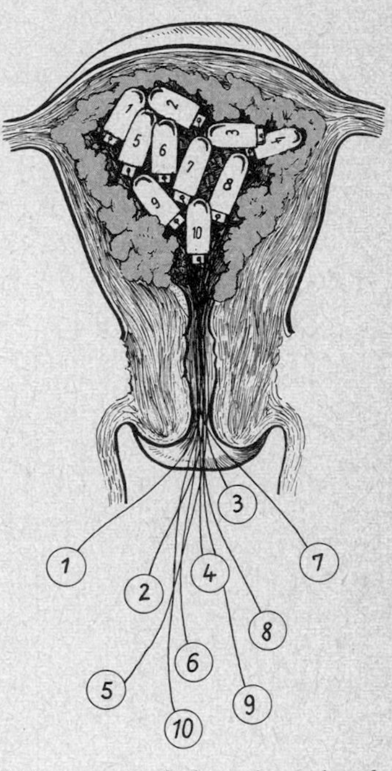

Abb. 154 Radiologische Behandlung eines Korpuskarzinoms. Das Kavum wird mit kleinen Radiumträgern vollgepackt. Nach der Belegung werden die Radiumträger in umgekehrter Reihenfolge aus dem Kavum herausgezogen

3. **Kombination von Operation und Bestrahlung.** Anderenorts hat man mit der präoperativen Bestrahlung gute Erfahrungen gemacht (Radium). — Wir wenden vorwiegend die postoperative Bestrahlung an. Diese besteht in einer Bestrahlung der Scheide 4—6 Wochen post operationem mit 1500—2000 mgeh bei einem Abstand von 0,3 cm zur Scheidenwand, um ein lokales Tumorrezidiv und eine retrograde Metastasierung zu verhüten.

4. **Rezidivbehandlung.** Hierfür gilt gleiches wie für die Rezidivbehandlung des Zervixkarzinoms. Bei einer Peritonealkarzinose mit Aszitesbildung hat die Radiogoldthe-

rapie einen guten Palliativeffekt. Die spät eintretenden hämatogenen Metastasen (Lunge) sprechen manchmal auf eine hohe Progesterontherapie günstig, im Sinne der Schmerzverminderung oder der zeitweisen Regression, an. Als Tagesdosis werden 75 mg 17-Äthinyl-19-Nortestosteron oder 500 mg Hydroxy-Progesteroncapronat empfohlen. Insgesamt ist aber die Wirkung von Gestagenen auf das metastasierende Korpuskarzinom umstritten.

5. **Zytostatika.** Bei der Behandlung des Korpuskarzinoms mit Zytostatika wurden außer kurzfristigen Remissionen keine Erfolge erzielt.

Die Kombination Korpuskarzinom und Schwangerschaft kommt fast nicht vor (höheres Alter der Patientinnen). – Bei Korpuskarzinom und Myom muß unabhängig vom Allgemeinzustand der Patientin operiert werden.

Eine 5jährige Überlebenszeit erreichen Korpuskarzinompatientinnen nach der Operation mit oder ohne Strahlentherapie in 70–80 % der Fälle, primär bestrahlte Patientinnen nur in 40–50 % der Fälle. Wie bereits erwähnt, ist der Unterschied nur scheinbar, da es sich um ein unterschiedliches Krankengut handelt.

Nachsorge behandelter Patientinnen und Betreuung inkurabler Patientinnen s. Zervixkarzinom (S. 409).

Sarkome des Corpus uteri

Die bindegewebigen Malignome können von der glatten Muskulatur (Myosarkome) oder vom Stroma des Endometriums (Schleimhautsarkome) ihren Ausgang nehmen. Die Myosarkome sind 10mal häufiger als die Schleimhautsarkome. Sarkome sind im Korpusbereich häufiger als im zervikalen Anteil des Uterus. Etwa 2 % aller Uterusmalignome sind Sarkome.

Myosarkom

ÄTIOLOGIE. Unbekannt.

SYMPTOMATIK. Kann in allen Lebensaltern, auch bei Kindern und Jugendlichen, vorkommen.

Morphologisch kann sich in der Uteruswand eine sarkomatöse Umwandlung im Myometrium vollziehen. Häufiger ist die sarkomatöse Veränderung innerhalb eines Myomknotens. Makroskopisch sind die Myosarkome weicher als die Myome, eine sichere Unterscheidung läßt sich nicht treffen. Die histologische Aufarbeitung bringt die Klärung.

Die klinische Symptomatik ist ganz uncharakteristisch. Meist geben die Patientinnen Schmerzen an, da die Tumoren schnell wachsen. Unregelmäßige Blutabgänge können bei submukösem Sitz vorkommen.

DIAGNOSE. Verdacht auf ein sarkomatöses Wachstum, wenn Myome sich plötzlich schnell vergrößern, in der Postmenopause weiter wachsen oder Aszites entsteht.

THERAPIE. Operative Entfernung. Sarkome sprechen auf Bestrahlungen wesentlich schlechter an als Karzinome. Prognose ist schlecht. Der Krankheitsablauf ist rascher als beim Karzinom.

Endometriumsarkom

ÄTIOLOGIE. Unbekannt.

SYMPTOMATIK. Vorwiegend Jugendliche und Kinder. Wächst polypös exophytär aus dem äußeren Muttermund herausdrängend, bei rascher Vergrößerung des Uterus.

DIAGNOSE. Ungeregelte Blutabgänge. Rascher körperlicher Verfall. Bei Blutungen vor Eintritt der Menarche und Uterusvergrößerung muß ein Schleimhautsarkom erwogen werden.

THERAPIE. Operation, evtl. mit Bestrahlung. Prognose sehr schlecht.

Chorionepitheliom

ÄTIOLOGIE. Das Chorionepitheliom ist der einzige Tumor, der seinen Ursprung nicht in den Zellen des Wirtsorganismus hat, sondern von einem anderen Individuum, dem Feten, stammt. Die Ursache der malignen Transformation fetaler Zellen ist unbekannt. Die Eigenschaft der normalen Trophoblastzellen, in mütterliches Gewebe zum Zwecke der Plazentation einzudringen und Blutgefäße zu eröffnen, ist bei den maligne entarteten Zellen potentiell gesteigert, wodurch das Chorionepitheliom zu einem der bösartigsten Tumoren überhaupt werden kann.

Morphologisch ähnliche Tumoren entstehen aus den Keimzellen des Ovars oder des Hodens (s. Ovarialkarzinom).

SYMPTOMATIK. Da ein fetaler Tumor vorliegt, kommt er bei Frauen in der Geschlechtsreife vor. In 20 % der Fälle ging eine normale Schwangerschaft, in 40 % eine Fehlgeburt (nicht artefizieller Natur, häufig Molenschwangerschaft) und in 40 % eine Blasenmole voraus. In allen Fällen bleiben isolierte Trophoblastzellen nach Beendigung der Schwangerschaft zurück, die in der Regel bald zugrunde gehen. Die maligne Entartung kann unmittelbar nach dem Gestationsereignis, aber auch nach monate- oder jahrelanger Latenzperiode erfolgen, so daß sich in einigen Fällen das vorausgegangene Schwangerschaftsgeschehen nicht mehr sicher nachweisen läßt. Auch erklären sich so, wenige Mitteilungen über Chorionepitheliome, die in den ersten postmenopausalen Jahren aufgetreten sind.

Der Primärherd sitzt immer im Uterus, ist aber manchmal nicht nachweisbar. Der Tumor metastasiert sehr schnell hämatogen auf Grund der gefäßarrodierenden Fähigkeit der Tumorzellen. Die hämatogenen Metastasen machen oft die ersten Symptome (z. B. Bluthusten bei Lungenmetastasen). — In der Regel findet sich ein blutig imbibierter Knoten in der Uteruswand. Klinisch imponieren nach einem Gestationsvorgang ungeregelte Blutabgänge und eine mangelhafte Rückbildung des Uterus. Die Zellen des Chorionepithelioms behalten in der Regel die Fähigkeit der Trophoblastzellen zur Gonadotropinbildung, oft in unphysiologisch hohen Mengen, die den Gipfel der Hormonausscheidung im dritten Monat einer normalen Schwangerschaft bei weitem überschreitet. Der unphysiologisch hohe Choriongonadotropinspiegel im Blut stimuliert beide Ovarien, so daß multiple zystische Ovarialtumoren mit lutealer Umwandlung entstehen (Abb. 155). Bei den beidseitig vergrößerten Ovarien handelt es sich **nicht** um Metastasen, sondern um funktionelle, multiple Corpus-luteum-Zysten, die sich nach erfolgreicher Behandlung des Tumors wieder zurückbilden.

Auf dem Lymphweg entstehen retrograde Metastasen in der Scheide oder im Vulvabereich, die dort als blaurote Knoten imponieren und als Erstsymptom auftreten können. Die multiple hämatogene Aussaat in alle parenchymatösen Organe vor allem in die Lungen, in das Ge-

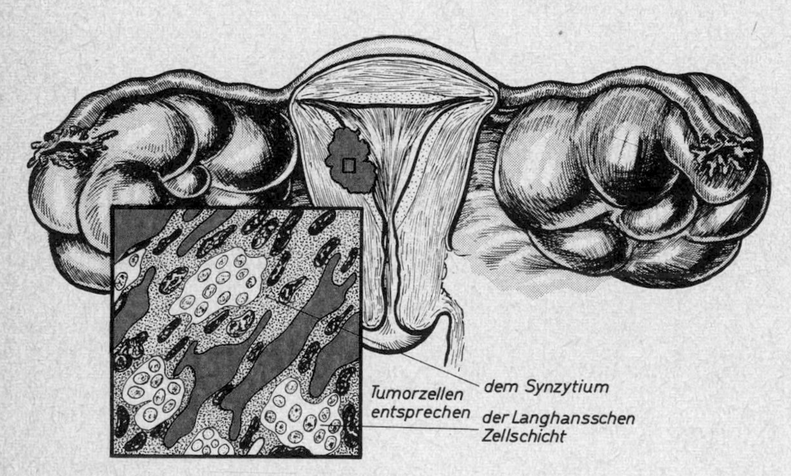

Abb. 155 Chorionephitheliom, Primärtumor im Cavum uteri. Sekundär Ausbildung polyzystischer Ovarien, mit multiplen Corpus-luteum-Zysten auf Grund der Überstimulierung der Ovarien wegen der unphysiologisch hohen Choriongonadotropinbildung im Tumor. — Histologisch erkennt man im Tumor Inseln der LANGHANSschen Zellschicht innerhalb des Synzytiums. Große Blutseen zwischen den Tumorsträngen.

hirn, in das Skeletsystem, in die Haut, praktisch an alle Stellen des Körpers läßt eine vielseitige klinische Symptomatik zu. Alle Metastasen bestehen aus locker gefügten polymorphen, synzytialen Tumorzellsträngen mit großen Blutseen, so daß makroskopisch immer ein blaurotes Aussehen resultiert. — Unbehandelt führen die meisten Chorionepitheliome rasch zum Tode. — In einigen Fällen kommt eine Spontanheilung mit völliger Rückbildung röntgenologisch nachweisbarer Metastasen vor (gutartige Chorionepitheliose). Eine Prognose über den Verlauf des Einzelschicksals läßt sich nicht stellen.

DIAGNOSE. Verdacht bei ungeregelten anhaltenden Blutabgängen und mangelhafter Involution des Uterus nach Geburt, Abort oder Blasenmole. Bleiben die Schwangerschaftsteste positiv, so muß die Quantität der HCG-Ausscheidung überprüft werden. Differentialdiagnostisch kommt eine erneute Schwangerschaft in Betracht. Werden die physiologischen Werte wesentlich überschritten, ist die Diagnose Chorionepitheliom naheliegend. Die Verdachtsdiagnose wird erhärtet, wenn doppelseitige zystische Ovarialtumoren vorhanden sind. Die Abrasio muß zur Diagnose beitragen. Die histologische Diagnose ist aus dem Geschabsel außerordentlich schwer zu stellen und differentialdiagnostisch kaum von einer destruierenden Blasenmole zu unterscheiden. Die Diagnose wird zusätzlich erschwert, wenn die Tumorzellen kein Choriongonadotropin bilden, was vorkommen kann.

THERAPIE. Operative Entfernung des Uterus unter Belassung der zystisch veränderten Adnexe (junge Frauen leiden stark unter dem Kastrationseffekt). Beim Chorionepitheliom hat auch die **Chemotherapie** eine ausgezeichnete Chance. Fetales Gewebe reagiert auf Chemotherapeutika mit Wachstumsstillstand und Atrophie. Die Tumorzellen werden analog beeinflußt. Bewährt hat sich der Folsäureantagonist Amethopterin (Methotrexat). Das Präparat blockiert den hohen Folsäurebedarf fetalen Gewebes. Dactinomycin hat offenbar eine noch bessere Wirkung. Diese u. a. Chemotherapeutika müssen in toxischen Dosen verabreicht werden, deshalb sollte die Behandlung Spezialisten überlassen werden. Unter der Kontrolle der Gonadotropinausscheidung verschwinden die Metastasen, die Gonadotropine sind unter der Therapie nicht mehr nachweisbar. Monate- und jahrlange Remissionen sind beschrieben, so daß, durch die Chemotherapie bedingt, eine Heilung angenommen werden kann. Bei der Seltenheit des Tumors werden allerdings viele Jahre vergehen, bis statistisch gesichert ist, ob es sich um eine Remission einer gutartigen Chorionepitheliose oder um die Heilung des bösartigen Chorionepithelioms handelt. Seit Einführung der Chemotherapie ist die früher geübte Strahlentherapie in den Hintergrund getreten. Die bisherigen Mitteilungen über die Erfolge der operativen Heilung zeigen eine 5-Jahres-Überlebenszeit von 41 %. Seit kurzer Zeit wird die Chemotherapie **ohne** operative Behandlung in den Vordergrund gestellt mit einer 5-Jahresheilung von 50–75 %. Nach Heilung des Chorionepithelioms wurden erneute normale Schwangerschaften beschrieben.

Zusammenfassung: Im Endometrium kommen prämaligne Schleimhautveränderungen vor. Die rezidivierende glandulär-zystische Hyperplasie um das 50. Lebensjahr kann als fakultative, die atypische Hyperplasie als obligate Präkanzerose angesehen werden. Die Patientinnen werden durch Uterusexstirpation geheilt. Das Korpuskarzinom hat seinen Altersgipfel im 6. Lebensjahrzehnt. Adenokarzinome, adenoide, medulläre und solide Tumortypen kommen vor. Sonderformen sind das Adenokankroid und das hypernephroide „Clear cell carcinoma". Korpuskarzinome bleiben lange auf das Organ begrenzt. Die lymphogene und hämatogene Aussaat erfolgen spät. Das führende Symptom ist die Blutung in der Postmenopause oder ungeregelte Blutabgänge bei noch erhaltenem Zyklus. Die Diagnose wird histologisch aus dem Abradat gestellt. Eine echte Frühdiagnostik gibt es für das Korpuskarzinom nicht. Die Therapie besteht in der Uterusexstirpation unter Mitnahme der Adnexe. Meist wird eine Nachbestrahlung angeschlossen. Auf Grund der gehäuften Kombination des Korpuskarzinoms mit Adipositas, Diabetes, Hochdruck- u. a. Kreislauferkrankungen müssen viele Patientinnen primär bestrahlt werden (Radium oder Kobalt-60). Die 5-Jahres-Überlebenszeit beträgt rund 60 %. – Myosarkome des Uterus entstehen vorwiegend in Myomen, ausnahmsweise auch primär aus unverändertem Myometrium. Selten sind Schleimhautsarkome des Endometriums, die in jedem Lebensalter vorkommen und eine schlechte Prognose haben. – Das Chorionepitheliom ist ein Tumor aus Fetalzellen, der schnell hämatogen metastasiert. Meist besteht eine unphysiologisch hohe Choriongonadotropinausscheidung. Spontanheilungen können vorkommen. Mit und ohne Entfernung des Primärtumors sprechen die Metastasen gut auf Zytostatika an, so daß eine 5-Jahres-Überlebenszeit von 50–75 % erreicht wird.

Tube

Primäres Tubenkarzinom

ÄTIOLOGIE. Unbekannt. Evtl. chronische Salpingitis, Tubentuberkulose in der Vorgeschichte. Sterile Frauen scheinen öfter zu erkranken als andere.

SYMPTOMATIK. Bevorzugtes Alter im 5. Lebensjahrzehnt (Streuung 18–80 Jahre). Etwa 0,4 % aller Genitalkarzinome.

Es handelt sich vorwiegend um Schleimhautkarzinome, die teils papillären, teils adenomatösen oder medullären Aufbau haben. Die bevorzugte Lokalisation ist das mittlere und ampulläre Drittel der Tube. 35 % kommen linksseitig, 30 % rechtsseitig und 35 % doppelseitig vor. Die erkrankte Tube wird wie bei einer Tubargravidität aufgetrieben. Da das Wachstum langsamer ist als bei einer Gravidität, kommt es selten zur Ruptur. Kindskopfgroße Verdickungen wurden beschrieben. Die Tumormassen stehen unter beengten Raumverhältnissen und werden partiell nekrotisch. Schließlich durchwächst das Karzinom die Tubenwand und kann die Serosa durchbrechen. Vorher kommt es zu einer Verschleppung von Karzinomzellen sowohl in das Cavum uteri als auch in die freie Bauchhöhle, so daß eine karzinomatöse Implantation im Endometrium, eine Metastasierung am Ovar und eine Peritonealkarzinose entstehen (Abb. 156). Die lymphogene Metastasierung erfolgt früher als die hämatogene. Die Patientin empfindet die Auftreibung der Tube als dumpfen ziehenden Schmerz. Oft besteht **Ausfluß,** der wäßrig blutig, in einigen Fällen **bernsteinfarben klar** sein kann. Im Schwall entleert sich die vom Tumor sezernierte Flüssigkeit aus der Vagina oder ist bei der Spekulumuntersuchung im hinteren Scheidengewölbe sichtbar.

DIAGNOSE. Nur als Verdachtsdiagnose möglich. Am wahrscheinlichsten ist die Kombination schwallartiger Entleerung von bernsteinfarbener, klarer Flüssigkeit aus der Vagina bei Adnextumor. Die Diagnose wird erst intra operationem gestellt.

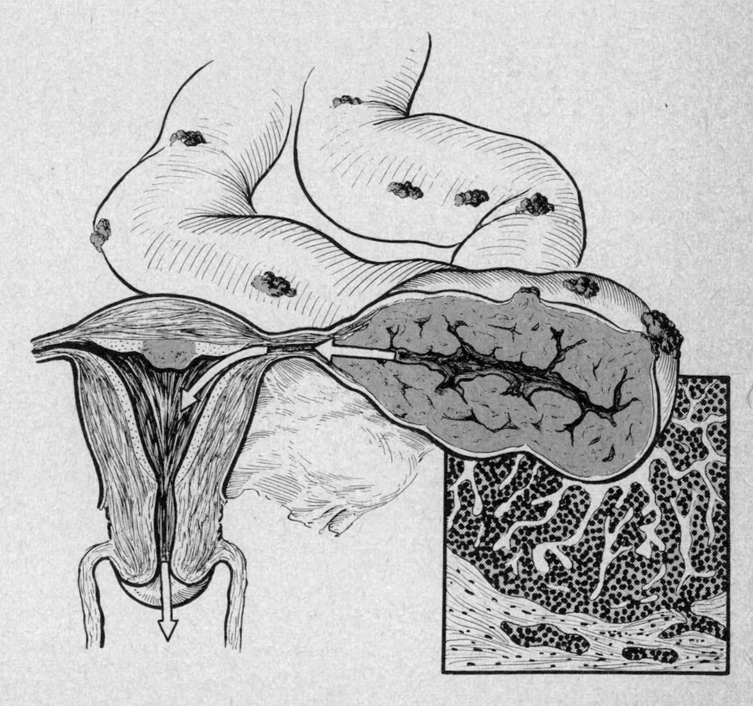

Abb. 156 Tubenkarzinom mit Metastasen auf dem Darmperitoneum und im Endometrium. Die Tubenschleimhaut ist vom Karzinom ersetzt (histologischer Übersichtsschnitt). Pfeile kennzeichnen den Sekretstrom

THERAPIE. Bei Begrenzung auf die Tube operative Entfernung des ganzen inneren Genitale. Meist Nachbestrahlung. Prognose ungünstig. Die 5-Jahres-Überlebenszeit liegt unter 10 %.

Sekundäres Tubenkarzinom

Die Tube kann von Metastasen anderer Primärkarzinome (Endometrium-, Ovarial- und Magenkarzinom) befallen werden. Manchmal imponieren sie dann als Primärtumor, so daß auch schon aus diesem Grunde die oben geschilderte Totaloperation anzustreben ist.

Sarkome

An der Tube extrem selten. Die Diagnose kann nur histologisch gestellt werden.

Ovar

In Tab. 26 wurde die Vielzahl der gut- und bösartigen Ovarialtumoren zusammengestellt. Zwischen beiden Gruppen finden sich Tumoren mit fraglicher Dignität, die sich in der klinischen Symptomatik und in der Therapie nicht von den Anfangsstadien der eindeutig bösartigen unterscheiden. Das für die Ovarialmalignome unten Ausgeführte gilt daher auch für Tumoren mit fraglicher Dignität.

Primäre Ovarialkarzinome

Unter dieser Bezeichnung werden hier Karzinome verstanden, die primär im Ovar entstehen, unabhängig davon, ob man einen Übergang von einem gutartigen in ein bösartiges Tumorwachstum feststellen kann oder nicht. — Im Gegensatz dazu stehen die sekundären oder metastatischen Ovarialkarzinome, d. h. hämatogene Metastasen eines entfernt liegenden Tumors (s. S. 431).

ÄTIOLOGIE. Unbekannt. Infertile oder sterile Frauen erkranken öfter. Familiäre Häufungen wurden beobachtet, so daß eine erbliche Disposition vorhanden sein mag.

SYMPTOMATIK. 17—20 % aller Genitalkarzinome entstehen in den Ovarien. Bevorzugt ist das 5.—6. Lebensjahrzehnt. Nicht selten werden aber auch junge Frauen, ja selbst Kinder (4 % unter 10 Jahren) von der Erkrankung betroffen.

Morphologisch bieten die Ovarialkarzinome eine große Fülle von Variationsmöglichkeiten.

Solide Ovarialkarzinome treten nicht selten doppelseitig auf. Histologisch kann der Tumoraufbau medullär, undifferenziert, aber auch tubulär adenomatös sein. Auf der Schnittfläche wirken die Tumoren weiß-grau und sind von weicher Konsistenz (Abb. 157).

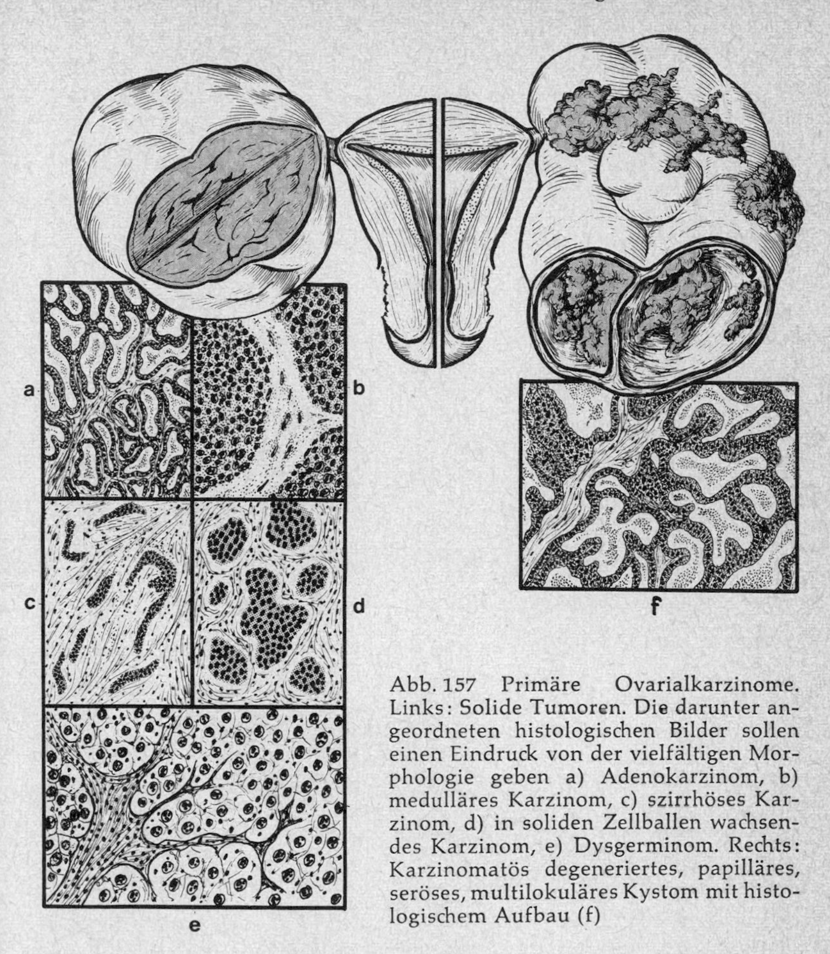

Abb. 157 Primäre Ovarialkarzinome. Links: Solide Tumoren. Die darunter angeordneten histologischen Bilder sollen einen Eindruck von der vielfältigen Morphologie geben a) Adenokarzinom, b) medulläres Karzinom, c) szirrhöses Karzinom, d) in soliden Zellballen wachsendes Karzinom, e) Dysgerminom. Rechts: Karzinomatös degeneriertes, papilläres, seröses, multilokuläres Kystom mit histologischem Aufbau (f)

Die karzinomatöse Umwandlung von zunächst **gutartigen Tumoren** aller Art vollzieht sich für die Trägerin unbemerkt und ist nur aus dem histologischen Bild erkennbar oder aus dem klinischen Verlauf ablesbar. **Plattenepithelkarzinome** können in Dermoidzysten entstehen.

Eine besonders bösartige Form der Ovarialkarzinome ist das **Dysgerminom,** welches bei Kindern und jugendlichen Frauen vorkommt. Offenbar geht die solide Geschwulst von undifferenziertem Keimepithel aus. Die Tumoren wachsen besonders rasch und haben eine sehr schlechte Prognose. Das **Chorionkarzinom des Ovars** ohne vorangehende Gravidität ist selten. Die Tumorzellen können HCG bilden. Die Prognose war, bis zur Einführung der Chemotherapie, sehr schlecht.

Die klinische Symptomatik eines Ovarialkarzinoms unterscheidet sich zunächst nicht von einem unspezifischen Adnextumor oder einem gutartigen Ovarialtumor, wenn die Tumorkapsel noch nicht vom Karzinom durchbrochen wurde. Die Tumoren sind in diesem Zustand gut beweglich. Im Gegensatz zu benignen Ovarialzysten sinken Ovarialkarzinome aber häufiger in den DOUGLASschen Raum. Sie verkleben mit der Umgebung. Das Karzinom wächst lokal in groben Knollen weiter, drängt den Uterus nach vorn, engt das Darmlumen ein und bildet große Konglomerattumoren. Die Wachstumsgeschwindigkeit von Ovarialkarzinomen ist zwar unterschiedlich, im allgemeinen aber schnell. Wächst das Karzinom außerhalb der Tumorkapsel weiter, so kommt es zur peritonealen Implantation in die Darmserosa und in das parietale Peritoneum, da die sich bewegenden Darmschlingen die Karzinomzellen abstreifen und im ganzen Bauchraum verteilen. Fast alle von Ovarialkrebsen ausgehenden Peritonealkarzinosen neigen zur massiven Aszitesbildung. Die Auftreibung des Leibes kann als erstes Symptom auftreten. Der Aszites ist manchmal sanguinolent verfärbt. Mit dem Sekretstrom der Tube werden Karzinomzellen vom Ovar in das Cavum uteri verschleppt. Sie können auch in den Schleimhautfalten der Tube hängen bleiben und sich dort implantieren. Es entstehen dann Tuben- und Endometriummetastasen. Einige Autoren halten bei dieser Verteilungsform auch eine **Systemkarzinose** für möglich (gleichzeitiges Entstehen von Karzinomen in einem Organsystem). Die Frage ist unentschieden, in jedem Fall muß bei der Diagnose Korpuskarzinom auch ein Ovarialkarzinom erwogen werden. — Auf dem Lymphweg breiten sich die Ovarialkarzinome in die lumbalen Lymphknoten und über die Lymphbahnen des Zwerchfells in die Pleurahöhle aus, so daß karzinomatöse Pleuraergüsse entstehen. Eine hämatogene Aussaat erfolgt relativ spät.

Charakteristisch für unbehandelte Ovarialkarzinome ist der Kräfteverfall der Erkrankten durch die schnell einsetzende Tumorkachexie. Quälend ist der rasch rezidivierende Aszites in 1/3 der Fälle, so daß die Patientinnen wöchentlich punktiert werden müssen. Es werden jeweils viele Liter Aszites abgelassen. Die Stenosierung des Enddarms macht oft die Anlage eines Anus praeter notwendig.

Stadieneinteilung der Ovarialkarzinome:

I. Karzinom auf die Ovarien beschränkt; a. auf ein Ovar, b. auf beide Ovarien, c. mit tumorzellhaltigem Aszites.

II. Karzinomausbreitung auch im kleinen Becken, mit oder ohne Aszites; a. Karzinomabsiedelungen in oder auf dem Uterus oder den Tuben, b. Karzinomabsiedelung im DOUGLASschen Raum u. a. Beckenorganen.

III. Karzinomausbreitung, vorwiegend als peritoneale Aussaat im ganzen Abdomen mit oder ohne Aszites.

IV. I—III mit oder ohne Aszites mit Fernmetastasen außerhalb des Abdomens.

DIAGNOSE. Jeder palpatorisch feststellbare Ovarialtumor ist verdächtig. Die Art des Ovarialtumors sollte in jedem Lebensalter möglichst bald geklärt werden (Laparoskopie, Probelaparotomie). Ausnahmen stellen die Follikelzysten des Ovars dar, die unter Kontrolle der Aufwachtemperatur innerhalb der nächsten zwei Zyklen verschwinden und die in der Schwangerschaft auftretende Corpusluteum-Zyste, die sich ebenfalls im zweiten Schwangerschaftsdrittel verkleinert. Weiter kommen alte entzündliche Adnexveränderungen in Betracht. Sprechen diese auf eine antiphlogistisch-resorbierende Behandlung **nicht** an, so ist auch hier die wahre Ursache des Leidens besser zu früh als zu spät zu klären. — Die bereits besprochenen, meist maligne degenerierenden, maskulinisierenden Geschwülste des Ovars (Arrhenoblastom, Hypernephroidtumor, LEYDIG-Zell-Tumor; s. S. 369), geben einen Hinweis durch die plötzlich einsetzende, starke Vermännlichung der Patientin.

Bei fortgeschrittenen Ovarialkarzinomen tastet man eine Ausfüllung des DOUGLASschen Raumes mit derben knolligen, indolenten Tumormassen. Das ausgestrichene Zentrifugat von Aszitesflüssigkeit zeigt meist massenhaft Tumorzellen. Die bei der Aszitespunktion durchgeführte Laparoskopie klärt die Ausbreitung des Karzinoms und zeigt die Peritonealkarzinose. Neuerdings wird auch eine Thorakoskopie bei Pleuraerguß empfohlen, um karzinomatöse Pleurametastasen erkennen zu können.

THERAPIE

1. **Operative Behandlung.** Obwohl es keine Frühdiagnose des Ovarialkarzinoms gibt, so bringt doch die Frühbehandlung beweglicher, nicht perforierter, nicht mit der Umgebung verbackener Geschwülste die besten Resultate. Die Behandlung besteht in der schonenden Exstirpation des erkrankten Adnex, die Tumorkapsel sollte möglichst intakt bleiben, um Implantationen von Tumorzellen im Operationsgebiet zu vermeiden. Noch intra operationem sollte die Dignität des Tumors durch Schnellschnitt geklärt werden. Handelt es sich um ein Karzinom, wird die Totaloperation des inneren Genitale angeschlossen. Das Alter der Patientin darf dabei keine Rolle spielen. Auch bei jungen Patientinnen muß das makroskopisch freie Ovar exstirpiert werden, da dort nicht selten kleinste Tumorzellnester entstanden sind (Ausnahme: einseitiger Granulosazelltumor oder Arrhenoblastom bei jungen Frauen mit Kinderwunsch).

Bei fortgeschrittenen Karzinomen ist die operative Entfernung der präparierbaren Tumormassen sinnvoll, auch wenn von vornherein feststeht, daß der Tumor nicht mehr vollständig entfernt werden kann. In einigen Fällen kommt es nach der Exstirpation des Primärtumors zu einer spontanen, ungeklärten Regression von Metastasen, ein ähnlicher Vorgang, wie man ihn beim Chorionkarzinom beobachten kann. Die postoperativ durchgeführte Strahlentherapie hat bessere Chancen, wenn große Tumorkonglomerate entfernt wurden.

2. **Strahlentherapie.** Die perkutane Strahlentherapie hat bei großen Konglomerattumoren wenig Erfolg, ebensowenig die Einlage von Radium oder Kobalt-60 in das Uteruskavum. Letztere ist nur bei histologisch festgestellter Metastasierung ins Corpus uteri sinnvoll. – Die postoperative Strahlentherapie erreicht um so mehr, je sorgfältiger die Tumormassen operativ entfernt wurden.

Erfolgreicher als die übliche Strahlentherapie ist die Instillation von Radiogoldlösungen in die Peritonealhöhle. Mit dieser diffus verteilten Strahlenquelle lassen sich peritoneale Karzinomknoten gut beeinflussen, insbesondere verschwindet der rezidivierende Aszites wochen- bis monatelang. Mit einer Heilung ist nicht zu rechnen. Bei soliden Tumoren ist auch die Bestrahlung mit Radiogold wirkungslos.

3. **Chemotherapie.** Im Gegensatz zu den bisher besprochenen Malignomen des weiblichen Genitaltraktes spricht das Ovarialkarzinom recht gut auf Chemotherapeutika an. Die größte Bedeutung kommt den alkylierenden Substanzen (z. B. Endoxan und Trenimon) zu. Unter der Therapie kann man eine überraschende Verkleinerung von Ovarialkarzinomen beobachten, die so weit geht, daß Patientinnen, die man für inoperabel hielt, nach einer zytostatischen Behandlung operiert werden können. Die Tumoren werden beweglich und können entfernt werden (second look operation). – Unter der Chemotherapie kommt es beim rezidivierenden oder inoperablen Ovarialkarzinom zu eindrucksvollen Remissionen und zu einer deutlichen Besserung des Allgemeinzustandes, bis ein plötzliches Aufschießen aller Metastasen dem Leben der Betroffenen ein Ende bereitet. Es ist daher mit Chemotherapeutika bisher keine Heilung, aber eine lohnende Lebensverlängerung möglich. Erfolgversprechend sind sogen. Chemo-Therapie-Resistenz-Teste mit verschiedenen Zytostatika am exstirpierten Tumorgewebe, um das für den Einzelfall wirksamste Chemotherapeutikum zu finden. Auch das besonders bösartige Dysgerminom spricht vorübergehend auf eine zytostatische Behandlung gut an.

4. **Hormontherapie.** Wirkung ist umstritten. Zur Anwendung kommen Androgene (werden ungern wegen des starken virilisierenden Effektes gegeben) oder hohe Dosen von Nor-Gestagenen (100 bis 200 mg wöchentlich). Manchmal Besserung des subjektiven Befindens. Die Prognose von Ovarialkarzinomen ist schlecht. Eine 5-Jahres-Überlebenszeit erreichen nur 20–35 % aller Erkrankten, aber 50 bis

60 % derjenigen Patientinnen, bei denen das karzinomatös veränderte Ovar ohne Eröffnung der Tumorkapsel operativ entfernt werden konnte. Der Prozentsatz ist dann um so höher, je besser die primäre operative Entfernung gelang.

Sekundäre, metastatische Ovarialkarzinome

ÄTIOLOGIE. Hämatogene Metastasen entfernt liegender Primärtumoren, vorwiegend aus der Mamma und dem Magen-Darm-Trakt. Als Primärherd kommen ferner in Frage: Leber, Gallenblase, Gallengänge, Pankreas, Endometrium, Tube, Blase, Ureter, Lunge, Meningen usw.

SYMPTOMATIK. 20 % aller Ovarialkarzinome. Meist doppelseitig. Kleine bis kindskopfgroße, markige, solide Geschwülste. Machen gelegentlich vor dem Primärherd Symptome. Histomorphologisch imitieren die Metastasen das Primärkarzinom. Das Auftreten von Siegelringzellen, auch im begleitenden Aszites, spricht für einen Primärtumor im Bereich des Magen-Darm-Traktes (Abb. 158). Die Ovarialmetastasen von einem Primärtumor des Gastro-Intestinums nennt man auch **Krukenberg-Tumoren.**

DIAGNOSE. Bei doppelseitig auftretenden soliden Ovarialtumoren sollte an die Möglichkeit metastatischer Tumoren gedacht werden. Der Primärherd ist nicht immer auffindbar.

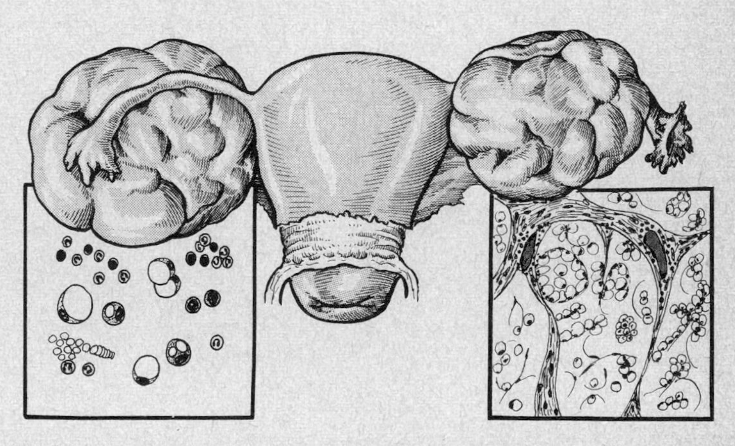

Abb. 158 Sekundäres oder metastatisches Ovarialkarzinom, meist doppelseitig. Liegt der Primärtumor im Magen-Darm-Trakt, so bestehen die Metastasen meist aus einem drüsigen schleimbildenden Karzinom (rechts histologisches Bild). Links das Zellbild eines Aszitespunktats mit typischen Siegelringzellen, Erythrozyten, Leuko- und Lymphozyten

THERAPIE. Bei diffus metastasierendem Karzinom keine. – Hat man klinisch den Eindruck, daß nur die Ovarien metastatisch befallen sind, operative Entfernung des inneren Genitale und Behandlung des Primärtumors. Prognose wie bei allen metastasierenden Karzinomen schlecht.

Ovarialsarkome

Extrem selten. Man rechnet 1 auf 10 000 Ovarialtumoren. Solide Tumoren. Diagnose nur histologisch. Prognose schlecht.

Teratoma malignum

Maligne degeneriertes Teratom. Die Abkömmlinge aller drei Keimblätter sind völlig gemischt und zeigen kaum Ausreifung. Nur selten überwiegt eine Organkomponente (Struma maligna ovarii s. S. 366). Wächst schnell und destruierend. Rasche lymphogene und hämatogene Metastasierung. Trotz Operation, Bestrahlung und Chemotherapie schlechte Prognose.

Zusammenfassung: Primäre Ovarialkarzinome entwickeln sich unmittelbar aus dem unveränderten Ovar oder in benigne erscheinenden Ovarialtumoren. Die Symptomatik ist anfangs so uncharakteristisch, daß eine Frühdiagnose nicht möglich ist. Das bevorzugte Alter liegt zwischen dem 40. und 60. Lebensjahr. Auch junge Frauen und Kinder werden betroffen. Das Dysgerminom (aus Keimzellen stammend) befällt besonders junge Frauen. – Ovarialkarzinome wachsen schnell, verwachsen mit der Umgebung, es kommt früh zu einer Peritonealkarzinose. In 1/3 der Fälle entsteht Aszites. Eine Tumorkachexie tritt bald ein. – Jeder palpable Ovarialtumor sollte, bis auf wenige Ausnahmen, als karzinomverdächtig angesehen werden. Die Therapie besteht in der Exstirpation des inneren Genitale oder der palliativen Entfernung von Tumormassen. Eine perkutane Strahlentherapie oder die intraperitoneale Radiogoldtherapie hat nur bei disseminiertem Tumorwachstum einen gewissen Erfolg, nicht aber bei soliden Tumorkonglomeraten. Ovarialkarzinome sprechen über Monate gut auf Zytostatika an. Eine Heilung wird nicht erzielt. Die Prognose von Ovarialkarzinomen ist schlecht. 20% aller malignen Ovarialtumoren sind Metastasen entfernt liegender Primärherde, vor allem des Magen-Darm-Traktes und der Mamma (sekundäre metastatische Ovarialkarzinome). Ovarialsarkome sind extrem selten. Maligne Teratome gehören zu den bösartigsten Geschwülsten überhaupt. Unreife Anteile aller drei Keimblätter wachsen schnell und destruierend.

Endometriose

Das Uteruskavum ist vom Endometrium ausgekleidet, welches in der Geschlechtsreife einem zyklischen Auf- und Abbau unterliegt. Finden sich an anderen Stellen des weiblichen Organismus Endometriumherde, so handelt es sich um eine Endometriose.

ÄTIOLOGIE. Wenn Endometriumherde außerhalb des Uteruskavums bestehen, so werden sie, bis auf wenige Ausnahmen, in gleicher Weise von den Ovarialhormonen beeinflußt wie das normale Endometrium. Es kommt zur Schleimhautproliferation, zur sekretorischen Umwandlung, zum prämenstruellen Ödem und zum Schleimhautzerfall mit Blutaustritten. Dadurch entstehen erhebliche Volumenschwankungen der ortsfremden (heterogenen) Endometriumherde, die zu charakteristischen Beschwerden führen.

Seitdem das Krankheitsbild der Endometriose bekannt ist (Ende des vorigen Jahrhunderts), wird die Frage diskutiert, wie das Endometrium an einen anderen Ort gelangen kann. Drei Theorien wurden erwogen:

1. Die metaplastische Entstehung von Endometrium außerhalb des Uteruskavums
2. Das kontinuierliche Vorwachsen des Endometriums
3. Die Verschleppung von Endometriumpartikeln aus dem Uteruskavum durch den Genitalschlauch oder die lymphogene oder hämatogene Absiedelung ähnlich einer Tumormetastasierung.

Jahrelange Forschungen vieler Autoren, aber auch tierexperimentelle Ergebnisse sprechen überwiegend für die 2. und 3. Theorie.

SYMPTOMATIK. Betrifft nur Frauen in der Geschlechtsreife. Das Krankheitsbild wird nach dem 35. Lebensjahr häufiger. Angaben über die tatsächliche Häufigkeit der Endometriose schwanken sehr. Man findet sie in etwa 10 % aller gynäkologischen Operationspräparate. Jegliche Symptomatik erlischt, wenn die Ovarialfunktion sistiert (Postmenopause, chirurgische Kastration, Schwangerschaft). — Die Lokalisation der Endometriose wird aus Abb. 159—162 und Tab. 28 deutlich.

1. Primäre Endometriose

a) **Uterus.** In vielen Operationspräparaten von exstirpierten Uteri ist die Grenze zwischen basalem Endometrium und Myometrium nicht glatt, sondern unscharf. Bei einer Endometriose ragen Endometrium-

Tabelle 28

Einteilung der Endometriose nach ihrer Lokalisation und Entstehungsart

Primäre Endometriose, wahrscheinlich durch kontinuierliches Vorwachsen von Endometrium (Endometriosis genitalis interna)	
Uteruswand *	
Tube *, Schleimhaut und -wand	
Sekundäre Endometriose, wahrscheinlich durch Verschleppung implantationsfähiger Endometriumpartikel, kanalikulär, hämatogen, lymphogen oder operativ	
Ovar *	(Endometriosis genitalis externa)
retrozervikal *	(Endometriosis genitalis externa)
Sakrouterinligament	(Endometriosis genitalis externa)
Portio, Scheide, Vulva	(Endometriosis genitalis externa)
Peritoneum	(Endometriosis extragenitalis)
Nabel	(Endometriosis extragenitalis)
Operationsnarben	(Endometriosis extragenitalis)
Darm, Harnblase, Ureter	(Endometriosis extragenitalis)
Beckenlymphknoten	(Endometriosis extragenitalis)
Leistenbeuge, Extremitäten	(Endometriosis extragenitalis)

* häufige Lokalisation

ausläufer tief in die Muskulatur hinein. Sie werden vom Endometrium getrennt und durchsetzen in multiplen Herden Teile der Uteruswand (Abb. 159). Man findet Endometriumdrüsen, vorwiegend basalen Typs, umgeben von Stroma. In seltenen Fällen entsteht eine reine Stromaendometriose im Myometrium. Bei der **Uteruswandendometriose** ist meist nicht der ganze Uterus betroffen, sondern vorwiegend die Vorder- oder Hinterwand. Manchmal kommt es zu einer knotigen Hypertrophie der Muskulatur, so daß Myomknoten von Endometrioseherden durchsetzt sind **(Adenomyosis).** Überhaupt ist die Kombination eines Uterus myomatosus mit der Endometriose (30—50 %) häufig. Bei der Uteruswandendometriose glaubt man an ein kontinuierliches Vordringen der basalen Endometriumdrüsen. Traumatische Versprengungen von Endometrium bei leichten Myometriumrissen unter der Geburt, bei Aborten und Abrasionen müssen erwogen werden. Es gibt aber Frauen mit einer Uteruswandendometriose, die keinerlei Traumatisierung erlebten. Die Uteruswand ist die häufigste Lokalisation der Endometriose.

Klinisch verdächtig ist die **erworbene** starke **Dysmenorrhoe,** die 2—4 Tage vor der erwarteten Periodenblutung einsetzt, auf Grund der starken Volumenzunahme in den Endometrioseherden ohne Abfluß-

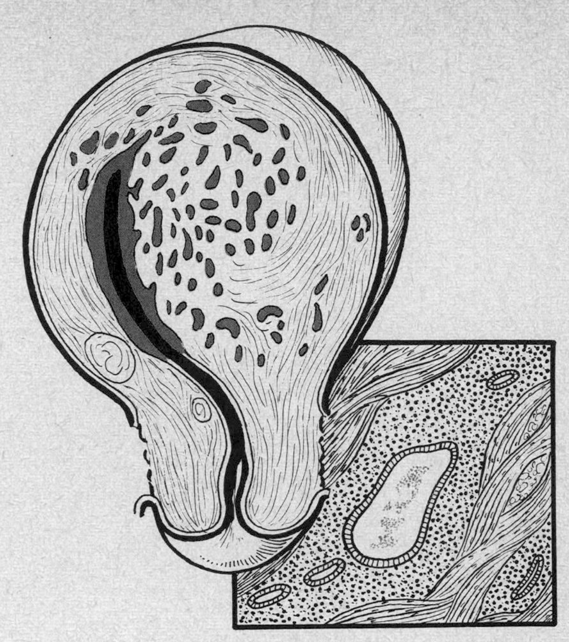

Abb. 159 Uteruswandendometriose mit Andeutung einer Adenomyosis. Im histologischen Bild Endometrioseherde mit z. T. zystisch erweiterten Drüsen und umgebendem Stroma inmitten von Myometrium

möglichkeit. Wenige Stunden vor und mit Eintritt der Menstruation lassen die Schmerzen nach, da die Gewebsschwellung verschwindet (Abb. 162). Die **Kontraktionsfähigkeit** der Uterusmuskulatur ist beeinträchtigt, so daß verstärkte und länger dauernde Regelblutungen resultieren. Palpatorisch wirkt der Uterus leicht vergrößert, derb und ist gering druckschmerzhaft.

b) **Tube.** Der intramurale Teil der Tubenschleimhaut stößt in den Fundusecken an das Endometrium an. Die Uterusschleimhaut kann in die Tube vorwachsen und die Tubenschleimhaut ersetzen. Nicht selten dringen Uterusdrüsen auch in die Tubenwand vor. Es kommt zu einer knotenförmigen Auftreibung im isthmischen Tubenabschnitt, häufig mit vollkommenem oder partiellem Verschluß des Tubenlumens (Abb. 160). Da diese Veränderung oft doppelseitig auftritt **(Salpingitis isthmica nodosa)** leiden die Frauen an einer Sterilität oder neigen zur Tubargravidität. Nur bei ganz schlanken Frauen tastet man die bis kirschgroße, schmerzhafte Auftreibung des isthmischen Tubenanteils.

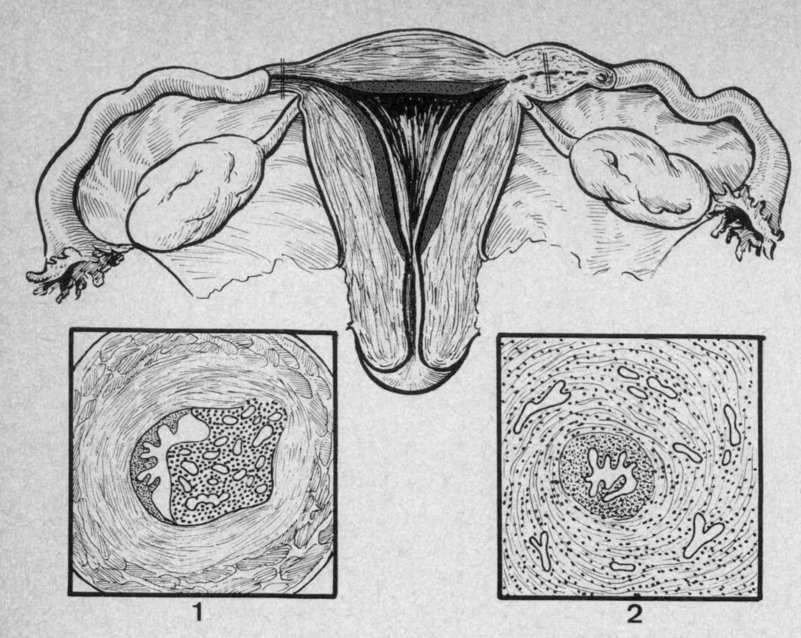

Abb. 160 Tubenendometriose. 1. Schleimhautendometriose, etwa ³/₄ der Tubenschleimhaut ist durch Endometrium ersetzt. 2. Salpingitis isthmica nodosa, kolbige Auftreibung des Tubenisthmus, Durchsetzung der Wand mit Drüsen und Zellinfiltraten. Es war lange Zeit strittig, ob diese Erkrankung zur Endometriose gehört

Ins Tubenlumen können aber auch Endometriumpartikel bei der menstruellen Abstoßung verschleppt werden und dort implantiert, eine Tubenendometriose veranlassen.

2. Sekundäre Endometriose

a) **Ovar.** Die Ovarialendometriose ist die zweithäufigste Lokalisation der Endometriose. Endometrioseherde liegen vorwiegend in der Ovarialrinde. Während bei der Uteruswandendometriose der blutige Zerfall der Schleimhaut selten ist und oft eine Resorption stattfindet, so sind Blutaustritte in Endometrioseherden des Ovars die Regel. Bis zum Eintritt der nächsten Periode wird das in den Drüsenlumina liegende Blut nicht resorbiert, so daß sich immer mehr altes Blut in den Endometrioseherden ansammelt. Nach monatelangem bis jahrelangem Verlauf entstehen palpable Tumoren. Sie sind meist mit der Umgebung verbacken. Da sie allen resorbierenden Behandlungsversuchen trotzen, wird man den Ovarialtumor operativ abklären. Man findet

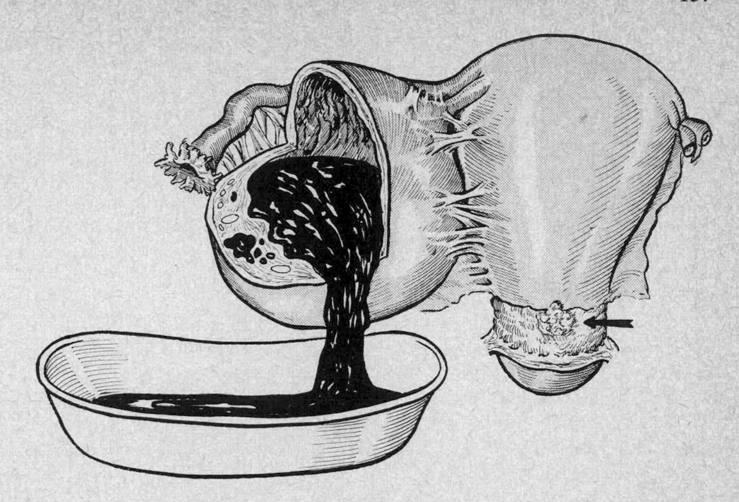

Abb. 161 Ovarendometriose. Große Schokoladenzyste, aus der sich teerähnliches, altes Blut entleert. Im Anschnitt des Restovars weitere, kleine Endometrioseherde. Verwachsungen mit der Umgebung. Retrozervikale Endometriose (Pfeil)

dann die typische „Schokoladenzyste", mit teerartigem, zähflüssigem Inhalt (Abb. 161). – Die erkrankten Patientinnen klagen über unbestimmte ziehende Beschwerden, die einige Tage vor Eintritt der Regel zunehmen.

Im Ovar ist außer der Verschleppungstheorie noch eine ortsständige Entstehung zu diskutieren. Das die Oberfläche des Ovars bedeckende Keimepithel senkt sich häufig in tiefe Spalten ein und bildet rundliche Hohlräume. Ob aus diesen Drüseneinschlüssen Endometrioseherde entstehen können, ist nicht entschieden.

b) **Retrozervikalendometriose** (Abb. 75, 161). Endometriumpartikel, die während der Menstruation durch das Tubenlumen in die freie Bauchhöhle gelangen, sinken meist in den DOUGLASschen Raum ab. Hier implantieren sie sich und bilden erbs-, bis walnußgroße Knoten. Die ortsfremden Endometriumdrüsen werden von derbem Bindegewebe abgekapselt. Trotzdem vergrößern sich die anfangs kleinen Herde. Dabei entstehen Verwachsungen mit dem Darm. Das Rektum kann hochgezogen und an den Uterus fixiert werden. Die Endometrioseherde können penetrierend gegen die Darmwand oder nach vorn in die Vaginalwand des hinteren Scheidengewölbes einwachsen. Zyklische Blutungen aus dem Rektum und eine schwer verschiebliche Rektumwand sind die Folge. Die Abgrenzung gegenüber einem Rektumkarzinom ist oft nur durch eine Biopsie möglich. In der Vaginalwand entstehen blaurote, unregelmäßig große Knoten, die bei wiederholten Untersuchungen deutliche Volumenschwankungen während des Zyklus mitmachen. – Die Douglasendometriose macht der Trägerin heftige Beschwerden. Die Stuhlentleerung wird schmerzhaft. Bei Kohabitationen wird ein starker Schmerz angegeben, da der Uterus an den Endometrioseherd fixiert ist (oft auch fixierte Retroflexio uteri) und seine Elastizität gegenüber dem Vaginalrohr verloren hat. Ebenso schmerzhaft ist die Palpation der deutlich tastbaren retrozervikalen Knoten.

c) **Andere Lokalisationen im Bereich des Genitale.** Die Endometriose des Sakrouterinligamentes wird am Operationssitus festgestellt. Relativ leicht ist die Diagnose von Endometrioseherden an Portio, Scheide oder Vulva. Anamnestisch finden sich besonders oft geburtstraumatische Verletzungen oder plastische Operationen an Scheide und Vulva, wobei sich Endometriumpartikel in die Wundflächen implantierten. Die blauroten Knoten sind sehr charakteristisch. Die Volumenschwankung prä- und postmenstruell ist sehr beeindruckend (Abb. 162).

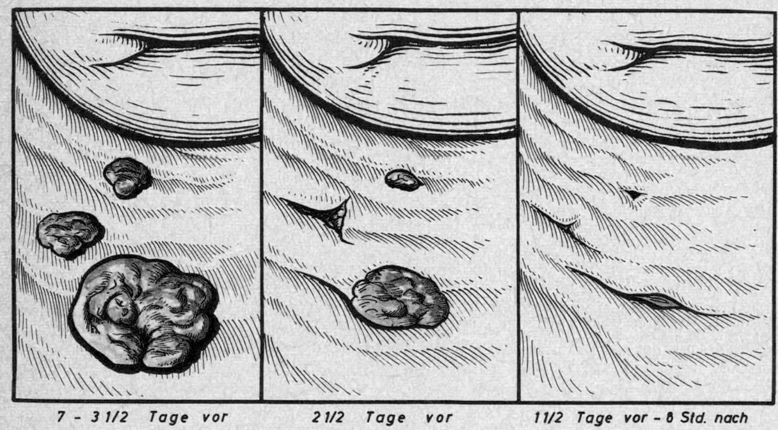

Abb. 162 Endometriose im hinteren Scheidengewölbe (Fallbericht Hoffmann, Ober u. Schmitt 1953). Die Volumenschwankungen des Endometriums von der Sekretionsphase bis zur Menstruation sind eindrucksvoll

d) **Extragenitale Endometriosen.** Endometrioseherde auf dem Peritoneum bleiben meist klein und machen keine Symptome. Eine Endometriose der Nabelgegend ist selten. Es tritt Blut aus dem Nabel zum Zeitpunkt der Periode aus. – Traumatisch entsteht eine Endometriose in Operationsnarben. Es können Fisteln entstehen, aus denen es zum

Zeitpunkt der Periode blutet. – Periodische Blutabgänge aus Blase und Darm sprechen für eine Endometriose, die die Schleimhaut der Organe erreicht hat. – Nicht selten sind Drüsenbildungen in Beckenlymphknoten. Sie bleiben für die Trägerin symptomlos. – Endometrioseherde unter der Haut (Leistenbeuge oder Extremitäten) sind Raritäten.

Die Endometriose kann, braucht sich aber bei einer Patientin nicht auf ein Organ zu beschränken. Die Kombination von Uteruswandendometriose und Ovarialendometriose ist häufig. Bei der gleichen Patientin finden sich oft kleine Endometrioseherde auf dem Peritoneum usw. Demzufolge ist auch eine Kombination der nach der Lokalisation geordneten Symptomatik möglich.

DIAGNOSE. Die Beschwerden beginnen oft erst im 4. Lebensjahrzehnt. Wenige Tage vor der Menstruation klagen die Patientinnen über starke Schmerzen, die etwa am 2. Tag p. m. verschwinden. Eine Ovarialendometriose ist gegenüber entzündlichen Adnexveränderungen schwer abgrenzbar. Kombiniert sich der Befund mit Knoten im DOUGLASschen Raum, kann auch ein Ovarialkarzinom vorliegen. Für eine Endometriose sprechen der gute Allgemeinzustand der Patientin, die normale Blutsenkungsgeschwindigkeit und die relativ kleinen Knoten im DOUGLASschen Raum mit extremer Schmerzhaftigkeit. Mit einem therapeutischen Test läßt sich die Diagnose sichern. Unterdrückt man 2–3 Monate die Ovarialfunktion mit Ovulationshemmern, so werden die starken prämenstruellen Beschwerden gemildert.

THERAPIE. Alle Beschwerden einer Endometriose verschwinden, wenn die Herde nicht dem zyklischen Wechsel der Ovarialhormone unterliegen. Eine Ovarektomie bds. würde völlige Beschwerdefreiheit, aber auch alle Nachteile einer Kastration mit sich bringen.

1. **Operative Therapie.** Bei palpablen Ovarialtumoren immer indiziert, zumal es Ovarialkarzinome auf dem Boden einer Endometriose gibt. Endometriosefreies Restparenchym des Ovars sollte präparatorisch erhalten bleiben. Sichtbare kleine Endometrioseherde am Peritoneum werden mit dem Elektrokauter verschorft (Vorsicht vor Einbruch ins Darmlumen). Liegt eine retrozervikale Endometriose vor, wird meist der Uterus mitentfernt. Ob man den Eingriff derart ausdehnt, hängt von der individuellen Situation der Betroffenen ab. Weitergehende Operationen (Darm- oder Blasenresektionen) sind bei einer Endometriose nicht indiziert. Bei dieser Lokalisation sollte hormonell behandelt werden.

2. **Hormonelle Behandlung.** Die zeitweise Ausschaltung der Ovarien durch Ovulationshemmer (gestagenbetonte s. Tab. 16, oder nur Progestagene s. S. 352) hat sich als sinnvolle Therapie für eine Endometriose bewährt. Nach Langzeitanwendung werden die Endometrioseherde atrophisch, ähnlich dem Verhalten des Endometriums. Bei zyklischer Therapie sind die Patientinnen für die beschwerde-

freien Periodenblutungen außerordentlich dankbar. Meist genügt dies. Eine Heilung wird man nicht erreichen, da nach Absetzen der Präparate die Symptomatik erneut beginnt. Eine ununterbrochene Medikation von Progestagenen (z. B. Gestanon, Orgametril, Niagestin) in aufsteigender Dosierung zur Erzeugung einer Scheinschwangerschaft hat einmal das Ziel der Beschwerdefreiheit, zum anderen soll eine bindegewebige Verödung der Endometriumdrüsen erreicht werden.

3. **Strahlenkastration.** Kommt nur in Betracht bei Patientinnen, die sich dem 50. Lebensjahr nähern. Mit Erlöschen der Ovarialfunktion sind die Beschwerden verschwunden.

Zusammenfassung: Unter Endometriose versteht man das Auftreten von Uterusschleimhaut außerhalb des Cavum uteri. Das heterotope Endometrium wird von den Ovarialhormonen zyklisch beeinflußt. Die Endometriose kommt nur in der Geschlechtsreife vor. Das Krankheitsbild entsteht durch kontinuierliches Vorwachsen von Endometrium in die Uteruswand oder in die Tube (primäre Endometriose) oder durch Verschleppung lebensfähiger Schleimhautbröckel im Genitalschlauch lymphogen, hämatogen oder operativ (sekundäre Endometriose). Die Uteruswandendometriose führt zur Dysmenorrhoe, Menorrhagie und zur geringen Uterusvergrößerung. Die Tubenendometriose bewirkt durch den partiellen Verschluß Eileiterschwangerschaften oder durch den kompletten Verschluß Sterilität. Palpable Tumoren (Schokoladenzysten) entstehen bei Ovarialendometriose. Die Implantation von Endometriumpartikeln im Douglasschen Raum führt zur retrozervikalen Endometriose, die besonders druckempfindlich ist. – Alle anderen Endometrioselokalisationen sind selten. Die Behandlung besteht in der operativen Entfernung von Adnextumoren. Die hormonelle Therapie mit Ovulationshemmern erreicht eine Besserung der erworbenen Dysmenorrhoe, aber keine Heilung.

Uterusbandapparat und Beckenboden, Lageanomalien

Der Uterus ist in der Mitte des kleinen Beckens federnd aufgehängt. Ein gut abgrenzbares Band, welches von den Fundusecken zur vorderen Bauchwand zieht **(Lig. rotundum)**, beeinflußt die Lage des Corpus uteri (Abb. 163/164). Vergrößert sich der Uterus bei Schwangerschaften oder durch Geschwulstbildungen, ändert das symmetrisch elastische Band seine Länge.

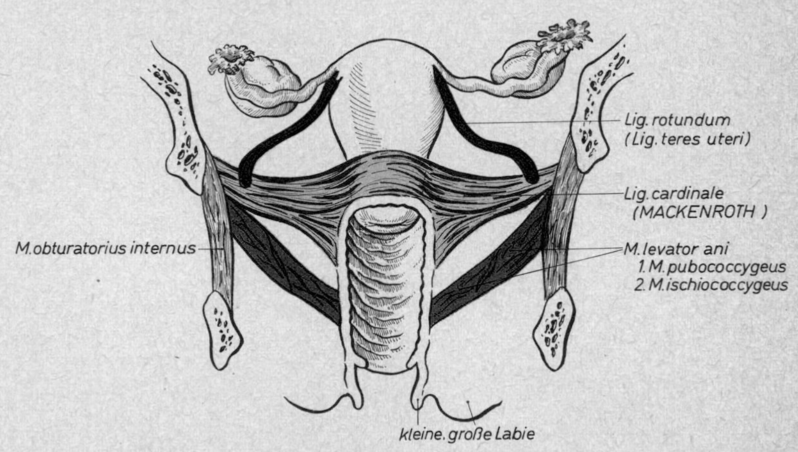

Abb. 163 Band- und Stützapparat des Uterus in 3 Etagen: Ligg. rotunda, Ligg. cardinalia, Platte des M. levator ani

Der zervikale Anteil des Uterus wird oberhalb des Scheidenrohrs durch ein gefächertes horizontales, aber mehrschichtiges Netz an der Beckenwand befestigt. Die bindegewebige elastische, teils glatt muskuläre Aufhängung **(Parametrium)** wird partiell verstärkt durch dichtere Anteile. Beiderseits finden sich derbere Faserzüge untermischt mit glatten Muskelfasern, die als Ligg. cardinalia oder Ligg. Mackenroth bezeichnet werden. Im Lig. cardinale verlaufen die uterinen Gefäße unter Kreuzung der Ureteren. Das Lig. sacrouterinum bildet eine randständige Verstärkung der in der Kreuzbeinhöhle durch den Mastdarmverlauf entstehenden Lücke. Nach vorn werden verstärkte Bindegewebszüge als Ligg. vesicouterina bezeichnet (Abb. 163/165).

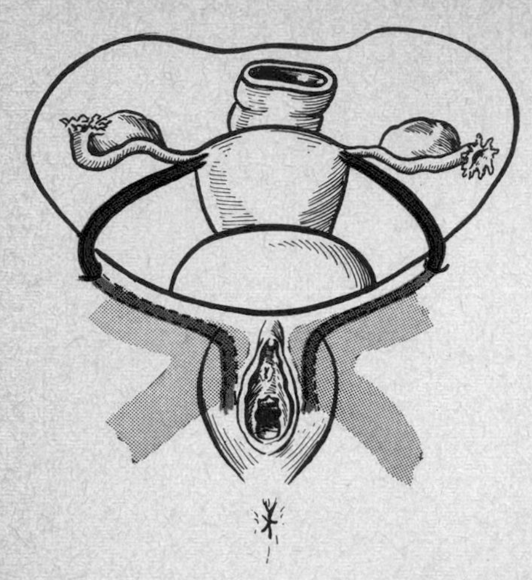

Abb. 164 Topographie des Lig. rotundum

Der unterschiedliche Füllungszustand der Blase verlangt im ventralen Anteil der netzförmigen Zervixverankerung eine Lücke.

Der Beckenboden wird durch den kräftigen diaphragmaähnlichen **M. levator ani** gebildet. Andere kleine Muskelgruppen sind für die Tragfähigkeit des Beckenbodens ohne Belang. Der M. levator ani umgreift in mehreren Schichten den unteren Rektumanteil und verschließt fächerförmig den Beckenboden, wobei nach vorn eine dreieckige Lücke ausgespart ist, in der Urethra und Va-

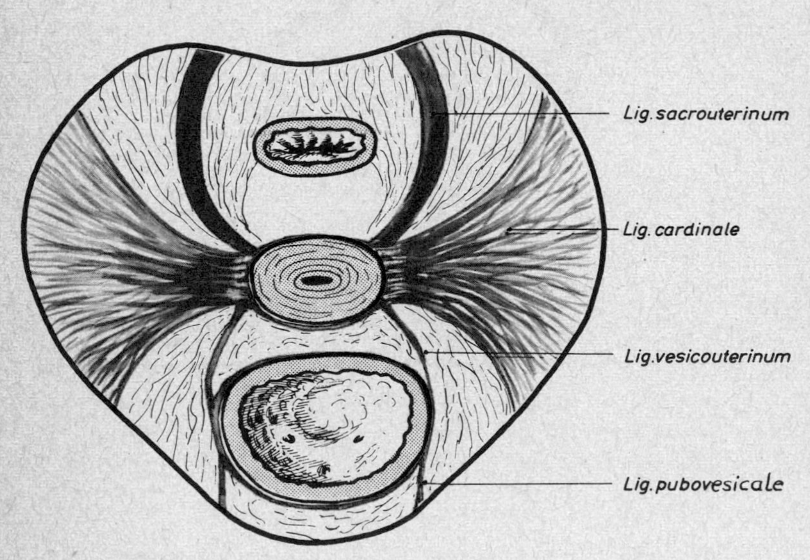

Abb. 165 Topographie des parametranen Halteapparates von oben

gina münden (Hiatus genitalis; Abb. 163/166). Der Beckenboden ist beim Menschen durch den aufrechten Gang und dem damit verbundenen Druck des Abdominalinhaltes einer größeren Belastung ausge-

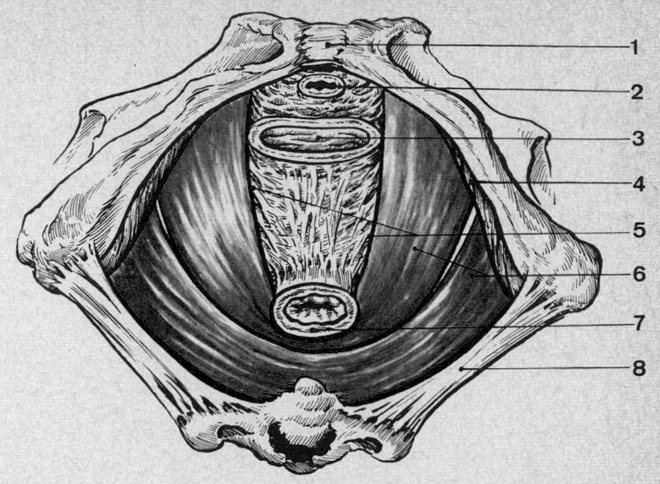

Abb. 166 Topographie des M. levator ani nach Abpräparieren der oberflächlichen kleinen Beckenmuskeln, die für die Tragfähigkeit des Beckenbodens keine Rolle spielen. Die medialen Schenkel des pubokokzygealen Anteils des M. levator ani bilden den Hiatus genitalis, durch den die Urethra und die Scheide durchtreten. 1. Symphyse, 2. Urethra, 3. Vagina, 4. M. obturatorius internus, 5. Begrenzung des Hiatus genitalis, 6. M. levator ani, 7. Rektum, 8. Lig. sacrotuberale

setzt als beim Vierfüßler. Dazu kommt die starke Dehnung bei Geburten, wobei der große kindliche Kopf durch den Hiatus genitalis geboren wird.

Sowohl der Halteapparat des Uterus als auch der Beckenboden sind den physiologischen Belastungen oft nicht gewachsen, wobei eine individuelle konstitutionelle Bindegewebsschwäche erschwerend hinzukommen kann. Aus dem Versagen des einen oder anderen ergibt sich eine Fülle von Beschwerden für die Patientin, die aus der veränderten Lage des Uterus und der Vagina sowie deren Auswirkungen auf Blase und Enddarm entstehen. Im folgenden werden die verschiedenen Möglichkeiten dargestellt. In den meisten Fällen liegen Kombinationen vor.

Ligamentum rotundum

Die Haltung des Corpus uteri wird vorwiegend durch das kräftige Lig. rotundum (rundes Mutterband) bestimmt. Es setzt ventral vom Tubenabgang an den Fundusecken an, zieht leicht bogenförmig zur vorderen Bauchwand, durchzieht den Leistenkanal und endet faserig aufgesplittert in den großen Labien (Abb. 164). Bei ca. 90 % aller

Frauen liegt der Uterus in der Mitte des kleinen Beckens (Positio), mit einer leichten Kippung des gesamten Organs (Versio) nach vorn, und einer leichten Krümmung oder Knickung der Zervix- gegenüber der Korpusachse (Flexio) nach vorn.

Durch die elastische Fixierung bleibt der Uterus beweglich. Beispiele: Eine gut gefüllte Blase drängt den Uterus nach hinten (der anteflektierte Uterus liegt dann retroponiert). — Ein raumfordernder Prozeß zwischen Uterus und Rektum drängt den Uterus nach vorn (der anteflektierte Uterus liegt dann anteponiert dicht hinter der Symphyse). Auch eine Verschiebung nach rechts oder links ist möglich und wird entsprechend bezeichnet.

Wird die Lageveränderung nicht durch raumverdrängende Prozesse im kleinen Becken hervorgerufen, so ist die Lage des Uterus bis auf wenige Ausnahmen ohne Belang. Die Kennzeichnungen dienen der Fixierung eines exakten Untersuchungsbefundes.

Bei etwa 10 % aller Frauen liegt keine Anteversio-Anteflexio des Uterus vor, sondern das Corpus uteri ist gegen die Kreuzbeinhöhle geneigt. Es handelt sich um eine Retroflexio uteri.

Retroflexio uteri

Die Neigung des Corpus uteri nach hinten kann angeboren oder erworben sein. Entscheidend ist, ob die Uteruswandserosa mit der Serosa des Rektums verwächst oder nicht.

Retroflexio uteri mobilis

ÄTIOLOGIE. Kann eine angeborene Haltungsanomalie des Uterus sein. Häufiger ist jedoch die erworbene Form nach Geburten. Bis zum Ende der Tragzeit muß sich das Lig. rotundum stark verlängern. In der kurzen postpartalen Involutionsperiode bildet sich das bindegewebig-elastische Band nicht so schnell zurück, so daß die „Zügel des Uterus" zu locker sind. Das relativ schwere puerperale Corpus uteri sinkt nach hinten (Abb. 167).

SYMPTOMATIK. Bei ca. 10 % aller Frauen jeder Altersklasse, gehäuft bei postpartalen Nachuntersuchungen. Meist Zufallsbefund. Der überwiegende Anteil aller Patientinnen hat **keine** Beschwerden.

Gelegentlich werden ein Druckgefühl auf den Darm, Obstipation, unbestimmte Kreuzschmerzen sowie verstärkte Regelschmerzen und -blutungen angegeben. Sehr selten kommt die Retroflexio als mögliche Ursache einer Sterilität oder als Abortursache in Betracht.

DIAGNOSE. Bei der Spekulumuntersuchung fällt auf, daß die Portiooberfläche bei der liegenden Frau nicht nach schräg hinten, sondern nach vorn oben gerichtet ist. Bei der bimanuellen Tastuntersuchung ist das Corpus uteri zunächst nicht auffindbar (s. Untersuchungsmethoden, s. S. 226, Abb. 73 b), bis man dem Verlauf der Zervix

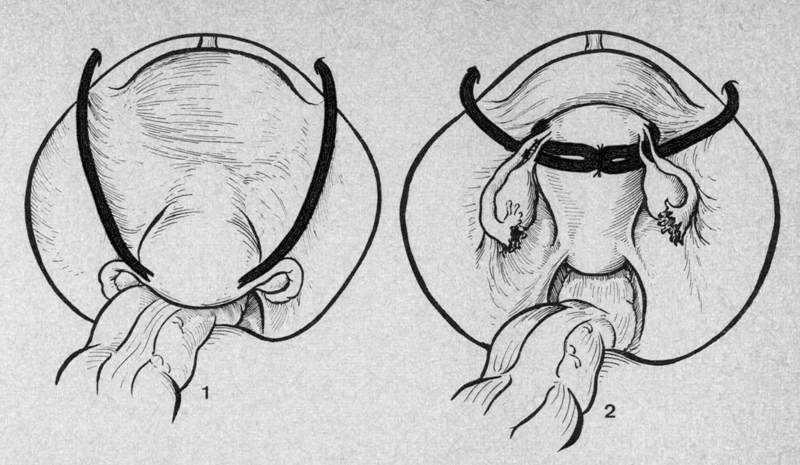

Abb. 167 Ligg. rotunda in ihrer „Zügelfunktion" des Uterus. Sind die Bänder zu lang, sinkt das Corpus uteri in die Kreuzbeinhöhle (1) (Retroflexio uteri). Durch Raffung der Bänder kann eine Aufrichtung erreicht werden (2)

folgend das Corpus uteri nach hinten gelagert findet. Manchmal wirkt der Uterus leicht vergrößert, offenbar infolge einer gewissen Blutstauung. In den meisten Fällen gelingt es, mit kombinierten Handgriffen das Corpus uteri aufzurichten. Oft bereitet das der Patientin Schmerzen. Der Versuch sollte dann nicht forciert, sondern in Narkose wiederholt werden. Hat sich das Corpus uteri, nur durch einen Saftspalt getrennt, im DOUGLASschen Raum festgesaugt, bereitet die Aufrichtung Mühe, obwohl keine echte Fixierung vorliegt. Der Aufrichtungsversuch soll nur diagnostischen Zwecken dienen, um eine Fixation auszuschließen. Gefährlich sind Aufrichtungsversuche mit Uterussonden ohne Armierung. Die Perforationsgefahr ist groß.

THERAPIE. Bis auf wenige Ausnahmen **keine.** Die meisten postpartal nach hinten gesunkenen Uteri richten sich während des nächsten halben Jahres spontan auf.

Es kommt auf das psychologische Geschick des Arztes an, der Patientin begreiflich zu machen, daß es sich bei dem „nach hinten geknickten" Uterus um eine Variante der Norm oder um einen vorübergehenden Zustand und **nicht** um ein Krankheitsgeschehen handelt. Da man früher die Retroflexio für eine behandlungsbedürftige Anomalie hielt, glauben manche Patientinnen durch die Auskünfte ihrer Ärzte, die „Knickung" sei eine echte Unterleibserkrankung. Es ist dann schwierig, die suggestiv empfundenen Beschwerden zu beseitigen.

In wenigen Fällen ist bei einer Sterilitätsuntersuchung die Retroflexio uteri der einzige auffallende Befund. U. U. erschwert die mehr nach vorn und oben gerichtete Portiooberfläche den Kontakt mit dem Ejakulat. – Auch Fehlgeburten Ende des zweiten bis Mitte des dritten Monats können durch eine Zirkulationsstörung im gestauten, retroflektierten Uterus ausgelöst werden. In diesen wenigen Fällen empfiehlt sich eine operative Aufrichtung des Uterus. Das Prinzip besteht in der Verkürzung der Ligg. rotunda. Am erfolgreichsten erscheint eine Operationsmethode (Abb. 167), bei der die Ligg. rotunda in einer doppelten Schlaufe hinter dem Uterus vernäht werden. Die Rezidivgefahr ist groß.

Der Aufrichtungsversuch eines mobilen, retroflektiert liegenden Uterus mit einem Pessar (HODGE-Pessar) wurde früher häufig empfohlen. Bei Beschwerdefreiheit ist diese Maßnahme nicht sinnvoll. Bestehen Symptome, so läßt sich mit der Pessarbehandlung meist kein Dauererfolg erzielen. Der Uterus sinkt nach Entfernung des Pessars in die retroflektierte Lage zurück. Das Scheidenpessar führt zu bakteriellem Fluor, manchmal zu Druckulzera. Es muß alle 4 Wochen gewechselt und gesäubert werden. Das Pessar stört die Kohabitation. Die gesunde Frau mit einer harmlosen Retroflexio wird damit zur gynäkologischen Patientin. Der Nutzen ist fraglich; die begleitenden Schäden sind nicht zu verhindern.

Frauen mit einer Retroflexio empfangen meist prompt und ungestört. In fast allen Fällen richtet sich das Corpus uteri Ende des dritten, Anfang des vierten Monats aus der Kreuzbeinhöhle auf. Die Schwangerschaft wird normal ausgetragen. In seltenen Fällen kann sich der schwangere Uterus im kleinen Becken einklemmen. Das kleine Becken ist dann so ausgefüllt, daß die Urethra gegen die Symphyse abgeklemmt wird und eine akute Harnverhaltung eintritt **(retroflektierter, inkarzerierter Uterus).** In Narkose kann man dann mit bimanuellen Handgriffen versuchen, den Uterus aufzurichten. Mißlingt dies, muß laparotomiert werden, um den Uteruskörper vorsichtig aus der Kreuzbeinhöhle zu lösen. – Versuche zur Aufrichtung eines schwangeren retroflektierten Uterus (manuell oder HODGE-Pessar) bei beschwerdefreien Patientinnen sind nicht vertretbar, weil oft Blutungen entstehen.

Retroflexio uteri fixata

ÄTIOLOGIE. Entzündliche Veränderungen im kleinen Becken (Douglasabszeß, chronische Salpingitis), aber auch Endometriosen können Verwachsungen der Uterushinterwand mit der Serosa des Rektums verursachen.

SYMPTOMATIK. Auch hier brauchen **keine** Beschwerden vorzuliegen. Kreuzschmerzen, Druckgefühl auf den Darm, Obstipation, verlängerte und schmerzhafte Regelblutungen und Kohabitationsbeschwerden sind häufiger als bei der mobilen Retroflexio.

DIAGNOSE. Aufrichtungsversuche, auch in Narkose, mißlingen.

THERAPIE. Nur bei echten Beschwerden. Laparotomie und Lösung der Verwachsungen, Uterus muß in Antefixation gebracht werden (s. o.). Sinkt der Uterus wieder in eine retroflektierte Haltung zurück, ist die Gefahr der erneuten Verwachsung groß.

Spitzwinklige Anteflexio uteri

Die abnorme Uterushaltung wird durch eine Genitalhypoplasie und nicht durch das Versagen des Aufhängeapparates hervorgerufen.

Parametrane Uterusbefestigung

Das Parametrium hält wie ein federndes Sprungnetz den Uterus in einer Höhe des kleinen Beckens, die dadurch gekennzeichnet ist, daß die Portiooberfläche etwa in der Interspinalebene steht. Innerhalb des Parametriums kommen den Ligg. cardinalia besondere Haltefunktionen zu. Unter bestimmten Bedingungen kann es zu einer isolierten Insuffizienz des parametranen Halteapparates kommen.

Insuffizienz des parametranen Halteapparates

ÄTIOLOGIE. Konstitutionell bei allgemeiner Bindegewebsschwäche, oft kombiniert mit Adipositas und einer Enteroptose der Baucheingeweide (Fetthängeleib). Häufiger aber erworben nach Geburtsvorgängen. Während der Gravidität wird auch der parametrane Aufhängeapparat stark aufgelockert und verlängert. Wurden die Geburten so geleitet, daß möglichst keine Schädigung des Beckenbodens eintrat (obligate Anwendung der Episiotomie s. u.), so kann es zu einer isolierten Insuffizienz des parametranen Aufhängeapparates kommen.

SYMPTOMATIK. Kann bei Nulliparen konstitutionell entstehen (Asthenie, Bindegewebsschwäche). Meist handelt es sich um ältere Frauen, eine Adipositas muß nicht vorliegen. — Häufig nach 2 bis 3 Geburten, betrifft meist Frauen nach dem 30. Lebensjahr.

Durch die Ausziehung der Ligg. cardinalia sinkt der Uterus der Schwerkraft folgend nach unten. Die Zervix schiebt sich, wie der Kolben in einem Zylinder, in das Vaginalrohr. Durch Zug an den gefäßführenden Ligg. cardinalia entsteht im zervikalen Bereich eine venöse Stauung, die zu einer Hypertrophie und Elongation der Zervix führt. Bei Erhöhung des intraabdominellen Druckes (Defäkation, schweres Heben und Tragen) wird der Uterus nach unten gepreßt. Das Gefühl verstärkt sich, daß etwas aus der Scheide herausdränge. Bei diesem **isolierten Descensus uteri** braucht zunächst keine Scheidensenkung vorzuliegen. Meist wird aber doch die vordere Vaginalwand und damit die Blase in Mitleidenschaft gezogen, so daß neben dem Descensus uteri eine Senkung der vorderen Vaginalwand mit Zystozelen-

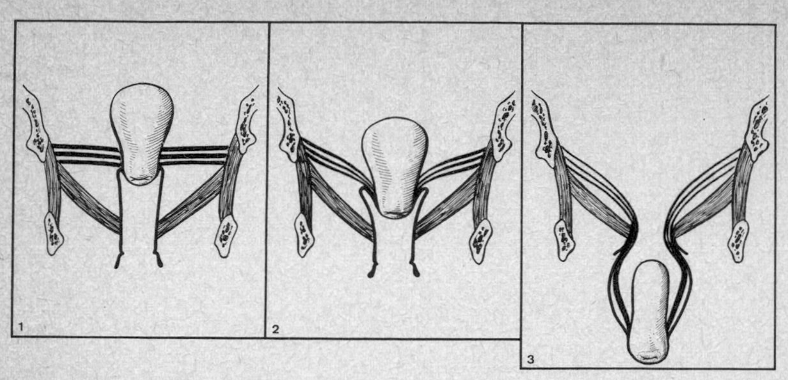

Abb. 168 Insuffizienz des parametranen Halteapparates bei intaktem Beckenboden: 1. Normale Situation. 2. Erschlaffung der Ligg. cardinalia, der Uterus tritt tiefer und rutscht kolbenähnlich in das Vaginalrohr hinein. 3. Prolaps des Uterus, Umstülpung der Scheide, durch den ständigen Zug an der Zervix Ektropionierung des Zervixdrüsenfeldes und Ausbildung einer Elongatio colli

bildung entsteht. Der Uterus kann durch den intakten Hiatus genitalis partiell oder ganz hindurchtreten, wobei er die umgestülpte Scheide hinter sich herzieht. In diesen Fällen ist die Portio voluminös. Unabhängig vom Lebensalter kommt es durch den mechanischen Zug zur Ektropionierung. Das Vaginalepithel hypertrophiert. Tritt die Portio beim Pressen aus dem Vulvaspalt, spricht man von einem **partiellen Uterusprolaps;** erscheint der ganze Uterus vor dem Introitus, handelt es sich um einen **Totalprolaps** (Abb. 168/1—3).

Die Patientinnen leiden vorwiegend an einem Druckgefühl nach unten. Blasen- und Darmfunktion sind, wenn die Scheidenwand nicht prolabiert ist, wenig beeinträchtigt.

DIAGNOSE. Bei intaktem Beckenboden und einem isolierten Descensus uteri bietet die Inspektion des äußeren Genitale keine Besonderheit. Bei der Spekulum- und Tastuntersuchung fällt die tiefstehende Portio auf. Fordert man die Patientin auf, kräftig nach unten zu pressen, tritt die Portio und damit der ganze Uterus wesentlich tiefer. Häufig erscheint die Portio im Vulvaspalt. Die Hypertrophie und Elongation der Zervix sind auffallend. Die Funktion des Beckenbodens überprüft man, indem man 2—3 Finger in den Introitus einlegt und die Patientin bittet, den Beckenboden kräftig zusammenzuziehen. Die Kontraktionsfähigkeit der medialen Anteile des M. levator ani am Hiatus genitalis läßt sich damit feststellen. Der Uterusprolaps ist mit einem Blick auf das äußere Genitale zu erkennen. Das Ausmaß bestimmt man durch die Abtastung des Bruchsackes (umgestülpte Scheide). Der Uterus kann sich partiell oder ganz vor dem Vulvaspalt befinden.

THERAPIE. **1. Operativ** (Abb. 169/2 a, b). Dehnungsschäden des parametranen Halteapparates sind nicht leicht zu korrigieren. Das Prinzip der Operation besteht in einer Verkürzung der Ligg. cardinalia und Ligg. sacrouterina. Bei geschlechtsreifen Frauen kann man zusätzlich die elongierte Portio durch Amputation verkürzen. Ist bei postmenopausalen Frauen der prolabierte Uterus senil atrophisch, wird er besser exstirpiert und der Scheidenstumpf an den parametranen Bändern fixiert. — Alle Operationsverfahren, die es in zahlreichen Modifikationen gibt, bewirken im Prinzip eine starke Narbenbildung im Bereich der parametranen Platte und dabei eine Schrumpfung und Festigung des vorher insuffizienten Halteapparates.

2. Konservativ (Abb. 169/1). Nur selten verbietet der Allgemeinzustand der Patientin eine operative Korrektur. Ein Totalprolaps ist bei Greisinnen nicht selten. Bei tragfähigem Beckenboden leistet die Pessarbehandlung Gutes. Ein dem Scheidenlumen angepaßtes Pessar (schalenförmiges Siebpessar) wird im schrägen Durchmesser eingeführt und dann so in der Vagina gedreht, daß das Pessar auf den medialen Levatorenschenkeln ruht. Das Pessar sollte alle 5–6 Wochen gewechselt und gesäubert werden. Um Druckulzera zu verhindern, darf das Pessar nicht zu groß gewählt werden. Die Patientin soll nach der Einlage den Fremdkörper nicht spüren. Die Verträglichkeit wird verbessert, wenn man bei der Einlage eine antiphlogistische Salbe verwendet. Die Pessarträgerin ist an ihren Arzt fixiert, der die Betreuung übernimmt. Man sollte die Lebenserwartung der Patientin abschätzen. Mit einem operativen Eingriff erweist man ihr oft einen besseren Dienst.

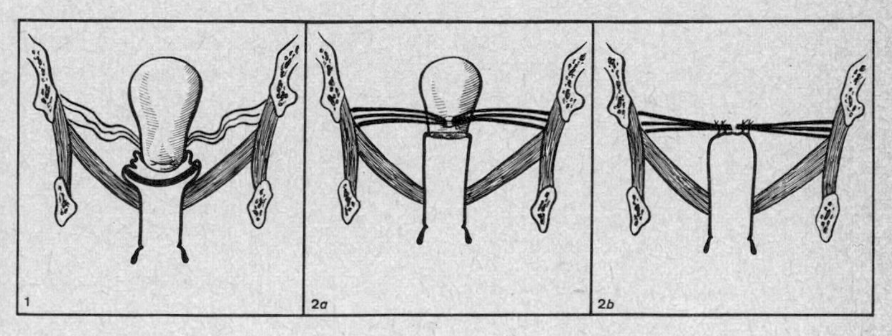

Abb. 169 Prinzip der Behandlung bei Insuffizienz des parametranen Halteapparates. 1. Konservativ: Einlage eines Schalenpessars, welches seine Funktion nur erfüllt, wenn es einen größeren Durchmesser hat als die Distanz der Levatorenschenkel. 2. Operativ: a) Amputation der Zervix, Raffung der Ligg. cardinalia und Vernähung auf der Uterusvorderwand. b) Uterusexstirpation und Fixation des Scheidenstumpfes an den Ligg. cardinalia

Zur Verhütung der Insuffizienz des parametranen Halteapparates ist keine Prophylaxe möglich, im Gegensatz zur Erhaltung der Beckenbodenfunktion (s. u.).

Vaginalrohr und Beckenboden

Eine Dehnung des Vaginalrohrs läßt sich bei Spontangeburten nicht vermeiden. In den meisten Fällen bleibt eine erhebliche Erweiterung der Vagina nach mehreren Geburten zurück. Die dünne Muskelschicht der Vaginalwand wird während des Geburtsvorganges überdehnt und häufig funktionsuntüchtig, so daß eine Retraktion im Puerperium nur unvollkommen erfolgt. Bleibt der Beckenboden ungeschädigt, kann es zu einem Descensus vaginae (meist et uteri) kommen, mit Zysto- und Rektozelenbildung (s. u.). Wesentlich häufiger ist aber die Insuffizienz des Beckenbodens, die allein oder in Kombination mit der Insuffizienz des Halteapparates des Uterus vorkommt.

Insuffizienz des Beckenbodens und des Bandapparates, Descensus uteri et vaginae

ÄTIOLOGIE. Fast immer geburtstraumatisch bedingt, in Ausnahmefällen konstitutionell. Beim Durchtritt des kindlichen Kopfes durch den Hiatus genitalis werden die medialen Anteile des M. levator ani extrem belastet. Der Wunsch einer Hebamme, den kindlichen Kopf ohne sichtbare Verletzung der Vulva zu entwickeln, ist zwar verständlich, aber für die Tragfähigkeit des Beckenbodens später sehr nachteilig. Durch die extreme Dehnung kommt es bei intakter Vulvahaut zu multiplen kleinsten Zerreißungen in der Muskulatur. Die medialen Anteile des M. levator ani werden de facto zerrieben. Da glatte Muskulatur nicht regenerationsfähig ist, heilen die Defekte bindegewebig aus, unter erheblicher Verminderung der Tragfähigkeit des Beckenbodendiaphragmas. Bei äußerlich sichtbaren Vulvaverletzungen unter der Geburt (Dammriß I.—III. Grades) zerreißt die Muskulatur im Dammbereich unkontrolliert. Man muß aber auch bei sichtbaren Verletzungen mit einer weitergehenden Zerstörung der Levatorplatte rechnen, als sie dem Auge zugänglich ist.

SYMPTOMATIK. Die Senkung des Genitale tritt Jahre nach der letzten Geburt auf, so daß Frauen im 5. Lebensjahrzehnt bevorzugt betroffen werden. Da sich eine Beckenbodeninsuffizienz fast immer mit einer Schädigung des Bandapparates des inneren Genitale kombiniert, sollen hier alle Krankheitsbilder besprochen werden, die man als Descensus uteri et vaginae bezeichnet (Abb. 170).

Zur Begriffsbestimmung: Im deutschen Sprachgebrauch bedeutet **Deszensus** eine Senkung von Uterus und/oder Vagina ohne Austritt aus dem

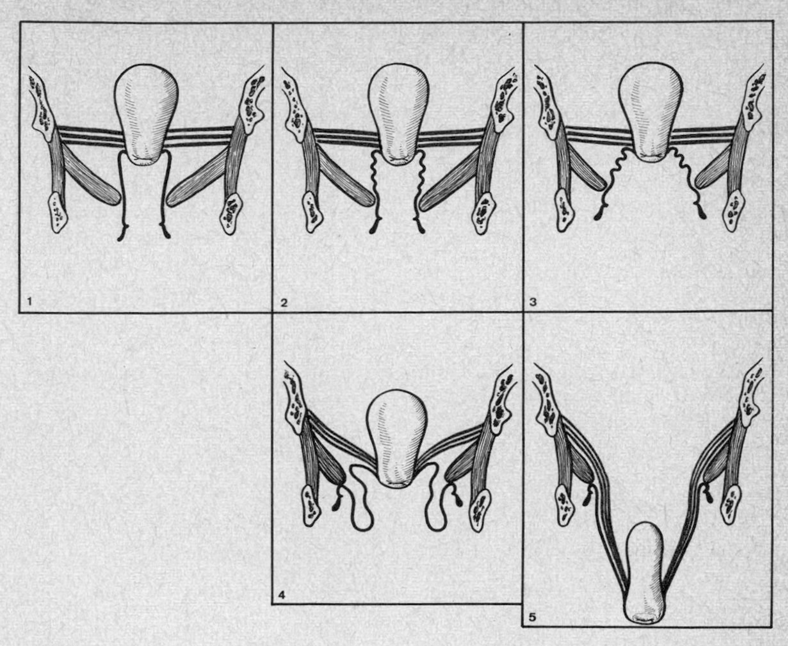

Abb. 170 Kombinierte Insuffizienz des Band- und Halteapparates: 1. Normale Situation. 2. Scheidenerweiterung nach Geburten. 3. Scheidenerweiterung und klaffender Introitus bei Schädigung der Levatoren (die intakten parametranen Bänder halten den Uterus in normaler Höhe). 4. Descensus uteri et vaginae durch Schädigung der Ligg. cardinalia, der Levatorenplatte und Erweiterung der Scheide. 5. Prolapsus uteri et vaginae

Introitus. **Prolaps** bedeutet die Vorwölbung aus dem Introitus partiell oder total. Die amerikanische Nomenklatur unterscheidet nur Prolapserkrankungen unterschiedlichen Grades.

1. **Klaffender Introitus** (Abb. 170/3). Die großen und kleinen Schamlippen verdecken den Introitus nicht. Bei der Inspektion sieht man auf das untere Drittel der vorderen und hinteren Vaginalwand. Beim Pressen können sich die Vaginalwände vorwölben, die Portio kann sichtbar werden. Der Damm ist meist stark verkürzt, zwischen hinterer Kommissur und Anus ist nur noch ein bis zwei Zentimeter Distanz. Die Urethra liegt an normaler Stelle. Die Carunculae hymenalis sind verschwunden. In den Introitus lassen sich bequem 4 Finger einführen. Besonders extreme Formen nimmt der klaffende Introitus bei adipösen Frauen an. Die Patientinnen haben das Gefühl, es könne unten etwas herausfallen.

2. **Zystozele.** Vorwölbung der vorderen Vaginalwand unter teilweiser Einbeziehung der Blase. Die Zystozele ist häufiger als die Rektozele, da die bindegewebige Verbindung zwischen Vagina und Blase fester ist als zwischen Vagina und Rektum. Daher zieht ein Prolaps der vorderen Vaginalwand die Blase eher mit als die prolabierte hintere Vaginalwand das Rektum. Die Zystozele ist meist kombiniert mit einem Deszensus des Uterus. Senkt sich die Blase relativ stark und verbleibt die Urethra in ihrer Verankerung, so ist bei den Patientinnen keine Inkontinenz nachweisbar. In etwa der Hälfte der betroffenen Frauen kommt es aber gleichzeitig zu einer Urethrozele, wobei der Blasenverschlußmechanismus insuffizient und damit die Patientin inkontinent wird (Abb. 171).

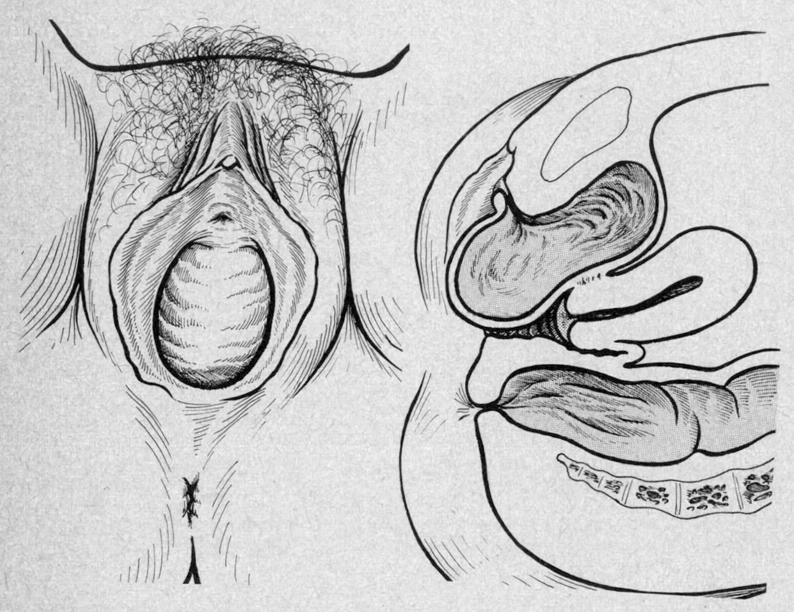

Abb. 171 Zystozele und Urethrozele. Dem klinischen Befund ist der Sagittalschnitt zugeordnet

3. **Rektozele.** Vorwölbung der hinteren Vaginalwand unter teilweiser Einbeziehung der Ampulla recti. Die Kotsäule kann nur schwer herausgepreßt werden, da Kotballen in der Aussackung der Rektumampulle hängen bleiben. Die Patientinnen helfen sich, indem sie entweder reichlich Abführmittel nehmen, so daß der Stuhl flüssig wird, oder sie drücken mit der Hand die prolabierte Vaginalschleimhaut in

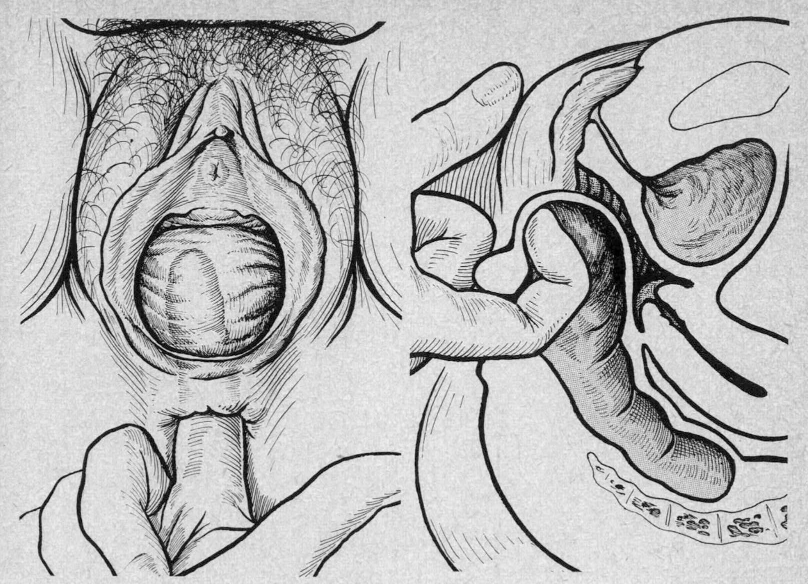

Abb. 172 Rektozele. Der rektal eingeführte Finger tastet die Rektozele aus. Kotmassen bleiben in der Aussackung hängen und erschweren die Defäkation

den Introitus zurück. Zysto- und Rektozele sind oft kombiniert (Abb. 172/173).

4. **Douglasozele.** Bei einem ständigen, unphysiologisch hohen Abdominalinnendruck (starke Adipositas mit Ptose der Abdominalorgane) wird der DOUGLASsche Raum stark belastet. Das lockere Bindegewebe zwischen Vagina und Rektum gibt nach, so daß in den breiter werdenden Gewebsspalt Peritoneum mit Darmschlingen absinken. Die Douglasozele ist oft mit einer Rektozele kombiniert. Bei der rektovaginalen Untersuchung fühlt man Darmschlingen zwischen Rektum und Vaginalwand (Abb. 174).

5. **Descensus vaginae ohne Descensus uteri.** In einigen Fällen bleibt die parametrane Aufhängung des Uterus ungeschädigt, es liegt aber ein Deszensus der vorderen und/oder hinteren Vaginalwand bei klaffendem Introitus vor (Abb. 170/3).

6. **Descensus uteri et vaginae.** Der Uterus steht tief und tritt beim Pressen noch tiefer. Die Patientinnen haben ein ständiges Druckgefühl nach unten. Je nach Schwere der begleitenden Zystozele bestehen eine Harninkontinenz I.–III. Grades sowie Defäkationsbeschwerden durch Rektozelenbildung (Abb. 170/4).

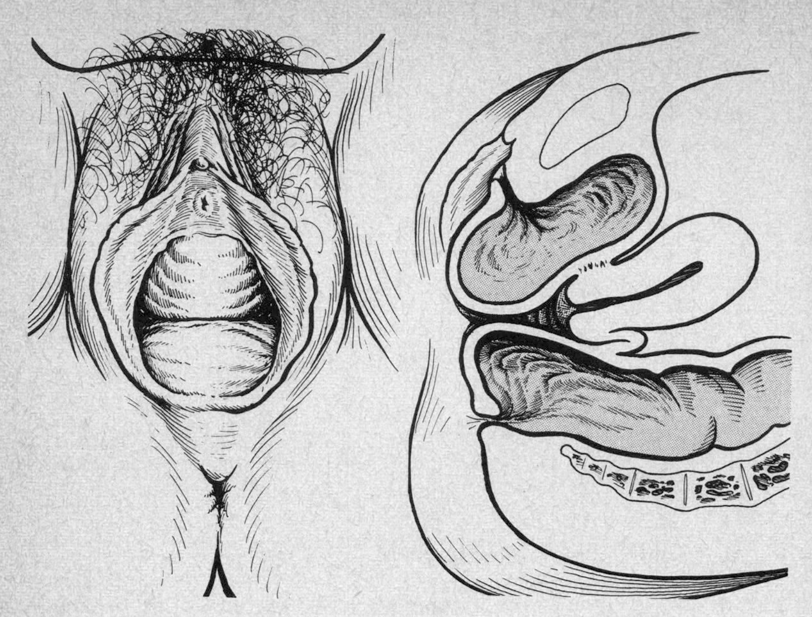

Abb. 173 Kombinierte Zysto- und Rektozele

7. **Partieller und totaler Prolaps** (Abb. 170/5; 175). Austritt des Uterus teilweise oder ganz aus dem klaffenden Introitus unter Mitnahme bzw. Umstülpung der Scheide. Durch die Blasenverlagerung bei unverändertem Ostium urethrae externum bleibt Restharn zurück. Oft kommt es zu einer Harnverhaltung, wenn die gesamte Blase im Bruchsack liegt und sich nach oben entleeren muß. – Je länger die Portiooberfläche aus der Scheide herausragt, um so mehr hypertrophiert die Vaginalhaut. Sie wird teilweise leukoplakisch verdickt. Dehnungsulzera der Vaginalhaut treten auf. Sie sind flach und scharf begrenzt. Bei einem partiellen oder totalen Prolaps durch einen defekten, klaffenden Beckenboden bleiben meist die auf S. 448 geschilderte Hypertrophie und Elongatio der Zervix aus. Ein Totalprolaps entsteht nicht in wenigen Tagen. Es vergehen Monate und Jahre, bis die Senkung des Genitale diesen Grad erreicht hat. Es handelt sich meist um Patientinnen, die entweder sehr indolent sind oder aus Schamgefühl nur ungern einen Gynäkologen aufsuchen.

Bei allen Senkungszuständen des Genitale stehen das Druckgefühl nach unten und die in 70 % der Fälle bestehende Harninkontinenz im Vordergrund der Beschwerden (Harninkontinenz I.–III. Grades s. S. 468). Die letzte Angabe muß man aus den Frauen herausfragen,

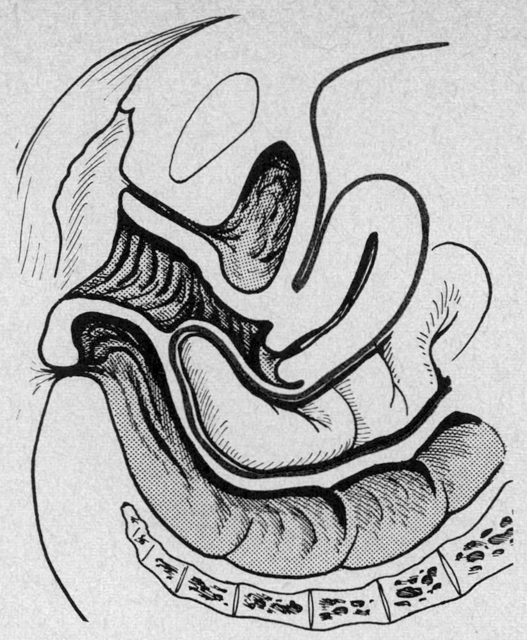

Abb. 174 Douglasozele in Kombination mit einer Rektozele. Das Peritoneum wurde rot eingezeichnet.

da sie die Tatsache, das Wasser nicht halten zu können, beschämend empfinden. Fast alle Patientinnen klagen über ziehende Rückenschmerzen. Bei klaffendem Introitus wird die Scheide bald von unphysiologischen Keimen besiedelt, so daß Fluor entsteht. – Sind Dehnungsulzera vorhanden, so können leichte Schmierblutungen auftreten.

DIAGNOSE. Eine gut erhobene Anamnese weist bereits auf das Vorliegen einer Senkung des Genitale hin (s. S. 202). Die gynäkologische Untersuchung erfolgt ohne Narkose, um die Funktion des muskulären Beckenbodens und des parametranen Halteapparates in Ruhelage und beim Pressen beurteilen zu können. Haltung und Lage des Uterus werden in beiden Situationen bestimmt.

1. Die **Funktion des Beckenbodens** überprüft man, indem man mit der Hand die Kontraktionsfähigkeit der medialen Levatorenschenkel abtastet.

2. Einen groben Anhalt über die **Einbeziehung der Blase** erhält man vorwiegend durch die Inspektion und zusätzlich durch Einführung

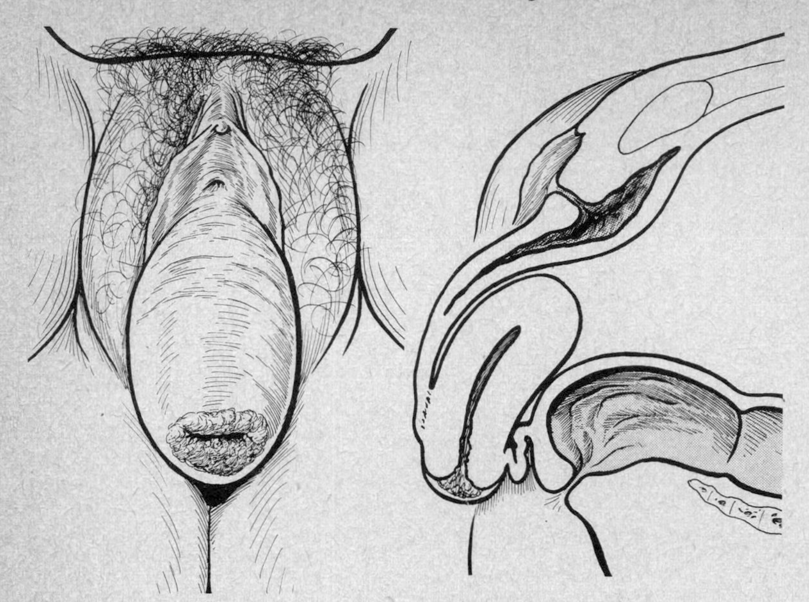

Abb. 175 Prolapsus uteri et vaginae. Die Ektropionierung ist deutlich zu erkennen

eines starren Katheters in die Urethra. Die Richtung der Urethra ist nicht gradlinig nach vorn oben, sondern nach hinten unten abgebogen. Mit dem Katheter kann man die Blasenaussackung nach unten austasten. – Nicht selten besteht bei Deszensuspatientinnen eine chronische Zystitis, die vor Einleitung einer Therapie beseitigt werden muß. – Der Verschlußmechanismus der Blase kann nicht nur durch die bloße Aufforderung zum Pressen beurteilt werden. Eine bessere Beurteilung bei Harninkontinenz gewährt die Blauprobe nach Hartl (s. S. 469).

3. **Die Rektozele** wird beim Pressen im Vulvaspalt sichtbar. Das Ausmaß wird durch die digitale Austastung der Ampulle bestimmt.

4. Die Inspektion und die kombinierte rektovaginale Untersuchung decken das Vorliegen einer **Douglasozele** auf. Beim Husten fühlt man stoßartig die Vorwölbung von Darmschlingen zwischen dem vaginal und rektal eingeführten Finger.

5.–7. Inspektion, Tast- und Spekulumuntersuchung in Ruhelage und beim Pressen.

THERAPIE. **1. Operativ.** An dieser Stelle kann nur das Prinzip der operativen Korrektur wiedergegeben werden. Es gibt zahlreiche Modifikationen zur Beseitigung eines Deszensus. Die Operationsverfahren tragen meist zusätzlich den Namen ihres Inaugurators. Da ohnehin nicht alle Methoden geschildert werden können, wird auf die namentliche Bezeichnung verzichtet. Die anhaltenden Bemühungen zur Verbesserung der Deszensusoperationen zeigen, daß fast alle Methoden Nachteile besitzen.

Die Auswahl des operativen Vorgehens muß der individuellen Situation der Erkrankten angepaßt werden.

a) **Geschlechtsreife junge Frauen.** Es sollte kein Kinderwunsch mehr bestehen, da das Operationsergebnis durch erneute Geburten in Frage gestellt wird. Ist diese Situation gegeben, muß die Patientin über eine praktikable Konzeptionsverhütung belehrt werden.

Bei der Operation wird der insuffiziente Halte- und Stützapparat etagenweise rekonstruiert:

Straffung des Halteapparates: Kreuzung der Ligg. cardinalia vor der Zervixvorderwand, evtl. mit Amputation der elongierten Zervix, Verkürzung der Sakrouterinbänder (Abb. 169, 2 a).

Beseitigung von Zysto- und Rektozele: Spaltung der Vaginalhaut, Präparation des Blasenbodens, Einstülpung der prolabierten Blase. Individuelle Resektion von Vaginalhaut und Naht (vordere Plastik; Abb. 176). Zur Beseitigung der Rektozele geht man analog vor, hat hier aber den Vorteil, daß die versenkte Rektozele durch mediale Nähte des auseinandergewichenen M. levator ani überpolstert wird.

Resektion und Naht der **hinteren Vaginalwand (hintere Plastik). Rekonstruktion des Beckenbodens** (Stützapparat; Abb. 177): Plastische Rekonstruktion des Dammes durch Raffung der Levatoren, um den klaffenden Introitus zu verengen. Zwei Finger sollen leicht in den Scheideneingang eingeführt werden können, um postoperativ die Kohabitationsfähigkeit nicht zu stören. – Die Vaginalhaut besitzt keine Tragfähigkeit. Eine alleinige Verengung des Scheidenlumens würde sehr rasch zu einem Rezidiv führen.

b) **Prä- und postmenopausale Frauen.** Die vaginale Uterusexstirpation mit plastischer Rekonstruktion des Halte- und Stützapparates gilt heute als Methode der Wahl. Besonderer Wert wird auf eine hohe Peritonealisierung gelegt, um den Intraabdominaldruck möglichst weit vom Operationsgebiet fernzuhalten. Die abgeschnittenen Ligg. cardinalia und sacrouterina werden so mit dem Scheidenwundrand vernäht, daß eine feste bindegewebige Platte im kleinen Becken entsteht (Abb. 169, 2 b). Das weitere Operationsverfahren wurde oben geschildert. Handelt es sich um einen Totalprolaps bei alten Frauen und ist nach Rücksprache mit den Eheleuten sichergestellt, daß Kohabitationen im Leben der Betroffenen keine Rolle mehr spielen, können Operationen erwogen werden, bei denen die Scheide partiell oder total exstirpiert (Kolpektomie) wird.

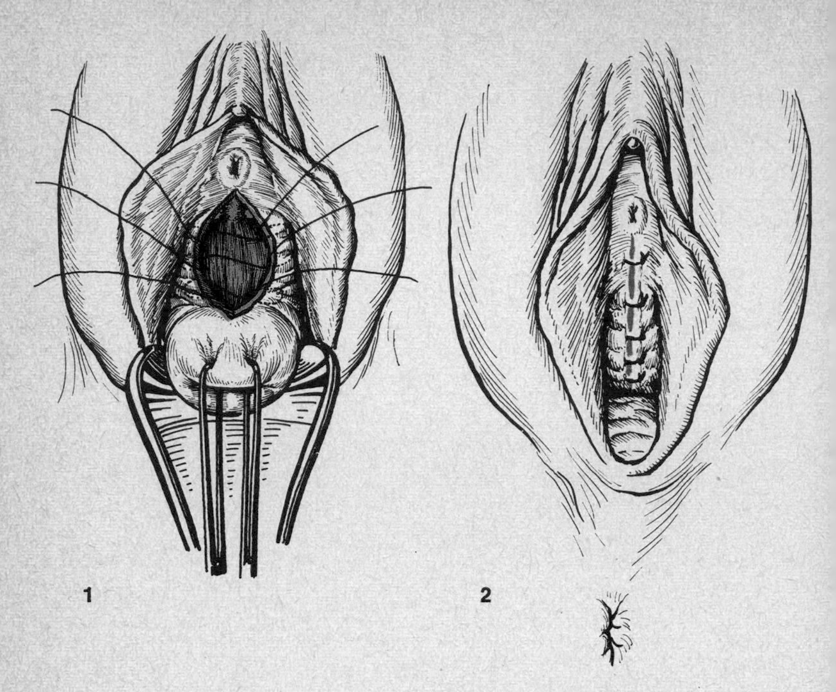

Abb. 176 Prinzip der operativen Korrektur einer Zystozele. 1. Spaltung der Vaginalhaut und partielle Resektion der weiten Scheide. Präparation des subvesikalen faszienartigen Gewebes und Versenkung der prolabierten Blasenwand unter Raffung des Diaphragma urogenitale. 2. Situation am Ende der Operation

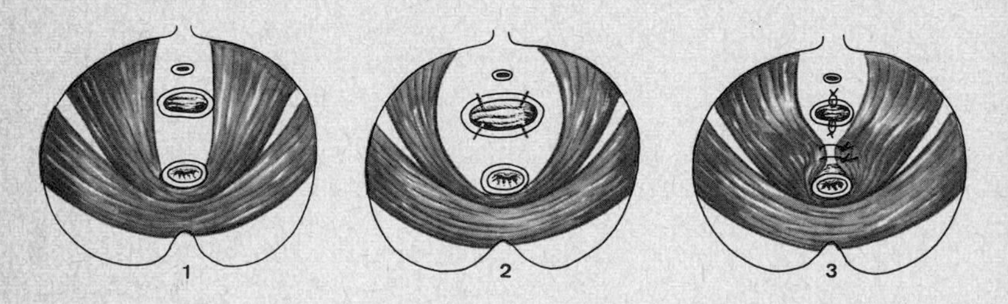

Abb. 177 Schematische Darstellung zur Rekonstruktion des Beckenbodens. 1. Normale Situation. 2. Erweiterung des Hiatus genitalis als Folge von Geburtsschädigungen, Erweiterung der Scheide, 3. Verengung des Hiatus genitalis durch mediale, über dem Rektum liegende Levatornähte, Verengung der Scheide durch partielle Resektion der Scheidenwand vorn und hinten

c) Zur operativen Beseitigung der **Douglasozele** bedarf es besonderer Verfahren, auf die hier nicht näher eingegangen wird.

Das Ergebnis der Operation hängt mit der Konstitution der Betroffenen, dem Geschick des Operateurs und der Auswahl des richtigen Operationsverfahrens zusammen. – Die Patientin soll eine kalorienarme Diät einhalten, um Übergewicht abzubauen oder eine Adipositas zu verhüten. Eine Leibbinde soll für gleichmäßige intraabdominelle Druckverhältnisse sorgen. Die Patientin soll körperlich nicht schwer arbeiten. Bei bindegewebsschwachen Frauen ist ein Rezidiv der Senkung oft nicht zu verhindern.

2. Konservativ. Bei nicht operablen Patientinnen kann man mit der oben ausgeführten Pessarbehandlung die Beschwerden bessern. Eine Heilung wird damit nicht erreicht. Die Pessarbehandlung ist bei defektem Beckenboden schwieriger, da das Pessar sehr groß sein muß, um auf den medialen Levatorenschenkeln eine Stütze zu finden. Ist die Scheide weit und dehnbar, können Schalenpessare von 8–10 cm Durchmesser eingelegt werden. Ist eine senile Scheidenschrumpfung eingetreten, so gelingt nur die Einlage eines kleinen Pessars, welches leicht aus dem klaffenden Introitus herausfällt.

Versagt die Pessarbehandlung, so sollte erneut die operative Korrektur erwogen werden, die bei guten Operationsvorbereitungen und schonender Anaesthesie auch von Greisinnen meist gut toleriert wird.

Prophylaktische Maßnahmen zur Verhütung einer Insuffizienz des Band- und Halteapparates des inneren Genitale gibt es nicht. Dagegen verhindert die moderne Leitung von Spontangeburten weitgehend eine spätere Insuffizienz der Beckenbodenstützfunktion, indem rechtzeitig und ausgiebig ein Dammentlastungsschnitt (Episiotomie) beim Durchtritt des kindlichen Kopfes angelegt wird. Auch der Bauchdekken- und Beckenbodengymnastik in der Schwangerschaft und im Wochenbett kommt eine prophylaktische Aufgabe zu.

Zervixstumpfprolaps, Scheidenprolaps

Nach gynäkologischen Operationen aus unterschiedlichen Indikationen, bei denen ein Teil (supravaginale Uterusamputation) oder der gesamte Uterus (Hysterektomie) entfernt wurde, kann es nach Jahren zu einem Deszensus und Prolaps des Restorgans kommen unter Einbeziehung von Blase und Mastdarm. Krankheitsursachen und klinische Erscheinungen sind den oben geschilderten ähnlich. Therapeutisch geht man im Prinzip gleichartig vor. Besonders erfolgreich ist die Fixation der prolabierten Scheide im fibrös-muskulären Gewebe des M. coccygeus in der Gegend des Lig. sacrospinale.

Zusammenfassung: Der Uterus liegt beweglich in der Mitte des kleinen Beckens leicht antevertiert und anteflektiert. Die meisten Haltungsänderungen sind ohne Belang. Die Retroflexio uteri mobilis entsteht postpartal durch Erschlaffung der Ligg. rotunda oder primär als Variante der Norm und erfordert nur in Ausnahmefällen (Sterilität, gehäufte Aborte) eine operative Korrektur. Die fixierte Retroflexio uteri wird durch entzündliche Prozesse oder eine Endometriose im kleinen Becken bedingt und bedarf dann einer operativen Behandlung, wenn Beschwerden bestehen. – Durch eine Insuffizienz des parametranen Halteapparates und der Beckenbodenstützfunktion kann es zu einem Deszensus bzw. Prolaps des Uterus mit Vagina und Nachbarorganen (Blase und Rektum) kommen. Der Funktionsverlust ist selten konstitutionell, meist als Folge von Geburten bedingt. Die Therapie ist überwiegend operativ. Nur in Ausnahmefällen sollte die Pessarbehandlung vorgenommen werden. Bei Deszensusoperationen wird der erschlaffte Halteapparat gestrafft (Kürzung der Ligg. cardinalia, Ligg. sacrouterina, evtl. mit Amputation der Zervix oder Uterusexstirpation, hohe Peritonealisierung). Die sich vorwölbenden Blasen- und Rektumanteile werden in die Tiefe verlagert und durch eine vordere oder hintere Plastik gestützt. Die Rekonstruktion des Beckenbodens erfolgt durch Raffung des medial auseinandergewichenen M. levator ani. Ein Zervixstumpf- oder Scheidenprolaps wird im Prinzip ähnlich behandelt. Bei alten Patientinnen kommt die partielle oder totale Resektion der Scheide in Frage. Die Wahl des Operationsverfahrens muß den individuellen Gegebenheiten der Patientin angepaßt werden.

Urologische und proktologische Probleme in der Gynäkologie

Die enge Nachbarschaft von Blase und Rektum zu dem inneren Genitale läßt vielfach keine exakte Trennung rein urologischer von rein gynäkologischen Erkrankungen zu. Ähnliches gilt für Erkrankungen des Enddarms.

Im folgenden sollen diejenigen Krankheitsbilder geschildert werden, die der gynäkologisch tätige Arzt kennen muß und die die Patientin oft zum Frauenarzt führen. STOECKEL schätzte, daß jede 3. Patientin über Harnbeschwerden klage. Bei ca. 15—20 % aller gynäkologisch erkrankten Frauen bestehen Zusatzerkrankungen im uropoetischen System.

Niere und Ureter

Mißbildungen des weiblichen Genitale sind häufig kombiniert mit Mißbildungen der Nieren und des ableitenden Harnsystems.

Nierenmißbildungen

Aplasie

Bei Doppelmißbildungen des Uterus und der Vagina, aber auch bei Vaginalaplasie häufig. Die eine Niere erfüllt voll ihre Funktion. Im zystoskopischen Bild fehlt ein Orificium. Das intravenöse Pyelogramm klärt die Situation. Patientin und behandelnde Ärzte sollten von der Anomalie wissen, um die Niere vor starken Belastungen oder Entzündungen besonders zu schützen (Abb. 178/1).

(Beispiel: Eine 22jährige Patientin wurde in einem Horn eines Uterus duplex zweimal schwanger und jeweils durch Sectio entbunden. Bei ihr bestand eine Nierenaplasie links. Wegen einer beginnenden Gestose während der 2. Gravidität wurde sie im Anschluß an die Schnittentbindung sterilisiert, um die eine Niere vor weiteren Schwangerschaftsbelastungen zu schützen.)

Beckenniere

Meist primär tiefer Sitz, nur selten Senkung als Ausdruck einer allgemeinen Enteroptose. Kann mit einem soliden Ovarialtumor verwechselt werden. Bei Beschwerdefreiheit keine Behandlung (Abb. 178/6).

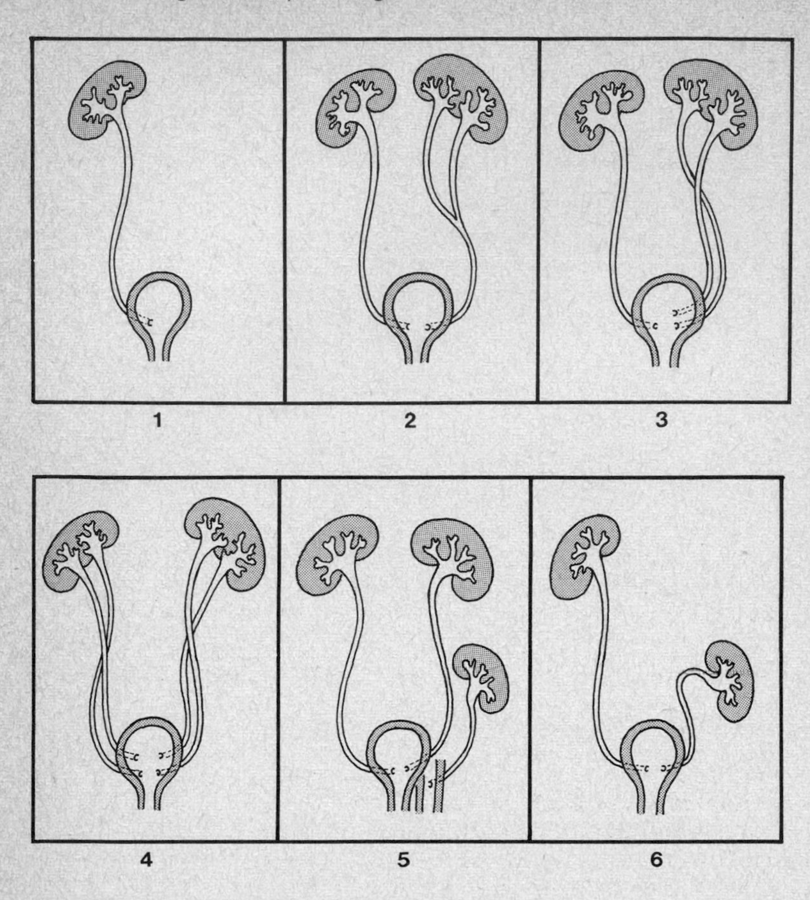

Abb. 178 Schematische Darstellung der häufigsten, kongenitalen Anomalien des Harnwegsystems. 1. Aplasie einer Niere und eines Ureters, 2. inkomplette Doppelung eines Ureters, 3. komplette Doppelung eines Ureters, 4. komplette Doppelung beider Ureteren, 5. rudimentäre dritte Niere mit ektopischem Ureter, 6. Beckenniere

Atypischer Ureterverlauf

Die ein- oder doppelseitige partielle oder totale Doppelung des Ureters ist nicht selten. Abb. 178 zeigt die Vielzahl der Möglichkeiten. Für die Patientinnen bleiben sie meist unbemerkt. Sie sind für den Gynäkologen insofern bedeutsam, als bei gynäkologischen Operationen ein atypischer Ureterverlauf zu dessen unbeabsichtigter Durchtrennung oder Ligatur führen kann. Vor großen gynäkologischen Eingriffen sollte immer ein intravenöses Pyelogramm angefertigt werden.

Ektopische Ureteren

Meist unwillkürlicher Harnabgang bei Kindern oder jungen Mädchen, manchmal erst im Erwachsenenalter, bei gleichzeitiger subjektiv empfundener Füllung und willkürlicher Entleerung der Blase. Die Diagnose ist schwierig. Die Kinder werden oft als Bettnässer verkannt. Ektopische Ureteren können einmünden in die Vulva (38 %), in die Urethra (32 %), in die Vagina (27 %) und in den Uterus (3 %) (Abb. 178/5). Ist die Ursache des unwillkürlichen Harnabgangs geklärt, dann Exstirpation des rudimentären Organs, zumal das zu dem ektopischen Ureter gehörende dysplastische Nierenparenchym für die Entstehung einer Hypertonie bedeutsam ist.

Ureterstenosen

Geschwülste des kleinen Beckens können den Ureter komprimieren, so daß eine partielle oder totale Abflußbehinderung entsteht. Als weitere Ursache der Ureterstenosierung kommt eine sklerosierende Fibrose im kleinen Becken im Anschluß an Karzinombestrahlungen in Betracht. Die Folge ist ein sich rasch ausbildender Hydroureter mit Hydronephrose. Wird das Hindernis nicht bald beseitigt, geht die Niere zugrunde.

Raumfordernde gutartige Geschwülste werden operativ entfernt. Eine karzinomatöse Ummauerung und Stenosierung des Ureters sind meist nicht mehr behandlungsfähig. Als Palliativmaßnahme kommt bei doppelseitiger Stenosierung eine Einpflanzung des nicht erkrankten Ureteranteils in die Haut in Frage, um die drohende Urämie hinauszuschieben. Dagegen muß bei einer strahlenbedingten Ureterstenosierung, mit offenbarer Heilung des Karzinoms, eine operative Freilegung des Ureters mit Reimplantation in die Blase erwogen werden.

Blase und Urethra

Asymptomatische Bakteriurie

ÄTIOLOGIE. Bakterien im Harn ohne die klinische Symptomatik einer Entzündung kommen vor bei Schwangeren, im Wochenbett, bei Deszensus, Genitalkarzinomen, postoperativ nach gynäkologischen Operationen, nach Strahlenbehandlung, häufigem Katheterisieren oder Verweilkatheter, aber auch ohne faßbare Ursachen.

SYMPTOMATIK. Für die Patientin unbemerkt. Es besteht aber jederzeit die Gefahr des Übergangs in eine manifeste Infektion. Meist gleichzeitige Leukozyturie.

DIAGNOSE. Nachweis der Bakteriurie im Urinsediment oder chemisch mit dem Nitur-Test u. a. – Geringe Bakterienzahlen/ml Urin kommen meist durch transurethrale Infektionen (vorwiegend Katheter) vor, hohe Keimzahlen (100 000/ml Urin) bei schwerwiegenden Harnwegsinfektionen.

THERAPIE. Wegen der Gefahr einer manifesten Infektion im Sinne einer chronischen Cysto-Pyelonephritis sollte die asymptomatische Bakteriurie adäquat mit Antibiotika oder Sulfonamiden behandelt werden, bis der Urin keimfrei geworden ist.

Zystitis

ÄTIOLOGIE. Fast immer aszendierende Keimbesiedlung. Kolibakterien, Staphylokokken, Proteus, Tuberkelbazillen, Gonokokken können in die Blase eindringen. Häufig nach wiederholtem Katheterisieren der Blase. Eine Disposition zur Zystitis besteht bei ungenügender Blasenentleerung. Der „Erkältung" wird vom Laien eine zu große Bedeutung beigemessen.

Bei alten Patientinnen ist die Zystitis oft nur am Blasenboden lokalisiert (Trigonumzystitis).

Patientinnen sind nach bestimmten gynäkologischen Operationen oft nicht in der Lage, spontan Wasser zu lassen, wenn die vom Kollum abpräparierte Blase ihren normalen Tonus noch nicht wiedergefunden hat. Die Patientinnen müssen mehrfach katheterisiert werden, wodurch die Aszension von Bakterien begünstigt wird. Besser ist die Einlage eines Dauerkatheters für einige Tage. Auch können Frauen nach Spontangeburten oder operativen vaginalen Entbindungen manchmal nicht die Blase entleeren. Die Prophylaxe besteht im möglichst raschen Aufstehen der Patientin (viele können liegend die Blase nicht entleeren). Unterstützend wirken Doryl oder Mestinon (Parasympathikomimetika), Hypophysenhinterlappenpräparate oder Östrogene.

Eine schwer zu beeinflussende Zystitis entsteht häufig bei Patientinnen, die eine therapeutische Bestrahlungsserie wegen eines Genitalkarzinoms durchmachen.

SYMPTOMATIK. Spastische Schmerzen in der Blasengegend und bei der Miktion. Häufiger Drang zum Wasserlassen. Urin sieht getrübt aus.

DIAGNOSE. Abnahme von Katheterurin unter sterilen Bedingungen. Mikroskopische und kulturelle Untersuchung auf Bakteriengehalt, möglichst mit Resistenzbestimmung. Spricht die unten aufgeführte

Therapie nicht in einigen Tagen an, so sollte eine Zystoskopie nach Blasentumoren oder Fremdkörpern fahnden. Die gleichzeitig durchgeführte gynäkologische Untersuchung schließt einen Zusammenhang mit Erkrankungen aus, die auf die Blase übergreifen (Endometriose, Zervixkarzinom).

THERAPIE. Lokale Wärmeapplikation wird wohltuend empfunden. Bettruhe, gewürz- und alkoholarme Diät. Zunächst Versuch mit einem Hexamethylentetraminpräparat, z. B. Arctuvan und Blasentee. Blasenentzündungen sprechen auch gut auf Sulfonamide an. Bei antibiotischer Behandlung muß ein Präparat gewählt werden, welches das B. coli miterfaßt, da 80 % aller Zystitiden davon verursacht werden (Ampicillin, Tetracyclin, Chloramphenicol in üblichen Dosierungen). Blasenspülungen sind bei einer einfachen Zystitis meist nicht indiziert, sondern bei den schweren Formen der Strahlenzystitis Karzinomkranker.

Perivesikale in die Blase durchbrechende Eiterherde

Eine plötzliche massive Eiterentleerung aus der Blase stammt von einbrechenden perivesikalen Abszessen. In Frage kommen der perityphlitische Abszeß, der Tubovarialabszeß und der parametrane Abszeß. Vorausgegangen sind chronische Schmerzen während der Abszeßbildung. Nach der „natürlichen" Drainage kommt es schnell zu einer Schmerzlinderung.

Blasengeschwülste

Anhaltende zystitische Beschwerden müssen mit Hilfe der Zystoskopie geklärt werden. Als Ursache kommt eine primäre oder sekundäre Blasengeschwulst in Betracht.

Gutartige Blasentumoren

Am häufigsten Papillome, selten Myome, Fibrome, Angiome oder Dermoidzysten. Papillome sind bei der zystoskopischen Betrachtung schwer von Karzinomen abzugrenzen, sie gelten als Präkanzerose und rezidivieren leicht. Wird die Diagnose vom Gynäkologen gestellt, sollte die Behandlung der Urologe übernehmen.

Bösartige Blasentumoren

Primäre Blasenkarzinome entstehen aus Papillomen oder direkt aus der Blasenwand. Sarkome sind seltener. Sie verursachen Blutungen aus der Blase und starke Tenesmen, verbunden mit plötzlichen Entleerungsstörungen, da sie oft vor dem Ostium urethrae internum lokalisiert sind. Therapie durch den Urologen.

In die Blase einbrechende Karzinome

In der Gynäkologie besonders häufig bei fortgeschrittenen Zervix-, Korpus- und Vaginalkarzinomen. Vorboten des Blaseneinbruches sind bullöse Ödemblasen (Abb. 179) und ein zunehmender entzündlicher Gefäßreichtum an der betreffenden Stelle.

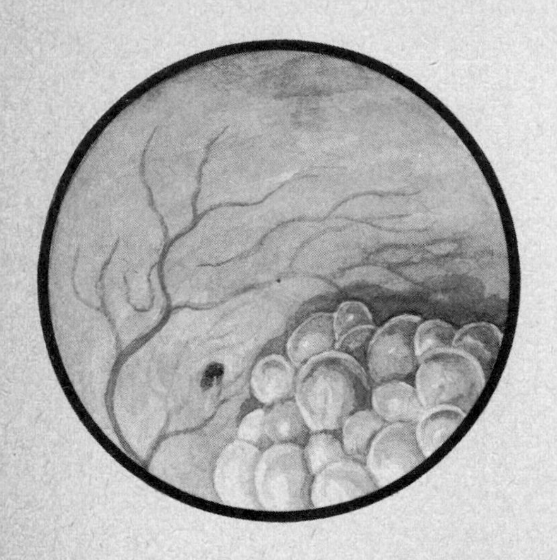

Abb. 179 Zystoskopisches Bild eines bullösen Ödems im Trigonumbereich in der Nähe des rechten Ureterostiums. Gefäßreichtum. Drohender Einbruch in die Blase bei Zervixkarzinom

Blasenendometriose

Zyklisch während der Menstruation auftretende Hämaturie (s. S. 439).

Fremdkörper in der Blase

Haarnadeln, Sicherheitsnadeln u. a. schlanke Gegenstände können während der Masturbation in die Urethra und bis in die Blase eindringen. Sie werden meist nicht spontan ausgeschwemmt. Harnsalze fallen um den Fremdkörper aus und inkrustieren ihn.

Primäre Blasensteine sind selten. Sie kommen in Blasenaussackungen (Zystozele oder Blasendivertikel) mit chronischem Restharn vor. Fremdkörper in der Blase machen heftige Tenesmen und unterhalten eine chronische Zystitis. Sie müssen operativ entfernt werden (Operationszystoskop, Sectio alta).

Urethritis

ÄTIOLOGIE. Vorwiegend Gonokokken, Trichomonaden u. a. Mikroorganismen (s. Zystitis). Ist der Blasenverschlußmechanismus intakt, beschränkt sich die Entzündung auf die Urethra und ihre Anhangsdrüsen (periurethrale Drüsen = SKENEsche Drüsen).

SYMPTOMATIK. Brennen beim Wasserlassen, Rötung der Urethralöffnung. Beim Ausstreichen der Urethra mit dem Finger an der Vorderwand der Vagina läßt sich Eiter ausdrücken.

DIAGNOSE. Bakteriologischer Abstrich aus der Urethra (s. S. 214).

THERAPIE. Entsprechend dem Erregernachweis, sonst wie bei der Zystitis.

Urethralmißbildungen

Fehlbildungen bei allgemeiner Genitalmißbildung (s. S. 31).

Urethralektropium

Zirkulärer bis pfennigstückgroßer Vorfall der Urethralschleimhaut. Macht meist keine Beschwerden. Makroskopisch schwer von einem beginnenden Urethralkarzinom zu unterscheiden. Daher Konsultation des Urologen.

Urethraldivertikel

Sackförmige Ausstülpung an der Hinterwand. Bis hühnereigroß, wölbt die vordere Vaginalwand vor, prallelastisch, so daß an eine Zystenbildung gedacht wird. Nicht selten sekundär entzündlich verändert, da sich im Divertikel Urin bakteriell zersetzt. Muß operativ abgetragen werden (Abb. 180/3).

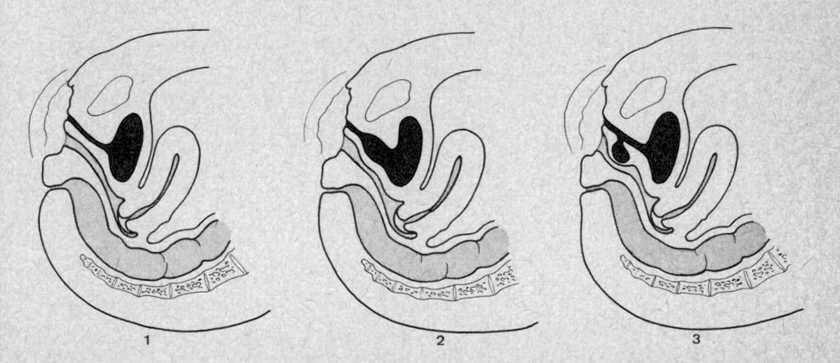

Abb. 180 Schematische Darstellung von Urethralanomalien: 1. Normale Situation. 2. Urethrozele. 3. Urethraldivertikel

Insuffizienz des Blasenverschlusses, funktionelle Harninkontinenz

ÄTIOLOGIE. Die Urethra dient in ihrer gesamten Länge als Verschlußorgan der Blase. Im vorderen Anteil der Urethra wirken submuköse glatte Muskelfasern, ein kavernöser Schwellsinus und die quergestreiften Mm. bulbospongiosus und ischiocavernosus abschließend. – Der mittlere Harnröhrenabschnitt besitzt ebenfalls Muskulatur und kavernöse Schwellkörper zwischen Epithel und Muskelschicht. Das Epithel der Harnröhre ist in diesem Abschnitt faltenreich. Faserzüge des Diaphragma urogenitale mit Anteilen des M. transversus profundus unterkreuzen die Urethra wie Zügel. Im hinteren Harnröhrendrittel hat die Wand der Urethra blasenähnlichen Charakter. Schlingenförmig angeordnete, glatte Muskelbündel (Lissosphinkter) zügeln die Urethra und bestimmen ihren Winkel gegenüber dem Blasenboden (in Ruhe ein nach hinten offener Winkel von 100 °). Die Zügel der Urethra sind im periurethralen, faszienartigen Bindegewebe, welches an der Symphyse ansetzt, verankert. – Die Position des Blasenhalses wird weitgehend von der willkürlichen Spannung und Entspannung des M. levator ani bestimmt. Erschlafft das muskuläre Diaphragma, sinkt die Urethra nach hinten. Nach einer trichterförmigen Erweiterung im Trigonumbereich des Blasenbodens wird der Verschluß des Blasenhalses aufgehoben, die Urethra durch den Blaseninnendruck entfaltet, die periurethralen Venenplexus entleert und der Harn im Strahl ausgepreßt. Kontrahiert sich das Diaphragma, wird die Urethra nach vorn gezogen und der aus vielen Einzelkomponenten bestehende Verschlußmechanismus der Urethra wird wirksam. Die Bewegungen der Urethra nach vorn und hinten sind für die Funktion wichtig. Nach beiden Seiten findet sich dagegen eine recht starre Fixierung, die die Urethra in einer mittleren Position hält, auch bei schweren Deszensusfällen.

Der Blasenverschlußmechanismus ist also ein Komplex vieler Komponenten im **Bereich der gesamten Urethrallänge.** Funktionelle Störungen im Blasenverschlußmechanismus sind ätiologisch manchmal schwer erfaßbar. In 70 % aller Fälle liegt ein mehr oder minder schwerer Deszensus des Genitale zu Grunde.

SYMPTOMATIK. Der unbeabsichtigte Harnabgang ist bei Frauen häufig. Wegen dieses Symptoms suchen 10–20 % aller gynäkologischen Patientinnen die Sprechstunde auf. Man unterscheidet den Schweregrad der Harninkontinenz und nimmt Bezug auf die Art des Auftretens:

A. Inkontinenz bei Anstrengungen (Stress Incontinenz)

I. Grad: Geringer Urinabgang beim Husten, Lachen oder schwerer körperlicher Arbeit.

II. Grad: Unwillkürlicher Harnabgang beim Laufen, Gehen, Tragen, Treppensteigen u. a. leichter, körperlicher Arbeit.

III. Grad: Harnabgang auch im Stehen, nicht aber im Liegen.

B. Inkontinenz unabhängig von Anstrengungen (vorwiegend psychogene und neurogene Blasenstörungen)

C. Ständige Inkontinenz (vor allem Fisteln und Mißbildungen im Urogenitaltrakt)

Im folgenden ist von der sogen. Stress-Inkontinenz (A) die Rede:

Bei der gynäkologischen Untersuchung liegt meist eine mäßige bis starke Senkung der vorderen Vaginalwand vor. Die sonst sichtbare Blasentaille ist verstrichen. Bei Abtastung des Urethralverlaufes fühlt man nicht die wulstförmige Harnröhre. Die Urethralwand erscheint dünn, das Lumen erweitert (Abb. 180/2). Die Urethra ist wesentlich beweglicher als im Normalfall, da die bindegewebige Fixation zerstört ist. Mit einem Katheter kann sie nach allen Seiten, besonders in Richtung des Dammes, verschoben werden.

DIAGNOSE. Die wichtigsten Kriterien sind die sorgfältig erhobene Anamnese und die gynäkologische Untersuchung. Als Zusatzuntersuchung kann die Blauprobe nach HARTL empfohlen werden:

Die Blase wird mit einer Blaulösung gefüllt, dann, für die Patientin deutlich hörbar, ein Teil der Flüssigkeit wieder abgelassen, so daß sie das Gefühl hat, die Blase sei leer. Anschließend läßt man sie mit einer Vorlage bäuchlings liegen, umhergehen oder pressen, um durch die Blaufärbung der Vorlage einen Anhalt über das Maß der Insuffizienz zu gewinnen. Zur Ergänzung der Chromozystoskopie wird ein intravenöses Pyelogramm angefertigt.

Differentialdiagnostisch muß die funktionelle Harninkontinenz unterschieden werden von dem unwillkürlichen Harnabgang, bedingt durch Mißbildungen, Fisteln, zentralnervöse Blaseninnervationsstörungen und der Inkontinenz bei entzündlicher Reizblase. — Gelegentlich können Frauen auch schwer zwischen einem wäßrigen vaginalen Fluor und Harnabgang unterscheiden (z. B. Tubenkarzinom). In einigen Fällen findet sich für die geklagte Inkontinenz keinerlei Ursache (s. o. **B.**). In diesen Fällen sind Operationsversuche erfolglos.

THERAPIE. Die plastische operative Korrektur zur Beseitigung einer funktionellen Harninkontinenz ist einem dauernden Wandel unterworfen. Im Prinzip werden z. Z. folgende Verfahren bevorzugt:

1. Wiederherstellung des insuffizient gewordenen, bindegewebigen und muskulären Diaphragmas im Urethralbereich (Abb. 176).
2. Unterpolsterung der Urethra, um diese anzuheben und zu strecken. Die Unterpolsterung mit dem Fundus uteri (Interpositio vesicouterina) wird heute abgelehnt, weil der Zugang zum Uterus erschwert, wenn nicht unmöglich wird. Die Unterpolsterung kann auch mit

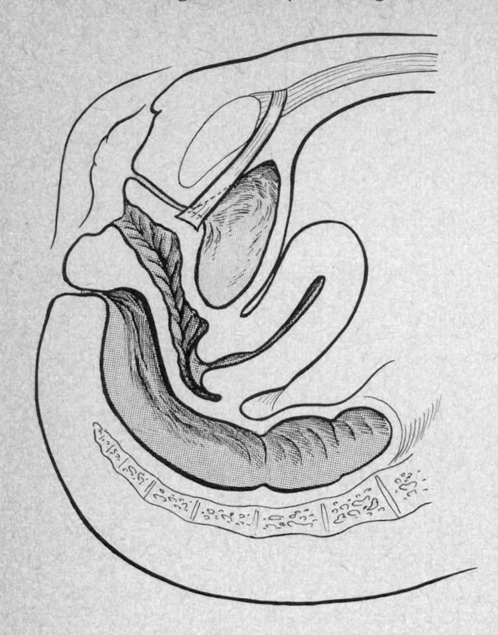

Abb. 181 Prinzip einer operativen Korrektur der funktionellen Harninkontinenz. Der blasennahe Anteil der Urethra wird mit einem Nylonband gezügelt, leicht angehoben und an der Faszie der vorderen Bauchwand vernäht (Schlingenoperation)

Vaginalhaut, die zu einer Rolle vernäht wird, oder der M. bulbospongiosus-Fettlappenplastik vorgenommen werden.

3. Anhebung der Urethra und des Blasenhalses durch Zügelung. Diese Methoden rücken z. Z. in den Vordergrund. Man kann den medialen und oberen Anteil der Urethra mit einem Kunstoffband umschlingen, die Zügel der Schlinge hinter der Symphyse anheben und an der Rektusfaszie fixieren (Abb. 181). Bei einem anderen Verfahren wird von abdominal her, extraperitoneal das periurethrale Gewebe mit Nähten am Periost der Symphyse fixiert.

Die vielfachen Ursachen der funktionellen Harninkontinenz, die unterschiedliche Konstitution und Heilungstendenz der Patientinnen erschweren die Auswahl des operativen Vorgehens. Ein postoperativer Erfolg ist nicht immer gewährleistet. Man sollte die Möglichkeit mit der Patientin vor der Operation besprechen. Ähnlich wie bei den Deszensusoperationen kann die Harninkontinenz auch noch Jahre nach der Operation rezidivieren.

Harnfisteln

ÄTIOLOGIE. Offene Verbindungen zwischen ableitenden Harnwegen und den unteren Genitalabschnitten entstehen durch Gewebszerreißungen bei Spontangeburten oder operativen vaginalen Entbindungen. Seltener sind Traumen bei Abtreibungen, Pfählungsverletzungen u. a. schweren Unfällen. Auch bei allen gynäkologischen Operationen können die ableitenden Harnwege direkt verletzt werden. – Geburtshilflich und gynäkologisch kommen aber auch partielle ischämische Nekrosen (Druck des kindlichen Kopfes gegen die Symphyse unter Einbeziehung von Blase und Urethra – mangelhafte Gefäßversorgung des Ureters bei der operativen Präparation im Rahmen von Karzinomoperationen) vor, die zur Fistelbildung führen.

Nach der Bestrahlung gynäkologischer Karzinome kann eine Strahlennekrose zur Fistelbildung führen.

Schließlich kann das infiltrierend zerstörende Wachstum von Karzinomen zu Harnfisteln führen.

SYMPTOMATIK. Je nach Lokalisation ständiger Urinabgang mit oder ohne partieller Füllung der Blase (Harninkontinenz C s. S. 469). Die Patientinnen sind durch die Harninkontinenz außerordentlich belastet. Je nach Lokalisation der Fistel unterscheidet man folgende Formen (Abb. 182):

1. **Ureter-Scheiden-Fistel:** Bei Verletzungen oder ischämischen Nekrosen des Ureters innerhalb des kleinen Beckens kommt es fast

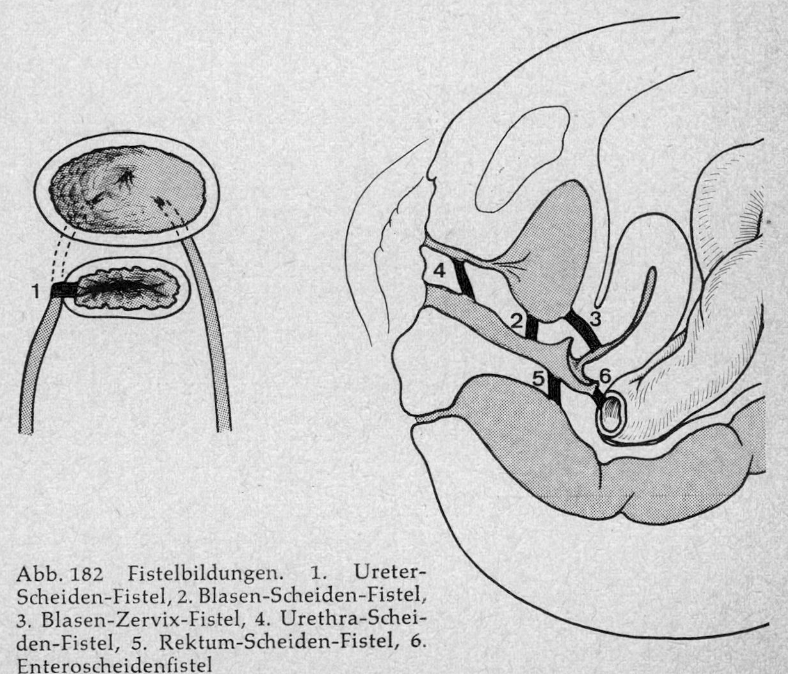

Abb. 182 Fistelbildungen. 1. Ureter-Scheiden-Fistel, 2. Blasen-Scheiden-Fistel, 3. Blasen-Zervix-Fistel, 4. Urethra-Scheiden-Fistel, 5. Rektum-Scheiden-Fistel, 6. Enteroscheidenfistel

nie zu einer Urinphlegmone, sondern der Urin bricht in die Vagina ein. Faserreiches Granulationsgewebe bildet den Fistelgang.

2./3. **Blasen-Scheiden-Fistel:** Offene Verbindung zwischen Blase und Scheide, meist am Boden der Blase mit oder ohne Defekt der Urethra. Gelegentlich auch Blasen-Zervix-Fistel (sehr selten Blasen-Uterus-Fistel).

4. **Urethra-Scheiden-Fistel.**

DIAGNOSE. Fisteln nach Geburten werden bereits im Wochenbett durch unwillkürlichen Harnabgang deutlich. Fisteln nach gynäkologischen Operationen entstehen in der 2.—3. postoperativen Woche.

Strahlennekrosen mit Fistelbildung treten manchmal erst Jahre (2—5 Jahre) nach der abgeschlossenen Strahlenserie auf.

Bei Ureter-Scheiden-Fisteln ist eine parallel laufende, willkürlich beeinflußbare Blasenentleerung möglich, dagegen nicht bei Fisteln im Bereich der Blase und Urethra, es sei denn, es handelt sich um sehr kleine Fistelöffnungen, die eine Art Ventilverschluß haben.

Den Verdacht auf eine Ureter-Scheiden-Fistel klärt man mit dem Ausscheidungspyelogramm. Die Fistelöffnung in der Scheide findet man mit Hilfe der Blauausscheidung nach intravenös appliziertem Indigokarmin.

Blasen-Scheiden- und Urethra-Scheiden-Fisteln werden durch Einführung eines Katheters in die Urethra und die gleichzeitige Entfaltung der Scheide mit Spekula diagnostiziert.

THERAPIE. Die operative Versorgung von Harnfisteln sollte innerhalb von 4—12 Wochen nach ihrem Nachweis erfolgen; Ureter-Scheiden-Fisteln so früh wie möglich, da bei einer Verödung des Fistelganges die Urinsekretion zwar aufhört, die Niere aber meist in ihrer Funktion versagt. Mobilisierung des intakt gebliebenen Ureters und Reimplantation in die Blase. In seltenen Fällen sind schwierige plastische Operationen notwendig, um Defekte am Ureter zu überbrücken.

Blasen-Scheiden- und Urethra-Scheiden-Fisteln werden durch Ausschneidung des Fistelganges und schichtweisen Verschluß gedeckt. Der Fistelverschluß gehört in die Hand erfahrener Operateure. Der Eingriff wird besonders kompliziert, wenn die Urethra ganz oder teilweise plastisch rekonstruiert werden muß. — Strahlenfisteln sind schwer zu behandeln, da das Gewebe infolge der Bestrahlung sehr gefäßarm und sklerotisch wird und eine geringe Heilungstendenz zeigt. Der Operationszeitpunkt sollte in diesen Fällen 2 Jahre **nach** Auftreten der Fistel liegen.

Rektum

Auch das Rektum kann bei gynäkologischen Erkrankungen oder operativen Eingriffen in Mitleidenschaft gezogen werden. Im folgenden werden die für einen Frauenarzt wichtigen Veränderungen des Enddarms und des Afters aufgeführt.

Entzündliche Veränderungen

Entzündungen des Proktokolons

Schwer zu beeinflussende diffuse oder ulzerierende Schleimhautentzündungen des Mastdarms, die aber auch aszendierend das ganze Kolon befallen können. Oft ist das Krankheitsbild nur durch eine operative Rektumentfernung und Anlage eines Anus präter zu beherrschen. Die sekundäre Proktitis nach gynäkologischer Strahlentherapie ist dem Gynäkologen wohlbekannt.

Perirektale Abszedierungen

Vorwiegend **Douglasabszesse** können spontan ins Rektum einbrechen. Es entleert sich massenhaft Eiter aus dem Anus, gleichzeitig bessern sich die subjektiven Schmerzen. Fast immer Spontanheilung der Durchbruchsstelle ohne Fistelbildung.

Weiterhin kommen tiefliegende **pararektale** (oberhalb des M. levator ani) und **ischiorektale** (unterhalb des M. levator ani) Abszesse vor, sowie perianal liegende subkutane und subepidermale Abszesse. – Fistelbildungen (ischiorektale und pararektale) sind bei Frauen seltener als bei Männern.

Entzündungen im Bereich des Afters

Analekzem, Pruritus ani (s. S. 115, 289)

Chronische Analfissur: Entsteht bei vorgeschädigtem Analkanal. Meist an der hinteren Analkommissur. Die Patientinnen klagen über stechende Schmerzen vor der Defäkation. Eine vorsichtige Sphinkterdehnung in Narkose behebt meist schlagartig die Beschwerden und bringt die Fissur zum Ausheilen.

Hämorrhoiden s. S. 512

Afterkrampf: Plötzlich auftretender, meist anhaltender sehr schmerzhafter Krampf des Beckenbodens, jedoch mit dem Punctum maximum perianal. Spasmolytische Suppositorien, evtl. heiße Sitzbäder beseitigen den Zustand.

Anorektaler Vorfall: Bei Frauen verhältnismäßig selten. Man unterscheidet den Hämorrhoidalvorfall, den Rektumschleimhautvorfall und den Vorfall des ganzen Mastdarms. Letzterer ist mit einer Stuhlinkontinenz verbunden, die operativ nur schwer zu beheben ist.

Geschwülste des Rektums

Bei hellrotem Blutabgang aus dem Rektum muß differentialdiagnostisch an innere Hämorrhoiden, eine Endometriose, aber auch an blutende Geschwülste gedacht werden. Diagnose mit Hilfe der digitalen Austastung und Rektoskopie.

Gutartige Rektumgeschwülste

Am häufigsten gelappte Schleimhautpolypen; neigen zur karzinomatösen Entartung. Sie sollten elektrochirurgisch entfernt werden.

Rektumkarzinom

Meist Adenokarzinom, wächst schüsselförmig, vorwiegend oberhalb der KOHLRAUSCH-Falte. Täuscht bei der Tastuntersuchung einen Tumor im DOUGLASschen Raum vor, bis man bei der rektalen Untersuchung den primären Sitz feststellt. Operative oder strahlentherapeutische Behandlung durch den Chirurgen.

Ins Rektum einbrechende Tumoren

Fortgeschrittene Zervix-, Korpus- und Vaginalkarzinome können infiltrierend ins Rektum einbrechen und zu Karzinomfisteln Veranlassung geben. Die Anlage eines Anus praeter naturalis ist nicht zu umgehen.

Funktionsverlust des M. sphincter ani externus

ÄTIOLOGIE. Geburtstraumatisch.

SYMPTOMATIK. Schlecht versorgte oder sekundär geheilte Dammrisse III. Grades heilen oft so aus, daß die Vaginalschleimhaut unmittelbar ohne Gewebsbrücke in die Schleimhaut der Rektumvorderwand übergeht. Die für den intakten M. sphincter ani charakteristische zirkuläre Faltenbildung fehlt am oberen Pol des Anus. Meist entsteht keine komplette Stuhlinkontinenz. Geformter Stuhl kann fast immer gehalten werden, da der Verschluß des Rektums nicht allein vom M. sphincter ani externus, sondern auch von dem in mehreren Etagen ansetzenden M. levator ani abhängt.

DIAGNOSE. Inspektion und Austastung des Analringes. Die Stümpfe des M. sphincter ani erkennt man an symmetrischen Grübchen in der bedeckenden Haut des Afters. Die radiären Falten des Anus sind nur im unteren Halbkreis sichtbar.

THERAPIE. Operativ. Scharfe Trennung von Scheiden- und Darmwand. Rekonstruktion des Darmrohres und Naht des M. sphincter ani externus. Plastische Rekonstruktion des Dammes nach Exzision narbigen Gewebes. — Die Operationsergebnisse sind gut, da es sich um geschlechtsreife Frauen mit mobilisierbarem Gewebe und gutem Gewebsturgor handelt.

Rektum-Scheiden-Fisteln

ÄTIOLOGIE. Geburtstraumatisch, Operationsverletzung, Strahlenfolge, Karzinomdurchbruch.

SYMPTOMATIK. Nicht resorbierbare Operationsfäden, die unbeabsichtigt ins Rektum durchgreifen, verursachen kleine Fisteln, die oft symptomlos bleiben oder nur „nässen". Höher sitzende Rektum-Scheiden-Fisteln sind bei größerer Ausdehnung durch die dauernde Gas- und Stuhlentleerung für die Patientin sehr quälend. Dies gilt für Rektum-Scheiden-Fisteln, die nach therapeutischen Bestrahlungen eingetreten sind, ebenso wie für karzinomatöse Fisteln (Abb. 182/5).

DIAGNOSE. Austritt von Kot aus der Vagina, ein Karzinomdurchbruch muß ausgeschlossen werden.

THERAPIE. Operativ. Exzision der Fistelgänge oder -ränder, schichtweiser Verschluß. Radiologische Fisteln dürfen erst 2 Jahre nach ihrem Auftreten operativ behandelt werden. Meist ist die Anlage eines Anus praeter naturalis zur Überbrückung dieser Zeitspanne und zur Entlastung des Fistelgebietes nicht zu umgehen.

Kontraktur des M. sphincter ani internus

Der M. sphincter ani internus bildet die Fortsetzung der ringförmigen Rektummuskulatur. Sein Tonus bestimmt die Dilatation der Rektumampulle. Bei einem chronischen Reizzustand am Ende der Ampulle (Obstipation, Entzündung) kommt es zu einer Kontraktur der ringförmigen Muskulatur. Kot wird in die Analkrypten hineingepreßt, die Blutzirkulation venös gedrosselt. Damit entsteht ein Circulus, in dessen Folge Entzündungen im Bereich des Anus (Kryptitis, Papillitis), Perianalabszesse, Analfissuren, Analfisteln, Hämorrhoiden, Pruritus ani und ein Analprolaps entstehen können. Die Behandlung ist operativ. Der M. sphincter ani internus wird freipräpariert und längs gespalten.

Zusammenfassung: Erkrankungen der ableitenden Harnwege und des Enddarmes stehen oft im Zusammenhang mit gynäkologischen Erkrankungen. Genitalmißbildungen sind nicht selten kombiniert mit der Aplasie einer Niere. – Die Beckenniere kann mit einem Ovarialtumor verwechselt werden. – Atypische Ureterverläufe sollten vor gynäkologischen Eingriffen bekannt sein. Die vaginale Einmündung eines überzähligen Ureters bedarf einer operativen Korrektur. – Bei Ureterstenosen durch gut- oder bösartige Geschwülste oder durch eine Strahlenfibrose geht die Niere bald zugrunde, wenn nicht operativ ein Harnabfluß geschaffen wird. Die asymptomatische Bakteriurie und die Entzündung der Blase ist bei Frauen häufig. In der Umgebung lokalisierte Abszesse können sich durch die Blase entleeren. Eine chronische Zystitis wird durch Blasentumoren (Papillome, primäre Karzinome, übergreifende Karzinome) und Fremdkörper unterhalten. – Die Urethra wird oft von Keimen besiedelt und entzündlich verändert. – An der Hinterwand der Harnröhre kommen Urethraldivertikel vor. – 10–20% aller gynäkologischen Patientinnen leiden an einer funktionellen Harninkontinenz (I. bis III. Grades). Die Therapie besteht in der operativen Anhebung und Streckung der Urethra. – Harnfisteln entstehen traumatisch (Geburten, Operationen, Bestrahlungen), sie müssen operativ verschlossen werden. – Die Rektalschleimhaut kann chronisch entzündlich verändert sein, periproktitische Abszesse können in das Rektum einbrechen. Analfissuren und -kontraktionen sind für die Betroffene sehr quälend. Der Analprolaps ist bei Frauen seltener als bei Männern. – Geschwülste des Rektums (Papillom, Karzinom) sind gegenüber Hämorrhoiden und einer Endometriose abzugrenzen. – Bei Geburten kann der M. sphincter ani externus zerreißen. Es kommt zur relativen Stuhlinkontinenz. Die operative Korrektur alter Dammrisse III. Grades gelingt meist gut. Rektum-Scheiden-Fisteln entstehen oft traumatisch, sie müssen operativ verschlossen werden. Die Kontraktur des M. sphincter ani internus ruft Entzündungen, Abszesse, Fissuren, Analfisteln, Hämorrhoiden, Pruritus und einen Analprolaps hervor. Durch Längsspaltung der ringförmigen Muskulatur kann geholfen werden.

Genitalverletzungen

Kohabitationsverletzungen

Deflorations- und unbeabsichtigte Kohabitationsverletzungen

Diese wurden bereits auf S. 126 abgehandelt.

Verletzungen nach Vergewaltigungen

Bei Kindern und sehr jungen Mädchen können nach gewaltsamen Kohabitationen penetrierende Verletzungen schwerster Art auftreten. Dammrisse bis in das Rektum oder breite Scheiden-Rektum-Verletzungen sowie die Zerreißung des DOUGLASschen Raumes wurden beobachtet. Die Diagnose ist durch die Inspektion des verletzten Introitus möglich. Die Ausdehnung der Verletzung sollte, unter klinischem Schutz in Narkose, genau überprüft werden. Die operative Versorgung schließt sich an.

Verletzungen bei vaginalen Entbindungen

Ohne hier auf geburtshilfliche Fragen einzugehen, soll kurz auf die wichtigsten Verletzungen bei vaginalen Entbindungen aufmerksam gemacht werden, um einem nicht geburtshilflich tätigen Arzt eine Orientierungshilfe zu geben, da er in die Situation kommen kann, Verletzungen bei einer entbundenen Frau zu versorgen.

Dammrisse I. — III. Grades

ÄTIOLOGIE. Falscher oder fehlender Dammschutz, großes Kind, zu spät angelegte, versäumte oder unzureichende Episiotomie.

SYMPTOMATIK. Je nach Ausmaß unterscheidet man einen Dammriß

I. Grades: Einriß der hinteren Kommissur.

II. Grades: Einriß des Dammes bis zum M. sphincter ani externus.

III. Grades: Zerreißung des Dammes bis ins Rektum mit Durchriß des M. sphincter ani externus.

DIAGNOSE. Inspektion und Palpation. Sehr wichtig ist, die Ausdehnung des Dammrisses exakt festzustellen.

THERAPIE. Schichtweiser Verschluß, die Operationstechnik ähnelt einer hinteren Plastik. Zerfetzte Wundränder sollten begradigt werden.

Scheidenrisse und höher reichende Rißverletzungen

ÄTIOLOGIE. Durch Überdehnung der Scheide, vermehrt noch bei operativen vaginalen Entbindungsmethoden (Vakuumextraktion, Zange), reißt die Scheide an einer oder mehreren Stellen auf. Diese Verletzungen sind durch eine rechtzeitig angelegte Episiotomie nicht zu verhindern.

SYMPTOMATIK. Aus Scheidenrissen kann es wenig, aber auch recht stark bluten. Ähnlich wie bei den Kohabitationsverletzungen bluten klitorisnahe Scheidenrisse besonders stark, auch solche, die in die kleinen Labien übergehen. In extremen Fällen ist die Scheide regelrecht zerfetzt. Blutungen brauchen nicht nach außen abzufließen, sondern können ins paravaginale Gewebe eindringen. Sie sinken meist nach unten ab und bieten das Bild des Vulvahämatoms.

DIAGNOSE. Genaue Inspektion mit großen Spekula. Die Scheide muß zirkulär nach Verletzungen abgesucht werden. Besonders wichtig ist die Verfolgung der Wundränder nach oben. Manche Scheidenrisse vertiefen sich ins parametrane Gewebe und können dort große Hämatome verursachen. In jedem Fall muß bei Scheidenrissen auch die Zervix genau inspiziert und u. U. der Uterus manuell ausgetastet werden, um Zervixrisse oder höher sitzende, stumme Uterusrupturen nicht zu übersehen.

THERAPIE. Naht der Scheidenverletzung mit sicherer Erfassung des oberen Wundrandes. – Trotz der Schwere der Verletzungen hat die Scheide post partum eine ganz erstaunliche Regenerationskraft. Kommen die Frauen nach 4–6 Wochen zur Nachuntersuchung, ist von den Scheidenverletzungen oft kaum etwas zu erkennen.

Äußere Gewalteinwirkungen bei Unfällen

Stumpfe Traumen

Bei Unfällen aller Art kann es ohne sichtbare äußere Verletzung zu ausgedehnten **Vulvahämatomen** kommen. Schwangere sind dazu besonders prädestiniert. Die Hämatome können einen derartigen Umfang annehmen, daß eine Blutungsanämie eintritt. In dem lockeren Gewebe des äußeren Genital kann die Blutung flächenhaft, aber auch z. B. auf eine Labie beschränkt sein in einem Umfang, der dazu zwingt, das Hämatom zu entleeren.

Pfählungsverletzungen

Betrifft besonders kletternde Kinder, aber auch Frauen, die in der Landwirtschaft oder im Haushalt arbeiten und dabei in die Tiefe stürzen. Bohrt sich beim Aufprall ein spitzer Gegenstand in die Vulva (Zaunpfahl, Heugabel usw.), so kann es zu schwersten inneren Verletzungen kommen, die nicht nur auf das Genitale beschränkt bleiben. Die geringe Ausdehnung der Verletzung an der Vulva braucht in keinem Verhältnis zu dem Grad der inneren Verletzung zu stehen. Die Patientin muß gynäkologisch-chirurgisch betreut werden.

Gynäkologische Erkrankungen nach Unfällen

Bestand der Unfall nicht in penetrierenden Verletzungen, die das Genitale betrafen, so entstehen nach Unfällen meist keine gynäkologischen Folgeerkrankungen. Die nicht selten gestellte Frage, ob eine Retroflexio uteri mobilis oder ein Deszensus als Unfallfolge anzusehen ist, kann immer verneint werden. — Nicht ausgeschlossen sind funktionelle Zyklusstörungen oder Blutungen in der Schwangerschaft, die auf Grund des starken psychischen Schocks durch den Unfall für einige Zeit anhalten können.

Zusammenfassung: Bei der Defloration, selten bei normal ausgeführten Kohabitationen können Verletzungen des Introitus, der Scheide oder sogar penetrierende Verletzungen vorkommen. Schwere Verletzungen werden bei Vergewaltigungen von Kindern beobachtet. Die häufigsten Genitalverletzungen kommen vor bei spontanen und operativen vaginalen Entbindungen (Dammriß I.–III. Grades, Scheidenrisse, Zervixrisse, Uterusruptur). Bei stumpf einwirkenden Gewalten kommt es an der Vulva zu Hämatomen. Pfählungsverletzungen können schwere, innere Zerreißungen bis tief in den Bauchraum verursachen. – Unfälle, die das Genitale nicht unmittelbar betreffen, stehen in keinem Zusammenhang mit späteren anatomischen Veränderungen. Eine vorübergehende Funktionsstörung des mensuellen Zyklus ist durch einen Unfall möglich.

Kreuzschmerzen der Frau

Der von Laien so häufig verwandte Ausdruck „Kreuzschmerzen" ist ein Symptom, worüber in der gynäkologischen Sprechstunde sehr oft geklagt wird. Etwa 1/3 aller Patientinnen berichtet spontan über Kreuzschmerzen, ein weiteres Drittel bejaht die Frage, und nur 1/3 verneint sie. Als Kreuzschmerzen bezeichnen die Patientinnen Schmerzen im Bereich des Os sacrum oder tief im kleinen Becken in der Kreuzbeinhöhle lokalisierte Schmerzen.

Kreuzschmerzen sind als gynäkologisches Symptom durchaus ernst zu bewerten, da sich bei etwa 30 % der betreffenden Patientinnen eine gynäkologische Erkrankung findet. Als Ursache kommen entzündliche Veränderungen im kleinen Becken, Tumorbildungen, die an dem Halteapparat des inneren Genitale zerren, sowie Lageveränderungen des Genitale in Betracht. – Nicht selten werden Kreuzschmerzen nur zeitweise angegeben, z. B. prämenstruell durch die vermehrte Blutfülle im kleinen Becken oder dysmenorrhoische Beschwerden zum Zeitpunkt der Periode oder während der zunehmenden statischen Belastung in der Schwangerschaft.

Unterbauchschmerzen können auch psychogen, – mit der großen Reichweite des Psychogenen – bedingt sein. Im Gegensatz zum organisch bedingten Schmerz stören psychogene Schmerzen den Schlaf nicht.

Tabelle 29 Kreuzschmerzen der Frau

Genital bedingt

Zyklisch auftretend: Prämenstruelles Syndrom
Dysmenorrhoe bei Genitalhypoplasie
Dysmenorrhoe bei Endometriose

Dauerschmerz: Entzündliche Veränderungen im kleinen Becken
Douglasabszeß
Parametritis
Parametropathia spastica

Druckgefühl in der Kreuzbeinhöhle
Retroflexio uteri fixata
Uterus myomatosus
In den DOUGLASschen Raum absinkende Adnextumoren

Progressive, das kleine Becken ausfüllende Karzinome
Zug an der parametranen Aufhängung
- Descensus uteri
- Uterusprolaps

Erkrankungen des Skelet- und Bandapparates

Metastasen in der Wirbelsäule
Einschmelzungsprozesse in Wirbelkörpern
Haltungs- und Formfehler der Wirbelsäule
- Angeborene Skeletanomalien
- Kyphose
- Skoliose
- Hängeleib bei Adipositas, Schwangerschaft
- Übergangswirbel
  - Sakralisation
  - Lumbalisation
- Zustand nach kleineren Sportunfällen (s. Text)

Degenerative Erkrankungen der Wirbelsäule
- Partieller und totaler Bandscheibenprolaps
- Spondylarthrosis deformans
- Osteochondrose
- Kokzygodynie
- Morbus SCHEUERMANN

Degenerative Skeletveränderungen
- Entzündungen in den Ileosacralgelenken
- Osteoporose
- Osteomalazie

Fehlhaltungen der unteren Extremitäten
- Einseitige Beinverkürzung
- X-Beine
- Fußfehlhaltungen
  - Knick-, Senk-, Plattfuß

Muskelverspannungen

Lumbago, Hexenschuß

Psychogen bedingt

Findet sich bei der gynäkologischen Untersuchung keine Erklärung für die geklagten Kreuzschmerzen, so muß an eine orthopädische Veränderung gedacht werden. Skelet- und Bandsystem der Wirbelsäule, des Beckens und der unteren Extremitäten sind bei der Frau in der Geschlechtsreife durch Schwangerschaften besonderen Belastungen ausgesetzt, die wesentlich öfter zu Funktionsschäden führen als in vergleichbaren Altersklassen des Mannes. Bei Frauen kommen außerdem recht oft plötzliche schmerzhafte Verspannungen der Rükkenmuskulatur über den Lenden- und Kreuzbeinwirbeln vor (Lumbago, Hexenschuß). Übergewichtigkeit verstärkt oft die physiologische Lendenlordose. Es kommt zum „Hohlkreuz". Viele Patientinnen zeigen eine angeborene Skeletanomalie, die zu chronischen Kreuzschmerzen disponieren kann (Übergangswirbel, Wirbelbögendefekte, Spina bifida occulta u. a.). Entzündliche Einschmelzungsprozesse im Lumbosakralbereich aseptischer, unspezifischer und tuberkulöser Art werden meist lange verkannt. Auch der muskuläre Rheumatismus muß in Erwägung gezogen werden. — Jüngere Frauen klagen nicht selten über Kreuzschmerzen nach kleineren Sportunfällen. Wahrscheinlich handelt es sich um indurierte Hämatome, kleinste Frakturen oder Knorpelverletzungen. — Heftigste Beschwerden verursacht der lumbosakrale Bandscheibenvorfall (Nucleus pulposus Hernie). — Junge Patientinnen klagen bei Beginn eines M. Scheuermann häufig zunächst über tiefsitzende Rückenschmerzen. — Die bei älteren Frauen einsetzende allgemeine Osteoporose beginnt häufig im Lumbosakralbereich und führt später zu der typischen Fischwirbelbildung. — Auch entzündliche Prozesse in den Ileosakralgelenken sind nicht selten und haben als Leitmerkmal Schmerzen „im Kreuz".

Das Symptom Kreuzschmerz ist nicht nur auf die Gynäkologie und Orthopädie beschränkt, sondern betrifft die innere Medizin, Chirurgie, Urologie, Neurologie und nicht zuletzt die Psychosomatik (Tab. 29).

Zusammenfassung: Kreuzschmerzen der Frau werden zu einem Drittel durch Genitalerkrankungen, zu einem Drittel meist durch orthopädische Erkrankungen ausgelöst. In einem Drittel finden die geklagten Beschwerden keine organische Erklärung.

Erkrankungen der Brustdrüse

Die weibliche Brust kennzeichnet den Körper einer Frau. Auf S. 46 wurde ausgeführt, daß die Thelarche unter dem Einfluß der Östrogene zustande kommt. Das Brustdrüsenparenchym unterliegt zyklischen Schwankungen von Östrogenen und Gestagenen. Nach der Entbindung erfüllt die Brust ihre physiologische Aufgabe der Laktation. Erkrankungen der Brust sollten jedem gynäkologisch tätigen Arzt bekannt sein.

Kongenitale Anomalien

Bei den Säugetieren sind, mit Ausnahme der Primaten und des Menschen, die Brustdrüsen multipel, symmetrisch entlang der sog. Milchleiste entwickelt. Der menschliche Embryo durchläuft eine Phase, in der ebenfalls die Milchleiste angelegt wird.

Polythelie

Überzählige Brustwarzen ohne darunterliegendes Drüsenparenchym sind nicht selten. Sie liegen meist unterhalb, gering nach medial verschoben, auf der ursprünglichen Milchleiste. Vorwiegend einseitig. Klinisch ohne Bedeutung (Abb. 183/1).

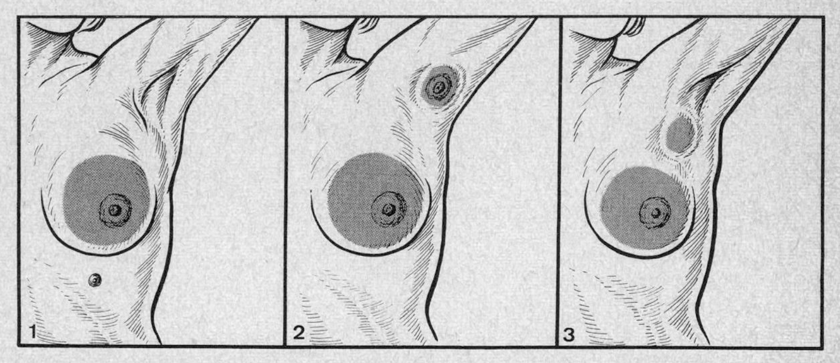

Abb. 183 Kongenitale Anomalien der Brustdrüse. 1. Polythelia (überzählige Warze ohne Parenchym). 2. Akzessorische Mamma (kleinere, aber funktionell vollkommene, zusätzliche Brust). 3. Aberrierende Mamma (vom Drüsenkörper entfernt liegende Parenchyminsel ohne Abflußmöglichkeit). Das Brustdrüsenparenchym wurde rot getönt

Polymastie (akzessorische Mamma)

Überzählige kleine Brüste mit ausgebildeten oder rudimentären Mamillen sind oberhalb oder unter der normal sitzenden Brust lokalisiert. Meist sind sie recht klein, so daß sie die Trägerin kaum stören. In der Laktationsperiode können die akzessorischen Mammae aber erheblich hypertrophieren (bis zu Faustgröße) und eine Milchstauung zeigen, mit allen Gefahren der drohenden Mastitis. In diesen Fällen sollte man die Patientin abstillen. Eine operative Entfernung kann nur außerhalb von Schwangerschaft und Wochenbett erwogen werden und nur dann, wenn die Patientin es aus kosmetischen Gründen wünscht. Eine erhöhte Krebsdisposition kommt den akzessorischen Mammae nicht zu (Abb. 183/2).

Überzählige Mamillen und Mammae kommen als Rarität auch außerhalb der Milchleiste vor. Ihre Entstehung wird mit versprengten Embryonalzellen erklärt.

Aberrierende Mamma

Meist in Richtung der Achselhöhle vom runden Drüsenkörper versprengte Parenchyminsel **ohne** Abflußmöglichkeit nach außen. Palpatorisch tastet man eine etwas unregelmäßige Resistenz bis zu 5-Markstück-Größe getrennt vom Drüsenkörper. Bei schlanken Patientinnen hat die Resistenz leicht körnige Beschaffenheit. Prämenstruell ist in den aberrierenden Mammae, ebenso wie in den akzessorischen, eine Schwellung nachweisbar. Während Gravidität und Wochenbett schmerzhafte Anschwellung ohne Abflußmöglichkeit (daher Abstillen). Allgemein wird zur Exstirpation der aberrierenden Mammae geraten, da ihre Natur nur histologisch geklärt werden kann und außerdem eine vermehrte Karzinomdisposition in versprengten Mammaanteilen beobachtet wurde (evtl. wegen des fehlenden Abflusses; Abb. 183/3).

Mammaaplasie

Sehr selten, meist mit Mißbildungen der Thoraxwand (Fehlen der Pektoralismuskulatur) verbunden.

Abweichende Normalgröße und -form

Die körperliche Schönheit einer Frau wird durch die Form und Größe ihrer Brüste mit bestimmt. Dabei spielen modische Strömungen eine Rolle, die zu einer Zeit „busenbetonte", zu anderen Zeiten flachbrüstige Frauen bevorzugen. — Ein junges Mädchen beobachtet genau die Entwicklung und Form seiner Brüste und fühlt sich durch ein „zu viel" oder „zu wenig" oft sehr beeinträchtigt. Die Varianten der Norm sind außerordentlich vielfältig. Operative Korrekturen der Brüste zur Verbesserung ihrer Form sollten extremen Ausnahmefällen vorbehalten bleiben.

Mammahypertrophie

Man unterscheidet eine in der **Pubertät** einsetzende doppel- oder einseitige Mammahypertrophie, die konservativ meist unbeeinflußbar ist, von einer in den **ersten Graviditätsmonaten** einsetzenden Mammahypertrophie, die sich post partum fast immer zurückbildet. Bei der Mammahypertrophie kommt es zu einem Wachstumsexzeß aller Organbestandteile (Drüsenkörper, Bindegewebe, Fettverteilung). Je schwerer die Brust wird, um so mehr sinkt sie nach unten (Mastoptose; Abb. 184). Brüste von 5 kg Gewicht sind beschrieben worden. Der Zug nach unten wird schmerzhaft empfunden. Dehnungsulzera der Haut können entstehen. Die Ätiologie ist ungeklärt. Die Therapie der extremen Pubertätshypertrophie besteht in der operativen Verkleinerung (Mammaplastik). Mit Rezidiven ist zu rechnen, wenn das verbliebene Parenchym seine Wachstumstendenz beibehält, so daß in einigen Fällen die Mammaamputation als letzte Lösung bleibt. — Bei der Graviditätshypertrophie sollte man sich immer konservativ verhalten. Die übergroßen Brüste werden durch gut sitzende Mieder gestützt, die überdehnte Haut mit fetthaltiger Creme gepflegt.

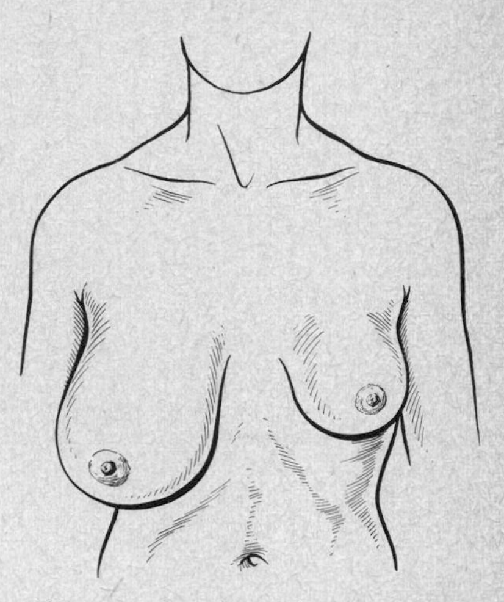

Abb. 184 In der Pubertät entstandene, einseitige Mammahypertrophie

Mastoptose (Hängebrust)

Fettreiche Hängebrust

Meist bei Frauen, die mehrmals geboren haben, verstärkt im klimakterischen Alter durch zunehmende Adipositas. Bei bindegewebsschwachen Frauen besonders ausgeprägt. Geringe Grade machen wenig Beschwerden. Bei ausgeprägten schweren Hängebrüsten wird über diffuse Brustschmerzen geklagt. Möglichst konservative Therapie mit stützenden Miedern. Meist wünschen nur jüngere Frauen operative Korrekturen, deren Ausführung Operateuren vorbehalten bleiben sollte, die auf dem Gebiete der plastischen Mammachirurgie besondere Erfahrungen haben.

Atrophische Hängebrust

Vorwiegend ältere Frauen mit Bindegewebsschwäche, oft ist eine rasche Abmagerung vorausgegangen. Die Frage nach einer operativen Korrektur stellt sich selten.

Mammahypotrophie

Junge Frauen leiden oft unter zu kleinen Brüsten. Hormonbehandlungen können versucht werden, sind aber ohne wesentlichen oder von vorübergehendem Erfolg (über die Anwendung von Östrogenen zur Brustentwicklung bei Gonadendysgenesien s. S. 17). Der Versuch der chirurgischen Vergrößerung einer zu kleinen Brust ist noch problematischer als die Brustplastik zur Verkleinerung. Die Implantation von Fettgewebe erscheint am gefahrlosesten. Mit einer Fettgewebsnekrose muß gerechnet werden. Von Paraffininjektionen in den retromammären Raum oder der Unterpolsterung mit hochpolymerisierten Kunststoffen wird auf Grund tierexperimenteller Erfahrungen abgeraten (Fremdkörpergranulationsgewebe, karzinomatöse Entartung).

Zusammenfassung: Auf Grund der beim menschlichen Embryo angelegten Milchleiste kommen bei der Frau überzählige Brustwarzen (Polythelie) und Brüste (Polymastie) vor. Vom Drüsenkörper getrennte Parenchyminseln ohne Abflußmöglichkeit (aberrierende Mamma) haben eine erhöhte Krebsdisposition und sollten entfernt werden. Mammaaplasien sind sehr selten. – Bei exzessivem Wachstum aller Bestandteile des Drüsenparenchyms kommt es zur unbeeinflußbaren pubertären Mammahypertrophie und zur rückbildungsfähigen Graviditätshypertrophie. Schwere Brüste senken sich nach unten (Mastoptose). Man unterscheidet die fettreiche Hängebrust von der atrophischen Form. Die Mammahypotrophie ist hormonell nur schwer beeinflußbar. Alle operativen Verfahren sind risikoreich und problematisch.

Entzündungen der Brust

Mastitis puerperalis

ÄTIOLOGIE. Eindringen von pathogenen Keimen (vorwiegend Staphylococcus aureus) in kleine Verletzungen der Mamille (Mamillenschrunden oder -rhagaden; Abb. 185) bei unsachgemäßer Brustpflege während des Stillens. Zarthäutige, blonde Frauen werden öfter befallen als dunkle Typen. Frauen mit Kliniksentbindung erkranken öfter als jene, die zu Hause entbunden wurden. Die Übertragung der pathogenen Keime vom Nasen-Rachen-Raum des Pflegepersonals auf den des Säuglings und von dort auf die Mamille der Wöchnerin ist am häufigsten. Die Bakterien dringen durch kleine Verletzungen der Brustwarze oder des Warzenhofes wahrscheinlich auf lymphogenem Weg in die Brust ein. Die Aszension in den Milchgängen ist seltener,

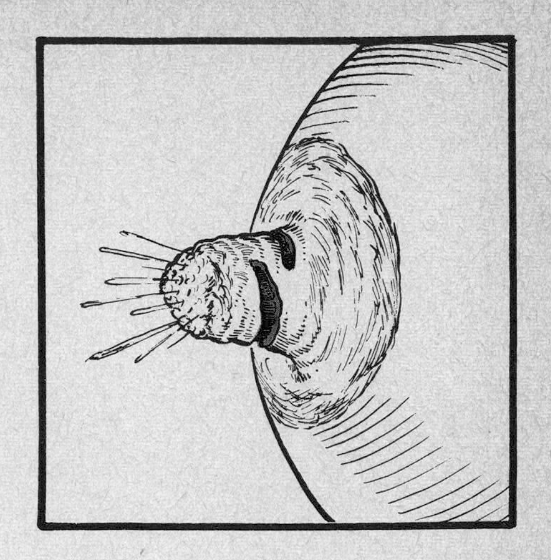

Abb. 185 Rhagaden einer erigierten Brustwarze während der Laktation. Während des Stillens oder Abpumpens wird die Warze stark ausgezogen. Milch spritzt im Strahl aus vielen Milchgängen heraus. Einrisse erfolgen vorwiegend zirkulär. Bei ruhender Brust sind die Verletzungen in der erschlafften Warze nur schwer auffindbar

da bei unverletztem Milchgangsepithel sich eine Infektion schwer ausbreitet, wenn es nicht zu einer Stauung der Milch kommt.

SYMPTOMATIK. Mitteilungen über die Häufigkeit der Mastitis puerperalis schwanken zwischen 7 und 16 % aller Wöchnerinnen. Wir sahen in den letzten Jahren wesentlich weniger. Die Mastitis stellt auch heute noch eine schwere Komplikation des Wochenbettes dar. Sie tritt vorwiegend zwischen dem 10. und 15. Wochenbettstag auf. Die Patientin wurde gerade aus dem Krankenhaus entlassen. Sie verspürt spannende Schmerzen in einer Brust. Der Stillakt wird schmerzhafter. Aus Angst entleert sie die Brust nur noch ungenügend. Dadurch tritt eine zusätzliche Stauung auf, ein Circulus vitiosus beginnt. Derbe schmerzhafte Bezirke lassen sich in der Brust nachweisen. Rascher Fieberanstieg auf 39–41° C, oft mit Schüttelfrost. Sehr bald diffuse Rötung der Haut über dem Entzündungsherd. Schwellung der Achsellymphknoten. Unbehandelt kommt es zur eitrigen Einschmelzung und umschriebenen, aber auch multiplen Abszeßbildung (Abb. 186). Oberflächlich liegende Abszesse können spontan die Haut perforieren. Auf Grund der Lokalisation unterscheidet man subareoläre, subkutane, intramammäre und retromammäre Abszesse.

DIAGNOSE. Ergibt sich aus dem Zeitpunkt post partum, den starken Schmerzen der Patientin, der Inspektion der erkrankten Brust (Rötung, Schwellung) und der vorsichtigen Palpation. Sehr wichtig ist es, eine eventuelle Fluktuation eines bereits eingeschmolzenen Abszesses zu tasten.

THERAPIE. Besteht der Eindruck, daß es sich um ein frühes Stadium der Entzündung ohne Abszedierungstendenz handelt, kann eine hochdosierte antibiotische Therapie versucht werden (5 Tage lang, 1–2 g

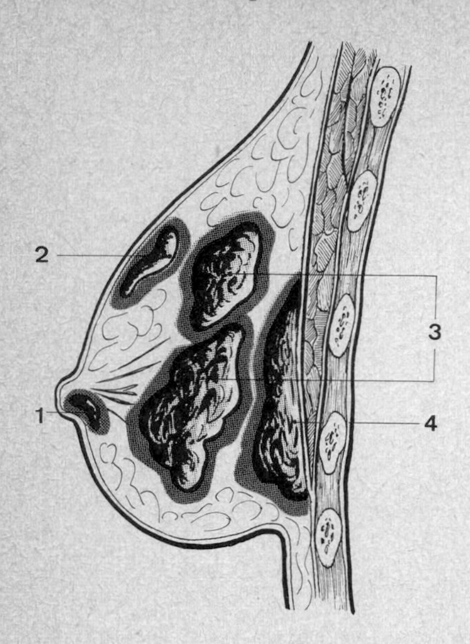

Abb. 186 Lokalisation von puerperalen Mammaabszessen, 1. subareolär, 2. subkutan, 3. intramammär, 4. retromammär. — Wenn man z. B. die hier gezeichneten, intramammären Abszesse eröffnet, durchtrennt man stumpf die noch stehende dünne Wand zwischen beiden Abszessen, um eine Entleerung beider Höhlen zu erreichen

eines Tetracyclins). Die Brust muß gründlich entleert werden, wobei das Abpumpen am besten durch eine erfahrene Säuglingsschwester erfolgen sollte. Bessert sich der Zustand rasch, so kann die Wöchnerin das Stillen fortsetzen. Während der entzündlichen Erkrankung sollte das Kind nicht angelegt werden, sondern die abgepumpte Milch der gesunden Seite erhalten. Die Milch der erkrankten Seite wird verworfen, um eine intestinale Staphylokokkeninfektion des Neugeborenen zu vermeiden.

Die Entscheidung, ob es sich bei der betroffenen Frau um eine noch resorbierbare Entzündung oder eine bereits in Einschmelzung befindliche handelt, kann schwierig sein. Ist eine Einschmelzung bereits im Gange, so bilden sich während der antibiotischen Therapie schwielige Abszeßkapseln, die die Erkrankung außerordentlich prolongieren.

Eine einschmelzende oder bereits eingeschmolzene Mastitis sollte erst zur Inzisionsreife gebracht werden, ehe man entscheidet, ob der Allgemeinzustand der Patientin eine antibiotische Therapie erfordert (Fieberkontinua). In diesem Fall wird die Brust möglichst weitgehend entleert und dann so schnell wie möglich ruhiggestellt (Hochbinden der Brust, Alkoholumschläge). Die radikale Einschränkung der Flüssigkeitszufuhr wird mit Diuretika unterstützt. Mit einer Gabe eines Gemisches von Östrogenen und Testosteronabkömmlingen (z. B. Ablacton) wird die Patientin abgestillt. Täglich muß geprüft werden, ob die Brust abgepumpt werden muß, um eine zusätzliche Stauung zu vermeiden. Äußerste Sauberkeit zur Verhütung einer Infektion in der gesunden Brust ist erforderlich. Etwa 20 % der Mastitispatientinnen erkranken an beiden Brüsten. Mit 2mal 10 Min. Rotlicht pro die auf den Bereich des Einschmelzungsherdes versucht man, die Abszeßbildung zu beschleunigen. Ähnlich wie beim BARTHOLINschen Abszeß muß man mit der Wahl des Zeitpunktes zur Inzision Geduld haben, da eine zu früh inzidierte Mastitis schlecht heilt.

Zur Inzision sticht man an der Stelle der stärksten Fluktuation ein und erweitert auf etwa 2—3 cm mit einem radiären Schnitt, wobei der Eiter oft unter Druck herausspritzt (Abimpfen des Eiters zur Erreger- und Resistenzbestimmung). Mit einem Finger tastet man die Abszeßhöhle aus, wobei Gewebsstränge stumpf durchtrennt werden. An dem tiefsten Punkt der Abszeßhöhle legt man eine Gegeninzision an und drainiert die Wundhöhle nach beiden Inzisionswunden. Liegen die Abszesse unter oder in der Nähe der Mamille, geht man besser von einem kosmetisch günstigen, perimamillären Schnitt aus. Retromammäre Abszesse müssen durch einen bogenförmigen Schnitt an der Basis der Mamma (BARDENHEUER) eröffnet und drainiert werden. Trotz Antibiotika schmelzen heute noch etwa 80 % aller Mastitiden ein.

Nach der Inzision mit guter Drainage heilt die Mastitis meist schnell aus. Protrahierte Verläufe kommen vor. Wir haben mit der Spülung der Abszeßhöhle mit antibiotischen Lösungen oder 3 %iger H_2O_2-Lösung gute Erfahrungen gemacht.

Zur Prophylaxe einer Mastitis puerperalis gehört die richtige Belehrung der meist unerfahrenen Mutter (Mastitis befällt vorwiegend Erstgebärende). Täglich frische, heißgebügelte Stilltücher. Händewaschen vor Berührung der Brüste. Tägliche abendliche Reinigung der Brustwarzen von Salben- und Puderresten mit klarem Wasser und frischem Waschlappen. Über Nacht Auflegen eines Salbenläppchens (z. B. Laktomycin-Salbe, Fissan-Brustwarzensalbe u. a.). Nach jedem Stillakt leichtes Einpudern der Warze (z. B. Fissan-Puder u. a.). Hat das Kind durch zu kräftiges Saugen die Brustwarze verletzt, so sollte diese Seite einige Tage lang abgepumpt werden, bis die Wunde verheilt ist. Beim Abpumpen soll die stillende Frau das Parenchym kreisförmig abtasten und ausdrücken, um noch mit Milch gefüllte Drüsenläppchen vollständig zu entleeren.

Mastitis außerhalb des Wochenbettes

Selten. Ätiologisch kommen Verletzungen der Mamille in Frage. Bei älteren Frauen muß an ein Karzinom gedacht werden, welches randständig zur eitrigen Einschmelzung oder zu einem Begleiterysipel führt. Symptomatik und Diagnose sind ähnlich wie bei der puerperalen Mastitis. Die Abszesse sind nicht so ausgedehnt wie in der Mamma lactans. Die Therapie besteht nach Einschmelzung in der Inzision. Rauhigkeiten in der Abszeßmembran sollten exzidiert werden. Nach Abheilung des Abszesses sorgfältige Kontrolle und eventuelle Exstirpation eines verbleibenden Restknotens, um ein Karzinom auszuschließen.

Mastitis des Neugeborenen

Durch den Hormoneinfluß der Mutter bis haselnußgroße Proliferation des Drüsenkörpers. Wird an dem vergrößerten Drüsenkörper unsachgemäß gedrückt (Abdrücken von „Hexenmilch"), so kann es zur Keiminfektion und Abszeßbildung kommen. Die spätere Mammaentwicklung kann dadurch beeinträchtigt werden. — Eine ähnliche Mastitis wird in extrem seltenen Fällen bei Beginn der Pubertät beschrieben.

Chronische Mastitis

Bei älteren Patientinnen kommen chronische Brustdrüsenentzündungen vor, bei denen diffuse, vorwiegend perikanalikuläre, entzündliche Zellinfiltrate das Bild beherrschen. Die Erkrankung ist fieberfrei, Schmerzen werden nur gering und diffus angegeben. Die gesamte Brust ist derber als normal. Die Brustwarze kann sich einziehen. Die Diagnose ist schwierig, da bei Gewebsentnahmen immer der Verdacht bleibt, daß die Exzision aus dem Randbezirk eines kleinen Krebses stammt. Therapeutisch sollte eine konservative, antibiotische Therapie versucht werden.

Spezifische Brustdrüsenentzündungen

Die Brustdrüsen können von Tuberkulose (hämatogen), Lues (Primäraffekt an der Mamille, Gummata im Drüsenparenchym), Aktinomykose und Pilzerkrankungen befallen werden.

Entzündliche Veränderungen nach Traumen

Vorwiegend stumpfe Traumen (Fall, Stoß, Schlag) können in der Mamma zu Hämatomen oder zu Fettgewebsnekrosen führen. Die langsame Resorption des zerstörten Gewebes mit Fremdkörpergranulationsgewebe führt zu einer Gewebsverdichtung. Wird diese exstirpiert, lautet die histologische Diagnose „lipophages Granulom" oder „Granulationsgewebe mit Hämosiderineinlagerungen". Oft ist das Trauma anamnestisch nicht mehr nachweisbar, weil sich die Frauen an den Vorgang nicht mehr erinnern.

Zusammenfassung: Entzündliche Veränderungen der weiblichen Brust spielen sich vorwiegend in der laktierenden Brust (Mastitis puerperalis) ab. Bakterien dringen durch kleine Mamillenverletzungen auf dem Lymphweg in die Brust ein und verursachen meist abszedierende Erkrankungen. Die Wöchnerin erkrankt mit starken Schmerzen, Fieber, Rötung der Brust und Abszedierung. Im Anfang der Erkrankung kann eine resorbierende antibiotische Therapie versucht werden. Bei Einschmelzungstendenz ist die Inzision mit Drainage und Gegeninzision die Therapie der Wahl. – Eine Mastitis außerhalb des Puerperiums ist selten. Es muß ein Begleitkarzinom erwogen werden. – Die Neugeborenenmastitis entsteht durch unsachgemäßes Ausdrücken des hormoninduzierten kleinen Drüsenkörpers. – Ältere Frauen erkranken in seltenen Fällen an einer chronischen, die Mamma diffus durchsetzenden Entzündung. Spezifische entzündliche Brustdrüsenerkrankungen sind selten. – Nach Traumen entstehen lipophage Granulome oder hämosiderinhaltiges Granulationsgewebe.

Gutartige Tumoren

Epitheliale Geschwülste

Reine Adenome

Geschwulstmäßige in abgegrenzten Herden wuchernde, bis gänseeigroße Milchdrüsen. Die Drüsen stehen dicht, sind z. T. erweitert, das Stroma ist nur gering entwickelt. Adenome haben durch Verdrängung des umgebenden Gewebes eine Geschwulstkapsel und sind daher gut tast- und abgrenzbar. Meist werden sie durch ihre zusätzliche Schwellung während eines Gestationsvorganges entdeckt. Die beobachteten Patientinnen waren 18—21 Jahre alt.

THERAPIE. Exstirpation des Tumors mit sorgfältiger histologischer Aufarbeitung.

Milchgangspapillome

Isolierte, oft aber multiple papillomatöse Wucherung in den großen Milchgängen zentral unterhalb der Brustwarze. Charakteristisch ist die **blutige Sekretion** aus der Mamille. Die Größe der Papillome schwankt zwischen erbs- bis hühnereigroß, kleine sind nicht tastbar. Manchmal befindet sich ein größeres Papillom in einem zystischen

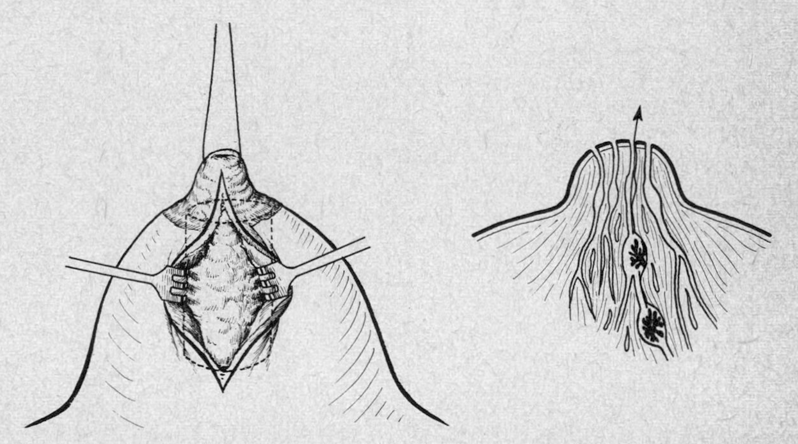

Abb. 187 Prinzip der Milchgangsexzision nach Urban bei pathologischer Sekretion aus der Mamille ohne Palpationsbefund. In diesem Falle handelt es sich um zwei Milchgangspapillome mit blutiger Sekretion

Hohlraum. Befällt Frauen aller Altersklassen, vorwiegend aber zwischen dem 40. und 50. Lebensjahr. Unverheiratete, kinderlose Patientinnen erkranken häufiger. – Milchgangspapillome können bei günstiger Lage durch eine **Röntgenkontrastdarstellung der Milchgänge** (Galaktographie) lokalisiert werden. Papillome gehen gehäuft in Karzinome über. Zur Therapie exzidiert man unter der Mamille einen Gewebszylinder (Milchgangsexzision nach URBAN; Abb. 187). Bei multipler ausgedehnter Ausbreitung muß in seltenen Fällen der ganze Drüsenkörper entfernt werden.

Mesenchymale Geschwülste

Fibroadenome

Es handelt sich um eine gemischt epithelial-mesenchymale Geschwulst, in der die bindegewebige Komponente überwiegt. Meist einseitig und solitär. Tritt vorwiegend zwischen dem 20. und 30. Lebensjahr auf. Die Tumoren wachsen langsam, sind erbs- bis pflaumengroß, sehr derb, beweglich, gut abgrenzbar. Die Oberfläche erscheint palpatorisch nicht immer glatt, sondern man tastet rundliche Vorwölbungen. Die Haut ist niemals eingezogen, bei hautnahem Sitz und mageren Patientinnen eher etwas vorgewölbt. Histologisch unter-

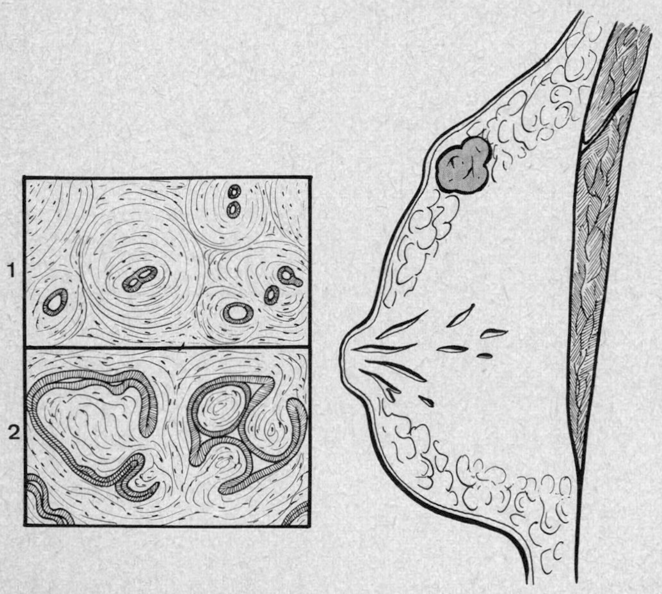

Abb. 188 Fibroadenom. Die Tumoren können einen perikanalikulären (1) oder intrakanalikulären (2) Aufbau zeigen

scheidet man ein intrakanalikuläres von einem perikanalikulären Fibroadenom (Abb. 188). Die Therapie besteht in der Exstirpation der Geschwulst, wobei ein kosmetisch günstiger Hautschnitt gewählt werden sollte (perimamillär, sorgfältige Hautadaption), um bei den jungen Patientinnen entstellende Narben zu vermeiden.

Andere Geschwülste

Fibrome, Lipome, Angiome, Myome, Chondrome, Osteome und Myxome wurden beschrieben. Es handelt sich um seltene Geschwülste. Die Diagnose wird histologisch am exstirpierten Tumor gestellt.

Zusammenfassung: Gutartige Tumoren der weiblichen Brust treten vorwiegend in jungen Jahren auf. Adenome sind selten und werden oft in Folge der Schwellung während der Gravidität entdeckt. Papillome wachsen in Milchgängen isoliert und multipel. Klinisch sind sie durch die blutige Sekretion aus der Mamille gekennzeichnet. Fibroadenome sind derbe, gut abgrenzbare Mischgeschwülste, bei denen die bindegewebige Komponente überwiegt. Andere gutartige Tumoren sind selten. Bei der Exstirpation sollten kosmetische Gesichtspunkte berücksichtigt werden.

Mastopathie

Das vielschichtige Erscheinungsbild einer Brustdrüsenveränderung, welches allgemein mit dem unverbindlichen Namen „Mastopathie" bezeichnet wird, soll hier zwischen dem Kapitel der gut- und bösartigen Mammatumoren stehen.

ÄTIOLOGIE. Nicht sicher geklärt. Tritt vorwiegend bei Frauen im geschlechtsreifen Alter auf, die an einer Labilität des Zyklus mit verlängerten Eireifungsphasen, zu kurzen Corpus-luteum-Phasen oder anovulatorischen Zyklen leiden. Häufiger bei nicht verheirateten und kinderlosen Frauen. Man nimmt an, daß die fehlende Balance zwischen Östrogenen und Gestagenen mit Bevorzugung der Östrogene einen vermehrten Proliferationsreiz auf alle Gewebsanteile des Brustdrüsenkörpers ausübt (Drüsenazini, kleine und große Milchgänge, Drüsenstroma). Die These wird durch Tierversuche unterstützt, bei denen es mit Follikelhormonen in höherer Dosierung gelingt, im Brustdrüsenparenchym ähnliche Veränderungen zu erzeugen wie bei der Mastopathie der weiblichen Brust.

SYMPTOMATIK. Etwa 1/3 aller gutartigen Brustdrüsenerkrankungen sind Mastopathien. Es wird das 4. und 5. Lebensjahrzehnt bevorzugt. Wie unten ausgeführt werden wird, unterscheidet man mehrere Formen der Mastopathie, die von leichteren in schwerere Grade übergehen. Bei jüngeren Frauen ist meist die leichteste Form vorhanden. Die Schwere der Veränderung steigt mit dem fortschreitenden Lebensalter an, bis gegen Ende der Geschlechtsreife ein karzinomatöser Übergang auftreten kann. Nach Eintritt in die Postmenopause finden sich kaum Neuerkrankungen. Die in früheren Jahren bei der Patientin beobachtete Veränderung kann eine wesentliche Rückbildungstendenz zeigen oder ganz verschwinden, wenn der Übergang zum Karzinom ausgeblieben ist.

Morphologisch kann man die Mastopathie in folgende Formen einteilen (Abb. 189):

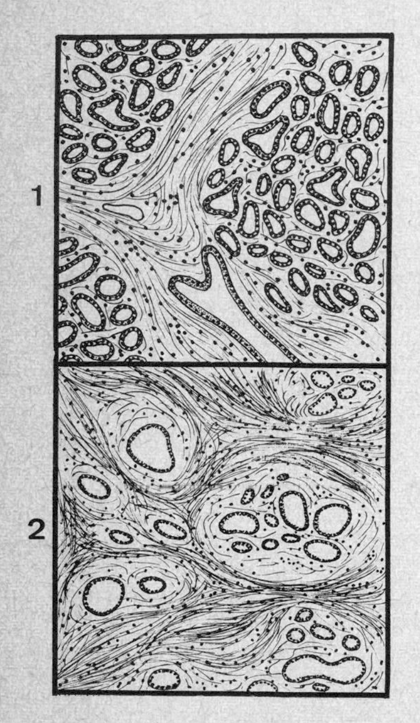

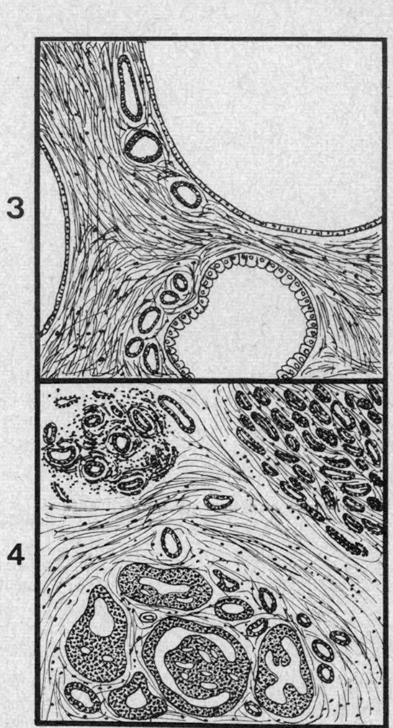

Abb. 189 Schematischer Überblick über mastopathische Mammaveränderungen. 1. Normales Brustdrüsenparenchym einer erwachsenen Frau, 2. geringe Erweiterung von Drüsenazini und kleinen Milchgängen bei Vermehrung des perilobulären Bindegewebes (Mastodynie), 3. makroskopisch zystische Erweiterung von Milchgängen, apokrine Metaplasie in Zysten, Vermehrung des perilobulären Bindegewebes (zystische Mastopathie), 4. intraduktale und intraazinäre proliferierende Vorgänge, rechts oben ist eine fibrosierende Adenose, links oben eine myoepitheliale Wucherung und in der unteren Bildhälfte eine intrakanalikuläre Epithelproliferation angedeutet

1. Mastodynie: Vermehrung des bindegewebigen Drüsenstromas, dadurch Auseinanderdrängung der Drüsenläppchen. Durch Abschnürung von Drüsenazini und kleinsten Gängen kommt es zu kleinen Zystenbildungen (mikroskopisch erkennbar bis maximal

erbsgroß). Prämenstruelle Brustspannung verstärkt sich oder wird zum Dauerschmerz.

2. Zystische Mastopathie: Die bindegewebige Umwandlung des Drüsenkörpers ist fortgeschritten. Teils durch Abschnürung, teils durch eine Proliferation von Drüsengängen sind einzelne, aber auch multiple Zysten ganz unterschiedlicher Größe entstanden. Die Zysten sind makroskopisch erkenn- und meist tastbar (erbs- bis hühnereigroß). Sie sind von einem trüben grauen Sekret erfüllt.
3. Proliferierende Hyperplasie aller Bestandteile des Drüsenkörpers:
   a) Drüsenproliferation mit mikro- und makroskopisch erkennbarer Erweiterung und apokriner Metaplasie des Drüsenepithels.
   b) Drüsenproliferation mit intraazinärer und intraduktaler Epithelproliferation.
   c) Drüsen- und Bindegewebsproliferation innerhalb einzelner Läppchen, wobei im histologischen Schnitt die Drüsenbildung nur noch schwer erkennbar ist (fibrosierende Adenose = sclerosing adenosis). Wird häufig mit einem szirrhösen Karzinom verwechselt.
   d) Wucherung der muskulären Wandelemente der Milchgänge (myoepitheliale Hyperplasie).

Die gewählte Einteilung entbehrt nicht des Zwanges. Es kann bei einer Patientin die eine oder andere Form vorherrschen. Es können auch alle beschriebenen Bilder parallel vorkommen. Die unter 3 b und 3 c angegebenen Veränderungen sind als **Präkanzerosen** zu bewerten. Viele Autoren sind ohnehin dazu übergegangen, das Gesamtbild der Mastopathie als **Dysplasie der Mamma** zu bezeichnen, womit die Disposition zur Karzinomentstehung verstanden wird.

Die mastopathische Veränderung kann auf einen Drüsenabschnitt beschränkt sein (vorwiegend oberer äußerer Quadrant der Brust), sie kann einseitig, aber auch fast die ganze Brustdrüse ergreifen und doppelseitig auftreten. Bei Patientinnen mit Mastopathie ist das prämenstruelle Spannungsgefühl in den mastopathischen Herden verstärkt und kann in einen leichten Dauerschmerz übergehen. Meist bemerken die Patientinnen selbst eine Verhärtung des Drüsenparenchyms. — Schließlich kommt es bei Patientinnen mit Mastopathie nicht selten zu einer pathologischen Absonderung aus der Brustwarze (Entleerung von gestauten Milchgängen). Das Sekret kann wäßrig serös, aber auch trüb braun, gelegentlich sogar blutig sein. Die axillären Lymphknoten sind nicht verändert.

DIAGNOSE. Bei der Anamnese sollte man genau erfragen, ob die Brustschmerzen mit dem Zyklus in Zusammenhang stehen. Bei der Inspektion der Brust kann man, wenn es sich nicht um große Zysten handelt, keine Abweichungen erkennen. Palpatorisch fühlt man das betroffene Mammagewebe derber als normal, meist grobkörnig (Mastodynie). Haben sich multiple kleine Zysten entwickelt, entsteht palpatorisch der Eindruck, als sei die Mamma mit kleinen Kugeln gefüllt. Der verdichtete Gewebsbezirk ist gut verschieblich, aber unscharf von der Umgebung abgesetzt. Bei Bewegungen des Brustdrüsenkörpers keine Haut- oder Mamilleneinziehung. Größere Zysten sind als prallelastische Gebilde im Mammaparenchym zu tasten. Sie sind gut verschieblich und glatt begrenzt. – Bei dem Befund „Mastopathie" bleibt immer die Sorge, ob sich ein maligner Prozeß dabei abspielt. Die Palpationsuntersuchung kann keine Klarheit bringen. – Die Mammographie (s. S. 285) läßt eine weitergehende Aussage zu. Beschreibt der Röntgenologe die Aufnahmen als typisch für eine Mastopathie, so halten wir eine Wartezeit mit Kontrollaufnahmen innerhalb von 3 Monaten für vertretbar. Eine wirkliche Klärung können nur die Exstirpation des betroffenen Gebietes und dessen histologische Bearbeitung bringen. Die Häufigkeit des Brustkarzinoms ist bei Frauen mit Mastopathie über 10mal größer als bei vergleichbaren Altersklassen ohne Mastopathie. Gefährdet sind vor allem die Patientinnen mit einer proliferativen Tendenz des Brustparenchyms.

THERAPIE. Die therapeutischen Möglichkeiten beim Vorliegen einer Mastopathie sind begrenzt. Die operative Exstirpation dient zunächst der Diagnose. Handelte es sich um einen isolierten Herd, war der Eingriff gleichzeitig therapeutisch. Meist bestehen aber weitere mastopathisch veränderte Bezirke in der betroffenen Brust, so daß der behandelnde Arzt vor dem Dilemma steht, wieviel er vom Brustparenchym exstirpieren soll, ohne die Brust zu deformieren.

Die Überlegungen zur endokrinen Ätiologie der Veränderung sind auch zu therapeutischen Zwecken herangezogen worden. Leider ist der Erfolg bisher ausgeblieben, im Gegenteil muß vor der kritiklosen Anwendung von Hormonen bei Mastopathien gewarnt werden. Bei subjektiv quälenden, schmerzhaften Mastopathien kann eine Besserung mit Gestagenen in der Sekretionsphase versucht werden. Lokal wurden früher heiße Bäder, Packungen, Kurzwellen usw. angewandt. Die vernünftigste Empfehlung ist ein gut sitzender Büstenhalter, der der Brust einen Halt verleiht, ohne das Parenchym zu drücken (Korsettstäbchen können zusätzliche Beschwerden verursachen).

Zusammenfassung: Die Mastopathie entsteht im 4.–5. Lebensjahrzehnt offenbar als Folge einer unausgeglichenen Balance der Sexualhormone unter Bevorzugung der Östrogene. Morphologisch unterscheidet man die Mastodynie von der zystischen Mastopathie und der proliferierenden Hyperplasie aller Bestandteile des Drüsenkörpers. Letztere ist als Präkanzerose aufzufassen. Insgesamt gilt die Mastopathie als Dysplasie der Brustdrüse. – Die Erkrankung tritt umschrieben, aber auch multipel, ein- und doppelseitig auf. Die klinische Unterscheidung vom Karzinom ist schwer. Die röntgenologische Weichteilaufnahme der Brust (Mammographie) gibt eine größere diagnostische Sicherheit. Die Therapie ist dann problematisch, wenn große Anteile der Brüste davon befallen sind. Mastopathiepatientinnen erkranken 10mal häufiger an Brustkrebs als vergleichbare gesunde Frauen.

Bösartige Tumoren

Mammakarzinome

4–5 % aller Frauen erkranken an Brustkrebs. Damit steht das Mammakarzinom an der Spitze aller Krebslokalisationen der Frau und übertrifft noch die Häufigkeit des Kollumkarzinoms. – Wie für alle Karzinomerkrankungen gilt auch hier, daß die Heilungschancen um so besser sind, je eher eine Diagnose gestellt wird, d. h. je kleiner der Primärherd ist. Leider ist trotz mancher diagnostischer Fortschritte eine echte Frühdiagnose des Mammakarzinoms nicht möglich. Die zu dem Formenkreis der Mastopathie gehörenden intraepithelialen Proliferationen werden zwar als Carcinoma in situ der Brust bezeichnet, aber nur zufällig in Gewebsexzisionen entdeckt. Eine den Vorstadien des Kollumkarzinoms vergleichbare Frühdiagnostik gibt es für das Mammakarzinom nicht.

ÄTIOLOGIE. Unbekannt. Offenbar spielen endogene Faktoren eine wesentliche Rolle, was sich schon aus der Tatsache ergibt, daß Männer sehr selten an einem Mammakarzinom erkranken. Epidemiologische Analysen verschiedener Kliniken haben sich oft widersprochen. Eine annähernde Übereinstimmung gibt es für ätiologische Faktoren, die auch z. T. für das Endometriumkarzinom gelten: Unverheiratete und kinderlose Frauen erkranken häufiger als kinderreiche. Frauen mit wiederholten und langen Stillperioden erkranken seltener als jene, die nicht oder nur kurz stillten. Frauen mit unstabilem zyklischen Geschehen während der Geschlechtsreife erkranken öfter als solche mit einer ausgeglichenen Hormonbalance. Mastopathiepatientinnen erkranken über 10mal so häufig an Mammakarzinom wie Frauen ohne Mastopathie. – Familiäre Häufungen sind beschrieben worden. Eine genetische Disposition ist nicht nachweisbar. Sozial gut gestellte Frauen erkranken häufiger als solche aus armen Bevölkerungsgruppen (Stillgewohnheit?), Frauen erkranken in Städten häufiger als auf dem Lande, Jüdinnen oft, Japanerinnen selten an Mammakarzinom. – Traumen im Brustbereich stehen in keinem Zusammenhang mit der Entstehung eines Brustkarzinoms; sie befriedigen nur das Kausalitätsbedürfnis des Laien.

SYMPTOMATIK. Die meisten Patientinnen sind zwischen 45 und 55 Jahre alt, wenn bei ihnen die Diagnose Brustkrebs gestellt wird. Bezieht man aber die Häufigkeit auf vergleichbare Altersklassen und läßt die normale Absterberate in die Analyse eingehen, so zeigt sich, daß mit steigendem Lebensalter die Erkrankungsfrequenz an Mammakarzinom eindeutig zunimmt. Aber auch jüngere Patientinnen (unter 35) erkranken an Mammakarzinom, wobei klinisch der Eindruck besteht, daß der Krebs in diesen Fällen bösartiger und schneller verläuft als bei alten Frauen. Unter dem 20. Lebensjahr ist das Mammakarzinom eine Rarität.

Morphologisch ist das Mammakarzinom sehr vielgestaltig. Bei einer Patientin überwiegt meist ein Tumortyp, wenn auch Mischformen vorkommen können. Karzinome können in den Drüsenläppchen (Lobuli) oder in kleinen und großen Milchgängen entstehen.

Es überwiegen folgende Formen (in Anlehnung an STEWART 1968):

1. **Milchgangskarzinome**
   a) Nicht infiltrierend
      papillär (Milchgangspapillome werden hierzu gerechnet)
      solide (Komedokarzinom)
   b) Infiltrierend
      papillär
      solide (Komedokarzinom)
      mit produktiver Fibrose (Szirrhus)
      Kolloid- oder Gallertkarzinom
      medullär
      umschriebenes Milchgangskarzinom mit Plasmazellinfiltration
2. **Lobuläre Karzinome**
   a) Carcinoma in situ (auf ein Läppchen beschränkt)
   b) infiltrierendes lobuläres Karzinom
3. **Seltene Karzinome**
   u. a. Morbus PAGET

Die verschiedene Typisierung nach ihrem morphologischen Feinbau ist nicht nur für den Histopathologen von Interesse, sondern in manchen Fällen mit Besonderheiten im klinischen Erscheinungsbild und Krankheitsablauf verknüpft. Der histologische Feinbau steht in gewisser Beziehung zum Malignitätsgrad der Karzinome. Das solide Karzinom ist prognostisch ungünstiger als das medulläre Karzinom und das Gallertkarzinom. — Die verschiedene Wachstumsgeschwindigkeit der Krebse geht aus der Tatsache hervor, daß Frauen mit unbehandelten Mammakarzinomen vom Zeitpunkt der Diagnose an, in 20 % der Fälle durchschnittlich nach 5 Jahren noch leben, in weniger als 5 % sogar noch nach 15 Jahren.

Die rechte und linke Mamma werden gleich häufig befallen. Dagegen zeigt Abb. 190, daß die verschiedenen Regionen einer Brust in unterschiedlichem Ausmaß betroffen werden, mit einer deutlichen Bevorzugung des oberen äußeren Quadranten. Bei 2 % aller Brustkrebspatientinnen besteht von Beginn an ein Karzinom beider Brüste.

Trotz der Behandlung des Brustkrebses einer Seite bleibt bei der Patientin die Disposition zum Brustkrebs bestehen, so daß mit dem Auftreten einer Krebserkrankung in der zweiten Brust wesentlich häufiger zu rechnen ist (bis zu 16 %) als bei einem vergleichbaren gesunden Kollektiv.

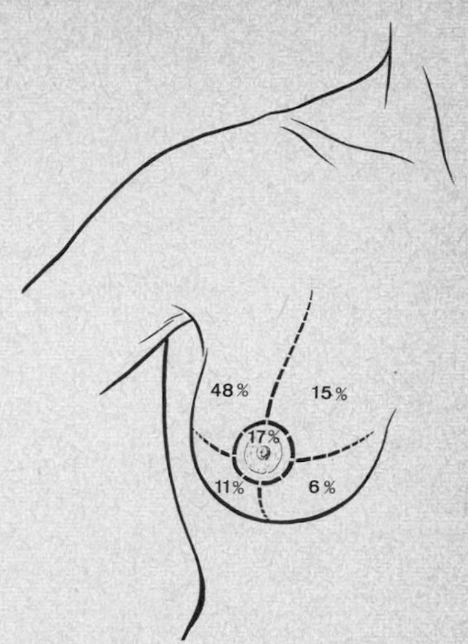

Abb. 190 Lokalisation von Mammakarzinomen (Prozentzahlen aus Spratt, Donegan, 1967)

Alle Mammakarzinome bevorzugen die lymphogene Ausbreitung. Der Lymphabfluß der Mamma führt vorwiegend in die Lymphknoten der Axilla und in den Lymphstrang entlang der A. thoracica interna. Bei einem Durchmesser des Primärtumors von 1–2 cm ist bereits in rund 55 % eine diskontinuierliche Ausbreitung auf dem Lymphweg erfolgt. Hat der Primärtumor einen Durchmesser von über 6 cm, so sind in rund 85 % der Fälle die abhängigen Lymphknoten vom Krebs durchsetzt.

Der Lymphstrang entlang der A. thoracica interna mündet direkt in die Blutbahn, wodurch der hämatogenen Metastasierung nichts mehr im Wege steht. Mammakarzinomzellen haben eine besondere Affinität zum Knochenmark. Ausgedehnte Knochenmetastasen in der Wirbelsäule, aber auch an allen anderen Stellen des Skelets sind häufig. Die parenchymatösen Organe bleiben lange frei, eher kommt es zu umschriebenen Hautmetastasen.

Das **solide Karzinom** kann u. a. zu den bösartigsten Formen der Mammatumoren gehören. Kurze Anamnese, da schnelles Wachstum in rundlichen, schlecht abgrenzbaren Knoten. Die Brust wird durch den Tumor vergrößert. Häufig rascher Durchbruch durch die Haut und dort pilzförmiges Weiterwachsen. Einwachsen in den M. pectoralis major, wodurch die Brust unverschieblich ihrer Unterlage aufsitzt. Bei schnell wachsenden Mammakarzinomen kann eine erysipelartige Infektion der Haut zunächst eine unspezifische Mastitis vortäuschen, die dann besonders irreführend ist, wenn es sich um die seltene Kombination Karzinom und Schwangerschaft oder Wochenbett handelt (Abb. 191, 193/2).

Die in den Milchgängen entstehenden **papillären Karzinome** sitzen bevorzugt im Zentrum der Brust oder mamillennahe. Auch hier kann eine Einziehung der Warze vorhanden sein. Hat das Karzinom An-

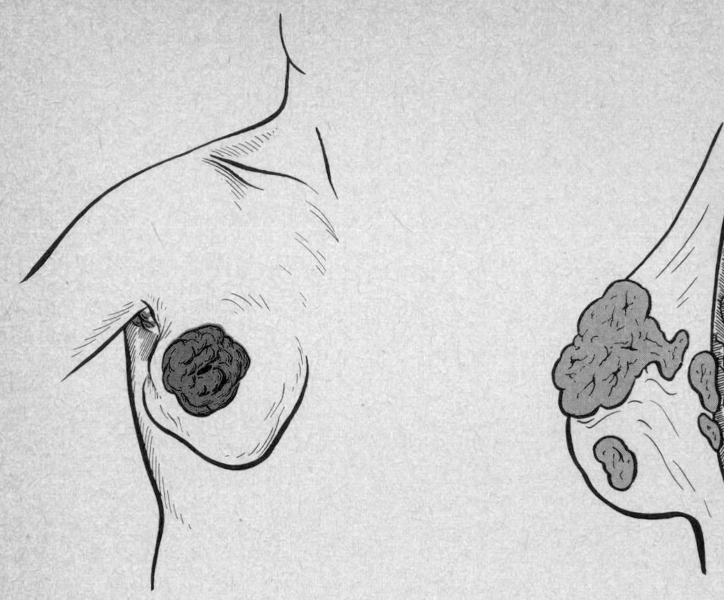

Abb. 191 Rasch wachsendes Mammakarzinom mit Durchbruch durch die Haut, dort pilzförmiges Weiterwachsen. Tumoreinbruch in den M. pectoralis major. Lymphknotenmetastasen in der Axilla

schluß an größere Milchgänge, kann es zu einer pathologischen Sekretion aus der Warze kommen. Das Sekret ist uncharakteristisch serös, trüb, schmutzig braun bis blutig.

Das **szirrhöse Karzinom** ist mit 35 % aller Mammakarzinome am häufigsten. Diese Krebsform wächst in schmalen Strängen in gesundes Gewebe ein. Das tumoreigene Bindegewebe neigt zur Retraktion, so daß die betroffene Brust sich zu verkleinern scheint. Die Haut über dem Karzinom wirkt eingezogen oder ist nicht mehr verschieblich. Die Mamille wird durch ein naheliegendes szirrhöses Karzinom eingezogen. Der Tumor ist meist nicht gegen die Umgebung verschieblich. Mit fortschreitendem Wachstum verschwindet die normale Brust einschließlich Brustwarze und bedeckender Haut. Es bietet sich das Bild des flächenhaft ausgebreiteten offenliegenden Karzinoms, welches

⟶

Abb. 192 Szirrhöses Karzinom. Zunächst meist Warzeneinziehung und/oder Hauteinziehung. Im fortgeschrittenen Zustand Ausbildung des sog. Cancer en cuirasse. Unten ist der histologische Aufbau eines Szirrhus dargestellt

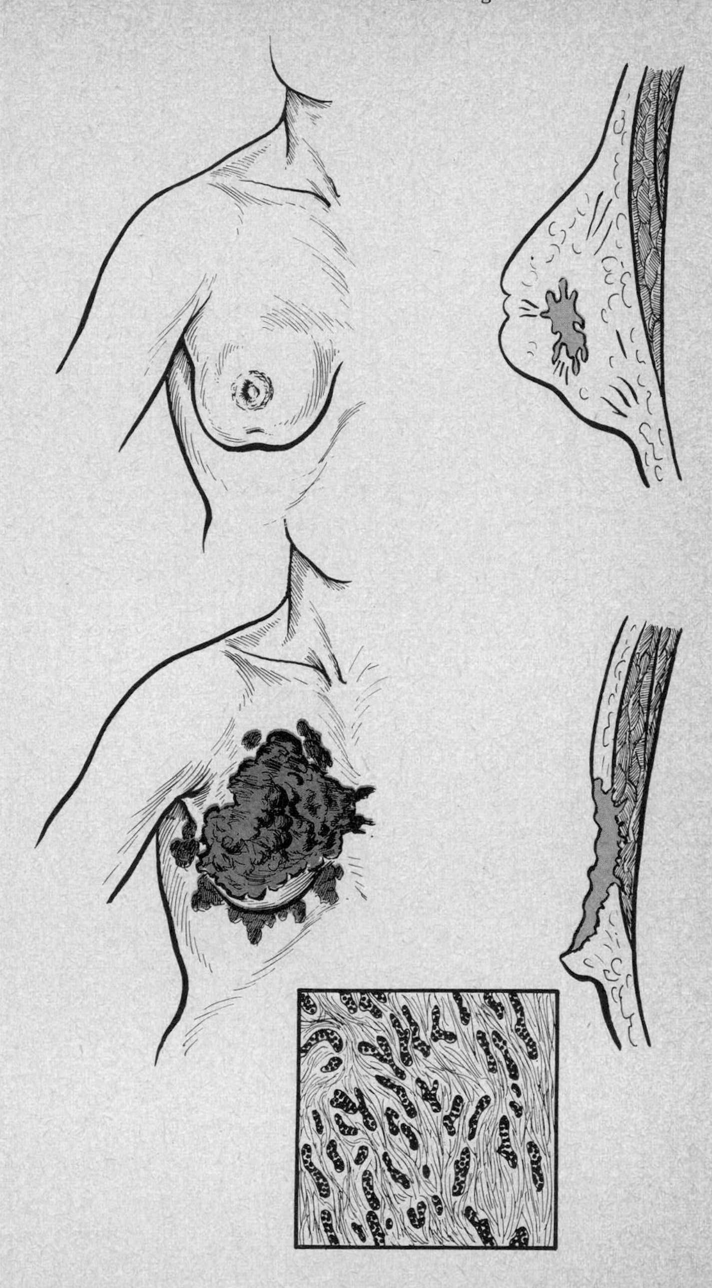

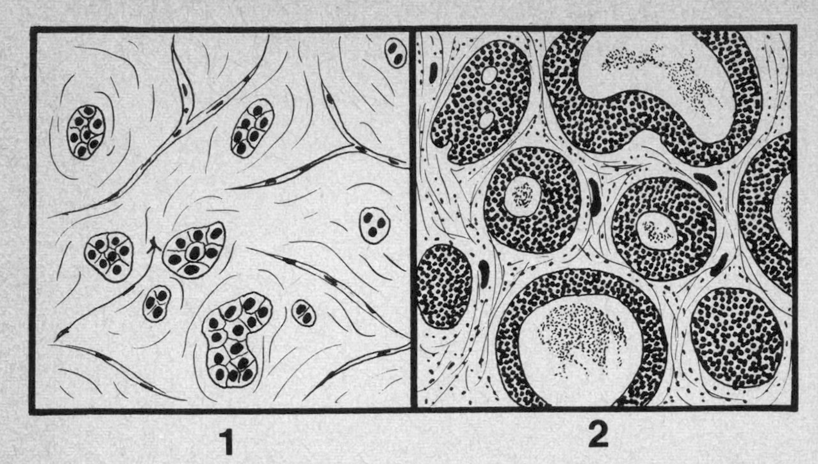

Abb. 193 Histomorphologie eines Gallertkarzinoms (1) und eines Milchgangskarzinoms (2)

in den M. pectoralis major und die Thoraxwand einwächst. Man hat diesen Zustand mit einem Brustpanzer verglichen und daher auch „Cancer en cuirasse" genannt. Der Szirrhus ist der Brustkrebs der älteren Frau (Abb. 192).

Der Gallertkrebs wächst verhältnismäßig langsam, knotenförmig und buckelt die Haut vor, wobei aber auch bald die Unverschieblichkeit der Haut festgestellt werden kann. Der Gallertkrebs kann primär recht groß werden, ohne daß eine lymphogene Absiedlung erfolgt (Abb. 193/1).

Eine Sonderform stellt der **Morbus Paget** (Paget-Karzinom) dar (Abb. 194). Die ersten Symptome zeigen sich an der Brustwarze oder am Warzenhof in Form einer ekzematösen Rötung, die landkartenartig begrenzt ist, sich langsam immer mehr ausbreitet und schließlich die Haut jenseits des Warzenhofes ergreift. Das histologische Bild gleicht dem an der Vulva beschriebenen. Es kommt zu einer intraepithelialen karzinomatösen Umwandlung der Mamillenhaut mit Einlagerung der typischen Paget-Zellen. Im Gegensatz zum Paget der Vulva liegt jedoch bei der Mamma fast immer ein Milchgangskarzinom hinter der Mamille vor, so daß es sich hier nicht um eine Präkanzerose, sondern um den Randbelag eines infiltrierenden Karzinoms handelt.

Das Verhalten der Patientin bei knotigen Befunden in der Brust, die diese oft selbst beim Waschen oder beim Blick in den Spiegel entdeckt, ist sehr unterschiedlich. Die seit langem betriebene Aufklärung wirkt fördernd. Viele Frauen suchen einen Arzt auf, wenn sie einen Knoten in der Brust spüren, zumal gegen eine Brustuntersuchung

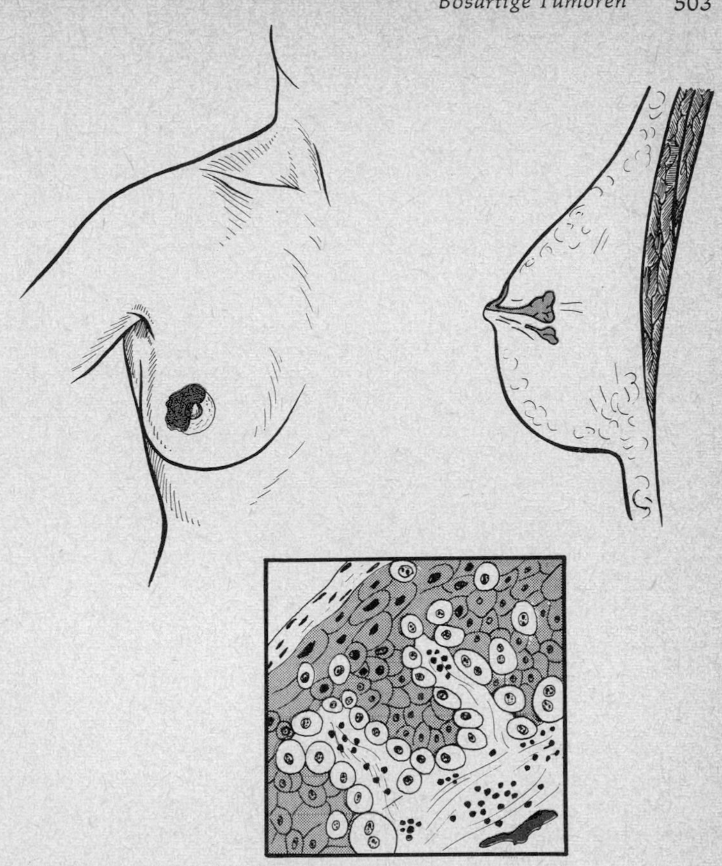

Abb. 194 PAGETsche Erkrankung der Brust. Ekzematöse Warzenveränderung mit darunterliegendem Milchgangskarzinom. Histologisch gleicht der Tumoraufbau völlig der PAGETschen Erkrankung der Vulva: Die großen Zellen mit hellem Zytoplasma werden PAGET-Zellen genannt

keine so großen Hemmungen bestehen, wie gegen eine Unterleibsuntersuchung. Trotz der zunehmenden Krebsaufklärung betreiben aber manche Patientinnen eine Selbsttäuschung, die sie damit begründen, daß der Knoten nicht schmerze. Man ist auch heute noch überrascht, in welch fortgeschrittenem Krankheitszustand einige Patientinnen zum ersten Arztbesuch kommen. — Das Brustkarzinom verursacht im Drüsenkörper kaum Schmerzen, sondern ein ziehendes Gefühl. Erst bei infiltrierendem Wachstum in Nerven oder durch hämatogene Knochenmetastasen entstehen starke Schmerzen. Eine sichtbare Haut- oder Mamilleneinziehung wird von den Patientinnen meist nicht als alarmierendes Symptom empfunden, eher schon eine pathologische Sekretion aus der Mamille, die aber nur bei wenigen Krebsformen auftritt.

DIAGNOSE. Bei jeder gynäkologischen Untersuchung sollten beide Brüste untersucht werden. Die Inspektion und Palpation erfolgen nach einem besonderen Schema (s. S. 283). Hat man eine Gewebsverdichtung bemerkt, so beschreibt man deren Durchmesser, die Verschieblichkeit und die Abgrenzbarkeit gegenüber der Umgebung. Bei eingezogener Mamille kommt differentialdiagnostisch die harmlose Anomalie der Hohlwarze in Betracht, die meist seit der pubertären Brustentwicklung besteht. Die Frage nach der Dauer der Mamilleneinziehung klärt die Situation. Die axillären Lymphknoten werden sorgfältig bei herunterhängenden Armen abgetastet. Klinisch werden unbehandelte Mammakarzinome in 4 Stadien unterteilt, die in Tab. 30 wiedergegeben sind. Die Röntgenaufnahme beider Brüste (Mammographie s. S. 285) liefert weitere wertvolle Hinweise. Berichtet die Patientin über eine Absonderung aus der Mamille, so kann das Sekret ausgestrichen und mikroskopisch untersucht werden. Ausstriche mit Tumorzellen sind zwar beweisend, bilden aber bei der großen Fülle von Karzinomen eine Ausnahme. Negative Abstriche sind ohne Aussagewert.

Die Entscheidung zur Exstirpation des verdächtigen Bezirks liegt bei dem untersuchenden Arzt. Nur wenn beim Vergleich des klinischen Befundes mit der Mammographie sicher ist, daß der getastete Bezirk auch von der Röntgenaufnahme erfaßt wurde (ist bei kleinen atrophischen Brüsten technisch oft schwierig), kann man auf Grund eines beruhigenden Befundes der Mammographie eine Kontrollzeit von einigen Wochen einhalten, um dann den klinischen und röntgenologischen Befund zu wiederholen und mit den Erstbefunden zu vergleichen.

Die Diagnose kann nur **histologisch** gestellt werden. Der Verdacht auf eine bösartige Natur des Leidens muß in vorsichtiger Form mit der Patientin besprochen werden, um von ihr die Genehmigung zu der erforderlichen Radikaloperation zu erhalten. Allgemein wird die Exstirpation des verdächtigen Gebietes ausgeführt und eine wenige Minuten dauernde histologische Bearbeitung angeschlossen. Beim Vorliegen eines Karzinoms folgt unmittelbar die Radikaloperation. Zu Recht fürchtet man bei einem Intervall von mehreren Tagen zwischen Gewebsexstirpation und operativer Therapie eine vermehrte lymphogene und hämatogene Metastasierung. – In einigen Fällen **muß** das Risiko eingegangen werden, da die Beurteilung der Morphologie im unfixierten Frischgefrierschnitt gegenüber dem Paraffinschnitt schwierig ist. Die in den Formenkreis der Mastopathie gehörende fibrosierende Adenose kann mit einem szirrhösen Karzinom verwechselt werden. – Abzulehnen ist bei jeder Gewebsentnahme aus der Brust die Probeexzision, d. h. die Freilegung des getasteten Gebietes und die Entnahme eines makroskopisch verdächtigen kleinen Teils. Die Fehlermöglichkeiten sind bei diesem Verfahren zu groß.

Bei der Krebsaufklärung der Bevölkerung wird auf die Selbstuntersuchung der Brüste hingewiesen. Der Wert ist umstritten, da nur wenige Frauen sie sachlich richtig ausführen und dann nicht selten in eine Karzinophobie geraten können.

THERAPIE. Für das Mammakarzinom gelten die Prinzipien der Karzinomtherapie. Möglichst radikale operative Entfernung des Primärtumors und der abhängigen Lymphregionen in Kombination mit der postoperativen Nachbestrahlung. Aus dem vermuteten Zusammenhang des Mammakarzinoms mit dem Endokrinium entwickelte sich eine hormonelle Therapie. Schließlich kommt beim fortgeschrittenen Mammakarzinom auch die zytostatische Behandlung in Betracht.

1. Operative Therapie. Die Operationsmethode geht auf die vor ca. 80 Jahren von ROTTER, HEIDENHEIM und HALSTED eingeführte Ablatio mammae zurück. Dabei werden die Mamma en bloc mit dem M. pectoralis major, das Fett- und Drüsengewebe der parapektoralen Region, der Achselhöhle und der Infraklavikulargrube entfernt. Abb. 195 zeigt das Prinzip der Methode. Die Erweiterung der Operation mit Ausräumung der Lymphknoten in der Supraklavikulargrube oder des Mammariastranges hat keine eindeutige Verbesserung der Erfolge gebracht, dagegen ein erhöhtes Operationsrisiko sowie eine Vermehrung der postoperativen Komplikationen. Gegenläufige Tendenzen mit Einschränkung der Operation auf eine einfache Mastektomie und Intensivierung der Nachbestrahlung sind im Gange. Ihre Ergebnisse lassen sich noch nicht voll einschätzen. – Bei fortgeschrittenen Mammakarzinomen kommt als Palliativmaßnahme nur die einfache Mastektomie in Frage (Stadium III). Endstadien des Mammakarzinoms erlauben auch diese Palliativbehandlung nicht mehr.

Nach der Radikaloperation kann ein Ödem des Armes der operierten Seite auftreten, infolge mangelhaften Lymphabflusses oder einer venösen Stauung bei schwieligen Narbenbildungen in der Axilla. Differentialdiagnostisch kommt ein Karzinomrezidiv in Frage. Das Armödem ist therapeutisch schwer zu beeinflussen. Beläßt man bei der Ausräumung der axillären Lymphknoten die Gefäßscheide (umgebendes Bindegewebe der großen Gefäße), so ist das Armödem wesentlich seltener. – Postoperativ muß ein systematisches Bewegungsübungsprogramm für das Training der verbliebenen Muskelgruppen sorgen, die den M. pectoralis major in seiner Funktion ersetzen. Die Operationsnarbe wird dabei dehnbar und elastisch gehalten. Ungenügende Bewegungsübungen führen rasch zu einer Versteifung im Schultergelenk und zu einer starken Narbenschrumpfung.

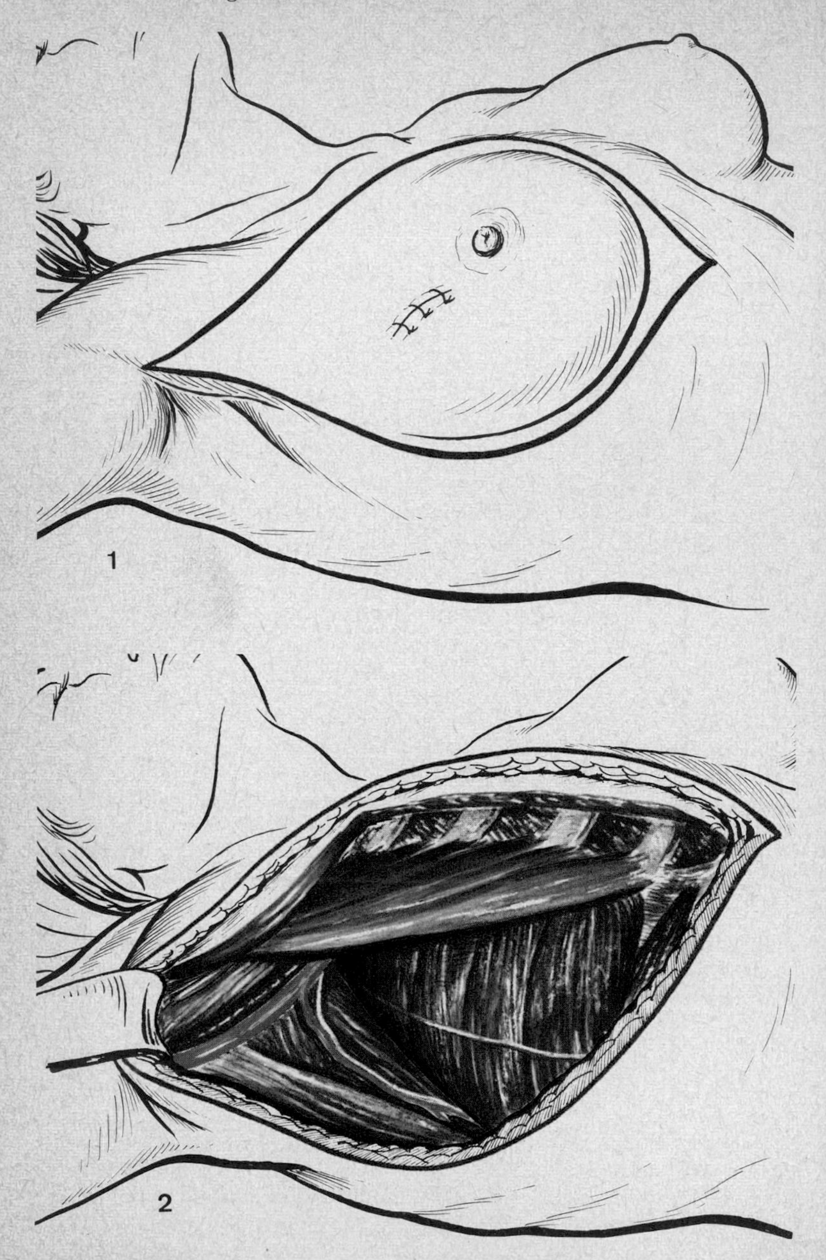
1
2

2. Strahlentherapie. Die frühzeitige lymphogene Aussaat auch kleiner Primärkarzinome zwingt zur obligaten Nachbestrahlung. Vorbestrahlungen haben beim Mammakarzinom keine Besserung der Ergebnisse gebracht. – Wenn auch die Bewertung der Nachbestrahlung nicht einheitlich ist, so bietet sie doch Chancen, die man den Patientinnen nicht vorenthalten kann. Die Strahlenintensität konnte mit Einführung der Hochvolt-Therapie verbessert werden. Auch nicht operable Fälle (fortgeschrittene Stadien III und IV) sprechen oft auf die alleinige Strahlentherapie überraschend gut an.

3. Hormonbehandlung. Die Behandlung von Brustkrebspatientinnen durch die Ausschaltung physiologischer endokriner Systeme oder die Zufuhr hoher Hormondosen wurde empirisch erprobt und entbehrt der theoretischen Grundlage. Daher ist ihre Anwendung vielfach umstritten und problematisch. Als Palliativmaßnahme kann sie bei fortgeschrittenen Fällen zu vorübergehenden Remissionen und zur Verlängerung der Überlebenszeit führen. Von einer **prophylaktischen** ablativen oder additiven Hormonbehandlung bei Patientinnen, die mit Operation und Nachbestrahlung ausreichend behandelt wurden, wird abgeraten. **Diese Behandlung kommt erst beim Auftreten von Metastasen in Frage.** Man unterscheidet:

a) **Ablative** Ausschaltung der körpereigenen Hormonproduktion
   Ovarektomie
   Adrenalektomie
   Hypophysektomie

b) **Additive** Zufuhr von Sexualhormonen (Östrogene und Androgenabkömmlinge ohne starken Vermännlichungseffekt in unphysiologisch hohen Dosierungen)

Mit keiner Methode läßt sich vorausbestimmen, ob es sich bei dem individuellen Fall um einen hormonsensiblen Tumor handelt oder nicht. An die Bestimmung des randständigen Geschlechtschromatins in Zellkernen des Tumors hatten sich Hoffnungen geknüpft (BARR-Test, s. S. 5), da man eine Zeitlang glaubte, zwischen geschlechtschromatinpositiven und -negativen Tumortypen unterscheiden zu können. Diese Annahme ließ sich nicht halten. Das Fehlen des Geschlechtschromatins in Mammatumoren ist ein Zeichen der Entdifferenzierung. Für die endokrine Therapie beim metastasierenden Mammakarzinom gelten folgende Richtlinien:

←

Abb. 195 Radikaloperation der Brust nach HALSTED/ROTTER. 1. Umschneidungsfigur, die Spitze der Umschneidungsfigur geht nicht in die Axilla, um dort Narbenbildungen zu vermeiden, sondern in Richtung des Humeruskopfes. 2. Darstellung der Axilla mit Gefäßband nach Absetzen der Mamma und des M. pectoralis major sowie Entfernung der axillären Lymphknoten

Geschlechtsreife und prämenopausale Patientinnen: Zunächst Ovarektomie. Bei hormonabhängigen Tumoren kommt es zu einer Remission. Bei erneutem Tumorwachstum geht man zu einer Androgenbehandlung über. Schrittweise wird nach Perioden der Remission und des Rezidivs die Adrenalektomie und/oder Hypophysektomie erwogen. Bringen der erste oder die darauffolgenden hormonalen Behandlungsversuche keine Besserung, so geht man auf die Behandlung mit Zytostatika über.

Postmenopausale Patientinnen (3—4 Jahre nach Eintritt der Menopause). Zufuhr von hohen Dosen von Östrogenen oder Androgenen. Bei einer Remission und nachfolgendem Rezidiv Wechsel der Hormonzufuhr, dann schrittweise Adrenalektomie und/oder Hypophysektomie. Ist eine dieser Maßnahmen bei einer Beobachtungszeit von 3—4 Monaten ohne Erfolg geblieben (keine subjektive oder objektive Besserung), so verläßt man die Hormontherapie und geht auf Zytostatika über.

4. Zytostatika. Ein Versuch ist beim Scheitern der Hormontherapie immer indiziert, wenn auch die Ansprechbarkeit des individuellen Tumors nicht voraussehbar ist. Lebensverlängerungen werden mit Zytostatika beim Mammakarzinom erreicht.

Ein besonderes therapeutisches Problem bieten Frauen mit Brustkrebs in der **Schwangerschaft.** Die Radikaloperation kann auch während der Gravidität durchgeführt werden. Die Nachbestrahlung ist problematisch. Handelt es sich bei der Entdeckung um ein fortgeschrittenes Karzinom, ist die Frage der Interruptio umstritten, da nicht sicher ist, ob das Schicksal der Erkrankten damit geändert wird. — Tritt innerhalb der ersten zwei Jahre **nach** der Therapie eines Mammakarzinoms eine Schwangerschaft ein, kann die medizinische Indikation zur Interruptio diskutiert werden.

Die Nachsorge von Brustkrebskranken sollte mit der gleichen Intensität betrieben werden, wie auf S. 409 beschrieben. Die verbliebene Brust bedarf einer besonderen Kontrolle, da die Krebsdisposition bestehen bleibt. — Über die Betreuung von inkurablen Brustkarzinompatientinnen s. S. 409. — Junge Frauen bedürfen postoperativ einer psychologischen Unterstützung, da sie die Mammaamputation als grobe Verstümmelung betrachten.

Berichte über Behandlungserfolge sind nur dann verwertbar, wenn sie aus einem vergleichbaren Material stammen. Eine Einteilung der Mammakarzinome in Stadien ist ähnlich problematisch wie beim Kollumkarzinom. Eine objektive Einordnung des Einzelfalles ist klinisch nicht möglich. Zur gegenseitigen Verständigung sind klinisch drei Stadieneinteilungen im Gebrauch, die in Tab. 30 wiedergegeben werden. Die starke Streuung der Überlebensrate liegt an dem unterschiedlichen, biologischen Verhalten der Tumoren und an den uneinheitlichen Behandlungsverfahren.

Tabelle 30 **Stadieneinteilung der Mammakarzinome**

Stadium	Int. Comitee of Protection against Radiation ICPR	Haagensen (Columbia)	Steinthal	Durchschnittliche Überlebensrate, 5 Jahre nach Operation und/oder Bestrahlung
I	Tumor mit der Haut nicht oder nicht voll fixiert, Brustwarze evtl. retrahiert, axilläre Lymphknoten nicht palpabel T_1Na, T_2Na *	Tumor **ohne** Hautödem, Ulzeration oder volle Fixation an der Brustwand, axilläre Lymphknoten nicht palpabel	lokalisierter Tumor, keine Metastasen	40—85 %
II	Primärtumor wie im Stadium I, axilläre Lymphknoten palpabel T_1Nb, T_2Nb *	Tumor wie bei I, palpable, axilläre Lymphknoten, die 2,5 cm ⌀ nicht überschreiten und nicht an tiefere Partien der Achselhöhle fixiert sind	Lokalisierter Tumor, mit Haut u. Pektoralis verwachsen, regionäre Lymphknotenmetastasen	30—60 %
III	Vollständige Fixation des Tumors mit der Haut oder mit dem Muskel oder axilläre Lymphknoten fixiert T_1Nc, T_2Nc, T_3Nabc *	Brust- oder Achsellymphknoten im Zusammenhang mit **einem** der folgenden Zeichen: Hautödem, Hautulzeration, solide Fixierung an der Brustwand, Achsellymphknoten größer als 2,5 cm ⌀, Fixation der Achsellymphknoten an der Haut oder tieferen Partien	große Tumoren, supraklavikuläre Lymphknotenmetastasen	0—60 %
IV	Involution der Haut, über den Tumor hinausgehend verstreute Hautmetastasen, vollständige Fixation an den Brustkorb, Fernmetastasen inklusive supraklavikulärer Lymphknoten T_1M, T_2M, T_4Nabc *	fortgeschrittene Brusttumoren einschließlich **mehrerer** unter III aufgeführter Zeichen, Hautmetastasen, Entzündung, supraklavikuläre, parasternale Metastasen, Armödem, hämatogene Metastasen	hämatogene Metastasen	0—35 %

* Zeichenerklärung: T = Tumor, 1—4 = Tumordurchmesser in cm, Na = Lymphknoten nicht palpabel, Nb = Lymphknoten palpabel aber beweglich, Nc = Lymphknoten fixiert, M = Metastase

Mammasarkome

Viel seltener als Brustkarzinome, etwa 0,5—5 % aller Malignome der Brustdrüse.

Es herrschen Stromasarkome niederer Gewebsreife vor (Spindelzellsarkome, Rundzellsarkome, letztere sind besonders bösartig). Aber auch Sarkome mit differenzierten Gewebsbestandteilen wurden beschrieben (Fibro-, Myxo-, Lipo-, Chondro-, Osteoid-, Angio-, Neurosarkom). Eine Sonderform (langer Verlauf, gute Prognose) stellt das **Cystosarcoma phylloides** dar.

Sarkompatientinnen sind wesentlich jünger als solche mit Karzinomen. Jenseits des 50. Lebensjahres sind sie selten. Sie sind gekennzeichnet durch ein rapides Wachstum mit massiver Geschwulstinfiltration in die Umgebung. Frühzeitige, vorwiegend hämatogene (selten lymphogene) Metastasierung in Leber, Lunge und Gehirn.

Auf Grund des schnellen Wachstums sind die klinischen Symptome stürmischer als beim Karzinom. Die schnelle Vergrößerung ist verbunden mit starken Schmerzen. Eine Begleitentzündung ist häufig.

Die Therapie gleicht der des Mammakarzinoms, die Prognose ist wesentlich schlechter. Mammasarkome sollten nachbestrahlt werden, da sie meist strahlenempfindlich sind.

Zusammenfassung: Das Mammakarzinom ist das häufigste Karzinom des weiblichen Geschlechts. 4–5 % aller Frauen erkranken daran. Endogene Faktoren werden ätiologisch diskutiert, insbesondere die Unausgewogenheit des Ovarialendokriniums. Frauen mit Kindern und langen Stillperioden erkranken seltener. Gereinigte Statistiken zeigen eine Zunahme des Mammakarzinoms in vergleichbaren Altersklassen bis ins hohe Alter. Der Verlauf ist bei jungen Frauen bösartiger als bei älteren. Morphologisch findet sich eine Vielzahl von Tumortypen mit unterschiedlichem Krankheitsablauf. Innerhalb der Brust wird der obere äußere Quadrant bevorzugt vom Primärtumor befallen. Eine Sonderform stellt der Morbus Paget dar, der durch eine ekzematöse Veränderung der Mamille gekennzeichnet ist. Die Diagnose des Mammakarzinoms kann nur histologisch sicher gestellt werden nach Exstirpation des verdächtigen Gewebes. Die Standardtherapie ist die Radikaloperation der Mamma mit Ausräumung der axillären Lymphknoten und obligater Nachbestrahlung. Beim metastasierenden Mammakarzinom sind hormonempfindliche Tumoren durch eine ablative oder additive, empirisch erprobte Hormontherapie palliativ beeinflußbar. Tumoren, welche nicht auf eine Hormontherapie ansprechen, werden mit Zytostatika behandelt. Die Einteilung der Mammakarzinome in klinische Stadien ist problematisch. – Mammasarkome sind mit 0,5–5 % der malignen Tumoren der Brust selten, aber wesentlich bösartiger als Karzinome. Der Verlauf ist rapide. Das Erkrankungsalter liegt im 3.–4. Lebensjahrzehnt. Operation und Nachbestrahlung müssen trotz schlechter Prognose versucht werden.

Erkrankungen des Venensystems

Frauen leiden häufiger an einer Insuffizienz der venösen Gefäße als Männer.

ÄTIOLOGIE. Neben konstitutionellen und erblichen Faktoren ist die Umstellung des Kreislaufs während einer Schwangerschaft die Hauptursache für die Ausbildung erweiterter Venen in der unteren Körperhälfte.

Nichtgravide Frauen haben einen gleichmäßigen Venendruck von 4—8 cm H_2O. Bei graviden Frauen ist ab dem 5. Schwangerschaftsmonat der Venendruck in Rückenlage in der unteren Körperhälfte bis zu 24 cm H_2O erhöht. In der Spätschwangerschaft werden die Druckverhältnisse auch bei aufrechter Körperhaltung ungünstiger, da der große Uterus bei schlanken Patientinnen mit straffen Bauchdecken einen Druck auf die V. cava inferior ausüben kann. In Seitenlage normalisieren sich die Druckdifferenzen. Die Ursache ist in einer mechanischen Kompression der unteren Hohlvene zu suchen. Als Extrem ist das V.-cava-inferior-Syndrom bei Hochschwangeren in Rückenlage bekannt, wobei es zu einem schweren Kollapszustand mit Bewußtseinsverlust durch vollkommene Kompression der unteren Hohlvene kommt.

SYMPTOMATIK. Die Venen der unteren Körperhälfte erweitern und verlängern sich. Das venöse Klappensystem wird insuffizient.

1. Varizen der unteren Extremitäten (Krampfadern; Abb. 196/1). Bei jungen Schwangeren häufig einseitige Stauung im Bereich der V. saphena magna, später meist doppelseitige Varizenbildung in den subkutanen Venen. Vor allem in der Kniekehle und im Wadenbereich finden sich Knäuel von geschlängelten, stark hervortretenden Venen. Neben den großkalibrigen Venenerweiterungen gibt es eine Vermehrung kleinster Hautvenen, die, kosmetisch ungünstig, sich spinnwebartig verzweigend, der Haut ein marmoriertes Aussehen verleihen. Die Frauen klagen über Schweregefühl in den Beinen, häufig über Juckreiz an den unteren Extremitäten und krampfartige Schmerzen in der Wadengegend. Folgeerkrankungen der Beinvarizen sind Thrombosen, Thrombophlebitiden, Unterschenkelgeschwüre.

2. Vulvavarizen (Abb. 196/2). Im Bereich der großen und kleinen Labien kann es doppel- oder einseitig zur starken Erweiterung und Schlängelung von Venen kommen. Diese Form findet sich ausschließlich in der Schwangerschaft und bildet sich nach überstandener Gravidität weitgehend zurück. In manchen Fällen treten die Venenknäuel

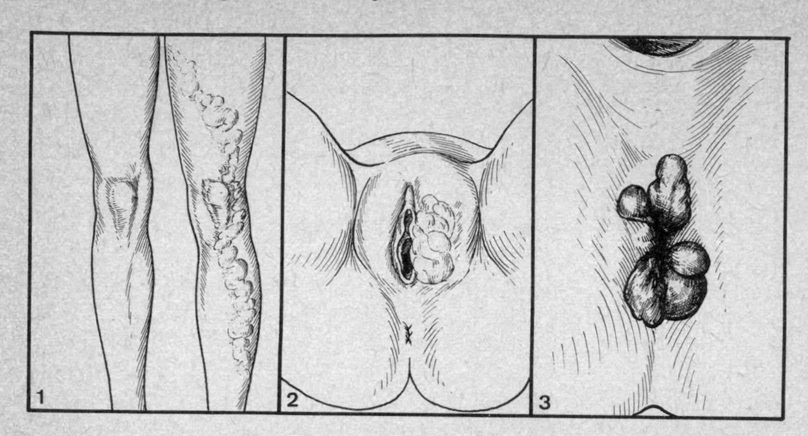

Abb. 196 Erkrankungen des Venensystems. 1. Varikosis bei einer jungen Schwangeren. 2. Einseitig entwickelte Vulvavarizen bei einer Schwangeren. 3. Perianale Hämorrhoiden

in aufrechter Körperhaltung faustgroß hervor, so daß die Patientinnen Gehbeschwerden haben. Ein begleitendes Vulvaödem ist nicht selten.

3. Analhämorrhoiden (Abb. 196/3). Abgesehen von der ursächlich in Frage kommenden Striktur des M. sphincter ani internus, treten Hämorrhoiden oft erstmals in der Gravidität auf. Um den Anus schwellen die Venen bis zu Fingerdicke an. Sie stören die Defäkation. Blutaustritte aus dem Darm durch Venenverletzungen sind nicht selten. Auch bei den Hämorrhoiden ist mit einer Rückbildung nach Beendigung der Schwangerschaft zu rechnen.

4. Venenerweiterung im Bereich des kleinen Beckens. Im kleinen Becken kommt es – unterhalb der V. cava inferior – in graviditate zu erheblichen Venenerweiterungen, die vorwiegend auf der Blasenserosa variköse Komplexe bilden können. Die sog. Pelvikozele kann bei Schnittentbindungen zu unerwarteten Blutungen Anlaß geben.

DIAGNOSE. Inspektion der unteren Extremitäten, der Vulva und des Anus. Venenerweiterungen im Bereich des kleinen Beckens finden sich nur zufällig bei Schnittentbindungen.

THERAPIE. Bei jeder Schwangeren sollte eine Prophylaxe betrieben werden, um die Varizenbildung einzuschränken. Neben einer häufigen Entlastung des Venensystems durch Seitenlagerung sollte Gymnastik die Zirkulation fördern. Speziell elastisch verarbeitete Strümpfe komprimieren den Beinumfang und verhüten eine Erschlaffung der subkutanen Venen. – Aber auch bei vorhandenen Varizen ist der elastische Stützstrumpf oder der Kompressionsverband die Therapie der Wahl. Die gefürchteten Folgeerkrankungen werden damit eingeschränkt. Einige Autoren haben mit der aktiven Therapie der Varizenerkrankung auch in der Schwangerschaft Erfolge (Injektion einer Lösung, die eine lokale Thrombose und Venenverödung hervorruft). Extremitäten- und Vulvavarizen sollen sich dafür eignen. In den meisten Fällen empfiehlt sich aber, das Ende der Gravidität abzuwarten, um die spontane Rückbildung beobachten zu können.

Zusammenfassung: Venenerweiterungen sind bei Frauen häufiger als bei Männern. Neben konstitutionellen und erblichen Faktoren sind Schwangerschaften die Hauptursache bei der Entstehung. Klinisch wichtig sind die Varizen der Beine, der Vulva, Analhämorrhoiden und Venenerweiterungen im kleinen Becken.

Literatur

Allgemeine und spezielle Gynäkologie

KÄSER, O., V. FRIEDBERG, K. G. OBER, K. THOMSEN, J. ZANDER: Gynäkologie und Geburtshilfe, Bd. I. Die geschlechtsspezifischen Funktionen der Frau und ihre Störungen. Thieme, Stuttgart 1969

KÄSER, O., V. FRIEDBERG, K. G. OBER, K. THOMSEN, J. ZANDER: Gynäkologie und Geburtshilfe, Bd. III. Spezielle Gynäkologie. Thieme, Stuttgart 1972

KÄSER, O., F. A. IKLÉ: Atlas der gynäkologischen Operationen, 2. Aufl. Thieme, Stuttgart 1965

KEPP, R., H. J. STAEMMLER: Lehrbuch der Gynäkologie, begründet von H. MARTIUS, 10. Aufl. Thieme, Stuttgart 1970

KNÖRR K., F. K. BELLER, Ch. LAURITZEN: Lehrbuch der Gynäkologie, Springer, Berlin 1972

LAX, H.: STÖCKEL's Lehrbuch der Gynäkologie, 14. Aufl. Hirzel, Leipzig 1960

NETTER, F. H.: The Ciba Collection of Medical Illustrations. Reproductive System, Bd. 2, 1954

NOVAK, E. R.: NOVAK's Textbook of Gynecology, 7. Aufl. Williams & Wilkins, Baltimore 1965

OBER, K. G., H. MEINRENKEN: Gynäkologische Operationen. In: Allgemeine und spezielle chirurgische Operationslehre, hsg. von M. KIRSCHNER, 2. Aufl. Bd. IX. Springer, Berlin 1964

PSCHYREMBEL, W.: Praktische Gynäkologie, 2. Aufl. de Gruyter, Berlin 1965

SCHWALM, H., G. DÖDERLEIN: Klinik der Frauenheilkunde und Geburtshilfe, Bd. I bis VIII, Urban & Schwarzenberg, München 1964–1969

SEITZ, L., A. I. AMREICH: Biologie und Pathologie des Weibes, 2. Aufl. Urban & Schwarzenberg, München 1955

Zu den Themen:

Fetalzeit

BARR, M. L.: Das Geschlechtschromatin. In: Die Intersexualität, hsg. von C. OVERZIER. Thieme, Stuttgart 1961

BECKER, P. E.: Humangenetik. Thieme, Stuttgart 1964–1972

GRUNDMANN, E.: Allgemeine Cytologie. Thieme, Stuttgart 1964

HIENZ, H. A.: Chromosomenfibel. Einführung in die klinische Cytogenetik für Ärzte und Studenten. Thieme, Stuttgart 1971

LANGMAN, J.: Medizinische Embryologie. Thieme, Stuttgart 1970

OHNO, S.: Sex Chromosomes and Sex-Linked Genes. Springer, Berlin 1967

OVERZIER, C.: Die Intersexualität. Thieme, Stuttgart 1961

STARCK, D.: Embryologie. 2. Aufl. Thieme, Stuttgart 1965

VALENTINE, G. H.: Die Chromosomenstörungen. Springer, Berlin 1968

Kindheit und Pubertät

KRETSCHMER jr., W.: Die Neurose als Reifungsproblem. Thieme, Stuttgart 1952

MEYER, J.-E., H. FELDMANN: Anorexia nervosa. Thieme, Stuttgart 1965

PETER, R., K. VESELY: Kindergynäkologie. VEB Thieme, Leipzig 1966

PRADER, A.: Wachstum und Entwicklung. In: Klinik der Inneren Sekretion, hsg. von A. LABHART. Springer, Berlin 1957

ROSSI, E.: Physiologie und Pathologie der Pubertät. Karger, Basel 1968

SCHWENK, A.: Die körperliche Entwicklung im Jugendalter und ihre endokrinologischen Grundlagen. Karger, Basel 1965

TANNER, J. M.: Wachstum und Reifung des Menschen. Thieme, Stuttgart 1962

THOMÄ, H.: Anorexia nervosa. Klett, Stuttgart 1961

Geschlechtsreife

AMMON, R., W. DIRSCHERL: Fermente, Hormone, Vitamine, 3. Aufl. Bd. II. Thieme, Stuttgart 1960

APOSTOLAKIS, M., K.-D. VOIGT: Die Gonadotropine. Thieme, Stuttgart 1965

BETTENDORF, G., V. INSLER: Clinical Application of Human Gonadotropins. Thieme, Stuttgart 1970

DICZFALUSY, E., Ch. LAURITZEN: Oestrogene beim Menschen. Springer, Berlin 1961

ISRAEL, S. L.: Diagnosis and Treatment of Menstrual Disorders and Sterility, 5. Aufl. Hoeber, New York 1967

JORES, A., H. NOWAKOWSKI: Praktische Endokrinologie, 3. Aufl. Thieme, Stuttgart 1968

JUNG, G., P. A. KÖNIG: Enzyme des Ovars. Karger, Basel 1965

JUNKMANN, K.: Die Gestagene. In: Handbuch der experimentellen Pharmakologie. Bd. XXII, Teil 1 u. 2 Berlin, Springer 1968

KAISER, R.: Hormonale Behandlung von Zyklusstörungen, 4. Aufl. Thieme, Stuttgart 1970

LABHART, A.: Klinik der inneren Sekretion. Springer, Berlin 1957

NOCKE, W., G. LEYENDECKER: Neue Erkenntnisse über die endokrine Physiologie des menstruellen Zyklus. Der Gynäkologe, Band 5/1, 39—72, 1972

SCHMIDT-MATTHIESEN, H.: Das normale menschliche Endometrium. Thieme, Stuttgart 1963

STAEMMLER, H. J.: Die gestörte Regelung der Ovarialfunktion. Springer, Berlin 1964

STAEMMLER, H. J.: Fibel der gynäkologischen Endokrinologie, 2. Aufl. Thieme, Stuttgart 1969

TAUSK, M.: Pharmakologie der Hormone. Thieme, Stuttgart 1970

UFER, J.: Hormontherapie in der Frauenheilkunde. de Gruyter, Berlin 1966

Klimakterium, Menopause, Postmenopause, Senium

DAVIS, M. E.: The Physiology and Management of the Menopause. In: Advances in Obst. and Gyn. Baltimore, The Williams & Wilkins Comp. 1967

HAUSER, G. A., R. WENNER: Das Klimakterium der Frau. In: Ergebnisse der inneren Medizin und Kinderheilkunde, Bd. XVI, hsg. von HEILMEYER, L., R. SCHOEN, B. de RUDDER. Springer, Berlin 1961

LIEPELT, A. O.: Die Symptomatologie des Klimakteriums und ihre Beziehung zur Gesamtmedizin. Enke, Stuttgart 1952

SCHETTLER, G.: Alterskrankheiten. Thieme, Stuttgart 1966

WAGNER, H.: Das Klimakterium der Frau. Enke, Stuttgart 1955

Ovulation

HERTIG, A. T., H. GORE: Diseases and Anomalies of the Ovum. In: DAVIS-CARTER: Gynecology and Obstetrics. Prior, Hagerstown 1960

SHETTLES, L. B.: Ovulation. Normal and Abnormal in the Ovary. Williams & Wilkins, Baltimore 1962

SHETTLES, L. B.: Ovum humanum. Urban & Schwarzenberg, München 1960

STEGNER, H. E.: Die elektronenmikroskopische Struktur der Eizelle. Springer, Berlin 1967

WESTMAN, A.: Investigation into the Transport of the Ovum. In: Studies on Testis and Ovary, Eggs and Sperm, hsg. von E. T. ENGLE. Thomas, Springfield 1952

ZUCKERMAN, S.: The Ovary. New York a. London, Academic Press 1962

Konzeption

BLECHSCHMIDT, E.: Vom Ei zum Embryo. Deutsche Verlagsanstalt, Stuttgart 1968
BLEULER, M.: Endokrinologische Psychiatrie. Thieme, Stuttgart 1954
COLMEIRO-LAFORET, C.: Die Sexualität der Frau. Enke, Stuttgart 1960
CONDRAU, G.: Psychosomatik der Frauenheilkunde. Huber, Bern 1965
HARTMAN, C. G.: Mechanism Concerned with Conception. Pergamon Press, New York 1963
KEMPER, W.: Die funktionellen Sexualstörungen. Thieme, Stuttgart 1950
KINSEY, A. C.: Das sexuelle Verhalten der Frau. Fischer, Frankfurt 1963
KNAUS, H.: Die Physiologie der Zeugung des Menschen. Maudrich, Wien 1954
KRONE, H.-A.: Die Bedeutung der Eibettstörungen für die Entstehung der menschlichen Mißbildungen. Fischer, Stuttgart 1961
LEONHARD, K.: Instinkte und Urinstinkte in der menschlichen Sexualität. Enke, Stuttgart 1964
LUKAS, K. H.: Die Dysmenorrhoe. Enke, Stuttgart 1965
MASTERS, W. H., V. E. JOHNSON: Die sexuelle Reaktion. Akadem. Verlagsgesellschaft, Frankfurt/M. 1967
MATUSSEK, P.: Funktionelle Sexualstörungen. In: Die Sexualität des Menschen, hsg. von H. GIESE. Enke, Stuttgart 1955
PRILL, H. J.: Psychosomatische Gynäkologie. Urban & Schwarzenberg, München 1964
ROEMER, H.: Gynäkologische Organneurosen. Thieme, Stuttgart 1953
SIGUSCH, V.: Excitation und Orgasmus bei der Frau. Enke, Stuttgart 1970

Sterilität und Infertilität

BÄUERLEIN, I.: Die künstliche Samenübertragung beim Menschen im angloamerikanischen Bereich. Enke, Stuttgart 1963
BICKENBACH, W., G. K. DÖRING: Die Sterilität der Frau, 4. Aufl. Thieme, Stuttgart 1969
BORELLI, S., R. DOEPFMER, E. HEINKE: Fertilitätsstörungen beim Manne. In: Handbuch der Haut- und Geschlechtskrankheiten, Ergänzungswerk, Bd. VI/3, hsg. von SCHUERMANN, H., R. DOEPFMER. Springer, Berlin 1960
DÖRING, G. K.: Die Temperaturmethode zur Empfängnisverhütung, 7. Aufl. Thieme, Stuttgart 1968
ENGLE, E. T.: Diagnosis in Sterility. Thomas, Springfield 1947
FIKENTSCHER, R.: Richtlinien für eine moderne Diagnostik und Therapie der Sterilität. In: Almanach für die Frauenheilkunde, hsg. von F. v. MIKULICZ-RADECKI. Lehmann, München 1964
HOTCHKISS, R. S.: Fertility in Men. Lippincott, Philadelphia 1944
JOËL, C. H.: Studien am menschlichen Sperma. Schwabe, Basel 1953
KLEEGMAN, S. J., S. A. KAUFMAN: Infertility in Women. Davis, Philadelphia 1966
MANN, T.: Biochemistry of Semen. Methuen, London 1964
PALMER, R.: La stérilité involuntaire. Masson, Paris 1950
SCHIRREN, C.: Fertilitätsstörungen des Mannes. Enke, Stuttgart 1961
TONUTTI, E., O. WELLER, E. SCHUCHARDT, E. HEINKE: Die männliche Keimdrüse. Thieme, Stuttgart 1960
VASTERLING, H. W.: Praktische Spermatologie. Thieme, Stuttgart 1960

Extrauteringravidität

La grossesse extra-utérine. Masson, Paris 1961

Schwangerschaftsunterbrechung und Sterilisierung

GLAUS, A.: Über Schwangerschaftsunterbrechung und deren Verhütung. Huber, Bern 1962
HEISS, H.: Die künstliche Schwangerschaftsunterbrechung und der kriminelle Abort. Enke, Stuttgart 1967
MÜLLER, C., D. STUCKI: Richtlinien zur medizinischen Indikation der Schwangerschaftsunterbrechung. Springer, Berlin 1964
MUTH, H., H. ENGELHARDT: Schwangerschaftsunterbrechung und Sterilisierung in neuerer Sicht. Urban & Schwarzenberg, München 1964

Empfängnisverhütung

BECKMANN, J., H. GESENIUS, G. R. GROEGER: Kirche und Geburtenregelung. Mohn, Gütersloh 1962

BREHM, H. K.: ABC der modernen Empfängnisverhütung. Thieme, Stuttgart 1968

CALDERONE, M. S.: Manual of Contraceptive Practice. Williams & Wilkins, Baltimore 1964

DÖRING, G. K.: Empfängnisverhütung. 4. Aufl. Thieme, Stuttgart 1969

GESENIUS, H.: Empfängnisverhütung. Urban & Schwarzenberg, München 1959

HALLER, J.: Ovulationshemmung durch Hormone, 3. Aufl. Thieme, Stuttg. 1970

HAUSER, G. A.: Beeinflussung der Ovulation. Karger, Basel 1965

KEPP, K. H., H. KOESTER: Empfängnisregelung und Gesellschaft. Thieme, Stuttgart 1969

LORAINE, J. A., E. T. BELL: Fertility and Contraception in the Human Female. Livingstone, Edinburgh 1968

PALMER, R.: La Contraception. Masson, Paris 1963

PETERSEN, P.: Psychiatrische und psychologische Aspekte der Familienplanung bei oraler Kontrazeption. Thieme, Stuttgart 1969

PINCUS, G.: The Control of Fertility. Academic Press, New York 1965

Report on the Use of Intrauterine Devices. 2. Int. Conf. on Intrauterine Contraception. New-York 1964

VAN DE VELDE, T. H.: Über den Zusammenhang zwischen Ovarialfunktion, Wellenbewegungen und Menstrualblutung und über die Entstehung des sogenannten Mittelschmerzes. Bohn, Haarlem 1904

VILLEE, C. A.: Control of Ovulation. Pergamon Press, Oxford 1961

Untersuchungsmethoden

ALBERT, A.: Human Pituitary Gonadotropins. Thomas, Springfield 1961

ANTOINE, T. V., V. GRÜNBERGER: Atlas der Kolpomikroskopie. Thieme, Stuttg. 1956

ANTONIADES, H. N.: Hormones in Human Plasma. Little, Brown, Boston 1960

BOSCHANN, H.-W.: Praktische Zytologie. de Gruyter, Berlin 1960

CRAMER, H.: Die Kolposkopie in der Praxis, 2. Aufl. Thieme, Stuttgart 1962

DAHMER, J.: Anamnese und Befund. Thieme, Stuttgart 1970

DECKER, A.: Culdoscopy. Saunders, New York 1952

EGAN, R. L.: Mammography. Thomas, Springfield 1964

FOCHEM, K.: Einführung in die geburtshilfliche und gynäkologische Röntgendiagnostik. Thieme, Stuttgart 1967

FRANGENHEIM, H.: Die Laparoskopie und die Culdoskopie in der Gynäkologie, 2. Aufl. Thieme, Stuttgart 1970

GRAY, C. H., A. L. BACHARACH: Hormones in Blood. Academic Press, New York 1961

GRÜNBERGER, V., R. ULM: Diagnostische Methoden in Geburtshilfe und Gynäkologie sowie gynäkologische Endokrinologie. Thieme, Stuttgart 1968

HIENZ, H. A.: Die zellkernmorphologische Geschlechtserkennung in Theorie und Praxis. Hüthig, Heidelberg 1959

HINSELMANN, H.: Die Kolposkopie. Girardet, Wuppertal 1954

IGEL, H.: Gynäkologische Zytodiagnostik. de Gruyter, Berlin 1959

KERN, G.: Carcinoma in situ. Springer, Berlin 1964

KRÜSKEMPER, H.-L.: Anabole Steroide, 2. Aufl. Thieme, Stuttgart 1965

MESTWERDT, G., H.-J. WESPI: Atlas der Kolposkopie, 3. Aufl. Fischer, Stuttgart 1961

MITTWOCH, U.: Sex Chromosomes. Academic Press, New York 1967

NEUWEILER, W.: Gynäkologische Diagnostik, 2. Aufl. Huber, Bern 1958

OERTEL, G. W.: Chemische Bestimmung von Steroiden im menschlichen Plasma. Springer, Berlin 1962

OERTEL, G. W.: Chemische Bestimmung von Steroiden im menschlichen Harn. Springer, Berlin 1964

OVERZIER, C.: Das Kerngeschlecht. Ergebn. inn. Med. Kinderheilk. 21 (1964) 165–216

SCHULTZE, G. K. F., J. ERBSLÖH: Gynäkologische Röntgendiagnostik, 2. Aufl. Enke, Stuttgart 1954

SEMM, K.: Zur Technik der Eileiterdurchblasung. Z. Geburtsh. Gynäk. Beilageheft 162 (1963) 48

SMOLKA, H., H.-J. SOOST: Grundriß und Atlas der gynäkologischen Zytodiagnostik, 3. Aufl. Thieme, Stuttgart 1971

STOLL, P., J. JÄGER: Gynäkologische Untersuchung in der Praxis unter besonderer Berücksichtigung der Krebsvorsorgeuntersuchung. Lehmann, München 1970

STOLL, P., J. JÄGER, G. DALLENBACH-HELLWEG: Gynäkologische Cytologie. Springer, Berlin 1968
THOYER-ROZAT, J.: La Coelioscopie. Masson, Paris 1962
WITT, H., H. BÜRGER: Mammadiagnostik im Röntgenbild. de Gruyter, Berlin 1968
ZIMMERMANN, W.: Chemische Bestimmungen von Steroidhormonen in Körperflüssigkeiten. Springer, Berlin 1955
ZINSER, H.-K.: Die Zytodiagnostik in der Gynäkologie, 2. Aufl. VEB Fischer, Jena 1957

Entzündliche Genitalerkrankungen

EHRLER, P.: Die Genital- und Peritonäaltuberkulose der Frau. Huber, Bern 1966
FINKE, L.: Die Tuberkulose des weiblichen Genitales. Enke, Stuttgart 1954
FRIEBOES, W., W. SCHÖNFELD, J. KIMMIG, M. JÄNNER: Atlas der Haut- und Geschlechtskrankheiten, 3. Aufl. Thieme, Stuttgart 1966
GOTTRON, H. A., W. SCHÖNFELD: Dermatologie u. Venerologie, Bd. V/2. Thieme, Stuttgart 1965
KEINING, E., O. BRAUN-FALCO: Dermatologie und Venerologie. Lehmann, München 1961
LANGENDÖRFER, G.: Physiotherapie in der Frauenheilkunde und Geburtshilfe. Hippokrates, Stuttgart 1963
MÜLLER, H. A.: Konservative Therapie der Frauenkrankheiten. Anzeigen, Grenzen und Methoden einschließlich der Rezeptur, hsg. von H. KAHR, 8. Aufl. Springer, Wien 1956
SCHAEFER, G.: Tuberculosis in Obstetrics and Gynecology. Churchill, London 1956
SOMMER, K. H.: Die Gonorrhoe der Frau. Thieme, Leipzig 1939
UNDEUTSCH, W.: Zur Therapie der Geschlechtskrankheiten nach dem gegenwärtigen Stand. Hippokrates. (Stuttg.) 39 (1968) 89—97

Tumoren

ALBERTINI, A.v.: Histologische Geschwulstdiagnostik. Thieme, Stuttgart 1955
BECKER, J., G. SCHUBERT: Die Supervolttherapie. Thieme, Stuttgart 1961
BURGHARDT, E.: Histologische Frühdiagnose des Zervixkrebses. Thieme, Stuttgart 1972
COPPLESON, M., B. REID: Preclinical Carcinoma of the Cervix uteri. Pergamon Press, Oxford 1967
FRIEDELL, G. H., A. T. HERTIG, P. A. YOUNGE: Carcinoma in situ of the Uterine Cervix. Thomas, Springfield 1960
FLUHMANN, C. F.: The Cervix and its Diseases. Saunders, Philadelphia 1961
FUCHS, W. A.: Lymphographie und Tumordiagnostik. Springer, Berlin 1965
GENTIL, F., A. C. JUNQUEIRA: Ovarian Cancer. Springer, Berlin 1968
GERTEIS, W.: Lymphographie und topographische Anatomie des Beckenlymphsystems. Enke, Stuttgart 1966
HAMPERL, H.: Lehrbuch der allgemeinen Pathologie und pathologischen Anatomie, 28. Aufl. Springer, Berlin 1968
HILLEMANNS, H. G.: Entstehung u. Wachstum des Zervixkarzinoms. Karger, Basel 1964
HOFMANN, D.: Klinik der gynäkologischen Strahlentherapie. Urban & Schwarzenberg, München 1963
HOHENFELLNER, R.: Die urologischen Komplikationen des Collumkarzinoms. Springer, Berlin 1965
JANOVSKI, N. A.: Erkrankungen der Vulva. Urban & Schwarzenberg, München 1968
JANOVSKI, N. A., V. DUBRAUSZKY: Atlas of Gynecologic and Obstetric Diagnostic Histopathology. McGraw-Hill, New York 1967
KEPP, R. K.: Gynäkologische Strahlentherapie. Thieme, Stuttgart 1952
KEPP, R. K.: Grundlagen der Strahlentherapie. Thieme, Stuttgart 1952
LAX, H.: Histologischer Atlas gynäkologischer Erkrankungen. VEB Thieme, Leipzig 1956
LIMBURG, H.: Die Frühdiagnose des Uteruskarzinoms, 3. Aufl. Thieme, Stuttgart 1956
PAPANICOLAOU, G. N.: Atlas of Exfoliative Cytology, Suppl. 2. Harvard Univ. Press, Cambridge 1960
PAPANICOLAOU, G. N., F. TRAUT: Diagnosis of Uterine Cancer by Vaginal Smear. Commonwealth Fund., New York 1943
REIFFENSTUHL, G.: Das Lymphsystem des weiblichen Genitale. Urban & Schwarzenberg, München 1957
REIFFENSTUHL, G.: Das Lymphknotenproblem beim Carcinoma colli uteri und

die Lymphirradiatio pelvis (Isotopen). Urban & Schwarzenberg, München 1967
RIES, J., J. BREITNER: Strahlenbehandlung in der Gynäkologie. Urban & Schwarzenberg, München 1959
SCHIFFRIN, M.: Management of Pain in Cancer. Year Book Publ., Chicago 1956
ZOLLINGER, H. U.: Pathologische Anatomie, Bd. I. Allgemeine Pathologie, 3. Aufl. Thieme, Stuttgart 1971

Endometriose

HEIM, K., G. DE WERRA: Zur weiteren Entwicklung der Endometriosefrage. Karger, Basel 1959

Bandapparat

LANGREDER, W.: Das Parametrium. VEB Thieme, Leipzig 1955
MERGER, R., J. LÉVY, J. MELCHIOR, J. BARRAT: Traitement chirurgical des prolapsus génitaux. Masson, Paris 1964

Urologie und Proktologie

BECK, L.: Morphologie und Funktion der Muskulatur der weiblichen Harnröhre. Enke, Stuttgart 1969
FISCHER, W.: Die Ureterfunktion beim Kollumkarzinom und anderen gynäkologischen Erkrankungen. Enke, Stuttgart 1967
HARTL, H.: Die funktionelle Harninkontinenz der Frau. Enke, Stuttgart 1953
LANGREDER, W.: Gynäkologische Urologie. Thieme, Stuttgart 1961
REUTER, H. J.: Atlas der urologischen Endoskopie. Thieme, Stuttgart 1963

Verletzungen

MAYER, A.: Weibliche Geschlechtsorgane und Unfall. Enke, Stuttgart 1934

Kreuzschmerzen

ANTOINE, T.: Der Kreuzschmerz. Hollinek, Wien 1951
BREITENFELDER, H.: Der Kreuzschmerz. In: Die Wirbelsäule in Forschung und Praxis, Bd. 37. Hippokrates, Stuttgart 1967
BROCHER, J. E. W.: Die Wirbelsäulenleiden und ihre Differentialdiagnose, 5. Aufl. Thieme, Stuttgart 1970
MARTIUS, H.: Die Kreuzschmerzen der Frau, 4. Aufl. Thieme, Stuttgart 1953
ROEMER, H.: Gynäkologische Organneurosen. Thieme, Stuttgart 1953

Brustdrüse

BUTTENBERG, D., K. WERNER: Die Mammographie. Schattauer, Stuttgart 1962
KONJETZNY, G. E.: Mastopathie und Milchdrüsenkrebs. Enke, Stuttgart 1964
SCHERMULY, W.: Knochenmetastasen des Mammakarzinoms. Urban & Schwarzenberg, München 1964
SPRATT, J. S., W. L. DONEGAN: Cancer of the Breast. Saunders, Philadelphia 1967
STEWART, F. W.: Tumors of the Breast. Armed Forces Institute of Pathology, Washington 1968
WIDOW, W.: Atlas zur klinischen Diagnostik des Brustdrüsenkrebses. Akademie-Verlag Berlin 1968
ZINSER, H.-K.: Mammakarzinom, Diagnose und Differentialdiagnose. Thieme, Stuttgart 1972

Venensystem

HAID, F., H. FISCHER-HAID: Venen-Fibel, 2. Aufl. Thieme, Stuttgart 1967
SIGG, K.: Varicen, Ulcus cruris und Thrombose, 2. Aufl. Springer, Berlin 1962

Sachverzeichnis

Halbfette Ziffern verweisen auf Hauptkapitel, Ziffern mit Stern * auf Abbildungen.

A

D

E

F

L

M

N

O

P

R

S

T

U

V

Schlüssel zum Gegenstandskatalog

zu G. Kern, Gynäkologie, 2. Aufl.